FRANCOSCOPIE

2013

Gérard Mermet

avec la collaboration de

Christophe Gazel

LAROUSSE

Crédits photographiques des pictos :
Individu © Delphine - Fotolia.com ; Famille © Ben Chams - Fotolia.com ; Société © Vanessa - Fotolia.com ; Travail © Faysal Farhan - Fotolia.com ; Argent © Castelberry - Fotolia.com ; Loisirs © Ben Chams - Fotolia.com.
Ouvertures : p.19, 40, 94, 111 - Archive personnelle de Gérard Mermet; p.113, 148, 167, 211 © Andres Rodriguez - Fotolia.com ; p. 4-5, 213, 238, 267, 292 © Dmitry Nikolaev - Fotolia.com ; p. 293, 308, 337 © sandycrea- Fotolia.com ; p.339, 371, 431 © Monkey Business - Fotolia.com ; p. 433, 444, 490, 547, 579 © Maridav - Fotolia.com.

Les Éditions Larousse utilisent des papiers composés de fibres naturelles, renouvelables, recyclables et fabriquées à partir de bois issus de forêts qui adoptent un système d'aménagement durable. En outre, les Éditions Larousse attendent de leurs fournisseurs de papier qu'ils s'inscrivent dans une démarche de certification environnementale reconnue.

ISBN : 978-2-03-587648-5

DU MÊME AUTEUR

Les Français dans l'objectif

Textes de l'ouvrage de photographies de Gilles Bassignac et Jean-Michel Turpin
Éditions de La Martinière, 2012.

Francoscopie

Larousse, éditions 2010, 2007, 2005, 2003, 2001, 1999,
1997, 1995, 1993, 1991, 1989, 1987 et 1985.

Révolution !

Pour en finir avec les illusions françaises, Louis Audibert, 2005.

Tendances

Les Nouveaux Consommateurs, Larousse, éditions 1998 et 1996.

La Piste française

FIRST-Documents, 1994.

Euroscopie

Les Européens, qui sont-ils, comment vivent-ils ? Larousse, 1991.

Les Français en questions

Entretiens avec vingt et une personnalités françaises,
RFI/La Revue des Deux Mondes, 1989.

Monsieur le futur Président

Aubier, 1988.

Démocrature

Comment les médias transforment la démocratie, Aubier, 1987.

La Bataille des images

Avec Jean-Marie Cotteret, Larousse, 1986.

Vous et les Français

Avec Bernard Cathelat, Flammarion, 1985.

Marketing : les règles du jeu

Clet (France) et Agence d'Arc (Canada), 1982.

SOMMAIRE

SOMMAIRE

Travail

Argent

Loisirs

Je dédie cette édition à mon père.
Et à Monique, Brigitte, Philippe.

Le changement, c'est ici !

Cette édition de *Francoscopie* est la quatorzième du nom. Comme toutes celles qui se sont succédé depuis 1985 (à un rythme en principe biennal), elle a pour ambition de décrire et décrypter la vie des Français, dans ses multiples composantes. Le livre s'ouvre sur l'*Individu*, atome de base de la société. Il se poursuit par la description de la *Famille*, lieu de vie privilégié des Français. Il décrit ensuite l'évolution de la *Société* qu'ils forment ensemble, le climat qui prévaut, la place et l'image des institutions nationales et de leurs dirigeants, les valeurs qui demeurent, celles qui se dissipent, émergent ou réapparaissent.

L'ouvrage s'intéresse ensuite au *Travail* des Français, dans un contexte de crise et de chômage, d'évolution accélérée des activités, des métiers, des statuts, des conditions de travail. La cinquième partie est consacrée à l'*Argent*. Elle présente les différentes formes de revenus dont les ménages disposent pour vivre, le détail de leurs dépenses, leurs attitudes et comportements de consommation, ainsi que le patrimoine qu'ils accumulent en épargnant. L'occasion de faire un point précis sur des thèmes sensibles comme l'évolution du pouvoir d'achat et celle des inégalités. Et de faire un sort à quelques idées reçues. Le livre se clôt sur une partie moins polémique, mais essentielle dans la vie des Français : les *Loisirs*.

Cette édition a été totalement remaniée, bien au-delà d'une actualisation des données. Elle s'est enrichie d'une cinquantaine de pages. Elles ont permis de fournir encore plus de données, notamment de comparaisons entre les pays d'Europe, et un décryptage affiné des tendances qui se dessinent. Une place importante a été faite à la *consommation*, à la fois miroir des évolutions en cours dans les modes de vie et reflet de la « crise » qui sévit depuis quelques années. Mais ce sont les chapitres *Médias* et *Communication* (de plus en plus difficiles à distinguer au fur et à mesure que se met en place la convergence numérique) qui ont pris le plus d'ampleur, en relation avec la place qu'ils occupent dans la vie individuelle et collective.

Ce long cheminement dans la vie des Français permet d'illustrer, préciser, décoder le véritable changement d'époque, on peut même parler de *civilisation*, qu'ils sont en train de vivre (synthétisé dans les pages qui suivent). Des retournements de tendances s'opèrent dans de nombreux secteurs. Ils sont induits notamment par une révolution technologique et scientifique (et numérique) aux conséquences sans doute encore plus vastes que celles qu'avait entraînées la précédente, à la fin du XVIIIe siècle. *« Le changement c'est maintenant »*, affirmait le candidat élu à la présidence de la République ; *« Le changement, c'est ici »* pourrait être le slogan (et l'objectif) de *Francoscopie*...

Cette mutation se déroule en outre dans un contexte très particulier de globalisation, de crise économique durable, de surendettement de l'État, de menaces avérées sur l'environnement et d'épuisement des ressources naturelles. La France doit donc réinventer son modèle économique et social, en tenant compte des attentes fortes de ses habitants, de ses moyens limités, de son appartenance à une Union européenne malade et de la concurrence croissante des pays du « nouveau monde ». Une entreprise très délicate et de longue haleine, qui implique une compréhension partagée de la situation présente et des enjeux pour l'avenir. Puisse ce livre y contribuer.

Gérard Mermet

Contact : francoscopie@free.fr
Site internet : www.francoscopie.fr

SYNTHÈSE

L'ÉTAT DES FRANÇAIS

Que retenir des descriptions et analyses proposées dans les 592 pages de ce livre, réparties en 22 chapitres et 76 thèmes, et contenant quelques milliers de chiffres ? Quels sont les atouts et les handicaps des Français face à la « crise » qui bouleverse leurs modes de vie, leurs visions du monde et de l'avenir ? Une synthèse « qualitative » peut être tentée, de façon d'abord lapidaire en se donnant comme contrainte de survoler en moins d'une page l'état des Français :

Les Français sont de plus en plus nombreux (dix millions de plus en trente ans), conséquence d'un taux de natalité record en Europe et des progrès accumulés en matière de soins, de prévention et d'évolution des modes de vie. Ils vivent de plus en plus longtemps, du fait de l'allongement continu de l'espérance de vie. Cependant, leur durée de vie « en bonne santé » (sans incapacité majeure) tend à stagner depuis quelques années.

D'autres retournements de tendance peuvent être observés. Ainsi, le niveau d'instruction des jeunes progresse moins vite que par le passé ; ils sont de plus en plus nombreux à sortir de l'école sans qualification suffisante pour entrer dans la vie professionnelle, dans un contexte de chômage élevé et croissant. Le processus de démocratisation de l'éducation s'est par ailleurs interrompu. D'autres écarts ont cessé de se réduire, comme le taux de pauvreté ou les différences d'accès aux soins ; d'autres s'accroissent, comme les inégalités de patrimoine.

Sur le plan matériel, les Français dénoncent depuis des années une baisse de leur pouvoir d'achat, qui n'était pas confirmée globalement par les chiffres disponibles. Mais elle a fini par se produire et risque de se poursuivre avec la « crise ». Beaucoup sont ainsi contraints d'arbitrer leurs dépenses de consommation, ce qui implique des restrictions sur certains postes et des frustrations. Tous ces mouvements sont révélateurs d'un changement d'époque.

Désorientés et pessimistes, les Français cherchent à recréer ou renouveler des liens sociaux défaits par l'incapacité du modèle républicain à tenir ses promesses. Ils se réfugient pour cela dans la famille, élargie aux « amis » du monde réel ou virtuel, ou dans les diverses formes de « communautés ». Dans leur vie personnelle, ils se « pacsent » de plus en plus, mais se séparent aussi plus fréquemment, illustration d'une tendance au « zapping » que l'on retrouve dans de nombreux domaines : professionnel ; social ; amical ; culturel...

Conscients des menaces qui pèsent sur l'avenir, ils font preuve de défiance, au mieux de scepticisme à l'égard des acteurs politiques, économiques ou sociaux, dont aucun ne semble détenir la formule pour sortir d'une « crise » inédite et vraisemblablement durable. C'est pourquoi les Français de tout âge manifestent le désir de « profiter de la vie » au jour le jour, de peur qu'il soit trop tard demain.

Cette description très simplificatrice ne saurait s'apparenter à un « portrait robot ». C'est en effet la diversité qui domine dans les opinions, les valeurs, les modes de vie et les mentalités de nos concitoyens. On peut cependant identifier quelques « tendances lourdes », qui affectent une partie importante de la population, soit parce qu'elle est majoritaire à la mettre en pratique, soit parce qu'elle joue un rôle d'entraînement à l'égard des autres catégories. Quelques-unes de ces tendances sont décrites ci-après.

Comme toujours, certaines semblent se contredire, selon le principe physique (mais aussi psychologique et sociologique) que toute action engendre une réaction. Dans un groupe, le mimétisme s'accompagne en effet souvent de la volonté de se différencier. L'envie d'adhérer n'exclut pas la tentation de s'opposer. Loin de s'annuler, tendances et contre-tendances se renforcent mutuellement ; la disparition des unes entraînerait celle des autres.

Le constat de défiance

Pour les Français, la « crise » n'est pas un phénomène récent, né à l'automne 2008 du scandale des *subprimes* (prêts immobiliers hypothécaires à risque) aux États-Unis. Elle était présente dans l'opinion depuis notamment les années 1990, comme en témoignent de nombreuses enquêtes. On pourrait même remonter au milieu des années 1960 pour voir apparaître les premiers signes de mise en cause de la « société de consommation » et de l'apparition d'une demande de *liberté*, avant qu'elle devienne principalement de *sécurité*. Depuis, les chocs se sont succédés régulièrement : pétrolier en 1973, politique en 1981 (retour de la gauche au pouvoir), financier en 1987 (crack boursier), idéologique en 1989 (chute du Mur de Berlin), géopolitique en 1991 (première guerre du Golfe), social en 1995 (émeutes en banlieues), calendaire en 2000, européen en 2005 (rejet du projet de Constitution européenne), financier de nouveau en 2008, puis économique et budgétaire. À l'inverse du « contrat de confiance » inventé par une enseigne d'électroménager, on peut résumer l'état d'esprit des Français par un « constat de défiance ».

Cette défiance s'est nourrie d'un certain nombre de scandales et de promesses non tenues par les acteurs politiques ou économiques. Elle s'est perpétuée du fait de l'absence d'un projet clair et crédible pour sortir de la crise, de sorte que le pays s'y est enfoncé davantage, bien qu'il ait plutôt mieux résisté que d'autres en Europe. En 2012, les Français ont voté sans enthousiasme, tant pour l'élection présidentielle que pour les législatives. Ils ont favorisé l'alternance, sans savoir vraiment s'il s'agissait d'une alternative. Ils ont retenu du message de la gauche qu'elle ne se contenterait pas de l'austérité mais qu'elle encouragerait la croissance, y compris au niveau européen. À un moment où les pays qui s'étaient engagés dans l'austérité (contraints par leurs créanciers) ne récoltaient que la baisse des revenus et l'aggravation du chômage, ce discours apparaissait plutôt cohérent.

En juillet 2012, le plan annoncé par le gouvernement Ayrault était assez largement approuvé par l'opinion (Taddeo-*Europe 1-Les Échos*/TNS Sofres) : parmi les 11 mesures prises, 7 étaient jugées positivement, à commencer par le gel des dépenses de l'État pour trois ans (85%) et la création d'une tranche à 75% d'imposition (73%). Elles devançaient largement la fin des exonérations sur les heures supplémentaires (47% favorables, 40% non) ou la hausse du forfait social sur l'épargne salariale (45% favorables, 39% défavorables). En même temps, seule une minorité de Français estimait que ces mesures auraient des effets positifs : 36% d'ici un an. 38% pensaient qu'elles n'auraient aucun effet et 15% que ses effets seraient négatifs. De même, seuls 21% estimaient que la situation économique française allait s'améliorer dans les douze mois, 42% n'anticipant aucun changement et 31% jugeant qu'elle allait se dégrader. C'est l'absence de solutions connues et de modèles transposables (celui de l'Allemagne ne l'étant pas) qui entretient le doute et la défiance des Français.

La fin du modèle républicain ?

La volonté de « vivre ensemble » est d'autant plus forte dans la société (mé)contemporaine qu'elle lui semble mal satisfaite. Mais elle s'accompagne de la crainte de se mélanger aux « autres », notamment ceux qui n'ont pas la même histoire, les mêmes origines, conceptions, valeurs, aspirations, attitudes, comportements ou revenus. Le « modèle républicain », fondé sur la conception d'une collectivité nationale rassemblée autour d'un système de valeurs commun, est menacé, car jugé inopérant. Aux yeux des Français, il ne tient plus ses promesses. Celle de *liberté* est entravée par une législation toujours plus contraignante. L'engagement d'*égalité* paraît de plus en plus vain avec la liste croissante des inégalités. La *fraternité* n'a quant à elle pas disparu, mais elle a pris un sens différent au fur et à mesure que les solidarités nationales montraient leurs limites. Elles ont été peu à peu remplacées ou complétées par

La vérité introuvable

L'incertitude est une maladie qui cause des ravages parmi les Français. Le présent est difficile à appréhender et à « gérer » ; les références au passé n'apportent que peu d'aide, tant l'état du monde et celui de la France semblent ne plus obéir aux règles antérieures. La perception du futur est donc un exercice particulièrement complexe, pour ne pas dire impossible dans un contexte d'accélération du changement et de survenance d'événements imprévisibles, dont les conséquences le sont tout autant.

La « vérité » est ainsi devenue introuvable pour le citoyen. Chaque chiffre publié est immédiatement mis en doute, du fait de la suspicion spontanée à l'égard de celui qui le produit, l'analyse, le diffuse ou le commente. La « polémique » est la contrepartie systématique de tout événement de quelque importance ; les médias s'en repaissent puisqu'elle leur permet de prolonger l'actualité et de lui donner encore plus de relief. Les soubresauts de la Bourse, les annonces contradictoires des dirigeants ou les points de vue opposés des experts montrent que personne ne sait « sur quel pied danser », d'autant que chacun est régulièrement « pris à contrepied ».

Rien n'est donc plus acquis, certain, rassurant. La seule « vérité » apparente est que personne ne sait ce qu'il convient de faire pour résoudre les problèmes du moment. Les théories économiques traditionnelles ne sont plus pertinentes dans une situation de récession des pays développés, de croissance des pays émergents et de forte dépendance des uns à l'égard des autres. La perte du triple A de la France devait ainsi faire monter les taux d'intérêt auxquels elle se finance ; ils ont au contraire diminué. La cure drastique d'austérité imposée par le FMI à la Grèce devait lui permettre de réduire sa dette, alors qu'elle l'a accrue. Les modèles, les simulations et les réflexions des « sachants » ne permettent pas de répondre aux grandes questions contemporaines. L'euro peut-il survivre ? Quelles seraient les conséquences de sa disparition, même limitée à un seul pays ? Comment maintenir le moteur de la consommation tout en augmentant les prélèvements obligatoires ? L'avenir est comme toujours moins à découvrir qu'à inventer. Il sera le fruit de la nécessité, mais aussi du hasard.

des systèmes d'entraide familiale, amicale, « tribale », clanique, associative, communautaire.

Le développement des communautés, construites sur des critères d'appartenance multiples (culture, éducation, religion, centre d'intérêt, âge, pratique sexuelle...) est ainsi une réponse « par défaut » au délitement du modèle républicain. D'une façon générale, les solidarités sont devenues plus sélectives et hiérarchisées : moi, ma famille, mes amis, mes relations... Malgré l'abolition des distances, elles prennent aussi de plus en plus en compte la proximité géographique : mon quartier, ma commune, ma région, mon pays...

Pendant longtemps, le cercle des parents, amis et relations était pour la plupart des individus limité à quelques dizaines de personnes. Il peut aujourd'hui s'étendre à des centaines, voire des milliers grâce aux outils de communication numérique. Cette extension a été rendue possible par les logiciels de messagerie (courriels et messageries instantanées), les blogs, forums, textos. Elle a connu une nouvelle accélération avec la création des réseaux sociaux tels Facebook ou Twitter. Mais la notion d'« ami » n'a plus le même sens qu'auparavant. Partager des photos de sa dernière soirée ou échanger des messages de 140 caractères avec 500 personnes ne signifie pas que l'on a avec chacune d'elles une relation forte et durable, ce que Montaigne appelait les « atomes crochus ».

Argent étalé, argent étalon

Une rapide analyse de contenu des médias ou des conversations des Français montre sans ambiguïté la place qu'a pris l'argent dans l'information et dans les rapports humains. Il s'agit souvent

La peur des mots

Les responsables politiques de droite refusaient de parler de plans d'« austérité ». Ceux de gauche qui leur ont succédé en 2012 ont la même attitude. Dans les entreprises, les dirigeants tiennent aussi souvent des discours lénifiants. De même qu'en 1968, il ne fallait pas « désespérer Billancourt », il ne faudrait pas aujourd'hui effrayer les citoyens ou les salariés, de peur qu'ils se réveillent trop brutalement. C'est ainsi que les questions environnementales, dont on sait qu'elles sont cruciales pour l'avenir, ont été mises de côté pour causes de crise. Le *déni* et le *défi* de réalité (page suivante) s'accompagnent d'une *omerta* : un accord tacite entre tous pour ne pas parler de ce qui fâche, pour transmettre le *mistigri* aux suivants en oubliant les responsabilités et devoirs qu'on a envers eux.

La peur des mots n'est pas récente. Elle a commencé avec le remplacement d'un certain nombre de termes usuels par d'autres, socialement plus « corrects ». On ne parlait plus de « bonnes à tout faire » mais « d'employés de maison », voire de « techniciens de surface ». On avait remplacé les « concierges » par des « gardiens d'immeubles ». En annonçant le décès de personnalités, beaucoup de médias n'osent toujours pas parler de « cancer » mais de « longue maladie »...

Cette peur de dire la vérité part sans doute d'un bon sentiment, celui de rassurer, de ne pas déclencher de panique, de ne pas exacerber les passions ou inciter à désigner (et sacrifier) des boucs-émissaires. Mais elle constitue un frein pour s'adapter, innover, mettre en place des réformes, demander des efforts (ou les sacrifices) qui seront de toute façon nécessaires. Cette « lénification » est une forme d'infantilisation. Elle est apparente dans la multiplicité des moyens proposés aux individus pour échapper au réel, pour s'en « distraire ». On peut être tenté d'ignorer la réalité en se réfugiant dans le divertissement et la virtualité ; mais on finit toujours par être rejoint par la réalité.

de l'argent que l'on *gagne*, avec la thématique récurrente du *pouvoir d'achat*. Les Français sont convaincus qu'il a diminué depuis des années et ils s'inquiètent (à juste titre cette fois) des baisses en cours et à venir. Les revenus de certains patrons ont été depuis 2008 l'objet d'une indignation générale et légitime. Ceux des footballeurs, des chanteurs ou des acteurs de cinéma choquent étonnamment moins les Français. L'argent est de plus en plus étalé ; il est plus que jamais un *étalon*.

On parle aussi beaucoup de l'argent que l'on *dépense*, avec les polémiques coutumières (et souvent fondées) sur la valse des étiquettes des produits alimentaires dans les magasins, les abus des opérateurs de téléphonie ou ceux des garagistes, les hausses répétées des tarifs des médecins (et les dessous de table qui les accompagnent parfois), ceux pratiqués sur certains équipements de santé, tels les prothèses dentaires ou auditives.

On parle enfin de l'argent que l'on *épargne*, les Français cultivant en la matière des habitudes anciennes et spécifiques. Il est l'objet de craintes et de critiques nombreuses. Les années récentes ont montré combien il est difficile de le faire fructifier, de sorte qu'un retour de l'inflation pourrait provoquer un appauvrissement général, qui aurait notamment des conséquences pour ceux qui tirent une partie de leurs revenus de leur patrimoine. À cette difficulté s'ajoute la crainte de ne pas pouvoir le récupérer auprès des organismes financiers en cas de défaut. Le spectre de la queue devant les guichets des banques, entrevu en 2008, n'a pas disparu.

L'argent est un sujet de conversation et un thème de conflit. Il met en évidence les inégalités entre les individus (revenus, patrimoines, modes de vie, vulnérabilité) dans une société qui les supporte de moins en moins. La transparence croissante autour de l'argent n'a pas fait disparaître le tabou culturel qui l'entoure, en France plus qu'ailleurs. Elle a favorisé le voyeurisme financier, exacerbé les passions et les rancœurs. La pauvreté a été mise en exergue, la richesse stigmatisée. À défaut sans doute d'apporter le bonheur, l'argent est considéré comme un moyen d'accéder au plaisir, à la liberté, au pouvoir et à l'autonomie. Il est un marqueur social, un symbole de réussite ou d'échec personnel et collectif. C'est pourquoi il est au centre de la vie et de la société.

Déni de réalité, défi de réalité

Si l'on ne devait retenir qu'une tendance lourde, susceptible d'en résumer beaucoup d'autres, ce serait sans doute la *« déréalisation »* de la société contemporaine. La question centrale, qui traverse ce livre sous des formes diverses, est en effet celle de l'accès à la réalité, de la distinction difficile (parfois impossible) entre le vrai et le faux, entre ce qui est subjectivement « perçu » et ce qui est objectivement « mesurable ». La séparation aussi, de plus en plus ténue, entre le « réel » et le « virtuel ». La question, enfin, de l'acceptation de la réalité ou, au contraire, de son *déni*. C'est cette dernière attitude qui a semble-t-il la préférence des Français, qu'ils soient simples citoyens ou membres des « élites ».

Si l'on se fie à la définition clinique, les Français peuvent apparaître comme un peuple *schizophrène*. Ils souffrent en effet d'une « maladie psychique, qui s'accompagne d'une perte du contact avec la réalité ». Certes, ils sont comme tous les humains dotés de capteurs pour voir, entendre, sentir, toucher, goûter les choses de la vie et les réalités du monde. Ils ont aussi à leur disposition de très nombreux outils d'information, qui leur indiquent en permanence son état, avec d'ailleurs de plus en plus de détails. Mais tout se passe comme si certains d'entre eux ne voulaient pas l'assimiler et l'intégrer dans leur vision, leurs attitudes, leurs modes de vie. Ils savent que le monde traverse une crise inédite, grave, durable ; ils le reconnaissent massivement lorsqu'on les interroge dans les sondages. Mais ils hésitent à en tenir compte au quotidien.

Leurs comportements apparaissent en effet souvent paradoxaux. Électeurs, ils savent que l'avenir du pays dépend de leur vote, mais s'abstiennent de plus en plus. Consommateurs, ils plébiscitent le principe du *« made in France »* mais continuent d'acheter des produits importés. Citoyens, ils sont conscients que le rôle des responsables politiques, économiques ou sociaux est essentiel et difficile, mais ils ne leur apportent guère de soutien. Contribuables, ils ont compris que des efforts sont nécessaires pour redresser le pays et rembourser ses dettes, mais ils préfèrent s'en défausser sur les « autres ». Patients, ils reconnaissent que le système de santé doit faire des économies, mais ils ne se disent pas prêts à réduire leurs dépenses personnelles. Lecteurs, auditeurs ou téléspectateurs, ils accusent volontiers les médias d'incompétence, voire de compromission, mais continuent de les fréquenter assidûment. Êtres humains, ils sont conscients que beaucoup de leurs semblables dans d'autres pays sont bien plus à plaindre qu'eux, mais cela ne diminue pas leur demande de confort. Individus, ils demandent qu'on les traite en adultes et qu'on leur « parle vrai », mais ils ne prêtent guère attention à ceux qui tentent de le faire. *« Le premier qui dit la vérité doit être exécuté... »*

À défaut de justifications, ces paradoxes ou contradictions ont des explications. Les Français se retranchent derrière les scandales, abus, dérives, affaires, dysfonctionnements qui émaillent la vie publique depuis des années. Ils ne font pas confiance aux informations qu'ils reçoivent, parce qu'ils sont suspicieux à l'égard de ceux qui les émettent ou les relaient. Ils ont aussi tendance à désigner des boucs-émissaires, ou évoquent leurs difficultés personnelles et la nécessité de penser à autre chose pour survivre en période d'incertitude. Mais ils rendent ainsi plus difficile le sursaut national indispensable. Après s'être enfermés dans le *déni* de réalité, ils devront relever les *défis* qu'elle impose.

Hédonisme fataliste

« Profiter de la vie » est le *leitmotiv* des jeunes, ce qui ne surprend guère car le goût du jeu et de la fête sont naturels chez l'enfant, l'adolescent ou l'« adulescent ». Mais cette motivation en forme de revendication est aussi partagée par beaucoup d'adultes, soucieux que leur vie professionnelle n'empiète pas sur leur vie familiale, personnelle ou amicale. Elle constitue également une demande croissante de la part des seniors, qui entendent vivre dans les meilleures conditions possibles de confort et d'agrément leur troisième ou quatrième âge. La demande hédoniste traverse donc l'ensemble de la société. Elle explique pour-

La société « titanisée »

Par bien des aspects, les sociétés ressemblent à de gigantesques paquebots, difficiles à manœuvrer, surtout en période de tempête. Et la société française peut parfois faire penser au *Titanic*. Elle voit approcher les « icebergs » annoncés depuis longtemps par les vigies : appauvrissement ; chômage ; catastrophes écologiques ; surendettement ; disparition de l'euro et peut-être de l'Europe ; conflits sociaux... Tétanisés par le danger, la peur, l'accumulation de mauvaises nouvelles et de menaces, ses habitants sont aussi *« titanisés »* ; ils préfèrent penser à autre chose que se réunir et mettre leurs forces en commun pour éviter la catastrophe.

On observera que tous les passagers du « paquebot France » (qui rappelle une autre histoire, pleine de grandeur, mais dont les Français ont aussi envie d'oublier l'épilogue...) ne sont pas sur le même pont. Certains sont en smoking dans des salons aux lustres dorés et dégustent des champagnes millésimés, au son de l'orchestre. D'autres sont dans les étages inférieurs ; ils sont vêtus plus simplement, s'alimentent de mets plus ordinaires mais sont aussi à la recherche de l'ivresse. Comme les autres, ils préfèrent regarder vers la poupe du bateau, admirer son sillage, plutôt que vers la proue.

Certains passagers, conscients du danger imminent, sont restés dans leur cabine, écrivant une dernière lettre à leurs enfants, pleine d'émotion et de regrets. Quelques marins et officiers s'efforcent de changer de cap, mais ils ne parviennent pas à faire tourner suffisamment le gouvernail. Quelques employés zélés vérifient l'état des canots de sauvetage. La comparaison avec le *Titanic* s'arrête bien sûr où commence la fin de sa croisière. Mais plus ils tarderont, plus les efforts à accomplir par les Français leur sembleront « tinanesques ».

quoi l'argent a tant d'importance (ci-dessus), car il permet d'acheter des plaisirs.

Le désir de profiter de la vie est rendu à la fois plus fort et plus difficile à satisfaire par le sentiment de précarité qui s'est installé avec la crise. Il est aussi renforcé par les menaces qui pèsent sur l'environnement. Un certain nombre d'individus-citoyens-consommateurs, qui en sont de plus en plus conscients, refusent de se priver des petits ou grands plaisirs de la vie en donnant la priorité à l'écologie, comme l'a indiqué le résultat du premier tour de l'élection présidentielle de 2012 (2,3% pour Eva Joly, candidate écologiste). *« Après moi le déluge »* semblent se dire tous ceux qui préfèrent vivre dans le quotidien. Le *fatalisme* s'est ainsi répandu dans la population, comme si la survenance des risques annoncés était inéluctable et qu'il était trop tard pour agir (voir encadré ci-contre).

Les plaisirs de la vie passent aujourd'hui surtout par la *famille*. Pour 60% des Français, elle est « le seul endroit où l'on se sent bien et détendu » (Crédoc, 2011). Elle représente à la fois un havre de paix, un cocon protecteur, un lieu d'échange et de partage. Elle est une bulle dans laquelle on peut être hors du monde, tout en restant connecté à lui par les outils de communication qui permettent de rester informé de ce qui s'y passe. On observe que la « bulle » familiale n'est pas « stérile »... puisqu'elle produit de nombreux enfants. Le taux de natalité national est en effet le plus élevé d'Europe avec celui de l'Irlande. Cette fécondité peut paraître paradoxale dans un pays qui détient aussi le record de pessimisme. Elle s'explique par la volonté de créer une « sphère personnelle » (autre façon de parler de bulle) agréable, confortable et sûre, avec des personnes dans lesquelles on a confiance et avec qui on peut à la fois partager et être soi-même. Lorsque c'est « dur dehors », on a envie de faire en sorte que ce soit « doux dedans ».

Face à l'incertitude qui domine, de nombreux Français sont ainsi de plus en plus tentés par une attitude à la fois hédoniste et fataliste. Ils ne sont pas pour autant totalement démobilisés. Beaucoup sont capables de s'engager, de participer, de faire des efforts ou même des sacrifices, pour peu qu'ils aient le sentiment qu'ils s'inscrivent dans une démarche cohérente, qu'ils sont équitablement partagés et qu'ils produiront des résultats visibles. Ce sont là quelques conditions pour relever les défis qui se posent aujourd'hui à la société, et qui constituent ce que l'on pourrait appeler la « quadrature du siècle ».

La société numérique

À l'origine des grandes tendances décrites dans les pages précédentes, il y a souvent le bouleversement technologique, dont l'impact se fait sentir dans tous les compartiments de la vie. La *société numérique* a transformé le rapport au temps, à l'espace, aux autres, à soi-même. Elle prépare l'avènement d'une nouvelle civilisation, celle d'un « individu augmenté », dont les interactions avec le monde seront transformées et pour partie imprévisibles. Une évolution qui peut amener pour les optimistes *(Mutants)* un progrès décisif ou pour les pessimistes *(Mutins)* une issue fatale.

Technofolie

Les Français sont entourés ou parfois cernés, fascinés ou parfois dépassés par les nouveaux outils technologiques qui transforment leur quotidien. 98% sont équipés de la télévision. 75% disposent d'une connexion à Internet (2012, Crédoc), 85% ont un téléphone portable (dans un tiers des cas un *smartphone* multifonction). Les lecteurs multimédias, *netbooks*, *ultrabooks*, tablettes, liseuses, GPS et autres équipements numériques complètent la panoplie. Il faut se souvenir que ces instruments n'existaient pas pour le grand public il y a quelques années. Internet est apparu en 1994 (avec FranceNet et WorldNet), mais seuls 1% des ménages disposaient d'une connexion (à très bas débit) en 1997. La même année, seuls 4% des Français avaient un téléphone portable (mais ils étaient déjà 47% en 2000). Les tout premiers écrans plats de télévision datent des années 1990, la télévision numérique terrestre n'a été généralisée qu'en 2011, la télévision en relief en est à ses débuts, de même que la télévision connectée à Internet. Google est né en 1998, Facebook en 2004.

Le succès de ces outils s'explique avant tout par les services réels qu'ils rendent à leurs utilisateurs dans de nombreux domaines. La fascination qu'ils exercent est due à l'intelligence qu'ils contiennent, au design des objets et à la « magie » de certaines de leurs fonctions : se déplacer d'un coup de souris vers n'importe quel point de la planète et zoomer au-dessus de sa maison, traduire instantanément un texte dans n'importe quelle langue, envoyer ou recevoir des photos ou des vidéos de l'autre bout du monde, jouer en ligne avec d'autres personnes, etc. La propagation est aussi la conséquence de la pression commerciale exercée par les fabricants, les distributeurs ou les publicitaires pour faire connaître les innovations et alimenter le *buzz*. Il s'explique également par le mimétisme originel qui pousse les êtres humains à faire comme leurs semblables, notamment ceux qui sont en position d'influenceurs, de leaders d'opinion.

Par ailleurs, la diffusion des nouveaux équipements dans les couches successives de la population s'autoalimente, dans la mesure où les personnes qui ne souhaitent pas *a priori* en disposer sont finalement obligées de céder, sous peine d'exclusion sociale ou de procès en « ringardise ». Enfin, la réussite de ces outils est liée au fait qu'ils permettent de se « distraire » de la vie courante et « réelle », à une époque où le monde apparaît complexe, fragile et menaçant. Comme la télévision, le téléphone, l'ordinateur et leurs dérivés sont des instruments de « divertissement » au sens défini depuis quatre siècles par Pascal.

Le temps raccourci

Les conséquences sociétales des technologies nouvelles vont bien au-delà de la faculté et de la facilité de communiquer entre les individus. Elles ont bouleversé leur relation au *temps*. On notera d'ailleurs que l'invention du « temps réel » était paradoxale, puisqu'elle signifiait au contraire qu'il était devenu virtuel. On assiste depuis à un recul de la planification au profit de l'improvisation. Le temps court *(« instemps »)* domine dans les vies individuelles comme dans la vie collective, alors que la société aurait besoin de s'inscrire dans un temps long, pour mieux inventer son avenir.

Il existe une autre dimension temporelle de ces nouveaux outils, au sens où ils sont très chronophages, c'est-à-dire consommateurs de temps. Les Français passent en moyenne 5 heures par

Technodépendance

Dans une enquête de février 2012 (Mingle Trend), 22% des Français de 15 ans et plus affirmaient qu'il leur serait impossible de passer plus d'une journée sans téléphone portable (34% parmi les 15-19 ans) et 29% le pourraient difficilement). 46% des personnes équipées d'un ordinateur portable ou d'une tablette tactile déclarent l'emporter en week-end ou en vacances ; 41% disent ne pas pouvoir se passer d'Internet plus de quelques jours (Crédoc, décembre 2011). Il n'est donc pas exagéré dans certains cas de parler d'addiction à la technologie.

Une illustration en a été donnée le vendredi 6 juillet 2012, lors de la panne de réseau qui a affecté pendant douze heures le réseau mobile Orange (et ses partenaires bénéficiant d'accords d'itinérance). Beaucoup de Français, mais aussi d'entreprises, ont manifesté leur mécontentement, certains ayant connu de véritables difficultés personnelles ou professionnelles au cours de la journée.

Pendant ses premières années, le portable était souvent qualifié d'« insupportable » par ceux qui en subissaient les nuisances ; ce qui est insupportable aujourd'hui est de ne pouvoir utiliser son portable. La *nomophobie* (peur de perdre son téléphone mobile) va de pair avec ce que l'on pourrait appeler la *« nomophonie »* (peur de ne plus pouvoir parler en situation nomade). Autant qu'un instrument de liberté, le « sans fil » dans la poche est un « fil à la patte ».

jour devant des écrans (la moitié de leur temps libre), certains fonctionnant simultanément. Cela les oblige de plus en plus à effectuer des arbitrages temporels, car la durée globale des journées ne s'est pas pour autant accrue. On peut observer d'ailleurs que le gain de temps promis par les concepteurs des outils peut se transformer en une perte de temps considérable : les utilisateurs doivent gérer le nombre croissant de messages et de *spams* arrivant dans leurs messageries, s'occuper de leurs pages personnelles sur les réseaux sociaux, alimenter régulièrement leurs blogs, actualiser leurs sites internet, tout en répondant aux appels, aux textos et aux Tweets... Il faut encore ajouter à ces temps ceux liés à l'achat, au renouvellement ou à la réparation des appareils, à leur configuration ou à la compréhension et l'usage des fonctions disponibles.

Ces innovations constituent l'une des raisons pour lesquelles la question du temps est devenue obsessionnelle, et paradoxale. Jamais les Français n'ont en effet disposé d'autant de temps de vie (et singulièrement de temps libre), mais jamais sans doute ils n'ont eu autant le sentiment d'en manquer. Le paradoxe s'explique facilement. D'une part, les sollicitations et les occasions de « dépenser » du temps se sont multipliées, bien plus vite que n'a augmenté l'espérance de vie. Chacun voudrait ainsi pouvoir tout connaître, tout faire, tout essayer. Il est donc nécessaire d'arbitrer entre les moments consacrés au travail, à la famille, aux amis, à la société et à soi-même.

Ces choix sont toujours douloureux puisqu'ils impliquent des privations et accentuent la difficulté de maîtriser le déroulement de sa vie. Dans une société hédoniste et boulimique, l'allongement de l'espérance de vie n'est rien sans l'amélioration de « l'expérience de vie ». Enfin, l'explication du paradoxe temporel tient aussi à la baisse du sentiment religieux, qui rend beaucoup plus aléatoire l'hypothèse qu'il y a quelque chose « après ». Beaucoup estiment donc préférable de vivre « maintenant » que prendre le risque de ne pouvoir le faire « plus tard ».

L'espace élargi

Les outils numériques ont aussi transformé la relation à l'*espace*. Les instruments de communication modernes ont conféré à leurs utilisateurs le don d'ubiquité. Les lieux dans lesquels ils se trouvent n'ont plus d'importance puisqu'ils peuvent transporter avec eux toute leur vie, leurs archives personnelles, ou y accéder sur des serveurs, pour peu qu'ils soient dans un endroit couvert par les différents réseaux. Les systèmes de géolocalisation permettent de se repérer où que l'on soit et de trouver un itinéraire vers sa prochaine destination. La contrepartie est que chacun peut aussi être repéré par les autres, souvent sans qu'il en soit conscient, ce qui n'est pas sans poser de problème. La question qui était préalable aux échanges nomades *(« t'es où ? »)* n'est alors plus nécessaire.

La relation à l'espace se caractérise aussi par la *distanciation*. Les relations par courriel, texto ou Tweet sont des façons d'être ensemble, tout en restant séparés, parfois très éloignés. Les groupes n'ont plus besoin d'être présents dans un même lieu pour échanger, discuter, ou même agir. Ils peuvent constituer des foules virtuelles, qui sont les *diasporas* modernes (encadré ci-dessous). La plupart des contacts se font aujourd'hui de façon virtuelle, la société moderne s'efforçant de limiter les contacts « réels ». Pour des raisons de rapidité ou d'hygiène, le « sans contact » (au sens physique, matériel) tend à se généraliser, que ce soit pour franchir un portique de métro, payer à un péage d'autoroute, ouvrir les portes des lieux publics, se laver les mains, se les essuyer ou, bientôt, échanger les cartes de visite par puces électroniques interposées.

C'est donc un nouvel espace-temps qui se dessine avec la généralisation des outils numériques. Aujourd'hui est plus important que demain et hier ; l'instant présent vaut plus que celui qui l'a précédé ou le suit. « Ici » est également plus important qu'« ailleurs », d'autant qu'il est de plus en plus facile de s'y projeter lorsqu'on le désire. On notera cependant que l'élargissement de l'espace, qui se traduit notamment par la mondialisation ou la globalisation, a engendré sa contre tendance : le culte de la *proximité,* auquel les Français se livrent avec un plaisir croissant.

« Ici et maintenant » sont donc plus que jamais les deux composantes principales de la vie contemporaine. Elles sont la conséquence du nouvel espace-temps inauguré par les outils numériques.

La foule virtuelle

Dans la société contemporaine, chaque individu peut s'exprimer à volonté dans des blogs, sur les forums ou les réseaux sociaux ; il peut « poster » des textes, des images ou des vidéos. Des rassemblements virtuels, des « diasporas numériques », peuvent ainsi se former spontanément. On pourrait penser que cette mise à distance sert la paix sociale, en évitant les manifestations de rue, leur résonnance médiatique et parfois leur violence physique. L'individualisation de la société a été sans doute l'une des causes de la relative tranquillité (certains observateurs parleraient plutôt d'apathie) observée dans les démocraties. Elles sont aussi devenues plus « participatives », grâce également aux sondages, qui sont des moyens pour l'opinion de faire savoir entre deux élections à ses dirigeants ce qu'elle attend d'eux.

Mais la mise en place d'une « démocratie participative » peut aussi constituer un danger pour la paix sociale. Les outils numériques peuvent en effet favoriser ou même engendrer des mouvements traditionnels dans le monde « réel ». On l'a vu dans les pays arabes comme la Tunisie ou l'Égypte, où des manifestations organisées grâce à Internet et aux réseaux sociaux ont entraîné le départ des dirigeants. On le voit de façon plus anecdotique en France avec l'organisation de *flash mobs* (manifestations spontanées dans des lieux publics) ou celle de *projets X* (occupations d'habitations privées pour des réunions festives).

À l'avenir, le maintien de l'ordre ne pourra sans doute s'exercer seulement dans les seuls lieux physiques ; il devra aussi prendre en compte ceux où se constituent et se rassemblent les « foules virtuelles », avant qu'elles ne se « rematérialisent » dans des lieux réels.

La vie codée

L'usage des nouveaux outils de communication nécessite de devoir décliner à chaque instant son identité, sous la forme d'identifiants, de mots de passe et autres codes dont le nombre tend à se multiplier. Outre les éléments d'identification classiques (date de naissance, numéro de Sécurité sociale, numéro de téléphone, code d'entrée de la porte d'immeuble, code de carte bancaire...), il faut ainsi montrer patte blanche sur la plupart des sites internet sur lesquels on souhaite s'informer, acheter ou simplement s'exprimer. Fin 2011, les Internautes déclaraient avoir en moyenne 14 comptes ou identités numériques différents, utilisés (par ordre décroissant) pour les achats en ligne, les comptes de messagerie, les sites d'e-administration, les réseaux sociaux, les comptes bancaires, les messageries instantanées et les forums (Acsel-Caisse des Dépôts/ISL-GfK).

Il est devenu quasiment impossible à un individu de garder en mémoire tous les codes dont il a besoin dans sa vie quotidienne. D'autant qu'il lui est recommandé de les choisir complexes, et de les changer régulièrement, afin de décourager les voleurs et les cyberescrocs à l'affut de codes faciles à « craquer ». Certains accroissent encore la difficulté en se dotant d'identités multiples, en s'inventant des *alias* et des *pseudos*, afin de jouer plusieurs personnages ou d'être plus difficilement suivis à la trace.

La gestion des identités numériques et la protection des données personnelles constituent deux enjeux majeurs pour les prochaines années. Les Internautes accepteront de plus en plus mal de vivre dans l'angoisse de perdre leurs identifiants et leurs mots de passe ou de se les faire voler, que ce soit chez eux, sur eux ou sur les réseaux. Les systèmes d'identification biométrique (empreintes digitales, iris, voix, traits du visage...) permettront sans doute de faciliter les opérations, mais ils ne supprimeront pas totalement les risques.

Les Français s'inquiètent aussi de voir leur vie privée (photos, vidéos, courriels, tweets, curriculum vitae, listes de contacts et autres informations confidentielles laissées sur la Toile), violée, stockée et utilisée par des entreprises, administrations, institutions ou individus à des fins diverses, le plus souvent marchandes. Le « droit à l'oubli » est une revendication croissante et devra être inscrit dans le droit commun international. Mais il n'est pas suffisant, dans la mesure où il suppose l'acceptation tacite par leurs propriétaires que les données qu'ils souhaitent effacer peuvent avoir été obtenues sans leur autorisation préalable et explicite.

L'individu augmenté

Les équipements numériques constituent des sortes de *prothèses* extérieures de plus en plus souvent portées par les individus. Elles se trouvent dans leurs sacs (ordinateurs portables, *netbooks*, *ultrabooks*, tablettes...), dans leurs poches (téléphones, lecteurs MP3, badges électroniques pour les transports...), à leur poignet (montres communicantes), à leurs oreilles (écouteurs, oreillettes *bluetooth*...) ou à leur cheville (podomètres...), bientôt devant leurs yeux (lunettes numériques). En attendant d'être intégrées directement à leur corps, sous la peau ou dans la boîte crânienne.

Les fonctions offertes pas ces outils sont innombrables : communication ; information ; photographie ; écoute de la radio ou de la musique ; visionnage de la télévision ; jeux ; guidage GPS ; calculatrice... Leurs usages se sont diversifiés. Ils se sont aussi spécialisés et personnalisés avec la multiplication des « applications » destinées aux *smartphones*, de la météo à la gestion des comptes bancaires en passant par la lecture de la presse, la réservation de billets, la boussole ou la lampe de poche. Les moteurs de recherche ont rendu possible en quelques années l'accès à une grande partie de la mémoire de l'Humanité. De sorte qu'il est moins nécessaire aujourd'hui d'avoir la connaissance que de pouvoir y accéder en tout lieu et à tout instant. Une « tête bien faite » (préparée à vivre dans la *postmodernité*) est devenue plus utile qu'une « tête bien pleine ».

Les laboratoires de recherche travaillent en outre sur de nombreux projets en matière de biotechnologie, nanotechnologie ou neurotechnologie, dont beaucoup s'apparentaient hier encore à de la science-fiction. Certains déboucheront sans doute sur des innovations de rupture, dont les conséquences ne peuvent être prévues, ni sans doute empêchées. Il apparaît ainsi probable que l'on ira vers un *« individu augmenté »* dont les capacités et les fonctions seront multipliées. La réalité rejoindra ainsi la prédiction de Nietzsche sur l'avènement d'un « surhomme ». Les tenants du *transhumanisme* (qui prônent l'usage des sciences et techniques pour « améliorer » l'espèce humaine) y verront un progrès considérable ; d'autres y décèleront les prémices de la fin de l'Humanité.

Fracture ou démocratisation ?

Malgré l'accroissement des taux d'équipement des ménages et la banalisation de certains appareils (ordinateur, téléphone portable), l'innovation technologique n'est pas également disponible dans toutes les catégories sociales. Ainsi, un Français sur quatre ne disposait pas d'un ordinateur et d'une connexion internet à son domicile début 2012. Le premier frein à la démocratisation numérique est *économique*. Bien qu'ils aient diminué en monnaie constante, les prix des équipements restent élevés, et les innovations permanentes permettent de les maintenir. Il faut y ajouter les incontournables dépenses d'abonnements et de consommables.

La barrière numérique est également *culturelle*. La capacité d'utiliser les outils et les usages que l'on en fait diffèrent sensiblement au sein de la population. Parmi les personnes pouvant se connecter à Internet, certaines le font pour se cultiver, se former, s'informer, s'exprimer et s'enrichir culturellement. Elles améliorent leurs connaissances, leurs compétences, leur compréhension du monde et leur capacité à y trouver leur place. D'autres se contentent de se divertir, au risque parfois de s'abrutir et de se laisser séduire par des discours pernicieux. On assiste ainsi à un phénomène semblable à celui qui a accompagné la multiplication des chaînes de télévision, des stations de radio ou des magazines : la diversité de l'offre accroît la « segmentation » des groupes et des personnes et renforce les inégalités dans les usages. Les écarts initiaux liés au « capital culturel » tendent alors à s'accroître, avec des conséquences dans tous les compartiments de la vie.

Un autre risque est que la dépendance (ou l'addiction) à l'égard de ces outils et « prothèses » s'accroisse, ce qui priverait les humains d'une partie de leur liberté, sans parler de leur temps. Il s'ajouterait aux risques de piratage, de terrorisme, de vols et de trafics de données personnelles. Une société composée d'« individus augmentés » ne pourra survivre que si elle augmente aussi son éthique, sa responsabilité, son sens de la solidarité, sa volonté de préserver l'avenir.

On peut heureusement imaginer un scénario bien plus favorable que celui d'un élargissement de la fracture numérique... et faire en sorte qu'il se réalise. Il passe par une baisse régulière du coût des équipements en équivalent de pouvoir d'achat, qui s'est déjà produite depuis quelques années. Mais elle devra s'accompagner de la diminution des « dépenses contraintes » d'abonnement et de consommable. Il implique aussi un effort de simplification et de pédagogie de la part des fabricants et des distributeurs, qui est (très partiellement) engagé. Enfin, il suppose un effort de curiosité et une volonté de développement personnel de la part des utilisateurs, soucieux de ne pas être exclus de la « société numérique ».

Gérard Mermet,
27 juillet 2012

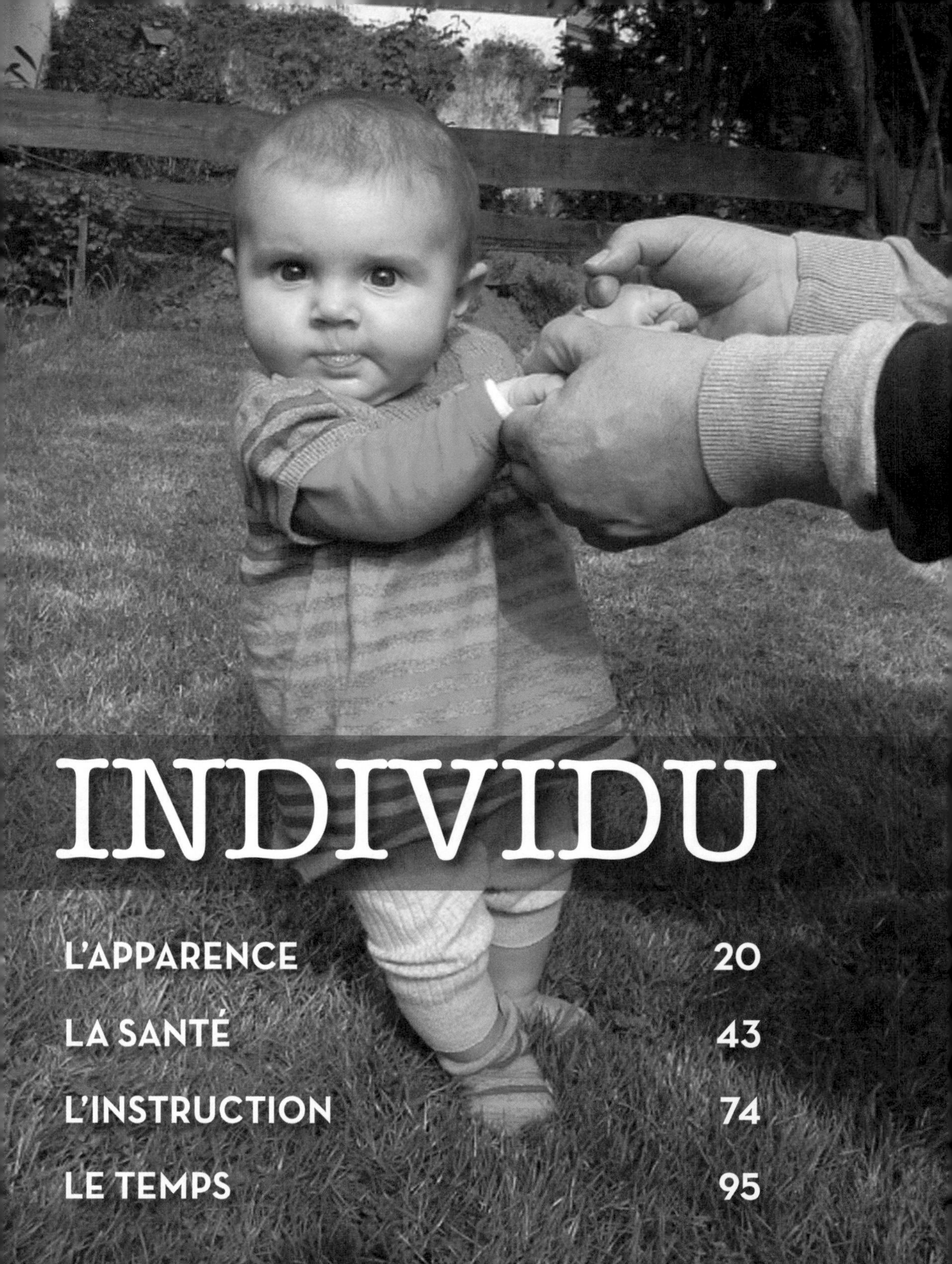

INDIVIDU

CORPS

Le corps a été ignoré pendant une grande partie du XXe siècle, …

L'histoire du corps a commencé avec celle des humains. La préoccupation fut d'abord essentiellement celle de la survie : il fallait nourrir le corps, le protéger des agressions de toutes sortes. Sa prise en compte change ensuite dans l'Antiquité, avec le culte affiché par les Grecs ou les Romains. Il est alors mis en scène dans le stade, dans l'arène ou sur le champ de bataille. Puis le sort fait au corps du Christ sera l'un des éléments fondateurs de la religion catholique.

La représentation du corps est omniprésente dans l'art occidental, tant dans la sculpture que dans la peinture. Elle prend une dimension particulière pendant la Renaissance ; le corps est alors « zodiacal » : chacune de ses composantes correspond à une planète. Avec les développements de la science et de la médecine à partir du XVIIe siècle, il devient une machine, un objet de recherche ; il est observé, disséqué, ausculté, soigné, autopsié. Au fur et à mesure de sa découverte par les savants, le corps irrationnel, lieu des « humeurs » et des interventions divines (voire de miracles), devient plus objectif.

Mais c'est au cours du XIXe siècle que se sont produits les plus grands bouleversements. La représentation du corps s'est transformée avec l'invention de la photographie et du cinéma. Sa compréhension a franchi une étape décisive avec la découverte par Freud de l'« inconscient » et sa théorie du développement de la sexualité comme fondement de l'identité. Ces découvertes seront pourtant provisoirement oubliées. Avec l'industrialisation, le corps a été assujetti (« aliéné ») dans les usines. Avec les deux guerres mondiales, il est devenu une simple « chair à canon ».

… avant d'être « redécouvert » dans les années 1960.

Les Français avaient oublié pendant des décennies l'existence de leur corps, se contentant de profiter des progrès de la médecine : l'arrivée de nouveaux médicaments comme les antibiotiques et les sulfamides après la Seconde Guerre mondiale permettait de guérir des maladies. Le sport et les activités corporelles étaient plutôt réservés aux catégories populaires. La « redécouverte » s'est produite vers le milieu des années 1960. Elle fut la conséquence de la montée de l'individualisme, de la forte revendication libertaire et surtout de la possibilité donnée aux femmes de maîtriser leur fécondité grâce à la contraception. Chacun devint alors conscient que son corps lui appartenait et qu'il était responsable de son fonctionnement et de son usage. Le sport se développa dans les catégories aisées, qui l'avaient longtemps méprisé. Il s'installa dans les modes de vie au cours des années 1980, avec la mode du jogging, de l'*aerobic* ou du *body-building* ; l'obsession était alors de « fabriquer son corps » à sa convenance, de le maintenir en forme et en bonne santé. La cure thermale, réservée au début du siècle aux personnes riches, se banalisait, au point d'être remboursée par la Sécurité sociale.

Le corps a aussi repris de l'importance avec l'éloignement des certitudes intellectuelles et spirituelles. Il est devenu le garant de l'autonomie physique, mais aussi mentale, en tant que lieu de résidence du cerveau et de l'« esprit ». Un narcissisme moderne s'est ainsi développé chez les Français. Beaucoup se sont mis à considérer leur corps comme leur principal, voire unique, capital (encadré). Encouragés par l'accroissement de l'espérance de vie, les progrès de la médecine, de la chirurgie et de la cosmétique, ainsi que par les promesses des chercheurs, ils le voudraient aujourd'hui beau, bien portant, immortel. C'est pourquoi ils s'efforcent de l'entretenir, de l'enjoliver, de le réparer lorsque c'est nécessaire. Afin de reprendre le pouvoir sur lui.

La vie contemporaine incite à la paresse physique.

Les voitures, transports en commun et robots de toutes sortes effectuent une part croissante des tâches quotidiennes. Ils constituent autant de « prothèses » qui facilitent les déplacements, le travail manuel, la préparation de la cuisine ou l'entretien de la maison. Les fonctions physiques autrefois remplies par les membres, les muscles et autres organes sont aujourd'hui prises en charge par des machines. Leur usage ne mobilise guère le cerveau et les mains ; celles-ci servent surtout à appuyer sur des boutons, à utiliser des claviers ou des télécommandes pour évoluer dans un univers de plus en plus virtuel et programmé. Le corps pourrait d'ailleurs subir des mutations ; les Français grandissent et grossissent ; le tour de taille s'épaissit (p. 27) ; les muscles et la

mobilité du pouce se développent chez les jeunes passionnés de jeux vidéo. On peut se demander si l'usage intensif du téléphone portable n'aura pas d'effet sur l'inclinaison de la tête (peut-être aussi sur le cerveau si les craintes concernant les effets des radiations étaient avérées...).

Le corps est donc comme engourdi par les effets du progrès technique. La multiplication des écrans et la sédentarité ont rendu la position assise de plus en plus fréquente. Le confort des sièges et de la literie, la livraison à domicile ou l'avènement des « textiles intelligents » (tee-shirts hydratants, collants antistress, tissus antibactériens, vêtements « communicants »...) devraient encore plus favoriser la paresse physique.

Si de nombreux Français s'efforcent de se maintenir en forme et en bonne santé, d'autres considèrent que l'entretien corporel est trop difficile et contraignant. Ils estiment que les efforts à fournir empêchent de profiter de la vie. Par choix ou par dépit, ils ont abandonné le combat. Cette attitude n'est évidemment pas étrangère au développement récent et spectaculaire de l'obésité (p. 27).

Le corps est une enveloppe, un outil et un capteur...

Le corps est d'abord perçu comme le contenant matériel et individuel de la vie. Il est aussi un outil au service de chacun, qui lui permet de se mouvoir, d'accomplir les tâches et les gestes de la vie quotidienne, dans ses dimensions personnelle, professionnelle ou sociale. Les Français s'efforcent donc de maintenir l'outil en état de marche, afin qu'il puisse remplir ces fonctions dans les meilleures conditions et le plus longtemps possible.

La réhabilitation du corps s'est accompagnée plus récemment de celle des sens, qui lui permettent d'être en relation avec son environnement. C'est le cas en particulier de ceux qui avaient été longtemps oubliés, comme le sens olfactif, aujourd'hui de plus en plus sollicité : aliments, produits d'entretien, intérieur des automobiles, des bureaux ou des lieux publics...Le toucher est stimulé par les nouveaux matériaux utilisés pour les vêtements, les objets ou les équipements. Le goût est excité par la consommation de produits du terroir ou exotiques qui procurent des sensations fortes ou nouvelles.

L'individu contemporain n'est donc plus un pur esprit. Il est conscient de son corps et réapprend à utiliser ses sens autant que son cerveau. Cette évolution participe du fort courant régressif que l'on observe depuis quelques années. Elle privilégie ainsi le retour à l'enfance, période où l'apprentissage du monde se fait en grande partie par les sens. La situation d'adulte responsable est difficile à vivre dans une société qui propose de moins en moins de repères et nécessite d'être autonome à tous les instants. Par contraste, la période de l'enfance apparaît comme celle de l'insouciance, de la sécurité. Elle est celle où tout est encore possible, avant que les choix de la vie ne restreignent l'espace personnel de liberté.

Atout corps

Pendant des siècles, le corps a été considéré à la fois comme le support de la vie, le témoin de sa dégradation et de sa mort certaine, et le lieu de la souffrance. Il fallait le nourrir pour qu'il soit en mesure de cultiver la terre, de faire la guerre ou et de résister aux aléas climatiques, le soigner lorsqu'il était malade. On savait assez peu de choses sur son fonctionnement, de sorte qu'il était entouré de mystère, souvent de mystique. Le corps était donc généralement subi, considéré comme un mal nécessaire.

Les progrès de la connaissance et de la médecine ont transformé cette vision. Le corps contemporain est plutôt considéré comme un atout potentiel et, surtout, comme le révélateur de l'identité et de la personnalité. On le soigne grâce aux médicaments, on l'entretient par l'activité physique et une alimentation équilibrée. On personnalise son apparence à l'aide des vêtements et accessoires, des produits cosmétiques ou par l'exercice physique. On le modifie à volonté par la chirurgie esthétique. On le répare à l'aide de prothèses de toute sorte. On améliore de plus en plus ses performances, grâce à des substances chimiques, des pratiques sportives appropriées, ou en recourant aux nouvelles technologies, notamment la robotique. Le corps est de plus en plus « augmenté » (p. 287).

En matière corporelle, les promesses de la science sont en effet nombreuses : biotechnologies ; nanotechnologies ; cosmétologie, diététique, thérapies corporelles et mentales... Elles expliquent l'intérêt croissant pour le corps dans un contexte social où il joue un rôle essentiel. Vis-à-vis de soi-même, d'abord, comme facteur de réassurance et d'existence. À l'égard des autres, ensuite, comme un moyen d'affirmation de sa différence. La contrepartie de cette importance du corps est qu'il est soumis à des pressions multiples, qu'il nécessite une attention constante et des dépenses croissantes.

… mais aussi une vitrine…

Le corps est depuis toujours un médium qui permet de communiquer avec les autres, par des gestes et des attitudes qui viennent renforcer (parfois démentir) les paroles. Il est aussi utilisé pour communiquer autour de soi une image de soi, que l'on cherche à rendre agréable, séduisante, aimable, enviable. Pour cela, il faut avoir l'air jeune, dynamique et efficace dans les différents compartiments de la vie. Cette fonction de vitrine du corps humain a certes toujours existé, mais son importance s'est accrue depuis les années 1980. Car les pressions exercées par l'environnement personnel, professionnel ou social sont aujourd'hui très fortes, dans un contexte de concurrence croissante. La société actuelle est celle du *casting* (p. 217).

Le corps est aussi utilisé pour montrer de façon visible (parfois ostensible) l'appartenance à un groupe social, à une communauté ou à une « tribu ». Outre les moyens traditionnels (vêtements, accessoires, coiffure), certains se font tatouer, de façon définitive ou provisoire, ou se teignent les cheveux pour enrichir leur image personnelle. Ces pratiques leur permettent de se dévoiler, de se différencier, parfois aussi de jouer avec leur identité et de s'en inventer d'autres. Les motivations ludiques ne sont pas absentes de ces comportements. Elles sont aussi de plus en plus souvent transgressives ; pour exister aux yeux des autres, se faire remarquer, il peut être utile de rompre les codes vestimentaires ou corporels.

… et, de plus en plus, un miroir.

Si le corps permet d'adresser aux autres un ensemble de signes, il exerce aussi une fonction narcissique, qui est plus récente. Il renvoie à celui qui le possède un ensemble d'indications sur sa propre identité. Cette fonction se développe en même temps que l'autonomie accordée (ou imposée) à l'individu. Elle explique en partie les efforts réalisés pour modeler le physique selon un idéal qui n'est plus alors collectif, mais individuel.

Chacun étant propriétaire de son corps, il l'« habite » comme s'il s'agissait d'une maison. Il le « meuble » avec des vêtements qui doivent traduire son identité autant que son appartenance à un groupe social. Il le « décore » avec des bijoux, des accessoires ou des produits de maquillage. Il le protège en étant attentif à son alimentation et à son hygiène, en pratiquant un sport, en recourant à la prévention ou en faisant des cures de thalassothérapie. Il le maintient en bonne santé avec l'aide de la médecine (traditionnelle ou « alternative ») ou en recourant à l'automédication. Il en améliore aussi l'apparence grâce à la chirurgie esthétique.

Il arrive que, malgré ces efforts, l'image renvoyée par le miroir ne soit pas satisfaisante ou conforme à celle que l'on voudrait avoir de soi. On cherche alors à la modifier, voire à la transformer, autant pour séduire les autres que pour se plaire à soi-même. À défaut de pouvoir changer de vie, on s'efforce de changer de corps.

Le corps est sans cesse mis en scène.

En même temps que le corps a été « redécouvert » au sens figuré, il s'est découvert au sens propre. Il est de moins en moins caché par les vêtements, et plus facilement exhibé, que ce soit dans les salles de culture physique, sur les plages, dans les films ou

Le corps des femmes

Pour trois femmes sur quatre (77 %), le corps est principalement « un partenaire avec lequel il faut composer ». C'est en particulier l'état d'esprit des aînées (80 % des 50-64 ans et 88 % des 65 ans et plus) et de celles qui ont connu un divorce (86 %). Seules 17 % le considèrent comme un « atout de séduction à mettre en avant à la moindre occasion » (26 % des 18-24 ans) mais aussi chez les célibataires (20 %).

Tous âges confondus, 56 % des femmes souhaiteraient « pouvoir retrouver leur corps d'adolescente » (66 % chez les 65 ans et plus contre 45 % chez les 18-24 ans). Une sur trois (34 %) aimerait « avoir des dons de styliste pour se sentir belle en toute circonstance » ; c'est le cas notamment des moins de 35 ans (46 %) et des célibataires (41 %). Une minorité (12 %) rêverait de « pouvoir manger n'importe quoi sans prendre un gramme » (25 % des 18-24 ans). Une femme sur deux (50 %) estime cependant que « la meilleure chose est de bien se nourrir » (58 % des plus de 50 ans).

Être à l'aise avec son corps est d'abord, pour la majorité des femmes, une victoire personnelle. 59 % déclarent que ce qui les fait se sentir bien dans leur corps est de « ne pas avoir à forcer sur le bouton de leur jean pour qu'il ferme » (66 % des 65 ans et plus). « Ne pas être essoufflée après un sprint pour arriver à l'heure » est un facteur de bien-être pour 23 % des femmes. En revanche, « attirer plus de regards que d'habitude » n'est une source de satisfaction que pour 24 % d'entre elles (mais 49 % des 18-24 ans et 34 % des célibataires).

Kellog's /Opinionway, octobre 2011

sur les affiches. Il est mis en scène par la publicité dans ses fonctions esthétique et érotique. Après les *pin-up*, ce sont des sportifs puis des « vrais gens » (pompiers, commerçants, mères de famille...) qui ont décidé de poser nus sur des calendriers vendus au service de nobles causes.

La nudité s'est ainsi banalisée et démocratisée. On estime ainsi à 500 000 le nombre de Français pratiquant le naturisme, chiffre en augmentation de 2 % entre 2002 et 2010. Chaque année, 1,5 million de touristes s'adonnent au naturisme en France dont 60 % d'étrangers. Il existe 285 sites d'accueil spécialisés (150 associations, 110 centres de vacances, 25 gîtes 25). 16 % des Français seraient prêts à tenter une expérience naturiste et 71 % des Français ne sont pas choqués par la pratique (Fédération Française de Naturisme, 2010). On peut y voir une dimension écologique, philosophique, voire spirituelle.

Cette volonté de revenir au « corps naturel » va cependant de pair avec celle de le modifier, de l'embellir, de le façonner, de jouer avec son apparence. La pratique sportive, le choix du style vestimentaire, le maquillage, le bronzage, le *body art* (peintures ou tatouages du corps), le *piercing* ou la chirurgie esthétique sont quelques-uns des moyens utilisés pour y parvenir.

Enfin, l'intérêt pour son propre corps concerne aussi celui des autres, comme en témoignent les formes contemporaines d'exhibitionnisme et de voyeurisme : télévision (émissions de téléréalité, reportages et débats sur la santé, l'obésité, la sexualité...) ; cinéma (films érotiques ou pornographiques) ; Internet (webcams, blogs, sites spécialisés...).

Les contraintes corporelles sont moins explicites.

Dans un contexte social et familial plutôt tolérant, les normes traditionnelles concernant l'usage du corps tendent à disparaître. C'est le cas des obligations explicites, qui participent à la fois de la politesse commune et du souci individuel de donner une bonne image de soi : se tenir droit, ne pas mettre les pieds sur la table ; veiller à son « maintien ». L'appartenance à un groupe social et le rang qu'on y occupe sont indiqués par des attributs comme l'habillement, la coiffure ou les accessoires. La gestuelle est davantage influencée par ce qui est suggéré par le groupe que par ce qui est interdit par les normes collectives. On le constate par exemple dans la démarche adoptée par certains groupes de jeunes des « banlieues », leur façon de s'asseoir ou de bouger.

À l'inverse, les contraintes implicites sont de plus en plus prégnantes. Pour être conforme aux canons de l'époque, il est préférable d'être mince, d'avoir l'air sportif et « en forme ». Les modèles féminins et masculins diffusés par les médias constituent les nouvelles références auxquelles chacun s'efforce de ressembler en recourant aux régimes alimentaires, à la culture

Représentation et représentativité

Le rapport remis au Parlement en juillet 2011 par le CSA (Conseil supérieur de l'audiovisuel), fondé sur les études de l'Observatoire de la diversité dans les médias audiovisuels, indiquait une « stagnation » des représentations des différentes formes de la « diversité ». Il évaluait ainsi à 13 % le niveau de présence de la diversité liée aux origines et constatait une « sur-représentation systématique des personnes perçues comme blanches dans les rôles de héros ». La sous-représentation des femmes était aussi patente, avec une présence estimée à 36 %, souvent limitée à des seconds rôles dans les fictions.

Une discrimination était également apparente entre les catégories socioprofessionnelles. Les cadres supérieurs étaient proportionnellement très présents dans les émissions d'actualité (87 % de présence). Quant aux personnes handicapées, elles n'occupaient que 0,5 % de l'espace médiatique. Au-delà de cette ségrégation quantitative liée à la présence à l'écran, on observait également la persistance de certains clichés, comme l'image des banlieues où les conditions de vie sont souvent délibérément dramatisées.

L'audiovisuel public (France Télévisions) a mis en place un Comité permanent de la diversité qui a remis son propre rapport au ministre de la culture en juin 2011. Il décrivait les engagements pris par les chaînes pour aller plus avant dans la prise en compte de la diversité : introduction de clauses spécifiques dans les contrats de commandes de programme, mise en place d'actions de sensibilisation dans les rédactions, etc. L'accent était mis sur des actions menées en collaboration avec les chaînes sur un mode pédagogique plutôt que sur un système combinant incitations et sanctions.

physique ou à la musculation, voire aux « retouches » esthétiques. Mais cette pression médiatique et sociale est difficile à supporter. Elle semble même contre-productive, si l'on en juge par le taux de surpoids et d'obésité croissants (p. 27). Devant la difficulté, beaucoup abandonnent ; certains sombrent même dans la dépression. D'autres décident, au nom du droit de l'individu à disposer de lui-même, de prendre le contre-pied des modèles proposés ; ils accordent à leur corps toutes les libertés.

La recherche de bien-être corporel répond à un besoin d'harmonie.

Si l'importance attachée à l'apparence physique est croissante, elle n'a plus aujourd'hui le même sens que pendant les années 1980, marquées par l'émergence d'une préoccupation pour le *look*. Dans un contexte de crise économique et d'anomie sociale (p. 268), elle s'accompagne d'une recherche d'équilibre et d'épanouissement personnel. Le culte du corps n'est pas seulement destiné à améliorer l'image que l'on donne de soi, mais à participer au bien-être individuel.

Il s'agit moins de plaire aux autres que de se sentir en accord et en symbiose avec soi-même. Si les fonctions de communication du corps avec le monde extérieur (en tant que récepteur ou émetteur) ont pris ou repris de l'importance, le corps est aussi de plus en plus intériorisé ; la fonction « miroir » devient plus importante que celle de « vitrine ».

Dans un contexte général de réconciliation des contraires (homme-femme, bien-mal, jeune-vieux, travail-loisir, moi-nous, droite-gauche, nature-culture, rationnel-irrationnel...), les Français cherchent en fait l'harmonie entre le corps et l'esprit, entre le « dedans » et le « dehors » de l'être. Ils suivent sans le savoir le vieux précepte chinois : *« Il faut prendre soin de ton corps, afin que ton âme ait envie de l'habiter. »*

La quête de l'identité incite parfois à en changer.

L'époque est marquée par une profonde recherche d'identité, tant sur le plan collectif que sur le plan individuel. Mais beaucoup d'efforts sont déployés afin de tricher avec elle. C'est souvent la nécessité professionnelle qui le justifie. De nombreux cadres cherchent ainsi à se donner une apparence conforme à l'idée qu'ils se font de la fonction qu'ils occupent, ou à celle que s'en font (dans leur esprit) leurs supérieurs hiérarchiques, leurs collaborateurs ou leurs clients. Ils modifient alors leur habillement, leur coiffure, leur apparence physique (régime, maquillage, chirurgie...). Quant aux dirigeants, certains recrutent des coachs chargés de transformer leur apparence physique et de faire d'eux des « leaders charismatiques », au minimum des « communicateurs » efficaces. Le dopage n'a pas seulement envahi le monde sportif, il a gagné l'entreprise et la vie courante. On estime qu'un Français sur sept et

Apparence et inégalité

L'apparence physique est l'une des composantes principales de l'identité. Elle joue aussi un rôle clé dans la relation de chaque individu à son environnement familial, social ou professionnel. Il existe en effet une indéniable corrélation entre la « beauté » d'une personne (la régularité de ses traits, les proportions harmonieuses de son corps, qui varient selon les canons de l'époque) et l'attirance qu'elle exerce sur les autres. C'est-à-dire en fait sur l'envie qu'ils éprouvent de la connaître, de devenir son ami, de l'épouser, de l'aider... ou de l'embaucher.

L'inégalité est présente dès la naissance. Même si elle n'est pas dite, la différence est faite entre les « beaux bébés » et les autres, tant par leurs parents que par l'ensemble de la société. L'inégalité de perception et de traitement se poursuit tout au long de la vie, dans la plupart des moments et des lieux. À l'école, des études montrent que les « beaux élèves » ont un peu plus de chances d'être de « bons élèves ». Par la suite, ils trouvent aussi plus facilement l'âme sœur, car personne ne rêve d'épouser quelqu'un de laid.

L'inégalité est flagrante dans la vie professionnelle, bien que le Code du travail interdise (depuis novembre 2001) toute discrimination fondée sur l'apparence physique. Il n'est pas anodin que l'on demande aux candidats à un poste de joindre leur photo à leur curriculum vitae (une pratique interdite par exemple aux États-Unis). Ce n'est pas non plus un hasard si les hôtesses d'accueil ou les employé(e)s en contact avec la clientèle ont souvent un physique agréable. Dans l'imagerie collective, les « gentils » sont supposés être beaux, et les « méchants » laids.

L'attitude socialement et politiquement correcte consiste à ne pas évoquer cette forme primaire d'inégalité. Il serait cependant naïf de ne pas reconnaître que la beauté confère un pouvoir, qu'elle est un atout dans toutes les circonstances de la vie.

un cadre sur quatre s'administrent eux-mêmes des produits stimulants pour accroître leur dynamisme apparent et favoriser leur résistance au stress.

Ce transformisme contemporain s'explique d'abord par l'accroissement des contraintes sociales et des processus de sélection-élimination dans la vie professionnelle, familiale ou sociale engendrés par la « société du *casting* » (p. 217). L'obligation d'efficacité, la recherche de plaisir et le désir de trouver l'harmonie intérieure sont à l'origine de cette médicalisation croissante de l'existence. Elle est aussi la conséquence d'une volonté individuelle de changement, qui traduit une insatisfaction ou une frustration. Lorsqu'il est difficile de « réussir » sa vie en étant soi-même, la tentation est grande de chercher à devenir un autre.

TAILLE ET POIDS

Les Français mesurent en moyenne 1,75 m, les Françaises 1,62 m.

En 2009, les Françaises mesuraient en moyenne 162,4 cm, les Français 175 cm (enquête ObÉpi-Roche). L'écart entre les régions est surtout marqué pour les femmes avec 1,8 cm entre le maximum (163,6 cm dans le Nord) et le minimum (161,8 dans le Sud-Ouest). La taille moyenne des femmes est de 161,8 cm dans le Sud-Ouest et 163,2 cm dans l'Est. L'écart n'est que de 9 mm pour les hommes, avec une hiérarchie un peu différente : 175,9 cm dans le Nord; 175,8 cm en région parisienne et 174,1 dans l'Ouest, 174,3 cm dans le Sud-Ouest.

Les variations plus importantes constatées chez les hommes s'expliquent en partie par la structure de la pyramide des âges dans les régions : on est plus jeune, donc plus grand, dans les régions du Nord, principalement urbaines, que dans les régions de l'Ouest, plus rurales. Les écarts mesurés entre les professions sont plus élevés qu'entre les régions ; ils sont cependant moins importants en ce qui concerne les femmes.

Les jeunes sont plus grands, mais leur part dans la population diminue.

L'écart entre les tailles extrêmes tend à s'accroître, du fait que les grands sont devenus plus grands. Chez les femmes, les 21-29 ans mesurent en moyenne 165,1 cm, alors que la taille moyenne des sexagénaires n'est que de 160,9 cm et celle des personnes de 80 ans et plus n'est que de 158,7 cm. La taille moyenne des hommes de 20 à 29 ans est de 178,5 cm contre 172,6 cm pour les 60-69 ans et seulement de 170,3 cm pour les plus de 80 ans. L'écart entre âges est donc plus important chez les hommes, avec une différence de 8,2 cm entre les 20-29 ans et les 80 ans et plus, contre 6,4 cm pour les femmes.

Le phénomène de grandissement apparaît comme un phénomène continu : il a représenté 10 cm pour les hommes et 7 cm pour les femmes au cours du XXe siècle. Entre 2000 et 2005, la taille moyenne des Français avait encore augmenté d'environ 3 mm. Parallèlement, la différence de taille entre les sexes s'est accrue. Elle était de 9,7 cm en 1970, 11 cm en 1980 et 11,6 cm en 1991 (enquêtes Santé, Bodier, 1995) ; elle avait atteint 13,1 cm lors de la campagne de mensuration de 2005 sur les 5-70 ans.

L'écart entre les générations s'est également accru avec le vieillissement de la population et le tassement de taille qui en résulte ; celui-ci est estimé à 1,5 cm tous les dix ans à partir de 50 ans, ce qui représente une perte de taille importante pour les personnes âgées. L'accroissement de la taille moyenne minimise donc celui de la taille des jeunes, dont la part dans la population diminue.

Les Français se situent dans la moyenne européenne.

Le grandissement concerne l'ensemble des pays développés. Le passage d'une civilisation rurale agricole à une civilisation urbaine industrielle a favorisé les conditions de développement physique des enfants (meilleure hygiène, meilleure alimentation dès la naissance) et permis aux facteurs génétiques d'influer normalement sur la croissance.

Parmi les pays de l'Union européenne, les habitants des pays scandinaves, des pays germaniques et de la République tchèque sont les plus grands. Chez les hommes, les Néerlandais, les Suédois,

La grandeur de la France

Évolution de la taille moyenne par sexe (en cm)

	1970	1980	1991	2009
Hommes	170	172	173	175
Femmes	160	161	161	162

INSEE-Laboratoire Roche/Sofres

Un avantage de taille

À âge égal, un cadre supérieur, homme ou femme, mesure en moyenne 2 cm de plus qu'un ouvrier. Avant la disparition du service militaire (1996), on avait mesuré parmi les appelés du contingent un écart de 4 cm entre un étudiant et un jeune agriculteur, au profit du premier. Les disparités se retrouvent aussi dans la répartition des tailles dans la population : plus d'un tiers des hommes cadres dépassent 1,80 m, contre un agriculteur sur six et un ouvrier sur cinq. Les différences entre les catégories socioprofessionnelles sont moins marquées chez les femmes.

La taille joue donc un rôle indéniable dans les parcours individuels, surtout masculins, au contraire de la « beauté », dont l'influence est sans doute plus sensible sur les vies féminines. Dès l'école, on observe que les personnes plus grandes que la moyenne réussissent mieux dans leurs études et sont plus diplômées, ce qui tendrait à prouver que les critères de réussite scolaire ne sont pas seulement intellectuels, mais en partie physiques (INSEE, Nicolas Herpin, 2003). Ces différences de scolarité expliquent l'écart de taille significatif entre les ouvriers et les cadres. Elles sont aussi entretenues par le lien héréditaire existant entre la taille des parents et celle des enfants et par le fait que les enfants d'ouvriers sont plus souvent ouvriers que ceux de cadres. À diplôme identique, les hommes de taille supérieure obtiennent aussi davantage de responsabilités que les autres (notamment d'encadrement), ce qui les conduit en moyenne à des revenus plus élevés.

Par ailleurs, on constate que les hommes de petite taille vivent moins fréquemment en couple que les plus grands. Cette situation n'est pas due à leur condition sociale, puisqu'on retrouve des effets comparables de la taille aux deux extrémités de la hiérarchie sociale. Le choix d'un conjoint semble influencé par une norme sociale implicite que l'on peut appeler « l'assortiment physique » des deux partenaires ; il apparaît que cette norme est plus difficile à respecter par les hommes de petite taille. De plus, dans leur choix d'un conjoint, les femmes attachent de l'importance au statut socio-économique du futur couple qu'elles vont former. La taille de l'homme est donc sans doute prise en compte (de manière consciente ou non) comme indice prédictif des ressources du foyer et de sa situation sociale.

les Danois, les Autrichiens et les Tchèques atteignaient ou dépassaient un peu 1,80 m à la fin des années 1990 (dernière enquête comparative disponible), contre 1,72 m pour Portugais et les Espagnols ; avec 1,76 m, les Français se situent dans la moyenne (Eurostat).

La hiérarchie était semblable chez les femmes, avec des écarts moins importants : 1,68 m pour les Néerlandaises, 1,61 m pour les Portugaises et les Espagnoles ; la taille des Françaises (1,62 m dans l'enquête comparative, soit 1 cm environ de moins que celle mesurée en 2006) était légèrement inférieure à la moyenne européenne. L'écart le plus marqué entre les deux sexes concernait l'Irlande (avec un ratio de 1,088) et la Finlande (1,085) ; le moins élevé était mesuré à Chypre (1,07). L'écart absolu entre les deux sexes était de 14,4 cm en Irlande et de seulement 10,8 cm en Italie, contre 14 en France. La hiérarchie est semblable chez les hommes.

Les femmes pèsent en moyenne 66 kg, les hommes 79 kg.

La dernière enquête ObÉpi-Roche (2009) fait apparaître une prise de poids moyenne en quarante ans de 7,2 kg pour les hommes (79,2 kg contre 72 kg en 1970) et 5,4 kg pour les femmes (66 kg contre 60,6 kg en 1970). Le supplément de poids des hommes représente donc une fois et demie celui des femmes, et leur augmentation de taille est du double. Cependant, si l'on examine l'IMC (indice de masse corporelle calculé en divisant le poids en kilos par le carré de la taille en mètres), les femmes ont un peu plus grossi que grandi par rapport aux hommes.

À l'inverse de la taille, qui est inférieure pour les générations anciennes,

Le poids de la France

Évolution du poids moyen par sexe (en kg)

	1970	1980	1991	2009
Hommes	72,0	72,7	73,7	79,2
Femmes	60,6	59,7	60,7	66,0

INSEE-Laboratoire Roche/Sofres

le poids moyen des hommes et des femmes augmente avec l'âge, de sorte que le rapport poids/taille s'accroît encore plus que le poids. Entre 20 et 50 ans, la prise de poids représente environ 8 kg pour les hommes et 6 kg pour les femmes, alors que la différence des poids moyens sur l'ensemble de la population (photographie instantanée et non évolution individuelle) est respectivement de 5,9 kg et 4,4 kg. Ce grossissement généralisé au cours de la vie est lié notamment à la diminution de l'exercice physique et à des pratiques alimentaires moins équilibrées pour les personnes âgées. Il s'explique aussi par la moindre importance attachée à l'apparence physique au fur et à mesure du vieillissement, bien qu'un changement soit en train de s'opérer (p. 164).

Le poids est évidemment corrélé à la taille, ce qui explique qu'on soit moins lourd au sud qu'au nord de l'Union européenne. Ainsi, en 2005 (dernière enquête comparative disponible), le poids moyen le plus faible chez les hommes était celui des Portugais (73,8 kg), le plus élevé celui des Luxembourgeois (83,9 kg) suivis des Suédois (83,8 kg). Les Françaises, bien que n'étant pas les plus petites, étaient parmi les plus légères (77,1 kg), à égalité avec les Espagnoles et derrière les Italiennes (75,1 kg). Les Néerlandaises, qui sont les plus grandes, sont aussi logiquement les plus lourdes. Si l'on rapporte le poids à la taille, les Françaises étaient un peu moins minces que les Italiennes.

L'accroissement du poids moyen des Français (mais aussi de leur stature) explique celui de leur tour de taille. Il avait augmenté d'environ 3 cm entre 1997 et 2003, passant à 87,2 cm contre 84,6 cm (enquêtes ObÉpi). En 2004, il atteignait 79,9 cm pour les femmes et 89,9 cm pour les hommes (campagne de mensuration nationale). En 2009, le tour de taille moyen était de 89,9 cm.

Les Français serrent la ceinture...

La mesure du tour de taille est un autre moyen que le poids de déterminer l'obésité ou l'adiposité corporelle. Il a fortement progressé au fil des années, passant de 85,2 cm en 1987 (population de 18 ans et plus) à 89,9 cm en 2009, soit une progression de 4,7 cm en un peu moins de trente ans. Il augmente fortement avec l'âge, pour les deux sexes.

On considère qu'un tour de taille trop élevé (88 cm pour une femme et 102 cm pour un homme, seuil NCEP, ou 80 cm et 94 cm seuil IDF) est un indicateur de risques accrus sur le plan cardio-vasculaire, mais aussi de résistance à l'insuline et de déséquilibre métabolique. Plus d'un Français sur quatre est dans cette situation et devrait donc perdre du poids. C'est le cas notamment des personnes âgées : une personne sur deux à partir de 65 ans.

En outre, la norme actuelle pour la taille des vêtements n'est plus adaptée aux morphologies des Français. Pour une même taille, une personne peut être mince, normale ou forte. Cette dernière conformation représente une part plus importante que dans le passé : 39 % contre 47 % pour la conformation normale et 13 % pour la mince.

Le lien entre profession et poids est inversé entre les sexes.

Chez les hommes, les agriculteurs et ceux qui exercent des professions indépendantes pèsent en moyenne davantage que les salariés, à taille et âge comparables. Les hommes cadres supérieurs pèsent 1 kg de moins que les agriculteurs. L'écart atteint 5,5 kg entre les ouvrières et les femmes cadres supérieurs.

Les femmes cadres ou appartenant aux professions intellectuelles supérieures sont à la fois les plus grandes et les plus minces (en proportion de leur taille). On peut imaginer que la recherche de postes élevés dans la hiérarchie professionnelle les incite à veiller plus que les autres à leur ligne. Les femmes ayant des statuts de cadres moyens ou techniciennes semblent les moins concernées, puisqu'elles pèsent 2,2 kg de plus que la moyenne, avec une taille inférieure. Ce sont les ouvrières qui présentent le rapport poids/taille le plus élevé parmi les femmes actives, résultat possible d'une alimentation moins équilibrée.

Près d'un Français sur deux est en surpoids ou obèse.

On considère que l'obésité commence à partir d'un indice de masse corporelle de 30 (IMC = poids en kg)/taille² en cm). Entre les campagnes de mensuration de 1970 et 2006 (portant sur les 5-70 ans), l'indice avait un peu augmenté pour les hommes (de 24,9 à 25,1) et très légèrement diminué pour les femmes (de 23,7 à 23,6). La faible variation de la moyenne cachait cependant une plus grande dispersion entre les individus. La proportion de personnes en surcharge pondérale (IMC compris entre 25 et 29,9 kg/m²) s'est sensiblement accrue depuis. Selon

Des inégalités de poids

Prévalence de l'obésité* par profession, par niveau de revenu du ménage et par région (2009, en %)

Profession	
Artisan, commerçant	15,4
Agriculteur	17,9
Ouvrier	16,3
Employé	14,7
Profession intermédiaire	10,7
Cadre supérieur, profession libérale	8,0
Retraité	18,6
Inactif	15,0
Revenu mensuel	
moins de 900 €	22,8
de 901 à 1 200 €	20,5
de 1 201 à 1 500 €	20,0
de 1 501 à 1 900 €	16,5
de 1 901 à 2 300 €	15,9
de 2 301 à 2 700 €	14,4
de 2 701 à 3 000 €	13,0
de 3 001 à 3 800 €	11,1
de 3 801 à 5 300 €	9,0
plus de 5 301 €	6,2
Région	
Région parisienne	13,5
Nord	21,2
Est	17,7
Bassin Parisien	17,1
Ouest	13,5
Sud-ouest	14,1
Sud-Est	12,9
Méditérranée	12,8
Ensemble	14,9

* Indice de masse corporelle (rapport entre le poids et la taille au carré) égal ou supérieur à 30 kg/m²

Laboratoires Roche/Sofres

l'enquête ObÉpi de 2009, 31,9 % des Français de 18 ans et plus étaient en surpoids simple et 14,5 % obèses, soit au total 47,4 % de la population, contre 38,3 % en 1997. Ces chiffres montrent une progression de 2 points de la proportion de personnes en surpoids par rapport à 1997 (29,8 %) et une très forte augmentation de la proportion de personnes obèses : un peu plus de 6 points.

Entre 1997 et 2009, l'accroissement de l'obésité a atteint 6,9 % par an. En extrapolant ces résultats à la population française, on dénombrerait en douze ans 4 755 000 nouveaux cas d'obésité. Au total, la prévalence de l'obésité a presque doublé depuis le milieu des années 1990 (14,5 % contre 8,5 % en 1997). La prévalence de l'obésité massive (IMC ≥ 40) est passée de 0,3 % de la population en 1997 à 1,1 % en 2009. Parallèlement, la part des Français n'ayant aucun surpoids a diminué, notamment depuis 2006 ; globalement, elle est passée de 61,7 % en 1997 à 53,6 % en 2009. Depuis 1997 on ne note pas d'augmentation de la fréquence de la « maigreur ».On constate cependant que 3 % des adultes sont en situation d'anorexie ; la proportion atteint 8 % parmi les femmes de 15 à 25 ans

La dernière enquête européenne réalisée en 2008-2009 (18 ans et plus), montre que la France fait partie des pays qui ont les plus faibles proportions d'obésité en Europe avec la Roumanie, l'Italie et la Bulgarie. *A contrario*, les proportions les plus importantes d'obèses étaient enregistrées au Royaume-Uni (16 ans et plus), avec 23,9 % pour les femmes et 22,1 % pour les hommes. Il existe un paradoxe entre le niveau croissant d'information disponible en matière nutritionnelle et les pratiques alimentaires des habitants des pays développés.

La croissance de l'obésité féminine est la plus spectaculaire.

L'augmentation de la prévalence de l'obésité a été forte et régulière, avec un taux moyen de 0,5 % par an, comparable à celui observé dans les autres pays européens (0,2 % aux Pays-Bas à 0,9 % au Royaume-Uni). L'évolution a été sensiblement plus rapide chez les femmes que chez les hommes, dans toutes les catégories d'âge. Elle a ainsi doublé entre 1997 et 2009 (+ 92 %) ; elle a augmenté de 1 % depuis 2006, de 27 % depuis 2003 et surtout de 51 % depuis 2000. On peut l'expliquer en partie par leur plus grande propension à développer de la masse grasse. Chez les hommes, on observe une augmentation très forte de la prévalence de l'obésité après 25 ans : + 57,9 % entre 1997 et 209, avec un rythme de 11 % depuis 2006, de 16 % depuis 2003 et de 35 % depuis 2000.

La prévalence de l'obésité augmente dans toutes les catégories professionnelles mais à des vitesses inégales. Les plus touchés sont les agriculteurs, avec une progression de 95 % depuis 1997, pour atteindre 18 % de la population concernée. Les retraités sont également concernés, avec une croissance

Le poids croissant de l'Europe

Proportion de personnes obèses par sexe dans quelques pays d'Europe (2009, en % des 18 ans et plus)

	Femmes	Hommes
Allemagne	15,6	16,1
Espagne	14,4	17
France	**12,7**	**11,7**
Italie	9,3	11,3
Royaume-Uni	23,9	22,1

Eurostat

Un Français sur deux « surchargé »

Répartition de la population française âgée de 15 ans ou plus par poids* (2009, en %)

	Homme	Femme	Ensemble
Pas de surpoids	46,2	58,0	52,4
Maigreur	1,3	4,9	3,2
Normalité	44,8	53,1	49,2
Surpoids	39,5	26,5	32,7
Obésité	14,3	15,5	14,9
Modérée	11,4	10,5	10,9
Sévère	2,4	3,3	2,9
Massive	0,6	1,7	1,1

L'IMC (indice de masse corporelle : rapport entre le poids et la taille au carré) est jugé normal entre 18,5 et 24,9 kg/m². L'obésité est qualifiée à partir de 30 kg/m². Elle peut être « modérée » (30 kg à 34,9 kg/m²), « sévère » (35 à 39,9 kg/m²) ou « massive » (40 kg/m² ou plus).

Laboratoires Roche/Sofres

de 107 % chez les inactifs depuis 1997, soit davantage que les ouvriers (82 %) et les employés (88 %). La catégorie professionnelle la moins touchée est celle des cadres et professions libérales, avec 8 % de la population concernée et la plus faible augmentation sur longue période : 38 % depuis 1997.

L'obésité varie à l'inverse du revenu.

22 % des personnes gagnant au maximum 900 € par mois sont concernées par l'obésité, contre 6 % chez celles qui gagnent au moins 5 300 € ; la baisse du taux est continue entre ces deux extrêmes, au fur et à mesure que l'on monte dans l'échelle des revenus. En outre, l'écart s'est creusé entre 2003 et 2009 : le taux d'obésité s'est accru parmi les ménages aux revenus modestes (jusqu'à 3 000 € mensuels), alors qu'il s'est stabilisé chez ceux qui perçoivent entre 3 000 et 5 000 € par mois et qu'il a diminué sensiblement au-delà de 5 000 €. Un faible revenu peut être insuffisant pour accéder à une alimentation équilibrée (notamment en fruits et légumes) et l'on observe que le degré d'information en matière nutritionnelle est aussi moins élevé parmi les personnes modestes.

Le surpoids et l'obésité concernent toutes les régions, mais avec des disparités marquées. Le Nord-Pas de Calais était la région ayant la plus forte prévalence d'obésité en 2009 (20,5 %, soit près de 40 % au-dessus de la moyenne). Elle devançait l'Alsace (17,8 %), les régions Centre et Picardie (17,7 %), Lorraine (17,6 %) et Champagne-Ardenne (17,0 %). Les régions les moins atteintes étaient les régions PACA (11,5 %), Rhône-Alpes (11,9 %), Bretagne (12,2 %, la Région Parisienne (13,2 %) et les Pays de Loire (13,3 %).

Les disparités régionales s'accentuent pour presque partout. Celles qui étaient à un niveau faible en 1997 restent en deçà de la moyenne française, sauf en Franche-Comté et Champagne-Ardenne, régions dans lesquelles on note des progressions respectives de 135 % et 100 %, la Franche-Comté passant de 6,3 % à 14,8 % et Champagne-Ardenne de 8,5 % à 17,0 %.

Sexe, âge et obésité

Prévalence de l'obésité selon le sexe et l'âge (2009, en % de la population concernée)

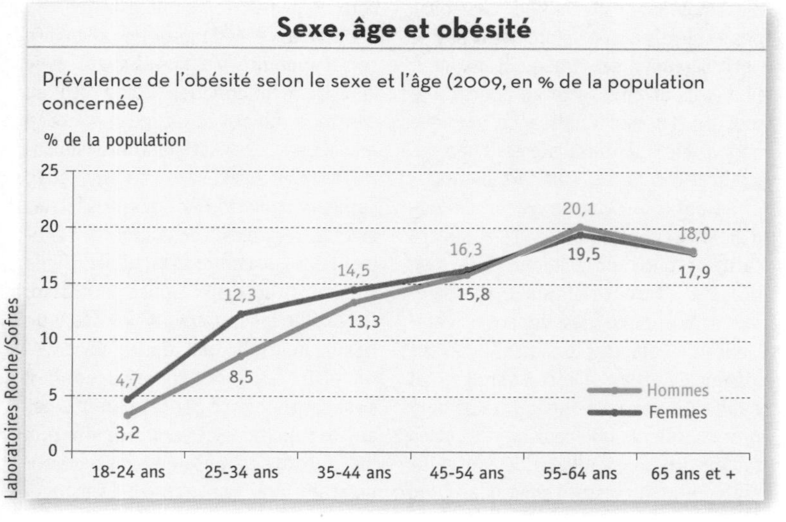

Laboratoires Roche/Sofres

L'évolution semble enrayée chez les enfants.

La proportion d'enfants de 5 ans en simple surpoids a été multipliée par six depuis la fin des années 1980, passant de 2 % à 12 % en 2007 (dernière enquête disponible, INCA 2). 18 % de ceux âgés de 7 à 9 ans présentaient un surpoids et 4 % étaient obèses. On observait cependant un recul de la tendance au surpoids chez les 3-10 ans : 14,1 % en 2007 contre 16,9 % en 1999. La baisse concernait aussi les adolescents de 15 à 17 ans, avec un taux de 11,9 %, contre 14,3 % huit ans plus tôt. Seuls les enfants de 11 à 14 ans avaient connu un taux à la hausse, à 15,3 % contre 11,7 %. Ce résultat est confirmé par une autre étude effectuée auprès d'élèves en classes de CE1 et de CE2 (PNNS). En 2007, 15,8 % des enfants concernés étaient en surpoids, 2,8 % obèses, contre 18,1 % et 3,8 % en 2000. Les filles étaient un peu plus souvent en surpoids, mais le taux d'obésité ne variait pas avec le sexe.

Le surpoids de l'enfant est souvent lié à celui de ses parents : plus de six enfants de plus de 2 ans considérés comme obèses de degré 2 (selon les courbes de référence d'évolution de l'IMC en fonction de l'âge) vivent dans un foyer comportant un parent obèse ou en surcharge pondérale. La proportion est inférieure à la moitié pour les enfants de poids normal, selon les courbes utilisées. C'est dans les familles d'ouvriers et de chômeurs que la proportion d'enfants présentant un surpoids est la plus élevée : 22 % chez les 3-14 ans, contre 10,4 % dans celles des classes moyennes (employés, techniciens, etc.) et 8,8 % dans les foyers de cadres supérieurs et de professions libérales (enquête Inca 2). Le milieu social exerce ainsi une forte influence. Cependant, une part importante de l'obésité (estimée à 30 %) apparaît liée à l'hérédité.

L'une des conséquences de cette évolution est l'apparition chez des adolescents de pathologies pratiquement inconnues il y a une vingtaine d'années, comme le diabète ou l'apnée du sommeil. Le doublement de la fréquence de l'obésité chez les enfants concerne les deux sexes, mais aussi la boulimie et l'anorexie, comportements jusqu'ici plutôt féminins, se sont davantage accrus chez les garçons. Un autre motif d'inquiétude est que les enfants obèses deviendront souvent des adultes obèses et que leurs enfants auront à leur tour encore plus de risques que les autres. Cette évolution sur plusieurs générations pourrait avoir des conséquences à la fois sur les modes de vie et sur sa durée.

Le grignotage et la sédentarité sont les causes principales, ...

L'alimentation des Français reste trop riche en matières grasses, en sucres et en sel. Les repas sont consommés trop vite. Mais c'est surtout le grignotage (p. 189) qui est jugé responsable de l'accroissement spectaculaire de l'obésité depuis une dizaine d'années. Or, c'est dans les ménages les plus modestes qu'il est le plus fréquent. C'est ce qui explique la corrélation inverse entre le niveau de revenu et l'obésité (ci-dessus). L'alimentation des enfants en surpoids est aussi trop riche en graisses et en viande et elle n'est pas assez diversifiée. La moitié des enfants obèses ne prennent pas de petit déjeuner, de sorte qu'ils mangent plus gras et plus sucré au cours de la journée. La méconnaissance générale en matière nutritionnelle est l'une des explications de ces comportements.

Un autre facteur clé est le manque d'activité physique, lié à la sédentarité propre notamment à la vie urbaine. L'activité physique ne représente que 12 % des dépenses caloriques moyennes, alors qu'elle devrait atteindre 25 %. C'est pourquoi les habitants des communes rurales sont plus corpulents que ceux qui vivent en milieu urbain. À niveau de vie et de diplôme et à classe d'âges égaux, un homme de 1,75 m vivant en milieu rural pèse en moyenne 2 kg de plus qu'un Parisien. La sédentarité concerne aussi de plus en plus les enfants. On considère que, au-delà de quatre heures passées devant la télévision chaque jour, un enfant grossit quelle que soit son alimentation. Les enfants des familles modestes ou défavorisées sont par ailleurs deux fois plus nombreux à avoir un téléviseur dans leur chambre, ce qui explique en partie leur taux d'obésité deux fois plus élevé.

... avec l'état psychologique.

L'obésité a aussi des causes d'ordre psychologique : solitude ; sentiment de ne pas être à sa place dans la société ou dans sa famille ; difficultés scolaires ou relationnelles ; stress... Elles se traduisent par une indifférence à sa propre apparence, une perte de la maîtrise de son corps, voire un désir inconscient d'autodestruction. L'alimentation est en effet souvent une compensation, le résultat d'un manque affectif, d'un mal-être, qui amène (consciemment ou non) certains adultes ou enfants à se protéger en créant une sorte de barrière corporelle avec le monde extérieur.

L'ambiance hédoniste de la société contemporaine n'a pas disparu avec la crise économique. Elle a été au contraire favorisée et elle incite à rechercher des satisfactions sensorielles immédiates et renouvelées ; l'alimentation est l'une des plus facilement accessibles. Les enfants qui évoluent dans un contexte familial difficile sont ainsi plus prédisposés à grossir. On estime qu'un jeune de 20 ans a un risque multiplié par douze de devenir obèse si, vers l'âge de 10 ans, il s'est senti négligé par ses parents. Les autres subissent souvent la diminution de l'autorité parentale en matière alimentaire, qui leur permet de manger

ce qu'ils veulent. Il s'ajoute dans certains cas une attitude fataliste, qui se traduit par la volonté affichée de ne pas « faire attention » à son poids, de s'accepter tel qu'on est et de vivre sans se priver.

L'environnement familial et social joue donc un rôle central dans le développement du fléau de l'obésité. Le risque est parfois aggravé par les difficultés psychologiques des enfants et des adultes ; elles commencent à être intégrées dans une prise en charge médicale moins moralisatrice et plus efficace.

L'obésité est un facteur de risque important.

Le surpoids et l'obésité sont des facteurs aggravants de certaines maladies. En 2009, le risque d'être traité pour hypertension artérielle était multiplié par 2,5 chez les sujets en surpoids et par 4 chez les obèses (par rapport aux sujets dont l'IMC est inférieur à 25 kg/m²). 5,4 % des personnes concernées déclaraient être traités pour un diabète. Les hommes se disaient plus fréquemment diabétiques (6 %) que les femmes (4,6 %).

En dehors du tabagisme, la proportion d'individus présentant des facteurs de risque cardio-vasculaires associés traités augmente également avec l'IMC. La probabilité d'avoir trois facteurs traités est douze fois plus importante chez les personnes obèses et cinq fois plus en cas de surpoids. L'obésité a aussi un rapport avec les déficiences de l'appareil locomoteur (déplacements), avec des conséquences en matière de rhumatologie. Il existe en outre une relation étroite entre la corpulence et les problèmes liés au métabolisme. L'obésité à haut risque ou morbide (par exemple 130 kg pour un homme de 1,80 m ou 110 kg pour une femme de 1,65 m) est présente chez environ 100 000 personnes, particulièrement nombreuses entre 45 et 54 ans. Elle est deux fois plus fréquente chez les femmes que chez les hommes. Chez les personnes de 65 ans et plus, la prévalence de l'obésité diminue : elle est de 19,5 % chez les 65-69 ans et de 13,2 % chez les 80 ans et plus. Cette diminution est plus marquée chez les hommes (réduction de 9 points) que chez les femmes (réduction de 4 points).

Une analyse de l'évolution en fonction de l'année de naissance montre que l'obésité s'est développée progressivement tout au long du XXe siècle. De génération en génération, on devient obèse de plus en plus jeune : 10 % des Français nés il y a 50 ans sont obèses, alors que ce pourcentage est d'ores et déjà atteint chez ceux nés il y a seulement 30 ans.

La vie XXL

L'augmentation continue de la taille et du poids des Français a de nombreuses conséquences sur la vie quotidienne. Ainsi, les tailles les plus demandées pour les vêtements ou les chaussures se sont déplacées vers le haut (XL, XXL, etc.). Les sièges des voitures, des trains, des avions, des cinémas ou des salles de spectacle anciennes ne sont plus adaptés aux mensurations de la population. C'est le cas notamment pour les jeunes, plus grands que leurs parents. Dans l'habitat, les dimensions traditionnelles apparaissent également souvent trop réduites. En matière de literie, les Français de plus en plus de lits en 160 x 200 cm plutôt qu'en 140 x 190 cm ; on observe cependant que cette évolution est bien moins rapide que celle de l'obésité, puisque seul un matelas acheté sur quatre mesure plus de 140 x 190 cm. Le constat est identique pour les meubles de rangement, les plans de travail de cuisines ou les sièges de bureaux.

La taille et le poids des Français ayant augmenté, ils occupent un peu plus de « volume ». Ils ont donc naturellement davantage besoin d'espace, que ce soit dans les transports, les bureaux ou chez eux. Ce besoin, lié à des réalités physiques, est accru par un souhait général d'accroissement du niveau de confort, particulièrement sensible en matière de logement (p. 178).

Hygiène et beauté

Le niveau d'hygiène s'est considérablement accru au cours du XXe siècle.

La « toilette » a longtemps désigné en France le changement de linge, puis les vêtements que l'on portait, avant de concerner essentiellement l'hygiène corporelle. Prendre un bain était jugé immoral jusqu'au XIXe siècle ; on ne comptait que 500 baignoires publiques à Paris vers 1800, 5 000 vers 1850. Au début du XXe siècle, la propreté n'était pas la préoccupation première des Français. En 1951, un sondage publié par le magazine *Elle* montrait qu'un peu plus d'une femme sur trois (37 %) ne faisait sa toilette « complète » qu'une fois par semaine ; 39 % ne se lavaient les cheveux qu'une fois par mois. La même année, le *Larousse médical* suggérait de « soigner sa façade » et précisait que la douche ou le bain pouvait être hebdomadaire.

Depuis, les habitudes de propreté des Français ont énormément progressé : 71 % des Français déclarent prendre une douche au moins une fois par jour ; 7 % disent même en prendre au moins deux. Plus d'un homme sur quatre et une femme sur dix déclarent aujourd'hui se laver les cheveux tous les jours ou presque. L'hygiène dentaire s'est aussi sensiblement améliorée : une femme sur trois et un homme sur cinq disent se brosser les dents trois fois par jour ; ces chiffres semblent cependant un peu surestimés lorsqu'on les compare avec les achats de dentifrice et de brosses.

Les progrès de l'hygiène s'expliquent par la transformation de la relation au corps (p. 20). Ils sont aussi la conséquence de l'accroissement des pressions sociales, professionnelles ou médiatiques, qui influencent les comportements. Il en est de même de l'offre permanente de nouveaux produits. La propreté a été surtout favorisée par l'amélioration du confort sanitaire des logements ; la quasi-totalité dispose aujourd'hui d'une baignoire et/ou d'une douche (98 %), contre 70 % en 1975, 48 % en 1968 %, 29 % en 1962. On constate que les habitudes d'hygiène sont plus affirmées dans le sud que dans le nord du pays, du fait notamment de la température plus élevée et de ses effets sur la transpiration. Le souci d'être propre s'est accru avec celui de soigner son apparence. L'hygiène est en effet la face cachée de la beauté.

10 à 20 minutes dans la salle de bain

Temps passé dans la salle de bains le matin, en semaine (2011, en % des Français de 18 ans et plus)

Moins de 10 minutes	6,1 %
Entre 10 et 20 minutes	46,5 %
Entre 20 et 30 minutes	26,8 %
Entre 30 minutes et une heure	16,1 %
Plus d'une heure	4,5 %

IPEA

La dépense moyenne d'hygiène-beauté dépasse 200 € par an, ...

En 2010, les ménages français ont dépensé 25,4 milliards d'euros pour les soins corporels, dont 14,3 milliards pour les parfums et les produits pour la toilette, 6,2 milliards dans les salons de coiffure, 3,1 milliards pour les mouchoirs, papier toilette, couches et 1,2 milliard pour les soins. Ces dépenses représentaient 2 % du budget des ménages.

La croissance des achats de produits cosmétiques au sens large avait été très forte entre les années 1960 et 1980. Elle a été plus modérée au cours des années 1990, tout en restant supérieure à celle de la consommation globale, avec plus de 2 % par an en volume. Entre 1980 et 2000, la dépense moyenne annuelle en produits de parfumerie avait ainsi été multipliée par plus de dix en francs courants. Elle a cru de 50 % entre 2000 et 2010. Les produits capillaires (shampooings, après-shampooings, produits coiffants) sont ceux qui ont connu la plus forte croissance, devant les produits de rasage, les déodorants et les produits de beauté. La dépense moyenne annuelle est un peu supérieure à 200 € par personne. La France se situe au quatrième rang mondial en termes de dépenses, derrière les États-Unis, le Japon et le Brésil.

En 2011, les plus fortes croissances des achats ont concerné les produits de toilette (4,3 %), la parfumerie (3,8 %) et le maquillage (2,6 %). Chaque Français achète environ 25 produits au cours de l'année. Chaque jour, ils ont acheté en moyenne 511 000 shampoings, 327 000 déodorants, 143 000 flacons de parfums. Les dépenses en soins du visage ont en revanche baissé de 4,3 %, contrairement à la forte dynamique des achats de petit électroménager pour la maison. On observe par ailleurs un développement des achats de produits « communautaires et ethnique » (encadré p. 35).

Hygiène féminine

L'hygiène a une importance croissante dans la société contemporaine, notamment pour les femmes. La préoccupation va bien au-delà du besoin d'être propre, de se débarrasser des microbes et des risques d'infection. Les Françaises apparaissent particulièrement soucieuses de l'image qu'elles renvoient aux autres. Selon l'enquête SCA-TENA/United Minds (effectuée dans huit pays), 97 % d'entre elles disent se sentir mal à l'aise en société lorsqu'elles ne se sont pas lavé les mains ou les dents (84 % pour les Allemandes).

81 % des Françaises ayant des enfants considèrent aussi l'hygiène personnelle de leurs enfants comme très importante dans leur éducation (contre 72 % des hommes), avant le fait de « bien travailler à l'école » (61 %) ou « l'apprentissage des bonnes manières » (64 %). La proportion est de 94 % lorsqu'elles ne se sont pas douchées (78 % pour les Anglaises). Les Françaises déclarent consacrer en moyenne 46 minutes par jour à leur hygiène personnelle, soit moitié plus que les 32 minutes quotidiennes des Suédoises, mais un peu moins que les 48 minutes des Mexicaines. L'hygiène corporelle est une condition du bien-être à la fois physique et psychique.

… dont la moitié dans les grandes surfaces.

Les grandes et moyennes surfaces restent les principaux lieux d'achat de produits cosmétiques, avec un montant de dépenses de 5,5 milliards d'euros en 2011, en progression de 1,2 % sur un an (ACNielsen). Les produits capillaires et de toilette représentent chacun 1,1 milliard d'euros. La parfumerie sélective arrive en deuxième position, avec 3,2 milliards d'euros (en progression de 3 % en 2011), répartis pour 76 % dans les grandes chaînes nationales (Sephora ou Marionnaud), 12 % dans les franchises ou groupements (Passion Beauté, Beauty Success), 8 % pour les grands magasins et 4 % pour les indépendants. Les pharmacies et les parapharmacies représentaient 40 % des dépenses de soin. Internet est de plus en plus utilisé, avec 30 millions d'acheteurs de produits hygiène-beauté en 2011, en hausse de 11 % sur un an (Fevad-Médiamétrie). Les soins pour hommes connaissent une croissance importante, notamment en ce qui concerne les produits d'hygiène et de soins pour la peau (encadré).

Les attentes des consommateurs concernent en priorité la diversité des offres (marques, produits, ingrédients, emballages), leur accessibilité et, surtout, leur efficacité. C'est pourquoi ils sont attirés par les gammes de soins dits « professionnels », qu'ils trouvent dans les salons, les instituts de beauté et le circuit sélectif, où la fonction de conseil joue un rôle important. Le renouvellement de l'offre est important. Les produits bio/naturels connaissent un certain engouement, dans la mouvance « naturaliste » actuelle, mais ils ne représentaient encore que 2 % des dépenses en 2011. La France se situe au deuxième rang des dépenses en Europe, derrière l'Allemagne.

Les produits de nuit, qui sont destinés à nourrir, réparer ou apporter des effets curatifs sur le visage, les mains, le corps sont aussi appréciés. Il en est de même des soins pour la peau spécifiques à certaines parties du corps (genoux, épaules, cou, mains…), qui concurrencent les soins combinant deux fonctions telles que les laits corporels hydratants et autobronzants. Les produits de soins solaires sont un autre secteur en croissance, avec notamment les lotions promettant hydratation et bronzage.

La première motivation est celle du bien-être.

La distinction entre les produits liés à l'hygiène et ceux concernant la beauté est de plus en plus ténue. Ainsi, plus d'un quart des dépenses de dentifrice concerne les produits promettant la blancheur et contenant du peroxyde d'hydrogène. Ils illustrent aussi le transfert vers le foyer d'opérations autrefois effectuées par des spécialistes, en l'occurrence les dentistes. C'est le cas également des équipements d'électro-soins, tels que la microdermabrasion, traditionnellement pratiqués dans les instituts de beauté. On assiste d'une manière générale à une « médicalisation » des produits, tant dans leur présentation que dans les promesses ou allégations, sensible dans la communication.

Le rapprochement est ainsi croissant dans l'esprit des consommateurs entre plusieurs univers autrefois très différenciés : beauté ; hygiène ; santé ; alimentation ; habillement. Les médicaments, les produits cosmétiques, les aliments ou les vêtements doivent aujourd'hui répondre à des préoccupations d'apparence, de confort, de séduction et de bien-être qui sont de

Hygiène masculine

L'univers des cosmétiques et autres « produits de beauté » n'est plus le domaine réservé des femmes. Les hommes contemporains prennent soin d'eux et veillent à leur apparence. Le phénomène avait commencé avec les « métro-sexuels », urbains modernes soucieux de leur capacité de séduction. Aujourd'hui, 70 % des hommes utilisent une lotion après-rasage, 38 % s'appliquent chaque jour une crème sur le visage et près de 20 % s'épilent régulièrement (enquête Beiersdorf, 2009). Face à cette demande croissante, l'offre s'est « sexuée » : crèmes amincissantes, crèmes anti-double menton, soins contour des yeux, crèmes et cires dépilatoires, teintures pour cheveux, maquillage…

La différenciation des produits n'est pas un simple enjeu de marketing. Les caractéristiques hormonales des hommes sont distinctes, ce qui a des incidences sur la peau (plus épaisse et plus grasse), les cheveux (qui tombent plus tôt et de façon beaucoup plus marquée) et la pilosité (plus forte). Si la composition des produits est différente, la façon de les vendre l'est tout autant. Les produits cosmétiques pour hommes doivent respecter des codes, et ne pas donner l'impression à leurs clients qu'ils pourraient y perdre un peu de leur virilité. Mais ce sont encore souvent les femmes qui achètent les produits pour les hommes.

plus en plus difficiles à séparer. On verra donc de plus en plus apparaître dans les rayons des produits hybrides, à double promesse, comme les « alicaments » (p. 189), les « vêticaments » ou les « vêticosmétiques » (ou cosmétotextiles). D'autres pratiques comme le sport, les massages ou la thalassothérapie s'inscrivent dans cette recherche globale de bien-être et d'harmonie.

La peur de vieillir est une incitation croissante.

La volonté de lutter contre les effets du temps est une motivation ancienne, mais son importance s'accroît. Le souhait de rester jeune est de plus en plus apparent dans les attitudes et les comportements contemporains. Il ne concerne plus seulement les personnes âgées ; les pratiques préventives commencent de plus en plus tôt, en particulier chez les femmes.

Cette préoccupation explique le fort développement de la consommation des produits de soins et d'entretien de la peau. Parmi eux, les antirides bénéficient depuis plusieurs années d'un véritable engouement, favorisé par l'apparition de nouveaux produits (liposomes, acide hyaluronique, acides de fruits, vitamines...). On observe aussi un intérêt pour les qualités hydratantes, adoucissantes, tonifiantes ou reminéralisantes des légumes (carottes, tomates, concombres, laitue...).

L'usage des produits solaires s'inscrit dans le même souci de préserver la peau du vieillissement. La protection reste cependant insuffisante, car la fréquence des mélanomes a doublé en dix ans. Ce phénomène peut s'expliquer par le fait que les Françaises considèrent que le vieillissement de la peau vient de l'intérieur, au contraire par exemple des Américaines, qui estiment qu'il est le résultat des agressions de l'extérieur.

L'intérêt particulier porté à l'entretien de la peau est révélateur. Elle constitue pour chaque individu l'interface avec le monde, le lieu de rencontre et de séparation entre le dedans et le dehors. Le développement des *patchs* (contre le tabac, les points noirs, les douleurs musculaires, le mal des voyages...) témoigne de la reconnaissance de cette fonction médiatrice de l'épiderme, mais leur vente a chuté, faute d'efficacité prouvée.

La peau est aussi le support de la perception par le toucher ; elle reçoit les caresses comme les agressions. Son état apparent est un indicateur de l'âge et de l'histoire individuelle. L'intérêt des Français pour les produits et les soins cosmétiques traduit leur volonté de « se sentir bien dans leur peau », mais aussi peut-être de « sauver leur peau », au sens de retarder l'instant ultime de la mort.

L'innovation influence fortement les achats.

La consommation de produits d'hygiène-beauté est associée à des motivations rationnelles, comme le souci d'être propre et de chasser les bactéries de son corps. Elle obéit aussi à des motivations plus irrationnelles. La volonté de séduire est sans doute la principale. Elle est particulièrement sensible chez les femmes et présente à divers âges : chez celles de 50 ans et plus , dont les enfants ont souvent quitté la maison, on observe ainsi une volonté d'être à nouveau « plus femme parce que moins mère ». Elle s'inscrit aussi dans une quête générale d'harmonie.

L'innovation apportée par les fabricants joue un rôle déterminant dans l'évolution des achats. Ceux de déodorants se sont accrus avec l'apparition des produits à bille, qui succédaient aux atomiseurs ; leur usage est de moins en moins lié à la température extérieure. Les produits pour la douche ont profité de l'arrivée des gels et des produits plurifonctionnels comme le shampooing-démêlant-traitant. La consommation de savon a diminué parallèlement, mais elle a été relancée par les savons liquides. Les produits pour incontinence sont apparus en réponse aux besoins des personnes âgées, de même que les couches pour ceux des bébés (et des parents). Les lingettes ont représenté une évolution importante, inaugurant celle des textiles cosmétiques.

Plus récemment, les produits bio sont arrivés en force, avec des ingrédients aux vertus particulières : huile d'argan (peau et cuir chevelu); açai (antioxydant); baie de Goji (potentiel nutritif); baobab (riche en vitamines A, C, D et E, B3 et en riboflavine, effets anti-âge); acérola (riche en vitamine C, pour la peau); myrtille (riche en acides aminés et en acides gras essentiels, antioxydant, anti-âge).

Les probiotiques (bactéries bénéfiques pour la santé), utilisées auparavant surtout dans l'alimentation, le sont de plus en plus dans la cosmétique, confirmant le potentiel des alicaments. La myrrhe (circulation, effets liftants), le curcuma (propriétés antiseptiques), le palmitoyl tripeptide-3 (rides), les produits naturels et « zen » (jojoba, ginseng...) et les produits « actifs » au fort contenu technique (rétinol, argénine, vitamines...) bénéficient d'un intérêt croissant. En attendant peut-être les produits au Botox, les appareils laser ou ultrasons pour particuliers.

La coiffure participe de plus en plus à l'apparence.

Des mousquetaires de Louis XIII aux *skinheads*, la coiffure a toujours été un révélateur de l'identité ou de l'appartenance à un groupe social. Elle peut être utilisée au service de la fantaisie, voire de la transgression pour ceux qui souhai-

Ethno-cosmétique

L'ethno-cosmétique concerne les produits destinés aux peaux noires et métissées, aux cheveux crépus, frisés et défrisés. Ce nouveau marché développé par l'industrie cosmétique vise à toucher les minorités jusqu'ici marginalisées par une offre « standardisée » ne correspondant pas à leurs besoins spécifiques. En France, on estime le potentiel de ce marché à 20 % de la population mais de nombreux freins politiques et éthiques semblent vouloir limiter cette « tentation ethnique » qui va à l'encontre de l'idéal égalitaire.

Développée dans de petites boutiques indépendantes, l'offre ethno-cosmétique se structure avec l'arrivée de groupes mondiaux qui commencent à implanter leurs nouvelles gammes au sein des chaînes spécialisées. Afin de profiter de ce potentiel de marché sans bousculer les états d'esprit, les grands groupes internationaux se positionnent plus sur des marques plus multiculturelles qu'ethniques en élargissant discrètement leur offre dans les rayons hygiène-beauté avec des soins spécifiques. On voit également apparaître une offre à dimension « confessionnelle », tels que des produits *halal*, certifiés sans alcool ni extraits animaux et labellisés par les autorités musulmanes.

tent afficher leur mépris des conventions et des modèles. Elle est aussi un moyen de « changer de tête », de paraître plus jeune, voire de changer d'identité.

À l'exception d'une parenthèse au milieu des années 1970 au cours de laquelle ils avaient boudé les coiffeurs, les Français sont nombreux à fréquenter les salons : un million chaque jour. On compte un coiffeur pour 500 habitants, et les salons sont de plus en plus nombreux : 74 500 fin 2010 (FNCF), soit 13 % de plus en deux ans imputable, dont l'essentiel (89 %) sous la forme d'auto-entreprises. Les enseignes franchisées représentent 10 % de l'ensemble des établissements. La coiffure à domicile se développe, à destination des personnes âgées ou de celles qui ont un emploi du temps surchargé. Les dépenses annuelles représentent 6 milliards d'euros, soit 80 € par habitant, dont 5 % pour des achats de produits capillaires.

La motivation principale de la visite est la mise en valeur la personnalité, plutôt que la modification. Aller chez le coiffeur est une façon de s'occuper de soi et de se « redonner le moral ». 60 % des femmes colorent leurs cheveux, avec une moyenne de 6 à 8 colorations par an. 5 à 10 % des hommes seraient concernés. La principale préoccupation des hommes est la chute de leurs cheveux. Un tiers d'entre eux commence à les perdre après 35 ans, deux tiers après 50 ans. On estime qu'environ 10 millions d'hommes ont une calvitie. Les tendances récentes (2011-2012) montrent une convergence, voire une interchangeabilité des styles de coiffure pour les hommes et les femmes (coupe unisexe). Cependant, chez les femmes, le faux carré s'affiche partout et est présenté comme une grande illusion qui permet aux femmes portant des cheveux longs de jouer avec cet aspect court quand elles le souhaitent.

Le recours à la chirurgie esthétique est croissant…

Au-delà des produits de beauté qui agissent à la surface du corps sans le transformer, les Français s'intéressent de plus en plus à la chirurgie esthétique, dont les effets sont plus radicaux et visibles. On estime le nombre d'actes pratiqués à plus de 500 000 par an, ce qui placerait la France au 14e rang du palmarès mondial des pays consommateurs de chirurgie esthétique (ISAPS, 2010), loin derrière les États-Unis (plus de 3,3 millions d'actes), le Brésil (2,5 millions) et la Chine (1,3 million d'actes). Au sein de l'Union Européenne, la France se situe au deuxième rang, derrière l'Italie.

Téléphonie et coiffure : même budget

Les femmes se rendent chez le coiffeur en moyenne 5 fois par an, contre 6 fois pour les hommes. La facture moyenne s'élève à 18 € pour les hommes et 32 € pour les femmes, mais elle est souvent plus élevée, du fait des suppléments (entre 43 et 50 €, voire 70 € pour les urbains). Le budget annuel de coiffure des femmes résidant dans les grandes agglomérations est quasiment équivalent à celui du téléphone portable, soit 350 €.

Face à la crise, les Français se tournent vers des solutions plus économiques. Le *low-cost* se développe aussi dans la coiffure, avec des coupes à 10 € sur des cheveux déjà lavés, avec parfois un recours au *self brushing*. Des micro-salons de coiffure se sont aussi installés dans les rayons cosmétiques des hypermarchés, avec des prix avantageux rendus possibles par des coupes plus rapides (moins de vingt minutes, contre 30 à 60 minutes chez un coiffeur traditionnel). Les dépenses de coloration à domicile ont également augmenté ; elles sont favorisées par la plus grande confiance dans le résultat obtenu, grâce aux progrès réalisés par les fabricants de produits d'autocoloration.

La médecine esthétique est pratiquée en France par 464 chirurgiens spécialisés. Pour les femmes, les principaux actes sont les injections de Botox et de Dysport (52 000 interventions en 2010) ou d'acide hyaluronique (42 000), ainsi que la liposuccion (28 000). Les augmentations mammaires arrivent en quatrième position avec 21 000 opérations pratiquées dans l'année, un nombre qui pourrait diminuer sensiblement après le scandale des prothèses PIP. Mais il ne semble pas avoir un impact conséquent sur la demande concernant d'autres types d'opérations.

La tendance est aux interventions moins lourdes, qui immobilisent moins les clients, tels les traitements au laser ou au Botox, destinées à gommer les rides d'expression de façon temporaire. On a vu apparaître en France les premiers spas médicalisés qui proposent des interventions esthétiques légères, pour des coûts variables : entre 3 000 € et 6 000 € pour un lifting ; 1 500 à 4 000 € pour une liposuccion ; 2 500 à 6 000 € pour une rhinoplastie (nez)... On observe enfin un fort développement de la demande de soins esthétiques dentaires, avec le blanchiment des dents.

... et concerne surtout les femmes.

Les opérations concernent le plus souvent des femmes qui souhaitent effacer un défaut physique (réel ou supposé), embellir leur apparence, se sentir mieux dans leur peau, accroître leur pouvoir de séduction ou ralentir le vieillissement apparent. Les jeunes femmes sont aussi de plus en plus souvent intéressées par des opérations dont elles attendent une réconciliation avec leur corps.

Cependant, la part des hommes s'accroît (environ un quart des patients); la majorité sont concernés par la chute des cheveux, un quart par une surcharge graisseuse, un sur sept par un lifting et le retrait des rides. Les plus nombreux sont les cadres, pour qui l'apparence corporelle est un atout professionnel important. Le cap de la cinquantaine est souvent un élément déclencheur.

La place croissante accordée par les médias à la chirurgie esthétique élargit le nombre potentiel de ses utilisateurs. On observe enfin un accroissement du « tourisme esthétique » ; des clients profitent de leurs vacances dans certains pays (Tunisie, Maroc, Turquie, Hongrie, Pologne, République Tchèque, Thaïlande, Inde...) pour faire réaliser des opérations à un coût souvent bien moindre qu'en France. Les résultats obtenus ne sont cependant pas toujours à la hauteur des espérances, certaines opérations manquées laissant des traces beaucoup plus disgracieuses que celles qu'elles étaient censées supprimer.

HABILLEMENT

La part de l'habillement dans les dépenses diminue depuis des décennies.

L'attachement au corps et à son apparence ne s'est pas traduit par un accroissement des dépenses d'habillement. Celles-ci ont au contraire diminué régulièrement depuis quarante ans. Les ménages lui consacraient 10 % de leurs dépenses en 1960, une part qui était passée à 6 % en 1980. La baisse s'est poursuivie depuis, à un rythme moins élevé ; l'habillement ne représentait plus que 2,6 % de la consommation effective des ménages en 2011, contre 3,7 % en 2000. Ce budget comprend les vêtements, la mercerie (tissus, laine), les accessoires (sauf maroquinerie), les dépenses d'entretien (nettoyage, blanchisserie, réparation) ; il inclut les vêtements offerts aux personnes extérieures au foyer. Ce sont les catégories les plus modestes qui ont le plus réduit leurs dépenses. Celles-ci diminuent (en proportion du revenu disponible) avec l'âge et sont plus élevées dans les grandes villes que dans les zones rurales. Les célibataires de moins de 35 ans sont ceux qui dépensent le plus.

Il faut préciser que la diminution mesurée sur longue période concerne la valeur relative (par rapport au budget disponible des ménages) ; les dépenses globales ont en effet continué de s'accroître en valeur absolue. Mais les Français ont plutôt utilisé l'accroissement de leur pouvoir d'achat pour financer d'autres types de dépenses comme la santé, le logement ou les loisirs. Entre 2000 et 2011, l'ensemble de la consommation des ménages français avait ainsi progressé d'environ 2 % par an (en euros constants), contre une baisse de 5 % pour celle d'habillement.

Sur les dix dernières années, on constate une baisse des prix moyens payés par les acheteurs, du fait notamment de l'importation de vêtements. En 2011, les importations d'habillement ont progressé de 6 %. Le sous-continent indien occupe une place croissante dans les achats français ainsi que la Turquie. Sur les 16,4 milliards d'importations d'habillement, le quart provient des pays de l'Union européenne. Il est aussi la conséquence de l'évolution de la distribution, avec le développement des soldeurs, centres de magasins d'usines, discompteurs mais aussi de concepts importés jouant sur des prix bas et sur le renouvellement rapide des collections.

En 2011, les seules dépenses d'habillement ont connu une nouvelle

Moins d'argent pour s'habiller

Évolution de la part de l'habillement dans les dépenses de consommation effective* des ménages (en %)

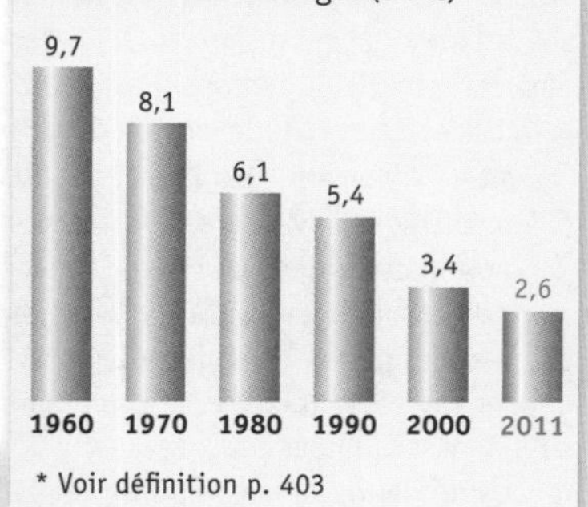

* Voir définition p. 403

INSEE

baisse: 1,5 % en valeur à surface évolutive et 2,6 % à surface comparable. Cette diminution a affecté l'ensemble des circuits de distribution, à l'exception des Grand magasins qui ont progressé de 2,5 % à surface comparable (IFM). Toujours selon l'Institut Français de la Mode, la plus forte baisse d'activité en valeur, à surface comparable, concerne les chaînes spécialisées (-3,5 %), la vente à distance (-3,1 %) et les indépendants multimarques (-2,8 %).

Les ménages dépensent en moyenne 1 075 € par an.

L'année 2011 a marqué la quatrième baisse consécutive des dépenses d'habillement des Français. En recul de 1,5 % en 2011, les achats ont représenté 29,3 milliards d'euros, soit 1 075 € par ménage. La France occupe une position moyenne en Europe, derrière le Royaume-Uni et l'Italie, devant l'Allemagne et l'Espagne. Phénomène nouveau, les quantités achetées sont en diminution, après avoir été dopées pendant des années par les prix bas et la multiplication des surfaces de ventes.

Les femmes dépensent en moyenne la moitié du budget du ménage pour leurs achats d'habillement (49,9 %), les hommes un tiers. Le reste est réparti entre les enfants (13,2 %) et les bébés (4 %). C'est la situation inverse qui prévalait au début des années 1950 : les hommes consacraient un tiers de plus que les femmes à leur habillement et les dépenses concernant les filles étaient nettement inférieures à celles faites pour les garçons. La tendance récente est de nouveau à l'augmentation de la part des dépenses des hommes et des enfants au détriment des achats féminins.

Les prix des vêtements achetés ont connu une baisse régulière. Ils avaient chuté en moyenne de 40 % en monnaie constante entre 1985 et 1995, puis de 5 % entre 1996 et 2001. Le mouvement se poursuit depuis ; il concerne désormais tous les secteurs, y compris la lingerie, qui avait été moins touchée. Il s'explique par la délocalisation croissante de la production et par l'évolution de la structure de distribution. Les enseignes de moyenne gamme ont connu des difficultés, au contraire des chaînes de magasins pratiquant des prix bas.

On a assisté en 2011 à un retournement de tendance, avec des prix en augmentation moyenne de 4,8 %, après de faibles hausses en 2007 et 2008 suivies d'une baisse de 1,8 % en 2010. Cette forte hausse de 2011 s'explique en partie par le rétablissement de certains quotas d'importation et par la montée en gamme des articles achetés en Chine (5,6 milliards d'euros en 2011). Cette hausse des prix s'est accompagnée d'une baisse des quantités achetées. La part des achats en solde et

Légitime dépense

Les achats de textile-habillement (y compris maroquinerie, chaussures et accessoires) ont diminué de 0,4 % en valeur en 2011 (Institut Français de la mode). À surface de vente inchangée (en ne tenant pas compte des nouvelles ouvertures de magasins) et pour le seul secteur du textile-habillement, la baisse a atteint 2,6 %. Les perspectives ne sont guère optimistes pour 2012, dans un contexte économique défavorable. La tendance est à la diminution des volumes achetés, compte tenu notamment des inquiétudes sur le pouvoir d'achat, et de la hausse du prix des matières premières qui se répercute sur les prix de vente.

Les comportements en matière d'achats vestimentaires ont changé, notamment chez les femmes, qui représentent la première clientèle en volume comme en valeur. Une sur quatre (34 %) n'achète plus ses vêtements qu'en solde, une sur quatre (25 %) en revend, une sur cinq (20 %) fait du troc... Pour faire face, les enseignes multiplient les promotions, tout en organisant, parallèlement, une montée en gamme.

La crise a fait émerger deux types de consommation, contradictoires ou « bipolaires ». D'un côté, le fast fashion, centré sur des achats fréquents et bon marché. De l'autre, le *slow fashion*, qui se traduit par des dépenses moins nombreuses, mais plus qualitatives et plus chères. En moyenne, les femmes ont ainsi consacré en moyenne 407 € pour se vêtir en 2010, soit 82 € de moins qu'en 2000. Le budget vestimentaire des Françaises apparaît plus réduit que celui de ses voisines des pays les plus riches de l'U.E. ; il est ainsi inférieur de près de 200 € à celui d'une Allemande.

en promotion s'est aussi fortement accrue : 32,9 % en 2011, contre 15 % en 1984 . Elle dépasse 50 % sur les produits à prix barré dans la vente à distance, contre 25 % chez les détaillants indépendants. L'introduction en 2009 des soldes flottants (deux semaines au maximum fixées librement par chaque commerçant, s'achevant au moins un mois avant les périodes de soldes fixes) a nettement renforcé cette tendance.

La mode est éclatée et contradictoire…

La baisse ancienne et continue de la part des dépenses d'habillement s'explique d'abord par l'évolution des attitudes à l'égard de la mode. Dans un contexte d'individualisation, les Français ont fait preuve d'une résistance croissante à l'uniformité et aux diktats des créateurs. Fabricants et distributeurs tentent de modifier les comportements en incitant à des achats plus fréquents. Les collections sont renouvelées plus souvent, les modèles sont davantage mis en valeur dans les magasins, l'accueil et les services ont progressé. Les prix ont aussi baissé, du fait notamment de la délocalisation des usines et des importations.

Les modes se succèdent, mais elles sont devenues multiples, éclatées, changeantes. Les tendances récentes vont globalement dans le sens d'un retour à l'élégance, à la couleur, à une plus grande féminité, au romantisme. Elles suivent plus les mouvements de la rue qu'elles ne les précèdent, et les Français (comme les magazines féminins ou spécialisés) ne parviennent guère à les identifier et les décrypter, sauf à dire que la mode est foisonnante, diversifiée, contradictoire. Les *fashion victims* ne savent plus à quel style se vouer. Des modes communautaires ou tribales ont pris le pas sur la mode collective.

C'est désormais surtout des matériaux que vient l'innovation. Ceux utilisés sont plus confortables, plus agréables au toucher, plus faciles à entretenir. Ceux de demain offriront des propriétés nouvelles qui pourraient inciter les Français à renouveler leur garde-robe : antitranspirants, antibactériens, sans coutures, intachables, infroissables, indéchirables, bioactifs, massants, relaxants, odorants ou désodorisants, thermochromiques, thermoélastiques, chauffants, réfrigérants, oxygénants… Ils seront aussi communicants et interactifs grâce à l'intégration de puces électroniques et de capteurs. Le lien entre le vêtement et la santé sera de plus en plus fort. On observe par ailleurs une préoccupation croissante envers le respect de l'environnement et des conditions de travail plus décentes dans les pays exportateurs.

… et la distribution peu concentrée.

Contrairement à l'équipement de la maison, la distribution de l'équipement de la personne reste peu concentrée puisque le premier acteur ne représente que 3,1 %, contre plus de 17 % dans l'ameublement ou 30 % dans le bricolage. Dans un contexte de stagnation des achats de vêtements en valeur, ceux effectués dans les magasins des chaînes spécialisées ont représenté 27,2 % des dépenses en 2011 (hors chaînes sport, marchés et foires). Ils devancent de plus en plus nettement les indépendants (16,6 %), dont l'avance s'était réduite par rapport aux grandes surfaces (hypermarchés et supermarchés, 12,9 %) et les chaînes de grande diffusion (12,2 %). Cependant, les grandes surfaces ont subi dans les années passées la concurrence croissante du maxidiscompte alimentaire, qui a réduit la fréquence de visite et eu des répercussions sur les achats vestimentaires. La vente à distance (par catalogue, démarchage mais aussi de plus en plus sur Internet) représente 7,1 % des dépenses. Enfin, la part des grands magasins est de 5,6 %, celle des magasins populaires de 2,3 %. Le taux de concentration de la distribution a atteint 73 % en France, comme en Allemagne ; il n'est que de 52 % en

Garde-robes

Évolution des dépenses vestimentaires (en millions d'euros courants)

	2000	2011	Évolution (en %) 2011/2000	Évolution (en %) 2011/2010
Habillement femme	15 791	14 620	−7,4 %	−1,7
prêt-à-porter	8 115	6 889	−15,1 %	−4,0
petites pièces	4 515	4 152	−8 %	−2,6
lingerie	3 161	3 579	13 %	4,0
Habillement homme	10 047	9 664	−4 %	−1,5
prêt-à-porter	4 906	4 700	−4 %	−1,3
petites pièces	4 175	3 993	−4 %	−2,3
lingerie	966	971	1 %	1,4
Habillement enfant	4 867	5 025	3 %	−1,1
Total habillement	**30 705**	**29 310**	**−5%**	**−1,5**

IFM

Espagne, 42 % en Italie, mais 83 % au Royaume-Uni et 88 % aux États-Unis (IFM, 2011).

Il existe une relation entre le « moral » des consommateurs et leurs achats de vêtements. Elle semble être plus forte chez les femmes (cf. le cliché de la femme dépressive qui court acheter des vêtements pour se consoler). Ce sont celles de 15 à 24 ans qui dépensent le plus : elles représentent 22 % des achats en valeur pour seulement 11,7 % de la population. Ce sont elles qui sont le plus sensibles à la mode, tout en recherchant des moyens économiques de la suivre. Leur poids tend cependant à diminuer au profit des femmes de 45 à 54 ans, qui doivent veiller à leur apparence dans la vie professionnelle (19,7 %). Avec l'allongement de l'espérance de vie, on observe que les dépenses de vêtements augmentent chez les femmes plus âgées. En 2011, les femmes de 55 à 64 ans ont représenté 16 % de l'ensemble des achats d'habillement féminin, soit le même que celles de 35 à 44 ans.

Les hommes s'intéressent davantage aux vêtements, mais leurs achats stagnent.

Comme en matière d'hygiène-beauté (p. 31), les hommes sont plus concernés par la mode vestimentaire que par le passé. Pourtant, leurs dépenses ont diminué de 4 % au cours des dix dernières années. En 2011, elles ont cependant mieux résisté au recul observé sur l'année : - 1,3 % en valeur pour le prêt-à-porter, contre - 4 % chez les femmes et - 2,3 % pour les petites pièces contre – 2,6 %. Seuls les sous-vêtements ont connu une légère croissance (1,8 % chez les hommes), loin cependant des 4 % de la lingerie féminine. Les achats de chemises ont souffert de la concurrence des tee-shirts et des polos, tandis ceux de pantalons subissent celle des jeans. Surtout, les hommes sont comme les femmes à la recherche des prix bas et ils ont pris l'habitude de renouveler leur garde-robe au moment des soldes. Ce sont les hommes de moins de 30 ans, plus sensibles à la mode que les plus âgés, qui accroissent le plus leurs dépenses. Les 15-24 ans représentent maintenant 28,6 % des achats masculins, soit deux fois plus que leur part dans la population masculine (12,9 %). Lorsqu'ils avancent en âge, vieillissant, et contrairement aux femmes, les hommes dépensent moins : les 55 ans et plus ne représentent que 21,7 % des achats masculins contre 28,3 % pour la même tranche d'âge chez les femmes (IFM). Au total, le budget habillement des hommes représentait 390 € en 2011.

L'homme est devenu en tout cas un client à part entière pour les marques et les enseignes. Les grands magasins comme le Printemps ou les Galeries Lafayette ont depuis quelques années ouvert, agrandi ou transformé des espaces de vente qui leur sont dédiés. Les magazines masculins consacrent de nombreuses pages à la mode. Les stylistes créent pour les hommes des vêtements « branchés ». Les produits mixtes (parfums, vêtements, magazines...) qui s'étaient développés dans une période intermédiaire parfois « androgyne » tendent à être de nouveau plus sexués. Mais il existe un grand nombre de façons d'être un homme aujourd'hui. Cette diversité est particulièrement apparente dans les tenues portées au travail, qui vont du costume classique au négligé en passant par le décontracté chic, le confortable, le *sportswear* ou l'ethnique. Si les hommes sont plus nombreux à acheter eux-mêmes les produits qu'ils consomment, le rôle d'influence et d'assistance des femmes reste important.

Dis-moi comment tu t'habilles...

Les fonctions des vêtements ont changé avec la relation au corps (p. 21). Leur rôle traditionnel de « vitrine » s'est accompagné de celui de « miroir ». Certes, le vêtement reste le support privilégié de l'image que l'on donne aux autres. Mais il est aussi un moyen de trouver et d'affirmer sa propre identité, parfois aussi d'en changer.

Dans leur environnement professionnel ou social, certains choisissent ainsi de se fondre en endossant une sorte d'uniforme qui leur permet d'être « transparents ». D'autres cherchent à signifier leur appartenance à un groupe social restreint (tribu, clan, groupe d'âge...) défini par un système de valeurs et des modes de vie spécifiques. D'autres, enfin, jouent avec leur apparence afin de brouiller les cartes ou de révéler des facettes différentes de leur identité en fonction des situations ou de leur humeur.

De plus en plus souvent, les Français ajoutent des touches personnelles à leur habillement, pour se différencier des autres ou se surprendre eux-mêmes. Dans ce contexte, la mode propose des idées et des thèmes qui sont souvent détournés et mélangés par les individus afin de créer leur propre style. Être ou paraître, imiter ou se différencier, tels sont les choix qui s'offrent à chacun dans toutes les circonstances et dans les différents moments de la vie.

Les dépenses pour les enfants continuent de croître.

Les dépenses d'habillement des 2-14 ans ont progressé de 3 % en monnaie constante sur la dernière décennie alors que celles des adultes diminuait de 4 % chez les hommes et de 7,4 % chez les femmes. En 2011, elles ont augmenté de 1,1 %, soit moins que celles consacrées aux adultes. Ces chiffres confirment une tendance générale à l'augmentation des dépenses des ménages pour les enfants, avec un budget moyen de 385 €, proche des 390 € de celui des hommes.

Malgré un taux de natalité toujours très élevé en France, les dépenses consacrées aux bébés ont diminué de 10,1 % en 2011. Cependant, le budget moyen reste très élevé à 738 €, nettement au-dessus de celui des femmes (542 €). Pour les 15-24 ans, le développement du *streetwear* et du *sportswear* a renouvelé les tenues. Après quelques années de déclin, le jean est revenu dans les garde-robes. L'univers de la glisse continue d'exercer une forte influence. Il n'est plus le symbole de la rébellion, mais s'inscrit dans une démarche qui peut être selon les cas *sexy*, moderniste ou *trash*.

Après avoir plébiscité les vêtements multifonctionnels, portables dans la plupart des circonstances de la vie, les jeunes manifestent aujourd'hui un plus grand besoin de fantaisie, parfois de rébellion. Ils recherchent l'authenticité et la créativité. Les codes vestimentaires s'estompent au profit de la diversité et du mélange des genres.

Les jeunes filles sont les plus concernées. Importé des États-Unis au milieu des années 1990, le phénomène *lolita* avait d'abord concerné les 15-24 ans. Il s'est depuis étendu aux plus jeunes et il est souvent entretenu par les mères atteintes du syndrome de régression infantile ; dès 5 ans, certaines d'entre elles tentent de déguiser leurs filles en top-modèles. Ce mouvement témoigne aussi d'une volonté de féminité qui fait contrepoids à la convergence des sexes que l'on observe depuis quelques années. Il explique aussi en partie la disparition des frontières intergénérationnelles entre les mères et les filles.

Les achats de sous-vêtements ont progressé.

La lingerie féminine était l'un des rares secteurs de l'habillement à avoir été épargné par la crise qui a touché le secteur depuis des années. Les dépenses de lingerie féminine ont progressé de 13 % depuis l'année 2000. En 2011, les Françaises ont dépensé 3,6 milliards d'euros pour leurs achats de lingerie, Elles tendent désormais à acheter moins d'articles, mais dans une gamme de prix supérieure. Les dessous féminins font moins souvent l'objet d'un arbitrage des dépenses, car leur achat est davantage considéré comme une nécessité et représente une moindre dépense par rapport aux vêtements de dessus.

Les lieux d'achat évoluent, avec un intérêt croissant pour les enseignes proposant des produits « mode » souvent renouvelés, à un prix abordable. En quelques années, la vente à domicile s'est fortement développée. Les achats sont portés par un courant de féminité et de séduction, dont le soutien-gorge ampliforme avait été le premier révélateur dans les années 1990. Les Françaises dépensent en moyenne 133 € par an pour leurs sous-vêtements. Le montant diminue avec l'âge ; il est trois fois plus élevé pour les 15-34 ans que pour les 65 ans et plus (environ 150 € annuels contre 50 €). Il est supé-

rieur dans les régions du Sud. Les jeunes femmes de 15 à 24 ans achètent en moyenne 8 slips par an contre 5 pour les 25 ans et plus, 4 soutiens-gorge contre 2 et 1 vêtement de nuit (aucun pour les plus âgées). Le string arrive désormais à égalité avec la culotte.

Comme pour les vêtements, les hommes manifestent davantage d'intérêt pour leurs achats de sous-vêtements, mais leurs dépenses tendent à stagner ; elles ont progressé de seulement 1 % entre 2000 et 2011. La hausse a été de 1,4 % en 2011. Le budget moyen des hommes est nettement plus faible que celui des femmes, à 39 € en 2011 (IFM). Le slip revient à la mode et représente 30 % de la lingerie masculine vendue, à quasi-égalité avec le caleçon et le boxer. La reprise des ventes de slips a été portée par la création de nombreuses collections largement plébiscitées par la population gay et le développement de magazines homosexuels comme Têtu.

La tenue vestimentaire est de plus en plus « accessoirisée ».

Les Français cherchent à personnaliser leur apparence. Les femmes sont les plus concernées : sacs, ceintures, chapeaux, foulards, etc. Les achats d'accessoires ont progressé de 2,1 % en 2011. Les jeunes apprécient notamment tout ce qui permet de se distinguer des autres et notamment des parents. Les accessoires, comme les tatouages ou les piercings sont pour eux des moyens d'affirmer leur identité ou leur appartenance à des groupes, tribus ou communautés.

On observe aussi un retour des badges et des pin's, accrochés au revers des vestes, sur les sacs ou sur les jeans. Les tee-shirts sont individualisés avec des inscriptions ou photos. Une nouvelle génération d'accessoires se prépare avec l'introduction de systèmes informatiques miniaturisés dans des bracelets, ceintures, montres, lunettes et autres accessoires qui vont permettre d'échanger des informations entre les personnes présentes dans un même lieu ou avec le reste du monde.

Les lunettes jouent un rôle particulier dans l'apparence, même si la plupart sont portées par nécessité (six Français sur dix sont concernés, p. 49). La monture est de plus en plus considérée comme un accessoire de mode, une façon de mettre en scène sa personnalité. Les « griffes » sont recherchées, à la fois comme signe extérieur et comme réassurance de bon goût. On observe d'ailleurs le développement du multi-équipement, qui permet de porter des modèles différents selon les usages, les moments de la journée et les tenues.

Les dépenses d'horlogerie-bijouterie progressent.

Les Français ont acheté pour 5,5 milliards d'euros d'horlogerie-bijouterie en 2011, un chiffre en progression de 3 % sur un an (CPDHBJO), soit un peu moins de 200 € par ménage. Sur les dix dernières années, le nombre de pièces vendues s'est accru de 22 % pour s'établir à 67 millions. Les achats de bijoux en or ont diminué de 21 % en dix ans pour atteindre un peu plus de 2,5 milliards d'euros, malgré la hausse de la matière première. Leur part dans l'ensemble des achats de bijoux représente maintenant moins de la moitié des ventes, 46 % en 2011, contre 70 % en 2001. Effets de modes ou communication plus active, les achats de montres ont progressé de 32 % sur la même période, à 1,4 milliard d'euros. Quant aux achats de bijoux en argent, ils ont plus que doublé sur la période 2001-2011 avec une valeur de 708 millions en 2011. Le nombre total de bijoux achetés n'a augmenté que de 2 % sur les dix dernières années. Les bijoux en argent représentent maintenant 44 % des volumes contre 23 % en 2011, alors que la part des bijoux en or est passée de 24 % en 2001 à 46 % en 2011. Les montres ont maintenu leur part dans les achats (31 % en 2011).

Sur la période 2001-2011, le prix moyen des bijoux en or s'est accru de 44 %, avec un prix moyen de 228 € alors même que le cours de l'or en euros a presque quadruplé (+ 373 %). Avec un prix moyen de 36 €, la progression des bijoux en argent a été plus faible (24 %) alors que le cours de l'once d'argent a été multiplié par huit (+ 240 % entre 2009 et 2011). Les montres ont vu leur prix moyen progresser de 28 %, à 97 €. En 2011, ce sont les montres ayant des prix moyens situés entre 50 et 100 € de plus de 3 000 € qui ont le plus progressé, respectivement de 16 % et 13 %. Un quart des dépenses de montres concernent des modèles à plus de 3 000 € (25,7 %), qui représentent seulement 0,4 % des quantités. À l'inverse, plus de 61 % des quantités achetées concernent des modèles à moins de 50 € (14,5 % des dépenses).

Les bagues représentent 43 % des achats de bijoux en or, suivies des colliers (21 %), des bracelets (12 %), des boucles d'oreilles (16 %) et des pendentifs (8 %). L'ordre est modifié pour les bijoux en argent : les colliers prennent la première place (26 %), suivis des bracelets (25 %), des bagues (22 %), des boucles d'oreilles (16 %) et des pendentifs (9 %).

Les Français achètent près de 7 paires de chaussures par an…

Les achats de chaussures sont moins dépendants du climat économique et social que ceux de vêtements ou d'accessoires. En 2011, les Français ont dépensé 8,6 milliards d'euros pour acheter quelque 415 millions de paires de chaussures. La très grande majorité (près de neuf sur dix) sont fabriquées à l'étranger. Six paires de chaussures importées sur dix viennent de Chine, contre 7 % seulement d'Italie, 6 % du Vietnam ou 3 % du Portugal.. La dépense moyenne s'élevait à 132 € par personne (2011), dont 87 € pour les chaussures de ville. Elle représentait 2,2 % (y compris les réparations) des dépenses totales d'habillement des ménages en 2008. Les hommes achètent en moyenne 4 paires, les femmes 6 et les enfants un peu moins de 8. La moitié des achats en valeur concernent les chaussures pour femmes, un peu moins d'un tiers celles pour hommes, le cinquième celles pour enfants.

Les femmes, qui achètent majoritairement des chaussures de ville (66 %, contre 40 % pour les hommes et 45 % pour les enfants), sont de plus en plus concernées par les chaussures de sport, aux usages diversifiés (ci-dessous). Les écarts sont moins sensibles en ce qui concerne les chaussures d'intérieur, qui représentent entre 13 % des achats (enfants) et 18 % (femmes).

La chaussure avec dessus cuir représente 60 % des ventes contre seulement un quart pour le simili cuir ou caoutchouc. La mode tend à se diversifier, ce qui favorise les achats d'impulsion. Après l'exubérance de la fin des années 1990, le style est redevenu plus classique, plus chic. Chaque saison a ses *best-sellers* : au cours des années récentes, les bottes de cuir pour femmes ont connu un engouement en hiver ; le printemps a vu le succès des ballerines ; l'été a été marqué par celui des chaussures ouvertes. La clientèle masculine est plus sensible aux phénomènes de mode en matière de chaussures.

Pour les saisons 2011-2012, on a noté le retour des mocassins à talons, qui se portent compensés ou à plat. Les *boots*, *low boots* et autres bottines se font en version croco ou python, cloutée ou dentelle, camel, à paillettes ou lacées. La mode masculin-féminin se poursuit, avec les derbies, alternatives aux chaussures richelieu, inspirées des années 1930. Les bottes se font ultra féminines, que ce soit en version compensée ou talons aiguille ; elles se déclinent en cuir ou en daim. Enfin, les escarpins ressortent, pour l'hiver comme pour l'été. Ils peuvent être chic et sexy, multicolores, unis, en tweed, façon croco ou vernis.

On observe une polarisation croissante entre le haut de gamme et les premiers prix ; les prix moyens payés tendent cependant à baisser, sous l'effet des importations d'Asie du Sud-Est et des arbitrages de dépenses des ménages. Les magasins spécialisés en vente de chaussures représentent 57 % des ventes en valeur dont 22,5 % dans les grandes surfaces spécialisées, 20 % chez les détaillants et 14,5 % dans les chaînes de magasins. Les deux phénomènes majeurs de ces dernières années concernent la montée en puissance des magasins de sport (20 % des ventes) et le succès de sites internet spécialisés comme Spartoo ou Sarenza, qui représentent 6,5 % des dépenses. L'achat de chaussures en ligne ne semble plus un frein lorsque le retour des colis est à la charge du site internet. La croissance du e-commerce s'est faite au détriment des grandes surfaces alimentaires (6,5 % des ventes). Elles ont aussi subi la concurrence des magasins d'habillement qui élargissent leur offre à la chaussure et représentent 5 % des dépenses.

... et un peu moins d'une paire de chaussures de sport.

Le *sportswear* est aujourd'hui une composante à part entière des modes vestimentaires. Il représente un code de reconnaissance pour les jeunes, mais aussi de plus en plus pour les moins jeunes. Les chaussures de sport et de détente ont pris une place importante dans les achats de chaussures à partir des années 1970. Elles sont plus souvent destinées au macadam des villes ou des banlieues qu'aux terrains de sport ; on évalue à seulement un tiers la part des achats de chaussures de sport destinées à un usage strictement sportif. L'engouement pour ce type de chaussures a été entretenu par les innovations technologiques des grands fabricants et leurs investissements considérables en marketing et en communication. Les exploits des champions, depuis Michael Jordan et Magic Johnson au début des années 1990, ont eu aussi un effet d'entraînement considérable.

En 2011, les achats de chaussures de sport/loisir ont progressé de 7 %, à 1,5 milliard d'euros pour environ 40 millions de paires achetées (NPD) ; ils représentaient 9 % des dépenses de biens et services sportifs. Mais ils ont été soutenus par les usages urbains, notamment effectués par les femmes, sensibles aux modes telles que le *fitness/toning*, « minimaliste/sensation » et « tige moyenne ». Les tennis à usage urbain offrent une touche originale et chic, en imprimé léopard, à talons compensés ou plates selon l'humeur. Les achats ont été également favorisés par la météo clémente au dernier trimestre, qui a prolongé l'écoulement des collections.

L'intérêt pour les modèles multisports ne se dément pas, de même à l'inverse que celui pour les chaussures très spécialisées. Les créations de mode prennent aussi une place croissante. La notoriété et l'image de certaines marques leur permettent de pratiquer des prix très élevés qui en font des objets de luxe. La concurrence des magasins spécialistes du sport et des enseignes de prêt-à-porter s'est accentuée. Le poids de la contrefaçon est estimé entre 4 à 5 millions de paires (Fifas).

LA SANTÉ

SITUATION SANITAIRE

L'état de santé des Français n'a cessé de s'améliorer…

Le nombre et l'importance des problèmes de santé augmentent de façon régulière avec l'avancée en âge et le vieillissement. Le poids des différentes pathologies est inégal selon l'âge : les maladies infectieuses et allergiques prédominent dans l'enfance, tandis que les pathologies ostéo-articulaires et les troubles psychiques sont plus fréquents en milieu de vie et les maladies cardiovasculaires chez les personnes plus âgées. Une fois passée la première année de vie, le recours aux soins est faible chez les jeunes et maximal en fin de vie.

Depuis plus d'un siècle, la situation sanitaire des Français a progressé de façon presque continue. Cette évolution est due principalement aux mesures de santé publique, à l'amélioration des conditions de vie et aux progrès de la médecine. Ces derniers ont été spectaculaires avec le développement des antibiotiques, de la médecine périnatale ou des thérapies cardio-vasculaires et la forte baisse de la mortalité liée aux cancers. Les progrès réalisés en matière de chirurgie de la cataracte, d'implantation de prothèses, de dépistage des maladies et de suivi médical ont également contribué à cette amélioration générale, y compris aux âges avancés.

… et les taux de mortalité de diminuer.

La mortalité a ainsi connu une forte baisse, avec un taux de 8,4 décès pour 1 000 habitants en 2010 contre 13 en 1950. Ce dernier est d'ailleurs inférieur à la moyenne de l'Union européenne : 9,7 décès pour mille habitants en 2010 (27 pays), avec un minimum à 6,2 en Irlande et 7,2 à Malte, et un maximum de 14,6 en Bulgarie, 13,4 en Lettonie, 13,0 en Hongrie. Malgré le vieillissement de la population, le taux de mortalité se situe en dessous de ce que laissaient prévoir les tendances des dernières décennies. L'une des explications est la poursuite de la diminution de la mortalité infantile (décès au cours de la première année, généralement dans les tout premiers jours). En 2010, elle n'était que de 3,7 décès pour 1 000 naissances vivantes (France métropolitaine), soit une baisse de 24 % depuis 1996. Elle est due à une meilleure prise en charge de la précarité et à de meilleurs soins pour les enfants de faible poids à la naissance.

Dans les DOM, le taux de mortalité infantile est deux à trois plus

Santé réelle, santé perçue

69 % des Français de 15 ans ou plus se déclaraient en bonne ou très bonne santé en 2009, date de la dernière enquête disponible (INSEE), contre 68 % en 2004. Un sur cinq (22 %) considérait son état de santé comme assez bon et un sur dix (9 %) comme mauvais ou très mauvais (contre 11 % en 2004).

À âge égal, les hommes se disent en meilleure santé que les femmes, déclarent moins de maladies et moins de limitations fonctionnelles. Globalement, 28 % des hommes indiquent que leur santé est très bonne, contre 23 % des femmes. Cet écart s'explique en partie par le fait que la population féminine est en moyenne plus âgée. La perception d'une bonne ou très bonne santé diminue avec l'âge. Elle devient minoritaire chez les personnes de 65 ans ou plus. Parmi les adultes d'âge actif, 20 % déclarent un état de santé altéré. Ceux qui présentent des limitations fonctionnelles déclarent logiquement un état de santé inférieur à la moyenne.

Parmi les pays de l'OCDE, l'état de santé affiché par les Français se situe juste au-dessus de la moyenne : 72 % de personnes se déclarant en bonne ou très bonne santé contre 69 %. Le taux le plus élevé est de 90 % aux États-Unis ; il est proche de ce niveau en Nouvelle-Zélande, au Canada et en Suisse. Le plus faible est mesuré en République Slovaque (31 %) et au Japon (33 %). Il est inférieur à 50 % au Portugal et en Corée.

Il faut préciser que la santé perçue comporte une dimension subjective qui varie d'un groupe social à un autre. L'indicateur concernant les limitations subies dans la vie quotidienne est plus objectif ; il apparaît donc plus adapté pour mesurer l'état de santé réel de la population.

La vie des enfants préservée

Europe : taux de mortalité infantile en 2010 (décès avant un an, pour 1000 naissances)

Allemagne	3,4
Espagne	3,2
France	**3,7**
Italie	3,4
Royaume-Uni	4,3
UE 27	*4,3*

INED/Eurostat

élevé qu'en métropole. Ce dernier est inférieur à celui de l'Union européenne (4,3 ‰ en 2010, tableau cidessous). Les Nations Unies prévoient pour l'année 2012 un taux de mortalité infantile de 42,1 ‰ au niveau mondial, avec encore de très fortes différences entre les continents : 72 ‰ en Afrique, 37,2 ‰ en Asie, 19,4 ‰ en Océanie, 18,9 ‰ en Amérique Latine et Caraïbes, contre seulement 6,4 ‰ en Amérique septentrionale et en Europe.

On dénombre un peu moins de 550 000 décès par an.

Depuis le début des années 1990, le nombre annuel des décès a été inférieur à 550 000, à l'exception de l'année 2003 (563 000), marquée par la surmortalité entraînée par la canicule de l'été, estimée à 15 000 personnes, dont la plupart étaient âgées. Hors ces circonstances exceptionnelles, les variations annuelles sont principalement dues aux effets plus ou moins importants des épidémies de grippe au cours de l'hiver parmi les personnes âgées.

En France métropolitaine, les causes de décès les plus fréquentes sont les tumeurs (30 %) et les maladies de l'appareil circulatoire (28 %), puis les morts violentes (accidents, suicides, traumatismes), qui représentent un décès sur quatorze. Ces trois groupes représentent près des deux tiers de l'ensemble des causes de décès. La hiérarchie des causes est inversée chez les hommes et chez les femmes. Les maladies de l'appareil circulatoire représentent la première cause de décès chez les femmes avec un taux de 30 % contre 25 % chez les hommes alors que les tumeurs sont responsables de 34 % des décès chez les hommes contre 25,2 % chez les femmes. Une comparaison montre que chez les hommes, la mortalité due aux accidents de transports est de 3,8 fois plus élevée, près de 3 fois plus élevée à cause du tabagisme et de 3,1 fois plus élevée en ce qui concerne les suicides.

Cette surmortalité est le résultat d'expositions professionnelles et de comportements nutritionnels moins favorables chez les hommes, même si la consommation d'alcool et de tabac des femmes a augmenté lors des dernières décennies et a entraîné une augmentation des tumeurs du poumon, du pancréas et du foie.

Sur une période plus longue, de vingt-cinq ans, le taux standardisé de mortalité a baissé de 35 %, toutes causes confondues. Cette amélioration de l'état de santé a davantage profité aux femmes, avec une diminution par deux des maladies des appareils circulatoire et digestif et une baisse modérée des tumeurs. Les morts violentes régressent fortement et de façon plus marquée pour les femmes.

La durée de la vie continue de s'allonger...

La conséquence des progrès sanitaires est que l'espérance de vie à la naissance s'est allongée de façon spectaculaire au cours du XXe siècle : 33 ans pour les femmes, 30 ans pour les hommes. Début 2012, l'espérance de vie moyenne à la naissance était de 84,8 ans pour les femmes et de 78,2 ans pour les hommes, soit un gain de 2 ans chez les premières et presque 3 ans chez les seconds entre 2000 et 2011. L'écart entre les deux sexes continue donc de diminuer, passant de 7,6 ans en 2000 à 6,6 ans fin 2011. En 2010, l'espérance de vie moyenne au sein de l'Europe à 27 était de 81,3 ans pour les femmes et de 75,2 ans pour les hommes. Les Françaises occupaient la deuxième place (84,8 ans) derrière les Espagnoles (85,3 ans) et devant les Italiennes (84,4 ans). Les Français, quant à eux, se situaient à la cinquième (78,1 ans) derrière les Suédois (79,5 ans), les Espagnols et Italiens (79,2 ans), les Britanniques et les Néerlandais (78,5 ans), contre un minimum de 68 ans pour les Lituaniens.

L'allongement de la durée moyenne de vie a été longtemps dû à la baisse de la mortalité infantile. Il faut ajouter que l'espérance de vie à 60 ans a gagné 4,9 années pour les femmes et 5,2 années pour les hommes entre 1980 et 2011. Le mouvement s'est poursuivi depuis, de sorte qu'aujourd'hui un Français âgé de 65 ans peut espérer vivre 5,5 années sans « avoir des difficultés pour voir, entendre, marcher, se pencher, monter des escaliers... », 9 années sans « être limité depuis au moins six mois à cause d'un problème de santé dans les activités que les gens pratiquent habituellement... » et 15,6 années pour les hommes et 18 pour les femmes sans « avoir des difficultés ou besoin d'aide pour faire sa toilette, s'habiller... ». Les Français vivent donc de plus en plus longtemps et souffrent de plus en plus tardivement de maladies ou de handicaps liés au vieillissement (p. 48).

Cœur et cancer : près de six décès sur dix

Principales causes de décès par sexe (2009, en nombre et en %)

	Hommes		Femmes	
	Nombre	%	Nombre	%
Maladies infectieuses et parasitaires[1]	**5 268**	**2**	**5 531**	**2**
Tumeurs	**93 134**	**34**	**66 310**	**25**
Tumeurs du larynx, trachée, bronches et poumon	*23 453*	*9*	*7 429*	*3*
Tumeurs du côlon	*6 530*	*2*	*5 990*	*2*
Tumeurs du rectum et de l'anus	*2 482*	*1*	*2 040*	*1*
Tumeurs du sein	*200*	*ns*	*11 588*	*4*
Troubles mentaux et du comportement	**7 482**	**3**	**10 059**	**4**
Maladie de l'appareil circulatoire	**66 833**	**25**	**77 510**	**29**
Maladies cérébrovasculaires	*13 266*	*5*	*18 720*	*7*
Cardiopathies ischémiques	*20 774*	*8*	*15 765*	*6*
Maladies de l'appareil respiratoire	**17 654**	**6**	**16 207**	**6**
Maladies de l'appareil digestif	**12 543**	**5**	**10 888**	**4**
Causes externes	**22 620**	**8**	**14 748**	**6**
Accidents de transport	*3 262*	*1*	*1 044*	*ns*
Suicides	*7 739*	*3*	*2 725*	*1*
Autres causes	**45 697**	**17**	**60 277**	**23**
Total	**272 253**	**100**	**263 113**	**100**

ns : non significatif. (1) : y compris le sida.

INSERMCépiDc

... mais elle reste très inégale selon la catégorie sociale.

La spectaculaire augmentation de l'espérance de vie moyenne cache d'importantes disparités. La première est celle qui sépare les hommes des femmes (près de 7 ans en 2010), même si les hommes en sont en partie « responsables » du fait de leurs modes de vie qui engendrent plus de risques (ci-après). On note chez les hommes un écart d'espérance de vie entre le nord et le sud de la France, favorable au Sud ; il peut s'expliquer en partie par les caractéristiques sociodémographiques différentes.

D'autres inégalités sont liées à l'identité sociale, encore largement conditionnée par le niveau d'éducation et la profession exercée (p. 98). En 2008, la moitié des Français avec un CEP ou sans diplôme déclaraient « avoir une maladie ou un problème de santé chronique ou durable », contre 24 % de ceux disposant d'un diplôme supérieur. Sur la période 2000-2010, un homme ouvrier âgé de 35 ans avait une espérance de vie de 41 ans (49 ans pour une ouvrière),

La longue vie de l'Europe

Espérance de vie à la naissance par sexe dans quelques pays d'Europe (2010)

	Hommes	Femmes
Allemagne	77,5	82,7
Espagne	79,2	85,3
France	**78,1**	**84,8**
Italie	79,2	84,4
Royaume-Uni	78,5	82,4
UE 27	*75,2*	*81,3*

INED/Eurostat 2011

soit 7 ans de moins qu'un cadre ou membre d'une profession « intellectuelle supérieure » (enseignant, profession libérale...) ; l'écart n'était que de 3 ans pour les femmes. Cette inégalité chez les hommes ne représentait que 6 ans au début des années 1980. Elle est restée stable chez les femmes.

D'une manière générale, il existe un lien entre la santé, l'activité professionnelle et le pouvoir d'achat. Ainsi, un tiers des personnes bénéficiant du RMI (revenu minimum d'insertion) déclarent souffrir parfois ou en permanence de problèmes de santé ou de handicaps les empêchant de travailler, soit deux fois plus que le reste de la population (15 %). Plus le revenu est faible, plus les Français disent devoir renoncer à des soins.

Deux fois plus d'hommes que de femmes meurent avant 65 ans.

L'écart d'espérance de vie à la naissance entre les hommes et les femmes s'explique en partie par le nombre important des décès masculins prématurés avant l'âge de 65 ans, proportionnellement 2,2 fois plus élevé. Parmi les pays de l'Union européenne, si l'on exclut les anciens pays de l'Europe de l'Est, il est plus élevé en France qu'ailleurs, juste derrière le Portugal et la Finlande. Les Françaises sont au contraire dans une situation favorable. Cette spécificité nationale est d'autant plus apparente que, lorsque les hommes parviennent à 65 ans, il leur reste en moyenne 18,6 ans à vivre (les femmes 22,8 ans), ce qui les situe au-dessus de la moyenne de l'Union européenne.

Les causes les plus fréquentes de la surmortalité masculine sont les accidents de la circulation avant 25 ans, les suicides entre 25 et 44 ans et les cancers du poumon entre 45 et 64 ans. Certaines catégories professionnelles, notamment les ouvriers, subissent aussi des conditions de travail qui favorisent les accidents et maladies graves. Par ailleurs, ils consultent moins souvent et plus tardivement les médecins, sont moins attentifs à leur alimentation, moins concernés par le sport et les habitudes de prévention. Dans la mortalité prématurée, la part des décès liés aux comportements à risque est estimée à 37 % chez les hommes et à 23 % chez les femmes ; 77 % des décès prématurés « évitables » concernent des hommes.

Moins d'enterrements, plus de crémations

Les pratiques rituelles au moment de la mort se transforment. L'enterrement religieux traditionnel est en net recul, au profit de l'incinération. Alors qu'il y a 30 ans la crémation était encore marginale (moins de 1 % en 1980), elle a représenté 30 % des obsèques en 2010 (Fédération française de crémation). 160 000 cérémonies ont eu lieu dans 141 crématoriums répartis sur le territoire national (métropole et outre-mer). La proportion varie selon les régions et la densité urbaine. Elle atteint 75 % à Strasbourg et reste inférieure à 15 % en Picardie, Auvergne, Franche-Comté et Limousin.

La France se rapproche ainsi des pays protestants de l'Europe : le taux de crémation dépasse 70 % dans des pays comme la Suisse, le Royaume-Uni, la Suède ou la République tchèque. Il est inférieur à 5 % en Italie (où il est plus élevé dans le Nord), au Portugal, en Espagne ou en Grèce, mais aussi en Irlande. 53 % des Français se disent prêts à se faire incinérer (Pompes Funèbres/Ifop, août 2010).

Cette évolution traduit une vision à la fois moins religieuse et plus « hygiéniste » de la mort : La moitié seulement des Français souhaitent une cérémonie religieuse, contre les deux-tiers il y a dix ans. Elle est aussi dictée par des considérations pratiques : les concessions disponibles sont rares dans les cimetières surpeuplés et la décohabitation des familles ne permet guère aux survivants de se rendre sur la tombe des disparus. Il peut s'y ajouter des raisons d'ordre écologique, telles que l'absence de marbre ou de granit ou l'offre d'urnes biodégradables.

Le fait de penser à sa propre mort lorsqu'on est vivant n'est plus un tabou. La souscription à des contrats de prévoyance obsèques est une pratique (ou une intention) croissante. Elle concerne environ 20 % des Français de 40 ans et plus, contre 70 % des Espagnols, 30 % des Britanniques et des Belges, mais moins de 15 % des Allemands. Elle s'explique par la volonté de ne pas peser financièrement sur ses descendants (le coût moyen d'une crémation est proche de 3 000 €), de ne pas les obliger à se rendre sur une tombe (une personne sur deux déclare le faire au moins une fois dans l'année) et à l'entretenir. On a ainsi vu apparaître sur Internet des sites proposant des « mémoriaux virtuels » ainsi que la conservation des traces des personnes décédées (blogs, photographies...). La demande de liberté individuelle et le processus croissant d'autonomie incitent à choisir sa mort comme sa vie, à en prévoir et en maîtriser les conséquences pour les autres.

Malgré l'évolution récente, la mentalité masculine française reste empreinte d'un modèle de virilité, qui incite les hommes à se montrer durs au mal et « courageux », ce qui les amène à prendre des risques. La maladie est pour eux porteuse d'une image de faiblesse ; les hommes se déclarent d'ailleurs plus souvent en très bonne ou en bonne santé que les femmes. C'est l'une des raisons pour lesquelles ils sont moins bien suivis sur le plan médical que les femmes, moins attentifs à leur corps et moins réceptifs à la notion de prévention.

L'état psychologique et mental s'est dégradé.

Si les Français vivent de plus en plus longtemps et en meilleure santé, il n'est pas certain qu'ils aient l'impression de vivre « mieux ». Le sentiment de mal-être est en effet de plus en plus répandu, comme en témoignent de nombreux sondages. Il se traduit par le nombre élevé des « maladies de société » et le recours croissant aux aides psychologiques de toute sorte. Dans l'ensemble de la population, la survenue d'un épisode dépressif caractérisé était stable entre 2005 et 2010 (Baromètre santé). En 2010, 10 % des femmes et 6 % des hommes disaient en avoir souffert au cours des 12 derniers mois.

On observe cependant une forte diminution de la part des personnes souffrant de troubles dépressifs qui n'ont pas eu recours aux services d'un professionnel de la santé : elle est passée de 63 % en 2005 à 39 % en 2010. Les populations les moins aptes à se faire soigner sont les ouvriers, les jeunes de 15 à 19 ans et surtout les hommes. Le nombre de Français souffrant d'épisodes dépressifs s'élèverait à 500 000, celui des personnes affectées par des troubles névrotiques ou anxieux à 4 millions.

Ces affections peuvent aller de troubles mineurs et passagers à des pathologies graves et chroniques, conduisant parfois au suicide. Elles ont des répercussions nombreuses, notamment dans le travail, la vie sociale, ou la prise en charge médicale. Elles se traduisent par une très forte consommation de médicaments psychotropes (hypnotiques, sédatifs, antidépresseurs, p. 61). La prise de ces médicaments ne se justifie pas toujours sur le plan médical, et le recours aux soins est souvent insuffisant en l'absence de mesures thérapeutiques complémentaires (psychothérapie, consultation d'un professionnel, etc.).

La dépression est aujourd'hui la première maladie invalidante en Europe, derrière les cardiopathies ischémiques (infarctus, angine de poitrine, etc.) et les démences, qui touchent surtout les personnes âgées. Dans un contexte de crise économique et sociale, et de difficulté à se projeter dans l'avenir, elle apparaît comme l'un des principaux fléaux du début du XXIe siècle.

Le stress frappe de plus en plus de Français.

Le mot *stress* est sans doute l'un de ceux qui résument le mieux les difficultés de la vie contemporaine. 50 % des Français déclaraient en novembre 2009 que la situation économique avait provoqué chez eux de l'anxiété et 38 %

La mémoire qui flanche

La maladie d'Alzheimer est la maladie neuro-dégénérative la plus fréquente. 880 000 personnes en étaient atteintes en France en 2011 (INSERM), 25 millions dans le monde. 94 % des nouveaux cas concernent la population âgée de 70 ans et plus. C'est ce qui explique qu'elle affecte davantage les femmes, dont l'espérance de vie est plus élevée que celle des hommes. On estime que 1,3 millions de personnes seront atteintes en 2020. Des formes précoces existent ; elles concernent un peu plus de 30 000 cas avant 60 ans et plus d'un millier avant 50 ans. Au-delà de 85 ans, la prévalence s'accroît de manière exponentielle, avec une proportion de 25 % de sujets atteints.

L'espérance de vie après l'apparition des symptômes est en moyenne de 8,5 années. 40 % des patients sont pris en charge dans une institution, ce qui signifie que 60 % des personnes atteintes sont à la charge des familles. En 1999, l'enquête Paquid avait déjà constaté une surmortalité des aidants d'au moins 50 %, ainsi que des déficiences psychologiques, (dépression, troubles du sommeil...) auxquelles s'ajoutent parfois des difficultés d'ordre économique. La dépense moyenne pour la prise en charge d'un patient est de 22 000 € par an, répartis pour moitié entre l'État et les familles. L'isolement des malades, dont les comportements sont de moins en moins adaptés à la vie sociale, peut entraîner celui de son entourage.

La maladie d'Alzheimer est la cause de décès qui a connu la plus forte progression depuis 2000. Celle-ci pourrait s'expliquer en partie par une meilleure connaissance de la maladie, et donc par une plus grande fréquence du diagnostic de décès.

d'entre eux du stress (*Les Échos*/BVA, novembre 2009).

C'est le cas notamment chez les cadres qui estiment que leur charge de travail est de plus en plus lourde (75 %), alors même qu'il y a trop d'incertitudes sur les choix stratégiques des entreprises pour 63 % d'entre eux à court terme, et 71 % à moyen et long terme (Baromètre Stress Opinionway / CFE CGC, décembre 2011). De plus, ils sont 75 % à déclarer que leur entreprise ne prend pas en compte le stress au travail. À l'échelle européenne, les dirigeants d'entreprises estiment que le stress lié au travail est leur deuxième préoccupation en matière de risques de santé et de sécurité ; 79 %, juste après les accidents (80 %, OSHA, janvier 2011). Les principales préoccupations des dirigeants sont la « pression liée au temps » (52 %) et la « confrontation avec des clients » (50 %). Cette pression liée au temps est une préoccupation fréquemment mentionnée pour les grandes entreprises et dans le secteur de l'immobilier (61 %), notamment dans les pays scandinaves (jusqu'à 80 % en Suède), alors qu'elle est à des niveaux plus faibles en Lettonie (41 %), en Hongrie (37 %) et en Italie (31 %).

Une personne sur deux est atteinte d'une limitation fonctionnelle.

Parmi les adultes de 20 à 59 ans vivant en ménage, une personne sur deux déclare une limitation fonctionnelle, mais seulement une sur vingt-cinq (4 %) déclare une incapacité totale. Les limitations fonctionnelles peuvent être de nature physique ou cognitive. Elles sont dites *sensorielles* chez les personnes qui ne peuvent pas lire les caractères d'un journal (5 % des Français de 20 à 59 ans en 2010), reconnaître un visage à quatre mètres (3 %) ou entendre ce qui se dit dans une conversation (9 %).

Les limitations sont dites *motrices* pour les personnes qui indiquent ne pas pouvoir marcher au moins 500 mètres à plat (3 %), monter ou descendre un étage d'escalier (5 %), lever le bras (4 %). Elles peuvent aussi concerner la force musculaire pour celles qui ne peuvent pas porter un sac de 5 kg sur dix mètres (6 %) ou encore se baisser ou s'agenouiller (8 %).

Les limitations sont dites *psychiques* pour les personnes qui déclarent avoir des trous de mémoire (20 %), éprouver des difficultés à résoudre les problèmes de la vie quotidienne (3 %) ou relever de difficultés comportementales comme se mettre en danger (8 %) ou se voir reprocher d'être impulsif ou agressif (24 %).

Au total, 13 % des cas de limitations concernent des déficiences motrices, 10 % organiques, 11 % sensorielles, 7 % intellectuelles ou mentales. Une personne sur dix entre 20 et 59 ans déclare au moins deux limitations fonctionnelles, qui font que ce cumul de limitations crée un réel handicap. On estime que 15 % des hommes de 18 ans ou plus vivant à leur domicile et 22 % des femmes souffrent des limitations fonctionnelles, soit 3,5 millions d'hommes et 5,5 millions de femmes. Cela représente 9 millions de Français.

Le handicap varie selon l'âge et le sexe.

Au fur et à mesure de l'avancée en âge, la proportion de personnes concernées par les limitations fonctionnelles s'accroît. Elles deviennent alors multidimensionnelles, associant des problèmes physiques, sensoriels et cognitifs (ci-dessus). Si elles ne sont pas compensées, ces limitations provoquent des gênes dans les activités de tous les jours. 20 % des hommes et des femmes atteints de limitations fonctionnelles, soit 1,7 million de personnes, déclarent ainsi des difficultés pour assurer les soins personnels les plus primaires : se lever du lit, se laver, se nourrir.

Les femmes de 20 à 59 ans déclarent essentiellement des limitations physiques : 7 %, contre 4 % des hommes (2010). Les limitations mentales concernent 6,5 % des hommes et des femmes. 4 % des Français sont concernés par les limitations sensorielles Les ouvriers déclarent plus souvent que les cadres des limitations fonctionnelles de toute nature. Les séquelles des accidents vasculaires cérébraux (AVC) représentent la première cause de handicap fonctionnel chez l'adulte et la deuxième cause de démence.

Du fait de leur plus grande longévité, les femmes sont globalement davantage concernées que les hommes, notamment par les déficiences motrices. À l'inverse, les hommes sont plus souvent sourds ou malentendants, surtout après 50 ans. Les conditions de vie et de travail ne sont pas étrangères aux écarts existant entre les catégories. La proportion d'ouvriers déclarant au moins une déficience est 1,6 fois plus élevée

Un Européen sur trois a un problème de santé

Évolution de la part des personnes ayant un problème de santé ou un handicap de longue durée dans certains pays d'Europe (en %)

	2007	2010
Allemagne	37,9	36,2
Espagne	25,4	29,8
France	**33,7**	**36,9**
Italie	21,2	22,5
Royaume-Uni	35,8	34,5
UE 27	*30,6*	*31,4*

Eurostat

qu'en milieu cadre ; elle est double en ce qui concerne l'existence d'au moins deux déficiences. Les écarts sont moins sensibles pour les femmes que pour les hommes entre les catégories sociales.

En 2010, 345 000 femmes et 449 000 hommes étaient bénéficiaires de l'allocation aux adultes handicapés et plus d'un million de pensions d'invalidité. En outre, 160 000 familles bénéficiaient de l'allocation d'éducation de l'enfant handicapé (2009). 273 000 enfants ou adolescents handicapés étaient scolarisés à la rentrée 2010, en milieu ordinaire (74 %) ou dans des établissements hospitaliers et médico-sociaux (26 %), soit une hausse de 6,8 % par rapport à la rentrée 2009.

Trois Français sur quatre ont un défaut de la vision...

La vue constitue un enjeu important de santé publique. Un adulte sur deux éprouve des difficultés à voir de près et un sur cinq une gêne pour voir de loin. 76 % des Français ont aujourd'hui une correction oculaire (Syndicat National des Ophtalmologistes de France/Ifop, octobre 2011). Les troubles les plus fréquents sont ceux de la réfraction : 30 % de la population est myope, 18 % astigmate, 10 % hypermétrope. Les déficiences visuelles augmentent surtout à l'approche de la cinquantaine, avec l'arrivée de la presbytie, qui touche 77 % des personnes de 45 à 64 ans et 85 % des 65 ans et plus (contre 18 % des 25 à 44 ans). Les femmes, qui vivent plus longtemps, sont un peu plus concernées que les hommes. 96 % des presbytes ont recours à un appareillage de correction, dont l'efficacité est jugée moins efficace avec l'âge.

La dépense moyenne pour une paire de lunettes avec verres unifocaux (simple foyer) était de 277 € au premier semestre 2011 (GFK). Elle s'élevait à plus du double (591 €) pour les paires équipées de verres progressifs. La dépense totale des Français en équipements d'optique (correction et solaire) a représenté 5,4 milliards d'euros en 2011, dont 25 % pour les montures, 9 % pour les lunettes solaires, 6,5 % pour les lentilles de contact et 1,7 % pour les produits d'entretien. Une très faible part est remboursée par la Sécurité social, ce qui entraîne des inégalités entre ceux qui peuvent cotiser à une mutuelle « généreuse » et les autres. Les français renouvellent en moyenne leurs lunettes tous les 3 ans et demi. La fréquence de renouvellement est de 2 ans chez les moins de 40 ans.

Les achats de montures de marques s'accroissent, notamment pour les lunettes solaires. Il en est de même des lunettes pour enfants. Autorisés depuis 2009, les achats sur Internet sont encore peu développés (1 %) par rapport à d'autres pays d'Europe, hors ceux de lentilles de contact. L'ophtalmologiste est considéré par les Français comme le spécialiste le plus compétent pour détecter les problèmes de vue (92 %), loin devant l'opticien (4 %) et l'orthoptiste (2 %). Les délais d'attente pour obtenir un rendez-vous sont d'ailleurs jugés excessifs par 83 % des Français, notamment en province (SNOF/Ifop, octobre 2011).

... et plus d'un sur dix un défaut de l'audition.

11 % des Français de 18 ans et plus déclarent des difficultés à entendre ce qui se dit dans une conversation, un million sont sourds. Les hommes déclarent des gênes beaucoup plus souvent que les femmes : 13 % contre 9 %. La prise en compte des structures par âge accroît un peu plus la différence entre hommes et femmes avec un risque relatif de 1,6 pour les hommes. Moins d'une personne sur cinq déclarant présenter des troubles de l'audition est équipée d'un appareil auditif (encadré). Ce taux est d'un quart chez les 65-84 ans et d'un tiers chez les plus de 85 ans.

Parmi les personnes de plus de 65 ans, deux sur trois sont atteintes de presbyacousie, baisse de l'audition liée au vieillissement. Presque aussi fréquente que la presbytie, elle est moins bien acceptée et surtout moins fréquemment corrigée par un équipement d'audioprothèse. La conséquence est que de nombreuses personnes, notamment âgées, sont progressivement exclues de la vie sociale.

Les jeunes sont aussi de plus en plus nombreux à souffrir d'une diminution de l'audition, conséquence d'une exposition à des niveaux sonores élevés (lecteurs mp3, discothèques, chaînes hi-fi...). Environ un jeune de moins de 25 ans sur dix est victime d'une perte auditive pathologique. Ces difficultés pourraient s'aggraver au fur et à mesure de leur vieillissement. D'une manière générale, les agressions liées au bruit sont de plus en plus fréquentes ; elles constituent même le premier motif de plainte des Français en matière de logement et de vie urbaine. Elles semblent avoir des incidences sur la perception auditive dans toutes les classes d'âge.

Voir, entendre, manger

Proportion de personnes portant des lunettes/lentilles ou une prothèse auditive ou une prothèse dentaire (2010, en %)

	Ensemble	65 ans et plus
Lunettes	59	87
Prothèse auditive*	2	10
Prothèse dentaire	53	81

* fixe ou amovible

IRDES

La malaudition mal traitée

Sur les 6 millions de malentendants en France, moins de 17 % sont appareillés (Sonalto/Opinionway, novembre 2011). Le taux d'équipement est près de 3 fois moins élevé qu'en Allemagne (50 %), en Suède (50 %) ou en Grande-Bretagne (40 %). Si 98 % des personnes de 45 ans et plus ont déjà consulté au moins une fois un ophtalmologiste pour un problème de vue, seules 47 % ont pris rendez-vous avec un médecin ORL pour un problème d'audition. Pourtant, 54 % déclarent devoir (souvent ou de temps en temps) faire répéter leurs interlocuteurs, 53 % monter le son de la radio ou de la télévision. Sur les 94 % de personnes non appareillées âgées de 45 ans et plus, 61 % auraient besoin d'être appareillées, alors que 6 % seulement le sont.

La raison principale de ce retard national est le prix très élevé des appareils : 1600 € en moyenne par oreille (étude Sintéclair 2010). 100 % des personnes interrogées trouvent les appareils très chers (39 %) ou plutôt chers (61 %). 91 % considèrent le prix des prothèses non justifié. Le frein à l'appareillage est donc principalement son coût (92 %), bien avant les réticences psychologiques (58 %) ou les difficultés d'adaptation (36 %).

MALADIES

Les maladies cardiovasculaires sont à l'origine de trois décès sur dix, …

Chaque année, plus d'un million de Français sont pris en charge pour une « maladie de cœur » (maladies coronariennes ou cardiopathies ischémiques pouvant entraîner des complications comme l'angine de poitrine ou l'infarctus), ce qui correspond à un tiers des nouvelles affections de longue durée. Ces maladies sont ainsi à l'origine d'un cinquième des recours aux soins sur cinq chez les hommes âgés de 25 à 64 ans (17 % chez les femmes) et plus de trois sur cinq chez les personnes plus âgées. Elles représentent la première cause de mortalité pour les femmes (78 400 décès en 2008), assez loin devant les cancers (66 000), et la deuxième pour les hommes (68 000), derrière les cancers (92 000). La moitié des décès sont dus à des arrêts cardiaques (38 000 ischémies) et à des maladies cérébro-vasculaires (33 000 décès).

Les progrès des techniques médicales ont divisé par deux la mortalité liée à ces maladies en vingt-cinq ans. Cette réduction est due aussi aux progrès de la lutte contre l'hypertension, l'hypercholestérolémie et le tabagisme. Pour les ischémies, l'amélioration a bénéficié d'abord aux personnes de moins de 75 ans, puis aux plus âgés, depuis le milieu des années 1980. Une baisse du taux de mortalité s'est aussi produite pour les maladies cérébro-vasculaires (– 28 % entre 2000 et 2008).

Au sein de l'Union européenne, les Français occupent une position plutôt favorable : on a recensé 32 décès par cardiopathies ischémiques pour 100 000 habitants en 2010 (dont 56 chez les femmes et 19 chez les hommes), contre 80 en moyenne (110 chez les hommes et 50 chez les femmes). C'est surtout dans les nouveaux pays adhérents que les taux de mortalité sont les plus élevés. En France, le taux maximum est enregistré dans le Nord-Pas-de Calais, dépassant de plus de 20 % le taux moyen de France métropolitaine, puis en Haute-Normandie, Alsace et Picardie, le plus faible en Île-de-France, Poitou-Charentes et dans la région PACA. La baisse des taux de décès a concerné l'ensemble des régions.

… de même que les cancers.

Le cancer est devenu depuis 1989 la première cause de mortalité chez les hommes (et la deuxième chez les femmes), du fait notamment de la baisse de la mortalité liée aux maladies cardio-vasculaires. Le cancer compte pour près de 30 % de l'ensemble des décès et quatre décès prématurés sur dix. Le nombre de cas annuels est d'environ 320 000 et celui des décès a été de 158 000 en 2008. Les tumeurs sont aussi responsables de quatre décès prématurés sur dix et représentent l'une des causes les plus fréquentes d'hospitalisation après 45 ans.

Sur la période la plus récente, la mortalité par cancer a concerné majoritairement les personnes les plus âgées (70 % des décès surviennent après 65 ans, dont 50 % après 75 ans et 20 % après 85 ans). Chez l'homme, la moitié des décès (52 %) sont liés à cinq localisations tumorales principales : poumon, côlon-rectum, prostate, oropharynx et œsophage. Chez la femme, 42 % des décès sont liés à trois localisations tumorales : sein, poumon, côlon-rectum.

Entre 1980 et 2010, l'incidence des cancers avait plus que doublé (de 170 000 nouveaux cas dans l'année à 360 000). Cette croissance s'expliquait en grande partie par l'accroissement de la population, son vieillissement, ainsi que par un dépistage plus fréquent et plus précoce de la maladie. La mortalité par cancer a

Morts par tumeurs

Nombre de décès par cancer et par sexe (2008, France métroplitaine)

	Hommes	Femmes	Total en %
Toutes tumeurs dont :	88 378	60 359	100,0 %
Larynx, trachée, bronches, poumon	23 140	6 339	19,8 %
Côlon-rectum	8 759	7 767	11,1 %
Sein	–	11 359	7,6 %
Prostate	9 012	–	6,1 %
Foie et voies bilaires	5 934	2 663	5,8 %
Pancréas	4 307	4 012	5,6 %
Estomac	3 015	1 741	3,2 %
Vessie	3 535	1 149	3,1 %
Lèvre, cavité buccale et pharynx	3 334	730	2,7 %
Œsophage	3 157	718	2,6 %
Rein	2 470	1 264	2,5 %
Ovaires	–	3 340	2,2 %
Utérus	–	3 017	2,0 %
Mélanome malin de la peau	828	703	1,0 %
Autres tumeurs	20 887	15 557	24,5 %

INSERM

en revanche connu une baisse sensible. Entre les périodes 1983-1987 et 2003-2007, elle a diminué de 22 % chez les hommes et de 14 % chez les femmes, tous âges confondus (InVS/CépiDc Inserm 2010). Cette évolution s'observe également au niveau européen et international.

Le tabac reste la principale cause de la maladie ; il serait responsable d'environ 30 000 décès annuels, soit un tiers chez l'homme, et un dixième chez la femme. L'influence de l'hérédité dans la survenance des cancers est l'objet d'un débat entre les experts. Celle des modes de vie fait en revanche consensus : un sur quatre serait lié au tabac, un sur dix à l'alcool ; un sur trois aurait un lien avec l'alimentation.

Le pronostic pour certains cancers (sein, prostate, etc.) est plus favorable en raison d'un dépistage précoce. Par ailleurs, les cancers les plus agressifs (œsophage et voies aérodigestives supérieures) sont moins nombreux. Plus de la moitié des cancers sont aujourd'hui guéris (63 % chez les femmes et 44 % chez les hommes), avec des taux de succès très différents selon les types, mais aussi selon l'âge des malades. En France, une personne sur deux survit 5 ans après le diagnostic d'un cancer, ce qui constitue l'un des meilleurs résultats en Europe.

Les hommes meurent deux fois plus du cancer que les femmes.

En 2011, le nombre de nouveaux diagnostics de cancer en France métropolitaine a été estimé à 365 500, dont 207 000 chez les hommes et 158 500 chez les femmes (ARC). Pour tous les types de cancer, sauf ceux spécifiquement féminins (sein, utérus, ovaire), la mortalité masculine est plus élevée : les hommes meurent deux fois plus de cancer que les femmes et près de six nouveaux cas sur dix et plus de six nouveaux décès sur dix concernent des hommes. Les types les plus fréquents sont, par ordre décroissant d'importance : prostate (71 220 cas, en augmentation de 14,5 % environ par rapport à 2008), poumon (27 731), côlon-rectum (21 296), voies aérodigestives supérieures (10 700) et vessie (10 980).

La hiérarchie diffère pour les femmes : sein (53 041, en hausse de 50 % par rapport à 1980), côlon et rectum (19 224), corps ou col de l'utérus (9 610) et poumon (11 882). La situation favorable des femmes doit cependant être relativisée : l'augmentation des taux standardisés de mortalité féminine observés entre 2000 et 2008 pour les tumeurs du larynx, de la trachée , des bronches et du poumon et les tumeurs du pancréas, du foie et de la vessie témoigne de la modification des comportements féminins vis-à-vis de la consommation d'alcool et de tabac au cours des décennies précédentes. Le taux de mortalité féminine par cancer du poumon a augmenté de manière importante sur les vingt dernières années, passant de 4,5 à 9,5 pour 1000 entre les périodes 1983-87 et 2003-2007, soit une augmentation de 111 %. Chez l'homme, la hausse de l'incidence du mélanome cutanée est probablement liée à l'impact (différé) d'expositions excessives aux rayonnements des U.V. Le net recul de la mortalité masculine par cancer dans les années récentes s'accompagne d'une réduction de l'écart entre le taux masculin et le taux féminin.

Santé et environnement

Au cours des trois dernières décennies, le nombre de cancers annuels a doublé (ci-dessus). Les problèmes liés à la reproduction ou les troubles endocriniens ont aussi connu une croissance. Même si une partie de cette évolution peut s'expliquer par la démographie et par les progrès du dépistage de des maladies, l'hypothèse d'une relation entre la santé et l'environnement est de plus en plus souvent évoquée. Elle apparaît établie dans des cas de fortes expositions professionnelles à certaines substances telles que l'amiante. Elle est probable dans les cas d'exposition longue à des pollutions autour des sites industriels, ou à certains produits chimiques (pesticides, dioxine, métaux lourds). Il en est de même de l'exposition au bruit et à d'autres nuisances présentes dans l'environnement.

Ainsi, de nombreuses études ont montré que même des niveaux relativement faibles de pollution de l'air (dioxyde de soufre, fumées noires ou particules fines, dioxyde d'azote, ozone) ont des effets à court terme sur la santé (Rapport 2011 sur la santé). Une évaluation de l'impact à long terme sur la mortalité de l'exposition chronique aux particules dans neuf villes françaises indique que 1500 décès annuels pourraient être évités si l'on réduisait de 5 ·g/m³ les concentrations. Entre 5 et 12 % des décès par cancer du poumon observés chaque année en France seraient attribuables à l'exposition domestique au radon, gaz radioactif présent à l'état naturel dans certaines zones géologiques. Les résultats des études sont contradictoires sur les effets possibles des radiations radioélectriques sur le cerveau.

En France, 2,3 à 5 millions de travailleurs seraient exposés à des agents cancérigènes, selon les estimations et 4 à 8,5 % des cancers en France seraient liés à une exposition professionnelle, soit entre 11000 et 23000 nouveaux cas par an (InVS 2012). Cinq secteurs concentrent la moitié des salariés exposés : construction (18 %), commerce et la réparation automobile (10 %), métallurgie (7 %), services opérationnels (7 %) et santé (7 %). Les cancers professionnels représenteraient 4 % des cancers chez les hommes et seulement 0,5 % chez les femmes (CIRC-OMS).

Au sein de l'Union européenne, la France se situe légèrement en deçà de la moyenne avec 167 décès pour 100 000 habitants en 2010, contre 169 000 pour les pays de l'UE à 27. Les pays les plus touchés sont la Hongrie (243), la Pologne (202) et la Croatie (212). Les pays européens les moins touchés sont Chypre (123) et la Finlande (135).

Le cancer en recul

Évolution des taux de mortalité par cancer en Europe (pour 100 000 habitants)

	2006	2009
Allemagne	165,0	159,8
Espagne	158,3	153,0
France	**176,7**	**166,7***
Italie	164,9	161,2*
Royaume-Uni	179,3	172,6
*UE 27**	*175,0*	*169,0*

* en 2008

Eurostat

Plus de 30 000 personnes vivent avec le sida.

On estime que 152 000 personnes sont porteuses du virus du sida en France. Environ 6 300 personnes auraient découvert leur séropositivité en 2010, contre environ 7 700 en 2004. 1 400 personnes auraient développé la maladie au cours de l'année 2010 (894 cas notifiés) et 253 personnes seraient mortes de cette maladie. Par rapport à 2005, on dénombre une baisse de 29 % des cas estimés et de 61 % des décès. En 2009, l'incidence de la maladie (déclarée) était de 11 cas par million d'habitants en France, moins qu'en Espagne (23), au Portugal (28) ou surtout aux États-Unis (122), mais beaucoup plus qu'en Allemagne ou au Japon (3) et un peu plus qu'au Royaume-Uni (9) ou en Chine (10). Il était nul en Islande.

Le taux de mortalité a considérablement chuté, grâce aux progrès des antirétroviraux et aux trithérapies. L'apparition et le développement de la maladie ont été ralentis, et l'espérance de vie a été allongée. 253 personnes sont mortes du sida en 2009, contre près de 5 800 en 1994. Elles ignoraient souvent leur séropositivité et l'ont traitée trop tard. 30 % des personnes touchées par le VIH sont également atteintes par une ou plusieurs hépatites (le plus souvent l'hépatite C, parfois l'hépatite B) : certaines décèdent de cirrhose, le virus du sida ayant un effet aggravant. Les échecs thérapeutiques (de 5 à 6 % des cas) concernent surtout des malades suivis depuis longtemps et ayant subi des traitements successifs toxiques. Depuis l'apparition de la maladie, au début des années 1980, le nombre

Moins de nouveaux cas, moins de décès

Évolution du nombre de cas de sida et de décès (en fin d'année)*

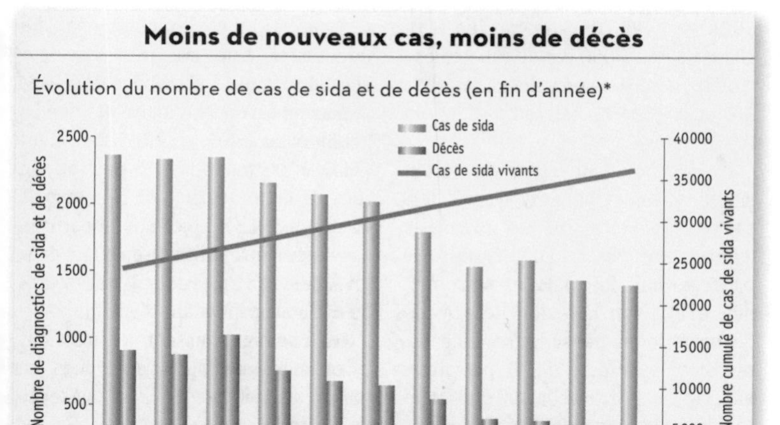

* Données corrigées pour tenir compte des délais de déclaration et de la sous-déclaration.

cumulé de cas diagnostiqués a dépassé 83 000 et le nombre de décès s'élève à un peu plus de 47 000 (2009). L'âge moyen du diagnostic a régulièrement augmenté, passant de 40,2 ans en 1997 à 43,2 ans : 39,7 ans pour les femmes, 44,6 ans pour les hommes.

Certaines catégories restent particulièrement touchées...

Six nouvelles contaminations sur dix (personnes porteuses du virus) ont lieu à la suite de rapports hétérosexuels, 31 % par rapport homosexuel et 5 % par injection de drogues ; dans 38 % des cas le mode de contamination est inconnu. La répartition des modes de transmission s'est profondément modifiée depuis le début des années 1990. Parmi les cas de sida diagnostiqués (porteurs ayant développé la maladie), la part de la contamination hétérosexuelle a augmenté et représente aujourd'hui plus de la moitié. Le nombre annuel de nouveaux cas a diminué au cours de la dernière décennie chez les usagers de drogues injectables et chez les hommes de nationalité française ; la baisse est moins significative chez les femmes françaises contaminées au cours de rapports hétérosexuels. Chez les personnes de nationalité étrangère contaminées par rapports hétérosexuels, le nombre de cas a également baissé après une augmentation entre la fin des années 1990 et 2002.

En 2009, le taux de découverte de sida pour la France entière était de 103 par million d'habitant (mph). Les régions les plus touchées sont la Guyane (1 378), la Guadeloupe (418), l'Ile de France (263), la Martinique (183) et la région PACA (102). Dans toutes les autres régions, les taux étaient inférieurs à 80 mph. Sur l'ensemble de la population, les hommes sont 2,2 fois plus touchés que les femmes, un taux stable, après la baisse qui avait eu lieu jusqu'en 2004.

Les personnes d'Afrique subsaharienne restent la deuxième catégorie de population la plus touchée en France, même si le nombre de contaminations diminue. Environ 1000 d'entre elles ont été contaminées par le VIH en 2009, suite à des rapports hétérosexuels, qui constituent le principal mode de contamination de cette population. Rapporté à l'effectif de la population africaine vivant en France, le taux d'incidence du VIH est nettement plus élevé que chez les Français contaminés par rapports hétérosexuels, environ 70 fois pour les femmes et 30 fois pour les hommes.

... et les pratiques de protection diminuent.

En vingt ans, les pratiques de prévention ont beaucoup évolué. L'utilisation du préservatif lors d'un premier rapport sexuel dépasse aujourd'hui 90 %, alors qu'elle n'était que de 15 % en 1988. Mais elle semble aujourd'hui avoir atteint un palier. 20 % des jeunes de 15-25 ans déclaraient avoir fait un test de dépistage de l'infection au VIH dans l'année (2011) ; la fréquence est plus élevée chez ceux qui ont eu plusieurs partenaires dans l'année.

Mais la proportion de jeunes n'utilisant pas systématiquement le préservatif augmente de façon inquiétante. Elle a plus que doublé (+ 111 %) entre 2009 et 2011, passant de 19 % à 40 %

L'Europe et le sida

Évolution du nombre de cas de sida en Europe (par million d'habitants)

	2005	2009
Allemagne	0,5	0,5
Espagne	3,1	2,1
France	**1,3**	**0,8**
Italie	1,5	1,4
Royaume-Uni	0,4	0,4
*UE 27**	*1,2*	*0,9*

Eurostat

(Bayer/GFK, septembre 2011). L'augmentation a été générale en Europe (6 %), mais elle est bien moindre qu'en France ; elle était par exemple de 19 % en Grande-Bretagne (39 % aux États-Unis). Les raisons de cette baisse de vigilance sont diverses : usage non agréable, diminution des sensations, confiance dans le partenaire, pas de préservatif disponible ou hésitation à l'utiliser. La consommation d'alcool est aussi un frein à la prudence. Le rétablissement des pratiques de prévention implique une pédagogie constante.

Cette absence de protection est aussi liée à la banalisation du sida et à une bien moindre « stigmatisation » des malades. Les Français ont par ailleurs le sentiment que les trithérapies permettent de soigner efficacement la maladie, devenue chronique plutôt que mortelle à leurs yeux. D'autant que la majorité des jeunes de 18 à 24 ans ont commencé leur vie sexuelle après l'introduction de ces soins.

Si le sida n'est responsable que d'une faible part du nombre total des décès (deux pour mille), la proportion atteint 5 % parmi les hommes âgés de 35 à 39 ans et 3 % parmi les femmes de 25 à 34 ans. Près d'un quart (24 %) des Français craignent d'être un jour contaminés par le virus (Aides/CSA, mars 2012). La proportion est particulièrement élevée parmi les 15-17 ans (52 %) et les 18-24 ans (42 %). 11 % des Français disent avoir peur de fréquenter des personnes séropositives.

D'autres maladies infectieuses progressent.

Grâce aux progrès des antibiotiques et des vaccinations, les maladies infectieuses avaient beaucoup reculé pendant des décennies. Pourtant, elles restent présentes et la mortalité qui leur est attachée est non négligeable : 10 000 décès en 2010 hors sida, contre 6 900 en 1999. On aurait recensé en 2011 environ 7 000 cas de tuberculose (InVS) ; le taux de prévalence serait de 8,2 pour 100 000 habitants (15,8 en Île-de-France).

La rougeole est aussi de retour depuis quelques années, avec 22 000 cas recensés entre 2008 et 2010. Elle aurait causé près de 1 000 morts. Elle concerne huit fois plus les personnes nées à l'étranger. La légionellose, maladie bactérienne transmise par voie respiratoire, a affecté 1 200 personnes en 2009, soit 1,9 pour 100 000 habitants ; elle est cependant en diminution depuis 2006, grâce à une meilleure surveillance. Certaines maladies sexuellement transmissibles, qui étaient pratiquement éradiquées au début des années 1990, ont aussi connu une certaine recrudescence : gonococcies, infections à Chlamydia, blennorragies et syphilis. Le chikungunya, maladie infectieuse tropicale transmise par des moustiques, s'était développé très rapidement dans le département de La Réunion en 2005 et 2006, touchant 266 000 personnes, soit environ un tiers de la population, et faisant plus de 250 morts. Il a fait son apparition en France métropolitaine en 2010, dans les Alpes-Maritimes et dans le Var, sans qu'il n'y ait cependant d'épidémie.

Un nombre croissant de maladies infectieuses semblent être dues au moins partiellement à la présence de bactéries ou de virus. C'est le cas notamment des ulcères de l'estomac, de l'artériosclérose, de l'angine de poitrine, de l'infarctus ou de certains cancers (foie ou utérus). On observe depuis quelques années une progression préoccupante de la résistance aux antibiotiques.

Maladies (in)hospitalières

Les infections contractées au cours d'une hospitalisation et liées aux soins aux séjours hospitaliers, dites nosocomiales, affecteraient environ 10 000 personnes chaque année. L'enquête ENEIS réalisée en 2009 dans les unités de courts séjours des établissements publics et privés (hors obstétrique) indiquait un taux de 6,2 « événements indésirables graves » pour 1 000 journées d'hospitalisation. Ils se produisent le plus fréquemment en chirurgie (9,2 pour 1000, pour 4,7 en médecine). En extrapolant ces résultats à l'ensemble des établissements de santé, le nombre total varierait entre 275 000 et 395 000. 42 % de ces événements seraient évitables.

On estime également que 4,5 % de l'ensemble des admissions en médecine et en chirurgie sont causés par des événements indésirables graves, les deux tiers faisant suite à une prise en charge extrahospitalière. Plus de la moitié d'entre eux ont été jugés évitables (2,6 % des admissions). 2,1 % des admissions (soit entre 125 000 et 250 000) seraient dues à des problèmes médicamenteux (effets indésirables des médicaments et erreurs de pratique dans leur utilisation). Les patients âgés et fragiles sont les plus exposés à ces risques.

La fréquence des événements indésirables graves associés aux soins dans les établissements de santé est stable par rapport à la précédente enquête réalisée en 2004, malgré les progrès réalisés dans la lutte contre les infections nosocomiales ou en anesthésie-réanimation par exemple. Le taux de prévalence des infections nosocomiales a diminué de 12 % entre 2001 et 2006.

Le nombre des maladies professionnelles ne cesse de progresser.

Longtemps, les maladies professionnelles ont été la conséquence de conditions de travail pénibles ou exposant les salariés à des substances toxiques. Les lois sociales ont progressivement permis d'améliorer ces conditions et de juguler certaines affections telles que le saturnisme. On constate depuis quelques années une inversion de tendance, comme pour les accidents du travail (ci-après). En 2010, on a recensé 50 688 cas de maladies dites professionnelles, dénombrées désormais par syndrome, soit une hausse de 19,8 % par rapport à 2006. Cela équivaut à près de 9,8 millions de journées de travail perdues. Près de la moitié (24 961) ont conduit à une incapacité permanente. Ce sont les troubles musculo-squelettiques qui prédominent dans les maladies reconnues ; ils représentaient 78,6 % des maladies professionnelles en 2010, en hausse de 35,7 % depuis 2006. Viennent ensuite les affections provoquées par les poussières d'amiante qui ont été divisées par deux en 5 ans pour atteindre 3 780 cas, soit 7,4 % des maladies professionnelles. Le nombre des affections provoquées par le bruit a récemment diminué, avec 964 cas en 2010 contre 1 126 en 2006, mais il n'était que de 275 cas en 1975.

Ces chiffres seraient en outre largement sous-estimés, dans la mesure où de nombreux accidents du travail (environ 100 000) ne seraient pas pris en charge au titre des maladies professionnelles, de même que la quasi totalité des cancers de la vessie (dont certains sont liés à des produits chimiques cancérogènes), 90 % des leucémies, 80 % des cancers du poumon et la moitié de certaines catégories de troubles musculo-squelettiques. La sous-déclaration de ces maladies tient pour une part à la difficulté d'isoler leurs causes de façon univoque : un cancer peut être dû aussi bien à une exposition professionnelle de longue durée (parfois 20 ou 25 ans) qu'à la consommation de tabac ou d'alcool.

L'accroissement constaté serait aussi la conséquence d'une dégradation des conditions de travail. Depuis une dizaine d'années, les cadences de production se sont accélérées, avec notamment les contraintes de productivité liées au passage aux 35 heures. L'exposition à des produits cancérogènes ou nocifs s'est accrue et les réglementations ne sont pas toujours respectées. À cela s'ajoute parfois le refus des salariés concernés de se protéger ou de signaler des problèmes de santé, de peur de perdre leur emploi. L'exposition à l'amiante (notamment dans le secteur du bâtiment) serait responsable d'un nombre de cancers professionnels élevé, qui devrait contribuer à un accroissement du nombre des cas de cancer jusqu'en 2020-2030.

Les décès dus à la grippe sont en baisse.

Le nombre des décès liés à la grippe était de 312 en 2009-2010, mais il peut varier considérablement selon les années en fonction de la gravité des épidémies. Certains estiment qu'il est sous-évalué, car un nombre de décès cinq à dix fois plus élevé est enregistré sous d'autres causes, principalement des maladies respiratoires ou cardiaques. D'autres considèrent plutôt qu'il a été surévalué dans le passé, afin de démontrer l'utilité de la vaccination. En 2009-2010, le taux de couverture vaccinale contre la grippe saisonnière a été de 64 % auprès des assurés de plus de 65 ans de la CNAMTS, comparable aux saisons précédentes. Selon les années, la maladie est à l'origine de 10 à 30 millions de journées d'arrêt de travail. Elle représente en tout état de cause un coût considérable pour la collectivité et participe au déficit de l'assurance-maladie.

La grippe avait été plutôt banalisée dans l'opinion, et l'on n'en parlait qu'au moment où apparaissaient les vaccins destinés à la prévenir, notamment chez les personnes âgées. Elle est plus fréquemment évoquée depuis 2003, à propos des nouvelles formes qu'elle pourrait prendre dans le cas de mutations des virus tels que celui de la grippe aviaire. En France, au cours de l'épidémie 2009-2010, 5 millions de personnes avaient été vaccinées contre la grippe H1N1; le nombre de victimes aurait été de 224, ce qui représenterait selon certaines estimations une vingtaine de vies sauvées par le vaccin, pour un coût estimé à 2 milliards d'euros.

En 1968-1969, la grippe de Hongkong avait fait 30 000 morts en France et 1 million dans le monde. La plus meurtrière fut la « grippe espagnole » de 1918-1919. Transporté par les soldats américains venus aider les Alliés à terminer la guerre, le virus (de type aviaire) avait fait davantage de victimes qu'elle : de 20 à 40 millions de morts selon les estimations (dont 400 000 en France) contre 8,6 millions au cours de la guerre.

Le nombre des maladies psychiques s'accroît.

Le recours aux soins pour des difficultés psychologiques et mentales ne cesse de s'accroître depuis une douzaine d'années. Le nombre de consultations pour troubles névrotiques et psychotiques, anxiété, dépression, troubles de l'enfance et du sommeil, est en augmentation régulière ; il dépasserait 50 millions par an, contre 44 millions en 2000. Celles des psychiatres sont passées de 11 millions en 1992 à plus de 15 millions en 2010. 8 % des personnes de 12 à 75 ans ont vécu un « épisode dépressif caractérisé » au cours des douze derniers mois (Baromètre santé 2010). Ce sont les femmes (10 %) et les adultes quadragénaires qui apparaissent les plus fragiles. Les enfants ne sont cependant pas épargnés : au cours des années 1990, le nombre de jeunes suivis en psychiatrie infanto-juvénile avait presque doublé : 432 000 en 2000 contre 255 000 en 1991. On estime à environ 9 % de la population les personnes souffrant de troubles anxieux caractérisés, à 6 % celles subissant un épisode dépressif majeur et à 7,5 % celles atteintes d'une démence sévère après 75 ans.

La maladie d'Alzheimer touche 5 % de la population âgée de plus de 65 ans (p. 47). À partir de 85 ans, 1 personne sur 5 est concernée. 880 000 personnes seraient concernées en France en 2011 dont 30 000 sont âgées de moins de 35 ans. Le nombre de nouveaux cas est estimé entre 150 000 et 225 000 par an et des projections indiquent que 1,3 million de personnes pourraient être atteintes en 2020 (soit une personne de plus de 65 ans sur quatre) et 2,1 millions en 2040, sauf en cas de découverte de traitements efficaces. La prévalence des démences chez les plus de 75 ans (Alzheimer dans 80 % des cas) atteint presque 18 %.

Ces maladies psychiques, auxquelles on pourrait ajouter d'autres pathologies comme les maux gastro-intestinaux, sont favorisées par certaines conditions de travail. Elles sont souvent liées à des soucis d'ordre familial ou social. Véritable fléau de l'époque, le stress touche une proportion croissante de la population (p. 47). Certains de ces facteurs existaient sans aucun doute dans le passé. Mais ils étaient jugés sans importance ou même ignorés, alors qu'on cherche aujourd'hui à leur donner un nom et à les soigner. Ainsi, les phobies sociales (timidité, agoraphobie, peur des autres en général...) sont identifiées et prises en compte. Elles ont généralement des origines psychologiques. L'assistance aux personnes victimes d'accidents ou de traumatismes (attentats, tremblements de terre, inondations...) tend à devenir systématique.

On constate par ailleurs que le taux de récidive de la dépression, le plus souvent soignée par des médicaments destinés aux troubles psychologiques, est de 35 % sur deux ans et de 60 % sur douze ans. Des chiffres qui pourraient laisser penser que les thérapies sont moins efficaces que les médicaments classiques, qui soignent des affections « objectives ».

ALCOOL, TABAC, DROGUE

La consommation d'alcool diminue régulièrement, ...

La consommation globale d'alcool a diminué de près de moitié depuis 1960, passant de 26 litres d'équivalent alcool pur par personne (de 15 ans ou plus) et par an à 12 litres en 2010 (p. 194). Ce volume annuel est l'équivalent d'un peu moins de 3 verres d'alcool standard par jour et par habitant âgé de 15 ans ou plus. En 2010, les Français étaient 17 % à boire du vin régulièrement contre 51 % en 1980, et 45 % à en boire occasionnellement contre 30 % en 1980 (FranceAgrimer). Entre 1980 et 2010, le nombre de consommateurs réguliers de vin a été divisé par deux ; la proportion est de 17 % contre 51 %. Dans le même temps, la part des consommateurs occasionnels est passée de 30 % en 1980 à 45 %. La consommation est donc plus qualitative que quantitative, occasionnelle que régulière. C'est chez les femmes que la part des non-consommatrices a le plus progressé, de 27 % en 1980 à 47 % en 2010 ; la proportion de consommatrices régulières chutant de 37 % à 11 %.

Selon les données du Baromètre santé 2010, 37,2 % des 18-75 ans présentent une consommation excessive d'alcool dans l'année : 9,2 % sont des consommateurs à risque chronique (15,1 % parmi les hommes, 3,7 % parmi les femmes) et 28 % des consommateurs à risque ponctuel (38,9 % pour les hommes et 17,7 % pour les femmes). 25,1 % des hommes de 12 à 75 ans déclarent consommer une boisson alcoolisée tous les jours de l'année, contre 9,4 % des femmes.

... sauf chez les jeunes.

Dans un contexte de baisse générale et forte de la consommation d'alcool, un buveur sur quatre déclare avoir connu au moins un état d'ivresse au cours des douze derniers mois (Baromètre Santé 2010). Ce phénomène concerne en particulier les plus jeunes, les hommes comme les femmes. 80 % des jeunes de 17 ans déclarent avoir consommé de l'alcool dans les 30 derniers jours. Chez les femmes, la consommation est plus élevée parmi les très jeunes consommatrices, avec en moyenne 2,4 verres pour les 15-19 ans ; 28,5 % d'entre elles déclarent avoir connu un état d'ivresse au cours des douze derniers mois. C'est surtout le week-end qu'a lieu l'alcoolisation : 28 % des buveurs au cours d'une semaine ont bu de l'alcool le dimanche, contre 9 % le lundi. Les campagnes de prévention ne semblent pas convaincre.

La France est le pays d'Europe où la consommation globale de boissons alcoolisées a le plus chuté depuis les années 1960. Elle reste cependant l'un

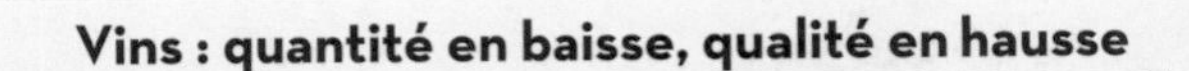

Évolution de la consommation annuelle de vin et de bière
(en litres par personne)

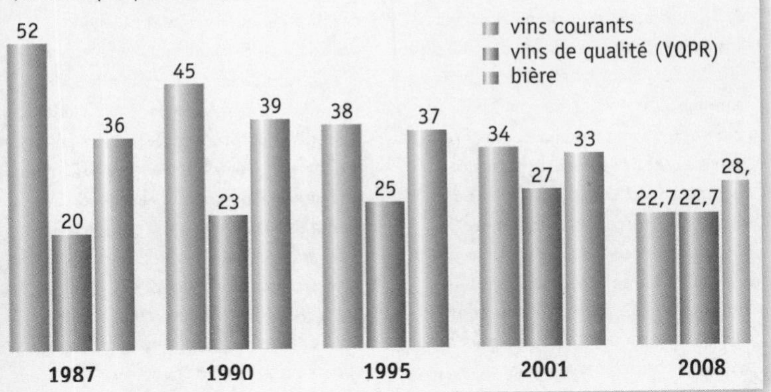

des pays du monde où la consommation d'alcool est la plus élevée. Les Européens consomment en moyenne l'équivalent de 12,5 litres d'alcool pur par an, ce qui représente également près de trois verres de vin par jour (OMS, 2011). La consommation moyenne d'alcool en Europe est deux fois plus importante que la moyenne mondiale. Elle est de 14,5 litres d'alcool par an et par personne en Europe de l'Est, contre 12,4 en Europe de l'Ouest, 11,2 en Europe du Sud et 10,4 dans les pays nordiques. Il existe cependant de grandes différences dans les comportements selon les régions. Les Européens du Sud et de l'Ouest ont tendance à boire à des horaires fixes et réguliers (prise de vin lors des repas), tandis que les Européens de l'Est et les Scandinaves boivent de manière plus festive, avec le développement du *binge drinking*, alcoolisation rapide ayant pour but de trouver l'ivresse.

Les effets de l'alcool sur la santé restent sensibles.

Le taux de mortalité directement lié à l'imprégnation éthylique chronique a diminué d'environ 40 % en vingt-cinq ans. Toutefois, on recensait 23 000 décès directement liés à la consommation chronique excessive d'alcool en 2010 (51 % par cancers, 38 % par cirrhoses et 11 % par alcoolo-dépendance). Huit sur dix concernent des hommes et plus d'un sur deux des personnes de moins de 65 ans. Les hommes veufs ou divorcés présentent un risque plus élevé que les hommes mariés. Les ouvriers et les employés sont dix fois plus touchés que les cadres supérieurs et les professions libérales.

En 2010, l'alcool a été à l'origine de 1 200 accidents mortels sur les routes de France, ce qui représente 30 % du taux de mortalité au cours de l'année. Le nombre d'accidents dans lesquels au moins un des conducteurs avait un taux d'alcoolémie positif représentaient, en 2009, 82 % des accidents corporels et 80 % des accidents mortels. L'alcool serait en outre présent dans 10 à 20 % des accidents du travail. Il joue un rôle dans de nombreux actes de violence : agressions, vols, viols, bagarres... La proportion des personnes ayant bu de l'alcool dans les deux heures précédant un acte violent s'élève à 40 % pour les protagonistes d'une bagarre dans un lieu public, 35 % pour ceux qui ont commis une agression au sein de la famille, 32 % pour les auteurs d'un acte de vandalisme (ministère de la Santé, 2008).

L'alcool est à l'origine de 14 % des décès masculins (il tue donc un homme sur sept) et de 3 % des décès féminins. Globalement, le nombre de décès attribués chaque année à la consommation excessive d'alcool se situe entre 35 000 et 45 000, soit près de 10 % de l'ensemble des décès. 42 % des hommes sont considérés comme ayant un risque de dépendance à l'égard de l'alcool (30 % présentant un risque ponctuel, 12 % un risque chronique) contre 12 % des femmes (INSEE, IRDES).

En Europe, les décès dus à l'utilisation abusif d'alcool représentent 2,6 décès pour 100 000 habitants. La France se situe parmi les pays les plus touchés à 4,4 pour 100.000 habitants, loin derrière le Danemark (11,5) l'Estonie (7,9), légèrement en retrait par rapport à l'Allemagne (4,6) mais bien plus que la Grèce (0,2). Près de 12 % des décès des 15-64 ans en Europe sont imputables à l'alcool, soit un décès sur sept pour les hommes et un sur treize pour les femmes.

L'alcool tue

Taux de décès dus à l'utilisation abusive d'alcool dans quelques pays d'Europe
(pour 100 000 habitants)

	2006	2009
Allemagne	4,7	4,6
Espagne	0,6	0,5
France	**4,5**	**4,4***
Italie	0,3	0,3*
Royaume-Uni	1,6	1,5
UE 27	*2,7*	*2,6*

* 2008

INSEE-OFDT-OMS

Alcool et culture

Pendant longtemps, l'alcool a eu en France une image très positive, notamment auprès des hommes. Il était l'un des attributs de la culture gastronomique, nationale et régionale, et même de la culture au sens large. Il était associé à l'idée de bien-vivre ; ceux qui buvaient bien et beaucoup étaient d'ailleurs des « bons vivants ». Il constituait l'un des ingrédients nécessaires de la fête et de la convivialité. Depuis plusieurs décennies, un processus de réflexion collective s'est mis en marche, qui a sensiblement modifié l'image de l'alcool et permis de réduire fortement sa consommation (elle a été divisée par deux entre 1960 et 2000).

Plusieurs éléments ont contribué à cette évolution : les préoccupations croissantes en matière de santé ; le changement de statut de l'homme dans la société dans un sens moins « machiste » ; le durcissement de la législation sur la consommation ; le changement de tonalité du discours des médias sur l'alcool. Les nombreuses campagnes d'information ont joué un rôle important. La majorité des Français connaissent désormais le plafond recommandé (3 verres par jour pour l'homme, 2 verres pour la femme), bien que les buveurs réguliers tendent à le sous-estimer. L'évolution des habitudes alimentaires (notamment la déstructuration des repas) a joué aussi un rôle dans cette évolution, de même que la concurrence des autres boissons (sodas, colas, eaux minérales, bières...) et leur capacité de séduction par un marketing élaboré.

Les femmes sont plus concernées que les hommes par cette prise de conscience, les personnes âgées plus que les jeunes, celles qui sont peu instruites plus que les autres. Un certain nombre de jeunes rejettent le vin, parfois sous prétexte qu'il appartient à la culture de leurs parents et qu'il ne saurait donc être « moderne ». D'autres, au contraire, refusent de se plier aux contraintes et recherchent dans l'ivresse un moyen d'échapper à la réalité. C'est ce qui explique que 83 % des parents d'enfants scolarisés s'inquiètent de la consommation d'alcool des jeunes (APEL/Opinionway, novembre 2011). 74 % ont le sentiment que les filles consomment plus d'alcool qu'à leur époque. La proportion n'est que de 59 % en ce qui concerne les garçons. Cependant, lorsqu'il s'agit de leurs propres enfants, 85 % des parents pensent que leur consommation est stable ou a diminué par rapport à celle qu'ils avaient au même âge...

La consommation de tabac a diminué jusqu'en 2004...

Le recul du tabagisme pendant la première moitié des années 2000 avait été sensible. En 2005, la proportion des fumeurs était passée pour la première fois au-dessous de 30 % de la population de 15 ans et plus ; celle des fumeuses avait baissé de 11 points en moins de cinq ans. La baisse avait été également forte chez les 12-15 ans (41 %), après l'interdiction de la vente de tabac aux moins de 16 ans.

Dans la lutte contre le tabagisme, l'année 2003 avait marqué un véritable tournant. Le nombre de fumeurs déclarés avait diminué de 1,8 million entre 1999 et fin 2003, passant de 15,3 millions à 13,5 millions (Inpes/Ipsos). La proportion de fumeurs dans la population (15-75 ans) avait baissé de quatre points, de 34,5 % à 30,4 %. 14 % des fumeurs de 2002 avaient arrêté le tabac en 2003, ce qui constituait un record historique. C'est chez les femmes que le tabagisme avait le plus fortement chuté, avec une baisse de la proportion de fumeuses de 18 % en quatre ans, alors qu'elle était restée stable de 1995 à 1999, contrairement à celle des hommes qui avait baissé depuis la fin des années 1970.

Cette évolution s'expliquait surtout par les hausses successives du prix du tabac, engagée notamment depuis 2003. Sur longue période, entre 1970 et 2010, le prix a plus que doublé en monnaie constante, et la consommation a été plus que divisée par deux. À cet argument économique s'est ajoutée une prise de conscience des risques sur la santé, favorisée par les campagnes institutionnelles d'information et de sensibilisation.

L'Europe en fumée

Proportion de fumeurs dans quelques pays d'Europe (2010, en % des 15 ans et plus)

Allemagne	23
Espagne	35
France	**33**
Italie	26
Royaume-Uni	28
UE 27	*29*

Eurobaromètre 2010

... mais elle s'est de nouveau accrue depuis.

2005 a été une année de retournement en matière de consommation de tabac. La part des « gros fumeurs » (plus de 20 cigarettes par jour) a de nouveau augmenté :

elle représentait 16,5 % de la population de 15 ans et plus, contre 14,1 % en 2000. De même, le nombre moyen de cigarettes fumées était passé de 13,9 par jour à 14,8. Entre 2005 et 2010, la proportion de fumeurs a poursuivi la hausse : plus de 2 points dans la population de 15 à 75 ans, passant ainsi de 27,1 % à 29,1 %. La situation est préoccupante en ce qui concerne les jeunes et les femmes enceintes. Parmi les garçons de 15 à 19 ans, la proportion de fumeurs est de 26,6 % contre 20,7 % parmi les filles. Entre 20 et 25 ans, ces taux passent à 42,8 % pour les hommes et 39 % chez les femmes. À âge égal, la proportion d'hommes fumeurs est plus élevée parmi les ouvriers, artisans, commerçants et chefs d'entreprise. Mais la situation matrimoniale a une importance : les hommes divorcés sont plus souvent fumeurs que ceux qui sont mariés.

Avec 33 % de fumeurs (Eurobaromètre 2010), la France se situe un peu au-dessus de la moyenne de l'Union européenne (29 %), loin derrière la Grèce (42 %), les pays baltes la Hongrie ou la Bulgarie, mais loin devant la Suède (16 %). La proportion de fumeurs a diminué dans la plupart des pays, notamment parmi les hommes. Les évolutions sont plus contrastées en ce qui concerne les femmes. C'est en Espagne et en Grèce que les écarts entre les sexes sont les plus marqués. La Suède est le seul pays européen où la proportion de fumeuses est supérieure à celle des fumeurs. Les Grecs restent les plus gros fumeurs avec, en moyenne, 21,4 cigarettes par jour contre 17,7 cigarettes pour les Autrichiens, 17,2 pour les Luxembourgeois et les Slovènes. Les Français, quant à eux, consomment en moyenne 13,6 cigarettes par jour soit un peu plus que les Lituaniens (12,6) mais plus que les Suédois (10,1).

L'augmentation des prix est la mesure qui apparaît la plus efficace pour réduire la consommation de tabac, en particulier chez les jeunes et les personnes les plus vulnérables. Une étude de l'OMS indique qu'une augmentation de 10 % des taxes et du prix des produits du tabac réduit la consommation de tabac entre 2,5 et 5 %. Cependant, les augmentations de prix tendent à accroître les achats de produits introduits en contrebande et ceux effectués dans les pays frontaliers.

Le tabac serait à l'origine d'au moins 60 000 morts par an.

Le tabac constitue un facteur de risque majeur dans le développement d'un grand nombre de maladies, en particulier les cancers (poumon, larynx, voies aérodigestives supérieures, œsophage, vessie...), les maladies cardiovasculaires ou les bronchites chroniques. On estime que sa consommation est responsable chaque année de plus de 60 000 décès, soit plus de 180 personnes par jour, dont 90 % chez les hommes. Il représenterait ainsi un cinquième de la mortalité masculine et 3 % de la mortalité féminine. Les cardiologues observent une augmentation du tabagisme chez les femmes : 85 % des femmes qui font un infarctus sont des fumeuses et la proportion de femmes victimes d'infarctus avant 50 ans est passée de 3,7 % en 1995 à 11,6 % en 2011. La part des décès attribuables au tabagisme atteint 33 % entre 35 et 69 ans chez les hommes et 6 % chez les femmes.

Comme celle de l'alcool, l'image collective du tabac s'est dégradée. D'autant qu'à la différence de l'alcool, dont une consommation modérée est considérée comme n'entraînant pas de conséquences (quelques études lui attribuent même des vertus protectrices contre certaines maladies), la nocivité apparaît dès la première cigarette. Le coût social du tabac est estimé à 47 milliards d'euros, soit environ 750 € par habitant, plus de 3 % du PIB (rapport Yves Bur, 2012). L'interdiction de fumer dans des lieux publics a amélioré la protection des non-fumeurs et, surtout, des personnels travaillant dans ces lieux.

Plus d'un Français sur quatre a expérimenté des drogues illicites.

En 2010, on estimait que 13,4 millions de Français âgés de 11 à 75 ans avaient déjà expérimenté le cannabis, 1,5 millions la cocaïne, 1,1 million l'ecstasy et 500 000 l'héroïne. Environ 1,2 million consomment du cannabis régulièrement (au moins 10 fois au cours du dernier mois) et 550 000 de façon quotidienne. La grande majorité de ceux qui ont essayé un de ces produits ne renouvellent donc pas l'expérience.

Nouvelles drogues et Internet

De nouveaux composés de synthèse non contrôlés ont fait leur apparition ces dernières années. Appelés *legal highs* (ou encore « alternatives légales »), ils sont commercialisés sur Internet et ont pour but de contourner les mesures de contrôle des stupéfiants. Vingt-quatre nouvelles substances psychoactives de synthèse ont été notifiées par le système européen d'alerte précoce en 2009, soit le nombre le plus important enregistré en une année, grâce à l'identification de neuf nouveaux cannabinoïdes synthétiques.

Ces *legal highs* englobent ainsi un large éventail de produits, allant des mélanges d'herbes à des drogues de synthèse ou *designer drugs* et à des *party pills* ou « drogues récréatives », qui sont consommées de diverses manières (fumées, sniffées ou avalées).

Comme l'alcool et le tabac, la consommation de drogues est un phénomène surtout masculin. Entre 2001 et 2006 (dernier rapport OEDT), on avait noté une forte progression de la consommation de drogues, qui s'expliquait en partie par la baisse de prix : 47 % pour l'Ecstasy, 22 % pour la cocaïne, 20 % pour l'héroïne, 19 % pour le cannabis.

Parmi les jeunes de 17 ans, la moitié ont déjà expérimenté le cannabis (contre neuf sur dix pour l'alcool et sept sur dix pour le tabac). 15 % des garçons et 6 % des filles en font un usage régulier. La consommation récente d'autres drogues illicites parmi les 18-64 ans est plutôt rare : moins de 1 % pour les *poppers* (vasodilatateurs provoquant une euphorie légère et peu durable), l'ecstasy, les champignons hallucinogènes et la cocaïne. Cependant, on note que pour les 18-25 ans, le taux d'usage des *poppers* est passé à 2,9 % pour les garçons et 1 % pour les filles (Baromètre santé 2010, INPES). L'usage de la cocaïne concerne 2,5 % des garçons et 1,8 % des filles.

La première expérimentation a lieu en moyenne vers l'âge de 15 ans, pour le cannabis, entre 16 et 17 ans pour les autres drogues. Si les jeunes issus de familles aisées semblent davantage tentés par les drogues (sauf l'héroïne), la consommation est plus fréquente chez ceux qui rencontrent des difficultés dans leur parcours scolaire. Le cannabis, par exemple, peut conduire à des troubles de la mémoire, diminuer l'énergie et affecter les relations avec l'entourage.

En Europe, 75 millions de personnes de 15 à 64 ans ont consommé au moins une fois du cannabis, soit un cinquième de la population concernée (OEDT). On estime qu'en 2010, 23 millions d'Européens de ces tranches d'âge en ont consommé au cours de l'année (6,8 %) et 12,5 millions au cours du dernier mois. La consommation de cannabis est essentiellement le fait de jeunes adultes, entre 15 et 34 ans, avec un taux de consommation de 12,4 % au cours des 12 derniers mois et 6,9 % au cours des trente derniers jours. Cette consommation est très élevée parmi les jeunes qui fréquentent les boîtes de nuit. En Europe, la consommation de cannabis au cours d'une vie concerne 32 % des jeunes adultes (13 % au cours des douze derniers mois). À titre de comparaison, les proportions sont respectivement 54 % et 24 % au Canada, 49 % et 22 % aux États-Unis.

La polyconsommation est plus fréquente.

On observe une forte corrélation entre l'usage de drogues illicites et celle du tabac ou de l'alcool. L'association la plus fréquente est l'alcool avec le cannabis (un polyconsommateur régulier sur trois). Elle est suivie par le tabac et le cannabis (un sur quatre). Un jeune consommateur sur six déclare l'usage régulier des trois substances.

Le nombre d'usagers d'opiacés et de cocaïne « à problèmes » est estimé entre 150 000 et 180 000 personnes. Parmi ces toxicomanes se trouve une population relativement jeune (de 30 à 33 ans en moyenne) et vieillissante depuis la chute de la mortalité dans les années 1990. Le nombre de décès annuels par surdose (principalement d'héroïne) a connu une forte baisse dès la deuxième moitié des années 1990 (128 en 1999 et 564 en 1994) mais la fin des années 2000 a été marquée une hausse (+ 28,5 % des décès dus à une surdose d'héroïne en 2008). À cette première catégorie d'utilisateurs s'en est ajoutée une autre dans les dernières années, composée de personnes beaucoup plus jeunes, légèrement plus féminisée, vivant en marge des milieux techno. En même temps, les habitudes de consommation ont beaucoup changé : la polyconsommation est devenue plus fréquente, l'usage de la cocaïne, de l'ecstasy et des amphétamines a progressé, et les modes d'ad-

Drogues en tout genre

Estimation du nombre de consommateurs de substances psychoactives en France métropolitaine parmi les 11-75 ans (2010)*

	Produits illicites				Produits licites	
	Cannabis	Cocaïne	Ecstassy	Héroïne	Alcool	Tabac
Expérimentateurs	13,4 M	1,5 M	1,1 M	500 000	44,4 M	35,5 M
dont usagers dans l'année	3,8 M	400 000	150 000	nd	41,3 M	15,8 M
dont usagers réguliers	1,2 M	nd	nd	nd	8,8 M	13,4 M
dont usagers quotidiens	550 000	nd	nd	nd	5,0 M	13,4 M

* M = millions ; nd = non disponible

Baromètre santé 2010, INPES, OFDT

Dépénaliser le cannabis ?

La majorité des Français (58 %) se déclarent opposés à la dépénalisation de la consommation de cannabis, dont 24 % « plutôt » et 34 % « tout à fait » (*Le Parisien-Aujourd'hui en France*/Harris Interactive, juin 2011).

L'âge influe assez peu sur les réponses, puisque les 18-24 ans (54 %) et les 25-34 ans (56 %) se prononcent aussi majoritairement contre une telle mesure. L'adhésion est en revanche majoritaire parmi les sympathisants de gauche (58 %) et surtout d'extrême-Gauche (70 %), alors que ceux de droite y sont très largement opposés (78 %).

Les Français sont divisés sur les conséquences d'une dépénalisation. 56 % estiment qu'elle permettrait un désengorgement des dossiers à traiter en Justice (contre 40 %). 50 % pensent que le contrôle de la qualité serait meilleur (contre 47 %). 47 % estiment que le trafic et la délinquance seraient réduits (contre 50 %). 42 % considèrent que l'efficacité des politiques de prévention par les pouvoirs publics serait facilitée (contre 55 %).

ministration se sont diversifiés. Sur les 6 700 personnes qui ont découvert leur séropositivité à VIH en 2009, 1 % d'entre elles ont été contaminées par usage de drogues injectables.

La baisse de la mortalité observée depuis une quinzaine d'années masque les dangers liés aux drogues dures : un toxicomane (hors usagers de cannabis) a cinq à dix fois plus de risques de mourir dans l'année qu'un non-toxicomane de même sexe et de même âge. La prévalence moyenne de la consommation problématique d'opiacés dans l'Union Européenne est située entre 3,6 et 4,4 cas par millier d'adultes de 15 à 64 ans. Elle est légèrement inférieure à celles de l'Australie (6,3 cas), des États-Unis (5,8 cas) et du Canada (5 cas) et nettement plus faible qu'en Ukraine (10-13 cas) ou en Russie (16 cas) selon le dernier rapport de l'OEDT.

Les Français restent les premiers consommateurs de psychotropes au monde.

En France, les médicaments psychotropes se situent au deuxième rang, derrière les antalgiques, pour le nombre d'unités prescrites (rapport Briot, 2006). Ces médicaments se répartissent en plusieurs classes, en fonction de leurs indications thérapeutiques : hypnotiques (ou somnifères) et sédatifs pour le sommeil ; anxiolytiques (ou tranquillisants) ; antidépresseurs ; neuroleptiques et normothymiques (contre les psychoses). Les benzodiazépines, qui regroupent les hypnotiques et les anxiolytiques présentent des risques spécifiques : dépendance ; troubles de la mémoire ; diminution de la vigilance. Depuis le début des années 1980, la consommation d'antidépresseurs (tels que le Prozac) n'a cessé d'augmenter, d'autant que leur champ de prescription a été élargi, au détriment des neuroleptiques, hypnotiques et anxiolytiques. Leur part dans les ventes pharmaceutiques a plus que doublé en valeur, du fait notamment de la montée en puissance de la catégorie des antidépresseurs, qui étaient passés de 84 millions d'euros de ventes en 1980 à 543 millions en 2001.

Les psychotropes se distinguent des autres produits psychoactifs par une consommation plus fréquente chez les femmes. Plus de 15 millions de Français ont déjà eu recours à eux, et parmi les usagers réguliers (près de 4 millions), les femmes sont trois fois plus nombreuses. Les anxiolytiques sont plus souvent prescrits par les généralistes (80 % des prescripteurs de médicaments psychotropes) que par des psychiatres.

La prescription de médicaments psychotropes est de 21,4 sur les douze derniers mois en France. Elle est quasiment deux fois supérieure à la moyenne, dans six pays européens : 15,5 en Espagne, 13,7 en Italie, 13,2 en Belgique, 7,4 aux Pays Bas et seulement 5,9 en Allemagne (rapport Briot, 2006). Chez les jeunes, l'expérimentation de ces produits sans prescription médicale s'est accrue au cours des années 1990. À 17 ans, un jeune sur cinq dit avoir déjà pris un « médicament pour les nerfs » ou « pour dormir », un sur dix au cours du dernier mois. Dans la moitié des cas, il s'agit d'un médicament soumis à prescription médicale. La consommation tend cependant à se stabiliser.

Les « pratiques dopantes » sont de plus en plus répandues.

Le recours au dopage pour améliorer les performances physiques ne concerne pas seulement les sportifs professionnels pris en faute lors de contrôles réalisés après des compétions. Selon diverses enquêtes, le dopage serait pratiqué par 3 % à 10 % des sportifs amateurs, et jusqu'à 18 % en cas de niveau élevé. Les produits utilisés sont selon les cas des stimulants (amphétamines, cocaïne, caféine à haut dosage…), des corticoïdes ou des anabolisants.

Outre le sport, les pratiques apparentées au dopage se sont développées dans diverses situations de la vie. Elles concernent des étudiants, ou même des lycéens, en période d'examen. C'est le cas aussi des cadres ou d'autres actifs éprouvant des difficultés à faire face à leurs responsabilités professionnelles ou désireux d'améliorer leurs capacités intellectuelles ou leur créativité. Parmi les adultes, on estime qu'un sur dix a déjà pris des produits de ce type. Chez les jeunes de 17 à 19 ans, le taux d'expérimentation serait d'au moins 8 % chez les garçons, contre 4 % pour les filles.

Ces pratiques traduisent un mal-être individuel croissant, une perte de repères et des frustrations. Elles sont favorisées par la « société du casting » (p. 217) qui multiplie les processus de sélection-élimination et favorise la tentation d'accroître artificiellement ses capacités pour progresser dans le système ou simplement pour s'y maintenir. La demande générale de bien-être et d'harmonie ne se limite pas au corps ; elle concerne aussi le mental. Les Français s'intéressent de plus en plus aux produits et aux services susceptibles de l'entretenir ou de l'améliorer : aide psychologique ; *coaching* ; pratiques manuelles ou artistiques ; activités sociales... On peut craindre que la crise économique ne favorise ces pratiques de fuite de la réalité.

ACCIDENTS

La mortalité routière continue de diminuer...

Entre 2000 et 2010, le nombre de personnes tuées dans des accidents de la circulation en France métropolitaine a diminué de moitié (51 %), ce qui représente 4 278 vies épargnées. L'amélioration s'est poursuivie jusqu'en 2011, avec un nombre de tués estimé à 3 970, soit une baisse de 14 % par rapport à 2007. Par rapport à 1972, année la plus noire avec 16 617 morts, la baisse de la mortalité sur les routes a été de 78 % soit un cumul de vies préservées en chiffres bruts qui atteint 306 000 alors même que le nombre de voitures a doublé. Il était passé pour la première fois sous la barre des 10 000 en 1987 (9 855). Il l'avait de nouveau franchie entre 1988 et 1990, avant de fléchir de nouveau à partir de 1991. La baisse de 21 % du nombre des tués constatée en 2003 avait été historique. Une nouvelle définition européenne en vigueur à partir de janvier 2005 (décès dans les 30 jours) la confirme.

Pour la première fois, le nombre de blessés sur les routes est descendu en dessous du seuil des 100 000 personnes : 80 945 en 2011 contre 103 201 en 2007 (et plus de 200 000 en 1991). Le nombre annuel d'accidents corporels a également diminué de 9,7 %, à 73 390 contre 81 272 en 2007. Ce n'est donc pas seulement le nombre des accidents qui diminue, mais aussi leur gravité. Les automobilistes constituent 53 % des tués sur la route, devant les usagers de motos (18 %), les piétons (12 %), les usagers de cyclomoteurs (6 %), de bicyclettes (4 %) et les conducteurs de poids lourds (2 %).

... grâce aux mesures de prévention et au changement des comportements.

Si l'on ramène le nombre de tués à l'indice de circulation, la diminution de la mortalité routière sur trois décennies est spectaculaire. Elle s'explique par l'ensemble des mesures pédagogiques, préventives et répressives prises depuis 1973 : amélioration du réseau routier ; obligation du port de la ceinture ; limitation de la vitesse en ville ; instauration du permis à points ; contrôles techniques obligatoires ; retrait immédiat de permis lors de certaines infractions ; installation de radars sur les routes... Les campagnes successives sur la sécurité routière et l'accroissement de la vigilance des policiers et des gendarmes ont également contribué à la modification des comportements, ainsi que l'abaissement de la puissance moyenne des véhicules (p. 205). Il faut ajouter l'envolée du prix des carburants depuis 2007, qui a amené les Français à réduire l'usage de la voiture. Toutes ces mesures ont accéléré un véritable changement culturel qui a transformé la relation des Français à la vitesse, à l'alcool, à la voiture... et à la mort.

Les progrès constatés depuis 2003 sont dans l'ensemble assez homogènes quels que soient les lieux de circulation, les types de véhicules ou les catégories de conducteurs. Le meilleur respect de la vitesse a été favorisé par la mise en place des radars automatiques, environ 2 075 radars fixes étaient en service en 2011 contre une centaine fin 2003, et plus de 16 500 emplacements pour les radars mobiles. 500 radars supplémentaires sont programmés annuellement sur les cinq prochaines années. Le port de la ceinture est également plus systématique, du fait de l'aggravation des sanctions. En revanche, la part des conducteurs ayant un taux d'alcoolémie supérieur au maximum autorisé (0,5 g par litre de sang) impliqués dans les accidents mortels est restée stable au cours des dix dernières années (autour de 17 %, mais plus de 50 % les nuits de week-end).

Entre début 1998 et fin 2011, 170 000 personnes ont trouvé la mort dans des accidents de la circulation. Avant l'âge de 45 ans, les accidents constituent la première cause de décès. Le risque est particulièrement élevé dans la tranche des 15-24 ans où quatre décès sur dix sont dus à des accidents de la circulation (44 % pour les hommes, 34 % pour les femmes).

La France se situe désormais en dessous de la moyenne européenne.

En 2008, la France comptait 67 tués par million d'habitants (dans les 30 jours suivant les accidents), un nombre très nettement inférieur à la moyenne des 27 pays européens, qui était de 78. Les pays où la circulation était la plus meurtrière étaient la Lituanie (148), la Pologne (143) et la Roumanie (142) ainsi que la Grèce et la Hongrie. Le plus faible taux était mesuré à aux Pays-Bas (41). Les comparaisons ne prennent cependant pas en compte l'état et la nature du réseau routier. Celui de la France est le plus important d'Europe, avec 1 000 000 km, dont 11 000 km d'autoroutes, 10 000 km de routes nationales, 380 000 km de routes départementales et 600 000 km de routes communales (y compris le réseau urbain). Les bons résultats enregistrés en France depuis 2003 ont très nettement amélioré son classement, alors que des progrès étaient également réalisés un peu partout en Europe. Entre 2006 et 2009, alors que la baisse du nombre de tués était de 9,2 % en France, elle atteignait 20 % dans l'Union européenne à 27. La baisse atteignait 36,5 % en Espagne, 29,1 % au Royaume-Uni, 28,5 % en Italie, 18,4 % en Allemagne.

L'évolution des attitudes et des comportements sur les routes, dans un contexte à la fois pédagogique et répressif, s'est traduite par des taux d'accidents et de décès plus faibles. Des efforts restent possibles en France pour atteindre le niveau de sécurité routière des pays les plus sûrs. Depuis la mise en place du permis à points (1992), on avait constaté une hausse régulière du nombre de conducteurs sans permis ; il était revenu à 3,8 % en 2010, après 4,4 % en 2009. Par ailleurs, la proportion de véhicules sans assurance impliqués dans un accident mortel a atteint 3,1 % en 2010 après avoir atteint 3,8 % en 2009 (elle n'était que de 2,4 % en 2000).

Les jeunes et les hommes restent les plus vulnérables.

Les jeunes 15-24 ans représentent 13 % de la population, mais 27,6 % des tués sur la route (2010). Les accidents de la route sont la première cause de mortalité chez les 15-24 ans et représente 48 % des décès chez les garçons de 15 à 19 ans. Leur part dans le nombre des personnes tuées sur la route est de 25 % ; elle est identique à ce qu'elle était en 1998. Le risque d'être tué la nuit et le week-end est également plus grand pour cette tranche d'âge (respectivement 59 % et 43 %) que dans la population générale (44 % et 32 %). Il est encore plus élevé si la victime est masculine : quatre fois plus entre 15 et 19 ans, et presque six fois plus entre 20-24 ans que pour les victimes de sexe féminin de même âge.

Le nombre de jeunes de 18 à 24 ans tués (831 en 2010) et blessés (18 265) diminue cependant régulièrement depuis une vingtaine d'années. Un permis probatoire a été mis en place en mars 2004, afin d'inciter les conducteurs débutants à la prudence. Les accidents de la route restent la première cause de mortalité chez les 15-24 ans, soit 41 % des décès. Environ un tiers des personnes tuées de moins de 14 ans sont des piétons ou des cyclistes. Le nombre de mineurs devenus orphelins à la suite d'un accident de la route est par ailleurs estimé à 3 000.

Plus de la moitié des piétons et près d'un tiers des cyclistes tués (30 %) ont au moins 65 ans, ce qui explique le nombre élevé d'accidents graves dans lesquels les personnes âgées sont impliquées, alors qu'elles se déplacent moins souvent dans un véhicule motorisé. 24 % des piétons tués ont dépassé 80 ans au moment de l'accident.

Les femmes ont plus de trois fois moins de risques de mourir dans un accident de la route que les hommes, elles représentaient 24 % des tués sur les routes en 2010. Elles se déplacent en effet plus souvent en milieu urbain et conduisent avec plus de prudence : elles sont aussi en moyenne onze fois moins souvent condamnées que les hommes pour un délit routier. Enfin, il faut noter qu'environ 60 % des personnes tuées n'ont aucune responsabilité dans l'accident qui leur a coûté la vie : piétons, occupants non conducteurs et conducteurs non responsables.

Morts sur la route

Nombre de tués sur les routes dans quelques pays d'Europe (par million d'habitants)

	2005	2008
Allemagne	65	54
Espagne	103	68
France	**85**	**67**
Italie	100	79
Royaume-Uni	56	43
UE 27	*92*	*78*

Eurostat

Les autoroutes sont les voies les plus sûres.

La mortalité autoroutière représentait un peu plus de 5 % du total des morts en 2010, alors que les autoroutes assurent plus de 20 % du trafic. Il faut cependant noter qu'en 2010, le nombre de personnes tuées et le nombre de blessés ont diminué sur tous les réseaux, à l'exception des autoroutes où ils ont augmenté respectivement de 5,8 % et de 7,7 %. A contrario, l'ensemble des routes nationales a connu une baisse significative de l'accidentalité, avec une diminution de 12,5 % des accidents par rapport à 2009 et de 14,2 % du nombre de tués. Si on considère le réseau des routes nationales depuis sa configuration de 2007, faisant suite au transfert vers les collectivités territoriales, la baisse du nombre d'accidents depuis 2007 est de 41,4 % et celle du nombre de tués de 36,6 %. Ce sont les routes départementales qui représentent la mortalité la plus élevée, avec près de deux tués sur trois (65 %). En 2010, le nombre d'accidents sur ces routes a cependant chuté de 7,9 % et le nombre de tués de 13,6.

En ville, le risque d'être tué est comparable à celui encouru sur les routes de rase campagne pour un même nombre de kilomètres parcourus, même si la gravité des accidents diminue ; le risque d'être blessé est cinq fois supérieur. C'est en milieu urbain que les usagers vulnérables sont les plus exposés : 28 % des piétons sont tués en ville, contre 6 % en rase campagne, ainsi que 23 % des motocyclistes (contre 16 %) et 13,5 % des cyclomotoristes (contre 4 %).

Les régions les moins touchées par des accidents rvoutiers mortels sont l'Île-de-France avec 30,4 tués par million d'habitants en 2010 et le Nord Pas-de-Calais (37,3). Les plus touchées sont la Corse (117,3) et la région Poitou-Charente (104,9).

Motos et cyclomoteurs sont vingt fois plus dangereux que la voiture par kilomètre parcouru.

En 2010, on estime que le risque relatif le plus élevé d'être tué concerne les usagers de cyclomoteurs (conducteurs et passagers). Il est 20,7 fois supérieur au risque pour les occupants d'une voiture. Cela peut s'expliquer par le fait que les jeunes de 15 à 19 ans, souvent moins prudents et expérimentés que leurs aînés, représentent 44 % des cyclomotoristes. Pour les motos, le risque est de 19,6 fois supérieur à celui des occupants de voitures. Avec une part de seulement 1,2 % de l'ensemble du trafic des véhicules à moteur, les motocyclistes représentent 17,6 % des personnes tuées. Par comparaison, le risque est 2,8 fois moins élevé pour les camionnettes que pour les voitures.

Les accidents de motos sont concentrés dans un petit nombre de régions : l'Île-de-France et Provence-Alpes-Côte d'Azur en représentent 58 %, contre 40 % pour les accidents de véhicules légers. 44 % des personnes tuées à cyclomoteur sont âgées de 15 à 19 ans. On observe des différences marquées selon l'âge de la victime en ce qui concerne les divers moyens de transport individuel. Les jeunes de 18 à 24 ans, qui représentent 12 % de la population française, comptent pour près d'un quart des tués parmi les usagers des deux-roues motorisés et des voitures de tourisme. Un peu moins de la moitié des conducteurs ou passagers des deux-roues à moteur ont entre 25 et

Sécurité et liberté

Plusieurs explications peuvent être données à l'amélioration spectaculaire de la sécurité routière constatée depuis plusieurs décennies. La première est sans doute la mobilisation des pouvoirs publics, tant sur le plan de la prévention que sur celui de la répression. Les efforts de pédagogie déployés, en même temps que la « peur du gendarme », ont favorisé une prise de conscience de la part des automobilistes et modifié les comportements.

Cette évolution n'aurait pu cependant avoir lieu si elle ne s'était appuyée sur des changements sociaux profonds. Le besoin de sécurité des Français s'est accru en même temps que leur sentiment de vivre dans une société où le risque est très présent. Il est alimenté par la survenance (et la médiatisation) des catastrophes naturelles, de la dégradation de l'environnement, mais aussi la recrudescence de certaines maladies, les attentats ou la montée du chômage.

Le goût du risque, et donc de la vitesse, qui caractérisait notamment les comportements des hommes et des jeunes, a diminué. La consommation d'alcool a reculé (p. 194). La relation à la voiture a changé. La conception aventurière et agressive de la conduite qui prévalait a laissé place à une conception plus sécuritaire et conviviale (p. 206). La voiture n'est plus seulement un moyen de transport, mais un lieu de vie dans lequel chacun veut se sentir protégé. C'est donc à un véritable changement culturel que l'on a assisté.

Plus récemment, le renforcement des mesures répressives à l'encontre des conducteurs en infraction, comme la prolifération des radars, ont suscité une certaine colère chez les « usagers », conscients d'être de plus en plus « taxés », voire « rackettés ». Il induit aussi un stress supplémentaire pour les conducteurs. Ce sentiment pose la question de l'équilibre à trouver entre prévention et répression, stigmatisation et responsabilisation, sécurité et liberté.

44 ans. Les personnes âgées de 65 ans ou plus sont, au contraire, surreprésentées parmi les piétons tués (52 %) et les cyclistes (30 %). Environ un tiers des piétons et des cyclistes ont moins de 15 ans.

Globalement, le risque de décès dans les transports varie considérablement selon le moyen utilisé, même s'il reste difficile d'établir des comparaisons précises. Au cours des années 2000, ce risque était estimé en moyenne annuelle à un peu moins de 5 par milliard de passagers-kilomètres pour les transports routiers (véhicules particuliers), contre 0,02 pour l'avion (240 fois moins) et 0,14 pour le train (35 fois moins).

La vitesse reste la première cause d'accident, ...

La plupart des accidents sont dus à des fautes humaines et l'on estime que 2 % seulement ont une origine mécanique. La vitesse est en cause dans la moitié des accidents mortels. En 2010, la vitesse moyenne pratiquée de jour par les voitures, tous réseaux confondus, était de 79,7 km/h, en diminution de 9,8 km/h par rapport à 2002. En revanche, pour les motos, on notait une augmentation de 1,2 km/h de la vitesse par rapport à 2009 (+ 1,4 %) ; mais depuis 2002, la baisse représente 13,6 km/h soit 13,5 %. Cette diminution de la vitesse est l'un des facteurs importants qui ont permis de réduire de 75 % le nombre de tués pendant cette période.

Malgré les progrès enregistrés, les conducteurs ne respectent pas toujours les limitations. Fin 2010, le taux de dépassement de plus de 10 km/h des vitesses limites par les conducteurs de voitures de tourisme était de 10 %. Il était de 9 % pour les poids lourds, mais de 26 % pour les motocyclistes. La proportion des grands excès de vitesse (dépassement de plus de 30 km/h) était de 0,6 %. On estime que le strict respect des limitations de vitesse sauverait chaque année la vie d'au moins une personne tuée sur cinq, soit près de 800 personnes.

Le téléphone mobile représente un nouveau facteur de risque dans la circulation sur les routes. Lors d'une observation en milieu urbain, environ 2 % des conducteurs avaient un téléphone en main et à l'oreille. Ce comportement serait responsable de 6 à 7 % des accidents corporels. Le port de la ceinture, obligatoire pour tous les passagers depuis 1990, a fait en revanche, de grands progrès depuis dix ans. Sur les places avant, il est devenu très majoritaire aussi bien sur les routes de rase campagne (98,9 % en 2010, contre 93,9 % en 1996) qu'en milieu urbain (95,5 %, contre 68,9 %). Il faut noter que les dépassements ne sont pas toujours causés par la volonté de transgresser les règles, mais par la difficulté de savoir à tout moment quelle est la limite autorisée.

... avec la consommation excessive d'alcool.

L'alcoolisme est un comportement beaucoup moins fréquent que l'excès de vitesse, mais ses effets sur le risque d'accident sont plus importants. Près d'une personne tuée sur la route sur trois l'est dans un accident avec un taux d'alcool positif. En 2010, on estime que 9,8 % de l'ensemble des blessés légers, 15,1 % des blessés hospitalisés et 30,8 % des personnes tuées étaient imputables à ces accidents avec taux d'alcool positif. L'alcool est particulièrement meurtrier pour les conducteurs alcoolisés et leurs passagers, qui représentent 84 % des personnes tuées. Le respect de la dose légale (0,5 g par litre de sang) aurait sauvé un peu plus de 1 230 vies en 2010.

On constate d'ailleurs l'absence de progrès à cet égard depuis une dizaine d'années. En 2010, près d'un accident mortel sur trois (30,4 %) impliquait au moins un conducteur ayant un taux d'alcool supérieur au taux autorisé. Cette proportion est près de trois fois plus élevée que celle constatée dans les accidents corporels (10,8 %). Parmi les accidents mortels qui se produisent la nuit, une infraction au taux d'alcool est constatée dans près d'un accident sur deux (47,4 %) et les fins de semaine, 33,5 % des accidents corporels sont concernés par une infraction au taux d'alcool. Les conducteurs masculins sont très fortement sur représentés dans les accidents avec un taux d'alcool positif. Leur proportion atteint 90,2 % dans les accidents corporels au taux d'alcool supérieur au taux légal et 92 % dans les accidents mortels. Il faut noter que, dans un cinquième des accidents corporels (19,7 %) et près d'un quart des accidents mortels (21,5 %), le taux d'alcool est indéterminé (impossibilité de prise de sang, résultat non connu, délai de collecte trop long).

Un salarié sur dix a un accident du travail dans l'année...

Près de 1,5 million d'accidents du travail sont recensés et indemnisés chaque année et environ la moitié sont suivis d'un arrêt de travail. Le nombre de ces derniers avait augmenté régulièrement depuis le milieu des années 1990 pour atteindre 760 000 en 2002. Cette évolution mettait en question les progrès réalisés entre 1955 et 1986, période au cours de laquelle le nombre d'accidents par million d'heures travaillées était passé de 53 à 29, soit une baisse de près de moitié.

La tendance à la hausse s'est inversée depuis 2003. En 2010, on a dénombré 658 000 accidents du travail avec arrêt (en baisse de 1,1 % sur un an) ce qui correspond à près de 38 millions de journées perdues sur l'année. À l'échelon national, on compte 38 accidents du travail avec arrêt pour 1000 salariés. Ce pourcentage, appelé indice de fréquence, est en baisse constante depuis 1950. Les secteurs d'activité qui regroupent le plus grand nombre d'accidents du travail avec arrêt sont les Activités de services et travail intérimaire (21 % des arrêts de travail en 2010, CNAMTS), les Services, commerces, industries de l'alimentation (17 %) et les transports, eau, gaz et électricité, livre et communication (14 %). Entre 2000 et 2010, les accidents du travail avec arrêt ont diminué de 18,3 % avec une diminution plus marquée dans les secteurs du bâtiment (– 29,1 %).

Le nombre des accidents mortels s'est plus ou moins stabilisé depuis 1996. Il avait très fortement régressé entre 1970 et 1986 (978 contre 2 268), puis augmenté entre 1987 et 1990. En 2010, il a reculé de 1,7 %, avec 529 accidents mortels. Les accidents graves (avec incapacité permanente) ont diminué de 4,3 %, à 41 000. On en comptait près du triple en 1980 (110 000).

… et cinq pour mille un accident du trajet.

On a dénombré 98 429 accidents du trajet ayant entraîné un arrêt de travail en 2010, en hausse de 4,9 % sur un an. Ce chiffre a connu de fortes fluctuations en dix ans, mais n'est plus jamais repassé sous le seuil des 78 000 décès recensés en 1995. Il avait atteint 154 000 en 1979 et occasionné la perte de 6,7 millions de journées de travail. La mise en place d'horaires flexibles dans les entreprises, qui a réduit la crainte d'arriver en retard au travail, expliquait en partie l'amélioration constatée. Globalement, le nombre d'accidents de trajet est en nette diminution depuis le début des années 1960.

Les accidents du trajet sont beaucoup plus fréquemment mortels que ceux du travail : 359 en 2010, contre 666 en 1999, mais 528 en 1996. Les accidents de la circulation sur le trajet domicile-travail sont la principale cause de ces décès (90 %). Les accidents du trajet sont à l'origine d'environ 6,3 millions de journées de travail perdues.

On recense environ 10 millions d'accidents de la vie courante chaque année, …

Sur la période 2000-2008, le taux de mortalité par accidents de la vie courante (AcVC) avait diminué de 2,8 % par an. Cependant, sur les années 2005-2008, on avait constaté une augmentation des accidents principalement due au vieillissement de la population, les deux tiers de ces décès étant survenus chez les plus de 75 ans.

Quatre accidents de la vie courante sur dix se produisent à l'intérieur de la maison (la moitié pour les femmes à partir de 20 ans), un sur dix à l'extérieur (jardin, garage, atelier…). Dans la maison, la cuisine est la pièce la plus dangereuse (un accident sur quatre), devant la cour ou le jardin (un sur quatre au total), les escaliers et ascenseurs (un sur dix). Les jeux et loisirs représentent plus de la moitié des activités au moment des accidents, un sur cinq est associé à la pratique sportive.

Les différents types d'accident varient selon les caractéristiques socio-démographiques. Jusqu'à 40 ans environ, ce sont les hommes qui sont le plus victimes de ces accidents, notamment les adolescents. On compte 1,6 fois plus d'hommes que de femmes chez les 10-19 ans. À partir de 40 ans, ce sont les femmes qui sont plus touchées ; le rapport est de 0,6 chez les plus de 70 ans.

… qui occasionnent environ 20 000 morts.

En 2008, on avait dénombré 19 700 décès par AcVC en France métropolitaine. La population masculine est particulièrement touchée, avec un rapport homme-femme de 1,7. De la chute dans l'escalier à l'électrocution dans la baignoire, les accidents de la vie courante (à la maison, à l'école ou lors des activités de loisir) sont environ trente fois plus nombreux que les accidents du travail et quatre à cinq fois plus que les décès liés à la circulation routière (enquêtes EPAC). Les chutes, à elles seules, en provoquent la moitié (48 %), devant les suffocations (15 %), les intoxications (7 %), les noyades (5 %) et les brûlures (2 %).

Les blessures les plus courantes se situent au niveau de la hanche et de la tête (22 %). Il s'agit le plus souvent de fractures (49 %) et d'atteintes aux organes internes (28 %). Les accidents nécessitant une consultation à l'hôpital sont plus nombreux au printemps (avec un maximum en avril et mai). Dans huit cas sur dix, c'est la victime qui est responsable. Près de la moitié des décès par AcVC ont lieu dans un établissement hospitalier (48 %), puis à domicile (25 %), dans une maison de retraite (9 %), sur la voie publique (5 %) ou dans un autre lieu (6 %).

Le taux de mortalité chez les enfants de moins de 15 ans a diminué de 29 % entre 2000 et 2008. Dans cette population, le risque majeur de décès de ce type est la noyade puis la suffocation.

On compte plus de 10 000 suicides annuels.

Les suicides et les accidents de la circulation constituent deux causes impor-

tantes de mortalité. Le suicide est un problème majeur de santé publique. Les décès qu'il entraîne représentent la deuxième cause de mortalité prématurée « évitable » pour les hommes comme pour les femmes. En 2008, près de 10 353 décès par suicide ont été enregistrés en France métropolitaine. Les taux varient également fortement selon les régions avec des taux plus élevés dans la moitié nord de la France.

Au sein de l'Europe des 27, la France se situe dans le groupe des pays à forte fréquence de suicide. Les comparaisons internationales doivent cependant être interprétées avec prudence, du fait d'éventuelles différences en termes de qualité et d'exhaustivité des déclarations. En France, une étude de 2006 avait montré que la sous-déclaration était d'environ 10 %, contre 20 % à la fin des années 1990.

Les moyens de suicide les plus fréquemment utilisés sont la pendaison (49 %), la prise de médicaments (15,5 %), les armes à feu (15 %) et les sauts d'un lieu élevé (6 %). Selon les régions, les moyens privilégiés diffèrent : l'utilisation des armes à feu est plus fréquente dans le Sud, la pendaison dans le Nord.

Les hommes et les personnes âgées sont les plus concernés.

Les trois-quarts des décès par suicide surviennent chez des hommes. Les taux ont tendance à diminuer dans le temps (-11 % chez les hommes comme chez les femmes entre 2000 et 2008). L'ampleur de la baisse est plus importante pour les plus âgés et pour les plus jeunes, mais ne concerne pas toutes les classes d'âge : comparativement à l'année 2000, le taux de suicide des 45-54 ans a ainsi augmenté modérément chez les hommes entre 2000 et 2008 (+5 %).

Le taux de décès par suicide augmente fortement avec l'âge. En 2008, il s'élevait à 6,7 décès pour 100 000 habitants entre 15 et 24 ans et 33,6 après 74 ans (taux bruts, hommes et femmes confondus). Entre 15 et 24 ans, le suicide est la cause de 16 % du nombre total des décès et constitue la deuxième, après les accidents de la circulation. À partir de 65 ans, il représente moins de 1 % du total des décès.

Très lié aux dépressions, le nombre des suicides pourrait sans doute être réduit en partie par des actions de prévention, notamment par la formation des professionnels de soins au repérage et au traitement des états dépressifs. À cet égard, le programme national d'actions contre le suicide 2011-2014 comporte 49 mesures regroupées selon six axes : le développement de la prévention ; l'amélioration de la prise en charge des personnes en risque suicidaire et de leur entourage ; l'information et la communication autour de la santé mentale et de la prévention du suicide ; la formation des professionnels ; le développement des études et de la recherche et l'animation du programme au niveau local.

Le suicide est souvent lié aux situations précaires.

La disparition des repères traditionnels apportés par les institutions (religion, État, école, justice...), les difficultés d'insertion dans la vie économique, la pression au travail et l'angoisse du chômage engendrent parfois des problèmes d'ordre existentiel. C'est pourquoi le suicide est plus fréquent chez les chômeurs et les inactifs. Jusque dans les années 1970, les agriculteurs enregistraient le plus fort taux de suicide, puis ce furent les ouvriers. Aujourd'hui, parmi les hommes de 25-49 ans ayant un emploi, le taux est d'autant plus élevé que l'on descend dans l'échelle professionnelle : environ 60 pour 100 000 chez les employés (près de 90 dans le cas des postes administratifs), contre 15 chez les professions libérales. Cependant, les cadres et les enseignants se suicident davantage que ne le laisserait supposer leur place dans la hiérarchie sociale. Ces écarts ne se retrouvent pas chez les femmes, qui accordent sans doute moins d'importance exclusive à leur vie professionnelle.

Les contraintes croissantes de productivité dans les entreprises et les difficultés d'adaptation qu'elles impliquent pour les employés sont un facteur de stress, qui peut dans certains cas favoriser le passage à l'acte. En 2007, on a constaté une série de suicides de salariés de l'industrie automobile puis en 2009 à France Telecom et plus récemment à La Poste. Mais, comme pour les maladies professionnelles, il n'existe pas de statistiques permettant d'établir un lien certain entre vie professionnelle et vie personnelle.

Parmi les personnes les plus exposées au risque de suicide, il faut également évoquer les détenus des prisons. Les dernières études montrent que la France se situe parmi les pays européens ayant un taux de suicide élevé, après la Finlande et la plupart des pays de l'ex Europe de l'Est.

L'environnement familial joue aussi un rôle essentiel. L'éclatement de la famille, ou son absence, prive d'un refuge affectif et matériel utile pour affronter les difficultés quotidiennes. Le suicide est ainsi deux fois plus fréquent chez les célibataires que dans l'ensemble de la population, trois fois plus chez les divorcés et près de quatre fois chez les veufs. Ces critères ont moins d'incidence sur les comportements féminins.

Euthanasie active : oui à une légalisation

92 % des Français se déclarent favorables à la légalisation de l'euthanasie active, intervention destinée à mettre un terme à la vie d'une personne (*VSD*/Harris Interactive, août 2011). 54 % souhaitent cependant que cette pratique soit conditionnée à « l'existence de douleurs que la médecine ne peut apaiser ». Lorsque le patient est dans l'incapacité d'exprimer son avis, les Français favorables au principe de l'euthanasie active souhaitent que la loi confie la décision à la fois aux proches et à un collège de médecins (92 %) plutôt qu'aux proches seuls (67 %) ou aux médecins seuls (59 %).

Toutes les catégories de population sont massivement favorables à une législation autorisant l'euthanasie active ; seuls 6 % des Français se disent fermement opposés. On ne constate donc pas une adhésion plus forte lorsque la perspective de la fin de vie approche. La pratique d'une religion influe en revanche sur les opinions : les catholiques pratiquants réguliers sont moins nombreux que la moyenne à se déclarer en faveur d'une telle loi (77 %) et surtout moins favorables à ce qu'elle puisse s'exercer dans tous les cas (19 %).

83 % des Français indiquent qu'ils demanderaient certainement (41 %) ou probablement (42 %) au corps médical de pratiquer sur eux une euthanasie active en cas de maladie incurable et entraînant des souffrances. 15 % des personnes non favorables déclarent néanmoins qu'elles pourraient faire cette demande au corps médical pour elles-mêmes. Parmi celles qui ne pensent pas qu'elles pourraient solliciter une euthanasie active, 61 % se disent néanmoins favorables à une loi prévoyant cette possibilité.

Le prix de la santé

Part des dépenses de santé dans le PIB de certains pays (%)

	1990	2010
Allemagne	8,3	11,6
Autriche	8,3	11,0
Belgique	7,2	10,5
Danemark	8,3	11,1
Espagne	6,5	9,6*
États-Unis	12,4	17,6
Finlande	7,7	8,9
France	**8,4**	**11,6**
Grèce	6,6	10,2
Hongrie	nd	7,8
Irlande	6,1	9,2
Italie	7,7	9,3
Japon	5,9	9,5*
Norvège	7,6	9,4
Pays-Bas	8,0	12,0
Pologne	4,8	7,0
Portugal	5,7	10,7
Rép. tchèque	4,7	7,5
Royaume-Uni	5,9	9,6
Slovaquie	nd	9,0
Suisse	8,2	11,4
Suède	8,2	9,6

* 2009

OCDE

Dépenses et soins

La France consacre 12 % du PIB à la santé.

La dépense nationale de santé (soins et biens médicaux, hors indemnités journalières, formation, prévention et recherche) représentait 12,1 % du PIB en 2010. La part des dépenses de santé dans le PIB a doublé depuis les années 1960. La très forte croissance qui s'est produite jusqu'au début de la dernière décennie s'explique par la progression du niveau de vie, le vieillissement de la population, les préoccupations croissantes pour la santé, l'apparition de nouvelles techniques médicales coûteuses et la généralisation de la couverture sociale. Entre 1980 et 1995, les dépenses médicales avaient ainsi doublé en volume.

Sur la période 1990-2010, la part des dépenses de santé est passée de 8,4 % à 12,1 % en France, soit à peu près les mêmes chiffres qu'en Allemagne. La progression a été moins rapide par exemple en Suède, avec un taux de 10 % contre 8,2 %. Le déficit de la Sécurité sociale avait doublé en quelques années ; il avait atteint le chiffre record de 19,5 milliards d'euros en 2009. Il est revenu à 8,6 milliards en 2011, après 11,6 milliards en 2010. et 6,0 milliards en 2002.

Avec 11,8 % du PIB consacrés à la santé en 2009, la France se situait derrière les États-Unis (17,4 %), les Pays-Bas (12 %), la Belgique (10,9 %) et devant l'Allemagne (11,6 %). Les pays dans lesquels la part des dépenses de santé est la plus faible sont la Hongrie et la Pologne (7,4 %). Aux États-Unis, le système de santé est très différent, avec une participation plus importante des ménages. Le taux de remboursement français (77 %) est en outre le plus faible d'Europe.

Depuis 1990, la part de la santé dans la consommation des ménages a doublé.

En 2009, les dépenses de consommation médicale ont représenté 2 721 € par habitant (y compris DOM), soit 112 euros de plus qu'en Allemagne, dont 20 % de la population est âgée de plus de 65 ans contre seulement 16,5 % en France. De plus, entre 2000 et 2009, ces dépenses ont progressé de 2 % en France contre 1,5 % en Allemagne (Institut Thomas More, 2012). Les ménages consacrent aujourd'hui 13 % de leur consommation effective aux dépenses de santé (y compris celles qui sont remboursées), contre 9,5 % en 1990, 8 % en 1980, 7 % en 1970, 5 % en 1960. Leur part a donc doublé en une trentaine d'années en valeur relative, alors que le pouvoir d'achat s'est accru de façon régulière et spectaculaire pendant cette période (p. 363).

Si l'on poursuit la comparaison avec l'Allemagne, on constate qu'avec 8,5 consultations chez le médecin par personne et par an contre 6,9 en France, le système allemand est nettement moins onéreux. L'explication se trouve dans le montant des dépenses hospitalières, puisqu'un Français dépense 409 € de plus qu'un Allemand (1 229 € contre 819) au sein d'un parc hospitalier deux fois plus important, avec un nombre moyen de lits par établissement deux fois moindre (154 en France contre 323 en Allemagne).

Les ménages ne paient directement que 11 % des soins (une part en diminution d'un point depuis 1995), le reste étant pris en charge par la collectivité. Entre 1960 et 1980, la part de la Sécurité sociale dans la couverture des dépenses était passée de 50 % environ à 80 %, puis elle a reculé légèrement pour se stabiliser depuis 1995 aux environs de 77 %.

4 millions de personnes n'ont pas d'assurance complémentaire.

Entre 1980 et 2009, la part des dépenses de soins que doivent supporter les ménages (qu'ils financent eux-mêmes ou grâce à la couverture apportée par une complémentaire santé) est passée de 217 à 547 € par personne et par an, une fois l'inflation déduite (Irdes). Pour faire face à cette nouvelle contrainte budgétaire, 94 % des Français étaient couverts par une complémentaire santé en 2011, contre 69 % en 1980.

Il reste aujourd'hui quatre millions de personnes qui vivent sans complémentaire santé en France métropolitaine. Parmi les ménages les plus pauvres (moins de 870 € par unité de consommation), 12 % des personnes n'en ont pas, contre seulement 3 % au sein des ménages les plus riches (1 997 € par unité de consommation). L'effort financier que les ménages doivent consentir pour une couverture complémentaire augmente en effet d'autant plus que leurs revenus sont modestes. En outre, les moins aisés souscrivent souvent à des contrats offrant moins de garanties, afin de payer des primes moins élevées.

Le taux d'effort moyen augmente avec l'âge : il est de 7,1 % lorsque la personne de référence du ménage

La santé plus chère et plus inégale

Entre 2005 et 2011, le niveau des taxes prélevées par l'État sur les mutuelles de santé a augmenté à cinq reprises, passant de 1,8 % à 13,6 %. Il représente un montant moyen de 75 € par an et par personne. À cela s'ajoutent l'augmentation des dépenses de santé, le vieillissement de la population et les désengagements de l'assurance maladie (déremboursements de médicaments, franchises, etc.). Entre 2004 et 2009, la part des dépenses de santé prises en charge par l'assurance maladie avait diminué de 1,6 point, soit un transfert de 2,6 milliards d'euros vers les ménages. Au total, la facture moyenne est passée de 35 € par mois et par assuré en 2005 à 50 € en 2011. Les prévisions de nouvelle augmentation pour 2012 se situent entre 5 et 8 %. Depuis 2005, le coût de la santé restant à la charge des Français a augmenté deux fois plus vite que le revenu disponible.

La plupart des Français sont d'ailleurs convaincus que les dépenses de santé vont encore augmenter dans les années à venir : 93 % pour les tarifs des mutuelles, 91 % pour les dépenses restant à la charge des patients, 85 % pour le coût des hospitalisations, 80 % pour le prix des médicaments, 77 % pour les dépassements d'honoraires (Mutualité Française/Harris Interactive, février 2012).

Un Français sur trois (35 %) affirme avoir déjà renoncé à des soins (dont 22 % plusieurs fois), et un sur deux (50 %) avoir déjà reporté des soins (dont 34 % plusieurs fois). Ces proportions sont plus élevées chez les personnes disposant de revenus faibles : 55 % des personnes vivant dans un foyer disposant de moins de 1200 euros nets par mois déclarent avoir déjà renoncé à des soins et 69 % les avoir reportés. Aujourd'hui, 4 millions de personnes ne sont pas couvertes par une complémentaire santé. Le risque est donc de voir s'accroître les écarts et inégalités dans l'accès aux soins.

a plus de 65 ans et de moins de la moitié (3,2 %) lorsqu'il est âgé de moins de 30 ans. Le relatif échec de l'Aide complémentaire santé (ACS), destinée à offrir une couverture complémentaire aux personnes ayant un revenu juste au-dessus du plafond de la CMUC, s'explique sans doute par cette contrainte économique. 20 % des 2 millions de bénéficiaires potentiels y ont recours. Elle exige en effet des bénéficiaires une contribution propre de près de 400 € par an en moyenne, soit environ 4,5 % de leur revenu annuel. En février 2012, 9 % des Français déclaraient qu'ils renonceraient certainement (2 %) ou probablement (7 %) dans les mois qui viennent, à leur mutuelle ou assurance santé obligatoire, du fait de la hausse des tarifs (Mutualité Française/Harris Interactive, février 2012).

Les dépenses de santé varient surtout avec l'âge, ...

On avait assisté pendant une trentaine d'années à une réduction des inégalités de consommation médicale entre les différents groupes sociaux. Ce mouvement s'était traduit par un resserrement des écarts entre les salariés et un rattrapage des indépendants (agriculteurs, commerçants, artisans). Mais la nécessité d'une protection complémentaire et la diminution des taux de remboursement ont réduit l'égalité d'accès au système.

5 % des Français consomment aujourd'hui près de la moitié des dépenses totales de santé ; un quart compte pour 80 %. L'âge est le principal facteur : la moitié des dépenses concernent les personnes de 60 ans et plus, un tiers celles de 30 à 59 ans, un cinquième celles des moins de 30 ans. Les personnes âgées souffrent plus souvent de pathologies coûteuses et consultent plus souvent des généralistes. L'écart est plus réduit en ce qui concerne la consultation des spécialistes : 60 % des 70 ans et plus en voient au moins un dans l'année, contre 50 % des 15-29 ans.

Les personnes de plus de 70 ans représentent 9 % de la population et 28 % des consultations de médecins. Celles de 75 ans et plus dépensent trois fois plus que la moyenne pour se soigner. Mais, si la dernière année de vie est généralement la plus coûteuse, la première l'est aussi : un bébé est vu en moyenne neuf fois par un médecin avant son premier anniversaire.

... le sexe et la catégorie sociale.

Les femmes sont mieux suivies que les hommes. Elles consultent un peu plus fréquemment des spécialistes, sont plus souvent hospitalisées et consomment davantage de médicaments. L'écart entre les sexes s'est accru depuis 1980 ; il est maximal entre 20 et 45 ans. Les femmes ont une relation au corps différente de celle des hommes. Elles ont par ailleurs davantage d'occasions de se rendre chez le médecin : grossesses, contraception, ménopause...

Les dépenses médicales sont corrélées au revenu, mais les plus élevées se retrouvent aux deux extrémités de l'échelle sociale : les cadres consultent davantage des médecins spécialistes de ville ; les ouvriers sont plus fréquemment hospitalisés. Parmi les actifs, les cadres et les employés sont ceux qui se rendent le plus souvent chez les médecins, à l'inverse des membres des professions libérales, des agriculteurs et des chefs d'entreprises. Les cadres sont aussi les plus assidus chez les dentistes et les opticiens.

Outre ces facteurs d'âge, de sexe et de statut social, les écarts de dépenses

230 € par personne et par an

Évolution de la consommation médicale (base 2000, en euros par habitant)

	1995	2000	2005	2010
Soins hospitaliers	842	867	976	1252
Secteur public	627	672	757	952
Secteur privé	215	195	219	300
Soins ambulatoires	473	514	591	678
Médecins	230	250	275	284
Auxiliaires médicaux	92	104	128	170
Dentistes	105	110	126	153
Analyses	42	46	57	66
Cures thermales	5	5	4	5
Transports de malades	26	31	41	58
Médicaments	328	389	454	531
Autres biens médicaux	66	94	122	179
Consommation de soins et biens médicaux	1733	1895	2183	2698
Prévention individuelle primaire	35	38	43	54
Consommation médicale totale	1768	1933	2226	2752

DREES

Les dérives du système

Le système français de santé, tant vanté pendant des décennies, est le théâtre de nombreux abus et dérives. Les honoraires des médecins ont beaucoup progressé, notamment dans le secteur 2 (25 % des généralistes, 40 % des spécialistes). Les dépassements d'honoraires demandés par les médecins spécialistes ont augmenté de 6,4 % par an entre 2000 et 2010, atteignant un montant de 2,5 milliards d'euros. Le montant moyen facturé représentait 54 % des tarifs de la Sécurité sociale en 2010, contre 25 % en 1990.

Les différences sont importantes entre les spécialités. Ainsi, la très grande majorité des chirurgiens (85 %) exerce en secteur 2. La proportion est de 50 % chez les médecins ORL, les ophtalmologues et les gynécologues, mais elle est inférieure à 20 % chez les radiologues, les pneumologues ou les cardiologues, majoritairement installés en secteur 1. Les complémentaires santé ne remboursent en moyenne qu'environ un tiers des dépassements. Les tarifs pratiqués par certains chirurgiens ont explosé (parfois quinze fois le tarif de la Sécurité sociale), certains n'hésitant pas en outre à demander des « dessous de table » à leurs patients. Dans les cliniques privées, le prix d'une opération de la cataracte peut ainsi varier de 0 à 1500 €, comme celui d'une prothèse de hanche, d'une opération du genou (de 0 à 1000 €) ou d'une opération de la prostate (de 0 à plus de 2000 €).

La transparence n'est en outre pas la vertu principale du système de santé. Beaucoup de patients ne découvrent le montant de la facture qu'au moment de la payer ; de nombreux autres, qui sont remboursés par leur mutuelle, n'en sont même pas informés. Des ophtalmologistes ou dentistes facturent aussi leurs services au prix fort. Il en est de même des laboratoires d'analyse, dont les revenus ont progressé de 68 % en cinq ans (avec des prix d'analyse d'urine six fois plus élevés qu'en Italie et près de trois fois plus qu'en Suède). Les prix des appareils d'audioprothèse constituent un autre scandale : 1600 € environ en moyenne pour une oreille (p. 50), contre la moitié aux Pays-Bas ; ils coûtent un tiers de moins en Espagne ou en Italie.

Les prix des médicaments ne sont guère plus « vertueux ». Le déremboursement de certains a entraîné des hausses importantes. Parfois, la même molécule est vendue sous deux noms différents à des prix variant du simple au quintuple selon les pharmacies, selon qu'elle est remboursée ou non (UFC-Que Choisir, mars 2012).

Malgré ces dérives, 82 % des Français se disent d'accord (tout à fait ou assez) sur l'idée que « la qualité du système de soins est meilleure en France que dans d'autres pays », contre 84 % en octobre 2010 (AG2R-La Mondiale/LH2, octobre 2011). Mais ils sont 74 % à estimer que « la qualité du système de soins se détériore en France » (contre 69 % en octobre 2010) et 86 % à penser que « les dépenses de soins sont de moins en moins bien remboursées ».

et de recours au système de soins sont liés aux comportements individuels et aux modes de vie. Les habitudes alimentaires, la consommation d'alcool et de tabac ou la pratique d'une activité physique influent sur l'état de santé. Il en est de même des pratiques de prévention, mais celles-ci sont encore assez peu développées.

Les dépenses de médicaments des Français restent les plus élevées d'Europe.

En 2010, les dépenses de médicaments des Français ont représenté 27,5 milliards d'euros soit 48 boîtes par habitant. L'augmentation annuelle a été de 0,7 % en valeur, mais la croissance moyenne annuelle depuis l'année 2000 s'est élevée à 4,7 %. Pour la troisième année consécutive, le marché des médicaments pris en charge par la sécurité sociale a progressé à un rythme annuel de 1 %, résultat d'une baisse des prix, de la politique d'incitation aux génériques, de la diffusion de référentiels du bon usage des médicaments et des contrats d'amélioration des pratiques individuelles (Capi). Il existe une 'association, forte dans la culture nationale, entre le nombre de produits prescrits par le médecin et l'état de santé perçu. La densité élevée de médecins sur le territoire favorise aussi la consommation. Certains ne résistent pas aux demandes de leurs patients, d'autres sont sensibles aux sollicitations des visiteurs médicaux.

La comparaison des consommations de médicaments en Europe publiée par la CNAM en mars 2011 (portant sur sept pays européens : France, Allemagne, Royaume-Uni, Italie, Espagne, Pays-Bas, Suisse) fait cependant apparaître deux réalités distinctes. Les Français sont bien les Européens (parmi les sept pays comparés) qui dépensent le plus en *valeur*, avec un montant de 114 € par personne et par an, devant l'Espagne (107), la Suisse (107, l'Espagne (94),

Moins de génériques

Les médicaments génériques sont produits à partir des mêmes principes actifs que ceux de marque, mais ils sont vendus en moyenne 30 % moins cher, car ils ne nécessitent pas de frais de recherche-développement. En France, un médicament acheté sur quatre est un générique, un taux assez peu élevé par rapport aux autres pays d'Europe.

Pourtant, pour la première fois depuis leur arrivée dans les pharmacies (en 1999), les achats de ces médicaments ont diminué en 2011 en volume : 614 millions de boîtes, soit une baisse de 3 %, après une hausse de 6 % en 2010. En valeur, les ventes ont cependant augmenté de 3 %.

Cette baisse peut s'expliquer par la diminution des prescriptions de ces produits et la présence de la mention « non substituable » sur les ordonnances des médecins. Elle est aussi probablement liée à la défiance des Français à la suite du scandale du Mediator et au retrait de plusieurs médicaments jugés dangereux (tel le Di-Antalvic) et de leurs génériques.

Le taux de substitution des produits de marque par des génériques est ainsi passé de 82 % en 2009 à 68 % en 2011. Il faut rappeler qu'un point de substitution dans le répertoire des produits pharmaceutiques correspond à 100 millions d'euros d'économies. Les génériques ont cependant encore permis d'économiser 2 milliards d'euros en 2011, après 1,75 milliard en 2010. Ils représentaient 13 % des dépenses de médicaments remboursables. Leur potentiel est évalué à près de 1 milliard d'euros pour les seuls antiulcéreux et les statines (servant à diminuer le taux de cholestérol dans le sang), pour lesquels le taux de substitution est de 93 % en Allemagne contre seulement 63 % en France.

l'Italie (90), les Pays-Bas (71), l'Allemagne(70) et le Royaume-Uni (59). Si l'on raisonne en *volume* (quantités achetées), la France occupe la deuxième place avec 382 unités standards consommées, ex-æquo avec l'Espagne, derrière le Royaume-Uni (456 unités), devant l'Allemagne (329), les Pays-Bas (310), l'Italie (298), la Suisse (228). L'écart entre les volumes et les dépenses s'explique par le fait que la part des prescriptions dans le répertoire de médicaments génériques est moins élevée en France que dans les autres pays au profit de produits plus récents et onéreux. Elle tend même à reculer (encadré).

L'automédication est assez peu pratiquée.

En cas de pathologies simples (rhume, mal de gorge, mal de tête, toux, constipation, mal d'estomac...), la grande majorité des Français se soignent eux-mêmes à partir des produits stockés dans leur pharmacie. Mais ils sont peu nombreux à acheter des médicaments d'automédication, qui ne sont pas inscrits sur les listes du Code de la santé publique rendant obligatoire leur prescription et peuvent être achetés directement en pharmacie sans être remboursés. Outre les produits disponibles en « automédication pure » (qui ne nécessitent pas de prescription, bien qu'ils puissent être prescrits, mais ne sont jamais remboursés), il existe des produits intermédiaires, dits « semi-éthiques » (par opposition aux produits éthiques délivrés sur ordonnance), qui peuvent être prescrits et sont alors remboursables.

Malgré les efforts déployés par les pouvoirs publics pour promouvoir ces pratiques, les Français se montrent hésitants. Les médicaments « hors liste » représentent moins de 10 % de leurs achats en valeur. En 2008, un décret avait été publié, définissant les « médicaments de médication officinale » c'est-à-dire destinés à soigner des symptômes courants pendant une courte période, qui ne nécessitent pas l'intervention d'un médecin et doivent être accompagnés des conseils du pharmacien. Ces médicaments doivent faire l'objet d'un conditionnement spécifique avec une information détaillée sur leur utilisation, les dosages et la durée du traitement. En 2012, l'Afssaps a établi une nouvelle liste qui compte 217 spécialités pharmaceutiques couvrant 71 domaines thérapeutiques, 12 médicaments à base de plante et 19 médicaments homéopathiques

La relation entre médecin et patient se transforme.

Le rapport entre le corps médical et les « patients », ou « usagers du système de santé », est en train de changer. L'attitude de ces derniers s'apparente de plus en plus à celle de consommateurs de soins, qui considèrent les professionnels de la santé comme des prestataires de services. À ce titre, ils expriment des attentes de compétence, d'efficacité, de sécurité, de considération, d'information et de conseil. Ils se sentent d'ailleurs de mieux en mieux informés, et ils le sont de fait par les médias, les discussions avec l'entourage et, de plus en plus, la consultation de sites spécialisés sur

Médicaments en stock

Les Français ont acheté en moyenne 48 boîtes de médicaments par personne en 2010, à raison de 6,5 boîtes par consultation de médecin, pour un montant de 46 €. Mais ils ne sont pas particulièrement attentifs à la façon dont ils les stockent. 62 % des ménages les rangent dans la salle de bain, 33 % dans la cuisine, 14 % dans une chambre, 9 % dans les toilettes (laboratoire Biogaran/BVA, avril 2011).

Par ailleurs, les médicaments sont souvent placés dans des armoires ou des boîtes, sans logique de classement et en contact avec l'humidité ou la chaleur. Seuls 37 % des ménages disposent d'une armoire à pharmacie fermée à clé ou sécurisée. 24 % ne trient jamais ou rarement leurs médicaments. 33 % des patients ont déjà donné un médicament à une personne différente de celle à qui il avait été prescrit. 23 % ont utilisé un produit dont la date de péremption était dépassée. Enfin, 23 % jettent leurs médicaments alors que les pharmaciens sont dans l'obligation de collecter gratuitement les boîtes non utilisées.

Internet. En cas d'insatisfaction, ils hésitent moins à le faire savoir, parfois même à engager une procédure juridique, comme en témoigne l'accroissement du nombre de litiges.

Les Français recourent aussi plus souvent à des médecines dites complémentaires, douces, alternatives ou parallèles, comme l'homéopathie, l'acupuncture ou l'ostéopathie. Ils consultent les « psys » pour résister à des problèmes existentiels ou, simplement, pour mieux faire face aux difficultés du quotidien. La notion de santé s'est ainsi élargie pour inclure celle de bien-être et d'harmonie entre le corps et l'esprit (éventuellement l'âme). La vision holistique qui tend à prévaloir emprunte ainsi à la culture orientale : *« il faut t'occuper de ton corps, afin que ton âme ait envie de l'habiter »* (proverbe chinois).

De leur côté, les pouvoirs publics encouragent la participation des citoyens à la gestion de leur « capital santé », dans un souci de promouvoir des comportements préventifs, et de contenir la progression des dépenses de santé. C'est pourquoi ils imposent des restrictions au parcours des soins (introduction du médecin traitant, franchises médicales, réforme de la gestion hospitalière, etc.) et font appel à la « responsabilité » des patients-consommateurs.

Ces évolutions contradictoires tendent à modifier le statut traditionnel du médecin ; s'il reste détenteur d'un savoir, et donc d'un pouvoir sur celui qui le consulte, il doit de plus en plus le partager avec lui, mais aussi avec les instances qui encadrent l'exercice de son activité.

L'ère des « pationautes »

30 % des Français déclarent avoir déjà utilisé Internet pour rechercher des informations médicales ou de santé, pour eux-mêmes ou pour l'un de leurs proches (Groupe Pasteur Mutualité/ViaVoice, janvier 2012). C'est le cas de 37 % des 18-24 ans et de 39 % des 35-49 ans. 41 % des habitants de l'agglomération parisienne recherchent des informations médicales en ligne, contre 29 % des habitants de la région Nord.

Les médecins sont ainsi de plus en plus souvent confrontés à ces patients-internautes, que l'on pourrait baptiser « pationautes », qui arrivent à leurs cabinets avec les résultats de leurs recherches, les noms des médicaments qu'ils souhaitent se voir prescrire ou la description des nouveaux traitements dont ils entendent bénéficier. Ces nouvelles pratiques ne remettent pas en cause la confiance des Français dans les avis délivrés par leur médecin, généraliste ou spécialiste. Pour la grande majorité d'entre eux (90 %), ces recherches servent avant tout à compléter le diagnostic d'un professionnel, avant ou après la consultation. 67 % estiment indispensable de consulter lorsqu'on est malade. Mais 24 % disent avoir déjà privilégié les informations recueillies sur Internet pour se soigner, sans consulter un médecin.

Cette évolution, probablement irréversible, comporte des risques lorsque les informations obtenues en ligne ne sont pas fiables ou lorsqu'elles sont mal interprétées par les malades, qui ne disposent pas des connaissances de base suffisantes. Elle présente aussi des avantages en permettant au malade de se renseigner sur sa pathologie. Elle peut également faire gagner du temps au médecin, l'inciter à actualiser ses connaissances et favoriser son échange avec le patient. Elle devrait aider à instaurer une relation plus équilibrée entre soignants et soignés.

FORMATION

La scolarisation a progressé jusqu'au milieu des années 1990…

À l'âge de 20 ans, la moitié des Français poursuivent aujourd'hui des études, alors que moins d'un jeune de 14 ans sur deux était scolarisé en 1946. En un demi-siècle, la proportion de titulaires d'un CAP ou BEP a triplé parmi les 25-34 ans, et la part des bacheliers est passée de 4 % en 1950 à 65 % en 2010. L'âge moyen de fin d'études de la population active s'est accru de 8 ans au cours du XXe siècle ; il a atteint 22 ans. La progression a été forte notamment dans les années 80 et jusqu'au milieu des années 1990, avec un gain de deux ans de l'espérance de scolarisation pour un enfant entrant en maternelle : 19 ans, contre 17 ans.

Les jeunes générations sont ainsi beaucoup plus diplômées que les anciennes. Alors que les trois quarts des personnes nées entre 1916 et 1925 avaient arrêté leurs études au CEP (Certificat d'études primaires), la proportion de bacheliers dépasse 50 % depuis la classe 1969. L'accès d'une génération au niveau du baccalauréat a connu une hausse spectaculaire (ci-après). En 2010, seuls 3 % des 15-19 ans n'avaient aucun diplôme ou seulement le CEP, contre 65 % des 65 ans et plus et 35 % des 50-64 ans. La moitié des 25-49 ans détiennent aujourd'hui au moins un diplôme secondaire et près d'un tiers (31 %) un diplôme de l'enseignement supérieur.

… mais elle tend depuis à stagner.

La hausse continue des niveaux de formation et de qualification connaît une stagnation depuis 1996. Pour la génération des 15-29 ans, l'espérance moyenne de scolarisation toutes formations confondues a été de 6,3 ans en 2009-2010, contre 6,6 en 1995-1996 et 4,7 en 1985-1986. Au moment de l'entrée en maternelle, l'espérance de scolarité est de 18,9 années pour une fille et de 18,3 années pour un garçon.

Le nombre de jeunes scolarisés en France métropolitaine en 2010 était de 14,3 millions, soit 23 % de la population. Alors qu'une part croissante poursuit une formation dans l'enseignement supérieur où la durée moyenne de scolarisation est passée de 2,6 années en 2001 à 2,9 années en 2010. La durée moyenne de scolarisation dans le secondaire s'est ainsi réduite en dix ans, passant de 7,7 années en 2001 à 7,5 années en 2010. Parmi les 16-20 ans, la progression de la part du CAP et du baccalauréat professionnel contraste avec une forte baisse du nombre d'élèves du second cycle professionnel ; on observe en même temps que les élèves redoublent moins souvent. Chez les 20-24 ans, un nombre croissant se dirige vers une filière professionnelle, délaissant les disciplines générales universitaires, les sections de techniciens supérieurs (STS) et les écoles de commerce et de gestion. Par ailleurs, le nombre d'étudiants étrangers, en forte hausse entre 2000 et 2005, a diminué depuis. Après l'âge de 25 ans, la tendance à des études plus courtes et au regain d'intérêt pour l'enseignement professionnel, observés depuis le milieu des années 1990, se confirment.

La France reste l'un des pays d'Europe où l'espérance de scolarité est la plus faible avec 16,4 années en 2009, en baisse sur les dix dernières années (16,7 années en 1999), alors qu'elle est de 17,2 années pour la moyenne des pays de l'Union. Les meilleurs « élèves » sont l'Allemagne (17,7 années et l'Espagne (17,2). La Slovaquie atteint une espérance de scolarité quasi-égale à celle de la France (16,5). Seules la Croatie (15,3) et la Bulgarie (15,6) sont en deçà.

Les femmes réussissent mieux et sont plus diplômées…

Après avoir rattrapé leur retard dans le secondaire, les femmes sont devenues majoritaires parmi les étudiants à partir de 1981. Lors du recensement de 1990, les hommes de 15 ans et plus étaient encore davantage diplômés que les femmes : 55 % avaient alors un niveau supérieur au certificat d'études,

Étudiants jusqu'à 22 ans

Espérance moyenne de scolarisation des enfants à 5 ans dans quelques pays d'Europe (temps plein et temps partiel, en années)

	1999	2009
Allemagne	17,2	17,7
Espagne	17	17,2
France	**16,7**	**16,4**
Italie	16	17
Royaume-Uni	18,9	16,7
UE 27	*16,6*	*17,2*

Eurostat

contre 48 % des femmes ; 23 % avaient au moins le baccalauréat, contre 21 %. Mais cet écart était en partie dû au poids démographique des générations les plus âgées. Depuis 1999, les femmes sont majoritaires parmi les étudiants du troisième cycle universitaire.

D'une façon générale, les filles ont des parcours scolaires plus fluides que les garçons, mais continuent de choisir des séries (du baccalauréat), des spécialités ou des filières de formation radicalement différentes. Un an après avoir achevé leurs études, les jeunes femmes sont 48 % à être diplômées contre seulement 35 % pour les garçons (études de 2007 à 2009). En 2010, les jeunes femmes représentaient 53 % des admis au baccalauréat. Elles sont majoritaires depuis trois décennies. Elles sont beaucoup plus souvent bachelières (69 %) que les garçons (56 %).

Tous baccalauréats confondus, les filles réussissent mieux que les garçons (86,9 % contre 84,2 %) avec un écart qui reste stable à 2,7 points en 2010 par rapport à 2009. En 2010, les résultats du baccalauréat professionnel montrent un écart de réussite grandissant entre filles et garçons : 3,6 points contre 2,1 points l'année précédente. Douze ans après l'arrivée au collège, 10 % des garçons ont quitté le système éducatif sans qualification, contre seulement 6 % des filles. Le taux de réussite en un an de la licence est de 74,5 % pour les femmes contre 67,6 % pour les hommes. C'est particulièrement le cas parmi les bacheliers scientifiques (80,4 % contre 71,9 %) et économiques (81,1 % contre 75,2 %).

… mais les filières qu'elles choisissent sont moins « rentables ».

L'évolution constatée depuis près de vingt ans est révélatrice de la volonté (et, bien sûr, de la capacité) des femmes de faire des études afin de pouvoir mener une carrière professionnelle. Elle implique que ces dernières prendront dans la vie économique et sociale une place croissante, en rapport avec leur formation et leur ambition. Cependant, des disparités persistent en leur défaveur, en raison des orientations qu'elles choisissent. En BTS, les jeunes femmes sont ainsi encore très majoritaires (plus de 90 %) dans les filières secrétariat-bureautique, travail social, coiffure-esthétique, matériaux souples, textiles et habillement. Leur part ne dépasse pas 15 % dans 14 des 24 filières de production et en informatique. Malgré d'importantes évolutions, elles continuent d'être largement minoritaires parmi les diplômés des écoles d'ingénieurs (26,4 %) et des sciences à l'université (35,1 % du cursus de doctorat, par exemple). Elles sont en revanche très majoritaires en pharmacie (71,5 %), en droit et sciences politiques (68,6 %) et dans les lettres, langues et sciences humaines (73,6 %).

Dans l'ensemble, les femmes font des études plus longues, mais souvent dans des filières aux débouchés professionnels plus faibles. Malgré leurs performances scolaires supérieures, elles se retrouvent moins souvent dans les filières sélectives plus « rentables », comme les classes préparatoires scientifiques des grandes écoles. À terme, ces choix peuvent se traduire par un plus faible taux d'emploi et une rému-

Plus de 2 000 € par habitant pour l'éducation

L'ensemble des dépenses intérieures d'éducation a représenté 7,0 % du PIB en 2010 (contre 6,7 % en 2008, mais 7,6 % entre 1993 et 1997), soit un montant moyen par habitant de 2080 €. La structure des dépenses a connu des évolutions notables par niveau d'enseignement. La part consacrée au premier degré avait diminué entre 1980 et 1992, passant de 29 % à 26 %, avant d'augmenter de nouveau jusqu'à 28 % en 2010, accompagnant une légère remontée des effectifs du préélémentaire puis de l'élémentaire. À l'inverse, la part du second degré avait été quasiment stable autour de 45 % de 1980 à 1998, avant de connaître une baisse : 41 % en 2010. La part consacrée à l'enseignement supérieur s'est accrue de façon continue sur la période, de 15 % en 1980 à 21 % en 2010, avec un nombre d'étudiants qui a quasiment doublé. Calculée par élève ou étudiant, la dépense s'est élevée à 8152 € en moyenne en 2010 : 5726 € dans le premier degré, 9655 € dans le deuxième degré, 11430 € dans l'enseignement supérieur.

57 % des dépenses totales sont assurées par l'État, 25 % par les collectivités territoriales, 11 % par les ménages, 7 % par les entreprises (essentiellement par le biais de la taxe d'apprentissage et de leurs dépenses de formation continue) et 1 % par les autres administrations publiques. Avant transfert des bourses vers les ménages et de diverses subventions vers les collectivités territoriales, la part de l'État atteint 59 %. En revanche, celles des collectivités territoriales (25 %) et surtout des ménages (8 %) sont plus faibles. Les caisses d'allocations familiales contribuent comme financeur initial à hauteur de 1 %, avec le versement aux ménages de l'allocation de rentrée scolaire.

nération inférieure. Les garçons sortant d'un apprentissage trouvent ainsi plus facilement un emploi que les filles, et le taux d'emploi de ces dernières après un an est particulièrement bas dans certaines filières très féminisées (38 % pour les titulaires d'un CAP de coiffure-esthétique). De même, à niveau de diplôme comparable et cinq ans après la fin de leurs études, les titulaires plus souvent masculins d'un diplôme de science exacte, de technologie ou d'une spécialité professionnelle orientée vers l'industrie ont plus de chances d'avoir trouvé un emploi, et un poste plus qualifié que les diplômés des autres filières.

Le milieu familial influe sur la réussite scolaire.

La transmission du « capital culturel » au sein des familles a une influence considérable sur la scolarité des enfants. Il est composé selon le sociologue Pierre Bourdieu de l'*habitus* (socialisation, aisance sociale), des biens culturels (livres, disques, tableaux...) et des titres scolaires qui participent à situer un individu sur l'échelle sociale. Les milieux et modes de vie familiaux sont plus ou moins propices au développement culturel : activités, discussions, rencontres, voyages, usage des médias...C'est entre 6 et 10 ans que se créent ou s'accroissent les différences. Dans certaines familles, les enfants sont constamment stimulés intellectuellement. Dans d'autres, ils se retrouvent seuls face à leur travail scolaire. Les parents appartenant aux catégories aisées consacrent en général plus de temps et d'argent à la culture générale de leurs enfants et à l'aide scolaire : cours particuliers, stages linguistiques, livres, contrôle des devoirs et leçons, entretiens avec les professeurs, disposition d'un ordinateur... Le mérite personnel d'un enfant n'est pas toujours suffisant pour compenser ces handicaps de départ. L'accompagnement individuel n'est souvent pas disponible pour ceux qui en ont le plus besoin.

Dès les premières années d'école, les lacunes dans la maîtrise des savoirs fondamentaux sont ainsi plus fréquentes parmi les enfants issus de milieux modestes ou défavorisés. Ces difficultés précoces conduisent dans certains cas à l'exclusion scolaire, puis sociale. Le système de reproduction sociale reste donc largement en vigueur. Il est accru par le « consumérisme scolaire », qui permet aux familles les plus aisées et les mieux informées d'inscrire leurs enfants dans les meilleurs établissements, en contournant la carte scolaire. L'analyse des résultats scolaires en fonction des milieux professionnels et du niveau d'études des parents montre que 45 % des enfants d'ouvriers accèdent à la terminale contre 88 % des enfants dont le père est cadre ou enseignant. De même, plus le diplôme de la mère est élevé et plus le taux d'accès en terminale augmente : 87 % des élèves dont la mère est diplômée de l'enseignement supérieur accèdent en terminale contre seulement 27 % des jeunes dont la mère n'a aucun diplôme.

Les inégalités ont cessé de se réduire.

Le prolongement de la scolarité et l'accroissement du niveau d'instruction ont profité pendant des décennies à l'ensemble de la population. La progression a été particulièrement spectaculaire entre les générations nées de 1964 à 1968 et celles nées de 1974 à 1978. Le fort développement des études en seconds cycles de l'enseignement secondaire de 1985 à 1993 avait aussi permis de réduire l'ampleur des inégalités scolaires et sociales. En une décennie, la proportion d'enfants d'ouvriers âgés de 20-21 ans qui poursuivent (ou ont poursuivi) des études supérieures était passée de 10 % à 30 %. La possibilité de poursuivre des études supérieures avait aussi beaucoup augmenté pour les enfants d'employés et d'indépendants (agriculteurs, artisans, commerçants). Elle avait plus que doublé du milieu des années 1980 au milieu des années 1990.

Ce mouvement de démocratisation s'est interrompu à partir du milieu des années 1990, et les inégalités de parcours scolaires se sont renforcées. Parmi les élèves entrés en sixième en 1995, seul un sur dix bacheliers ayant un parent inactif et seul un tiers des bacheliers de parents ouvriers qualifiés ont commencé des études supérieures (54 % de l'ensemble des bacheliers), alors que ce taux dépasse 80 % chez les bacheliers ayant des parents cadres ou enseignants. Les enfants de cadres, qui bénéficient d'acquis scolaires supérieurs, sont en outre plus nombreux dans les filières générales, notamment scientifiques, qui conduisent vers des études longues. Leur surreprésentation est maximale dans les filières les plus sélectives : à la suite d'un baccalauréat général avec mention, ils s'inscrivent 2,5 fois plus souvent dans les classes préparatoires que les enfants d'ouvriers ou d'employés.

Bien que des écarts importants subsistent, on constate que la part des enfants d'ouvriers sans diplôme ou avec un CEP a fortement diminué entre 1982 et 2007, passant de 53 % à 32 %. Elle est toutefois bien plus élevée que celle constatée chez les enfants de cadres ou de professions libérales (5 %), d'employés (18 %) ou de professions intermédiaires (9 %). Les orientations vers une filière professionnelle dans le second degré concernent avant tout les enfants d'ouvriers ; dans le secondaire un enfant sur trois a pour parent un ouvrier ou un chômeur n'ayant jamais

Inversion de tendance

Évolution de la durée de scolarisation chez les 15-29 ans (en années)

	1985-1986	1990-1991	1995-1996	2000-2001	2009-2010
Ensemble des formations	4,7	5,6	6,4	6,3	6,3
Filles	4,8	5,7	6,6	6,5	6,5
Garçons	4,6	5,4	6,2	6,1	6,0

Ministère de l'Éducation nationale

travaillé. Cette proportion s'accroît à un sur deux dans le cycle professionnel et à sept sur dix en enseignement adapté.

Le parcours scolaire détermine en grande partie l'avenir professionnel.

Les inégalités liées au milieu familial ne concernent pas seulement le taux de réussite ou la durée de la scolarité, mais aussi le type d'études suivies. Ces différences d'orientation (filières, établissements, classes ou options) déterminent largement la poursuite et la réussite ultérieure des études dans l'enseignement supérieur.

Au total, sur dix enfants ayant des parents chefs d'entreprise, professions libérales, ingénieurs, cadres ou enseignants, neuf obtiennent le baccalauréat, près de huit un diplôme d'enseignement supérieur. Mais la moitié des enfants d'ouvriers ne réussissent pas le bac, moins de quatre sur dix accèdent à l'enseignement supérieur. Après la relative démocratisation des années 1980, la part des élèves issus de milieux modestes tend même à se réduire. En 2010, on ne trouvait ainsi que 2 % d'enfants d'ouvriers dans les écoles de commerce et de gestion, 3 % dans les grandes écoles et 6 % dans les universités de technologie et les instituts nationaux polytechniques, contre respectivement 36 %, 47 % et 48 % d'enfants de cadres supérieurs et professions libérales, alors que les parts de ces deux catégories dans l'ensemble des ménages sont de 20 % pour les premiers et 36 % pour les seconds.

Les échecs scolaires constituent des handicaps importants lors de l'entrée dans la vie professionnelle. D'autant que la demande des employeurs en matière d'instruction s'est accrue et que le taux de chômage global a connu une très forte progression depuis fin 2008. Le début de carrière est donc particulièrement difficile pour les non-diplômés, qui le plus souvent ne bénéficient pas de l'aide des réseaux de relations familiaux. À diplôme égal, les enfants de cadres sont ainsi favorisés par rapport à ceux des milieux modestes.

Loin de se résorber, les différences initiales tendent à s'accroître tout au long de la vie. La relation entre l'origine sociale d'un individu et son statut professionnel (profession exercée) est en effet deux fois plus forte en fin de carrière qu'au début ; celle existant entre le diplôme et le statut est une fois et demie plus grande. L'origine sociale et, dans une moindre mesure, le diplôme obtenu, ont donc une influence croissante sur le déroulement de la vie au fur et à mesure que l'on avance en âge.

L'éducation ne garantit plus la progression sociale.

Chaque génération a bénéficié pendant des siècles (notamment depuis le début du XIXe siècle) d'une sorte d'« assurance-progrès » par rapport à celle qui la précédait. Grâce à la formation scolaire et à la croissance économique, les enfants obtenaient dans leur très grande majorité un statut social plus élevé que celui de leurs parents, ainsi que des revenus plus importants. Ils pouvaient profiter des bienfaits de l'évolution scientifique et technique, sous la forme notamment de biens d'équipement, qui leur rendaient la vie plus facile et agréable.

Cette progression systématique a été remise en cause depuis le milieu des années 1970, avec l'arrivée de la première « crise » de l'après-guerre (premier choc pétrolier) et ses consé-

Plus scientifiques que littéraires

Lorsqu'ils étaient à l'école, 57 % des Français préféraient les matières scientifiques, et 43 % les matières littéraires (20 *Minutes*/BVA, juin 2011). Les plus nombreux à préférer les sciences sont les hommes (68 %, contre 47 % des femmes), les moins de 35 ans (65 %, contre 53 % des plus de 35 ans) et les sympathisants de droite (61 %, contre 52 % de ceux de gauche).

À l'inverse, les femmes sont une majorité à préférer les matières littéraires (53 %, contre 32 % des hommes), mais aussi 47 % des plus de 35 ans (35 % des moins de 35 ans), et 48 % des sympathisants de gauche (40 % des sympathisants de droite).

quences en matière de chômage, délinquance, précarité, incertitude... Les jeunes ont dû prendre conscience à leurs dépends que l'ascenseur social pouvait descendre ou rester bloqué entre les étages. Si le diplôme facilite toujours l'entrée dans la vie professionnelle, il ne constitue plus une garantie.

Cette évolution a des incidences importantes sur la vision de la vie des différentes générations (p. 144). Elle explique la frustration des élèves et des étudiants, qui n'ont plus le sentiment que les études conduisent à un emploi intéressant et bien rémunéré, surtout dans le contexte socioéconomique actuel. Elle accroît aussi l'insatisfaction des parents qui s'inquiètent de l'avenir de leurs enfants et qui sont souvent obligés de les aider, parfois sur une longue durée, ce qui ampute leurs revenus. Elle explique enfin les attitudes d'hésitation ou de rejet devant les réformes proposées par les différents gouvernements et la tentation fréquente du *statu quo*.

L'école doit affronter de nouveaux défis, ...

Le fait, récent et inédit, que le progrès ne soit plus assuré d'une génération à l'autre rend les inégalités d'instruction à la fois plus apparentes et moins supportables. Beaucoup de jeunes diplômés se voient contraints d'accepter des emplois précaires ou moins qualifiés, tandis que ceux qui ont un faible niveau d'éducation se trouvent exclus du marché du travail. Face à la dévalorisation des diplômes, les Français s'inquiètent de la maîtrise insuffisante des savoirs de base (lecture, calcul, langues étrangères...) que l'école est censée dispenser. Élèves et parents se considèrent de plus en plus comme des « consommateurs » de services scolaires (comme ils le sont des services de santé, p. 72), même si c'est la collectivité dans son ensemble qui en paie le prix. Mais les difficultés rencontrées par les enseignants ne sauraient être ignorées. Beaucoup doivent faire face à l'absence de motivation de certains élèves, à leur manque de respect, parfois à l'attitude hostile des parents et, de plus en plus, au doute sensible dans l'opinion publique.

Après avoir été un lieu de relation et de libération, l'école est aujourd'hui confrontée à de nombreux défis. Celui de la reprise du processus de démocratisation, interrompu depuis déjà quelques années. Celui de la violence, qui s'exerce aussi bien envers les élèves que les enseignants. Celui de l'absentéisme des élèves (qui explique au moins en partie celui des enseignants) et de la diminution de l'autorité des parents, voire de leur démission. Celui de la pertinence des

Tête bien pleine ou bien faite ?

Le développement des outils numériques transforme la notion traditionnelle de connaissance. Celle-ci est aujourd'hui stockée sur des supports électroniques, plus facilement et rapidement accessibles que les livres et les bibliothèques qui constituaient autrefois l'essentiel de la mémoire collective, et de son usage individuel. Grâce à internet et aux moteurs de recherche, chacun peut accéder à la masse considérable d'informations disponibles, à tout moment et en tout lieu, à partir de tous les équipements reliés à internet (ordinateur, téléphone, tablette et autres appareils connectés).

Dans ce contexte, la mémoire personnelle ne joue plus le même rôle. Le besoin n'est plus aussi fort de la remplir et de la solliciter pour accéder au savoir accumulé. Si la tête n'a plus autant besoin d'être « bien pleine », elle doit en revanche être « bien faite » afin d'être en mesure de chercher, valider, analyser les informations et surtout les mettre en relation et leur donner du sens. Cela demande des capacités spécifiques : motivation ; patience ; expérience...

Les connaissances qui doivent être acquises à l'école sont donc d'une autre nature que par le passé. Leur quantité est secondaire par rapport à l'aptitude à les traiter et à les organiser dans son cerveau (ou dans ses dossiers, matérialisés ou dématérialisés). La faculté de discernement et l'esprit critique permettent de trier information et désinformation. L'esprit de synthèse joue un rôle essentiel pour éviter d'être noyé dans le torrent d'informations. Mais la « culture générale » reste plus que jamais nécessaire. Elle permet de se situer dans le temps et dans l'espace, de relier les événements entre eux et de conserver son « libre arbitre » face à des informations souvent contradictoires entre lesquelles il est très difficile de trancher.

Savoir et comprendre sont ainsi deux notions de plus en plus distinctes. La profusion d'informations entraîne parfois la confusion. L'avenir dira si la « connaissance collective » s'accompagne d'une « intelligence collective », permettant de résoudre plus facilement et efficacement les problèmes du monde.

contenus de l'enseignement par rapport aux besoins collectifs et individuels. Lire, écrire et compter ne suffit plus dans le monde contemporain ; il faut aussi être en mesure de déchiffrer l'information, d'utiliser les technologies, de faire preuve de certaines compétences sociales, indispensables pour exercer un emploi et assurer son développement personnel.

Le principal défi de l'école est sans doute celui de l'intégration. Le débat sur le voile islamique, apparu vers le milieu des années 1990, avait mis en relief la difficulté de préserver le modèle républicain et laïc (p. 269). Il a été alimenté par d'autres demandes liées aux appartenances religieuses (alimentation, pratiques de certaines activités...). Mais l'intégration concerne aujourd'hui bien d'autres « minorités ». Celle des enfants de milieux défavorisés, quelle que soit leur origine, dont l'échec scolaire est le prélude à d'autres difficultés tout au long de la vie. Celle aussi des enfants handicapés ou souffrant d'une maladie invalidante : 273 000 enfants ou adolescents handicapés étaient scolarisés à la rentrée 2010, soit une hausse de 7 % par rapport à 2009 ; 74 % étaient scolarisés en milieu ordinaire et 26 % en établissements spécialisés. En milieu ordinaire, plus de deux élèves handicapés sur trois (69 %) sont scolarisés individuellement, mais plusieurs dizaines de milliers sont exclus du système scolaire, faute d'enseignants spécialisés et de lieux adaptés.

... en engageant les réformes nécessaires.

La stagnation du processus de démocratisation de l'école depuis quinze ans montre que l'accroissement des moyens matériels ne suffit pas ; avec 6 % du PIB consacrés dépenses d'éducation, la France se situe ainsi légèrement au dessus de la moyenne des pays de l'OCDE, alors qu'elle ne figure pas aux premiers rangs dans les classements internationaux (p. 82). Le nombre des enseignants a progressé (notamment dans le second degré), tandis que celui des élèves diminuait, de sorte que le nombre d'élèves par enseignant a connu une baisse significative. Ce raisonnement ne vaut pas pour les universités, où les conditions matérielles sont souvent déplorables et les effectifs en augmentation (p. 84).

C'est sans doute bien davantage à la racine du « mal scolaire » qu'il faudra s'attaquer, en revalorisant le rôle de l'école dans la société et dans les familles. Des efforts ont été entrepris pour restaurer la notion de respect dans l'enceinte des établissements. Il faudra du temps, de la compréhension, de la pédagogie et de l'autorité pour que leurs effets se fassent sentir. La volonté de dialoguer et de réformer est une autre condition à remplir, de la part des diverses parties prenantes : gouvernants, syndicats, enseignants, élèves, parents, médias.

Pas plus que les autres institutions ou les individus, l'école ne peut demeurer un pôle immobile dans un monde en mouvement accéléré. Il lui faut prendre davantage en compte les réalités du monde extérieur, s'inspirer des exemples étrangers qui ont fait leurs preuves, discuter de façon objective et apaisée de sujets souvent tabous : sélection ; autonomie ; absentéisme des enseignants (il représenterait une demi-année perdue par les élèves sur l'ensemble de la scolarité) ; calendrier scolaire, etc. Les technologies devront aussi être davantage utilisées dans les enseignements et le travail personnel, sous réserve de ne pas introduire de nouvelles inégalités (p. 74). L'école devra réconcilier des notions jusqu'ici considérées comme contradictoires : le collectif et l'individuel ; l'intérieur et l'extérieur ; l'écrit et l'écran ; la théorie et la pratique ; le sérieux et le ludique...

L'éducation à tous prix

Évolution de la part des dépenses d'éducation dans le PIB dans quelques pays de l'OCDE (en %)

	2000	2008
Allemagne	4,9	4,8
Autriche	5,5	5,4
Belgique	6,1	6,6
Danemark	6,6	7,1
Espagne	4,8	5,1
Finlande	5,6	5,9
France	**6,4**	**6**
Hongrie	4,3	4,8
Italie	4,5	4,8
Japon	5	4,9
Pologne	5,6	5,7
Rép. slovaque	4,1	4
Royaume-Uni	4,9	5,7
Suède	6,3	6,3
États-Unis	6,9	7,2
Moyenne OCDE	*5,5*	*5,9*

OCDE

La formation continue offre une seconde chance...

La dépense nationale pour la formation professionnelle continue avait augmenté après la mise en place de la loi de mai 2004. Elle a représenté 9,5 milliards d'euros en 2010, auxquels se sont ajoutés 2,6 milliards pour les formations extrascolaires, soit 9 % de la dépense intérieure d'éducation. En 30 ans (1980-2010), les dépenses de formation continue ont augmenté de 27 % en euros constants, mais leur part dans la dépense Intérieure d'Éducation a diminué sur la même période, passant de 12 % à 9 %. L'État en finance le quart (24 % en 2010), pour assurer notamment la formation des fonctionnaires et, de moins en moins, celle des chômeurs. La part des entreprises est de 46 %. Le ministère de l'Éducation nationale n'intervient que pour 2,8 % dans le financement, mais représente une part importante des actions de formation continue. Le poids des collectivités territoriales est passé de 5 % en 1983 à 17 % en 2010, alors que les dépenses supportées par les ménages ont représenté 4 %.

L'instauration, en 1971, de la loi sur la formation continue (ou permanente) avait permis à des millions d'actifs de progresser dans leurs connaissances et dans leur métier. Fixée au départ à 0,8 % de la masse salariale, la contribution légale minimale des entreprises a progressivement doublé, jusqu'à 2 %. Dans la réalité, elle atteint 3 %, l'un des taux les plus élevés dans le monde. Elle a été complétée par le DIF (droit individuel à la formation), qui permet à tout salarié de bénéficier de vingt heures de formation par an, cumulables sur six ans, à son initiative mais avec l'accord de l'employeur.

En 2010, 4 064 personnes ont bénéficié du système de la VAE (validation des acquis de l'expérience) au sein de l'université ou du CNAM et ont obtenu tout ou partie d'un diplôme d'enseignement supérieur. 45 % d'entre elles étaient cadres. 55 % ont obtenu la validation d'un diplôme complet, contre 17 % seulement lors de la mise en place du système en 2002 (élargissement et relance du décret de 1984). Les licences (obtenues en totalité ou en partie) ont représenté 48 % des demandes, les licences professionnelles 37 % et les masters 36 %. Les femmes représentent les deux tiers (64 %) des demandes recevables.

… mais elle est inégale selon la taille de l'entreprise et le statut.

La formation continue profite nettement plus aux salariés les plus diplômés et à ceux travaillant dans le secteur public ou dans une grande entreprise. La taille de l'entreprise reste un critère discriminant pour la participation à la formation : elle dépasse 60 % pour les entreprises de plus de 2 000 salariés contre seulement 16 % pour les moins de dix salariés. Le taux de participation financière des entreprises (2,9 % en moyenne) n'est ainsi que de 1,3 % dans les entreprises de 10 à 19 salariés et de 4 % dans celles de 2 000 salariés ou plus.

En 2011, 67 % des salariés français déclaraient avoir bénéficié d'une formation professionnelle au cours des cinq années écoulées (AFPA). Paradoxalement, ceux qui en ont le plus grand besoin sont ceux qui en bénéficient le moins. Les cadres sont ainsi deux fois plus nombreux que les ouvriers à en bénéficier. Si la proportion des personnes qui n'ont pas été concernées était de 23 % des salariés en moyenne, elle atteignait 39 % chez les non diplômés, 37 % chez les employés du secteur des services et 35 % chez les ouvriers. La participation à la formation continue diminue également avec l'ancienneté de l'activité professionnelle. Près de deux tiers des salariés qui avaient commencé à travailler au cours des cinq années précédentes avaient suivi une formation, mais seul un tiers de ceux avec une expérience professionnelle supérieure à 30 années (51 % et 19 % parmi les indépendants).

Parmi ceux qui ont bénéficié d'une formation entre 2006 et 2011, 78 % jugeaient qu'elle avait été utile pour l'exercice de leur métier ; la proportion atteignait 91 % chez ceux qui avaient pu ainsi obtenir un titre ou un diplôme. 60 % estimaient qu'elle avait favorisé leur évolution professionnelle (79 % des nouveaux diplômés). 58 % des salariés d'entreprises de moins de 20 salariés n'avaient pas bénéficié de formation au cours des cinq dernières années alors que ce sont eux qui, quand ils en bénéficient, la jugent la plus utile. De même, 30 % seulement des salariés ayant connu une période de chômage ont bénéficié d'une formation au cours de celle-ci (et 61 % d'entre eux l'ont trouvé utile pour retrouver un emploi), alors que 45 % des salariés ont connu au moins une période de chômage dans leur carrière, dont la moitié seulement déclarent avoir retrouvé un emploi comparable à celui qu'ils avaient perdu.

ÉTUDES

À 3 ans, tous les enfants sont scolarisés.

Un enfant de moins de 3 ans sur cinq va aujourd'hui à l'école, contre un sur dix en 1965. Le système éducatif français se distingue par un taux de scolarisation élevé avant l'âge de 6 ans, qui correspond à l'entrée obligatoire au cours préparatoire. En maternelle, l'accueil des enfants de 5 ans, de 4 ans, puis de 3 ans s'est progressivement généralisé entre le milieu des années 1960 et la fin des années 1980. L'accueil des enfants de 2 ans dépend souvent des places disponibles et de l'évolution démographique. Dans les années 1980 et 1990, le taux de scolarisation à cet âge était de l'ordre d'un enfant sur trois, selon les villes et les quartiers ; il tend à diminuer depuis l'an 2000, du fait du nombre croissant des naissances. Le taux de scolarisation des enfants des moins de 3 ans a fortement chuté, passant de 34 % en 2000 à 14 % en 2010.

Les évolutions démographiques et l'amélioration de l'encadrement ont permis une forte réduction de la taille des classes, dans l'enseignement public autant que privé. En maternelle, elle est passée de 40 élèves en moyenne en 1960 à 26 élèves aujourd'hui. Dans le primaire, le phénomène est moins prononcé. Les effectifs diminuent depuis 1970, en raison de la baisse de la démographie et des retards scolaires. À partir de 2003, les effectifs scolarisés dans les écoles maternelles et élémentaires ont augmenté, du fait de la progression des naissances. Dans l'enseignement public, les classes du CP au CM2 avaient retrouvé dès 2005-2006 leur niveau de 1990, avec 22,5 élèves par classe ; il s'est stabilisé depuis (22,6 en 2009-2010). Dans le privé, on comptait en moyenne 22,1 élèves par classe préélémentaires en 2009-2010, un niveau comparable à celui de 1990, après deux pics à 27,6 en 2005-2006 et 27,3 en 2006-2007.

À 11 ans, 80 % des enfants sont entrés au collège.

La proportion n'était que de 46 % en 1960. Entre 1995 et 2009, le second degré a perdu près de 400 000 élèves. Le mouvement a été particulièrement net à la rentrée 2000, avec une chute de 50 000 élèves dans les effectifs. Cette diminution est liée au raccourcissement de la durée moyenne de scolarisation dans le secondaire, à l'évolution démographique mais aussi à la baisse des redoublements. Dans le primaire, le taux de redoublement a diminué de près de moitié en vingt ans (de 35 % à 18 %). Les élèves commencent ainsi leurs études secondaires plus jeunes et les terminent plus rapidement. C'est ce qui explique que l'espérance de scolarisation est revenue à 7,6 années en 2009 contre 7,8 en 1995. Cette évolution se traduit par une baisse de 8 à 10 points des taux de scolarisation des élèves les plus âgés (18 et 19 ans).

La quasi-totalité des élèves (99 %) atteignent la classe de troisième (96 % en 1996). 93 % fréquentent au moins une seconde de détermination ou une année terminale de formation (CAP, BEP ou diplôme professionnel équivalent). À l'issue de la troisième, deux tiers des élèves continuent leurs études en second cycle général ou technologique, les autres en second cycle professionnel. Parmi les premiers, quatre sur cinq sont inscrits dans un lycée public. Parmi les seconds, la moitié fréquentent un lycée professionnel public, un quart un centre de formation d'apprentis et un quart un lycée agricole ou un lycée professionnel privé. L'orientation en fin de CAP-BEP a évolué. Par comparaison, à la rentrée 2003, parmi les élèves finissant leur dernière année de CAP ou de BEP, seul un sur deux continuait ses études après l'obtention d'un BEP, davantage en baccalauréat ou brevet professionnels qu'en première d'adaptation (second cycle général et technologique). Cette dernière voie a perdu 3 points en huit ans, au bénéfice de la filière professionnelle, sous statut scolaire ou d'apprentissage.

Les filles ont moins de retard scolaire que les garçons : seules 17 % ont plus de 10 ans à l'entrée au collège, contre 22 % des garçons. Les enfants de cadres et de membres des professions intermédiaires effectuent leur scolarité en cinq ans ; les enfants d'ouvriers mettent en moyenne 0,3 année supplémentaire.

La part de l'enseignement privé se maintient aux alentours de 20 % des effectifs pour l'ensemble du second degré, depuis le début des années 1970 (17 % seulement dans les départements d'outre-mer). Les taux de redoublement y sont inférieurs, mais ceux du public ont diminué plus vite et tendent à s'en rapprocher. On constate un intérêt croissant des familles à placer leurs enfants dans le privé, y compris parmi les familles modestes.

L'école à trois temps

Le système éducatif français est une pyramide à trois étages.

• **Premier degré.** L'enseignement préélémentaire et élémentaire comprend trois cycles : apprentissages premiers (petite, moyenne et grande sections de la maternelle) ; apprentissages fondamentaux (cours préparatoire et cours élémentaire 1re année de l'école primaire) ; approfondissements (cours élémentaire 2e année, cours moyen 1re année et cours moyen 2e année).

• **Enseignement secondaire.** Il est divisé en deux cycles. Le premier cycle est dispensé dans les collèges et comprend lui-même trois cycles : observation et adaptation (sixième) ; approfondissements (cinquième et quatrième) ; orientation (troisième). Le deuxième cycle est dispensé dans les lycées et comprend le cycle de détermination (seconde) et le cycle terminal (première et terminale).

• **Enseignement supérieur.** Il est dispensé dans les universités, IUT (instituts universitaires de technologie), STS (sections de techniciens supérieurs), écoles et instituts spécialisés ou grandes écoles.

À chaque niveau, des dérivations sont proposées par rapport à la filière générale : classes d'initiation et d'adaptation du premier degré ; quatrième aménagée ou technologique, troisième d'insertion ou technologique du second degré (1er cycle) ; études professionnelles du 2e cycle, etc.

Le niveau baisse

Les enquêtes PISA publiées par l'OCDE depuis le début des années 2000 permettent de mesurer le niveau et l'évolution des compétences des élèves de 15 ans par rapport à celles qui sont nécessaires à l'insertion dans le marché du travail et la vie citoyenne et d'effectuer des comparaisons internationales.

Les résultats de la dernière enquête (publiée en 2011 et concernant l'année 2009) confirment la baisse du score moyen obtenu par les jeunes en compréhension de l'écrit depuis 2000. La France est classée 17e sur les 33 pays de l'OCDE concernés par l'étude en 2009, alors qu'elle occupait le 10e rang sur les 27 en 2000. Cette diminution des performances concerne également la culture mathématique, avec une baisse de 14 points entre 2003 et 2009. Le score obtenu en culture scientifique est en revanche stable depuis 2006.

La France se singularise surtout par une proportion importante d'élèves en-dessous du niveau 2, qui correspond au seuil de maîtrise des compétences. Elle était de 20 % en 2009, contre 15 % en 2000. En compréhension de l'écrit, la population d'élèves sous le niveau minimal souhaité a augmenté de près de 30 % en neuf ans, alors qu'elle a diminué de 6 % en moyenne dans les 26 pays de l'OCDE. Quant aux élèves français les plus faibles (sous le niveau 1), leur proportion a presque doublé, passant de 4,2 % à 7,9 %. C'est le cas aussi de la culture mathématique, avec une proportion de à 9,5 % en 2009 contre 5,6 % en 2003.

70 % des élèves d'une génération parviennent au niveau du baccalauréat.

La proportion de bacheliers a atteint 65 % en 2011, avec un taux de réussite moyen élevé de 85,6 % : 88,2 % pour les séries générales (89,4 % en série S), 83,6 % pour les séries professionnelles et 82,3 % pour les séries technologiques. La proportion atteint même 70 % si l'on tient compte des voies autres que celles offertes par l'Éducation nationale (écoles privées hors tutelle du ministère). Sur 100 diplômés, 65 ont un baccalauréat général, 16 un baccalauréat technologique et 14 un baccalauréat professionnel. Les enfants de cadres ou d'enseignants ont un taux de réussite au baccalauréat général de 93 %, soit 10 points de plus que les enfants d'ouvriers ; l'écart est moindre pour les autres baccalauréats. La proportion de mentions délivrées aux bacheliers généraux a beaucoup progressé, ce qui en atténue la portée : 22 % de mentions bien et très bien, 28 % de mention assez bien.

Le taux d'accès d'une génération au niveau du baccalauréat était passé de 10 % à la fin des années 1950 à 30 % au début des années 1970. Il s'est surtout accru à partir de 1985, avec la création du baccalauréat professionnel et l'afflux des lycéens dans les séries générales. Il avait atteint 62 % en 1992 et connu une forte hausse en 1994 (71 %), à la suite de la baisse massive des redoublements en fin de première, qui avait suivi la mise en place du cycle terminal dans les lycées. Depuis le milieu des années 1990, on observe une stagnation à 70 %, liée à une orientation moins fréquente vers la seconde générale et technologique à l'issue de la troisième, qui n'a été que partiellement compensée par l'augmentation de l'accès au bac professionnel et technologique. Les filles sont plus nombreuses que les garçons à accéder en terminale générale, avec un écart de 13 points. Il n'est que de 3 points dans les filières technologiques et s'inverse dans les filières professionnelles, avec 4 points en faveur des garçons.

Huit bacheliers sur dix entrent dans l'enseignement supérieur.

85 % des élèves ayant obtenu le baccalauréat (566 000 en 2011) cherchent à poursuivre des études dans l'enseignement supérieur dès la rentrée d'octobre. Moins de la moitié d'entre eux (44 %) s'inscrivent en première année de licence universitaire, premier cycle de trois années depuis la réforme qui a supprimé le DEUG obtenu en deux ans. Les autres (56 %) s'inscrivent dans les filières sélectives, en particulier les classes préparatoires, les instituts universitaires de technologie (IUT) ou les sections de techniciens supérieurs (STS) pour des études.

L'accès à l'enseignement supérieur concerne pratiquement tous les bacheliers généraux, les trois quarts des bacheliers technologiques et le quart des bacheliers professionnels. Un bachelier scientifique sur deux s'inscrit à l'université, un sur cinq dans une classe préparatoire et un sur sept dans un IUT. Les bacheliers STI (sciences et techniques industrielles) se retrouvent en majorité en STS. Les bacheliers professionnels se dirigent surtout vers les filières AES (administration économique et sociale), les STAPS (sciences et techniques des activités physiques et sportives) et les IUT.

On comptait 2 319 000 étudiants en 2010-2011, dont 1 437 000 dans les universités. Entre 1980 et 2000, le nombre

Les Français de plus en plus diplômés

Niveau de formation selon l'âge (2010, 15 ans et plus, en %)

	15 à 19 ans	20 à 24 ans	25 à 49 ans	50 à 64 ans	65 ans ou plus	Ensemble
Aucun diplôme, CEP	3,6	8,9	15,1	31,9	59,1	26,8
Brevet des collèges	1,5	5,7	6,5	9,1	7,6	6,9
CAP, BEP	2,2	13,7	23,8	27,2	14,7	20,4
Bac, brevet professionnel ou équivalent	0,6	16,3	19	12,6	9,1	13,9
Supérieur court	0	6,6	15,5	8,8	3,5	9,6
Supérieur long	0	4,3	18,9	10,4	6,2	11,8
En cours d'études initiales	92,1	44,5	1,2	0	0	10,5
Total	100	100	100	100	100	100

INSEE

des étudiants avait plus que doublé, passant de 1 à 2 millions. Pour la troisième année consécutive, le nombre d'étudiants étrangers dans les universités publiques françaises a progressé pour atteindre 218 000, soit 15,2 % de la population universitaire. Après avoir beaucoup progressé (notamment dans la seconde moitié des années 1990), les effectifs des IUT se sont stabilisés au-dessus de 110 000. On constate aussi une stabilisation de ceux des STS et une faible augmentation de ceux des classes préparatoires aux grandes écoles. Ceux des écoles d'ingénieurs ont en revanche doublé depuis 1990, pour atteindre plus de 100 000. Entre 2000 et 2010, le nombre d'étudiants du secteur privé a augmenté de 47 % avec une progression assez régulière, alors qu'il a crû de 7 % pour l'ensemble de l'enseignement supérieur.

Les femmes sont plus jeunes que les hommes à leur entrée à l'université, 601 % d'entre elles ont 18 ans ou moins contre 54 % des hommes. Elles représentent 57 % de la population universitaire et restent majoritaires en langues (74 %), en lettres et sciences du langage (71 %) et en sciences humaines et sociales (68 %). Quelle que soit la filière considérée, à l'exception des STS, plus d'un étudiant sur quatre a des parents cadres supérieurs ou exerçant une profession libérale, une proportion nettement supérieure au poids de ces catégories dans la population. Leur présence est encore plus forte dans les CPGE (classes préparatoires aux grandes écoles) et les disciplines de santé : respectivement 50 % et 44 % des effectifs en 2010. En revanche, les enfants d'ouvriers et d'employés ne représentent que 15 % des inscrits en IUT et 21 % en STS.

60 % des étudiants parviennent en moyenne en deuxième cycle.

Le taux de réussite au cours des premières années d'enseignement supérieur universitaire varie assez largement selon la filière. Entre les rentrées 2009 et 2011, on constate que 53 % des étudiants inscrits en première année de licence sont passés en deuxième année, 24 % ont redoublé leur première année, 9 % se sont inscrits en IUT ou ST, 8 % dans d'autres formations. Seuls 6 % ont abandonné leurs études. En fin d'année suivante, 43 % se sont inscrits en troisième année de licence, 24 % ont redoublé, 2 % sont allés en IUT ou STS et 5 % ont quitté l'enseignement supérieur.

Les taux de réinscription dans la même discipline varient largement : environ 80 % pour les IUT et les écoles d'ingénieurs, 50 % pour la filière AES et pour les langues. Les parcours jusqu'à la licence se diversifient de plus en plus. Seuls six titulaires sur dix d'une licence générale ou professionnelle obtenue en trois ans étaient déjà inscrits dans ce cursus dès le départ ; trois sur dix ont d'abord obtenu un diplôme dans un IUT ou une STS, et un peu moins d'un sur dix est venu d'une classe préparatoire. En 2010, cinq ans après leur première inscription en licence, 13 % des étudiants avaient interrompu ou abandonné leurs études sans avoir obtenu de diplôme supérieur.

Quatre ans après avoir obtenu leur bac, 38 % des étudiants ont obtenu leur licence en trois ans, 53 % en trois ou quatre ans. 14 % ont quitté l'enseignement supérieur sans autre diplôme

Deux étudiants sur trois à l'Université

Répartition des effectifs de l'enseignement supérieur et part des femmes (France entière, 2010-2011)

	Nombre	% de femmes
Universités et assimilés (y compris IUT et ingénieurs)	1437104	57,2
dont disciplines générales de la santé	1320628	59,2
dont IUT	116476	39,9
Sections de techniciens supérieurs (STS) et assimilés	242247	51
Écoles paramédicales et sociales, hors universités	136164	83,6
Formations d'ingénieurs	122317	26,5
universitaires	20865	26,8
non universitaires	101452	26,5
Écoles de commerce, gestion, vente et comptabilité	121317	48,8
Classes préparatoires aux grandes écoles (CPGE) et préparations intégrées	79874	41,4
Grands établissements	32100	53,1
Écoles normales supérieures	4730	42,7
Écoles supérieures artistiques et culturelles	2530	74,1
Autres écoles ou formations	175993	54,8
Ensemble	2318700	55,5
dont secteur public	1910000	55,8
dont secteur privé	408700	54,1

Ministère de l'Éducation nationale

que le baccalauréat qu'ils avaient en entrant. Le taux d'échec des inscrits en BTS atteint 27 %. Alors que 86 % des bacheliers généraux et 69 % des bacheliers technologiques réussissent leur STS en deux ou trois ans, c'est le cas de moins de la moitié des bacheliers professionnels, dont 52 % quittent l'enseignement supérieur sans nouveau diplôme.

Les taux de succès les plus élevés sont ceux des bacheliers généraux qui ont obtenu leur baccalauréat à 18 ans, c'est-à-dire sans redoublement ; 51 % obtiennent leur licence en trois ans et 68 % en trois ou quatre ans, contre seulement 30 % et 45 % pour les bacheliers généraux « en retard ». Quant aux bacheliers technologiques, seuls 10 % obtiennent leur licence en trois ans et 20 % en trois ou quatre ans.

Le troisième cycle universitaire a été transformé.

Depuis 2006, dans un souci d'harmonisation européenne, les universités délivrent des diplômes LMD (licences, masters, doctorats). Ceux de l'ancien système ne sont plus délivrés : licences, DEA (diplômes d'études approfondies) et DESS (diplômes d'études supérieures spécialisées). Le cursus de la licence correspond aux trois premières années d'études universitaires ; le cursus du master (deux ans) oriente les étudiants vers une option professionnelle (master professionnel) ou de recherche (master recherche). Le cursus du doctorat (trois ans) a une vocation de recherche et aboutit à une thèse.

En 2010, plus de 120000 licences LMD ont été délivrées. Depuis leur création en 2000-2001, le nombre de licences professionnelles a progressé très fortement, pour dépasser 50000 en 2010. En cinq ans, le nombre de masters recherche a atteint 20700 en 2009, celui des masters professionnels 62800. Le nombre de doctorats augmente beaucoup moins fortement. Au sein du cursus licence, plus de quatre diplômes sur dix sont délivrés en lettres, langues et sciences humaines.

Les licences professionnelles font figure d'exception, puisque quatre sur dix sont délivrées en sciences. En cursus master, plus d'un diplôme sur quatre est délivré en lettres, langues et sciences humaines.

La part des femmes est plus élevée parmi les lauréats des diplômes de licence et master, mais elle varie selon la discipline. Elles sont minoritaires parmi les diplômés en Sciences et techniques des activités physiques et sportives (STAPS) et en sciences, mais majoritaires dans les autres disciplines, particulièrement en lettres, langues et sciences humaines et en médecine, pharmacie, odontologie. En licence professionnelle, elles représentent un peu moins de la moitié des diplômés.

11 000 thèses de doctorat ont été soutenues en 2010, dont plus de la moitié en sciences. Les femmes sont minoritaires dans toutes les disciplines (45 % en moyenne), excepté en lettres, langues et sciences humaines et en médecine, pharmacie. En sciences, leur part n'est que de 40 %. Près de 2 000 habilitations à diriger des recherches ont été délivrées, dont plus de six sur dix en sciences. Enfin, 30 000 diplômes d'ingénieurs ont été délivrés en 2010, mais leur nombre reste insuffisant par rapport à la forte demande des entreprises (30 à 40 % sont embauchés avant la fin de leurs études). Ils s'ajoutent aux 10 000 diplômés des écoles de commerce.

L'avenir professionnel dépend de la nature du diplôme.

En 2010, 64 % des jeunes âgés de 15 à 24 ans n'ont pas terminé leurs études et 8 % les cumulaient avec un emploi. Parmi ceux qui les avaient achevées (36 %), un sur cinq était au chômage, un sur six inactif ; deux sur trois déclaraient avoir un emploi. L'allongement de la scolarité intervenu depuis le milieu des années 1980 avait pour but de mieux préparer les jeunes à leur avenir professionnel et permettre à la France de relever les défis de l'économie mondialisée. En corollaire, il avait permis de réduire le taux de chômage des jeunes en retardant leur arrivée sur le marché du travail. Les Français ont d'autant mieux accepté ce « traitement scolaire du chômage » qu'ils savent qu'un niveau élevé d'éducation constitue un atout.

Cependant, les premières années d'activité professionnelle sont de plus en plus souvent caractérisées par des situations précaires ; périodes d'inactivité, stages, contrats à durée limitée, emplois aidés ou moins qualifiés... Après la courte embellie économique de 2006 et 2007, le taux de chômage des jeunes sortis de l'école au cours des quatre années précédentes s'est accru ;

Quelle réforme pour l'école ?

La « réforme de l'enseignement » est à la fois un « marronnier » (thème de débat récurrent) et un « serpent de mer » (un sujet dont on parle beaucoup mais que l'on ne voit jamais vraiment apparaître). Elle est en effet souvent réclamée, toujours contestée, jamais totalement réalisée, malgré les dizaines de tentatives effectuées par les ministres en charge de l'Éducation qui se sont succédées depuis des décennies. Le sentiment général des Français est que l'école n'est plus adaptée à son temps, tant en termes de contenu de la formation que des outils de sa transmission. Ainsi, 92 % estiment qu'il faut réformer l'école, dont 50 % « en profondeur » et 42 % « sur quelques points seulement » ; les proportions sont respectivement de 46 % et 45 % chez les parents d'enfants scolarisés (APPEL/OpinionWay, février 2012).

Parmi les réformes possibles, une fait l'unanimité : porter une attention particulière aux enfants handicapés et à ceux qui rencontrent des difficultés d'apprentissage. 93 % des Français sont favorables à la création d'un « vrai métier pour l'accompagnement des enfants en situation de handicap » et « des parcours adaptés aux élèves qui rencontrent des difficultés » ; les chiffres sont quasi identiques dans l'ensemble de la population et chez les parents d'enfants scolarisés. 84 % se disent également favorables à une « amélioration de la formation initiale des enseignants par le recours systématique à l'alternance ». 83 % estiment nécessaire de « développer l'utilisation pédagogique d'outils numériques par les enseignants ».

Par ailleurs, 78 % des Français souhaitent que l'on « renforce, dans les résultats du baccalauréat, la part du contrôle continu » et 75 % que l'on « propose de nouveaux rythmes scolaires au primaire, mieux adaptés aux rythmes des enfants ». Enfin, 63 % estiment qu'il faut « alléger et recentrer les programmes scolaires » et 62 % « permettre aux chefs d'établissements de choisir leurs enseignants pour constituer des équipes soudées autour d'un chef d'établissement ». Reste au ministre de l'Éducation national à proposer des réponses précises à ces attentes générales et à convaincre les diverses parties prenantes de les mettre en œuvre.

il se situait à 20 % en 2010. 44 % des jeunes n'ayant aucun diplôme ou au plus le brevet des collèges étaient au chômage, contre 22 % de ceux possédant un BEP, un CAP ou un baccalauréat.

En début de carrière, le statut professionnel dépend donc assez largement du niveau de diplôme obtenu et de la filière choisie. Les filières scientifiques, technologiques et industrielles réduisent les risques d'un déclassement. Avec la crise économique, ces tendances se sont renforcées : au premier trimestre 2012, le taux de chômage des jeunes (18-24 ans) était de 23 % (p. 305).

CULTURE

La notion de culture s'est élargie…

L'attachement national à la culture s'était traduit dans les années 1960 par la création d'un ministère chargé de ces questions, dont André Malraux fut la figure emblématique. Cette inclination est toujours apparente à travers la politique active de subventions, la place faite à la culture dans les médias (en comparaison avec d'autres pays) et l'insistance de la France à revendiquer un traitement spécifique des biens culturels par rapport aux autres types de production. Il existe bien une « exception française » en matière culturelle, fondée sur l'histoire, la mentalité collective et la volonté institutionnelle.

Cependant, la conception que les Français ont de la culture s'est peu à peu transformée et élargie à des domaines plus populaires. C'est ainsi que s'est développée depuis les années 1980 l'idée (voire l'idéologie) du « tout culturel ». Des activités comme le rap, le tag, la cuisine, le cinéma, la télévision populaire ou le sport, sont entrées dans le champ culturel. Ce fut le cas ensuite des activités de création liées à internet (blogs et autres formes de participation liées au « web 2.0 »). L'ambition, louable, de cette conception élargie est de lutter contre l'exclusion culturelle. Elle est parfois assortie d'une dose de démagogie, en laissant croire à chacun qu'il est un artiste en puissance et que la culture s'acquiert sans effort. Elle peut aussi introduire une confusion entre les œuvres, au prétexte que, tout étant culture, tout se vaut.

Par ailleurs, la culture populaire contemporaine s'apparente de plus en plus souvent à une « marchandise », fabriquée en fonction des attentes supposées de ses acheteurs potentiels par des professionnels du marketing. C'est ainsi que sont conçus nombre de productions (films, albums de musique, émissions de télévision, livres…) destinés à des « cibles » bien identifiées. Mais beaucoup de Français sont conscients que « l'honnête homme du XXIe siècle » ne peut se contenter du « prêt-à-consommer culturel ». Il doit se doter des points de repère qui lui permettent d'analyser le présent à la lumière du passé, afin de mieux comprendre le présent et inventer l'avenir. « Une culture ne meurt que de sa propre faiblesse », écrivait Malraux. Si, comme il l'affirmait encore, « la culture ne s'hérite pas, elle se conquiert », il est normal aussi qu'elle se réinvente en permanence.

… mais elle reste une clé de compréhension du monde.

L'évolution en cours ne doit pas conduire à opposer une culture classique « majuscule » et élitiste à une culture contemporaine qui serait « minuscule » et populaire. Les jeunes n'ont pas aujourd'hui les mêmes connaissances ni les mêmes centres d'intérêt que leurs parents ou grands-parents. La plupart connaissent mieux les noms des chanteurs ou des sportifs que les dates des grandes batailles de l'Histoire de France. Peu savent qui étaient Danton, Ambroise Paré ou Marie Curie, mais la plupart savent comment trouver en quelques instants leur biographie sur internet et Wikipedia. Le souci d'élargir une culture classique jugée élitiste, empesée et parfois ennuyeuse a logiquement conduit à l'étendre à des domaines plus contemporains.

La culture est un outil au service de tous ceux qui souhaitent voir le monde et la société dans leur complexité et mieux saisir leur évolution. Elle permet de prendre un peu de recul (ou de hauteur) par rapport aux événements en fournissant des points d'appui et de référence. Avec l'éducation, elle contribue au libre arbitre individuel et distingue les simples témoins, qui portent sur le monde un regard indifférent et passif, des acteurs qui ont le désir de le comprendre et, peut-être, de le changer. Pour ces derniers, la culture générale, enrichie et actualisée par le quotidien, constitue un instrument privilégié. L'histoire, la géographie, les sciences (exactes, mais aussi humaines) en sont les composantes classiques. La culture artistique, qui ne fait pas directement appel à la mémoire ou à l'intelligence, mais à la sensibilité, est un autre ingrédient majeur. C'est en effet par son intermédiaire que l'on peut se situer dans le monde, vibrer aux différentes formes de création (musique, peinture, littérature, sculpture, danse, architecture, cinéma…) et s'indigner de ses dérives, de sa violence ou de son injustice. Beaucoup de Français recherchent dans la connaissance et dans l'art une compréhension et une émotion. Ils savent plus ou moins consciemment que la culture générale est un moyen de mieux vivre le présent et de moins redouter l'avenir. Dans la période de crise actuelle,

l'art et la culture apparaissent comme des refuges, des « divertissements », des vecteurs d'émotion dans un monde qui a perdu la raison.

Le manque de culture générale constitue un handicap majeur.

La démocratisation de l'enseignement, interrompue depuis une quinzaine d'années (p. 74), a des conséquences importantes sur la capacité des jeunes à s'intégrer à la société et à y vivre au quotidien. Au moins un élève du secondaire sur six ne maîtrise pas la lecture. Sur les 50 millions de personnes de plus de 18 ans vivant en France, on estime que près de 3 millions sont illettrées, c'est-à-dire incapables de lire, écrire, éventuellement compter, mais aussi communiquer dans les situations courantes de la vie sociale ou professionnelle. Près de la moitié d'entre elles n'ont pas eu le français comme langue maternelle.

L'illettrisme constitue un véritable handicap dans une société où l'écrit domine, malgré le développement de l'image ; internet en est l'illustration : les écrans électroniques fournissent plus d'informations par le texte que par l'image, malgré l'explosion des sites de partage de vidéo (*You Tube*, *Dailymotion*, *Google Video*...). Dans la vie personnelle, professionnelle, sociale, il est indispensable de pouvoir lire, comprendre, décoder des signes de plus en plus nombreux.

Ceux qui ne possèdent pas la maîtrise de la langue ne peuvent participer pleinement à la communauté de parole et d'expression. Ils courent le risque d'être oubliés, voire manipulés par ceux qui disposent de ce pouvoir. Les insuffisances d'instruction et de vocabulaire empêchent certains jeunes de trouver leur place dans la société. Elles constituent un facteur de pauvreté, au sens à la fois matériel et culturel. *« La médiocrité de notre univers ne dépend-elle pas essentiellement de notre faible pouvoir d'évocation ? »* se demandait André Breton. La capacité de décrire est l'une des conditions pour comprendre. L'incapacité à s'exprimer avec des mots pousse parfois à la violence physique.

L'audiovisuel représente la majorité des dépenses culturelles.

Les dépenses des Français pour les principaux produits et services cultures ont représenté 1 029 € par ménage en 2010. Les services culturels y comptaient pour 426 € (41 %), les livres pour 93 € (9 %), les journaux et magazines pour 171 € (17 %) ; le reste (33 %) a été consacré à des équipements destinés à recevoir, enregistrer ou reproduire du son ou des images (téléviseur, appareil photo, caméra, micro-ordinateur, consommables, etc.). En un peu plus d'un quart de siècle, les dépenses des ménages pour les programmes audiovisuels ont connu d'importantes évolutions : la part du cinéma est passée de 46 % en 1980 à 16 % en 2010, celle de la redevance audiovisuelle de 45 % à 24 %. Les abonnements à des chaînes payantes (environ 5 millions aux chaînes thématiques, autant à Canal Plus) en représentent désormais 41 %. Le phénomène récent de la «video à la demande» représentait 1,7 % des dépenses audiovisuelles en 2010 contre seulement 0,2 % en 2006 alors que la vidéo sur support matériel est passée, pendant la même période, de 22 % à 17 %.

Malgré ces évolutions, le cinéma en salle a retrouvé la fréquentation de la fin des années 1960 avec 215 millions d'entrées en 2011, un chiffre record depuis 45 ans. De mars 2011 à fin février 2012, la part de marché des films français a atteint 42 %, grâce au succès de films français comme *Intouchables* ou *Rien à déclarer*. La part de marché des films américains était cependant de 46 % sur la même période, avec des poids lourds comme *Harry Potter*,

Perles de culture

Sélection de phrases relevées dans des copies de candidats au baccalauréat 2011 (et retranscrites sans les fautes d'orthographe présentes).

- *« Quand il y a des problèmes dans le monde, l'ONU envoie des casquettes bleues. »*
- *« Mitterrand est mort du cancer de l'utérus. »*
- *« Les deux intestins sont le gros colomb et l'intestin grec. »*
- *« En 1968, c'était la guerre. La France sombrait peu à peu dans le chaos. Les ténèbres avaient obscurci le ciel. À l'horizon, le néant menaçait d'engloutir la jeunesse. De lointains murmures annonçaient des heures sombres. L'espoir n'était plus qu'un rêve. »*
- *« La faucille et le marteau sont des organes internes de l'oreille. »*
- *« Les plus célèbres comédies de Molière sont "Le médecin malgré Louis" et "Les fous rires de Scapin". »*
- *« Parmi les Sept Merveilles du monde figurent les jardins suspendus des Batignolles. »*
- *« Les pauvres s'appelaient sans-culottes car ils n'avaient pas les moyens de s'acheter un slip. »*
- *« La solidarité sociale a poussé l'État français à construire des H&M. »*
- *« Le mercure est un liquide qui a la particularité d'être solide. »*
- *« L'Union Européenne a été créée par Napoléon 1er en 1915. »*
- *« Les bombes atomiques sont inoffensives quand elles servent à produire de l'électricité. »*

Les aventures de Tintin, *Pirates de Caraïbes*, *Twilight* ou *La planète des singes*. En 2010, le montant total des dépenses des Français dans les salles de cinéma a atteint le niveau historique de 1,3 milliard d'euros, après trois années consécutives de hausse. Il s'ajoute à une dépense de 3,3 milliards d'euros pour les abonnements audiovisuels, dont beaucoup sont destinés aux chaînes de cinéma.

Parallèlement, on observe un fort engouement pour les spectacles vivants (concerts, théâtre, music-hall, etc.) avec une dépense moyenne par ménage supérieure à 150 € par an. Les autres dépenses concernent les visites de musées et monuments historiques (2 % de la consommation culturelle, contre 51 % pour la culture audiovisuelle) et la pratique de la musique (1 %). Il faudrait ajouter à ces dépenses celles concernant les pratiques culturelles amateurs (peinture, sculpture, danse, théâtre, musique...), qui nécessitent d'acheter des matériels et des produits consommables ou de prendre des cours (p. 436).

L'art est davantage présent dans la société.

Beaucoup de Français éprouvent le besoin d'être entourés d'objets esthétiques pour vivre et se sentir mieux dans leur peau. Ils s'intéressent à la décoration de leur logement, attachent une importance croissante au *design* des objets et du mobilier, choisissent de beaux paysages pour leurs vacances. Ils pratiquent aussi de plus en plus les arts en amateurs (p. 543). Pourtant, les différentes formes d'art occupent une place inégale dans la société. Les artistes les plus connus et médiatisés sont bien davantage des chanteurs ou des acteurs de cinéma que des peintres, des sculpteurs ou des compositeurs. On doit cependant faire une exception pour les écrivains, qui bénéficient d'une bonne image sociale et d'une visibilité médiatique, et, dans une moindre mesure, les architectes, présents dans la cité par leurs réalisations.

La « démocratisation » de la culture (ci-dessus) tend à mettre sur le même plan les différentes formes d'expression et les créations qui en sont issues, de sorte que l'art peut apparaître plus foisonnant que riche. Il est alors tentant de conclure que les arts contemporains ne connaissent pas de ruptures comparables à celles introduites en leur temps par Picasso, Matisse, Magritte, Klee, Kandinsky ou Duchamp. On constate en tout cas, sans s'en étonner, que l'art renvoie une image du monde plutôt critique et pessimiste. Pour évoquer la société de consommation, il utilise largement la dérision, le cynisme, la transgression, parfois l'imposture. Peut-être parce qu'il est lui-même devenu objet de consommation, dans la logique qui avait été celle d'Andy Warhol.

La transmission culturelle se fait moins par l'école et par la famille...

La mission de l'école est de fournir aux enfants les connaissances de base dont ils auront besoin au cours de leur vie, ingrédients de la culture générale. Mais les enfants sont aujourd'hui moins mal-

L'art français en crise ?

L'art français contemporain s'exporte de moins en moins. Les peintres ou sculpteurs nationaux sont peu présents dans les catalogues des expositions ou des ventes aux enchères à l'étranger. Dans le classement annuel réalisé par Art Price et la FIAC des 500 artistes mondiaux (nés après 1945) selon leur cote en ventes publiques, on ne trouvait en 2011 que 7 artistes français. Le premier était Robert Combas (145e), devant Pierre et Gilles (167), Jules de Balincourt (180), Richard Orlinski (249), Mr Brainwash (387), Philippe Pasqua (417) et Richard Texier (421. Un constat peu flatteur pour la création française. La Chine occupe aujourd'hui une place dominante, préemptant environ 50 % du marché de l'art en 2012, alors qu'elle n'occupait que la neuvième place au début des années 2000. Parmi les dix premiers peintres mondiaux en 2011, on trouvait sept chinois, dont Fanzhi Zeng, Xiaogang Zhang et Yifei Chen. Paris est aujourd'hui reléguée à la cinquième place du marché de l'art derrière Londres, New York, Pékin et Hong Kong. Elle ne représente plus que 4 % du marché mondial, alors qu'elle dépassait largement la moitié dans les années 1950.

Ce déclin ne saurait être seulement imputé à la qualité des œuvres d'artistes français. Il est liée aussi à la modernisation tardive des commissaires-priseurs, à l'aide insuffisante à l'exportation des œuvres, au manque de soutien des artistes, à la frilosité des personnes fortunées, des entreprises et des institutions à favoriser la création et l'exposition. La loi de libéralisation des ventes aux enchères votée en 2011 pourrait cependant améliorer la situation et faire remonter la France dans les classements internationaux. La génération des César, Tanguely, Soulages, Bourgeois, Huyghe, Boltanski, Buren ou Calle pourra peut-être alors trouver ses successeurs.

Pratiques culturelles

Proportion de Français de 15 ans et plus ayant au cours des douze derniers mois (2008, en %) ...

lu au moins un livre	**70**
dont 20 livres ou plus	*17*
lu au moins un quotidien payant	**69**
dont tous les jours ou presque	*29*
lu un magazine ou une revue au moins un n° sur deux	**59**
écouté de la musique tous les jours ou presque	**34**
écouté la radio tous les jours ou presque	**67**
regardé la télévision tous les jours ou presque	**87**
regardé des DVD au moins une fois par semaine	**25**
visité un monument ou assisté à un spectacle :	
musée	*30*
monument historique	*30*
exposition temporaire de peinture ou de sculpture	*24*
spectacle son et lumière	*17*
exposition temporaire de photographie	*15*
galerie d'art	*15*
site archéologique, chantier de fouilles	*9*
centre d'archives	*3*
cinéma	*57*
spectacle de rue	*34*
spectacle d'amateurs	*21*
théâtre	*19*
cirque	*14*
music-hall, variétés	*11*
concert de rock	*10*
spectacle de danses folkloriques	*10*
spectacle de danse	*8*
concert de musique classique	*7*
concert de jazz	*6*
concert d'un autre genre de musique	*13*

léables à l'enseignement, moins respectueux aussi des « maîtres » qui le diffusent. Ainsi, l'école n'est plus le creuset du « modèle républicain » qu'elle a longtemps été. Les débats sur le port du voile, la violence au sein des établissements ou la paupérisation des universités témoignent de la moindre influence de l'école sur les esprits. Il en est de même de l'ensemble des institutions. L'Église, qui contribuait traditionnellement à l'éducation, notamment morale, a aussi perdu de son influence sur les Français (p. 281).

Le rôle joué par le milieu familial demeure important. Il existe d'ailleurs un lien fort entre celui-ci et la réussite scolaire. L'idée que l'enfant se fait de la société dépend davantage des situations vécues en famille et à l'extérieur que de la présentation formelle qu'en font ses professeurs à l'école. Il est évident que la famille est un facteur clé dans la création et le renforcement des inégalités culturelles. Les différences de vocabulaire, de connaissances ou d'ouverture d'esprit jouent en défaveur des enfants des milieux modestes. À 7 ans, un enfant de cadre ou d'enseignant dispose d'un vocabulaire deux à trois fois plus riche qu'un enfant d'ouvrier.

Pourtant, la famille apparaît moins déterminante qu'auparavant dans la transmission de la culture et d'un système de valeurs. L'autorité parentale s'est estompé, les parents éprouvent des difficultés croissantes à expliquer le monde et à fournir des points de repère à leurs enfants. Ceux-ci sont plus autonomes dans leurs modes de vie, ils tendent à réagir contre les certitudes des générations précédentes et s'approprient les nouvelles techniques de diffusion de la culture (Internet, baladeurs multimédias...), qui leur permettent de se différencier d'elles

... et plus par les médias et les amis.

Dans un contexte de moindre influence des institutions et de la famille, le poids des médias s'est accru dans la diffusion de la culture générale. D'autant que leur présence s'est généralisée. Tous n'ont pas profité également de cette évolution. La lecture des quotidiens et celle des livres ont diminué au profit de la télévision, des jeux vidéo, de l'ordinateur multimédia et, de plus en plus, du téléphone mobile. On a pu assister à la diffusion progressive d'une « culture de l'écran » qui complète celle de l'écrit en lui ajoutant d'autres supports.

Le système très concurrentiel dans lequel évoluent les médias les amène à mettre en scène plutôt qu'à expliquer, à « tordre » parfois la réalité pour lui donner plus de force. Les phénomènes de mode éphémères ou artificiels sont souvent confondus avec les vraies tendances. Le contenu des médias n'est donc pas « représentatif » de ce qui se passe dans la société, tant sur le plan qualitatif (thèmes abordés) que quantitatif (importance accordée à chacun d'eux). C'est sans doute pourquoi les Français jugent sévèrement leur influence et mettent en cause leur crédibilité (p. 447). Certains mettent notamment en cause la façon dont les médias rendent compte de la « crise ».

La publicité participe aussi largement à la diffusion des modèles culturels et des systèmes de valeurs. Elle diffuse des images et des textes qui ne sont pas anodins, propose des modèles. Les publiphiles lui attribuent le mérite de « réenchanter le monde », par ses efforts esthétiques et éthiques. Les publiphobes lui reprochent de favoriser le matérialisme, de travestir la réalité et la vérité, d'exclure certaines catégories sociales (Noirs, beurs, vieux, pauvres, laids, handicapés...) et de montrer une image dégradante de la femme. Certains d'entre eux détournent les affiches ou les spots publicitaires ; internet est pour eux un vecteur idéal de résistance active.

Les Français sont porteurs d'une double culture : française et américaine.

Bien qu'ils se soient éloignés des institutions et du « modèle républicain », les Français restent attachés à leur pays et à sa culture. Elle leur a été inculquée par l'école et la famille ; elle se maintient tant bien que mal grâce aux efforts des pouvoirs publics et des créateurs, mais aussi à un attachement général à l'« exception culturelle », qui permet d'affirmer une certaine résistance à l'égard du reste du monde, notamment en matière de création cinématographique. Le triomphe de *the Artist*, qui a obtenu 5 Oscars en 2012, témoigne de cette capacité de résistance. Mais il symbolise aussi l'influence réduite de la culture française aux États-Unis, puisque le film avait été tourné à Hollywood, sur une histoire à la gloire du cinéma américain et qu'il était muet, ce qui résolvait le difficile problème du doublage, mal accepté par le public d'outre-Atlantique.

Force est en effet de constater que la culture américaine est très prégnante en France, comme dans l'ensemble des pays développés (ou émergeants). Depuis des décennies, elle s'imprègne quotidiennement dans les esprits à travers la musique, les films, les livres, le langage, les objets et les outils technologiques importés ou inspirés d'Amérique. C'est pourquoi, dans le cinéma américain, les situations, les comportements des personnages et les rapports qu'ils entretiennent entre eux sont plus facilement compris par les spectateurs français que ceux de films émanant d'autres pays européens, ou d'autres continents. Les chaînes de télévision en sont les principaux colporteurs, avec les séries, films, jeux ou autres programmes créés aux États-Unis et achetés en France.

La construction de l'Union européenne, qui s'est traduite pour dix-sept de ses membres par la mise en œuvre d'une monnaie commune (zone euro), ne s'est pas accompagnée de celle d'une véritable culture commune. Celle-ci avait pourtant existé au Moyen Âge en matière de religion, d'art, d'enseignement universitaire ou de commerce. Si la politique est « le moyen de continuer la guerre par d'autres moyens », la culture est sans aucun doute une arme politique de première importance. Monnet, l'un des pères fondateurs, ne s'y était pas trompé. Il affirmait à la fin de sa vie : *« Si je devais refaire l'Europe, je recommencerais par la culture. »* Les Américains ont compris depuis longtemps que la domination culturelle, la soft power, favorise la domination économique et politique. Les Chinois font le même constat, qui explique leur place actuelle sur le marché de l'art (ci-dessus).

La langue française emprunte de plus en plus à l'anglais.

La langue est sans aucun doute l'un des éléments fondamentaux du patrimoine culturel national. C'est pourquoi les Français lui restent attachés. Beaucoup, en nombre cependant déclinant, souhaitent qu'elle soit défendue contre les tentatives d'« agression » des autres langues, en particulier l'anglais. Cette volonté n'est pas récente. L'ordonnance de Villers-Cotterêts de 1539 et la création de l'Académie française en 1635 ont été les premières mesures protectionnistes en matière linguistique, bien avant les combats contre le « franglais ». L'histoire de la langue, vieille de mille ans, est en réalité celle d'un long métissage, depuis le gaulois (celtique) jusqu'aux influences anglo-saxonnes, en passant par celles des langues indo-européennes. Cette osmose peut être considérée comme

un enrichissement, lorsqu'elle ne traduit pas une paresse.

La place de l'anglais dans le français (parlé ou écrit) ne cesse de s'accroître. De très nombreux mots et expressions d'origine américaine s'imposent dans la pratique quotidienne, avant même que leurs équivalents français ne soient définis et proposés. Les emprunts ont d'abord légitimement correspondu à des notions nouvelles, souvent liées à la technologie ou au monde de l'entreprise : *marketing, merchandising, mailing, management, chat, blog,* etc. Mais certains mots américains ont aussi remplacé ou modifié des mots français. Les journalistes préfèrent ainsi parler du *crash* d'un avion plutôt que de son écrasement ; ils évoquent parfois les « vols domestiques » à la place des « vols intérieurs ».

Le recours à la langue anglaise s'explique en partie par sa plus grande concision. Pour les amateurs de football (c'est-à-dire de « balle au pied »), le mot *corner* vient plus facilement à l'esprit que coup de pied de coin, *penalty* est plus facile à dire que coup de pied de réparation. Les amateurs de tennis parlent aussi plus facilement de *tie-break* que de « jeu décisif ». Les mots anglais confèrent en outre une sorte de brevet de modernité à ceux qui les utilisent. La capacité de création et d'invention française semble se limiter à la copie (on parle aujourd'hui pudiquement de *benchmarking*) de ce qui est conçu outre-Atlantique. C'est le cas notamment dans les domaines où la France possède une expérience et une compétence reconnues : les restaurateurs ont imité le *fast food* (restauration rapide) avant de s'intéresser au *slow food* (p. 187) ; les distributeurs ont importé les magasins *low cost* (d'Allemagne), les *convenience stores* (magasins de dépannage) ; ils créent des *retail parks* (que l'on pourrait pourtant baptiser « parcs commerciaux ») ; les professionnels de la communication se lancent dans le *buzz marketing* (bouche-à-oreille)...

Langue commune, pensée unique

L'usage croissant de l'anglais dans les échanges personnels, professionnels ou techniques illustre d'abord l'incapacité de la France à inventer des concepts et, lorsqu'ils sont inventés par d'autres, à se les approprier en faisant usage de sa propre langue.

La généralisation de l'anglais présente un autre risque : celui d'installer peu à peu, par accumulation, une pensée unique, comme l'explique notamment Claude Hagège (*Contre la pensée unique*, Odile Jacob). Au contraire par exemple du latin, qui a servi de langue commune pendant des siècles sans avoir de visée hégémonique, l'anglais porte en lui une idéologie, le libéralisme, qui a largement servi à sa construction. Elle se traduit par une conception du monde qui est présente dans les mots et expressions, et tend à homogénéiser la pensée de ses utilisateurs. Ce risque, difficile à percevoir au quotidien, est présent dans les institutions européennes, dans les écoles de commerce et dans certaines entreprises où la langue commune obligatoire (et parfois unique) est l'anglais. Il n'est peut-être pas anodin que la pensée libérale y soit souvent présente. Un risque de même nature, mais aux conséquences différentes, pourrait apparaître avec la présence croissante de la langue chinoise, favorisée par la puissance du pays qui la porte et cherche à l'exporter.

L'expression se transforme, à l'oral et à l'écrit.

Contrairement aux craintes souvent exprimées, la croissance spectaculaire de l'électronique, de l'informatique et des supports audiovisuels n'a pas fait disparaître l'écrit. Elle l'a au contraire rendu plus présent. Mais, si l'écrit a été renforcé par sa confrontation avec l'écran, la langue française n'en est pas sortie indemne. D'abord, parce qu'elle est de plus en plus souvent remplacée par l'anglais dans les modes de communication électroniques, professionnels parfois publicitaire. Ensuite, parce que l'usage des nouveaux supports a engendré une nouvelle façon d'écrire, qui s'affranchit très largement des règles de la rédaction, de l'orthographe et de la grammaire. Au point de devenir incompréhensible à ceux qui ne sont pas initiés à ces « sous-langues ». La difficulté vient surtout de la multiplication des fautes d'orthographe, de grammaire et de sens dans les écrits disponibles sur internet. Elles témoignent à la fois d'une méconnaissance des règles de base (sans parler des plus complexes), en même temps que d'un certain mépris pour la langue. La forte demande de respect des personnes et des biens devrait s'appliquer à celle du patrimoine commun le plus essentiel : la langue.

Pourtant, la langue française ne cesse de s'enrichir de nouveaux mots et expressions, qui ne sont pas tous d'origine américaine. Mieux que de longues analyses, leur introduction progressive dans le dictionnaire révèle les évolutions de la société et des modes de vie (encadré page suivante).

Certaines innovations linguistiques, cependant, n'ont a priori guère d'utilité : pourquoi devrait-on être « performant » plutôt qu'efficace ? De même, la créativité est discutable lorsqu'elle ne conduit pas

Nouvelle société, nouveaux mots

Sélection de mots entrés dans le *Petit Larousse* depuis la première édition de *Francoscopie*, révélateurs du changement social.

1984 : cibler, déprogrammer, déqualification, dévalorisant, fast-food, intoxiqué, mamy, méritocratie, papy, pub, réunionnite.

1985 : aérobic, amincissant, automédication, crédibiliser, écolo, épanouissant, eurodevise, hypocalorique, look, monocoque, non-résident, recentrage, sida, surendettement, télétravail, vidéoclub.

1986 : clip, déréglementation, désyndicalisation, médiatique, Minitel, monétique, pole position, postmodernisme, progiciel, provisionner, rééchelonnement, smurf, sureffectif, téléimpression, turbo, vidéo-clip, visioconférence.

1987 : aromathérapie, bêtabloquant, bicross, bioéthique, capital-risque, démotivation, désindexer, fun, non-dit, présidentiable, repreneur, vidéogramme.

1988 : autodérision, bancarisation, Caméscope, cogniticien, dérégulation, domotique, franco-français, frilosité, handicapant, inconvertibilité, interactivité, micro-ondes, raider, séropositif, vidéothèque.

1989 : aspartame, beauf, crasher (se), défiscaliser, désindexation, désinformer, eurocentrisme, euroterrorisme, feeling, fivete, franchouillard, high-tech, husky, ludologue, mercaticien, minitéliste, parapente, rurbain, sidatique, sidéen, technopole, top niveau, zapping.

1990 : Audimat, CD-Rom, CFC, délocalisation, glasnost, ISF, médiaplanning, narcodollar, numérologie, perestroïka, profitabilité, RMI, sitcom, surimi, téléachat, titrisation, transfrontalier, zoner.

1991 : AZT, bifidus, cliquer, concouriste, Déchetterie, démotivant, fax, dynamisant, lobbying, mal-être, multiracial, narcotrafiquant, ripou, VIH.

1992 : CAC 40, confiscatoire, écologue, imprédictible, Jacuzzi, libanisation, multiconfessionnel, postcommunisme, postmoderne, rap, revisiter, tag, TVHD, vrai-faux.

1993 : accréditation, biocarburant, coévolution, déremboursement, écoproduit, graffeur, hypertexte, interleukine, maximalisme, minimalisme, négationnisme, Péritel, pin's, redéfinition, saisonnalité, suicidant, transversalité.

1994 : agritourisme, airbag, biodiversité, CD-I, cognitivisme, délocaliser, intracommunautaire, mal-vivre, monocorps, monospace, oligothérapie, prime time, rappeur, recadrer, SDF, subsidiarité, surinformation, télémarketing, télépéage.

1995 : biper, ecstasy, érémiste, hard, intégriste, parapentiste, réinscriptible, soft, télépaiement, zapper.

1996 : beurette, canyoning, covoiturage, écobilan, karaoké, meuf, micro-trottoir, recapitaliser, refonder, speeder, vépéciste, vidéosurveillance.

1997 : autopalpation, basmati, communautarisme, cybernaute, écorecharge, élasthanne, eurosceptique, fun, internaute, keuf, manga, morphing.

1998 : antiprotéase, DVD, incivilité, instrumentaliser, prébiotique, rapper, taliban, wok.

1999 : cédérom, hors-média, instrumentaliser, mèl, OGM, routeur.

2000 : alicament, ampliforme, booster, couillu, externalisation, fun, guignolade, praticité, remix, tex mex.

2001 : baby-boomer, best of, bibande, collector, écotaxe, harceleur, malbouffe, nazillon, pacs, start-up, tchatcheur, téléacteur, webcam, webmestre.

2002 : ADSL, DHEA, feng shui, hébergeur, judiciarisation, MP3, néorural, netéconomie, UMTS, wap.

2003 : antimondialiste ; bioterrorisme ; co-parentalité ; mannequinat ; marchandisation ; perso.

2004 : customiser ; désinstallation ; homoparental ; spa ; téléréalité ; unilatéralisme.

2005 : altermondialiste ; biodesign ; bobo ; écotourisme ; hyperpuissance ; nano-sciences ; supplémentation.

2006 : blog ; cybercriminalité ; déremboursement ; écocitoyen ; minispace ; transgénérationnel ; victimisation.

2007 : anti-âge, antiterrorisme, audioguide, bimbo, coacher, djihadiste, écogarde, épargne-temps, home-jacking, one-woman-show, primo-accédant.

2008 : blockbuster, blogueur, centre d'appel, chronophage, intermodalité, testing.

2009 : agrocarburant, bien-pensance, biopiraterie, chatteur, déstresser, écovolontariat, fléxisécurité, hyperactif, interconfessionnel, slameur.

2010 : adulescent, burn-out, caster, clubber, e-learning, financiarisation, mobinaute, peer to peer, pipolisation, présidentialisation, remédiation, slim, surbooké, think tank, véloroute.

2011 : autoentrepreneur, coloc, écoquartier, footeux, locavore, métrosexuel, pop-up, saladerie, scrapbooking, urgentissime

2012 : buzz, composteur, cougar, e-learning, électrosensibilité, énergivore, hoax, nanosciences, nerd, plug-in, post, wiki, smartphone, tweet (et tweeter), vuvuzela

2013 : bobologie, branchitude, cyberterrorisme, décarboner, métadonnée, pluriactivité, socialité, streaming.

à la simplification. C'est ainsi que la complexité est parfois baptisée « complexification ». Les questions qu'elle pose deviennent des « questionnements » ou des « problématiques ». La « décrédibilisation » tend à remplacer le simple discrédit... La contrepartie logique de cette évolution est que le rayonnement du français, malgré les réseaux implantés un peu partout dans le monde, est de plus en plus limité. Or, la langue nationale reste le support privilégié de la culture, dans une société où les mots sont beaucoup plus présents que les images.

Les cultures régionales tentent de résister à la globalisation...

Dans un contexte d'omniprésence de la culture américaine et de mondialisation (les deux phénomènes sont liés), les Français cherchent à redécouvrir leurs racines. Leur intérêt pour les recherches généalogiques en témoigne sur le plan individuel et familial. Surtout, le développement des cultures régionales et locales, favorisé par la décentralisation, traduit une recherche de points de repère collectifs ancrés dans la proximité. Cet intérêt pour la région est présent sur tout le territoire, du Nord à la Corse, en passant par l'Alsace ou le Pays basque. La musique, l'artisanat et toutes les formes d'expression artistique et culturelle participent à ce renouveau. Sur le littoral atlantique, les festivals se sont ainsi multipliés, des *Francofolies* de la Rochelle au *Festival Interceltique* de Lorient, en passant par celui des *Vieilles-Charrues* de Carhaix (intérieur des terres) ou *les Filets Bleus* de Concarneau. Le succès du disque « régional » de la chanteuse Nolwen Leroy en 2011 *(Bretonne)* illustre l'intérêt croissant du public pour cet ancrage régional.

L'intérêt pour les régions est en partie la conséquence de la crainte ressentie par beaucoup de Français de perdre leur identité dans le processus de mondialisation en marche, qui entraîne une indéniable convergence des modes de vie. Le poids économique croissant des entreprises multinationales d'origine américaine, accru par les regroupements, fusions ou acquisitions, tend à leur conférer un pouvoir culturel à travers les produits qu'elles diffusent. La diversité des offres est donc de moins en moins large, ce qui explique aussi que la demande des consommateurs soit moins différenciée. Ainsi, le système s'entretient de lui-même et porte en lui des risques d'uniformisation culturelle. La construction européenne est un autre facteur de crainte pour les Français. C'est l'une des explications de l'audience croissante des mouvements hostiles à la mondialisation (p. 260). Au fur et à mesure que se dissout l'« exception culturelle » nationale, beaucoup s'efforcent de la maintenir ou de la réinventer à l'échelon régional. Mais on peut aussi penser qu'il s'agit d'une forme de communautarisme (p. 275).

... et des cultures « alternatives » cherchent à s'imposer.

On a vu se développer dans la société française au fil du temps des « contre-cultures » qui se développent en réaction aux pratiques existantes et à la tentation de la « pensée unique » ou de modes de vie standardisés. Leur vocation est de fournir une identité à leurs adeptes, à travers l'appartenance à un groupe, à une tribu, à un clan, voire à une secte ou à un gang. L'altermondialisme, l'alterconsommation ou plus récemment les *loca-*

Diversité culturelle ou concentration ?

La révolution numérique porte en elle la promesse d'une diffusion plus vaste des biens culturels. Les coûts de production, reproduction, stockage et diffusion ont en effet baissé de façon sensible. En quelques clics, le consommateur peut aujourd'hui commander ou consommer une large gamme de produits et services culturels, souvent à un moindre prix par rapport aux circuits traditionnels « physiques » de distribution.

Cette réduction des coûts favorise aussi en principe la diversité en permettant de répondre à des demandes multiples et minoritaires, voire individualisées (produits « de niche » ou *long trail*). Les études menées sur les ventes de ces produits n'ont pas toujours confirmé cette hypothèse. On observe au contraire une concentration forte des ventes sur quelques produits « superstars ».

La viabilité économique des produits de niche est donc loin d'être assurée. Face à cette difficulté, les nouveaux modèles misent soit sur un transfert partiel des coûts sur les auteurs ou éditeurs *(YouTube, DailyMotion)*, soit sur une valorisation globale de l'offre à l'aide d'un abonnement forfaitaire, y compris pour des services associés. D'autres cherchent cependant à favoriser la réalisation et la diffusion d'œuvres culturelles en les faisant financer par des particuliers transformés en petits producteurs, intéressés aux bénéfices éventuels.

vores (p. 193) ou le mouvement des « Indignés » (p. 268) sont des manifestations de cet état d'esprit.

Les « cultures jeunes » s'efforcent de casser les codes en usage dans les générations précédentes et d'en inventer de nouveaux. Elles peuvent être fondées sur des pratiques sportives (basket, foot, « glisse »...), musicales (rap, hip-hop, house...), vestimentaires (port de certaines marques), gestuelles ou linguistiques. La plupart jouent sur le cynisme et la transgression ; elles prennent pour cibles les usages et les institutions et expriment souvent des frustrations ou de la colère. Le détournement créatif de la langue (argot, verlan, texto...) en est généralement une pièce maîtresse ; les mots et les expressions sont renouvelés en même temps qu'ils sont récupérés et tombent dans le domaine public. Il s'y ajoute certains comportements gestuels : façon de marcher, de s'asseoir, d'utiliser ses mains... Mais c'est l'apparence vestimentaire qui constitue le moyen de différenciation le plus courant et visible.

Dans un semblable esprit de lutte contre le modèle culturel nord-américain dominant, on observe depuis quelques années le développement en France d'autres cultures : musique « latino » d'Amérique du Sud ; gastronomie japonaise ou mexicaine ; décoration ou vêtements d'inspiration africaine ; philosophies orientales. Cet engouement illustre le besoin de trouver un contrepoint à un modèle anglo-saxon dominant et d'échapper au risque d'uniformisation induit par la mondialisation.

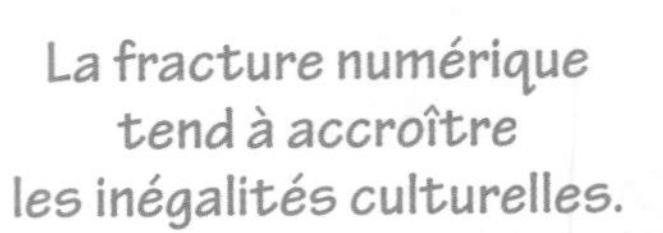

Avec la multiplication de l'accès aux informations sur tous les supports, en particulier numériques, les médias ne créent plus comme par le passé un « tronc commun culturel » d'informations et de connaissances diffusées au même moment à l'ensemble des individus. La diversité de l'offre incite à une sélection personnelle permanente, au moyen du *zapping* entre les sources existantes. Elle constitue évidemment une formidable occasion d'enrichissement. Mais les choix effectués dépendent en partie des écarts culturels préexistant entre les personnes ; ils sont de ce fait davantage susceptibles de les accroître que de les réduire.

L'accès de plus en plus général à Internet représente une occasion majeure de « démocratiser » la culture. Mais il présente aussi un risque important d'accentuation des inégalités. La première est apparente dans les taux d'équipement : au début 2012, 70 % des ménages disposaient d'un accès à internet ce qui signifie que 30 % n'en avaient pas. On sait par ailleurs que dans un certain nombre de foyers, cette connexion n'est pas utilisée.

Surtout, le fossé culturel pourrait continuer de se creuser du fait des usages très différents qui sont faits de ces outils d'information, de travail, de jeu et d'expression. Ceux qui disposent d'un bagage culturel préalable vont plus facilement vers des sites à fort contenu culturel et créent plus spontanément leurs propres contenus. Les autres vont plus spontanément vers le divertissement que vers l'enrichissement. Leur nombre est important si l'on en juge par les mots-clés utilisés sur les moteurs de recherche, dont les plus fréquents ont trait à la sexualité, au jeu, aux vidéos ou à la météo.

ESPÉRANCE DE VIE

L'espérance de vie poursuit sa progression.

Au début de l'année 2012, l'espérance de vie à la naissance avait atteint 84,8 ans pour les femmes et 78,2 ans pour les hommes. Elle représente « la durée de vie moyenne ou âge moyen au décès d'une génération fictive qui aurait tout au long de son existence les conditions de mortalité par âge (nombre de décès par rapport à la population en début d'année) de l'année considérée ». Plus simplement, elle exprime la durée de vie potentielle qui devrait être atteinte en moyenne par la population actuelle si les conditions de mortalité restaient identiques à ce qu'elles sont aujourd'hui.

Entre 2000 et 2011, les hommes ont gagné exactement trois ans de vie et les femmes exactement deux ans. Les gains ont cependant beaucoup varié d'une année à l'autre. La stagnation globale enregistrée en 2008 (accroissement de deux mois pour les hommes et recul de plus d'un mois chez les femmes) n'était pas liée à des événements particuliers (épidémies, froid, variations climatiques, ...), contrairement à la baisse constatée en 2003, due aux décès de personnes âgées provoquée par la canicule. La précédente pause de 2005 s'expliquait par le « rattrapage » intervenu en 2004. Entre 2009 et 2011, le gain a encore atteint six mois pour les hommes et cinq mois pour les femmes. Certains experts estiment cependant qu'une baisse de l'espérance de vie n'est pas à exclure à l'avenir, du fait de l'existence de certaines « bombes à retardement » : obésité; maladies liées à l'amiante; tabagisme; pollution de l'air et de l'eau...

L'espérance de vie varie fortement entre les régions; l'écart est d'environ cinq ans pour les hommes et trois ans pour les femmes entre l'Île-de-France et le Nord-Pas-de-Calais. De façon générale, la durée de vie est plus longue dans le Sud que dans le Nord. Il existe ainsi des zones de sous-mortalité dans les Pays de la Loire (à l'exclusion du pays nantais) et à l'ouest de la région Centre, ainsi qu'au cœur du Sud-Ouest. Les principales zones de surmortalité se situent du littoral du Nord-Pas-de-Calais à l'Alsace, ainsi qu'en Bretagne, à l'ouest de la ligne Saint-Nazaire-Saint-Brieuc. Avec un gain de 3,8 ans en dix ans, c'est en Lozère que l'espérance de vie des femmes a le plus augmenté et en Savoie pour les hommes, avec une augmentation de 4,6 ans. Cependant, l'espérance de vie dépend moins du lieu de la région d'habitation que de facteurs personnels tels que le niveau de vie ou de diplôme, les conditions de travail et les modes de vie.

La mortalité masculine est plus élevée...

Dans les premières années de la vie, il meurt environ 20 % de garçons de plus que de filles. Entre 20 et 30 ans, le rapport atteint même trois pour un. Entre 55 et 65 ans, les décès par cancer sont deux fois plus nombreux chez les hommes.

La longévité inférieure des hommes s'explique aussi par le fait qu'ils décèdent plus souvent que les femmes d'accidents ou de maladies induits par des comportements à risque (alcool, tabac, sport...). Près de 80 % des accidents mortels de la route concernent des

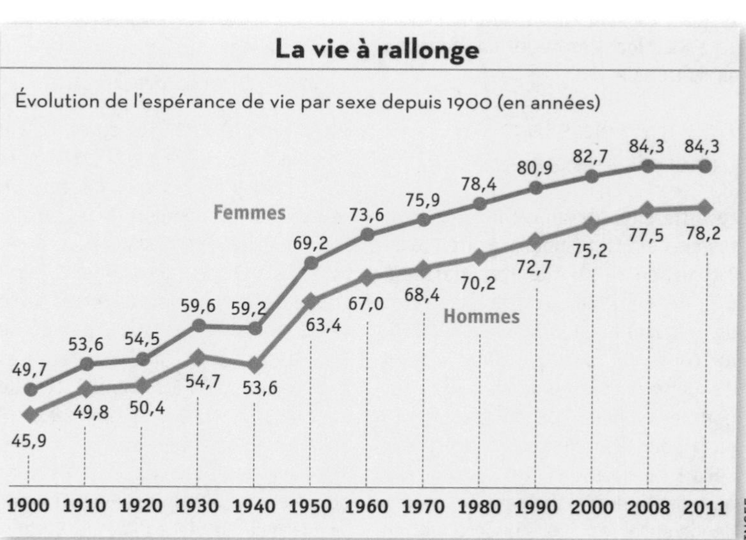

hommes, mais aussi 80 % des décès liés au sida et 75 % des morts par suicide. Les femmes seraient en outre plus résistantes aux agressions biologiques, du fait de la présence dans leur patrimoine génétique de deux chromosomes X, qui abritent plus fréquemment des gènes favorisant l'immunité. Elles consultent aussi plus tôt et plus souvent les médecins, ce qui les aide à prévenir les risques de santé. Le sexe dit « faible » a donc en ce domaine essentiel un avantage considérable sur l'autre sexe.

Le nombre de décès correspondant à la mortalité « évitable » ou « précoce » était estimé à 35 000 en 2010. Le taux a diminué entre 2000 et 2010, en particulier chez les hommes (de 20 %, contre 8 % chez les femmes). La mortalité précoce la plus élevée est observée dans le Nord–Pas-de-Calais et en Bretagne, la plus basse en Île-de-France et en Alsace. Elle est plus faible dans les DOM qu'en métropole, sauf chez les hommes habitant la Réunion. Chez les femmes, elle varie de 14 pour 100 000 habitants en Martinique à 29 en Guyane, contre 28 en moyenne en métropole. Chez les hommes, elle se situe entre 77 pour 100 000 en Martinique et 110 à La Réunion, contre 99 en moyenne en métropole.

… mais l'écart entre les sexes se réduit.

La différence de longévité entre les femmes et les hommes n'était que de 3,6 ans en 1900. Elle était passée à 6,7 ans en 1960, puis avait atteint un maximum de 8,3 ans en 1990. Au cours des années 1990, le gain d'espérance de vie a été supérieur pour les hommes (28 mois, contre 18 mois pour les femmes), de sorte que l'écart s'est resserré. On peut l'expliquer par le rapprochement des modes de vie entre les sexes, notamment en matière de comportements à risque (alcool, tabac, conduite automobile, vie professionnelle…). L'écart entre les sexes est par ailleurs soumis à l'effet des épidémies de grippe, qui touchent particulièrement les personnes âgées, parmi lesquelles les femmes sont majoritaires.

La France détenait jusqu'en 2000 le record de surmortalité masculine parmi les pays de l'Union européenne, avec 7,6 années d'écart entre les sexes. Malgré la diminution récente, elle reste l'une des plus élevées : parmi les 27 pays européens, c'est en France que le taux de mortalité « évitable » des hommes est le plus fort, après les nouveaux adhérents d'Europe centrale, les Pays baltes et la Belgique. Le taux de décès est presque le double en France de celui du Royaume-Uni.

En France, la durée de vie des hommes est supérieure à la moyenne européenne (78,2 ans en 2010 contre 76,5 ans). Mais les Françaises détiennent le record de longévité en Europe (85,2 ans). Le record mondial appartient aux Japonaises, avec 86,0 ans en 2010.

Depuis 1900, l'espérance de vie a augmenté de 34 ans.

Entre 1900 et 2011, la durée de vie espérée à la naissance s'est accrue de 35 ans pour les femmes et d'un peu plus de 32 ans pour les hommes, soit une progression d'environ 75 %. Cette évolution prodigieuse s'explique d'abord par la très forte baisse de la mortalité infantile, passée de 162 décès pour mille naissances vivantes en 1900 à 3,6 en 2010 ; elle était de 36,5 en 1955, 10 en 1980, 7,3 en 1990. Elle s'est stabilisée au cours des cinq dernières années. Lorsqu'on observe par exemple l'évolution de l'espérance de vie à l'âge de 20 ans, ce qui élimine les effets de la mortalité infantile, le gain est plus faible : entre 1950 et 2011, par exemple, il est un peu supérieur à 8 ans pour les

Longue vie à l'Europe

Espérance de vie à la naissance par sexe dans les pays de l'Union européenne (2010, en années)

	H	F
Allemagne	77,5	82,7
Autriche	77,7	83,2
Belgique	77,4	83,2
Bulgarie	70	77,2
Chypre	76	77
Danemark	77,1	81,2
Espagne	79,2	85,3
Estonie	70,6	80,6
Finlande	76,7	83,2
France	**78,1**	**84,8**
Grèce	77,9	83
Hongrie	70,1	77,9
Irlande	78,7	83,2
Italie	79,2	84,4
Lettonie	68,8	78,4
Lituanie	68	78,8
Luxembourg	78	83
Malte	77,7	82,2
Pays-Bas	78,5	82,7
Pologne	72,1	80,6
Portugal	76,1	82,1
Rép. tchèque	74,4	80,6
Roumanie	69,8	77,3
Royaume-Uni	78,5	82,4
Slovaquie	71,6	78,8
Slovénie	75,8	82,3
Suède	79,5	83,5

Eurostat

hommes et à 10 ans pour les femmes, ce qui reste important.

Depuis les années 1960, l'accroissement de l'espérance de vie tient cependant moins à la baisse de la mortalité infantile qu'à celle de la mortalité aux autres âges, notamment élevés. Il est la conséquence des progrès réalisés dans la lutte contre les maladies infectieuses, cardio-vasculaires et bactériennes. Dans le même temps, les modes de vie se sont modifiés favorablement, avec l'amélioration des pratiques, un meilleur équilibre alimentaire et une amélioration des conditions de confort dans la vie quotidienne.

Au Moyen Âge, près d'un enfant sur deux mourait dans sa première année ; l'espérance de vie à la naissance est estimée par des historiens à 14 ans (certaines famines ont tué les deux tiers ou les trois quarts des enfants de moins d'un an). Elle était de l'ordre de 26 ans au XVIIe siècle, 35 ans en 1800, 47 ans en 1900. Elle a donc été multipliée par trois en quatre siècles.

Le vieillissement est moins apparent que par le passé.

Le progrès considérable en matière d'espérance de vie constitue sans doute le plus important de tous ceux accomplis au cours de l'histoire. Il en est aussi d'une certaine façon la synthèse. À une époque où beaucoup de Français s'interrogent sur la qualité de la vie, il est indéniable que la « quantité de vie » dont ils disposent a connu une formidable progression. Cette évolution est d'autant plus remarquable qu'elle s'est accompagnée d'une diminution du vieillissement apparent. Il suffit de comparer des photographies de personnes âgées aujourd'hui de 60, 70 ou 80 ans à celles de personnes du même âge en 1900 (qui étaient beaucoup moins nombreuses) pour se rendre compte que les premières ont l'air plus jeunes. On peut faire le même constat en ce qui concerne leurs capacités physiques ou intellectuelles. Le vieillissement n'est plus perçu comme un phénomène inexorable et destructeur, mais comme une évolution que l'on peut en partie maîtriser, en prenant soin de son corps et de son esprit.

On constate en outre que l'espérance de vie sans incapacité a augmenté encore plus vite que l'espérance de vie simple pendant des décennies, bien que ce phénomène ait connu un arrêt, voire une inversion, au cours des dernières années (p. 157). À 65 ans, l'espérance de vie sans restrictions sur les activités de soins personnels (« avoir des difficultés ou besoin d'aide pour faire sa toilette, s'habiller, etc. ») était de près de 16 ans pour les hommes et 18 ans pour les femmes en 2010. L'espérance de vie sans restrictions dans les activités domestiques (« avoir des difficultés ou besoin d'aide pour faire les courses, les repas, gérer les tâches administratives courantes, prendre ses médicaments, etc. ») était de 15 ans pour les hommes et un peu plus de 14 ans pour les femmes, contre respective-

Près de 20 000 centenaires

Le philosophe grec Démocrite serait mort à l'âge de 103 ans, vers 360 avant notre ère. Mais sa longévité, comme celle d'autres personnages historiques, reste invérifiable. Il en est de même aujourd'hui de celle de vieillards habitant certaines régions du monde (Caucase, Chine, Japon...) où les statistiques d'état civil n'ont pas toujours été fiables.

Le record absolu de la longévité revient donc toujours à la Française Jeanne Calmant, morte à Arles en 1997 à l'âge de 122 ans, 5 mois et 14 jours. La doyenne actuelle est Paule Bonzini, née le 7 juillet 1900 à Marseille (112 ans en 2012). Elle succède à Marie-Thérèse Bardet, décédée le 8 juin 2012 (quelques jours après avoir fêté ses 114 ans), qui était aussi la doyenne des Européens.

La doyenne officielle de l'humanité est l'Américaine Besse Cooper (Tennessee), âgée de 115 ans.

La multiplication du nombre des centenaires est un phénomène assez récent. Dans la France d'avant-guerre, on connaissait moins d'une centaine de personnes ayant franchi ce cap. Elles étaient environ 200 en 1950. Depuis, leur nombre a doublé à chaque décennie. Selon les estimations les plus récentes pour la France métropolitaine (INSEE), il a dépassé 17 000 en 2012 (France métropolitaine). Environ 30 % sont de « jeunes » centenaires (depuis moins d'un an), et plus de 80 % ont moins de 105 ans. Parmi eux, les femmes sont presque six fois plus nombreuses que les hommes.

La progression devrait se poursuivre, l'allongement de l'espérance de vie reposant surtout sur le recul de la mortalité des personnes âgées. Selon les prévisions de l'INSEE, on devrait compter plus de 50 000 centenaires en 2030 et près de 200 000 en 2060. Mais il est impossible d'imaginer les incidences des progrès à venir de la médecine (biotechnologies, utilisation des cellules souches, etc.) comme celles d'éventuelles épidémies ou catastrophes. Le nombre de centenaires augmentera moins vite en tout cas entre 2015 et 2020, du fait de la chute du taux de natalité qui avait eu lieu pendant la Première Guerre mondiale.

Âges et espérances

Espérance de vie par sexe à divers âges (2011, provisoire, en années)

	H	F
Naissance	78,2	84,8
1 an	77,5	84,1
20 ans	58,7	65,3
40 ans	39,7	45,7
60 ans	22,5	27,3

INSEE

ment 10 ans et 12 ans en 1991. Entre 1991 et 2003, le gain avait atteint 3,4 ans pour les hommes et 4,1 ans pour les femmes.

On vit donc aujourd'hui non seulement plus longtemps, mais dans de meilleures conditions de santé et de forme physique. Les causes de cette amélioration sont diverses et complémentaires : traitement des maladies et des pathologies chroniques (hypertension, hypercholestérolémie...) ; suivi médical régulier ; prévention par un contrôle continu des dosages sanguins, urinaires, hormonaux ; activité physique et mentale régulière ; entretien de la peau et de l'apparence ; équilibre alimentaire ; vie sociale plus riche engendrant moins de solitude.

L'espérance de vie est inégale selon les professions...

Les inégalités d'espérance de vie ne concernent pas seulement le sexe. Elles sont également très marquées entre les professions et reproduisent leur hiérarchie, mais de façon plus atténuée chez les femmes. À l'âge de 35 ans, on constate un écart d'espérance de vie de 7 ans chez les hommes et de 3 ans chez les femmes entre les cadres supérieurs et les ouvriers ou ouvrières. Les hommes cadres de 35 ans peuvent ainsi espérer vivre encore 47 ans, contre seulement 41 ans pour les hommes ouvriers. L'espérance de vie d'une femme cadre de 35 ans est de 52 ans, contre 49 ans pour une ouvrière du même âge (ce qui correspond à l'espérance de vie des femmes cadres au début des années 1980).

Pour les hommes comme pour les femmes, le risque de mourir de façon précoce (avant 60 ans) est en outre deux fois plus élevé pour les ouvriers que pour les cadres : il est de 13 % pour un homme de 35 ans s'il est ouvrier, contre 6 % seulement s'il est cadre (respectivement 5 % et 3 % pour une femme). Par ailleurs, la probabilité de décéder avant 60 ans est plus élevée chez les salariés du privé que chez ceux du public, plus diplômés. Elle est plus élevée pour les employés et les ouvriers (en particulier non qualifiés) que pour les professions intermédiaires et, surtout, les « professions intellectuelles supérieures ». Dans les conditions actuelles, un homme ouvrier sur deux n'atteindra pas l'âge de 80 ans, contre seulement un cadre sur trois.

Ces écarts s'expliquent en partie par la nature des professions exercées. Les cadres ont moins d'accidents, de maladies ou d'expositions professionnelles que les ouvriers. Ils appartiennent en outre à un groupe social aux modes de

Quantité et qualité

L'espérance de vie est un indicateur fondamental, qui permet de mesurer l'évolution des conditions de santé et de vie dans le temps et de comparer les écarts entre les pays. On constate ainsi que les habitants de l'Afrique centrale (50,1 ans estimation 2012) vivent en moyenne 30 années de moins que ceux du Canada (80,1 ans) ou d'Europe de l'Ouest (81,0 ans).

Mais la notion d'espérance de vie ne constitue qu'une approche très partielle du destin des individus. Elle ne prend en compte que la « quantité de vie » dont ils disposent, alors que la « qualité » est une donnée essentielle (mais difficile à mesurer). Cette distinction prend aujourd'hui une importance accrue avec le débat sur la notion de « progrès » mis en évidence notamment par les travaux de la commission Stiglitz (p. 287).

D'autre part, à durée de vie égale, tous les individus ne disposent pas de la même durée de « vie éveillée ». Ainsi, une personne qui dort en moyenne cinq heures par nuit aura bénéficié à sa mort d'une durée de vie effective (hors sommeil) supérieure de 19 % à celle qui a dormi huit heures. Surtout, l'espérance de vie « moyenne » ne dit rien sur celle d'un individu en particulier.

Enfin, les chiffres définissant le capital-temps cachent des disparités profondes sur la façon dont ce temps a été utilisé. Certains ont pu faire en quelques années ce que d'autres n'ont pu faire au cours de toute leur vie : rencontres ; activités professionnelles ; voyages ; loisirs ; accumulation de connaissances et d'expériences de toutes sortes. Une autre question est de savoir quel usage on doit faire de sa vie et ce qu'est une « vie réussie ». En tout état de cause, la notion d'espérance de vie est insuffisante pour rendre compte de la destinée des individus. Elle devrait être complétée par celle d'« expérience de vie ».

vie plus favorables à la longévité ; ainsi, les ouvriers recourent moins souvent aux soins et sont plus souvent concernés par l'obésité. Les différences de mortalité entre cadres et ouvriers s'atténuent avec l'âge. Les chômeurs ont aussi un risque de mortalité près de deux fois supérieur à celui des actifs occupés.

... mais l'écart est moins marqué chez les femmes.

L'inégalité entre les professions est de moindre ampleur chez les femmes. Quelle que soit la catégorie sociale, elles vivent plus longtemps que les hommes. Ainsi, les femmes ouvrières vivent en moyenne 1,5 année de plus que les hommes cadres. Cette différence pourrait notamment s'expliquer par un suivi médical plus régulier chez les femmes. Dans les générations les plus anciennes, elles ont moins souvent exercé une activité professionnelle et, lorsque c'est le cas, ont moins été exposées à des risques professionnels que les hommes. Si les risques de mortalité précoce sont similaires, à métier égal, pour les deux sexes, les métiers les plus dangereux pour la santé sont très peu féminisés et les tâches accomplies moins pénibles. Toutefois, les risques d'une mort précoce sont plus grands chez les ouvrières que chez les employées.

Par ailleurs, l'effet protecteur de la vie en couple qui s'observe chez les hommes s'inverse pour les femmes; le célibat féminin est en effet plus fréquent en haut de l'échelle sociale et le mariage s'accompagne plus souvent d'une ascension sociale. Enfin, l'inactivité chez les femmes ne s'accompagne pas d'une moindre espérance de vie. Elle est plus répandue que chez les hommes aux âges intermédiaires et ses causes sont plus fréquemment d'ordre familial. Les hommes inactifs de la même tranche d'âge souffrent plus fréquemment que les femmes d'un mauvais état de santé ou d'un handicap, ce qui explique leur taux de mortalité précoce plus élevé. L'écart est similaire en cas de chômage. Son accroissement depuis 2008 pourrait ainsi avoir des incidences négatives sur l'espérance de vie au cours des prochaines années.

La vie du simple au double

Espérance de vie par grande zone géographique (estimations 2012, en années, moyenne des deux sexes)

Afrique	57,2
Amérique latine et Caraïbes	74,5
Amérique septentrionale	78,9
Asie	70,2
Europe	76,4
Océanie	77,6
Monde	**69,1**

ONU

Les sexes inégaux

L'inégalité d'espérance de vie entre les femmes et les hommes s'est un peu réduite au cours des dix dernières années : elle est passée de 7,6 ans en 2000 à 6,7 ans en 2010. Elle est due en partie à des raisons génétiques (p. 48), mais aussi aux différences de « mortalité prématurée », le taux de mortalité des hommes avant 60 ans étant plus élevé que celui des femmes (p. 46). Mais l'écart se réduit, et avec lui celui de l'espérance de vie à 60 ans, qui n'était plus que de 4,8 ans au début 2012. Au cours de cette décennie, les gains d'espérance de vie ont été proches de trois ans pour les hommes (2,8) pour seulement deux ans chez les femmes (2,0).

On constate que, si les femmes ont une espérance de vie plus longue que celle des hommes, elles vivent aussi plus longtemps avec des incapacités (p. 157). L'espérance de vie à 60 ans des Français est l'une des plus élevées d'Europe, tant pour les femmes (27,3 ans en 2012) que pour les hommes (22,5 ans). Comparativement aux pays ayant un niveau de vie semblable, l'espérance de vie en France est élevée pour les deux sexes, mais l'état de santé perçu par les Français et mesuré dans les enquêtes est plus pessimiste.

EMPLOI DU TEMPS

N. B. Le temps de la vie peut être découpé en quatre grands domaines d'utilisation : travail rémunéré ; satisfaction des fonctions physiologiques (alimentation, sommeil, toilette et soins) ; enfance et scolarité ; déplacements (professionnels et personnels). Le solde entre le temps total disponible et celui représenté par l'ensemble de ces activités constitue le temps libre.

L'évolution sur longue période (graphique p. 100) développée dans ce chapitre a été établie à partir de travaux anciens pour l'année 1900 ; les chiffres concernant 2012 ont été calculés à partir des données les plus récentes. Ils concernent seulement les hommes, du fait de l'absence de données de référence concernant les femmes au début du XXe siècle (révélatrice de la place qu'elles tenaient pour les statisticiens). Bien que ne concernant que la moitié de la population, elles font apparaître de véritables bouleversements dans la répartition des différentes composantes dans la vie des Français.

Les estimations qui suivent devraient idéalement prendre en compte l'espérance de vie estimée d'un homme qui naît aujourd'hui et anticiper l'évolution des différentes composantes de l'emploi du temps de sa vie. Cet exercice de prospective est évidemment impossible, car il porte sur environ 80 ans à venir d'évolutions sociales, technologiques, économiques, politiques. Les hypothèses prises en compte sont donc celles de l'espérance de vie actuelle et des différents temps constitutifs, tels qu'ils peuvent être approchés aujourd'hui.

La moitié du temps de vie est consacrée aux activités physiologiques.

Les Français (hommes) consacrent en moyenne 11 h 36 min par jour au sommeil et aux autres activités physiologiques (définition ci-dessus) selon l'enquête 2010-2011 sur l'emploi du temps des personnes de 15 ans et plus (INSEE), soit la moitié du temps total disponible (48,3 %). Si on extrapole ce chiffre à l'ensemble de la vie depuis la naissance, ce sont au total 37,8 années qui sont consacrées à ces activités sur une durée de vie masculine de 78,2 ans en 2011. On peut sans risque arrondir le temps physiologique à **38 années**, compte tenu notamment de la part croissante prise par l'hygiène corporelle.

Le temps de la scolarité représente en moyenne 18,5 années (espérance de scolarisation à l'entrée à la maternelle, MEN-DEPP, INSEE, 2009) auxquelles s'ajoutent 3 années d'enfance avant le début de la scolarité (le taux de pré-scolarisation à 3-4 ans est de 95 %, INSEE). Il faut retrancher de ces 21,5 années le temps physiologique correspondant, soit 10,4 ans ; il reste alors 11,1 années pleines (journées de 24 heures, semaines de 7 jours, 52 semaines par an) consacrées à l'étude. Si l'on ajoute les périodes de formation continue qui interviennent dans le cours de la vie adulte, on peut estimer le temps d'enfance et de scolarité total à **12 années**.

Le temps de transport est, quant à lui, de 55 minutes par jour pour les déplacements locaux, y compris les temps de trajet domicile-travail pendant la vie active (enquête ENTD 2008), soit 3,0 années sur l'ensemble de la vie. La prise en compte des autres formes de déplacement, en particulier pendant les vacances (estimation : deux semaines par an en moyenne pour les seuls déplacements, sur l'ensemble de la vie) implique d'ajouter également 3,0 années. On aboutit ainsi à un temps total de transport de **6 années**.

Le temps de travail a diminué de moitié au XXe siècle…

Le principal changement dans l'emploi du temps de la vie concerne le temps de travail. Sa durée légale est de 35 heures par semaine pour les salariés concernés par la loi sur la réduction du temps de travail (90 % de la population active). Avec les heures supplémentaires effectuées et après prise en compte des vacances et des jours fériés, cela représente 1 650 heures par an à plein-temps. Mais le temps de travail effectif ne dépasse pas 1 300 heures

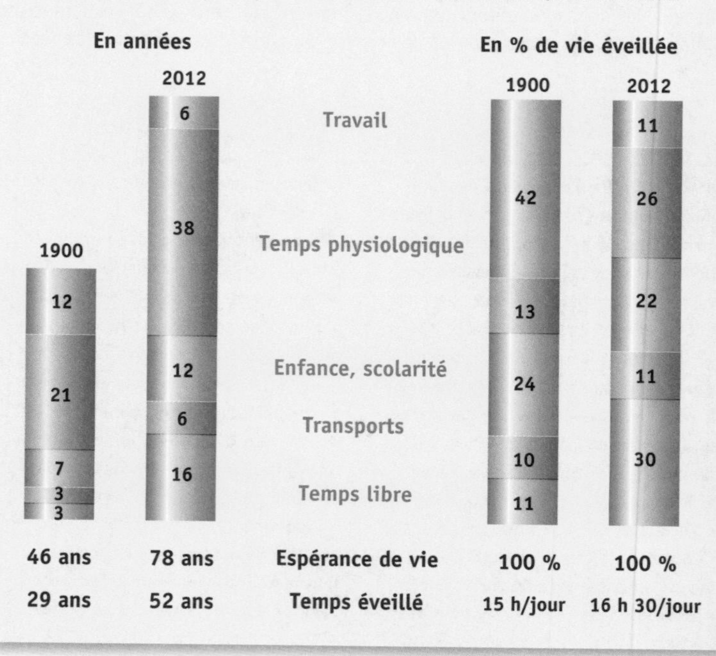

si l'on tient compte du temps partiel (6 % pour les hommes actifs en 2011), de l'absentéisme (estimé à 15 jours par an) et des périodes de chômage (10 % de la durée du travail).

La période active se situe entre l'âge moyen d'entrée dans la vie professionnelle (23 ans) et celui de la cessation effective d'activité, qui a lieu en moyenne à 59 ans (plus tôt que le passage effectif à la retraite, à 61 ans et 11 mois) soit 36 ans de vie active. Cela représente au total 46 800 heures de travail, soit 5,3 années pleines de travail (à raison de 8 766 heures pour une année). Mais ce chiffre est probablement sous-estimé si l'on tient compte de l'impact du travail illégal et du fait que les non-salariés (11 %) travaillent en moyenne davantage que les salariés. On peut alors faire l'hypothèse que la durée de la vie active est de 39 années plutôt que de 36, soit 50 700 heures, ou 5,8 années pleines, arrondies à **6 années.** On constate ainsi que le temps de travail a diminué de moitié en un siècle, alors que l'espérance de vie s'accroissait de près des trois quarts (78,2 ans en 2011 contre 45,9 ans en 1900, soit un gain de 32,3 ans).

... et ne représente plus que 11 % du temps éveillé.

Une autre façon de mesurer l'évolution de l'emploi du temps de la vie est de ne tenir compte que du temps « éveillé », c'est-à-dire en enlevant le temps de sommeil. La dernière enquête INSEE (2010) indique une moyenne de 8 h 24 par jour pour les hommes, mais elle concerne le temps passé au lit et non pas à dormir. D'autres enquêtes (par exemple celle de l'Institut du sommeil et de la vigilance/BVA, 2011) montrent que le temps de sommeil effectif des Français est de l'ordre de 7 heures et demie (moyenne entre les jours de semaine et de week-end), alors qu'il était de 9 heures au début du XXe siècle. Cette diminution sensible s'explique par la moindre fatigue physique liée au travail, la généralisation de la lumière dans les lieux de vie et la présence des équipements de loisir (notamment la télévision et l'ordinateur), qui ont prolongé la durée de veille. Le stress engendré par la vie professionnelle joue sans doute également un rôle dans cette diminution.

Le temps de sommeil véritable compte donc aujourd'hui pour un tiers (31 %) du temps total de vie, soit **24 années.** Le temps éveillé est ainsi de 69 %. Sur une espérance de vie masculine arrondie à 78 ans, il représente donc l'équivalent de **54 années.** Dans cette hypothèse, les 6 années de travail représentent 11 % du temps de vie éveillé. À titre de comparaison, sa part était estimée à 42 % en 1900 et à 48 % en 1800 (voir graphique). Elle a donc presque été divisée par quatre en un siècle.

Le temps libre a été multiplié par cinq depuis 1900...

Le temps libre d'une vie est la différence entre l'espérance de vie moyenne à la naissance (78,2 ans pour un homme) et la durée cumulée des quatre activités détaillées précédemment (au total 62 années). Il représente donc aujourd'hui environ 16 années de la vie moyenne d'un homme, contre 3 années en 1900 et 2 années en 1800.

Cette augmentation considérable du temps libre a entraîné de nombreuses conséquences sur les modes de vie individuels et sur le fonctionnement social. Ce fut le cas en particulier de la mise en place de la semaine de 35 heures (au lieu de 39) à partir de l'année 2000. Elle a d'abord nécessité une période d'apprentissage pour ceux qui en ont bénéficié. Il s'agissait pour certains de perdre l'habitude de travailler comme avant, pour d'autres de ne pas avoir peur d'être « en vacances » lorsque les autres étaient au travail. Surtout, chacun a dû faire des choix entre les multiples façons d'utiliser les heures dégagées. L'un des critères importants est bien sûr le coût des différentes activités de loisirs possibles.

Surtout, cette réforme a remplacé pour les salariés quatre heures de travail (occupées et rémunérées) par quatre heures de temps libre. Ces heures ont été en partie utilisées pour accroître certaines activités domestiques (télévision, Internet, loisirs créatifs...) ou extérieures (téléphonie mobile, pratiques sportives...). Elle a aussi transformé la perception par les Français de leur situation financière (p. 369). Leur revenu de base était resté inchangé puisque la réforme s'est faite « à salaire égal », mais leurs occasions de dépenses ont été stimulées, du fait qu'ils disposaient de plus de temps pour consommer. Cet effet a été largement sous-estimé; il peut pourtant expliquer en partie la sensation de baisse du pouvoir d'achat de la majorité des Français, telle qu'elle ressort dans de nombreuses enquêtes depuis la mise en place de la loi.

... et représente 30 % du temps de vie éveillé.

Ramenées au temps éveillé de la vie (54 ans), les 16 années de temps libre en représentent aujourd'hui près d'un tiers (30 %), contre un dixième au début du siècle (11 %). Il faut noter que la majeure partie de ce temps correspond à la période de la retraite, dont la durée avait doublé entre 1950 et 2000 (p. 159). Mais l'allongement des vacances et la diminution du temps de travail hebdomadaire, qui ont connu une forte accélération depuis le début des années 1980, ont été à l'origine d'importants gains de temps libre pendant la période d'activité.

Le temps d'enfance et de scolarité (12 années) compte pour 22 % du temps éveillé, au lieu de 24 % en 1900, du fait d'un allongement de la vie qui a été supérieur à celui de la durée des études. Le temps de transport (estimé à 6 années) représente 11 % au lieu de 10 %, ce qui signifie que la durée de mobilité s'est accrue au même rythme que celle de la vie, notamment avec l'accroissement du temps libre.

Enfin, la part du temps physiologique (14 années, hors sommeil) a exactement doublé par rapport au niveau qu'elle avait atteint au début du XXe siècle : 26 % contre 13 %.

Au cours du XXe siècle, le temps disponible s'est donc globalement « dilaté », mais ses différentes composantes ont subi des déformations très différentes. La part consacrée au travail s'est considérablement réduite. La période de l'enfance s'est étirée, du fait de l'allongement de la scolarité. Le temps total accordé au sommeil et aux divers besoins d'ordre physiologique est resté globalement plus stable, car on consacre en moyenne davantage de temps à l'hygiène, mais moins à l'alimentation et au sommeil. Conséquence de tous ces mouvements, le temps « libre » a connu une croissance spectaculaire.

Plus de temps libre, moins de liberté ?

Dans sa définition habituelle, la notion de liberté s'oppose à celle de contrainte. Le temps de travail est ainsi généralement considéré comme subi par les actifs, au contraire du temps « libre ». Pourtant, le travail est, au sens pascalien, un « divertissement », dans la mesure où il remplit la vie et empêche de penser à la mort. Il ne serait donc pas si différent du temps libre, dont une grande partie est précisément consacrée à se divertir.

On peut aussi remarquer que le qualificatif « libre » est, dans le langage courant, opposé à « occupé ». Comme une chaise ou une place de parking, une personne peut être en effet libre (disponible) ou au contraire occupée (engagée dans une activité). Or, il est apparent que les Français cherchent de plus en plus à occuper leur temps libre, car la nature (humaine en particulier) a horreur du vide. La démonstration en est donnée par le nombre de leurs activités, à la fois domestiques et hors du foyer. D'autant que l'autonomie demandée par les individus nécessite de plus en plus de temps pour prendre les décisions concernant la vie professionnelle, familiale, sociale ou personnelle. Comme le téléphone portable, le téléviseur ou l'ordinateur, chaque individu reste ainsi en « veille » permanente; comme ces équipements, il consomme de l'énergie.

On peut donc se demander si l'augmentation continue du temps libre se traduit pour le bénéficiaire par une plus grande liberté ou par un asservissement accru. Cette réflexion sur les apports respectifs du travail et du temps libre au « bonheur » devrait être au cœur des débats dans les années à venir. L'interpénétration croissante des notions de travail et de loisir (p. 108) constitue déjà une forme de réponse.

En dix ans, l'emploi du temps de la journée s'est transformé.

La répartition des différentes formes de temps (physiologique, travail, transport, scolarité, libre) n'est pas uniforme tout au long de la vie, compte tenu notamment de la concentration de la vie active entre les âges de début (23 ans en moyenne) et de fin (59 ans en moyenne). La dernière enquête sur l'emploi du temps réalisée par l'INSEE en 2010 a mis en évidence les changements survenus depuis les précédentes enquêtes, qui dataient de 1999 et de 1986.

Le temps physiologique a ainsi diminué de 19 minutes à 11 h 45 min par jour contre 12 h 4 en 1999. Le temps de sommeil est passé de 9 h 3 à 8 h 30, mais la comparaison est faussée par un changement de méthode entre les deux enquêtes (les courtes siestes ou repos, qui étaient inclus dans le sommeil en 1999, ont été comptabilisés en 2010 dans le temps de loisirs) ; si l'on recalcule les chiffres de 1999 sur les mêmes bases, on constate que la durée de sommeil s'est réduite de 13 minutes en onze ans, après avoir baissé de 11 minutes entre 1986 et 1999.

En moyenne, les Français consacrent à leur toilette 14 minutes de plus qu'en 1999, soit un total d'une heure par jour, qu'ils soient actifs ou retraités. Le temps consacré aux repas est resté inchangé (2 h 13 contre 2 h 14 en 1999). Par rapport à 1999, les retraités restent à table 10 minutes de plus par jour, alors que les personnes qui travaillent ont raccourci leur temps de repas de 5 minutes.

Les différences entre les sexes diminuent.

Le temps domestique quotidien est resté stable chez les hommes, mais il

Jours de France

Emploi du temps quotidien des Français selon le sexe (2010, 14 ans et plus, métropole, en heures et minutes

	H	F	Ensemble
Temps physiologique, dont	**11:36**	**11:53**	**11:45**
Sommeil	8:24	8:35	8:30
Toilette, soins	0:57	1:07	1:02
Repas	2:15	2:11	2:13
Temps professionnel et de formation, dont*	**3:55**	**2:39**	**3:15**
Travail professionnel	3:03	1:54	2:27
Trajets domicile-travail/études	0:28	0:19	0:24
Études	0:22	0:25	0:24
Temps domestique, dont	**2:24**	**3:52**	**3:10**
Ménage, cuisine, linge, courses...	1:23	3:03	2:15
Soins aux enfants et adultes	0:14	0:31	0:23
Bricolage	0:25	0:04	0:14
Jardinage, soins aux animaux	0:22	0:14	0:18
Temps de loisirs, dont	**4:24**	**3:46**	**4:04**
Télévision	2:13	2:00	2:06
Lecture	0:17	0:19	0:18
Promenade	0:17	0:17	0:17
Jeux, Internet	0:42	0:26	0:33
Sport	0:14	0:06	0:09
Temps de sociabilité (hors repas), dont	**0:51**	**0:57**	**0:54**
Conversations, téléphone, courrier	0:17	0:21	0:19
Visites, réceptions	0:28	0:30	0:29
Temps libre (loisirs et sociabilité)	**5:14**	**4:43**	**4:58**
Transport (hors trajet domicile-travail)	**0:50**	**0:53**	**0:52**
Total	24 h	24 h	24 h

* Moyennes par jour, y compris samedi, dimanche et vacances (multiplier par 7 pour obtenir la durée hebdomadaire de travail).

INSEE

a diminué chez les femmes, en particulier chez celles qui n'ont pas d'emploi (une demi-heure de moins par jour depuis 1999). Cette évolution confirme la baisse déjà observée entre 1986 et 1999. L'écart entre les hommes et les femmes s'est réduit, mais il représente encore une heure et demie par jour. Les hommes passent 10 minutes de moins que les femmes à se préparer (toilette, soins).

Les femmes passent 10 minutes de moins dans la cuisine qu'en 1999, alors que le temps masculin n'a pas changé. La consommation de produits transformés a fortement augmenté au détriment des produits qui demandent plus de temps de préparation. Parallèlement, le recours à la livraison de plats cuisinés a augmenté de 7 points et concerne près d'un ménage sur cinq (16 %). Le temps consacré aux courses a diminué de 9 minutes entre 1999 et 2010, mais le recours à la livraison à domicile n'a augmenté que de 2 points (11 % de la population). La pratique des courses sur Internet est encore très faible, à moins de 1 %.

Par ailleurs, le temps de ménage a diminué de 8 minutes par jour en moyenne, alors que la proportion de ménages faisant appel à une aide ménagère rémunérée a augmenté de 2,5 points, à 12 %. Le temps consacré aux soins aux enfants et aux adultes a augmenté de 5 minutes. Ce sont les parents de familles nombreuses, dont au moins un des enfants a moins de 3 ans, qui sont les plus concernés, avec une hausse moyenne de 30 minutes par jour depuis 1999.

Les hommes n'accordent pas plus de temps aux tâches domestiques qu'en 1999, mais le répartissent différemment : moins de temps dévolu aux tâches dites de semi-loisirs, comme le bricolage (– 8 minutes), plus de temps consacré aux enfants et au ménage (+5 minutes chacun).

Le temps de travail a diminué de 11 minutes par jour.

Le temps de travail quotidien ramené à l'ensemble de la population (y compris en dehors du lieu de travail) a diminué en moyenne de 11 minutes pour les hommes, alors qu'il est resté stable pour les femmes. Le taux d'emploi des hommes de 15 à 65 ans a peu varié entre 1999 et 2010, alors qu'il est passé de 51 % à 57 % pour les femmes. Quant à la durée effective de travail (calculée sur la population ayant un emploi), elle a diminué de 20 minutes par jour, pour les hommes comme pour les femmes, sous l'effet de la mise en place de la semaine de 35 heures, déjà amorcée en 1998.

Les hommes ayant un emploi ont travaillé en moyenne 37 h 15 par semaine en 2010 (sur l'ensemble de l'année, en tenant compte des semaines de vacances) contre 19 h 05 pour les femmes, compte tenu de l'importance du temps partiel chez ces dernières (p. 301). Les cadres et les professions libérales ont les horaires les plus longs : 35 h 52 par semaine, devant les ouvriers (33 h 05), les professions intermédiaires (31 h 24) et les employés (30h25). Le temps de travail quotidien des indépendants a diminué d'environ une heure, du fait notamment de l'allongement de la durée de leurs congés (en moyenne 5 jours de plus qu'en 1999). Mais ils continuent de travailler sensiblement plus longtemps que les salariés, avec un écart hebdomadaire de 10 heures 30 (contre 14 heures 30 en 1999).

La diminution du temps de travail ne s'est pas intégralement reportée sur des activités extra-professionnelles. Pour les personnes ayant un emploi, les trajets domicile-travail en ont consommé une partie : 7 minutes en moyenne depuis 1999. Le temps disponible varie de façon sensible selon les personnes et les moments de la vie. Ainsi, près des deux tiers des Français n'exercent pas d'activité professionnelle (enfants, étudiants, inactifs, chômeurs, retraités...). Ils n'ont pas les mêmes contraintes ni la même perception du temps que les actifs.

Le temps des loisirs

Le temps libre des Français (15 ans et plus) représentait 4 h 58 en 2010, soit 7 minutes de plus qu'en 1999. La moitié (2 h 30) est passée devant un écran, hors raisons professionnelles. La télévision en représente l'essentiel (p. 453), mais les plus jeunes, lycéens et étudiants, l'ont en partie remplacée par l'ordinateur ; ils consacrent un temps croissant aux écrans de *smartphones* ou de tablettes numériques.

Interrogés sur les changements qu'ils souhaiteraient apporter à leur emploi du temps s'ils le pouvaient, la moitié des Français ayant participé à l'enquête Emploi du Temps 2010 de l'INSEE déclarent qu'ils consacreraient davantage de temps aux loisirs. C'est le cas de 60 % des personnes qui travaillent, les retraités étant légitimement moins demandeurs. Le constat est identique pour le temps passé avec la famille.

45 % des personnes actives souhaiteraient également dormir davantage, contre 12 % des retraités, qui dorment en moyenne 35 minutes de plus. Un tiers des personnes ayant un emploi aimeraient consacrer moins de temps à travailler, et un dixième aimerait au contraire y passer plus de temps. Les proportions de cadres, ouvriers ou employés qui souhaiteraient travailler davantage sont semblables. Aux yeux des Français, l'allongement de la durée de la vie devrait s'accompagner de celui des journées.

Relation au temps

Le rapport au temps est paradoxal.

Depuis le début de l'ère industrielle, les Français n'ont jamais disposé d'un capital-temps aussi abondant (p. 95). La dernière décennie a été sur ce plan décisive, avec le passage à la semaine de travail de 35 heures. Pourtant, de nombreuses enquêtes font apparaître un sentiment général de manque de temps. Les plus concernées sont les femmes, qui doivent mener de front plusieurs existences. L'aisance financière ne réduit pas cette impression, au contraire : plus on dispose d'un revenu élevé et plus on se plaint du manque de temps, avec un maximum chez les cadres supérieurs. Si l'argent permet d'acheter du temps, sous la forme de services de toutes sortes, il ne semble jamais suffisant à ceux qui en disposent.

Ce paradoxe temporel, caractéristique de l'époque, a plusieurs causes. Il est dû en partie par le fait que le supplément de temps libre n'est pas réparti uniformément au cours de la vie ; il est en effet surtout concentré pendant la période de retraite. De plus, une partie non négligeable du temps disponible est utilisée pour se rendre des services à soi-même, dans un souci d'économie, de satisfaction personnelle ou d'indépendance. Par ailleurs, les offres commerciales sont de plus en plus complexes et les consommateurs de plus en plus attentifs à choisir la « meilleure ». Ils peuvent ainsi passer des heures à les comparer, d'autant plus qu'elles changent en permanence. La disposition de nouvelles technolo-

La journée des actifs et des inactifs

Emploi du temps quotidien des Français selon l'occupation (2010, 15 ans et plus, métropole, en heures et minutes)

	Étudiants, lycéens		Salariés		Indépen-dants		Chômeurs		Femmes au foyer	Retraités	
	H	F	H	F	H	F	H	F		H	F
Temps physiologique, dont	**11:49**	**12:10**	**11:09**	**11:23**	**10:59**	**11:28**	**11:57**	**12:07**	**12:09**	**12:18**	**12:24**
Sommeil	9:10	8:59	8:05	8:15	7:54	8:17	8:45	8:47	8:49	8:38	8:49
Toilette, soins	0:49	1:08	0:53	1:03	0:51	1:02	0:56	1:11	1:03	1:07	1:12
Repas	1:50	2:03	2:11	2:05	2:14	2:09	2:16	2:09	2:17	2:33	2:23
Temps professionnel et de formation, dont*	**4:48**	**4:42**	**5:50**	**4:48**	**7:35**	**5:01**	**0:49**	**0:21**	**0:04**	**0:12**	**0:04**
Travail professionnel	0:33	0:24	5:03	4:07	6:48	4:35	0:38	0:13	0:02	0:10	0:03
Trajets domicile-travail/études	0:31	0:26	0:45	0:37	0:47	0:24	0:09	0:03	0:01	0:01	0:00
Etudes	3:40	3:49	0:01	0:02	0:00	0:00	0:00	0:01	0:00	0:00	0:00
Temps domestique, dont	**0:50**	**1:27**	**2:06**	**3:27**	**1:27**	**3:28**	**3:23**	**4:56**	**5:38**	**3:31**	**4:25**
Ménage, cuisine, linge, courses...	0:40	1:11	1:11	2:36	0:52	2:37	2:16	3:54	4:16	1:56	3:47
Soins aux enfants et adultes	0:03	0:07	0:19	0:37	0:12	0:33	0:17	0:46	1:04	0:08	0:12
Bricolage	0:05	0:02	0:22	0:05	0:13	0:04	0:34	0:04	0:03	0:38	0:04
Jardinage, soins aux animaux	0:02	0:07	0:14	0:09	0:10	0:14	0:16	0:12	0:15	0:49	0:22
Temps de loisirs, dont	**4:35**	**3:19**	**3:28**	**2:48**	**2:38**	**2:22**	**5:34**	**4:07**	**4:18**	**6:03**	**5:15**
Télévision	1:27	1:19	1:52	1:27	1:23	1:10	2:39	2:22	2:38	3:07	2:53
Lecture	0:08	0:10	0:09	0:14	0:10	0:18	0:09	0:12	0:16	0:39	0:36
Promenade	0:09	0:18	0:10	0:12	0:10	0:10	0:25	0:19	0:18	0:30	0:24
Jeux, Internet	1:47	0:52	0:33	0:18	0:13	0:11	1:06	0:38	0:21	0:36	0:27
Sport	0:30	0:09	0:14	0:07	0:10	0:07	0:19	0:05	0:04	0:10	0:04
Temps de sociabilité (hors repas), dont	**1:12**	**1:24**	**0:43**	**0:45**	**0:42**	**0:46**	**1:04**	**1:13**	**0:54**	**0:55**	**1:01**
Conversations, téléphone, courrier	0:22	0:39	0:16	0:19	0:15	0:21	0:20	0:23	0:17	0:16	0:20
Visites, réceptions	0:48	0:42	0:24	0:24	0:19	0:19	0:38	0:46	0:30	0:28	0:34
Temps libre (loisirs et sociabilité)	**5:47**	**4:44**	**4:11**	**3:33**	**3:20**	**3:08**	**6:38**	**5:20**	**5:12**	**6:58**	**6:17**
Transport (hors trajet domicile-travail)	**0:47**	**0:58**	**0:44**	**0:49**	**0:38**	**0:55**	**1:13**	**1:16**	**0:56**	**1:00**	**0:50**
Total	24 h	24 h	24 h	24 h	24 h	24 h	24 h	24 h	24 h	24 h	24 h

* Moyennes par jour, y compris samedi, dimanche et vacances (multiplier par 7 pour obtenir la durée hebdomadaire de travail).

INSEE

gies de communication (téléphone portable, ordinateur connecté à Internet) a facilité les comparaisons, mais elle a accru le temps qui leur est consacré.

D'une manière générale, l'usage des médias est de plus en plus chronophage. Les Français consacrent chaque jour un temps croissant aux écrans (télévision, ordinateur, téléphone, p. 435). Les « chronodépendants », esclaves des outils qui consomment et consument le temps, sont de plus en plus nombreux, au contraire des « chronomaîtres », capables de le gérer.

Une autre explication du paradoxe temporel tient à l'accroissement très rapide du nombre de sollicitations marchandes reçues par chaque individu, qui sont autant d'invitations et d'incitations à utiliser le temps (et l'argent) dont il dispose. Le désir d'essayer tous les produits vantés par la publicité, de pratiquer toutes les activités proposées, de vivre toutes les expériences possibles entraîne dans certains cas une boulimie de consommation. Il engendre aussi souvent une frustration ; il faudrait en effet disposer de nombreuses vies pour satisfaire toutes les envies, spontanées ou provoquées.

Le temps perçu s'est raccourci.

L'homme et la femme modernes sont des individus pressés. Le souci de la rapidité est présent dans tous les actes de leur vie courante. On court pour aller prendre son train, on s'efforce de réduire le temps de préparation de ses repas en réchauffant des plats surgelés au four à micro-ondes ou en se faisant livrer à domicile. Avec la télécommande, on zappe d'une chaîne de télévision à l'autre et l'on « regarde » plusieurs émissions à la fois.

Le téléphone portable est utilisé en marchant, en conduisant (avec les risques que cela implique), voire en mangeant. Internet est employé pour rédiger et envoyer rapidement son courrier, effectuer ses achats, trouver des informations ou faire des rencontres virtuelles. La généralisation du haut débit a permis de réduire le temps d'affichage des pages, mais pas le temps total passé devant l'écran (p. 496). Sur les sites marchands, les acheteurs potentiels peuvent en quelques clics commander un produit, mais la comparaison préalable des offres leur prend beaucoup de temps. L'invention de l'« hypertexte » (liens cliquables présents sur les pages internet) incite à passer d'un sujet à un autre en oubliant parfois l'objet initial de sa recherche, et pousse souvent à y passer plus de temps que prévu.

Pour beaucoup de Français, il est devenu insupportable d'attendre, que ce soit aux caisses des magasins, aux guichets de l'Administration, chez le médecin ou à l'hôpital (les malades sont improprement qualifiés de « patients »). Il en est de même dans les embouteillages, au téléphone pour obtenir une information, devant une page qui ne s'affiche pas instanta-

La réaction en chaîne des 35 heures

Le passage de la semaine de 39 heures de travail à 35 heures a représenté une diminution de 10 %. Elle a eu en réalité un effet beaucoup plus important sur le temps de loisir. Il a par exemple augmenté de 25 % pour un salarié qui s'est vu attribuer une demi-journée de liberté supplémentaire par semaine, s'ajoutant aux deux journées de week-end dont il bénéficiait déjà. Cet effet de levier a entraîné une véritable réaction en chaîne, dont on n'a guère étudié les effets alors qu'ils sont considérables.

Comme la nature en général, la nature humaine a horreur du vide. Le temps libre dégagé est donc un temps qu'il faut « occuper ». Mais il peut difficilement être utilisé de façon totalement gratuite. Les tentations sont en effet très nombreuses, dans une société hédoniste, d'acheter des « satisfactions » de toute nature à travers les produits, services et biens d'équipement proposés par le système marchand. Mécaniquement, le fait de disposer de plus de temps pour profiter de ces plaisirs entraîne une dépense plus importante ; les heures de « loisir marchand » coûtent de l'argent, alors que les heures de travail en rapportent.

C'est là l'une des explications possibles de l'impression, si répandue depuis quelques années en France, que le pouvoir d'achat diminue ; on a d'ailleurs pu observer un accroissement de ce sentiment avec la mise en place des 35 heures, en particulier chez ceux dont le salaire est modeste. Il est en effet impossible à qui que ce soit (y compris le plus aisé) de remplir toutes les heures disponibles en profitant de tous les bienfaits de la société de consommation. D'autant que celle-ci, dans le contexte délétère actuel, tend à devenir une « société de consolation » (p. 377). Consommer est une façon d'exister dans le présent de ne pas penser à l'avenir. La fameuse affirmation de Pascal peut être doublement détournée : *« Je dépense, donc je suis. »*, mais aussi *« Je dépense, donc je fuis. »*

nément sur un écran. Dans les hypermarchés, le temps moyen passé pour faire ses courses était de 90 minutes en 1980 ; il a été divisé par plus de deux en trente ans, alors que le nombre de produits référencés s'est largement accru. Les distributeurs sont allés dans ce sens en proposant des caisses automatiques, des livraisons à domicile ou plus récemment des *drives* (pour récupérer ses courses en voiture).

Dans la vie professionnelle, les actifs se disent volontiers surchargés, et l'organisation de réunions tient souvent du parcours du combattant. Dans la vie extraprofessionnelle, l'organisation d'un simple dîner entre amis est tout aussi compliquée ; elle implique souvent des changements de date, des désistements de dernière minute, des retards de la part des personnes conviées. On a même constaté dans les ascenseurs que le bouton le plus utilisé est celui de la fermeture rapide des portes, alors que c'était auparavant celui du rez-de-chaussée (étude Otis). Faire les choses rapidement donne l'impression de vivre intensément. La contrepartie, qui rejoint la théorie de la relativité d'Einstein, est que *« plus l'on va vite et plus le temps est court »*.

Les Français recherchent les « temps forts » et rejettent les « temps morts ».

Le temps gagné par les individus-consommateurs est réinvesti dans les activités qui leur procurent le plus de satisfaction, c'est-à-dire généralement les loisirs. L'art très contemporain de la gestion du temps est orienté vers la réduction des « temps morts » ou perçus comme désagréables (attentes dans les magasins, embouteillages, recherche de places de stationnement...) au profit des « temps forts », que l'on cherche à multiplier et à prolonger.

On observe ainsi un étalement des temps qui étaient autrefois concentrés et vécus comme des contraintes. C'est le cas notamment des courses, qui peuvent être faites à d'autres moments de la semaine que le samedi après-midi. Les temps de loisir sont aussi mieux répartis tout au long de la semaine et de l'année (c'est le cas notamment des vacances), les transports en commun sont utilisés de façon plus harmonieuse. Les Français souhaitent d'ailleurs un élargissement des heures d'ouverture des magasins et des services publics, afin de favoriser cet étalement. Ils sont en revanche plus partagés en ce qui concerne l'ouverture des commerces le dimanche, sauf à Paris où 65 % des habitants y sont favorables (Casino/TNS Sofres, novembre 2011). La libération du samedi a facilité dans les catégories « populaires »

La tentation de la lenteur

La difficulté qu'éprouvent les Français à gérer le temps dont ils disposent rend celui-ci d'autant plus rare et précieux à leurs yeux. La frustration qui en résulte explique la résistance croissante des consommateurs au système marchand (p. 374) et conduit à des modes de vie plus austères, ascétiques, voire régressifs (au sens d'un retour à des pratiques antérieures). Elle a favorisé l'apparition de contre-cultures et de formes nouvelles de marginalité. C'est le cas par exemple du mouvement *slow food*, connu également sous le nom d'écogastronomie, fondé en 1986 en Italie en réaction au *fast food* (restauration rapide, synonyme pour certains de « malbouffe »).

D'une façon plus générale, la *slow life* est une revendication croissante de la part des urbains stressés. Elle explique par exemple le mouvement de néoruralité (p. 170), qui autorise un rythme de vie plus lent que celui des villes et une plus grande harmonie avec la nature. Le développement des produits alimentaires biologiques est associé à celle d'une forme d'agriculture moins intensive, qui laisse le temps aux légumes et aux fruits de mûrir. On observe aussi un engouement pour des pratiques comme le yoga, la marche, le bouddhisme, la sophrologie, les gymnastiques douces ou des thérapies destinées à désintoxiquer les « drogués » du temps. La sensation d'avoir le temps ou de le prendre est un plaisir rare et cher.

Le succès des campagnes menées par les pouvoirs publics pour réduire les excès de vitesse en voiture constitue une autre illustration de cette tendance. S'il s'explique en partie par la peur du gendarme, il montre aussi que les Français sont conscients que la vitesse tue, parce qu'elle est la cause principale des accidents mortels (p. 65), mais aussi de façon symbolique. La fin tragique du Concorde (en juillet 2000) n'a pas accéléré les projets d'avions supersoniques ; le luxe n'est plus aujourd'hui de traverser l'Atlantique en trois heures, mais plutôt en quelques jours sur un paquebot. Confrontés à l'accélération du temps et à la moindre durée de vie des objets qui les entourent, beaucoup de Français souhaitent réapprendre la lenteur. Et pouvoir « perdre » du temps plutôt que chercher à tout prix à en gagner.

un rapprochement avec les pratiques en vigueur dans les milieux aisés ou chez les retraités.

Cette course toujours renouvelée contre le temps est en fait une course contre la mort ; il s'agit de « tuer le temps » avant d'être tué par lui. Cette nouvelle relation au temps entraîne notamment un nouveau rapport au corps (p. 20). L'objectif est de rester jeune longtemps sans laisser paraître les marques ou les stigmates du vieillissement. Le recours croissant aux crèmes antirides, aux antioxydants ou à la chirurgie esthétique en témoigne. Mais la lutte est épuisante, souvent vaine, et elle engendre beaucoup de stress, parfois de déception, parmi ceux qui la mènent. La volonté d'occupation de son temps engendre la suroccupation... puis la préoccupation. C'est pourquoi certaines personnes, lassées de cette fuite en avant, redécouvrent les vertus de la lenteur (encadré).

Les activités de la vie sont de plus en plus mélangées.

Les différents temps de la journée sont de moins en moins exclusifs et univoques. Ils se mélangent les uns aux autres dans un *zapping* généralisé. On peut ainsi s'occuper de ses affaires personnelles sur son lieu de travail, mais aussi travailler chez soi le soir ou le week-end. On peut regarder le journal télévisé en dînant, comme le font de nombreuses familles, ou en faisant sa culture physique, téléphoner en marchant, écouter de la musique ou jouer avec un *smartphone* ou une tablette tactile dans les transports en commun, lire un journal en écoutant la radio, etc. Pour la plupart des Français, le temps n'est plus découpé de façon linéaire, avec une succession de moments distincts (professionnels, familiaux ou personnels...).

La tendance est de faire plusieurs choses à la fois, au risque d'avoir une moindre efficacité pour chacune d'elles. Le téléphone portable a été l'outil emblématique de cette révolution. Il a favorisé la confusion des genres et donné la possibilité de laisser ouvertes jusqu'à la dernière minute toutes les options dans la gestion de l'emploi du temps, sans obligation de planification. Grâce à lui, le temps n'était plus figé mais flexible, voire élastique. Les temps de la vie se sont ainsi de plus en plus déstructurés. Les heures de repas sont devenues moins rigides et la pratique du grignotage a été favorisée (p. 189). Les Français ne sont plus « synchrones » (avec une conception unique du temps) mais « polychrones » ; ils fonctionnent avec plusieurs temps, qui s'entremêlent tout au long de la journée, de la semaine et de la vie.

Le temps relatif

La théorie de la relativité d'Einstein s'applique au temps tel qu'il est perçu et vécu par chaque individu. Il est d'abord appréhendé différemment selon l'âge ; on est plus pressé lorsqu'on est jeune que lorsqu'on est âgé. Cependant, il est prouvé que l'écoulement du temps paraît plus rapide au fur et à mesure qu'on avance en âge. La perception varie aussi selon la profession ; les cadres sont plus impatients que les employés ou les agriculteurs, pour des raisons objectives (emploi du temps surchargé) ou subjectives (volonté de se donner l'image de quelqu'un de débordé). Le temps ressenti diffère enfin selon le système de valeurs : certains ont une vision positive du temps qui s'écoule et qui leur apporte chaque jour un peu plus d'expérience et de sagesse ; d'autres acceptent mal la lutte permanente (et finalement vaine) qu'ils mènent contre lui.

La durée perçue du temps diffère aussi selon l'usage qui en fait. Ainsi, les minutes consacrées à faire la queue à la caisse d'un hypermarché semblent durer plus longtemps que celles que l'on consacre à ses loisirs favoris. À durée égale, la « valeur » du temps est plus grande lorsqu'il est consacré à une activité jugée agréable. Il en est de même dans toutes les circonstances de la vie : le temps n'a pas la même durée (perçue) selon qu'on se trouve dans un aéroport ou dans l'avion, qu'on attend un appel téléphonique ou qu'on parle avec son interlocuteur, etc. Les « temps morts » sont de plus en plus rejetés, au bénéfice des « temps forts » (p. 107).

Enfin, le temps a été pendant des siècles indiqué de manière « relative » par les outils qui permettaient de le mesurer. Les aiguilles de la montre « analogique », comme l'ombre de l'aiguille du cadran scolaire, se positionnent sur un cercle et permettent de situer le temps écoulé (ou à venir) entre deux positions. Cette perception a changé avec l'arrivée des montres « digitales ». L'écran fournit une heure « absolue » sous forme de chiffres ; on ne peut plus visuellement la relier à une autre heure et la notion de durée disparaît. L'instant présent est ainsi déconnecté de ceux qui l'ont précédé et qui vont le suivre.

Un nouvel espace-temps

Les progrès considérables en matière de communication ont non seulement transformé la relation au temps, mais aussi à l'espace. Le vieux rêve de l'ubiquité a été réalisé grâce aux moyens de transport et surtout à l'électronique et l'informatique. Le téléphone portable permet d'être physiquement présent à un endroit et virtuellement à un autre (par le texte, le son ou l'image). Internet a accru cette faculté dans des proportions considérables, en autorisant ce qu'on a baptisé de façon paradoxale le « temps réel ». Le GPS indique ainsi en instantané et en continu où on se trouve et guide automatiquement vers la destination choisie. Le TGV (train à grande vitesse) a aussi changé la vie des Français. Il a modifié la perception du territoire et des distances entre les villes ou entre les régions. Il a réduit sensiblement le temps nécessaire pour se rendre dans celles qui sont reliées. La carte ci-dessous montre la France ainsi « anamorphosée », en tenant comptes non plus de la distance mais du temps, devenu une façon de représenter l'espace.

Le temps est aussi devenu de l'information, matière première essentielle de ce début de troisième millénaire. Le « travail du temps », caractéristique de la société de communication, a pris plus de place dans la vie que le temps du travail. En témoigne d'ailleurs le nombre croissant de Français qui suivent des séminaires ou recourent à un *coach* pour apprendre à mieux gérer leur temps. L'accroissement de la vitesse des échanges et le raccourcissement des durées qui en sont résulté ont autorisé des relations nouvelles entre les individus.

Mais cette révolution a engendre aussi des problèmes nouveaux, en supprimant les repères temporels et spatiaux traditionnels. La « réalité virtuelle » est fondée sur une disparition de l'espace réel. Face à ce malaise socio-temporel, l'homme « postmoderne » ou « hypermoderne », va devoir se réapproprier le temps, en distinguant notamment ce qui est urgent et ce qui ne l'est pas, et se resituer dans l'espace en adoptant de nouveaux repères.

Les Français ne parviennent plus à se projeter dans l'avenir...

En bons Gaulois, les Français ont tendance à craindre que « le ciel leur tombe sur la tête » et que l'avenir soit porteur de difficultés dans leur vie personnelle (santé, intégrité physique et mentale...), familiale (divorce, séparation...) ou professionnelle (licenciement, perte d'emploi...). Le pessimisme national constitue un record ; il concerne heureusement davantage la vie collective que la vie individuelle (p. 227). Il se nourrit des menaces économiques, écologiques, démographiques, nucléaires, climatiques, géopolitiques ou terroristes. Si elle constitue une singularité nationale, cette crainte repose aussi sur une donnée objective : le temps qui passe rapproche chacun de sa propre disparition ; il est moins un allié qu'un ennemi. Son déroulement est en outre de plus en plus imprévisible, donc inconfortable.

Dans ces conditions, les Français éprouvent de plus en plus de difficulté à se projeter dans l'avenir, d'autant que la promesse religieuse d'un paradis « ailleurs et plus tard » apparaît moins convaincante dans une société laïque. La tentation est alors de vivre dans l'instant et d'adopter la stratégie du *carpe diem*. Cette culture de l'immédiat est favorisée par l'accélération du temps et la contraction de l'espace. Internet et les nouveaux modes de communication multimédias et interactifs sont les symboles de l'ubiquité et de la transformation de l'espace-temps dans le monde contemporain.

La difficulté à envisager le futur, mais aussi à se sentir à l'aise dans le présent, explique la nostalgie de beaucoup de Français et leur tendance à idéaliser le passé (le « bon vieux temps ») et à penser que « c'était mieux avant ». Ce grand mouvement de régression temporelle s'est traduit par un intérêt croissant pour les traditions, la mémoire, l'histoire, les origines de l'humanité, les commémorations. Il a aussi une dimension individuelle, avec un intérêt pour son propre passé, notamment son enfance, la généalogie, les produits *collector*, *vintage* ou les nombreuses émissions de télévision fondées sur les images d'archives.

... et préfèrent vivre dans le présent plutôt que planifier l'avenir.

La transformation de la relation au temps s'est d'abord accompagnée d'un transfert général du collectif vers l'individuel. Elle explique la place croissante des communautés, des « tribus », des identités régionales ou des corporatismes, qui sont autant de façons de ne pas se sentir seul et de se défendre ses intérêts. Elle traduit l'hésitation des Français à s'impliquer dans la durée et

La France en train

Carte de France établie à partir des temps d'accès entre les principales villes par le réseau ferroviaire SNCF

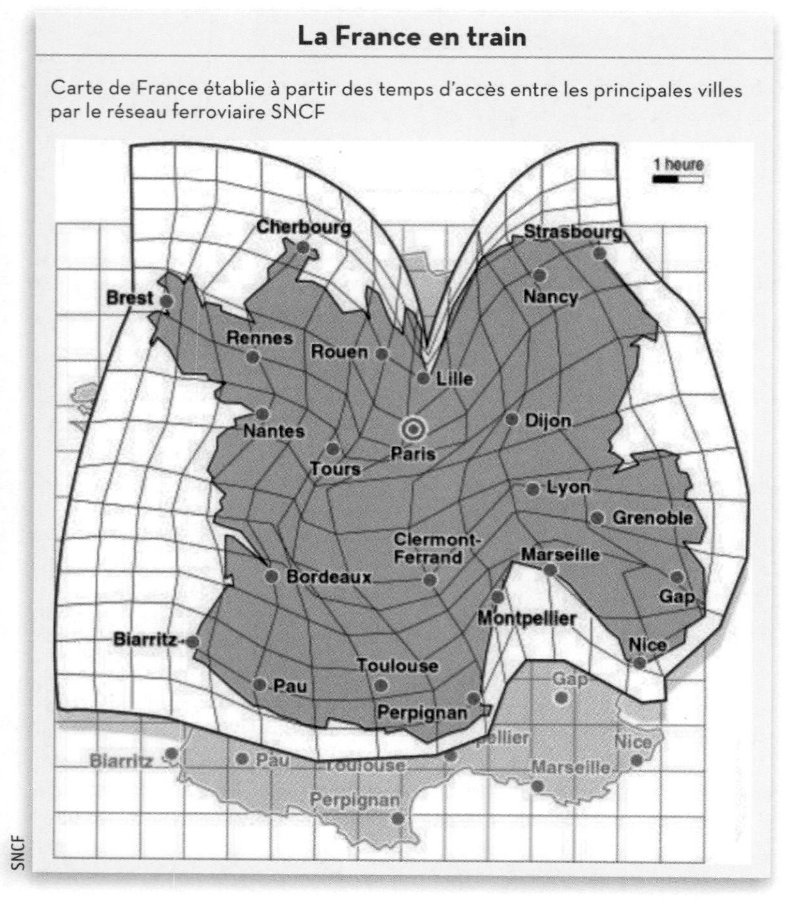

leur préférence croissante pour des expériences courtes et renouvelées. Elle marque la prépondérance de l'improvisation sur la planification. Cette difficulté ou parfois impossibilité à anticiper l'avenir est illustrée par exemple par le développement des « ventes de dernière minute » en matière de tourisme ou de réservations de spectacles.

Le temps individuel est celui du présent et de l'instant. Il ne fait guère de place aux projets à long terme, encore moins aux utopies. Face aux enjeux de la modernité, les deux principales réponses ont été le « principe de précaution », parfois paralysant, prôné par les *Mutins* et la poursuite à marche forcée de la mondialisation et de la « technologisation » recommandée par les *Mutants* (p. 261). Face aux risques de changement permanent, il est devenu essentiel d'être flexible, de s'adapter au changement pour « passer entre les gouttes » ou tirer avantage des occasions qui se présentent, dans une démarche opportuniste.

Dans la civilisation en préparation, la notion de futur est de plus en plus oubliée. L'individu contemporain s'interroge sur le sens et la réalité du « progrès » (p. 287). S'il est conscient de l'avancée spectaculaire de la science, de la technologie et de leurs promesses d'avenir, il est conscient que leurs réussites sont ambivalentes et redoute qu'elles conduisent à des catastrophes majeures dans un monde de plus en plus globalisé. C'est pourquoi il préfère se situer dans le temps présent. Il y recherche des satisfactions immédiates et renouvelées qui sont susceptibles de remplir le vide existentiel dans lequel il se trouve plongé.

Le temps qui passe n'est pas indifférent au temps qu'il fait.

La préoccupation croissante des Français pour le « temps » concerne l'autre acception du terme, en matière météorologique. Les prévisions météo constituent en effet la première demande en matière d'information dans les médias, où elle occupe une place privilégiée. Cet intérêt pour le temps qu'il fait (ou qu'il fera) témoigne de la volonté des humains de se resituer dans la nature et de leur crainte que celle-ci ne soit détruite par l'activité humaine.

Comme leur nom le suggère, les « conditions » météo conditionnent le moral de la journée, la circulation des week-ends, la fréquentation des lieux de vacances. Les différences de climat expliquent en grande partie les migrations de population entre les régions, dans lesquelles l'héliotropisme (recherche du soleil) joue un rôle croissant. Le temps qu'il fait est au centre des conversations quotidiennes ; il représente le dernier lien entre les urbains et la campagne. C'est pourquoi les Français restent proches des saisons, comme en témoigne par exemple leur attachement à l'heure d'été, introduite dans la plupart des États membres de l'Union européenne au cours des années 1970 (elle l'avait été en 1916 au Royaume-Uni et en Irlande) et généralisée depuis 1996.

Les changements climatiques de ces dernières années et la perspective d'un réchauffement planétaire entretiennent le sentiment d'une dégradation de l'environnement. Ils illustrent le processus destructeur mis en œuvre par les Humains, qui, après avoir concerné les espèces végétales et animales, pourrait les concerner directement. La canicule de l'été 2003 avait constitué à cet égard un véritable coup de semonce, responsable d'environ 15 000 décès anticipés de personnes âgées. L'inquiétude quant au temps qu'il fait n'est pas sans lien avec celle qui concerne le temps qui passe. Ni avec celui qui reste à vivre chaque individu, ou à l'Humanité tout entière.

Les rythmes sociaux se transforment.

Les rythmes collectifs étaient autrefois imposés par la religion, les saisons et le travail agricole, les obligations physiologiques (repas et repos). Ils ont été modifiés par le travail industriel (et les congés annuels qui le ponctuaient), puis les médias de masse comme la télévision (avec les grands rendez-vous d'information et de divertissement). Ces rythmes sociaux induisaient aussi des rites (religieux ou laïques) et fournissaient des points de repère. Mais ils sont de moins en moins compatibles avec les rythmes individuels, dans lesquels l'humeur et l'improvisation tiennent une place croissante. Le temps à soi (et pour soi) est désormais prépondérant par rapport au temps des autres.

Le découpage traditionnel de la vie entre formation, travail et retraite apparaît aussi de plus en plus artificiel. Il ne correspond plus à la demande sociale, ni aux nécessités économiques. Les Français souhaitent pouvoir alterner au cours de leur vie des périodes d'apprentissage, de travail et de loisirs. La lutte contre le chômage pourrait ainsi être facilitée par la mise en place d'un travail à temps choisi, qui correspondrait en outre à l'évolution des mentalités et aux possibilités offertes par les outils technologiques. Il permettrait non seulement de mieux partager l'emploi, mais aussi

d'accroître la motivation des travailleurs, qui seraient à la fois plus efficaces et plus satisfaits.

La société devra demain être capable de répondre à des besoins de rapidité, d'efficacité, ou d'urgence en cas de crise, et à la volonté croissante de « ralentir le temps ». Les Français souhaiteront de plus en plus pouvoir faire leurs courses tard le soir ou le dimanche, utiliser les services publics sept jours sur sept (comme ils peuvent le faire sur Internet), choisir les dates de leurs vacances et, pour ceux qui ont des enfants, ne pas dépendre du calendrier scolaire. Le phénomène est déjà en marche dans les loisirs, avec le refus des horaires imposés, grâce à l'enregistrement, à la VOD (vidéo à la demande) ou au *replay* (rediffusion des émissions pendant les jours suivants). Les magasins et les centres commerciaux devront réconcilier des pratiques temporelles opposées en proposant aux personnes pressées des parcours rapides avec des circuits courts, et aux autres la possibilité de flâner et de « prendre leur temps ». L'évolution en cours implique une révision complète des temps sociaux (horaires de travail, fins de semaine, congés payés, retraite...).

Une révolution temporelle est en marche.

Le fonctionnement et la grille de lecture de la société française restent centrés sur la notion de travail. Celui-ci permet non seulement de gagner sa vie, mais de se construire une identité, de s'exprimer et d'appartenir à la collectivité. Il est encore un support privilégié de lien social. C'est d'ailleurs le temps de travail qui justifie, par opposition, l'existence du temps libre et lui donne sa valeur. Beaucoup de chômeurs ressentent ainsi un sentiment d'inutilité, alors que le temps libre des retraités apparaît socialement plus légitime, car « mérité » par une vie professionnelle antérieure.

Pourtant, la société en préparation n'est déjà plus organisée autour du travail ; elle est fondée sur le temps libre. Le loisir a pris une place croissante dans la vie des gens. Les pressions sociales sont moins fortes pour rendre l'activité (au sens de travail rémunéré) obligatoire. Il est socialement acceptable d'être oisif ; il est de plus en plus possible, et même valorisant, d'alterner des périodes de travail et d'inactivité, de s'épanouir par ses loisirs autant, sinon plus, que par son travail. Ce mode de vie semble même inscrit dans le système de valeurs des jeunes.

On assiste donc à la recherche d'une meilleure harmonie entre les nécessités collectives et les aspirations individuelles. La vie des individus et des familles en est de plus en plus bouleversée, de même que l'ensemble du système social. Cette révolution du temps est en réalité porteuse d'un véritable changement de civilisation. Elle en est même le principe fondateur.

Les trois temps

Le rythme ternaire du temps, avec un passé, un présent et un futur est une donnée (objective ou culturelle...) difficile à contourner, comme le sont les trois dimensions de l'espace perceptibles par les humains. L'évolution récente de la société montre une diminution de l'importance du passé et une incapacité à se projeter dans l'avenir. C'est ce qui explique la concentration sur le présent et le très court terme. Dans la plupart des domaines, le temps se contracte et s'accélère. Les objets ont une obsolescence de plus en plus rapide (certains affirment même qu'elle est « programmée ») Le *speed dating*, le *fast food* ou le passage du septennat au quinquennat témoignent de ce raccourcissement du temps. Les délais se réduisent entre la réflexion et l'action. Le présent devient de plus en plus vite du passé.

Il existe une autre forme ternaire du temps : biologique ; mesuré ; perçu. Les cycles biologiques sont reliés à des horloges internes qui fonctionnent sur des rythmes différents, en partie individualisés, qui restent en partie mystérieux. Le temps mesuré est censé être absolu, grâce aux outils de précision dont l'Homme s'est doté (horloge atomique). Mais le temps perçu ou « vécu » peut être très différent dans sa durée du temps officiellement mesuré (p. 108).

La « valse à trois temps » s'accompagne d'une diminution des temps collectifs ou sociaux, au profit des temps individuels. Les Français font de moins en moins les mêmes choses aux mêmes moments : heures de travail, de repas, de loisirs... Il n'y a plus « concordance des temps » entre ceux propres à la société, à l'économie, à la politique ou à l'écologie. Cette dysharmonie ou diachronie pose un problème général de gestion des activités humaines, notamment dans une période de « crises ». Le diktat de l'urgence rend plus difficile la réflexion à long terme et la mise en œuvre de solutions qui n'auront pas d'effet immédiatement visibles.

FAMILLE

LE COUPLE

MARIAGE

Après la hausse de l'an 2000, le nombre des mariages a diminué, …

241 000 mariages ont été célébrés en 2011. L'engouement pour le mariage constaté entre 1998 et 2000 avait laissé croire à un retournement de tendance. Il s'expliquait par des raisons à la fois conjoncturelles et fiscales. Les Français avaient eu le sentiment d'une embellie économique, dans un contexte exceptionnel de changement de siècle et de millénaire. L'envolée matrimoniale avait connu son aboutissement en l'an 2000 (305 385 contre 293 717 en 1999), un certain nombre de couples ayant symboliquement avancé (ou retardé) la date de leur mariage. Par ailleurs, l'amendement de Courson (voté en 1996) avait rendu le mariage plus favorable que l'union libre en matière d'imposition et de succession. Le nombre des mariages était revenu dès 2001 au niveau de 1999, et la baisse s'est globalement poursuivie depuis pour retrouver son niveau du début des années 1960, alors que la population a augmenté d'environ 20 millions de personnes entretemps.

Cette baisse de la nuptialité est due à une évolution défavorable de la pyramide des âges. La part des personnes en âge de se marier (notamment autour de 30 ans) est en effet en diminution, les générations de *baby-boomers* étant remplacées par des générations moins nombreuses, nées à une période de plus faible natalité. Le nombre des remariages s'est légèrement accru, mais il reste plus stable (un mariage sur cinq) que celui des mariages, ce qui s'explique aussi par l'évolution de la pyramide des âges, marquée par le poids important des baby-boomers dans les tranches plus élevées, davantage touchées par le divorce et donc par le remariage. Quatre mariages sur cinq concernent des célibataires ; leur part a diminué, tandis que celle des remariages s'est légèrement accrue.

Le taux de nuptialité s'établissait à 3,9 mariages pour mille habitants en 2010, contre 5 en 2000. Il est inférieur à la moyenne européenne (4,5 en 2010 pour l'Union à vingt-sept). Le plus bas est celui de la Slovénie (3,2), devant l'Espagne et l'Italie (3,6). Il est le plus élevé en Allemagne (4,7) et au Royaume-Uni (4,3).

… confirmant la baisse de la nuptialité depuis le début des années 1970.

Le nombre maximal des mariages avait été atteint en 1972 avec 417 000 unions et un taux de nuptialité proche de 8 pour mille habitants. La nuptialité a ensuite chuté dans des proportions spectaculaires, atteignant en 1993 son niveau le plus bas du siècle, à l'exception des périodes des deux guerres mondiales. La baisse avait touché l'ensemble des pays d'Europe. Elle avait été particulièrement forte en Île-de-France, en Limousin et surtout dans le Nord-Pas-de-Calais et en Lorraine.

Ce déclin doit cependant être relativisé. Le nombre des mariages avait augmenté anormalement entre 1968 et 1972, sous l'effet de l'arrivée à l'âge du mariage des générations nombreuses de l'après-guerre. Il avait aussi été favorisé par l'accroissement des conceptions prénuptiales, à une époque où la liberté sexuelle ne s'accompagnait pas encore d'une large diffusion de la contraception et où les pressions sociales à l'encontre des naissances hors mariage étaient encore fortes.

Les mariages du siècle

Évolution du nombre annuel de mariages (en milliers)

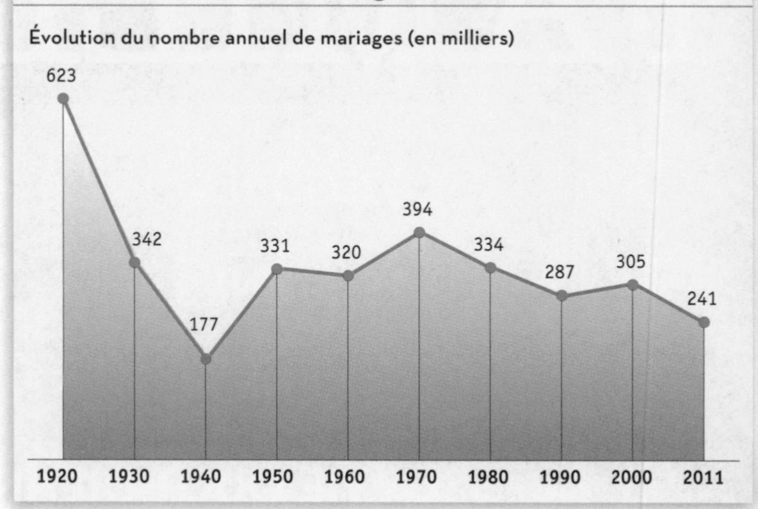

Unions européennes

Taux de nuptialité dans quelques pays d'Europe (2010, en %)

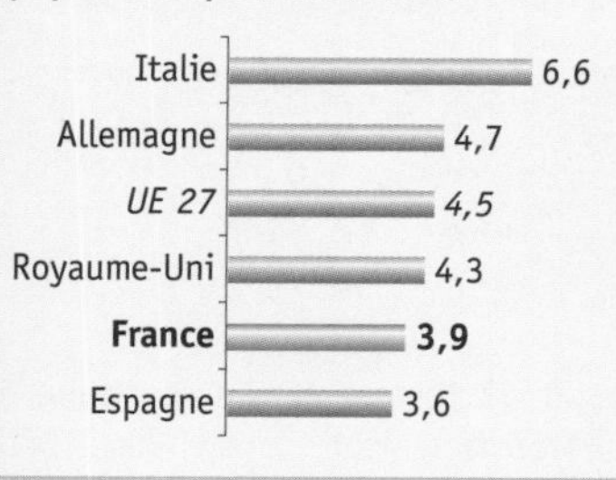

Eurostat

Enfin, l'âge moyen au mariage avait augmenté pendant cette période, alors qu'il avait diminué entre 1950 et le milieu des années 1970. Pour toutes ces raisons, la période 1965-1972 constituait une transition entre deux types de comportements différents à l'égard du mariage.

L'autre explication de la baisse est de nature sociologique ; l'intégration des jeunes dans la vie professionnelle s'est faite de plus en plus difficilement avec la montée du chômage et celle de la précarité. Cette situation n'incite guère à la constitution officielle d'un couple et à la création d'un foyer. C'est la raison pour laquelle l'âge moyen au premier mariage continue de reculer (ci-après). Il faut noter que, malgré l'accroissement spectaculaire de l'union libre (p. 119), le mariage reste de loin le mode de vie en couple le plus fréquent : 80 % des adultes vivant en couple sont mariés.

Le Pacs connaît un succès grandissant.

Depuis novembre 1999, le Pacs (Pacte civil de solidarité) permet à deux personnes habitant ensemble de s'unir contractuellement en s'inscrivant au greffe du tribunal d'instance de leur domicile. Destinée à l'origine aux couples homosexuels, cette union a été élargie à l'ensemble des personnes majeures (hors ascendants et descendants en ligne directe, collatéraux tels que frères et sœurs, oncles et nièces jusqu'au troisième degré) souhaitant organiser leur vie commune. Elle impose une aide matérielle mutuelle et une solidarité face aux dettes contractées pour les besoins de la vie courante

Couple et société

L'histoire du couple reflète et illustre celle de la société. Le XVIIIe siècle avait reconnu l'importance du sentiment amoureux dans l'union. La Révolution avait rendu possible la désunion par le divorce (le consentement mutuel sans recours au juge fut admis en 1792). Le couple et ses enfants furent considérés comme une entité spécifique à la fin du XIXe. Mai 1968 a favorisé de nouveaux modes de vie en couple comme l'union libre. Le divorce par consentement mutuel (1975) ou le Pacs (1999) ont été d'autres étapes importantes de l'évolution des modèles de vie en couple vers la diversité. Celle-ci amènera sans doute dans les prochaines années à de nouveaux aménagements du statut juridique et des pratiques de la vie en couple et en famille.

La disparition progressive du modèle unique de vie en couple est la conséquence du changement des mentalités. Le mariage n'est plus socialement « obligatoire », pas plus que le fait d'avoir des enfants. L'homme ne doit pas être nécessairement plus âgé que la femme, ni gagner plus d'argent qu'elle. Le divorce est socialement accepté, même lorsque le couple a des enfants. Il est admis que des femmes puissent avoir et élever seules des enfants si elles le souhaitent, même si la présence des deux parents reste souhaitée. La diversité des parcours familiaux est de plus en plus fréquente ; elle est considérée comme « normale » par les jeunes générations, à défaut d'être « souhaitable ».

La mobilité familiale n'est que l'une des illustrations d'un « *zapping* » généralisé. Dans la vie professionnelle, les actifs sont amenés à changer plus fréquemment d'emploi, de secteur d'activité, de fonction, de région ou même de pays (p. 323). En matière de consommation, les Français sont devenus des « caméléons », éclectiques et opportunistes, qui modifient leurs comportements d'achat au gré des humeurs, des informations qu'ils reçoivent et des offres qui leur sont faites (p. 372). Les activités de loisirs sont elles aussi marquées par des pratiques d'essai, d'abandon et de changement de plus en plus fréquentes (p. 442). La relation aux autres (famille, amis, relations...) est également bouleversée, avec des appartenances et des « branchements » éphémères et changeants (p. 218).

À cette instabilité de l'environnement socio-économique se sont ajoutés d'autres changements majeurs : évolution de la condition féminine ; allongement de l'espérance de vie ; volonté de réussir sa vie de couple sans délaisser sa vie personnelle. Autant de facteurs qui expliquent les transformations spectaculaires observées en matière de mise en couple, de séparation, de diversité des modèles familiaux. Mais le nombre des familles recomposées ou monoparentales, ou celui des divorces, ne doit pas faire oublier l'importance que les Français attachent à la famille.

(mais ne prévoit pas de devoir d'assistance ou de fidélité). Il ouvre la possibilité d'une couverture commune par la Sécurité sociale, une imposition unique (dès la conclusion du Pacs, depuis 2005) et un allègement des droits de succession. Chaque partenaire garde son nom. Depuis 2006, le Pacs prévoit, sauf stipulation contraire, la séparation des biens. En 2007, le régime fiscal a été encore davantage aligné sur celui en vigueur pour le mariage.

On a recensé 205 558 Pacs en 2010, dont 193 415 concernaient des couples de sexe différent. Le nombre de Pacs se rapproche chaque année un peu plus de celui des mariages (251 654 en 2010 et 241 000 en 2011). Ils représentent désormais la moitié (46 %) du nombre des unions, contre un tiers en 2008 (147 000 Pacs pour 265 000 mariages, soit 36 % des unions).

Ce succès s'explique par la simplicité de la procédure et un engagement moins fort des couples. Les aménagements effectués depuis la création (notamment la réforme de 2006) ont rapproché le Pacs du mariage en matière de fiscalité, de couverture maladie du compagnon, de mise en commun des biens et de leur transmission. Le choix est aussi dicté par des raisons économiques : le Pacs revient moins cher qu'un mariage. Il est aussi moins coûteux qu'un divorce : on peut mettre fin à un Pacs sans recourir à un jugement ni prendre un avocat. 34 000 unions ont ainsi été rompues en 2010. Au romantisme et à la tradition du mariage, le Pacs entend apporter une alternative réaliste et moderniste. Le nombre de personnes pacsées avait atteint un million en France métropolitaine au début 2010.

Le nombre de personnes pacsées dans la population reste cependant très inférieur à celui des personnes mariées ou en union libre : il ne représente que 3 % des 18-39 ans. Début 2009, 6 % des pacsés étaient en couple avec un partenaire de même sexe ; les deux tiers d'entre eux étaient des hommes. La moitié des pacsés de 18 à 39 ans vivent sans enfant, contre 15 % des personnes mariées du même âge. Les couples pacsés de nationalités différentes sont rares : 2 %, contre 10 % des couples mariés. Les personnes pacsées appartiennent plus souvent aux catégories sociales supérieures : 26 % sont cadres, contre 15 % des mariés du même âge. Elles sont également plus diplômées. Les couples pacsés sont, plus souvent que les couples mariés, composés de personnes issues des mêmes catégories sociales.

Des mariés trentenaires

Évolution de l'âge au premier mariage par sexe (France métropolitaine, en années)

	1960	1970	1980	1990	2000	2010
Hommes	25,7	24,7	25,1	27,6	30,2	31,8
Femmes	23,1	22,6	23,0	25,6	28,0	30,0

INSEE

L'âge moyen au premier mariage a augmenté de deux ans depuis l'an 2000.

L'âge moyen au premier mariage était de 30 ans pour les femmes et 32 ans pour les hommes en 2012, contre respectivement 28 et 30 ans en 2000. Les Français se marient ainsi deux ans plus tard qu'il y a douze ans. L'accroissement a ainsi représenté deux mois environ par an. Il faut cependant noter que, à l'inverse, l'âge moyen au premier mariage avait diminué de deux ans entre le XIXe et le XXe siècle ; il ne lui a fallu que quelques années pour augmenter d'autant.

Mais le mariage n'est plus considéré comme le début de la vie de couple. Celle-ci commence dans la grande majorité des cas par l'union libre, et la transformation, lorsqu'elle a lieu, se produit de plus en plus tard. Entre 25 et 29 ans, seule une femme sur quatre était mariée en 2010, et plus de quatre sur dix vivaient en couple hors mariage. Le report des mariages à des âges plus élevés ne compense pas le déficit enregistré chez les plus jeunes. Seuls sept mariages sur dix ont lieu entre deux célibataires, mais quatre nouveaux mariés sur cinq sont des célibataires.

Le paradoxe est que, dans environ la moitié des mariages, les hommes épousent une femme plus jeune, alors que leur espérance de vie est inférieure à celle de leur épouse. Ce phénomène explique pour partie la proportion importante de femmes veuves (p. 153). Mais l'écart d'âge entre les époux s'est beaucoup réduit, et le nombre de femmes épousant un homme plus jeune a augmenté légèrement au fil des décennies. Il est désormais stable.

Dans trois mariages sur dix, le couple a déjà au moins un enfant.

Le recul de l'âge au mariage explique la très forte augmentation de la proportion de couples ayant déjà des enfants lorsqu'ils se marient. Un tiers des couples se trouvent aujourd'hui dans cette situation, contre seulement 7 % en 1980. Environ 150 000 enfants ont ainsi assisté au mariage

de leurs parents en 2011 (certains couples ayant plusieurs enfants au moment de leur union). Le phénomène avait été particulièrement marqué en 1996, à la suite du changement de régime fiscal intervenu : le nombre de mariages ayant légitimé un ou plusieurs enfants s'était accru de 37 %, alors que celui des mariages concernant des couples sans enfants n'avait augmenté que de 2 %. La part croissante des remariages et des familles recomposées est une autre explication à ce phénomène.

Cette évolution traduit l'allongement de la durée de cohabitation des couples. Elle se mesure aussi par le très fort accroissement de la proportion d'enfants nés en dehors du mariage : 55 % en 2010 contre 10 % en 1980 (44 % en 2000). Le législateur en a tenu compte en abolissant la distinction entre enfants naturels et enfants légitimes en juillet 2006. La reconnaissance paternelle est en effet devenue la règle : moins de 4 % des enfants ne sont pas reconnus, contre un enfant sur cinq au début des années 1970. Cette augmentation spectaculaire explique que, si la part des mariages avec légitimation a presque doublé depuis 1980, la proportion d'enfants légitimés par un mariage est stable. Elle est plus fréquente dans les mariages concernant des cadres et des Parisiens.

Près d'un mariage sur quatre concerne au moins un étranger.

En 2009, on a célébré en France 57 442 mariages comportant au moins un époux étranger, dont 41 248 mixtes et 16 194 entre deux étrangers. Leur part dans l'ensemble des mariages était de 22,8 %, contre 11 % treize ans plus tôt ; celle où l'un des époux est de nationalité étrangère (13 %) continue de diminuer, après avoir atteint son plus haut niveau en 2003 (un mariage sur six) ; mais elle était inférieure à un sur dix en 1996. Les mariages entre deux époux étrangers ont représenté 16 % de l'ensemble des mariages en 2009, une proportion en nette augmentation (13,6 % en 1998). La proportion d'étrangers dans les mariages est très supérieure à leur part dans la population, estimée à 8,3 % (p. 221).

Les nationalités africaines représentent encore plus de quatre mariages mixtes ou étrangers sur dix, un peu plus que ceux concernant des nationalités européennes (qui en représentaient les deux tiers il y a une vingtaine d'années). Bien qu'il soit impossible de les comptabiliser, les unions de complaisance (« mariages blancs ») semblent assez nombreuses. Elles permettent notamment à des étrangers d'obtenir rapidement des titres de séjour. Elles sont souvent organisées par des réseaux structurés.

On évoque depuis quelques temps l'existence de « mariages gris », dans lesquels des hommes ou des femmes sont victimes d'« escroqueries à l'amour » de la part d'étrangers, qui les séduisent, les épousent et disparaissent dès qu'ils ont obtenu la nationalité convoitée. Bien qu'aucun chiffre ne mesure ce phénomène, il semble qu'il ait pris une importance croissante. En 2011, le seul parquet de Bobigny (93) a reçu près de mille demandes d'annulation de mariage. Des sites de soutien aux victimes ont été créés sur Internet. D'autant que dans un certain nombre de cas, ces mariages sont suivis de naissances.

La proximité géographique et sociale favorise toujours le mariage...

L'*homogamie*, qui désigne la propension des individus à se marier avec une personne issue d'un milieu social identique ou proche, reste élevée. Ainsi, la moitié des filles de cadres épousent des cadres. Plus de la moitié de celles d'ouvriers restent en milieu ouvrier et moins de 6 % vivent avec un cadre. Statistiquement, les individus issus des milieux modestes ont d'autant plus de chances d'épouser une personne issue

Doubles mixtes

Évolution du nombre des mariages selon la nationalité des époux et part dans le nombre des mariages (en %)

	Couples mixtes		2 époux étrangers	Total	% du total des mariages
	Épouse étrangère	Époux étranger			
1975	7 918	12 692	7 157	27 767	7,2
1980	8 323	12 292	5 696	26 311	7,9
1985	8 773	12 644	6 505	27 922	10,4
1990	12 606	17 937	8 703	39 246	13,7
1995	10 545	13 280	5 214	29 039	11,4
2000	15 387	19 198	6 550	41 135	13,8
2010	15 428	14 591	7 208	30 019	12,23

d'un milieu plus élevé qu'ils sont plus diplômés et qu'ils ont moins de frères et sœurs.

Le mariage constitue donc assez rarement un moyen d'ascension sociale. Les catégories les plus ouvertes sont les techniciens, les employés de bureau ou de commerce, dont les enfants épousent plus souvent des représentant(e)s d'autres catégories socioprofessionnelles. Les catégories sociales qui apparaissent les plus « fermées » aux autres sont celles des non-salariés : professions libérales, gros commerçants, industriels, artistes, agriculteurs. Les pratiques observées sur les sites de rencontre sur Internet montrent une nette tendance à la recherche de personnes semblables par leur origine, leur culture, leur activité professionnelle, leur vision du monde et de la vie, dès lors que l'objectif est de fonder un couple durable.

Malgré l'élargissement possible du champ de recherche rendu possible par les technologies actuelles, l'*endogamie*, qui mesure la propension à se marier entre personnes géographiquement voisines, reste également répandue. Elle diminue si l'on s'élève dans la hiérarchie sociale : les cadres sont ainsi plus « exogames » que les ouvriers. Les citadins le sont également davantage que les ruraux. Aujourd'hui, sur 100 couples dont le mari est né dans une commune de moins de 5 000 habitants, environ la moitié des épouses sont nées dans la même catégorie de commune. Le taux d'endogamie est sensiblement plus élevé dans les grandes villes, mais il ne dépasse pas un tiers dans celles de 5 000 à 50 000 habitants.

... mais les lieux et moyens de rencontre évoluent.

On constate une nette diminution de l'importance des lieux traditionnels de formation des couples : bals, rencontres de voisinage, fêtes familiales. Les vacances, soirées entre amis, discothèques, cafés et autres lieux publics jouent en revanche un rôle croissant, de même que les lieux de travail et d'études. 51 % des hommes et 49 % des femmes estiment que l'environnement de travail est « propice au flirt, à la drague ou à la rencontre amoureuse » et 31 % des Français avouent avoir déjà vécu une relation amoureuse au travail (Éditions Tissot/OpinionWay, mai 2011). 6 % des actifs ont ainsi eu au moins une relation dans l'univers professionnel

Navigateurs solitaires

La France compte quelque 14 millions de personnes vivant seules pour des raisons diverses : célibataires, séparées, divorcées, veuves... Pendant des années, on a célébré et souvent envié les « célibattants », symboles d'une liberté individuelle totale, car non entravée par l'existence et la présence d'une autre personne. La tonalité du discours ambiant s'est modifiée au fil des années.

De nombreuses enquêtes ont montré que la solitude n'était pas toujours choisie et que le modèle de la vie en couple présentait de nombreux avantages. D'autant qu'elle peut prendre des formes diversifiées : mariage ou union libre, Pacs hétéro ou homo, cohabitation ou non, fidélité ou non, couple monoactif ou biactif, avec ou sans enfant... L'aggravation de la crise a également accru le besoin de vivre en couple, afin de mieux lui résister. L'accroissement de la solitude est ainsi apparu au grand jour. Il constitue un sujet de réflexion pour les observateurs, un thème de dossier pour les médias et un marché pour les entreprises.

Les sites de rencontre sont ainsi des « catalogues » géants dans lesquels chaque membre peut se plonger pour rêver, fantasmer, sélectionner. Afin de communiquer avec les personnes choisies, puis de les rencontrer... et plus si affinité. Car le réel prend ensuite le relais du virtuel, et tout se passe comme dans les relations humaines traditionnelles. Avec quelques exceptions, pour ceux qui n'ont pas envie (ou qui ont peur) de ce passage à la réalité ; ils préfèrent ne pas se dévoiler, se construire une identité différente (parfois plusieurs, associées à des « pseudos ») et devenir quelqu'un d'autre le temps d'un *chat*.

Le développement de ces sites témoigne de l'état et de l'évolution de la société. Pour les millions de « navigateurs solitaires » présents sur l'océan Internet, les possibilités de rencontre sont sans commune mesure avec celles fournies par la vie quotidienne. En proposant une approche « rationnelle », les sites spécialisés permettent en théorie de réduire les risques de se tromper : « qui se ressemble s'assemble », dit le bon sens populaire. Mais ils ne les suppriment pas. Le fonctionnement des relations humaines n'obéit pas en effet à la statistique, mais à une alchimie beaucoup plus complexe. Nulle présélection automatique ne peut remplacer la méthode « humaine »; elle ne fait que la préparer et lui donner éventuellement plus de chances de réussir. Internet permet de gagner du temps, d'élargir le champ de la recherche, en même temps que le terrain d'expérience. Il n'interdit pas pour autant le « romantisme».

(éphémère dans 63 % des cas, durable pour 36 %).

Le « rendement matrimonial » des divers lieux et moyens de rencontre est variable selon les catégories sociales. Les couples de cadres ou professions libérales se forment plus souvent dans le cadre de soirées familiales ou amicales, alors que les ouvriers ou employés utilisent davantage les lieux publics (cafés, bals, centre commerciaux, discothèques...). Les écarts tendent cependant à s'estomper.

Le phénomène majeur est le développement des moyens de communication électroniques. Internet est ainsi devenu une véritable agence matrimoniale virtuelle disponible sur tous les supports, fixes ou mobiles (encadré). Les sites spécialisés (Be2, Attractive World, Meetic, eDarling...) sont utilisés par plusieurs millions d'adhérents. Chacun peut accéder instantanément à des millions de fiches, les trier selon des critères d'apparence (à partir des photos), de proximité en matière géographique, psychologique, d'activité professionnelle ou de centres d'intérêt. Les choix peuvent aussi se fonder sur des critères ethniques, raciaux, religieux ou culturels, ceux qui le souhaitent pouvant mentionner ces informations sensibles sur leurs fiches ou dans leurs échanges. À ces sites spécialisés s'ajoutent les sites de réseaux sociaux (Facebook, Twitter, Google+...). Enfin, de nouvelles agences se sont créées dans le monde « réel » pour organiser et faciliter les rencontres entre personnes seules désireuses de ne pas le rester.

Le mariage est devenu une fête laïque.

La proportion de mariages célébrés à l'église n'est plus aujourd'hui estimée qu'à 31 % (Conférence des Évêques de France), contre 56 % en 1986 et 78 % en 1965. À l'instar des autres sacrements, le mariage religieux n'a plus le caractère « obligé » qu'il avait pour les générations précédentes et les pressions des parents sur les enfants sont moins fortes. Si l'on se marie plus facilement devant les hommes que devant Dieu, c'est d'abord parce que l'influence de la religion dans la société s'est beaucoup réduite (p. 281) ; c'est peut-être aussi parce que l'on hésite à donner à cette union un caractère solennel et définitif. La contrepartie de cette évolution est que ceux qui se marient à l'église le font au terme d'une démarche davantage réfléchie et personnelle que par le passé. La cérémonie religieuse prend pour eux un sens plus profond, qui les engage sur la durée.

Près d'un mariage sur deux (64 %) a lieu en été, avec deux fortes pointes en juin-juillet (33 %), suivi du mois d'août (14 %) puis de mai (12 %) et de septembre (12 %). Les dates sont plus étalées dans les villes que dans les campagnes, où les interdits et les coutumes d'origine religieuse suggèrent toujours d'éviter certaines périodes (carême, mai, novembre). Plus de 80 % ont lieu le samedi. Après une période pendant laquelle on se mariait dans la simplicité et dans l'intimité, on observe depuis quelques années un retour à un mariage plus festif. La cérémonie revêt souvent une grande importance, car elle est la première manifestation de l'identité du couple envers son entourage. Cela se traduit par une recherche de personnalisation et d'originalité, avec des mariages « à thème » en fonction des caractéristiques des mariés (origines géographiques, passions et centres d'intérêt...). Les repas de mariage sont l'occasion de rencontres avec des membres souvent éparpillés de la famille. Sur une année, environ une personne sur deux assiste au moins à un mariage.

On estime que les mariés consacrent en moyenne 12 000 € à l'organisation de la réception, pour une centaine d'invités, mais les Français se disent a priori prêts à dépenser seulement 8 000 € en moyenne. Le montant des listes de mariage est estimé à 5 000 € en moyenne dans les grands magasins. Les produits du quotidien voisinent avec les objets design et de luxe. Le voyage de noces a pris une place croissante, avec un montant moyen d'environ 2 000 € pour deux. Les listes « spécial Pacs » sont très minoritaires. Certains couples constituent une épargne avec les sommes recueillies sur la liste.

Un couple sur cinq n'est pas marié.

Le mariage étant « la traduction en prose du poème de l'amour » (Alfred Bougeard), un certain nombre de Français préfèrent la poésie et choisissent l'union libre. En effet, la proportion d'hommes et de femmes mariés n'a cessé de diminuer (48,5 % et 44,2 % en 2010, contre 65,1 % et 59,5 % en 1980). Un couple sur cinq n'est donc pas marié. Comme tous les Européens, les Français et les Françaises se marient moins souvent, cohabitent davantage avant le mariage. Ils rompent plus souvent leurs relations, hésitent moins à se marier une seconde ou une troisième fois. Apparus dès la fin des années 1960 dans les pays du Nord, en Suède notamment, ces comportements se sont ensuite diffusés dans toute l'Europe, avec des variations importantes selon les pays. Le taux d'union libre est resté faible dans le Sud (Espagne, Italie, Portugal) mais aussi en Pologne.

L'union libre est devenue un mode de vie à part entière. Aujourd'hui, neuf couples sur dix commencent leur vie commune sans se marier ; la proportion n'était que d'un sur dix en 1965. La pratique religieuse s'accompagne moins souvent d'une cohabitation prénuptiale (six couples sur dix), mais elle concerne tout de même plus des trois quarts des catholiques pratiquants. L'arrivée d'un enfant n'implique pas le mariage : plus d'une naissance sur deux se produit hors du mariage (55 % en 2010 contre 6 % en 1967), mais il est significatif qu'elle ne soit plus qualifiée de « naturelle » ou d'« illégitime ». La proportion est supérieure à deux tiers chez les personnes qui se déclarent sans religion et inférieure à un tiers chez les plus pratiquants.

Un Français sur sept vit seul.

La proportion de monoménages (constitués d'une seule personne) s'est considérablement accrue depuis plus de vingt ans. Elle représente aujourd'hui plus d'un tiers des ménages, contre un quart (27 %) en 1990 et 30,8 % en 1999. 9 millions de Français étaient concernés en 2009, soit 1,7 million de plus qu'en 1999 : personnes n'ayant jamais été mariées, veufs ou veuves non remariés et ne vivant pas en couple, divorcés ou séparés. C'est la situation, par exemple, de 18 % des hommes et de 15 % des femmes âgés de 45 à 49 ans.

La proportion concernée est plus élevée en milieu urbain ; 25 % des personnes de 15 ans et plus habitant des villes de plus de 20 000 habitants sont célibataires et ne vivent pas en couple, 10 % sont séparées ou divorcées, 8 % veuves. Chez les hommes, les taux de célibat les plus élevés se rencontrent dans les catégories sociales modestes. On constate le phénomène inverse chez les femmes : 21 % des femmes cadres vivent seules, contre seulement 9 % des ouvrières.

Ainsi, un Français sur sept vit seul aujourd'hui (14 %), contre un sur dix-sept en 1962 (6 %). Entre 20 et 24 ans, c'est le cas d'une personne sur quatre, avec une légère surreprésentation des femmes. Mais les hommes sont un peu plus nombreux entre 25 et 29 ans car ils restent plus longtemps au foyer parental et se marient plus tard. À 40 ans, environ 15 % des hommes vivent seuls, contre 9 % des femmes, du fait des divorces plus fréquents dans cette tranche d'âge (dans les couples avec enfants, ceux-ci sont le plus souvent confiés à la mère, et les hommes se retrouvent seuls). La tendance se renverse après 50 ans : les femmes, qui vivent plus longtemps que les hommes, sont de plus en plus souvent seules au fur et à mesure qu'elles vieillissent. L'augmentation du nombre de solitaires se vérifie dans l'ensemble des pays de l'Union européenne.

L'une des conséquences est que le nombre de ménages augmente sensiblement plus vite que la population : 28 millions en 2012 contre 20 millions en 1982 et 16 millions en 1968. Un peu plus de la moitié sont des couples avec enfants. La vie en couple est moins fréquente jusqu'à l'âge de 60 ans environ, car les unions sont moins stables ; elle est au contraire plus courante au-delà de 60 ans.

Plus d'un enfant sur six vit dans une famille monoparentale.

Le nombre des familles monoparentales (comprenant un parent isolé et un ou plusieurs enfants célibataires et n'ayant pas eux-mêmes d'enfant) ne cesse de s'accroître. On en comptait 2,2 millions en 2008, contre 1,8 million en 2005 et 776 000 en 1975. Plus d'un enfant de moins de 25 ans sur six (17,7 %) vit avec un seul de ses parents, contre 7,7 % en 1968. Dans 85 % des cas, il s'agit de la mère, généralement divorcée ou séparée ; une sur sept a au moins trois enfants à charge. Au sein des pays de l'OCDE, les enfants âgés de 11 à 15 ans sont confrontés à un phénomène de même ampleur en France et en Allemagne : 15 % d'entre eux vivent avec un seul parent contre 9 % en Italie, mais 16 % au Royaume-Uni et 24 % aux États-Unis. 9 % vivent dans une famille recomposée.

Un tiers des femmes connaissent à un moment de leur vie une situation de monoparentalité, d'autant qu'elles refont généralement leur vie moins rapidement que les hommes. Les enfants qui vivent auprès de leur père sont généralement plus âgés, et il s'agit dans les deux tiers des cas d'un seul

Le temps des solos

Évolution de la composition des ménages (France métropolitaine, en %)

	1968	1982	1990	1999	2008
Homme seul	6,4	7,4	10,1	12,4	13,8
Femme seule	13,8	14,8	16,9	18,4	19,5
Famille monoparentale	2,9	3,0	6,8	7,6	8,1
Couple sans enfant	21,1	22,3	23,4	24,5	25,9
Couple avec enfant(s)	36,0	36,5	36,4	31,6	27,5
Ménages complexes	19,8	16,0	6,4	5,5	5,2
Nombre de ménages	15,8	17,7	21,5	23,8	27,2

INSEE

enfant. Alors que les veufs ou veuves comptaient pour la moitié des monoparents au début des années 1960, le divorce est devenu aujourd'hui la cause principale de la monoparentalité.

La part des enfants élevés au sein d'une famille monoparentale s'accroît avec l'âge. Elle est inférieure à 10 % avant l'âge de 2 ans, mais dépasse 20 % après 15 ans. Les enfants d'une famille monoparentale habitent deux fois plus souvent dans un appartement (60 %) que ceux d'un couple parental (30 %). Un sur cinq (22 %) vit dans un logement surpeuplé, contre un sur dix lors que les parents sont en couple.

Les familles monoparentales sont particulièrement modestes. Un tiers d'entre elles disposent de revenus inférieurs au seuil de pauvreté à 60 % contre 12 % de l'ensemble des ménages. En 2011, 33 % des allocataires du Revenu de solidarité active (RSA) étaient des familles monoparentales.

VIE DE COUPLE

La notion de couple s'est transformée au fil du temps.

Le mariage fut longtemps une simple alliance dans l'intérêt des familles, décidée par les parents des époux. Ce n'est qu'au XVIIIe siècle que le sentiment amoureux devient un facteur reconnu sinon déterminant. Le mariage civil et le divorce sont des acquis de la Révolution. À partir de la fin du XIXe, la liberté de choix du conjoint s'affirme ; le couple avec ses enfants devient peu à peu une entité distincte de celle de la famille globale. Dans les années 1960, une autre conception de la vie conjugale et familiale, dont Mai 68 est devenu le symbole, se met en place, avec trois conséquences majeures : la baisse du nombre de mariages ; la chute de la natalité ; la hausse du nombre de divorces. En quelques décennies, le mariage a perdu son rôle d'institution normative façonnant les comportements sexuels et reproductifs de la majorité des Français.

Pour les générations nées dans les années 1940, les premiers rapports sexuels et la mise en couple étaient encore largement liés au mariage, surtout pour les femmes. Désormais, les jeunes suivent pour la plupart un parcours bien distinct : premières expériences sexuelles ; union libre ; mariage éventuel. La sortie du foyer parental a été retardée, et l'âge moyen au mariage a augmenté de quatre ans en vingt ans. Enfin, l'arrivée d'un enfant n'implique plus l'officialisation de l'union ; la moitié des enfants naissent aujourd'hui hors du cadre du mariage. Depuis 1999, le Pacs (p. 115) permet à deux personnes majeures d'organiser contractuellement leur vie commune.

Depuis les années 1960, la vie de couple a donc connu une évolution sans précédent. La dimension affective n'a pas disparu, bien au contraire. De même, l'attachement à la notion de famille reste très fort. La grande majorité y voit plutôt un changement de mentalité normal, conséquence de l'évolution de la société.

La vie en famille recouvre aujourd'hui des formes multiples. Au sein du couple, les exigences des partenaires se sont accrues ; il s'agit de réussir la vie à deux sans sacrifier la sienne, une revendication plus récente pour les femmes. L'égalité entre hommes et femmes est devenue un idéal largement partagé, favorisé par les mesures législatives successives. Cependant, les conceptions plus « traditionnelles » des rôles respectifs de chaque sexe n'ont pas disparu.

Les modèles de vie à deux se sont diversifiés.

La libéralisation des mœurs en général et celle de la femme en particulier ont permis d'accroître la liberté individuelle et l'autonomie. Chacun peut aujourd'hui décider de ne pas se marier et choisir d'autres itinéraires de vie que celui qui était proposé (ou imposé) pendant longtemps par les habitudes ou contraintes sociales : rencontre de l'être de sexe opposé ; fiançailles ; mariage ; construction d'un foyer ; enfants ; vieillissement commun. Une distinction s'est établie entre la vie en couple et le mariage, deux notions autrefois indissociables. La montée du célibat s'est poursuivie au cours des années 1980, et l'alternance entre la vie de couple et la vie solitaire est désormais plus fréquente.

Le nombre des célibataires et, plus largement, des personnes sans conjoint ou partenaire s'est donc accru dans de fortes proportions pour dépasser 10 millions (dont plus de 2,2 millions de ménages monoparentaux). Dans le même temps, le nombre des couples non cohabitants a progressé sous l'effet des contraintes de mobilité professionnelle et des choix personnels. Ces changements ont conduit à un accroissement du nombre de mises en couple successives au cours d'une vie (encadré).

La législation a commencé à prendre en compte ces changements. Dans l'ordre successoral, le conjoint survivant prime désormais sur les grands-parents, les frères et les sœurs du défunt. L'héritage des enfants adultérins et naturels est aligné sur celui des enfants légitimes. Le père bénéficie d'un congé de paternité lors de la naissance d'un enfant. Le divorce pour faute a été supprimé. Le Pacs,

Le bonheur au féminin

Pour 90 % des Françaises, le bonheur passe d'abord par le fait d'avoir des ami(e)s : 36 % estiment cela « indispensable » et 52 % « important ». Avoir un travail épanouissant est une autre condition indispensable pour 27 % (34 % des femmes appartenant aux catégories supérieures) et importante pour 57 %.

L'amour a une importance proche de celle du travail : 30 % des femmes le jugent indispensable à une vie heureuse, 53 % important. 25 % de celles qui vivent seules le considèrent comme « secondaire », voire « inutile », contre seulement 9 % de celles qui vivent en couple. La vie de couple apparaît comme une condition indispensable à 23 % des Françaises et importante à 49 %.

Une femme sur trois (34 %) estime qu'avoir des enfants est indispensable au bonheur et 44 % que c'est important, mais une sur cinq (21 %) pense que c'est secondaire ou inutile. La proportion de femmes répondant « indispensable » ou « important » n'est que de 66 % chez les 18-24 ans, contre un maximum de 83 % chez les 50 ans et plus.

Enfin, 53 % des Françaises croient à l'amour à vie, alors que 46 % estiment qu'il ne dure qu'une partie de la vie. Celles qui se déclarent proches d'un parti de droite y croient davantage que celles qui se situent à gauche : 59 % contre 41 %.

Grazia/ Harris Interactive, juillet 2011

instauré en 1999, a marqué la reconnaissance de nouvelles formes de vie de couple, y compris entre partenaires homosexuels. Un statut du beau-parent a été ébauché en 2009.

La place des femmes a changé dans le couple comme dans la société...

La place croissante des femmes dans la sphère publique est l'une des données majeures de l'évolution sociale des dernières décennies. Elle se traduit notamment par leur participation massive à la vie économique : elles représentaient 48 % de la population active en 2010 contre 34 % en 1961. Les femmes jouent un rôle majeur en matière de consommation (p. 372). Bien qu'elle soit encore très minoritaire, leur contribution à la vie politique est également en progression : un sénateur sur trois en 2011 (31,9 %) contre un sur cinquante en 1980; un député sur cinq à l'Assemblée nationale (19 % en 2011 contre 5 % en 1981); près d'un conseiller régional sur deux (48 %), mais seulement 14 % des conseillers généraux et 18 % des maires. D'une manière générale, l'influence des « valeurs féminines » (pacifisme, modestie, capacité d'écoute, sens pratique, intuition, humanisme...) est de plus en plus perceptible dans la vie collective.

La principale conquête des femmes a bien sûr été celle du contrôle de leur fécondité. Avant la disponibilité de la pilule et sa reconnaissance légale, en 1967, puis la légalisation de l'interruption volontaire de grossesse en 1975, la vie de la femme était rythmée par la succession des grossesses. En devenant capable de maîtriser sa fécondité, elle a pu accéder à une vie professionnelle plus satisfaisante, à une vie sociale plus riche, à une vie de couple plus épanouie. Entre 1972 et 1992, la part des femmes se déclarant « très satisfaites de leur vie sexuelle » avait ainsi doublé, passant de 26 % à 51 %. Pour la première fois dans l'histoire, la femme n'était plus déterminée par sa fonction de procréation, ce qui lui permettait de ne pas se limiter à sa condition de mère et d'épouse. Cette évolution a entraîné un bouleversement de la vie de couple.

... et transformé le rôle des hommes...

Depuis les années 1980, les médias ont accompagné et accéléré l'évolution du rôle de la femme. Le modèle de la *superwoman*, capable de réussir à la fois sa vie professionnelle, familiale et personnelle, a perturbé certains hommes, qui ont eu le sentiment de perdre leur identité au travail, dans la société ou au sein du couple. Les qualités et les « valeurs » féminines ont été progressivement mises en avant, alors que les caractéristiques masculines (autorité, esprit de compétition, volonté de domination, agressivité) étaient jugées de plus en plus sévèrement.

Les certitudes des hommes ont donc été bousculées. Les modèles qui leur avaient été inculqués dès l'enfance n'étaient soudain plus valides. Les derniers bastions masculins ont été peu à peu occupés (à des degrés divers) par les femmes : stades ; gymnases ; institutions politiques ; hiérarchies des entreprises... Les hommes se sont trouvés en outre confrontés à des attentes nouvelles en matière de partage des responsabilités, des décisions, de la sexualité... Cette évolution a eu pour conséquence une plus grande mixité du fonctionnement social et une convergence des modes de vie et des systèmes de valeurs.

... en favorisant la convergence entre les sexes.

Selon Paul Valéry « *tout homme contient une femme* ». L'expérience sociale a montré que la réciproque

Cougar cherche lionceau

Dans la conception traditionnelle du couple, l'homme était de préférence plus âgé que la femme. C'est d'ailleurs le cas aujourd'hui de plus de deux couples sur trois (68 % en 2010). Seul un Français sur quatre (18 à 79 ans, enquête Erfi 2008) est d'accord avec l'opinion selon laquelle « dans un couple, c'est mieux quand l'homme est plus âgé que la femme » (28 % des femmes et 23 % des hommes). La proportion de personnes en désaccord a augmenté de 6 points entre 2005 et 2008. Ce sentiment reste plus répandu parmi les personnes qui ont une importante différence d'âge avec leur conjoint (l'homme ayant au moins cinq ans de plus que la femme) : 45 %, contre seulement 10 % dans les couples où la femme a le même âge ou est plus âgée.

On assiste aujourd'hui au phénomène inverse, avec la médiatisation des « cougars », ces femmes mûres qui recherchent des compagnons ou partenaires plus jeunes (baptisés *toy boys* ou lionceaux). On notera que l'on n'a jamais donné un nom spécifique aux hommes plus âgés que leurs compagnes, du fait qu'il s'agissait d'un phénomène habituel.

est vraie, et l'on assiste depuis plusieurs décennies à un mouvement de chaque sexe en direction de l'autre. Les hommes se réapproprient des valeurs plutôt associées à l'autre sexe. Dans un contexte professionnel incertain, beaucoup sont moins exclusivement tournés vers leur carrière et plus désireux de s'occuper de leur famille, de leurs enfants, de leurs loisirs. Apparu au milieu des années 1990, le phénomène des « métrosexuels », urbains à la recherche d'une harmonie personnelle entre la dimension masculine virile et l'acceptation de la part féminine, en témoigne.

De leur côté, les femmes se sentent moins obligées de se comporter comme les hommes pour accéder à ce qui leur était jusqu'ici interdit. Leur émergence récente à des postes de pouvoir dans certains pays étrangers (Allemagne, Chili, Finlande...) ou en France (présidence du Medef, candidatures aux élections présidentielles, présidence du P.S.) laisse augurer qu'elles prendront une place croissante dans la vie économique et politique, malgré la résistance que l'on constate parfois de la part des hommes qu'elles vont remplacer.

Les décisions sont de plus en plus partagées...

L'évolution dans la vie de couple s'est faite dans le sens d'un accroissement de l'influence féminine dans des domaines qui étaient jusqu'ici mal partagés : décisions professionnelles ; choix du logement ; achats de biens d'équipement ; vacances... La grande majorité des femmes sont aujourd'hui financièrement autonomes au sein du ménage. Un peu moins de deux couples sur trois ont un compte commun et la plupart des décisions de dépense et de gestion sont prises en commun, qu'il s'agisse des gros achats d'équipement, des décisions de loisirs, des demandes de crédit, ou des choix d'éducation des enfants. Dans ce dernier domaine, les femmes sont plus souvent décisionnaires que les hommes, comme en ce qui concerne les courses et les achats de vêtements (pour elles ou pour leurs conjoints).

Après des siècles d'inégalité officielle (l'homme à l'usine ou au bureau, la femme au foyer), les rôles des deux partenaires se sont rapprochés, que ce soit pour faire la vaisselle... ou l'amour. Il reste cependant du chemin à parcourir.

... mais les tâches domestiques restent inégales...

Entre 1999 et 2010, le temps consacré aux tâches domestiques par les femmes a sensiblement diminué, à 3 h 52 min contre 4 h 23. Cette évolution confirme la baisse qui avait été observée entre 1986 et 1999. Le temps domestique des hommes est lui resté stable sur la période, à 2 h 24 min, soit deux heures et demie de moins. En ce qui concerne les tâches plus spécifiquement ménagères (ménage, cuisine, linge, courses), l'écart entre les sexes s'est aussi réduit, mais il représente encore une heure et demie : 3 h 03 min par jour contre 1 h 23 min.

Si les hommes n'accordent pas plus de temps aux tâches domestiques qu'en 1999, ils le répartissent différemment : 8 minutes de moins par jour pour les activités dites de semi-loisirs, comme le bricolage (25 minutes contre 4 pour les femmes), mais 5 minutes de plus aux enfants, 5 minutes de plus aussi au ménage. A la maison, ils s'occupent davantage que les femmes du jardinage et des soins aux animaux (22 minutes contre 14).

De leur côté, les femmes consacrent 10 minutes de moins par jour à la cuisine, alors que le temps passé par les hommes est inchangé. Le temps qu'elles consacrent aux courses a aussi diminué (9 minutes). C'est le cas également pour le ménage (8 minutes de moins en moyenne) avec un taux de recours à une aide ménagère rémunérée en hausse de 2,5 points (il concerne désormais 12 % de la population). Le temps qu'elles consacrent aux soins aux enfants et aux adultes a en revanche augmenté de 5 minutes par jour : 31 minutes contre 14 pour les hommes.

… mais elles sont en partie « négociées ».

Au sein d'un couple, il existe une répartition traditionnelle des tâches domestiques, entre celles qui sont plus spécifiquement féminines (entretien de la maison, décoration, alimentation…) ou masculines (entretien des équipements, bricolage…). Les autres sont considérées comme « négociables ». C'est le cas par exemple des courses, du couvert, de la vaisselle, du lavage des vitres, du ménage (passage du balai ou de l'aspirateur).

Ce partage inégal est la conséquence de la très longue histoire des relations entre les sexes. La réserve ou l'hostilité des hommes tient en partie à la prégnance des images sociales et au fait que chaque conjoint (homme ou femme) reproduit de façon inconsciente le rôle que tenait son père ou sa mère, selon le principe de l'« inertie culturelle ». Lorsque les rôles traditionnels ne sont pas acceptés ou les tâches négociées trop inégales, le partenaire concerné en tire les conséquences et le couple se brise. C'est sans doute l'une des raisons pour lesquelles les femmes sont plus nombreuses que les hommes à demander le divorce (p. 131).

On observe en tout cas que la liste des tâches négociées tend à s'allonger. Le bricolage n'est d'ores et déjà plus une exclusivité masculine (p. 535), pas plus que l'entretien de la voiture. À l'inverse, la confection des repas est moins exclusivement féminine (p. 192). La

Chronique de la révolution sexuelle

1956. 22 femmes créent La Maternité heureuse, association destinée à favoriser l'idée de l'enfant désiré et à lutter contre l'avortement clandestin par un développement de la contraception.
1967. L'éducation sexuelle se vulgarise. On projette *Helga*, film allemand racontant la vie intime d'une jeune femme. Ménie Grégoire réalise sa première émission sur RTL. La loi Neuwirth légalise la contraception.
1970. Le MLF est créé. Les sex-shops commencent à se multiplier au grand jour.
1972. Procès de Bobigny, où Me Gisèle Halimi défend Marie-Claire Chevalier, jeune avortée de 17 ans. Avant son passage à l'Olympia, Michel Polnareff s'affiche nu et de dos sur les murs de Paris.
1973. Hachette publie l'*Encyclopédie de la vie sexuelle*, destinée aux enfants à partir de 7 ans aussi bien qu'aux adultes. Elle sera vendue à 1,5 million d'exemplaires et traduite en 16 langues. L'éducation sexuelle est officiellement introduite à l'école.
1974. La contraception est remboursée par la Sécurité sociale et possible pour les mineures sans autorisation parentale.
1975. La loi Veil légalise l'IVG (interruption volontaire de grossesse. La pilule contraceptive est remboursée par la Sécurité sociale. La réforme du divorce prévoit la séparation de fait et le consentement mutuel. Les prostituées revendiquent un statut, sous la conduite d'Ulla.
1976. Les films pornographiques ne sont plus interdits, mais présentés dans un réseau de salles spécialisées, avec la classification X.
1978. L'industrie de la pornographie s'essouffle. La fréquentation des salles chute, mais elle sera bientôt relayée par les cassettes vidéo. Louise Brown est le premier bébé-éprouvette (le premier en France sera Amandine, en 1982).
1980. La loi renforce la répression du viol ; les criminels, qui étaient auparavant passibles de la correctionnelle, sont jugés par un tribunal d'assises.
1983. L'IVG est remboursée par la Sécurité sociale. La majorité des femmes en âge de procréer utilisent un moyen contraceptif. Le virus du sida est identifié par le professeur Montagnier. Il va transformer la vie sexuelle des Français.
1984. Le Minitel rose s'impose.
1986. Les chaînes de télévision diffusent des émissions érotiques.
1987. Canal + programme son premier film X. La publicité pour les préservatifs est autorisée.
1990. Antenne 2 diffuse une série controversée : *l'Amour en France*.
1992. La loi réprime le harcèlement sexuel. L'INSERM effectue la première grande enquête sur la sexualité des Français.
1999. Le développement d'Internet facilite l'accès à des sites érotiques ou pornographiques.
2000. L'adoption du pacs (pacte civil de solidarité) autorise deux personnes majeures, de sexe différent ou de même sexe, à organiser leur vie commune.
2001. La « pilule du lendemain » est en vente libre et distribuée gratuitement aux mineures.
2002-2006. Des campagnes publicitaires jugées trop « suggestives » et dégradantes pour l'image de la femme sont interdites.
2009. France 5 diffuse le documentaire *l'Amour sans limites* sur la sexualité de personnes handicapées.
2010-2012. Le débat sur le mariage homosexuel et l'adoption par les couples homosexuels s'amplifie.

participation des hommes s'est aussi largement étendue aux tâches quotidiennes liées aux enfants.

Les comportements sexuels se sont transformés.

La transformation de la condition féminine et celle des rapports au sein du couple ont eu de fortes incidences sur la vie sexuelle des Français. Comme dans les autres domaines, une redéfinition des rapports amoureux s'est opérée, dans un sens plus égalitaire. Qu'il s'agisse de l'acte sexuel ou des étapes qui le précèdent (rencontre, séduction), les femmes sont de plus en plus actives. À l'inverse, les hommes s'efforcent davantage de prendre en compte les désirs de leur partenaire. De façon idéale, le plaisir doit être partagé, contrairement à ce que Pierre Choderlos de Laclos écrivait il y a plus de deux siècles : *« l'homme jouit du bonheur qu'il ressent, la femme de celui qu'elle procure. »* En pratique, les femmes restent plus nombreuses à « consentir » à des rapports sexuels lorsqu'elles n'en ont pas envie, mais cela entraîne une contrainte pour les hommes, celle de faire partager son plaisir à sa compagne.

Plus de vingt ans après le rapport Simon (1970), la grande enquête réalisée par l'INSERM en 1993 laissait penser que certaines déclarations féminines (concernant par exemple la masturbation) étaient probablement en deçà de la réalité. Les femmes déclaraient aussi trois fois moins de partenaires que les hommes au cours de leur vie : 3,4 contre 11,3, ce qui n'est guère explicable mathématiquement (l'écart était moins important en ce qui concernait le nombre de partenaires sur les cinq dernières années : 1,6 contre 2,9).

Les enquêtes plus récentes (la plus complète est « Contexte de la sexualité en France » réalisée en 2006) ont permis de mesurer les changements intervenus. Le nombre cité de partenaires sexuels récents (sur un an) est désormais presque le même pour les deux sexes, avec un écart de seulement 10 %. Cependant, celui au cours de la vie reste nettement plus élevé pour les hommes (11,6 en moyenne) que pour les femmes (4,4, contre 1,8 en 1970) ; ces dernières ont tendance à omettre ceux qui n'ont pas « compté » dans leur vie. Après avoir atteint son maximum après l'arrivée de la contraception, le nombre de partenaires a diminué pour les générations « sida », nées après 1970.

Les Français parlent plus librement de leur sexualité.

La « révolution des mœurs » qui s'est produite dans les années 1960 a d'abord transformé l'image de la sexualité. Elle a été favorisée par l'émergence de la littérature et du cinéma érotiques, ainsi que par la liberté croissante de l'imagerie publicitaire. L'exploration des diverses pratiques sexuelles (bisexualité, sadomasochisme, échangisme...) a été largement médiatisée tandis que le culte de la virginité disparaissait et que la nudité faisait son apparition sur les plages et dans les magazines.

La loi a progressivement supprimé les interdits, avec la légalisation des sex-shops et des clubs spécialisés, la dépénalisation de l'adultère, de l'homosexualité et de la prostitution. L'union libre est devenue un prélude ou même un substitut socialement acceptable au mariage (p. 119). Les enfants pouvaient naître en dehors de cette institution sans être rejetés. L'apparition du sida a freiné cette évolution en plaçant au centre des préoccupations les questions de santé publique et de prévention. La médicalisation de la sexualité était pourtant déjà présente, à travers les multiples formes d'aide psychologique à destination des individus et des couples. Plus récemment, l'arrivée de médicaments comme le Viagra a permis de débattre de problèmes auparavant peu évoqués, comme celui des « pannes sexuelles » ou de l'impuissance masculine. En même temps, le tabou de la sexualité des personnes âgées a été levé.

Les résultats des enquêtes récentes montrent la moindre gêne des Français à parler de sujets autrefois tabous, comme la masturbation, la consommation de pornographie ou l'homosexualité. Si la masturbation féminine apparaît en hausse dans les enquêtes, c'est sans doute en partie parce qu'elle est plus facilement mentionnée. La liberté de parole croît avec le niveau d'éducation et elle n'est plus la prérogative des hommes. On parle donc aujourd'hui beaucoup plus facilement de la sexualité dans les médias, dans les discussions familiales et même à l'école. L'érotisme n'est plus clandestin. La recherche du plaisir sexuel est devenue socialement acceptable, voire nécessaire. La diminution de la pratique religieuse et des interdits qu'elle entretenait explique aussi cette évolution. Les femmes et les adolescents ont été les principaux bénéficiaires de cette évolution.

La gamme des pratiques s'est élargie, ...

Seuls 5 % des hommes et 16 % des femmes de 20 à 24 ans indiquent avoir eu leur premier rapport sexuel avec leur conjoint (ou le premier en cas de conjoints successifs). Les différentes enquêtes réalisées depuis plusieurs décennies révèlent une diversité croissante des pratiques sexuelles ; c'est le cas par exemple de la sexualité orale.

Fantasmes

23 % des Français disent s'être déjà imaginés, souvent (3 %) ou de temps en temps (20 %), faire l'amour avec quelqu'un d'autre que la personne effectivement dans leur lit. 27 % affirment que cela leur est déjà arrivé, mais rarement. 47 % disent n'avoir jamais fantasmé sur une autre personne lors d'un rapport sexuel.

Parmi les situations qui font le plus fantasmer, la première est d'être « pris(e) par surprise » dans son sommeil ; elle est mentionnée par 47 % des hommes et 43 % des femmes. « Faire l'amour avec un(e) inconnu(e) » arrive en deuxième position : 53 % des hommes contre 28 % des femmes. Vient ensuite « faire l'amour dans un lieu public » (31 % des hommes et 32 % des femmes). « Regarder deux femmes faire l'amour » est logiquement beaucoup plus cité par les hommes (49 %) que par les femmes (14 %) au contraire de « faire l'amour les yeux bandés » (34 % des femmes contre 24 % des hommes). « Prendre la virginité de quelqu'un » fait fantasmer 43 % des hommes et seulement 16 % des femmes. « Faire l'amour avec quelqu'un de beaucoup plus jeune » attire 40 % des hommes et 15 % des femmes. « Faire l'amour avec une collègue de travail » est un autre fantasme plus masculin que féminin (36 % contre 17 %). À l'inverse, les femmes citent plus souvent que les hommes trois autres situations : « être dominé(e) » (33 % contre 18 %) ; « faire l'amour ligoté(e) ou menotté(e) » (25 % contre 16 %), et « avoir une expérience homosexuelle » (19 % contre 13 %).

Les lieux dans lesquels les Français s'imaginent le plus faire l'amour sont par ordre décroissant d'intérêt : la plage déserte (37 %), la piscine ou le jacuzzi (29 %), la clairière en forêt (28 %), le train ou l'avion (10 %), le jardin public la nuit (8 %), l'ascenseur (7 %), le lieu de travail (6 %), le renfoncement d'une porte cochère (5 %), le parking (2 %) et le cimetière (1 %).

Parmi les célébrités masculines, la personnalité suscitant le plus de fantasmes chez les femmes est Georges Clooney. Parmi les célébrités féminines, Sophie Marceau arrive en première position chez les hommes.

Elles indiquent une augmentation du nombre des partenaires (ci-dessus). La montée de pratiques sexuelles sans pénétration confirme le lien de moins en moins étroit entre sexualité et reproduction. En même temps, le principe de besoins sexuels plus forts chez les hommes reste prégnant, comme en témoigne le recours des jeunes hommes à la prostitution ou la fréquence plus élevée dans toutes les tranches d'âge de la masturbation, de la consommation solitaire de films ou d'images pornographiques, notamment sur Internet (enquête CSF). Chez les femmes, on assiste à une polarisation liée à des critères sociodémographiques. Celles appartenant aux milieux aisés déclarent davantage pratiquer la sexualité orale et la masturbation, mais se disent réticentes à la consommation de pornographie et à la pénétration anale. Celles issues d'un milieu populaire déclarent plus souvent regarder des films pornographiques ou pratiquer la pénétration anale, mais moins la sexualité orale et beaucoup moins la masturbation.

Les pratiques se sont diversifiées dans un contexte de liberté individuelle croissante et de tolérance à l'égard des comportements différents d'une « norme » implicite ou explicite. Les expériences de toutes sortes sont devenues moins subversives, mais elles sont restées le fait de petites minorités. Les différences de comportements sont encore marquées par l'appartenance sociale, le niveau d'instruction et l'importance attachée à la religion. De façon générale, la sexualité féminine reste associée aux valeurs conjugales et affectives et celle des hommes à des « besoins physiques ».

L'incidence du sida a été forte, mais tardive. Le recours au préservatif lors des premiers rapports sexuels a connu un essor spectaculaire, passant de 42 % à 84 % entre la fin des années 1980 et 2006 selon les femmes, ou de 48 % à 88 % si l'on se fie aux déclarations des hommes. Il continue d'être pratiqué après une rupture et avec le début d'une nouvelle relation chez les plus jeunes, mais diminue avec l'âge : 46 % des femmes et 72 % des hommes de 35-49 ans sont concernés, contre 82 % et 89 % des 18-24 ans. Le faible chiffre indiqué par les femmes plus âgées peut s'expliquer par leur plus grande difficulté à trouver un nouveau partenaire, à lui imposer l'utilisation du préservatif, et par l'idée toujours assez mal acceptée d'avoir une vie sexuelle diversifiée.

Depuis 2000, on constate un relâchement des habitudes de protection et de dépistage (p. 53). Ce comportement est sans doute dû à la banalisation de la maladie, aux progrès des trithérapies contre le sida, mais aussi à la recherche d'un accroissement du plaisir par le danger. Au-delà des risques apparus avec le virus, c'est l'idée même de la sexualité qui a été affectée. Un lien entre l'amour et la mort est apparu ;

comme la vie, la mort est devenue sexuellement transmissible.

… de même que la notion de « normalité ».

Une autre évolution notable des attitudes envers la sexualité est la tolérance croissante à l'égard des diverses pratiques, à partir du moment où elles sont le fait d'adultes consentants. Homosexuels, bisexuels, transsexuels, travestis ou échangistes, bien que différents de la « norme » traditionnelle, sont désormais considérés comme des personnes ordinaires, ou simplement à la recherche de sensations nouvelles.

Cette tolérance ne s'applique pas, en revanche, à des comportements perçus comme contraires à l'égale dignité des êtres. On observe notamment une condamnation croissante de contraintes imposées aux femmes dans certaines cultures, comme l'excision, le mariage forcé et, d'une façon générale, la soumission au désir et à l'autorité de l'homme. La réaction de l'opinion publique dans l'affaire concernant Dominique Strauss-Kahn (été 2011) en témoigne. Cette volonté de « moraliser » les comportements comprend cependant quelques exceptions. Ainsi, l'inceste reste pratiqué en France dans un nombre non négligeable de familles et les cas de viol ne sont pas en diminution. Mais la condamnation s'est généralisée dès lors qu'il s'agit d'enfants, comme l'indique la condamnation croissante des affaires de pédophilie.

C'est aujourd'hui davantage l'existence d'un consentement mutuel que celle d'un « ordre moral supérieur » qui permet de distinguer entre les comportements acceptables et ceux qui ne le sont pas. La législation en a tenu compte. Elle a ainsi interdit le harcèlement sexuel dans les entreprises, qui suppose un refus des personnes harcelées, et les agressions sexuelles font l'objet de condamnations alourdies. Depuis 1992, la loi reconnaît aussi le viol conjugal, la qualité de conjoint étant même considérée comme une circonstance aggravante. Cette évolution, dont les origines remontent au XIXe siècle, va dans le sens d'une immiscion de l'ordre public dans la sphère privée, comme on peut l'observer par ailleurs.

L'homosexualité est de mieux en mieux acceptée.

En 2006, 4 % des femmes et 4 % des hommes déclaraient avoir déjà eu des pratiques sexuelles avec un partenaire de même sexe au cours de leur vie (dont seuls 0,1 % des premières et 0,5 % des seconds avaient eu des pratiques homosexuelles exclusives (enquête CSF). Cette proportion est inférieure à celle

3 millions d'homosexuels

La proportion de personnes homosexuelles (gays, lesbiennes, et bisexuelles) serait de 6,5 % parmi la population âgée de 18 ans et plus (Cevipof/IFop, octobre 2011). 3 % se déclarent homosexuelles et 3,5 % bisexuelles, une proportion supérieure à celle mesurée dans les grandes enquêtes de santé publique (Baromètre santé 2005, enquête CSF 2006, etc.). La France compterait ainsi 3,2 millions de personnes affirmant au moins une part d'homosexualité, dont 1,5 millions d'homosexuel(le)s et 1,7 millions de bisexuel(le)s.

Les minorités sexuelles forment une population aux deux tiers masculine : 68 %. La proportion de personnes âgées de moins de 50 ans (nées à partir des années 1960) y est nettement plus élevée que dans le reste de la population (66 % contre 53 %). Cela peut s'expliquer par une sous-déclaration de ces personnes, liée au fait que l'homosexualité était moins bien acceptée dans leurs générations.

La sous-représentation des femmes et des seniors explique aussi le taux d'activité très élevé mesuré dans la population homo ou bisexuelle (70 % contre 56 % chez les hétérosexuels). Les catégories dites « supérieures » y sont surreprésentées (27 % contre 21 % dans la population active hétérosexuelle, et même 30 % parmi les seuls homosexuels). À l'inverse, les employés et ouvriers y sont moins nombreux que chez les hétérosexuels (38 % contre 52 %), du fait notamment de la faible proportion de non diplômés dans leurs rangs. On observe une forte concentration en milieu urbain, particulièrement en agglomération parisienne où résident plus d'un quart des homosexuels (28 % contre 15 % des hétérosexuels). Elle traduit la recherche d'un environnement social plus tolérant.

Le degré d'appartenance religieuse diffère aussi par rapport aux autres catégories de population : seuls 38 % des homosexuels et 45 % des bisexuels se disent catholiques, contre 53 % des hétérosexuels. Enfin, en matière d'appartenance politique, les membres des minorités sexuelles sont moins abstentionnistes, moins hésitants et plus constants dans leurs choix que les autres Français. Ils expriment clairement un penchant pour la gauche et une distance à l'égard de la droite (p. 257).

mesurée dans une enquête de 2011, qui fait état de 6,5 % (encadré).

La reconnaissance croissante de l'homosexualité est l'une des conséquences de l'évolution profonde de la société quant à l'idée de « normalité » (page précédente). Elle a profité du développement de nouveaux modes de vie familiaux (monoparentaux, éclatés, mononucléaires...) qui ont élargi la notion traditionnelle de couple et de famille. Elle a été favorisée par le militantisme multiforme des personnes concernées et de leurs sympathisants : pétitions d'intellectuels ; lobbying juridique ; *Gay Pride* à Paris (devenue Marche des Fiertés). Les médias ont à leur tour contribué largement au changement d'image de l'homosexualité.

Aujourd'hui, une majorité des Français (63 %) se disent même « tout à fait » ou « plutôt favorable » au mariage des couples homosexuels (Chambre des notaires de Paris/BVA, janvier 2012). C'est aussi le cas pour l'adoption d'enfants par ces couples : 51 % des Français se disent favorables à cette adoption en mars 2012, contre 46 % en 2005 (Femme Actuelle - Enfant Magazine/ Ifop). Ces chiffres cachent une large différence de point de vue selon l'âge, puisque 59 % des personnes de plus de 50 ans y sont défavorables. C'est le cas aussi de 78 % des catholiques pratiquants réguliers et même les non-pratiquants (52 %). L'opposition concerne enfin 65 % des sympathisants de la droite parlementaire et 70 % de ceux de l'extrême droite.

Il apparaît cependant que l'homosexualité n'est pas toujours aussi bien tolérée en pratique par l'opinion, ni assumée par les personnes concernées, que ne le suggère le niveau d'acceptation mesuré dans les enquêtes. C'est ainsi que les injures homophobes et les agressions contre des homosexuels n'ont pas disparu, notamment dans les stades.

La fidélité reste une valeur et un idéal.

Le taux d'infidélité varie selon les enquêtes et la façon de la formuler. Environ un Français sur trois avoue avoir trompé son conjoint au moins une fois. Les femmes sont désormais presque aussi nombreuses que les hommes. On constate que la jeune génération a une idée plus stricte de la fidélité et que ses membres sont plus nombreux à regretter un acte d'infidélité que les plus âgés. La génération des 50-60 ans se montre en effet plus permissive, limitant plus souvent l'infidélité à l'acte sexuel et avouant plus fréquemment une transgression, notamment avec un(e) collègue ou lors d'un déplacement professionnel.

Malgré la convergence croissante dans la conception de la vie du couple, les attitudes et les comportements des hommes et des femmes s'inscrivent encore dans des « normes » distinctes, souvent implicites. Les femmes restent ainsi les moins tolérantes à l'égard de l'infidélité conjugale. La fidélité est d'ailleurs la qualité qu'elles privilégient chez le partenaire idéal (56 %), devant la sincérité (41 %, *Grazia*/ Harris Interactive, juillet 2011). Au point que, si elles devaient choisir entre un partenaire sexuellement actif mais infidèle et un partenaire peu actif sexuellement mais absolument fidèle, 85 % des femmes opteraient pour le second choix. Seules 18 % estiment que la sexualité est « indispensable » au bonheur (mais 56 % « importante »), 20 % la considèrent comme « secondaire » ou même « inutile » (27 % des femmes de 50 ans et plus).

Le modèle du couple constitué pour la vie reste présent dans les esprits, mais les Français sont partagés sur sa réalité. Ainsi, 53 % des femmes disent y croire, alors que 46 % l'imaginent moins durable. Le modèle du couple fidèle est aussi de plus en plus ouvertement mis en doute par ceux qui considèrent qu'il est une création artificielle de la société et serait contraire à la nature humaine. La mobilité ambiante le rend en outre de plus en plus difficile à vivre en pratique. L'allongement de la vie et l'évolution des mœurs incitent les individus à vivre une succession de vies conjugales au cours de leur existence. Elles sont même parfois simultanées ; certaines personnes mènent ainsi une double vie sentimentale pour satisfaire un besoin de changement tout en conservant le confort et la stabilité du mariage ou de l'union libre. Des sites internet spécialisés exploitent d'ailleurs ce qu'ils qualifient de « marché de l'infidélité conjugale », à l'exemple de Gleenden, lancé en 2009, qui se positionne clairement comme une « communauté pour les personnes mariées ».

DIVORCE

Le nombre des divorces a été multiplié par quatre entre 1960 et 1995.

On a enregistré 134 000 divorces en 2010, soit une croissance de 15 % par rapport à l'année 2000. Elle indique la poursuite d'un mouvement qui a commencé dans la seconde moitié des années 1960. Le nombre des ruptures enregistrées était ainsi passé de 38 000 en 1970 à près de 60 000 en 1975. La libéralisation mise en place en 1977 avait favorisé cet accroissement, qui s'est poursuivi jusqu'au milieu des années 1980 (106 000 en 1985). Il s'est poursuivi entre 1990 et 1995, pour atteindre 120 000.

Au total, le nombre de divorces a doublé entre 1970 et 1980, presque

triplé entre 1970 et 1985 et quadruplé entre 1960 et 1995. Il est supérieur à 100 000 depuis 1984. Il avait connu une stabilisation à 110 000-120 000 entre 1995 et 2002, mais la hausse a repris en 2005 (155 000) après l'entrée en vigueur de la nouvelle procédure par consentement mutuel.

La France se situe légèrement au-dessus de la moyenne de l'Union européenne à vingt-sept, avec 2,1 divorces pour 1 000 habitants en 2010. Les taux les plus élevés se trouvent dans certains pays de l'Est et du Nord : 3,0 en Lituanie comme en Belgique, 2,9 en République tchèque, 2,8 en Suisse. Le divorce est beaucoup moins fréquent en Italie et en Irlande (respectivement 0,9 et 0,7), en Grèce et en Slovénie (1,2) ainsi qu'en Roumanie (1,5).

Mariage non obligatoire, divorce possible

Sept Français sur dix ne voient pas d'inconvénient à ce qu'un couple cohabite sans être marié, même sans avoir l'intention de « régulariser » sa situation (INSEE, 2011). En pratique, cette régularisation (par le mariage ou le Pacs) ne concerne qu'un couple sur cinq. Les écarts entre générations sont considérables : 80 % des jeunes de 20-24 ans en couple vivent en union libre, contre 5 % seulement des plus de 65 ans. La proportion des jeunes de moins de 25 ans vivant en couple avait nettement baissé entre 1982 et 1999, les unions devenant plus tardives ; elle est stable depuis 1999. Entre 25 et 65 ans, les Français habitent moins fréquemment en couple. Mais l'augmentation de l'espérance de vie explique qu'à partir de 65 ans, ils vivent plus longtemps avec leur conjoint qu'auparavant.

L'acceptation sociale du divorce s'est également généralisée, en tant qu'issue possible pour les personnes malheureuses en couple, y compris lorsqu'elles ont des enfants : huit Français sur dix y sont favorables (79 %, en hausse de 3 points en trois ans). La proportion atteint 90 % parmi les personnes divorcées ou en instance de divorce. L'écart entre les générations se creuse à partir de 60 ans : avant cet âge, huit adultes sur dix sont plutôt favorables au divorce comme issue d'un échec marital ; la proportion n'est plus que de six sur dix après 75 ans.

Un mariage sur deux se termine par une rupture.

En cinquante ans, le *ratio* annuel entre le nombre des divorces et celui des mariages a été multiplié par cinq : on a compté 53 divorces pour 100 mariages en 2010 (133 909 pour 251 654), contre 10 en 1965, 20 en 1980, 30 en 1990, 40 en 1995. Le taux avait même atteint 55 en 2005. Les fluctuations que l'on constate d'une année sur l'autre s'expliquent en partie par celles des mariages au cours des années qui précèdent ; une baisse de la nuptialité se traduit en principe quelques années plus tard par une diminution des divorces, à comportement égal dans les couples.

Cependant, on constate que la baisse des mariages survenue depuis les années 1970 (p. 114) n'a pas réduit le nombre de divorces. Cela signifie que le taux de divortialité s'est accru. L'accroissement du nombre des remariages a suivi celui des divorces. La simplification des procédures juridiques a sans doute eu un effet sur les comportements des couples. La loi relative au divorce votée en 2004 a adapté celle de juillet 1975. Outre la réduction de la durée du divorce, elle avait pour objectif de pacifier les relations conjugales pendant le déroulement de la procédure. Elle a facilité notamment le consentement mutuel et le règlement complet des diverses conséquences du divorce lorsqu'il est prononcé.

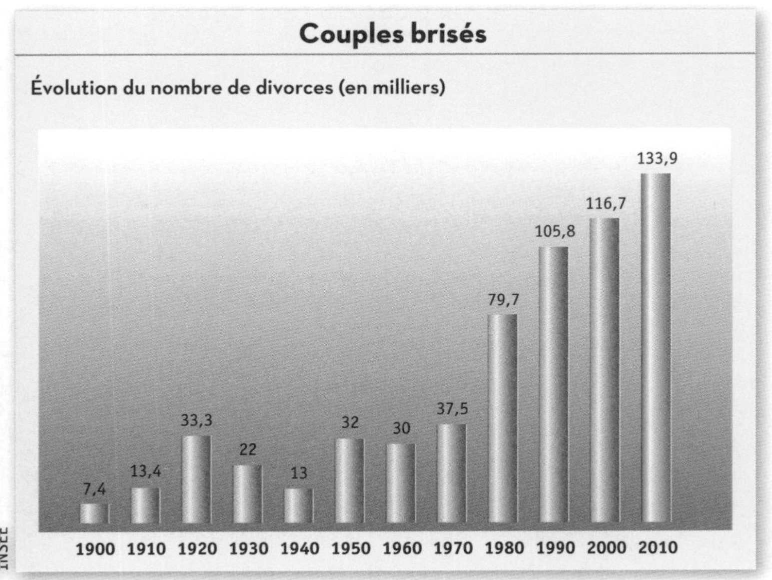

Désunions européennes

Nombre de divorces dans quelques pays d'Europe (2010, pour mille habitants)

Allemagne	2,3
Espagne	2,2
France	**2,1**
Italie	0,9
Royaume-Uni	2
UE 27	*2*

Eurostat

La durée de l'union influe moins sur la rupture.

Le taux de divorce connaît un pic vers la cinquième année, avec 27,3 divorces pour 1000 mariages au bout de cette période (2008), alors qu'il n'est que de 15 en moyenne sur une période de trente ans. Le taux reste faible pendant les deux premières années du mariage, avec moins de 7 divorces pour 1000, mais il semble de nouveau s'accroître après 25 ans d'union conjugale, au-delà de 9 pour 1000.

La durée de la cohabitation semble avoir peu d'influence sur la probabilité d'une rupture, au moins parmi les couples qui se sont formés avant 1990. Ainsi, parmi les unions (conjugales ou libres) qui ont vu le jour entre 1985 et 1989, 11,5 % ont été rompues au cours des cinq premières années et 12 % pendant les cinq années suivantes, contre respectivement 5,9 % et 7,3 % une décennie plus tôt et 1,5 % et 2,1 % trente ans plus tôt. La durée moyenne des unions formées dans les années 1970 et rompues dans les vingt ans était de 10 ans, contre environ 11 ans pour les couples qui avaient commencé à cohabiter dans les années 1950.

L'augmentation des ruptures s'est accompagnée d'un fort accroissement des unions libres, qui étaient plutôt rares avant la fin des années 1960. A partir du milieu des années 1980, les mariages qui ont été précédés par une cohabitation sont devenus plus stables que les unions ayant débuté par le mariage. En revanche, le risque annuel de rupture apparaît plus grand si la cohabitation se termine par un mariage : il est 1,5 fois plus élevé chez les hommes et 1,7 fois chez les femmes, le risque global étant toutefois inférieur à 4 %. Les parents de jeunes enfants (au moins un enfant âgé de moins de 3 ans) rompent moins souvent leur relation, mais cet effet protecteur de l'union s'estompe avec le temps : pour les femmes dont le plus jeune enfant est âgé de 7 à 18 ans, le risque annuel de rupture est le même que pour les femmes sans enfant. Lorsque le plus jeune enfant atteint la majorité, la séparation du couple devient même plus fréquente.

L'indépendance financière de la femme semble favoriser la rupture. Les couples se séparent moins souvent lorsque la femme n'a jamais travaillé (ce qui est de plus en plus rare) ou a cessé de travailler pendant au moins deux ans. Mais il se pourrait également que la stabilité de l'union ait favorisé un tel choix. Les femmes cadres ou exerçant une profession intellectuelle supérieure ou intermédiaire se séparent plus souvent que les agriculteurs ou, dans une moindre mesure, les indépendants et les ouvriers tous sexes confondus ; les écarts sont moins sensibles chez les hommes.

Le taux de divorce augmente à tous les âges.

La vie conjugale est de plus en plus constituée d'une succession de vies conjugales. Elle est souvent constituée de plusieurs cohabitations, unions libres ou mariages, mais aussi de séparations et divorces. L'environnement complexe incite à la mobilité et au changement. Le mariage n'est donc pas considéré comme définitif et les échecs sont individuellement et socialement acceptés. Il est donc normal de faire d'autres tentatives.

Le cap des cinq ans

Taux de divorce selon la durée du mariage*

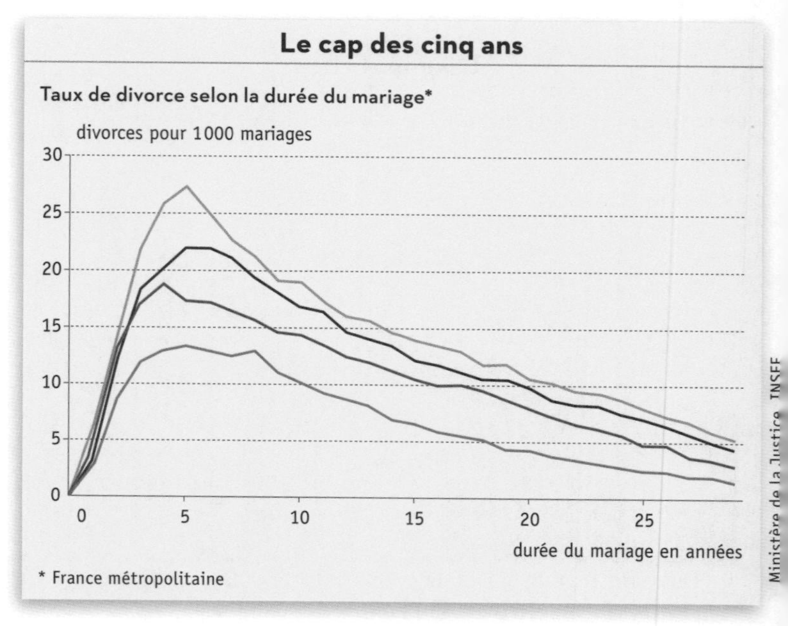

* France métropolitaine

L'âge des conjoints est de moins en moins un facteur dissuasif. Si l'on divorce davantage à 35 ans qu'à 65, le taux de divortialité augmente aujourd'hui plus vite sur les durées de mariage longues. C'est le cas, notamment après quinze ans d'union. Alors qu'il a doublé en moyenne au cours des dix premières années de mariage entre 1976 et 2006, le taux de divortialité a été multiplié par quatre après vingt-cinq ans de mariage.

Aujourd'hui le risque maximum de divorce se situe cinq ans après le mariage, à 27 pour mille. Le traditionnel cap des sept ans a donc été avancé. Parmi les mariages conclus en 1975, un sur trois (31 %) avait été rompu fin 2010. On observe que plus on s'est rencontré et marié jeune, plus le taux de divorce est élevé. Par ailleurs, l'arrivée d'un enfant ne cimente plus le couple et ne constitue plus un frein au divorce. La crise économique pourrait en revanche retarder certains divorces, pour des raisons financières, liées aux frais à engager pour le divorce et à l'appauvrissement qui peut résulter d'un partage des biens.

La procédure utilisée varie selon l'ancienneté du couple.

Sur la période 2005 à 2010, on a assisté à une redistribution des types de divorces prononcés avec une progression du divorce par consentement mutuel qui représente 54 % des procédures en 2010 contre 47 % en 2005, une très forte diminution des divorces pour faute (10 % des divorces en 2010 contre 37 % en 2004) et, au sein des divorces contentieux, une augmentation du divorce accepté qui passe de 13 % à 24 %.

Les procédures varient selon la durée du mariage. Le consentement mutuel est nettement majoritaire pour les divorces survenant dans les premières années. La durée moyenne est dans ce cas d'un peu moins de 13 ans, contre 16 ans pour un divorce accepté et 19 ans pour l'altération définitive du lien conjugal ou la conversion de séparation de corps. Lorsque la durée augmente, ce type de divorce cède progressivement la place à celui demandé pour faute.

La durée moyenne de la procédure est aujourd'hui de 3 mois pour un divorce par consentement mutuel (contre 9 environ avant 2005), de 18 mois pour un divorce accepté, soit 5 de plus qu'en 1996, et de 24 mois pour un divorce pour faute (contre 16 mois en 1996). Le coût moyen est de l'ordre de 2 000 € pour un divorce à l'amiable et de 3 000 € pour un divorce contentieux. Depuis le 1er janvier 2012, les taxes liées au coût du partage des biens, communément appelées « frais de notaire » sont passées de 1,5 % à 2,5 %.

L'exigence des partenaires favorise l'instabilité du couple.

L'évolution de l'environnement social, économique ou professionnel a sans aucun doute favorisé celle des individus et des époux. Beaucoup de couples ne parviennent pas à concilier leur souci d'autonomie personnelle avec les contraintes conjugales. La vie à deux limite en effet par principe la liberté individuelle, ce qui est moins bien accepté dans une société où elle constitue une revendication dominante. Par ailleurs, l'allongement considérable de l'espérance de vie se traduit par un accroissement de la durée potentielle des couples : elle est d'environ 45 ans pour ceux qui se marient aujourd'hui, contre 38 ans en 1940 (elle n'était que de 17 ans au milieu du XVIIIe siècle). Cette longévité explique que les vies individuelles sont de plus en plus souvent constituées d'une succession de vies conjugales.

Contrairement à ce que l'on pourrait penser, la fréquence du divorce ne traduit pas un rejet de la vie de couple, mais au contraire un attachement plus grand à sa réussite et une exigence croissante quant à sa qualité. Le mariage n'est plus comme dans le passé une affaire de raison. Si Montaigne pouvait écrire au XVIe siècle : *« un bon mariage, s'il en est, refuse la compagnie et condition de l'amour »*, le mariage contemporain est au contraire une affaire de cœur. Les Français recherchent aujourd'hui l'amour et l'harmonie. Au point de ne plus accepter de les vivre imparfaitement. Conscients de la difficulté de satisfaire pleinement leurs attentes, ils revendiquent et assument le droit à l'erreur.

Sept demandes de divorce sur dix émanent de la femme.

Si les hommes continuent le plus souvent de faire la demande en mariage, ce sont les femmes qui sont à l'origine de la plupart des demandes de divorce, hors requête conjointe : 71 % des cas (contre 60 à 70 % en Allemagne, Espagne ou Pologne). Cette situation s'explique par le fait qu'elles trouvent plus d'inconvénients que les hommes au mariage. Surtout, plus des deux tiers (68 %) des femmes qui divorcent ont une activité professionnelle, ce qui leur permet d'avoir une autonomie financière pour vivre seule, ce qui n'était pas le cas dans les générations précédentes. L'infidélité apparaît comme la première cause de divorce (52 %) suivi par le manque de communication pour la moitié des divorcés (UFE, 2011). La répartition des tâches au sein du foyer n'est toujours pas favorable aux femmes (p. 123). Durkheim remarquait déjà il y a un siècle que *« la société conjugale, désastreuse pour la femme, est au contraire bénéfique pour l'homme »*.

Il est en outre souvent plus difficile aux femmes de trouver leur identité, notamment professionnelle, dans le cadre du mariage. La quasi-parité des taux d'activité (p. 300) occulte le fait que les femmes ont souvent moins l'occasion de s'épanouir dans leur travail, du fait de leurs contraintes familiales, dans un monde professionnel où les postes de responsabilité sont encore accaparés par les hommes. Certaines considèrent que leur vie de mère et d'épouse les empêche de se réaliser dans les autres domaines et préfèrent envisager le divorce, notamment lorsqu'elles n'ont pas d'enfant. C'est la raison pour laquelle les femmes cadres sont près de trois fois plus nombreuses à vivre seules que les ouvrières (21 % contre 9 %).

Violence et silence

On estime qu'environ 300 000 personnes sont victimes chaque année de violences physiques ou sexuelles au sein de leur couple. La proportion de femmes concernées est d'environ une sur cent (INSEE-ONDRP). 165 seraient mortes en 2009 des suites de violences de la part de leur partenaire ou ex-partenaire (156 en 2008). Un cinquième des homicides commis ont lieu au sein du couple, 41 % seraient liés à une séparation.

Les hommes sont aussi concernés. Ils représentent une faible part des cas enregistrés, mais sont peu nombreux à porter plainte. On a enregistré parmi eux 16 décès en 2008 dus à ce type de violence, mais la moitié des femmes responsables en étaient elles-mêmes victimes de la part de leur partenaire.

Moins d'une personne sur cinq (de 18 à 75 ans) ayant subi de telles violences déclarent avoir été vues par un médecin. Plus de huit sur dix ne se sont pas rendues à la police ou à la gendarmerie. Le taux de plainte est de moins de 2 % pour les violences sexuelles, et de près de 20 % pour celles avec blessures physiques visibles. Moins d'une victime sur dix a déclaré avoir appelé un numéro vert ou rencontré des membres d'une association d'aide aux victimes. 22 % déclarent avoir peur que les violences subies se reproduisent.

Des enfants sont présents dans deux divorces sur trois…

La majorité des divorces prononcés en 2009 avaient impliqué des enfants mineurs : 57 % contre 61 % en 1996. Le nombre de divorces avec enfant a retrouvé son niveau du début des années 2000 et la hausse des divorces lors de la dernière décennie a plutôt concerné des couples sans enfants mineur qui ont plus fréquemment utilisés des procédures de divorce par consentement mutuel.

La proportion de couples divorcés sans enfants mineurs a augmenté dans les années 1980 ; elle dépasse aujourd'hui 40 % pour l'ensemble des divorces, contre 31 % en 1982. Mais elle varie fortement selon la nature du divorce : 33 % pour les divorces acceptés, 37 % pour ceux pour faute, 47 % pour ceux par consentement mutuel et 53 % pour les autres types de divorce. La présence d'un ou plusieurs enfants tend donc à rendre la séparation des époux plus conflictuelle. Depuis 1996, cette proportion a augmenté de 6 points dans les consentements mutuels et d'un peu moins de 2 point dans les divorces pour faute, tandis qu'elle diminuait de 9 points lorsque le divorce était fondé sur la séparation des conjoints. S'il est encore trop tôt pour se prononcer avec certitude sur les effets de la réforme de 2005, on peut observer que les couples avec enfants préfèrent désormais le divorce accepté au

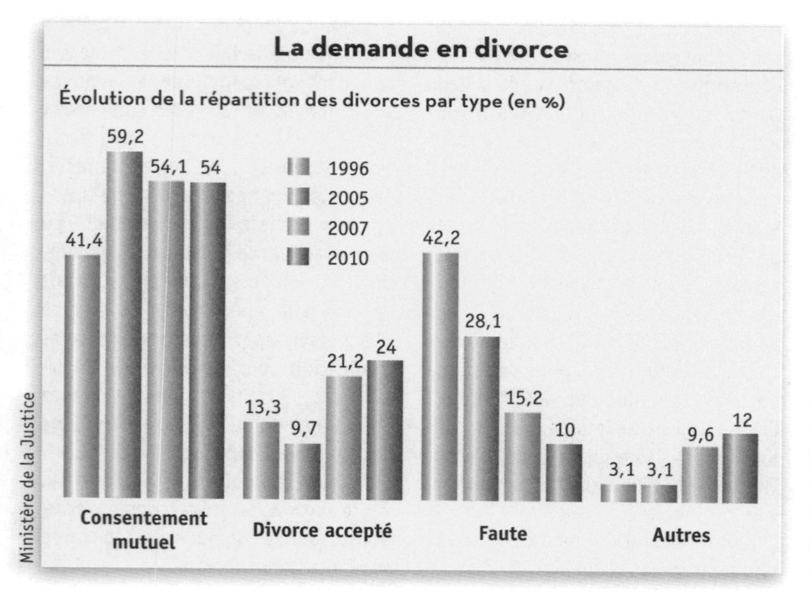

divorce pour faute ou par consentement mutuel. Il a suivi en cela la tendance des couples sans enfants.

Le fait d'avoir un enfant de bas âge tend à retarder la décision de divorcer ; certains couples attendent en effet que leurs enfants atteignent un certain âge, voire la majorité, pour se séparer. Lorsque plusieurs enfants mineurs sont présents, l'âge moyen des enfants se situe entre 7 et 11 ans. On constate que la proportion de couples qui divorcent diminue avec le nombre d'enfants qu'ils ont. À 18 ans, un enfant sur cinq a aujourd'hui des parents séparés, contre 8 % de ceux nés vers 1960 et 17 % de ceux nés vers 1970. Des études montrent qu'ils ont une moins bonne réussite scolaire, en moyenne, que lorsque les parents vivent ensemble. La séparation du couple avant la majorité d'un enfant entraîne ainsi une réduction de près d'un an de la durée de sa scolarité.

... et la plupart sont confiés à leur mère.

Dans la presque totalité des cas, l'autorité parentale continue d'être exercée conjointement. Au milieu des années 1980, seul un enfant sur trois avait des contacts avec son père si celui-ci n'en avait pas la garde. Dans huit cas sur dix, la garde des enfants est attribuée à la mère. Depuis la mise en place de la résidence alternée (mars 2002), on estime la proportion d'enfants concernés en vertu d'une décision de justice à 16 % en 2010 contre 10 % en 2004. Cette forte augmentation est aussi fortement corrélée à l'évolution du nombre de divorces par consentement mutuel.

Dans huit divorces sur dix avec un enfant mineur, une pension alimentaire est versée à l'un des parents. Elle est le plus souvent attribuée à la mère (75 % des cas), dans la mesure où c'est elle qui a la garde de l'enfant. D'autant qu'à un moment du divorce, le revenu moyen des pères est une fois et demie plus élevé que celui des mères. Plus la fratrie est étendue, plus la pension par enfant est faible.

Socialement, le divorce est aujourd'hui considéré comme un recours normal lorsqu'il y a mésentente au sein d'un couple marié. Les enfants de divorcés ne sont plus mis à l'index, comme ce fut parfois le cas pour les générations précédentes. Pourtant, cette banalisation sociale et juridique n'implique pas l'absence de conflit, et l'expérience du divorce est encore souvent vécue douloureusement par les époux concernés, car il sanctionne un échec et laisse des cicatrices. À cela s'ajoute parfois une plus grande précarité économique chez les personnes à faibles revenus, et en particulier les femmes avec un ou plusieurs enfants.

Le traumatisme est encore plus grand pour les enfants concernés. La « chance » de recevoir plus de cadeaux à Noël et d'avoir davantage d'occasions de partir en vacances ne compense pas l'absence d'un père ou (plus rarement) d'une mère. L'expérience du divorce est donc pour les enfants un choc important, qui peut avoir des séquelles sur leur vie scolaire et affective, avec des conséquences parfois durables.

Seul ou à deux : les étapes de la vie

Les femmes franchissent les principales étapes de la vie familiale plus tôt que les hommes. À 20 ans, la moitié d'entre elles ont déjà quitté le foyer parental ; cette proportion n'est atteinte par les hommes qu'à 22 ans. On note que ce seuil a peu varié au cours des vingt dernières années. En revanche, l'âge auquel la moitié des jeunes vivent en couple s'est accru d'un an et demi pour les deux sexes (24,5 ans pour les femmes et 27 ans pour les hommes). Les mariages sont aussi plus tardifs et l'âge médian à la naissance des enfants a augmenté de deux ans.

Les unions sont surtout plus fragiles. Le nombre de mères de familles monoparentales a connu une forte progression depuis 1990. Cependant, la durée de la vie en couple est restée stable, autour de 38 ans. L'accroissement des âges de mise en couple et la fragilisation des unions sont en effet compensés par l'allongement de l'espérance de la vie, qui a allongé la vie des coupes après 60 ans.

On observe en tout cas que le nombre d'années passées seul s'accroît ; il a progressé de près de 4 ans depuis 1990 pour les hommes et de 3,5 ans pour les femmes, principalement avant 60 ans. Un homme passe ainsi environ 10 ans de sa vie seul dans son logement (les deux tiers de ces années, avant l'âge de 60 ans) et une femme environ 15 ans (les deux tiers après 60 ans). Mais la principale différence entre les hommes et les femmes reste l'espérance de vie. Entre 1990 et 2010, les hommes ont gagné 5,4 années d'espérance de vie et les femmes 3,8. Malgré ce rattrapage partiel, les femmes vivent encore presque 7 ans de plus que les hommes.

NATALITÉ

Plus de 800 000 enfants naissent chaque année.

On a enregistré 837 000 naissances en 2011 (797 000 en France métropolitaine), soit un niveau inégalé depuis 1981. Comme pour les mariages (p. 114), l'effet du changement de millénaire sur le nombre des naissances a été sensible. Il avait atteint 807 000 en 2000 (774 800 pour la France métropolitaine), ce qui indiquait une inversion de tendance après le creux historique constaté en 1993 et 1994 (711 000 en métropole), qui était le plus faible niveau depuis la Seconde Guerre mondiale. En l'an 2000, le taux de natalité était repassé au-dessus de 13 pour mille habitants pour la première fois en une décennie. Les trois premières années du XXIe siècle n'avaient pas confirmé ce *mini baby-boom*, mais la natalité était revenue en 2005 au niveau de 2000, avec 807 000 naissances.

Cette reprise de la natalité est d'autant plus remarquable que les femmes âgées de 20 à 40 ans, qui ont donné naissance à 90,6 % des bébés de 2011, sont de moins en moins nombreuses. Les générations nées au cours du *baby-boom* de l'après-guerre sont en effet progressivement remplacées par des générations moins peuplées. Cela signifie que les femmes continuent à avoir en moyenne plus d'enfants qu'au cours de la décennie 1990, ce que confirme la hausse de l'indicateur de fécondité. Ces éléments doivent cependant être précisés en examinant l'évolution du calendrier des naissances.

La natalité reste plus forte dans le tiers Nord (à l'exception de l'Alsace et de la Lorraine), mais l'écart entre l'ancien « croissant fertile » et les autres régions se réduit. Elle est plus faible dans le quart Sud-Ouest, avec un minimum dans le Limousin. La fécondité des femmes habitant en zone rurale est redevenue supérieure à celle mesurée en zone urbaine. Les départements d'outre-mer conservent une fécondité plus élevée qu'en métropole, mais avec une tendance à la baisse. Parmi les enfants nés en 2010, 19,8 % avaient au moins un parent étranger, mais la fécondité plus élevée des femmes étrangères contribue assez peu à la hausse du taux de fécondité, en raison de leur faible poids démographique.

Le taux de fécondité augmente depuis 1994.

L'indicateur conjoncturel de fécondité représente la somme des taux de fécondité par âge pour une année donnée (rapport du nombre d'enfants nés de femmes d'une génération donnée à l'effectif de cette génération en début de période), c'est-à-dire le nombre moyen d'enfants que mettrait au monde chaque femme d'une génération fictive pendant sa vie féconde (entre 15 et 49 ans) avec des taux par âge identiques à ceux observés au cours de l'année considérée.

Cet indicateur a atteint 2,01 en 2011, ce qui traduit une augmentation régulière depuis 1994 (1,66), après la forte baisse qui avait été constatée depuis le milieu des années 1960 (2,92 en 1964). Les femmes ont donc en moyenne plus d'enfants qu'au cours des années 1990 ; la hausse récente est due aux trentenaires, ce qui traduit une nouvelle progression de l'âge moyen à la maternité, à 30,1 ans en 2011, contre 29,4 en 2002.

Au sein des pays européens, seule l'Irlande affiche un taux de fécondité supérieur à la France avec 2,07 enfants par femme depuis 2008. La moyenne de l'Union européenne à 27 affiche 1,59 enfants par femme en 2010 avec une Europe du sud nettement en deçà, aux alentours de 1,4 enfant par femme, et une Europe du nord ainsi que le Royaume-Uni aux environs de 1,9 enfant par femme.

Les femmes ont leur premier et leur dernier enfant plus tard.

Les maternités sont de plus en plus planifiées et le calendrier de la fécondité s'est transformé. L'âge moyen à la procréation est ainsi passé de 26,8 ans en 1980 à 30,1 ans en 2011 (28 ans en

Les enfants de la France

Évolution du nombre des naissances (en milliers) et de l'indice conjoncturel

	1960	1970	1980	1990	2000	2011
Naissances	816	848	800	762	807	827
Indice	2,73	2,47	1,94	1,78	1,9	2,0

INSEE

1990). Il faut cependant observer que l'âge moyen à la première maternité avait diminué depuis la fin de la Seconde Guerre mondiale jusqu'en 1977, de sorte qu'il n'est aujourd'hui supérieur que d'un an à celui mesuré en 1946 (28,8 ans).

Les causes de l'évolution récente résident dans l'allongement de la durée des études, la difficulté de trouver un premier emploi ou un travail stable et la généralisation de l'activité féminine. La maîtrise de la fécondité a aussi permis aux femmes de faire coïncider l'arrivée des enfants avec les périodes jugées favorables au cours de leur vie personnelle, familiale et professionnelle. Ces comportements ont été renforcés par l'allongement de la durée de vie. Le résultat est que la fécondité des femmes de 20 à 24 ans a été divisée par trois entre 1964 et 1998. On note aussi que l'arrivée d'un premier enfant est de plus en plus tardive, mais influe peu sur la fécondité finale (un peu plus de 2 enfants par femme). À 35 ans, les femmes nées en 1957 avaient eu 1,95 enfant, alors que ce taux n'était que de 1,74 enfant pour celles nées en 1967 (mais était atteint à 40 ans) et de 1,68 enfant pour celles nées en 1972. Cependant, les retards accumulés aux jeunes âges sont de plus en plus faibles. Les femmes les plus diplômées sont celles qui ont le plus retardé l'arrivée de leur premier enfant. Mais, pour les générations récentes, elles ont rapproché l'arrivée du deuxième.

Les dernières grossesses des femmes sont aussi plus tardives. La fécondité de celles âgées de 30 ans ou plus continue d'augmenter, alors que celle des moins de 30 ans ne diminue presque plus. Plus de la moitié des nouveau-nés de 2011 avaient ainsi une mère âgée de 30 ans ou plus, contre un quart en 1977 et 43 % en 1995. Les femmes sont deux fois plus nombreuses à accoucher après 40 ans, ce qui représente plus de 3,9 % des naissances en 2011. Pour les femmes de 35 à 39 ans, elles représentent maintenant 17 % des naissances contre seulement 10 % il y a seulement vingt ans. A l'inverse, alors que les femmes de moins de 30 ans représentaient 62 % des naissances en 1990, elles n'en représentent plus que 46 %. Certaines femmes privilégient leur activité professionnelle à des périodes de leur vie où elles pourraient être mères. D'autres subissent la pression implicite des entreprises qui acceptent mal l'absentéisme provoqué par les grossesses des salariées. Elles attendent donc la fin de leur période féconde pour avoir leur dernier enfant. Les enfants concernés sont en tout cas généralement choyés, ils arrivent dans des foyers stables où ils prennent une place importante.

La proportion de couples avec enfants s'accroît, ...

La proportion de femmes qui deviennent mères a augmenté. Seules 6 % des femmes nées en 1950 n'ont pas eu d'enfant, trois fois moins que celles qui étaient nées en 1900 (17 %). On constate donc que le modèle mater-

Fécondité et démographie

On ne peut comprendre l'histoire des nations, ni surtout envisager leur avenir, si on ignore leur démographie. Avec 65 millions d'habitants (y compris les départements d'outre-mer), la France est le deuxième pays le plus peuplé de l'Union européenne derrière l'Allemagne (82 millions) ; elle devance le Royaume-Uni (62), l'Italie (60) et l'Espagne (46). La population nationale s'est accrue de façon spectaculaire au cours des dernières décennies : dix millions d'habitants de plus depuis 1981, vingt millions depuis 1958. La croissance a été beaucoup moins forte en Allemagne (+ 3 millions en trente ans), en Italie (+ 4 millions) ou au Royaume-Uni (+ 6 millions).

Parmi les nombreuses « exceptions françaises », il faut donc citer la fécondité. La France est le seul pays en Europe avec l'Irlande à dépasser un taux de fécondité de 2 enfants par femme (2,02 en 2011), la moyenne des 27 pays de l'Union n'étant que de 1,6. Mais cette forte fécondité, qui est imputable en particulier aux femmes de plus de 30 ans, n'est pas le plus important facteur d'explication de l'accroissement de la population. La progression de l'espérance de vie (7 années en trente ans) a joué un rôle central ; on vit désormais en moyenne plus de 80 ans (p. 95). Par ailleurs, les migrations ont entraîné un accroissement de la population de 3 millions en trente ans.

Mais la principale singularité démographique de la France est la forme particulière de sa pyramide des âges. Elle se caractérisait au début des années 1980 par une population assez peu nombreuse au-delà de 60 ans, du fait notamment des générations creuses de la première guerre mondiale. À l'inverse, les générations âgées de moins de 30 ans à l'époque (issues du *baby-boom*) étaient plus nombreuses ; ce sont elles qui ont eu des enfants depuis. Ce phénomène est à l'origine d'un accroissement de 5 millions de la population depuis 1981. La population française pourrait encore progresser de 10 millions d'ici 2060, alors que celles de l'Allemagne ou de l'Italie devraient diminuer.

nel s'est largement imposé. Le combat des femmes pour une maternité responsable n'était pas celui du refus de l'enfant, mais celui du choix du moment.

Cette évolution est aussi la conséquence des progrès de la lutte contre la stérilité. L'une des conséquences est l'augmentation depuis 1973 des naissances multiples, qui se produisent aujourd'hui dans 16 accouchements sur 1 000. L'augmentation concerne essentiellement les faux jumeaux, issus de la fécondation de deux ovules, et dans une moindre mesure les vrais jumeaux, issus de la division d'un même œuf. On estime qu'elle est due pour les deux tiers aux traitements de la stérilité, qui entraînent des ovulations multiples et, par suite, la naissance de faux jumeaux, et pour un tiers au retard de la maternité. Leur fréquence croît avec l'âge de la mère.

Enfin, seuls environ 4 % des hommes et des femmes âgés de plus de 45 ans qui ont déjà vécu en couple n'ont jamais eu d'enfant. Plus de neuf sur dix ont eu au moins un enfant issu de leur première union. Or, la proportion de couples ayant des enfants dans une seconde union est plus forte, lorsque la première n'a pas produit d'enfant (48 % contre 30 % pour les femmes concernées, 55 % contre 34 % pour les hommes). L'un des motifs des séparations et remises en couple plus fréquentes aujourd'hui pourrait donc être l'infertilité ou l'absence de désir d'enfant d'un premier partenaire. D'autant que le recul de l'âge au mariage réduit la durée de fertilité possible des femmes. On note cependant que la fécondité des femmes et hommes qui ont déjà eu des enfants et qui se sont remis en couple est également élevée ; elle est proche de ceux et de celles qui continuent à vivre avec leur premier partenaire. Le désir d'enfants semble toutefois décroître à partir du deuxième enfant, ce qui correspond à l'« idéal » affiché d'environ deux enfants par couple.

... de même que les demandes d'adoption.

Le nombre de personnes qui font une demande pour adopter un enfant a presque doublé en 15 ans. On compte aujourd'hui plus de 10 000 demandes par an. Environ 90 % des demandes sont déposées par un couple (10 % par une femme seule) ; 90 % des candidats à l'adoption ont entre 30 et 49 ans. Environ 30 000 demandes étaient en attente en 2010 (ONED) ; 7 000 personnes par an reçoivent un agrément, les autres se voient opposer un refus ou renoncent à leur projet au cours de la procédure, qui dure en moyenne trois ans (et six mois de plus pour un enfant né en France).

L'adoption est un moyen de pallier un problème de stérilité ou de donner une famille à un enfant déshérité. Neuf procédures sur dix concernent des couples, dont sept sur dix sont stériles ; une procédure sur dix est engagée par une femme seule. La décision est mûrement pesée, puisque l'âge moyen des femmes concernées est de 39 ans, soit dix de plus que celui des mères biologiques. L'agrément est plus souvent refusé aux célibataires qu'aux couples, aux couples de plus de 40 ans qu'aux couples jeunes, et aux candidats issus d'un milieu défavorisé qu'à ceux qui ne le sont pas. Il est suivi d'une adoption dans deux cas sur trois.

Le nombre d'enfants adoptés à l'étranger est en fort recul : 1 995 enfants en 2011, contre 3 977 en 2006. L'année 2010 avait été marquée par l'adoption de 992 enfants après le séisme en Haïti, ce qui avait porté le nombre d'adoptions internationales à 3 504. Un nombre croissant de pays ont mis en place des dispositifs de protection : signature de la Convention de La Haye de 1993, allongement des procédure locales, interdiction des adoptions individuelles. Ces dernières ont ainsi diminué (31 % en 2011, contre 49 % en 2006) en faveur d'adoptions par le biais d'organismes agréés (49 %) ou de la nouvelle Agence française pour l'adoption (20 %).

Les enfants adoptés en 2011 étaient originaires de 65 pays différents, contre 30 en 1990, mais 74 en 2008. Quatre pays représentent 56 % des adoptions, à parts quasiment égales : Éthiopie, Colombie, Russie (286), Vietnam (264). Malgré la très forte baisse des adoptions individuelles en général, ces dernières représentent 79 % des adoptions en Russie. L'Afrique est désormais le premier continent d'origine (35 %), devant l'Asie (24 %), alors que les Amériques sont en forte baisse (18,5 % en 2011 contre 28 % en 2008). Huit enfants sur dix ont moins de 7 ans et un quart ont entre 1 et 2 ans.

La reconnaissance paternelle est devenue la règle...

La proportion de naissances survenant en dehors du mariage a beaucoup augmenté au cours des deux dernières décennies. Elle a atteint 56 % en 2011 contre 30 % en 1990, 11 % en 1980, 7 % en 1970 ; elle concerne même six enfants sur dix si l'on ne prend en compte que le premier enfant des couples. Elle est nettement supérieure à la moyenne des pays de l'Union européenne à 27 : 38 % en 2009, mais elle a plus que doublé en vingt ans (17 % en 1990). Les écarts sont considérables entre les pays, avec un minimum en Grèce (7 %) et à Chypre (12 %), et un maximum en Suède (54 %) et en Estonie (59 %).

Depuis juillet 2006, la législation française ne distingue plus les enfants naturels des enfants légitimes. Tous ont les mêmes droits. La quasi-totalité des enfants (96 %) bénéficient aujourd'hui d'une double filiation, que leurs parents soient mariés ou non. La filiation n'est

Une augmentation trompeuse des naissances

La hausse des naissances depuis quelques années et celle du taux de fécondité laissent penser que les couples ont de plus en plus d'enfants. Lorsqu'on examine les chiffres de plus près, on s'aperçoit que ce n'est pas le cas. Après les années 1970, les femmes ont commencé à avoir leur premier enfant de plus en plus tard : l'âge moyen était ainsi de 28,5 ans en 2011, contre moins de 24 au début des années 1970. Mais ce « retard » a été progressivement rattrapé, car les derniers enfants des couples sont également arrivés plus tardivement, de sorte que les femmes concernées ont eu à peu près le même nombre total d'enfants (descendance finale) que leurs aînées. On observe aujourd'hui une interruption de ce décalage dans le calendrier des naissances, qui concernait les femmes nées après 1970.

Ces évolutions ont été masquées par l'incidence de la pyramide des âges sur les chiffres annuels de fécondité. Entre le début des années 1970 et le milieu des années 1990, les générations de femmes plus âgées n'avaient plus d'enfant, tandis que les plus jeunes n'en avaient pas encore, du fait de l'usage de la pilule et de la possibilité qui leur était ainsi donnée de concilier vie familiale et vie professionnelle. Le cumul de ces deux phénomènes a fait chuter l'indicateur de fécondité en dessous de la descendance finale pendant cette période. Ce phénomène a duré tant que le retard des naissances par rapport à la génération précédente se poursuivait. Or, il semble aujourd'hui s'achever, de sorte que l'indicateur remonte et se rapproche de celui de la descendance finale.

La hausse de l'indicateur de fécondité au cours des dernières années ne doit donc pas être interprétée comme la volonté d'avoir davantage d'enfants. Elle s'explique par la stabilisation du calendrier des naissances après une transition qui a duré plusieurs décennies. Il n'en reste pas moins que le taux de fécondité français est supérieur à la moyenne européenne (1,4) et à celui des autres pays européens.

cependant pas établie de façon automatique lorsque les parents ne sont pas mariés ; elle doit être déclarée au moment de la naissance, ce qui est le plus souvent le cas, ou ultérieurement. Au début des années 1970, seul un enfant né hors mariage sur cinq était reconnu et, en 1980, encore un sur deux. Aujourd'hui, la reconnaissance paternelle est la règle.

… et la famille à deux enfants, la norme implicite.

La proportion de couples avec deux enfants s'accroît ; elle est passée d'un peu plus d'un tiers en 1975 (37 %) à près de la moitié (47 %) en 2010. La situation concerne 39 % des mères nées en 1940-1944, contre seulement 29 % de celles nées en 1925-1929. La part des familles avec un seul enfant est aussi en légère diminution : 22 % contre 25 % en 1975 et 23 % en 1990. La « norme » est donc devenue la famille comportant deux enfants, dont la part est passée de 18 % en 1962 à 21 % en 2010. Elle se vérifie d'autant plus qu'une part importante des ménages ayant un premier enfant souhaite en avoir un second. Le nombre « idéal » d'enfants indiqué par les Françaises est de 2,6, soit 0,7 de plus que la réalité. Une femme sur deux souhaiterait avoir un enfant de plus, mais y renoncerait en raison de difficultés à concilier sa vie professionnelle et sa vie de mère.

La proportion des couples ayant au moins trois enfants est en revanche de plus en plus faible : moins de 3 % en 2010, contre 9 % en 1962, 8 % en 1975 et 4 % en 1990. Cette hésitation à avoir un troisième enfant s'explique en partie par le coût financier supplémentaire, qui représente environ un quart des revenus du couple. Il est encore plus élevé lorsque la mère doit cesser son activité professionnelle ; plus de 40 % des mères de famille de trois enfants et plus restent au foyer, contre moins de 20 % des mères d'un seul enfant, et moins d'un quart travaillent à temps plein. Enfin, les ambitions des parents pour leurs enfants se sont accrues dans l'ensemble des catégories sociales. Beaucoup de couples préfèrent donc avoir moins d'enfants pour leur donner toutes les chances de réussir leur vie, dans un contexte jugé difficile.

Plus de 200 000 avortements sont pratiqués chaque année.

Le nombre des interruptions volontaires de grossesse avait atteint 210 000 en 2001 ; il se maintient depuis à ce niveau élevé, qui représente un quart du nombre des naissances annuelles. Il faudrait y ajouter le nombre des interventions pratiquées à l'étranger lorsque le délai légal (dix semaines, portées à douze en 2001) est dépassé. On estime que près de quatre femmes sur dix auront recours à l'IVG au cours de leur vie.

Autorisé depuis la loi de 1975 (rendue définitive en 1979), le nombre d'interventions pratiquées avait peu varié jusqu'au début des années 1990, mal-

Une naissance assistée sur quarante

Avec le report de la maternité aux âges plus avancées, l'infertilité est devenue une préoccupation importante pour les femmes qui n'ont pas encore eu d'enfant. Une femme sur sept a déjà entrepris une démarche en vue d'un bilan d'infécondité (dont la responsabilité est partagée entre les deux sexes). La proportion de femmes stériles augmente avec l'âge ; elle varie de 5 % à 25 ans à 40 % à 40 ans. Le taux de réussite des traitements d'assistance médicale à la procréation (AMP) est de l'ordre de 15 %. Des échecs répétés peuvent provoquer des troubles psychologiques chez les couples concernés, les risques médicaux étant supportés par les femmes.

Après la naissance d'Amandine, premier « bébé-éprouvette » français, en 1982, la fécondation in vitro (FIV) s'est rapidement diffusée. Un peu plus de 1 % des naissances auraient eu lieu grâce à cette technique. Apparue un peu plus tôt, l'insémination artificielle avec donneur (IAD) a connu d'abord un grand essor, avant de reculer face aux fortes réticences chez les couples qui recourent davantage à l'injection intra-cytoplasmique de spermatozoïde (ICSI), une méthode moins efficace et plus coûteuse, utilisées dans un cas sur deux en même temps que la FIV. Plus généralement, 6 % des naissances seraient la conséquence d'un traitement médical, une stimulation ovarienne dans la moitié des cas.

On estime que 20 000 naissances annuelles sont le résultat de l'assistance médicale à la procréation, soit environ 2,5 % de l'ensemble des naissances. Sur 100 couples qui débutent un traitement par FIV dans un centre, environ 40 ont un enfant grâce à cette prise en charge. Sur les 60 autres couples, 30 restent sans enfant. Les autres adoptent, conçoivent naturellement ou à l'issue d'un autre traitement.

gré la diffusion de la pilule et l'usage plus répandu du préservatif. Les opérations sont plus nombreuses dans le sud de la France, en Île-de-France et dans les départements d'outre-mer, et la part des mineures y est plus importante qu'ailleurs. Deux sur trois sont pratiquées en hôpital public. Près de la moitié (46 % en 2010) ont été réalisées à partir de traitements médicamenteux, ce qui contribue à la banalisation de l'IVG.

13 500 jeunes filles de moins de 18 ans ont eu recours à un avortement en 2010, contre 11 000 en 2002 soit une hausse de plus de 20 %. Il y en a eu près de 18 000 chez les 18-19 ans et un peu plus de 50 000 chez les 20-24 ans. Les taux sont plutôt stables après l'âge de 20 ans. Les jeunes femmes issues des milieux défavorisés sont les plus concernées. Entre 2009 et 2011, la proportion des 15-24 ans ayant eu une relation avec un nouveau partenaire sans aucune contraception est passée de 19 % à 40 % (GKF).

Le recours à l'avortement est étroitement lié à la notion de grossesse non prévue. Alors que celle-ci représentait près de la moitié des grossesses à la fin des années 1970, sa part a diminué à un tiers environ aujourd'hui grâce à une meilleure diffusion des moyens contraceptifs. En revanche, elle se termine désormais plus souvent par un avortement : six sur dix contre quatre sur dix il y a trente ans. L'idée de l'enfant « programmé », qui doit arriver au bon moment, a fait son chemin dans les esprits.

L'Europe peu féconde

Évolution du taux de fécondité dans les pays de l'Union européenne (en nombre d'enfants par femme)*

	1995	2010
Allemagne	1,2	1,4
Autriche	1,4	1,4
Belgique	1,6	1,8**
Bulgarie	1,2	1,5
Chypre	2,0	1,5**
Danemark	1,8	1,9
Espagne	1,2	1,4
Estonie	1,4	1,6
Finlande	1,8	1,9
France	**1,7**	**2,0**
Grèce	1,3	1,5
Hongrie	1,6	1,2
Irlande	1,8	2,0
Italie	1,2	1,4**
Lettonie	1,3	1,2
Lituanie	1,5	1,6
Luxembourg	1,7	1,6
Malte	1,9	1,4
Pays-Bas	1,5	1,8
Pologne	1,4	1,4
Portugal	1,4	1,4
Rép. tchèque	1,3	1,5
Roumanie	1,4	1,4**
Royaume-Uni	1,7	1,9**
Slovaquie	1,5	1,4
Slovénie	1,3	1,6
Suède	1,7	2,0
Europe à 27		*1,6*

* Définition p. 134
**2009

Eurostat

La fécondité des femmes étrangères a un faible impact.

Lors du recensement global de 1999, les femmes étrangères vivant en France avaient en moyenne 2,8 enfants (comme en 1990), soit un enfant de plus en moyenne que les Françaises. En 2010, 16,6 % des naissances ont concerné au moins un parent étranger (mère ou père), soit une part très supérieure à celle des couples concernés dans la population (environ 6 %). Mais il faut préciser que la proportion de femmes étrangères en âge d'avoir des enfants est relativement faible ; le taux de fécondité est donc à peine affecté (0,1). Parmi les couples mixtes ayant eu des enfants, 85 % avaient un père ou une mère non européen. Enfin, 54 000 enfants sont nés de deux parents étrangers, soit 1 % des naissances.

L'évolution de la fécondité est similaire dans les couples comptant un étranger et ceux dont les deux membres sont français : après avoir fortement baissé dans les années 1980, elle s'est stabilisée dans les années 1990 et s'est accrue depuis. Plus l'immigration est ancienne, plus le comportement des étrangères se rapproche de celui des Françaises. Comme elles, les étrangères deviennent mères plus tard qu'auparavant. Le calendrier des naissances des Algériennes et des Marocaines, qui était déjà voisin de celui des Françaises, évolue peu. Celui des Tunisiennes s'en rapproche.

Le renouvellement des générations a été jusqu'ici assuré…

Pour que le remplacement des générations s'effectue à l'identique (nombre d'enfants égal à celui des parents), il faut que chaque femme ait en moyenne 2,08 enfants au cours de sa vie (descendance finale). Ce chiffre est supérieur à 2 afin de compenser le fait que la proportion de filles est inférieure à celle des garçons dans chaque génération : pour des raisons non élucidées, il naît invariablement 95 filles pour 100 garçons. Le nombre de naissances doit aussi compenser la mortalité entre la naissance et l'âge de la maternité (en moyenne 30 ans). On aboutit ainsi à un seuil de remplacement de 2,08 enfants par femme (il était de 2,2 enfants en 1950, compte tenu de la plus grande mortalité infantile à cette époque).

La fin plus tardive de la fécondité compense au moins en partie le fait qu'elle commence plus tard. C'est pourquoi l'indicateur conjoncturel de fécondité, qui est calculé sur une année (p. 134), ne rend pas compte de la descendance finale des femmes. Celles qui ont aujourd'hui terminé leur période féconde (nées en 1962 et âgées de 50 ans en 2012) auront eu en moyenne un peu plus de 2,1 enfants, soit un nombre suffisant au renouvellement des générations. À 35 ans, ces femmes avaient déjà eu 1,96 enfant. Au même âge, celles nées en 1967 n'en avaient eu que 1,67 ; elles ont rattrapé ensuite une bonne partie de leur retard puisqu'à 40 ans elles ont eu 1,94 enfant, contre 2,09 pour la génération de 1955.

… mais il est plus hypothétique pour l'avenir.

Chaque génération née après-guerre a eu globalement moins d'enfants, à un âge donné, que celles qui l'ont précédée. Les femmes nées en 1960 ont eu 2,12 enfants en moyenne. Elles dépassaient déjà le seuil de 2 enfants par femme à l'âge de 40 ans. Celles nées en 1970, qui ont eu 40 ans en 2010, n'ont eu en moyenne que 1,95 enfant par femme à cet âge. Ce chiffre, s'il restait stable, serait un peu insuffisant pour assurer le renouvellement à l'identique des générations. Par ailleurs, les générations nées après 1980 sont encore trop jeunes pour que l'on puisse estimer de manière fiable leur descendance finale.

Il est cependant acquis que, hors l'hypothèse d'une immigration massive, le nombre de femmes en âge de procréer va continuer de diminuer au cours des prochaines années. Par ailleurs, le recul continu de l'âge moyen à la maternité observé pendant près de deux décennies devrait être moins marqué. Enfin, malgré la légère tendance récente à la hausse de la fécondité, les causes de la baisse passée n'ont pas disparu : instabilité croissante des vies conjugales ; difficulté pour les couples de se projeter dans l'avenir ; coût des enfants et incertitudes sur les revenus ; travail et désir d'indépendance des femmes ; volonté de vivre une vie individuelle riche ; refus des contraintes, etc. Le *baby-boom* qui avait suivi la Seconde Guerre mondiale apparaît ainsi de plus en plus comme une période atypique, qui n'a guère de chance de se reproduire dans un contexte social très différent.

L'avenir dépendra aussi des modèles familiaux qui prévaudront. Ainsi, le fait de connaître plusieurs unions successives au cours d'une vie pourrait conduire les couples à avoir chaque fois des enfants, ce qui augmenterait le nombre moyen (p. 134). Une famille de quatre enfants sur sept et une de cinq enfants ou plus sur quatre sont des familles recomposées. Par ailleurs, les politiques familiales mises en place par les gouvernements peuvent avoir une incidence au moins temporaire sur la fécondité. Il en est de même des efforts des entreprises pour faciliter la vie des mères et des pères salariés. La famille reste en effet une valeur prioritaire pour les Français, car elle rassure et donne un sens à la vie (p. 273).

Le paradoxe contraceptif

Plus de huit naissances sur dix surviennent aujourd'hui selon un calendrier prévu par les parents. La grande majorité d'entre eux estiment en effet que certaines conditions doivent être réunies pour permettre d'élever des enfants dans un environnement favorable à leur développement : stabilité de l'union, situation matérielle confortable, etc. En pratique, seuls 3 % des couples ont leur premier enfant lorsque les deux partenaires sont inactifs. La moitié des seconds enfants naissent trois ans après le premier, ce qui correspond à l'espacement des naissances souhaité par les couples.

La décision d'arrêter la contraception permet aussi de prévoir avec une certaine précision la période d'accouchement. Le printemps est ainsi jugé plus propice pour des raisons climatiques. Les contraintes professionnelles jouent également un rôle : les femmes cadres ou indépendantes préfèrent l'été, lorsque l'activité économique est réduite ; certaines enseignantes préfèrent l'éviter pour bénéficier des vacances scolaires. D'autres couples refusent l'idée d'une planification trop précise et se contentent d'attendre le moment où ils « se sentent prêts », d'autant qu'avec l'âge les délais de conception s'allongent.

Ce désir des futurs parents explique en partie le « paradoxe contraceptif » que l'on observe en France, avec à la fois un taux de fécondité élevé et un nombre important d'interruptions volontaires de grossesse. Un second facteur est l'efficacité relative en pratique de la contraception : oubli de prendre la pilule, prescription du stérilet réservée en général aux femmes qui ont déjà eu au moins un enfant, méthodes peu efficaces (retrait, Ogino) utilisées par une minorité de couples... On estime qu'une grossesse sur trois est imprévue, et un quart des grossesses se terminent par une IVG (p. 137), les interruptions thérapeutiques étant rares, de l'ordre de 2 %. La fréquence des IVG n'a plus diminué depuis 1990.

Moins de 15 ans

Un Français sur cinq a moins de 15 ans.

La césure le plus souvent utilisée en matière statistique pour séparer les jeunes et les moins jeunes est l'âge de 20 ans. On pourrait considérer que la rupture la plus importante est celle de la majorité légale (18 ans pour la France), mais elle présente l'inconvénient de ne pas être uniforme dans le monde. Sur le plan sociologique, il est plus habituel et logique de placer la barre à 15 ans, car cet âge sépare des attitudes et des comportements assez distincts, même si sa pertinence n'est pas la même dans tous les domaines d'investigation.

Quelle que soit le seuil retenu, on observe que la part des « jeunes » dans la population a diminué de façon sensible depuis le début des années 1970, après avoir augmenté entre la fin de la Seconde Guerre mondiale et 1970, du fait du nombre important des naissances pendant la période du *baby-boom*. La chute spectaculaire de la natalité qui s'est produite jusqu'au milieu des années 1990 a entraîné une forte réduction de la part des jeunes dans la population. Les moins de 15 ans n'en représentaient plus que 18,5 % en 2012, soit 12 millions de personnes, contre 19,1 % en 2000, 22 % en 1980 et 26 % en 1960. Parmi les pays de l'Union européenne à vingt-sept, seule l'Irlande comptait proportionnellement plus de jeunes que la France en 2010 (21,3 %). La moyenne de l'Union était de 15,6 %, la Bulgarie et l'Allemagne arrivant en dernière position avec moins de 13,6 %. La France se situe au-dessus du Danemark (18,1), devant le Luxembourg (17,7), les Pays-Bas (17,6), le Royaume-Uni (17,5), Chypre (16,9), la Finlande et la Suède (16,6).

À partir de 3 ans, tous les enfants sont scolarisés.

La vie des enfants ne commence pas à leur naissance. Les travaux des pédiatres et psychanalystes (notamment ceux de Françoise Dolto) ont montré que la vie intra-utérine n'était pas seulement végétative. Elle revêt même une importance pour l'évolution future de l'enfant et de l'individu. Les mères et les pères sont de plus en plus conscients de cette réalité, de sorte qu'ils s'efforcent de rendre la vie avant la naissance de leurs enfants plus riche et plus confortable.

Jusqu'à 3 ans, la majorité des enfants (six sur dix) passent leurs journées au foyer parental ; les autres sont confiés à une crèche ou à une nourrice. Les enfants âgés de 2 ans étaient 13,6 % à être scolarisés en maternelle à la rentrée 2010. Ce taux se situe 20 points

La France cadette de l'Europe

Évolution de la part des moins de 15 ans dans la population (en %)

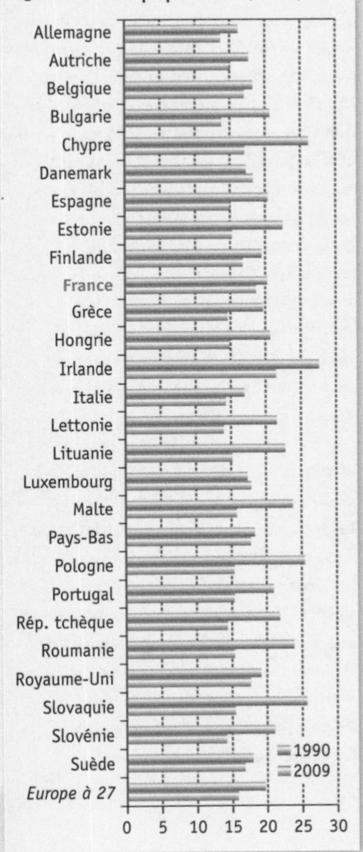

en dessous du niveau observé à la rentrée 2000 (34,3 %). Traditionnellement, c'est dans le Nord-Ouest, le Nord et le Massif central qu'il est le plus élevé, alors qu'il reste historiquement faible en Île-de-France, en Alsace et dans le Sud-Est.

Tous les enfants sont scolarisés à partir de 3 ans. Entre 3 et 5 ans, la découverte du monde se fait par l'éveil des sens et par le jeu, pratiqué seul ou en groupe. À cet âge, plus de la moitié des enfants ont des mères actives. La vie se déroule alors pour eux hors de la maison, et les journées ont souvent une durée de 12 ou 13 heures.

La socialisation se développe vers 6 ans.

C'est à partir de 6 ans que l'intérêt de l'enfant passe progressivement des objets aux personnes, des perceptions concrètes à la pensée conceptuelle. Cela se traduit notamment par la place importante des copains, rencontrés à l'école ou reçus à la maison. La socialisation prend à cette période des formes nouvelles. Les anniversaires jouent par exemple un rôle non négligeable. Les enfants choisissent leurs invités et donnent à ces événements un caractère assez formel, imitant les pratiques des adultes (invitations écrites ou téléphoniques, préparation de la réception, respect de certaines règles, etc.). Ces pratiques, bien que plus répandues en milieu urbain et aisé, se sont étendues à de nombreux groupes sociaux.

Entre 8 et 10 ans, plus de 70 % des jeunes pratiquent un sport, plus souvent individuel (vélo, judo...) que collectif (football, rugby...). Mais ce sont les activités audiovisuelles qui sont les plus fréquentes : télévision, jeux vidéo, cinéma... La sociabilité occupe alors une place centrale ; elle conduit parfois à l'abandon des activités culturelles antérieures (inscription à une bibliothèque, pratiques artistiques amateurs...). La télévision constitue l'un des outils importants de la connaissance du monde. Elle intervient aussi en tant que sujet de conversation (avec les amis ou les camarades de classe) ou lorsqu'elle est regardée à plusieurs.

L'adolescence est de plus en plus précoce.

Les enfants mûrissent plus vite et entrent plus tôt dans l'adolescence. Ce mouvement est favorisé par un environnement familial plus ouvert, qui autorise une plus grande autonomie. L'éducation des enfants est en effet généralement plus libérale que celle qu'ont reçue leurs parents. Cette précocité est largement liée à l'environnement, avec notamment l'accès aux médias et l'usage des équipements électroniques de loisir (téléphone portable, baladeur, Internet...), qui rend les enfants plus conscients des mouvements du monde. Elle est aussi encouragée par la mobilité des vies et la diversité des expériences proposées par les médias et la publicité, ce qui participe au développement et accélère la maturité. À la maison, le téléviseur et le réfrigérateur sont en libre-service, d'autant que la majorité des enfants vivent dans un foyer où les deux parents travaillent.

La préadolescence se situe entre 9 et 11 ans. Elle marque le début du processus d'autonomie au sein du foyer et à l'extérieur. À cet âge, les enfants s'intéressent au sport, au cinéma, à la musique et cherchent à s'initier au monde des adultes. Ils se rendent seuls à l'école, reçoivent et dépensent de l'argent, participent aux décisions quotidiennes du ménage. À partir de 11 ans, l'entrée dans le secondaire marque un tournant. La période de l'adolescence est placée sous le double signe du développement de la personnalité et de l'intégration au groupe. On observe un transfert continu des modes de vie et des aspirations vers ceux de la tranche d'âge située au-dessus. Les 8-12 ans ont ainsi des comportements qui ressemblent à ceux des 12-15 ans de la précédente génération. Les jeunes filles veulent s'habiller comme des femmes, ce qui avait entraîné l'apparition du phénomène *lolita*. Ce désir de vieillir ne dure pas. Si l'adolescence est devenue plus précoce, l'entrée dans la vie adulte est au contraire plus tardive.

Les différences entre garçons et filles s'atténuent.

On observe une convergence croissante dans les modes de vie et d'éducation des garçons et des filles. Les équipements possédés, les activités pratiquées ou les produits consommés sont moins différenciés. Les sommes attribuées aux enfants des deux sexes se sont aussi rapprochées. Le souci de la tenue vestimentaire apparaît cependant plus tôt chez les filles (vers le CM1), mais les garçons attachent plus d'importance à leur habillement que dans le passé.

Ce rapprochement est la conséquence des changements qui se sont produits dans l'éducation dispensée par les parents. L'évolution est elle-même liée à la moindre différenciation des rôles masculin et féminin dans la vie sociale, professionnelle et familiale. On observe aussi une homogénéisation des attitudes et des comportements par rapport aux enfants dans les diverses catégories socioprofessionnelles. Les modes de consommation ou la pratique des médias sont moins dépendants des revenus des familles.

Certaines différences restent cependant sensibles dans la vie quotidienne. Les filles s'intéressent davantage aux activités culturelles (dessin, peinture, lecture). Les garçons préfèrent jouer avec les objets électroniques modernes : consoles vidéo, ordinateurs, tablettes tactiles, etc. Leur intérêt pour les différents « écrans » se manifeste de plus en plus tôt, souvent bien avant 10 ans (encadré). Les filles y sont un peu moins sensibles et n'en ont pas les mêmes usages : à la télévision, elles préfèrent les séries télévisées, alors que les garçons apprécient les dessins animés et les émissions de sport.

Les enfants de l'écran

Les enfants d'aujourd'hui se distinguent de leurs aînés par des activités de loisir plus nombreuses et plus précoces. Les écrans de toutes sortes (télévision, ordinateur, console de jeu, téléphone portable, tablettes) occupent une place centrale dans leurs loisirs. Les garçons de 8 à 10 ans passent plus de 20 heures par semaine devant un écran contre moins de 15 heures pour les filles. On compte en moyenne 6 écrans dans les foyers où vivent des enfants de cet âge, sans compter ceux des smartphones, lecteurs MP4, etc. La quasi totalité des foyers (98 %) sont équipés d'au moins un poste de télévision et plus des trois quarts d'un ordinateur connecté à Internet. Les 6-10 ans passent ainsi largement plus de la moitié de leur temps de loisirs à la maison devant des écrans.

Les jeux traditionnels tendent à être remplacés par des jeux électroniques. Les enfants y trouvent une stimulation intellectuelle, manuelle, en même temps qu'un plaisir intense. Mais leur attention est focalisée sur un écran, ce qui nuit à leur perception du monde extérieur et tend à les isoler, avec un risque réel d'addiction. Il en est de même de la télévision, qui est une source de découverte, mais aussi un prétexte à la passivité. L'image s'impose à l'enfant, qui n'a pas besoin de faire travailler son imagination pour comprendre les situations qui lui sont montrées ou imposées, ou trouver des solutions à un problème. Cette absence d'effort peut être à la longue nuisible, surtout si les parents ou les amis ne sont pas présents pour échanger sur ce qui est diffusé. Les contenus des émissions sont d'ailleurs souvent peu compatibles avec la capacité de jugement des enfants ; le journal télévisé leur offre ainsi une vision du monde anxiogène, qu'ils ne sont pas en mesure de décoder.

La relation virtuelle avec le monde se développe aussi, à un moindre degré, avec l'usage croissant du téléphone portable par les enfants. À 11 ans, 30 % en sont équipés ; la proportion atteint 80 % à 14 ans (SIMM- Kantar, 2012). La possession de cet outil et son utilisation constituent désormais un véritable rite de passage, marquant une transition de plus en plus précoce de l'enfance vers l'adolescence.

Le jeu contribue largement au développement, ...

Pour grandir et se développer, les enfants ont besoin d'activités ludiques. Le jeu est en effet l'un des moyens d'apprentissage de la sociabilité, qu'il soit pratiqué en famille ou avec des copains, à l'école ou chez soi. Pour les jeunes enfants, le jeu est un facteur de stimulation psychomotrice. Il tient une grande place dans la vie des moins de 15 ans. Plus de huit parents sur dix disent jouer avec leurs enfants.

Les jeux vidéo, présents dans la grande majorité des foyers avec enfants, font l'objet d'un intérêt particulier, renouvelé par l'évolution des matériels et des jeux disponibles (encadré). Malgré le rapprochement entre les filles et les garçons dans les modes d'éducation, les premières restent plus sensibles à l'imaginaire et à la vie intime, les seconds plus attirés par l'action et les éléments matériels.

Les jeux sont aussi très présents à l'école, dans les cours de récréation. Les modes s'essoufflent vite et

se renouvellent sans cesse : les Panini et les Pokémon ont cédé la place à Harry Potter, qui s'est effacé au profit de Ben Ten ou des Avengers. On observe aujourd'hui une tendance à la pratique de jeux violents et dangereux comme celui du foulard (autostrangulation) ou du sac (que l'on se met sur la tête, s'empêchant de respirer), l'arrachage de tee-shirt, le « dévalage d'escaliers » ou le « tabassage » d'élèves désignés sous de nombreux prétextes comme boucs-émissaires. Mais certains jouets traditionnels plus pacifiques conservent leur attrait : Barbie, Playmobil, Lego... La dimension purement pédagogique du jouet est moins importante qu'elle ne l'était dans les années 1990. Les parents souhaitent avant tout que leurs enfants soient heureux en jouant, même s'ils n'apprennent rien de directement « utile ».

... de même que les activités culturelles et sportives...

Si le jeu reste pour tous les enfants une activité importante, les centres d'intérêt se diversifient vers 10 ans. La musique joue alors un rôle important, au même titre que les discussions avec les amis, la télévision et le cinéma. Si les enfants sont d'abord en quête de plaisir et de distraction, ils s'efforcent aussi de construire leur identité en la confrontant à celle des autres.

Dans ce but, le sport est un moyen d'expression et d'appartenance au groupe, autant qu'un effort physique et de dépassement de soi. Entre 12 et 14 ans, quatre garçons sur cinq pratiquent un sport, contre environ deux jeunes filles sur trois. Les sports les plus pratiqués des moins de 15 ans sont, par ordre décroissant, la natation, le basket, le VTT et le roller. Malgré le rapprochement des pratiques, favorisé par l'évolution des mentalités, les filles restent plus attirées par les disciplines individuelles (notamment la natation ou la danse) que par les sports collectifs (basket, handball...).

Les sorties et les relations amicales jouent un rôle essentiel de plus en plus tôt. Les visites culturelles sont souvent déclenchées par la famille ou l'école. D'une manière générale, les garçons sont davantage tournés vers les nouvelles technologies et les activités extérieures, les filles vers les loisirs d'intérieur et la culture scolaire.

... et l'appartenance à des groupes.

L'univers des adolescents est complexe, segmenté en fonction de leur appartenance à des « tribus ». Ces groupes se fondent sur quatre centres d'intérêt principaux : mode ; musique ; sport ; cinéma-vidéo. Leurs membres s'identifient et se reconnaissent dans les activités qu'ils pratiquent et dans les personnages qu'ils choisissent comme modèles ou héros. Ils ont leurs médias et supports favoris (magazines, radios, chaînes et émissions de télévision). L'appartenance au groupe implique l'usage de certains objets, genres musicaux, vêtements, accessoires et marques. Elle est souvent associée à une gestuelle, à un vocabulaire et une façon de parler spécifiques.

La plupart des adolescents ont une approche très pragmatique de la vie ; ils piochent dans les différents courants de la « modernité » ce qui les intéresse, ce qui est susceptible de leur permettre d'affirmer leur identité ou leur différence. En attendant de se lasser et de renouveler leurs propres références. On observe ainsi une évolution des tribus « réelles » (des personnes avec lesquelles on a des activités communes dans la « vraie vie ») vers des réseaux virtuels, groupes de personnes avec lesquelles on est relié de façon souvent éphémère par les moyens de communication électroniques (téléphone portable, connexion Internet...). Les enfants sont d'ailleurs de plus en plus tôt connectés aux réseaux sociaux comme Facebook ou Twitter.

L'argent de poche initie à la consommation.

Le pouvoir d'achat dont disposent les enfants est élevé, mais il est plutôt en baisse. En août 2009, 40 % des parents disaient donner de l'argent de poche à leurs enfants âgés de 7 à 15 ans soit une baisse de 10 points en deux ans (Crédit agricole/CSA). Un certain nombre d'indices laissent à penser que les montants n'ont pas augmenté depuis, avec la persistance de la crise économique, la crainte (ou la conviction) d'une baisse du pouvoir d'achat. Il s'y ajoute une évolution des mentalités plutôt moins favorable à la distribution systématique d'argent, sans contrepartie ou « mérite » de la part des enfants. Comme les adultes, ceux-ci ne devraient pas être « assistés », mais incités à « mériter » l'argent qui leur est donné.

En moyenne, le montant est d'environ 20 € par mois. On avait constaté entre 2006 et 2009 un renversement de tendance entre les filles et les garçons, les premières recevant un peu moins que les premiers. On observe depuis des années que les parents aisés donnent proportionnellement moins d'argent de poche que les parents modestes (sauf parmi les plus pauvres). Peut-être parce qu'ils financent davantage que les autres des activités extrascolaires coûteuses. À l'argent de poche régulièrement alloué s'ajoutent en effet des sommes que les parents dépensent pour des achats ou activités divers, mais sur lesquelles les enfants n'exercent aucun contrôle.

Les enfants exercent un fort pouvoir de prescription.

La consommation constitue pour les enfants un moyen d'accès au monde réel et un mode d'apprentissage de la vie. La précocité générale du développement est particulièrement apparente dans ce domaine. À six mois, un bébé est capable de reconnaître le logo d'une marque qui appartient à son univers. À 3 ans, il connaît le nom de certaines marques. À 10 ans, il les distingue par les valeurs qui s'y rattachent.

Les enfants exercent une très grande influence sur la plupart des achats familiaux. Leur avis, qui concerne aussi bien l'alimentation que l'informatique ou la voiture, serait décisif dans près de la moitié des dépenses des ménages. Lorsqu'ils font les courses avec leurs parents, les trois quarts des 7-12 ans placent dans le chariot leurs produits alimentaires préférés, mais aussi leurs gels douche ou leurs jeux. Ils sont largement influencés par l'abondante publicité qui s'adresse spécifiquement à eux. Les jeunes sont en effet les premiers prescripteurs d'achat ; leur influence s'étendrait sur plus de 100 milliards d'euros de dépenses des ménages. Pour retenir leur attention, les marques et les publicitaires utilisent la méthode affective ou celle de l'identification ; ils s'adressent à l'inconscient et jouent sur les désirs, les peurs ou la connivence. Ils parviennent ainsi à créer des modes, qui sont diffusées par les enfants eux-mêmes dans les cours de récréation et les foyers.

Les enfants utilisent souvent l'insistance ou la persévérance, pour réclamer un produit spécifique et culpabiliser les adultes. Ils misent sur le désir de ces derniers de leur faire plaisir. Il est aussi justifié par le fait que les enfants sont souvent les mieux informés en matière de mode et de consommation. C'est pourquoi ils sont en position d'« éduquer » et d'initier leurs parents, notamment dans les domaines technologiques, où ils sont plus compétents qu'eux.

Il serait cependant excessif de considérer que les parents cèdent systématiquement aux injonctions de leurs enfants. Ce sont eux qui décident le plus souvent des achats qu'ils jugent importants et « impliquants » (liés à l'éducation des enfants) ou de ceux qui concernent l'ensemble de la famille (aménagement du logement, équipement du foyer, voiture...). Les autres font l'objet de « négociations » avec les enfants. La famille est un lieu de compromis.

15-24 ANS

8 millions de Français ont entre 15 et 24 ans...

Les jeunes de 15 à 24 ans représentaient 12,4 % de la population française en 2011, soit 7,8 millions de personnes en métropole et 8,1 millions en incluant les DOM où ils sont proportionnellement plus nombreux. Au sein de l'Union européenne, la moyenne est de 12,1 %, et la France est dépassée par l'Islande (14,7 %), les Pays Baltes (entre 13 et 15 %), la Slovaquie (14,0 %), Chypre (14,0 %), Malte (13,8 %), la Pologne (13,8 %), le Royaume-Uni (13,1 %) et le Danemark (12,5 %). Les taux les plus bas se trouvent en Italie (10,0 %), en Grèce (10,3 %) et en Espagne (10,3 %).

Les plus âgés d'entre eux sont nés à la fin des années 1980 ; leur vie et leur vision du monde ont été influencées par la « crise » qui a sévi en France dès avant leur naissance. Les plus jeunes sont nés à la fin des années 1990, après que le monde bipolaire se fut écroulé avec le mur de Berlin. Tous ont grandi dans une période de transition sociale marquée par l'émergence des technologies numériques et le développement de la mondialisation.

La difficulté de leur trouver un point commun explique qu'on a affublé les 15-24 ans de plusieurs noms. Aux États-Unis, ils ont été baptisés « génération Y », parfois *echo-boomers* (enfants des *baby-boomers*) ou, à tort, génération du Millénaire. Alors que la génération précédente, la génération X, avait grandi avec l'informatique, les « *Yers* » ont baigné dès leur adolescence dans les réseaux et mondes virtuels. Ils sont pour une part importante à l'origine du contenu de la Toile. C'est pourquoi on parle aussi de *e-generation*.

... et forment une population très hétérogène.

Contrairement aux plus jeunes, les 15-24 ans ont des statuts personnels très diversifiés. À 15 ans, la quasi-totalité d'entre eux (98 %) sont encore scolarisés ; ce n'est le cas que de la moitié à 21 ans, dont la grande majorité dans le supérieur. Au-delà de 24 ans, seuls 12 % des filles et 10 % des garçons poursuivent encore des études. Seuls un tiers des 15-24 ans exercent une activité professionnelle (32 % des filles et 38 % des garçons) alors qu'ils étaient respectivement 50 % et 61 % en 1975. En janvier 2012, 23 % d'entre eux étaient sans emploi (contre 17 % en 2007). Un taux légèrement supérieur à la moyenne de l'Union européenne (22 %) et surtout à l'Allemagne (8 %) mais inférieur à ceux de l'Irlande, (29 %), de l'Italie (31) ou surtout la Grèce (48 %) et l'Espagne (50 %). Il faut cependant noter qu'en France, la durée des études est plus longue que dans d'autres pays, la formation en alternance y est plus rare, et le cumul emploi-étude peu fréquent. Le taux de chômage des jeunes est

Allers-retours chez papa-maman

Le départ des enfants du foyer parental se fait en moyenne vers 23 ans. Les jeunes femmes quittent le domicile parental avant les jeunes hommes. Elles se mettent en couple également plus tôt qu'eux, mais à l'âge de 20 ans, une sur cinq habite seule. L'accroissement de la durée des études supérieures s'est accompagné d'un prolongement de la cohabitation avec les parents. En 1975, un tiers (35 %) des garçons de 24 ans vivaient chez leurs parents. Depuis 2005, la proportion est montée à deux tiers (65 %). Mais cet allongement concerne principalement les jeunes peu diplômés.

Par rapport aux autres pays européens, l'accès à l'autonomie des jeunes Français présente quelques particularités. Il est plus précoce (d'environ cinq ans) que dans les pays méditerranéens. Il s'effectue souvent (notamment en province) à l'occasion d'un départ pour effectuer des études supérieures. Mais cette autonomie est plus souvent réversible que dans les pays du Nord de l'Europe. Les allers-retours au domicile parental sont plus fréquents, à l'occasion des périodes de transition professionnelle ou sentimentale.

Les jeunes Français restent aussi plus dépendants matériellement de leurs parents qu'ailleurs. On estime que 80 % des jeunes qui font des études secondaires ou supérieures, quelle que soit la filière, s'appuient sur les solidarités familiales « descendantes ». Les parents constituent la principale ressource financière des jeunes jusqu'à 24 ans. Et le rôle de la solidarité familiale tend à s'accroître en France, alors qu'il a diminué dans nombre de pays européens. En France, les transferts familiaux représentent 43 % du budget moyen des étudiants, contre 11 % en Finlande, 26 % au Royaume-Uni et 29 % aux Pays-Bas (Eurostudent, 2011). Les revenus des jeunes sont donc très dépendants des moyens de leurs parents, ce qui constitue une source d'inégalités.

Le phénomène décrit dans le film *Tanguy* (sorti en 2001) n'est ainsi pas le reflet de la réalité, d'autant que le héros du film a les moyens de s'assumer financièrement, ce qui n'est pas le cas de la plupart des jeunes qui vivent tardivement chez leurs parents.

donc mesuré sur une population plus réduite que dans un certain nombre de pays européens, notamment l'Allemagne (p. 305).

Neuf jeunes de moins de 20 ans sur dix vivent encore chez leurs parents, alors qu'ils ne sont plus qu'un peu plus de la moitié à le faire entre 20 et 24 ans. Avant 20 ans, seul un homme sur cent est déjà marié, contre 5 % des femmes. En quittant le foyer parental, ils sont peu nombreux à se mettre en couple, alors qu'entre 20 et 24 ans, une femme sur quatre vit déjà en union libre, et un garçon sur sept. Les hommes quittent le logement parental plus tard : avant 20 ans, un peu moins d'un sur dix habite à l'extérieur ; la proportion passe à un sur quatre après 20 ans (encadré). Les femmes ont un logement autonome plus tôt que les hommes. Entre 20 et 24 ans, les hommes sont deux fois moins nombreux à vivre en couple, mariés ou non (15 % contre 30 %).

Les 15-24 ans sont nés avec les technologies numériques.

De façon sans doute un peu réductrice, la génération des 15-24 ans a été largement identifiée aux bouleversements qui se sont produits dans les technologies de l'information et de la communication : textos, blogs, téléchargements en *peer-to-peer*, flux vidéo et audio, Web 2.0, etc. ainsi qu'à une culture de l'instantané (« tout, tout de suite »). C'est pourquoi on les appelle aussi les *digital natives*, nés avec le numérique et souvent « techno-dépendants ». Ainsi, ils sont 92 % à déclarer ne pas pouvoir se passer de leur ordinateur, 81 % de leur smartphone ou de leur tablette numérique (Microsoft-Médiamétrie, mars 2012). Leur taux d'équipement en ordinateur portable est très élevé (87 % fin 2011) avec une préférence pour les *notebooks* : 70 % de leur équipement contre 17 % pour les ultraportables et 13 % pour les netbooks. Ils disent utiliser ces équipements avant tout pour travailler (73 %), pour écrire sur leur blog (60 %), consulter leurs mails (58 %) ou regarder des vidéos (57 %).

Les 15-24 ans constituent surtout une génération de transition. Transition entre deux appartenances géographiques, d'abord. Nés Français, ils vivront leur vie d'adulte en tant qu'Européens, peut-être même citoyens du monde. Ce changement d'échelle a des incidences sur leurs attitudes, leurs valeurs et leurs modes de vie. Transition, aussi, entre deux systèmes de valeurs. Après l'effondrement de la vision collective de la vie et de la société, c'est la vision libérale qui est aujourd'hui mise en question par la crise actuelle, sans que l'on puisse encore prévoir avec certitude par quelles valeurs elle sera remplacée, tant les prédictions se contredisent. Transition, enfin, entre deux civilisations. Celle du temps libre

Les as du texto

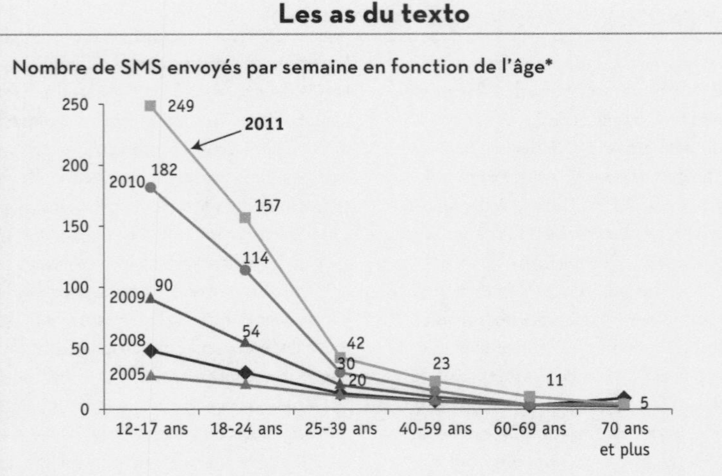

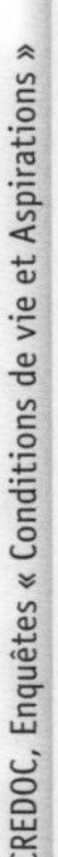

et des loisirs est en passe de remplacer celle du travail (p. 101). De ces mutations à la fois quantitatives et qualitatives, les jeunes seront bien davantage les acteurs que les témoins.

Le confort matériel va de pair avec l'inconfort moral.

Les jeunes subissent les conséquences des changements économiques, culturels et sociaux qui ont agité et transformé le monde depuis leur naissance. Leurs parents sont aujourd'hui quinquagénaires (la plupart ont entre 44 à 54 ans), de sorte qu'ils avaient entre 0 et 10 ans en moyenne en 1968. Ils n'ont donc pas vécu de façon active la « révolution de Mai », mais ils ont été largement concernés par ses répercussions. Mais leurs enfants, qui restent fascinés par cette période, ne comprennent guère comment les jeunes de l'époque ont pu s'offrir le luxe de refuser la société à un moment où il était beaucoup plus facile d'y entrer qu'aujourd'hui.

La conception de la vie des 15-24 ans est influencée par les contradictions contemporaines. La première oppose le confort matériel indéniable dont la plupart disposent (logement, équipements, argent disponible...) à l'inconfort moral. Celui-ci est la conséquence des difficultés d'insertion professionnelle et de la vie en société, mais aussi aux menaces qui pèsent sur l'avenir de la planète. Les jeunes vivent une contradiction permanente entre la protection dont ils bénéficient au sein de la famille (notamment lorsqu'ils habitent encore au foyer parental) et les périls d'un monde extérieur où la compétition et l'instabilité règnent.

Enfin, ils ont le sentiment que le pouvoir d'achat a diminué et que les inégalités se sont accrues, au contraire de ce qu'ont connu leurs parents, même si pour ces derniers la période des Trente Glorieuses était terminée. Ce sentiment d'appauvrissement et de déclassement, général dans le pays, apparaît plus justifié pour les jeunes que pour leurs aînés, car ils ont moins profité qu'eux de la redistribution des fruits d'une croissance économique qui s'est réduite au fil des années.

Très inquiets, mais plutôt heureux

78 % des jeunes âgés de 18 à 25 ans déclaraient en février 2012 que l'avenir de la France constitue davantage pour eux une source « d'inquiétudes » que d'« espoir » (Animafac-*Libération*/Viavoice). Plus grave encore, les deux tiers (65 %) ne pensaient pas à l'avenir « vivre mieux » que leurs parents. Une large majorité des jeunes (63 %) ne s'estimaient « pas pris en compte » dans la société actuelle.

Pour autant, ils étaient 69 % à se déclarer « heureux en ce moment » (9 % « très heureux », 60 % « plutôt heureux »), des taux qui sont toutefois un peu inférieurs à ceux que l'on mesure dans l'ensemble de la population (p. 277). Leurs principales préoccupations étaient par ordre décroissant : l'emploi (51 %), le pouvoir d'achat (46 %) et le logement (30 %).

Parmi les principales valeurs à promouvoir dans la France de demain, ils citaient d'abord le travail (37 %), le respect entre les gens (34 %) et le respect de l'environnement (29 %). 70 % estimaient que l'école « prépare mal au monde du travail » et ils étaient aussi nombreux à penser qu'elle « ne donne pas les mêmes chances à tout le monde ». Près d'un tiers (30 %) des jeunes qui avaient un emploi soutenaient d'ailleurs que leur entrée dans la vie active avait été « difficile ». Près des deux tiers (64 %) se déclaraient favorables à un « changement de modèle économique ».

La majorité ne coïncide plus avec l'entrée dans le monde adulte.

Entre 15 et 19 ans, l'entrée dans le monde des adultes est amorcée, avec une stabilisation des pratiques et des préférences. L'âge adulte commence officiellement à 18 ans (majorité), mais il ne correspond pas à l'entrée dans le monde du travail et à l'autonomie économique qui lui est associée. La vie amicale est primordiale pour les jeunes et sert de contrepoint aux relations avec les parents, auxquels les lie cependant une plus grande complicité qu'autrefois.

Les loisirs des jeunes de cette tranche d'âge sont nombreux et leur autonomie est acquise dans le choix des activités et des sorties. Ils privilégient l'audiovisuel, avec une forte écoute de la radio et une pratique intense d'Internet, motivée surtout par la musique et par un souci d'ouverture sur le monde. Comme pour les plus jeunes, les réseaux sociaux prennent une place croissants dans leur vie et dans leur emploi du temps. La fin des études paraît plus importante que l'accession à la majorité, tant sur le plan symbolique qu'en matière de comportements.

Entre 20 et 24 ans, les activités sont plus diversifiées. Les étudiants n'ont pas les mêmes préoccupations ni les mêmes modes de vie que ceux qui sont entrés dans la vie active ou qui cherchent un emploi. Parmi les premiers, l'école et la filière choisies ont des incidences sur le temps disponible pour les loisirs et les centres d'intérêt. Le fait d'habiter chez ses parents ou de vivre dans un logement indépendant influence aussi largement les modes de vie. Chez les plus âgés, on observe que les choix en matière professionnelle sont de plus en plus tardifs et que les recherches d'emploi sont moins ciblées sur une fonction ou un secteur d'activité que par le passé, du fait de la rareté des emplois proposés aux jeunes.

Les modes de vie sont déterminés par l'hédonisme…

Les attentes des jeunes par rapport à la vie sont plus diverses et complexes que celles de leurs parents. Ainsi, l'activité professionnelle est pour eux un moyen nécessaire de gagner sa vie, une façon pour les plus chanceux de s'épanouir. Mais elle ne saurait occuper la totalité du temps et empêcher de s'adonner à ses loisirs favoris, d'arrêter de travailler pendant des périodes que l'on consacrera au voyage ou à d'autres activités. C'est pourquoi leur fidélité professionnelle est réduite, contrepartie de la précarité générale et de l'encadrement renforcé qui se sont installés dans le monde des entreprises. Le plaisir est pour eux un programme de vie ; ce n'est pas forcement le cas du travail (p. 296).

Pourtant, contrairement à ce que l'on imagine ou craint, les jeunes ne vivent pas seulement dans les loisirs et dans la virtualité permise par le téléphone portable, Internet ou les jeux vidéo. Ils utilisent ces moyens pour découvrir le monde, renforcer les liens, diversifier les réseaux et leurs appartenances, satisfaire des besoins de partage sur les sujets et les centres d'intérêt qui leur tiennent à cœur. Ils ne refusent donc pas le monde « réel ». Ils sont moins idéa-

La fête pour oublier

La plupart des jeunes manifestent un intérêt croissant pour la « teuf » (fête). Moment privilégié de transgression des règles sociales et d'évasion du quotidien, elle leur permet de se retrouver dans des lieux qui leur appartiennent, ou qu'ils s'approprient. C'est pourquoi beaucoup fréquentent le monde de la nuit et profitent de toutes les occasions pour se regrouper et s'amuser : Fête de la musique, Fête du cinéma, *Gay Pride* (devenue Marche des Fiertés), Technoparade, festivals de toutes sortes. Ils transforment les salles de concerts, stades et autres endroits de rassemblement en lieux de *happenings*.

Les jeunes organisent aussi leurs propres manifestations, telles les *raves* ou les *free parties*, les *flash mobs* (mobilisations éclair) ou les apéros géants, déclinaisons modernes du vieux rêve communautaire et autogestionnaire qui avait donné naissance au festival de Woodstock aux États-Unis dans les années 1960. La musique techno y remplace celle de Bob Dylan, l'ecstasy s'est substituée à la marijuana. On peut d'ailleurs remarquer dans leur vocabulaire l'usage de mots comme « halluciner » ou « délirer », qui renvoient de façon symbolique aux effets des drogues dures.

Ces regroupements, festifs ou non, sont pour les jeunes une façon d'oublier leurs difficultés à s'intégrer dans une société qui ne les accueille pas toujours à bras ouverts, d'exprimer leurs envies et leurs frustrations, parfois leur « indignation ». L'objectif est de briser les tabous sociaux et d'inventer des modes de vie différents, associés à de nouveaux codes. Les développements d'Internet (forums, blogs, réseaux sociaux et autres formes d'expression et d'échange) ont largement favorisé ces pratiques, de même que les usages du téléphone portable.

listes et, peut-être, plus pragmatiques ou lucides que leurs parents.

... et l'éclectisme.

Les 15-24 ans mélangent les goûts, les activités, multiplient les contradictions apparentes. Une même personne peut aimer les films fantastiques et les films comiques, écouter du rap et de la techno, apprécier les sorties entre amis et les longues soirées solitaires devant le téléviseur ou l'ordinateur. Le *zapping* est l'arme favorite de ces jeunes, qui veulent faire toutes les expériences, tout essayer avant de choisir ou de changer encore. Les études montrent d'ailleurs qu'ils n'aiment pas qu'on les enferme dans des cases toutes prêtes et qu'on les « segmente », notamment pour essayer de leur vendre des produits. Le mixage, le métissage, l'emprunt à des cultures différentes sont des caractéristiques essentielles de cette population, constitutives à la fois de leurs modes de vie et de leurs systèmes de valeurs.

Les modes de consommation des 15-24 ans sont tout aussi éclectiques. Le budget dont ils disposent varie très fortement en fonction de l'âge et la situation personnelle (la plupart font encore des études alors que d'autres travaillent déjà). En 2010, les seuls 14-17 ans déclaraient disposer en moyenne de 109 € par mois. Près d'un sur deux déclarait acheter sur Internet et en dépenser le tiers (31 %), soit 34 € par mois. Priorité était donnée aux produits culturels et de loisir (livres et DVD) pour 72 % d'entre eux, puis aux vêtements-chaussures (57 %), aux accessoires et bijoux (40 %), aux jeux vidéo (38 %) et à la musique (33 %). 78 % déclaraient utiliser la carte de crédit de leurs parents (mais 3 % des parents indiquaient que leurs enfants l'avaient déjà fait sans leur accord).

Les jeunes sont des consommateurs plutôt boulimiques, mais ils font preuve en même temps d'une attitude critique à l'égard de la société de consommation. Ils sont aussi attentifs que leurs parents au prix des choses et sont attirés par la gratuité et l'échange non marchand, auquel ils se sont habitués dans certains domaines (presse, échanges de fichiers sur Internet...). Plus pragmatiques que révoltés, plus réalistes qu'idéalistes, ils sont attachés à leur liberté de mouvement et cherchent des émotions renouvelées.

Les jeunes portent un regard sévère et cynique sur la société et la politique...

Pris en tenaille entre le confort de la vie au foyer parental et les difficultés d'en sortir pour entrer dans la « vraie vie », les 15-24 ans ne se sentent pas très à l'aise dans la société, dont ils jugent sévèrement les responsables. Ils reprochent notamment aux institutions de ne pas avoir fait leur travail d'adaptation et de protection des jeunes, en ayant privilégié les plus âgés. S'ils gardent une certaine confiance dans l'école, beaucoup ont

le sentiment qu'elle ne les prépare pas suffisamment à leur vie professionnelle future. L'Église catholique ne représente pas à leurs yeux un repère, ni même souvent une référence morale. Pourtant, leur besoin de spiritualité est réel, comme dans les autres catégories de la population (p. 284). La justice leur paraît trop déséquilibrée entre les différentes catégories de citoyens et trop lente. Ils considèrent que les syndicats sont déconnectés de la réalité.

En matière politique, le comportement électoral des 18-24 ans, qui représentent environ 15 % du corps électoral, ressemble à celui de leurs aînés immédiats, les 25-29 ans. Trois sur dix ont voté à tous les tours des dernières élections nationales. Un sur huit s'est abstenu systématiquement et un sur deux aux législatives. Si ces dernières les mobilisent peu, c'est qu'ils ne se sentent guère représentés par des députés dont l'âge moyen est proche de la soixantaine (58 ans). En avril 2012, à quelques jours du premier tour de l'élection présidentielle, un sondage (*Le Monde*/CSA) avait provoqué un choc dans les médias et l'opinion : 26 % des jeunes interrogés disaient qu'ils choisiraient Marine Le Pen au premier tour de l'élection présidentielle.

S'ils se montrent moins motivés par le militantisme au sein des partis politiques, les jeunes sont capables d'engagement. Ils se mobilisent volontiers pour défendre les libertés, ou exprimer leurs craintes quant à la mondialisation. Beaucoup seraient sans doute prêts à se battre pour améliorer la vie en société, à la condition que des personnes ou des institutions crédibles leur proposent des projets caritatifs, culturels, civiques, sportifs ou économiques crédibles à leurs yeux.

Génération *alter ego*

Les 15-25 ans sont divers, multidimensionnels, zappeurs. Leur instabilité apparente est liée à l'hétérogénéité de cette tranche d'âge, qui rassemble des situations personnelles très différentes. Elle est aussi une réponse à la complexité du monde et de la société. Surtout, elle constitue un mode d'apprentissage, de structuration personnelle et d'appropriation de l'environnement.

Au-delà de tous les qualificatifs que l'on peut lui donner, cette génération pourrait être baptisée « *alter ego* ». *Ego*, d'abord, dans la mesure où la recherche identitaire et le développement personnel sont déterminants, prioritaires et nécessaires à ces âges. Mais aussi *alter*, avec le fort besoin de ne pas rester seul, d'avoir des appartenances (notamment via les réseaux sociaux), qui permettent de s'intégrer dans la société à partir de groupes. *Alter*, aussi dans la mesure où les 15-25 ans sont « altermondialistes » par nature et aujourd'hui par nécessité . C'est à eux en effet que reviendra de construire un « autre monde », plus enthousiasmant, plus juste, plus durable que celui-ci.

Les jeunes sont également des « alterconsommateurs », à la recherche d'un équilibre acceptable (et durable) entre le matériel et l'immatériel, le rationnel et l'irrationnel, le temporel et le spirituel. Enfin, ils sont altruistes, au sens où ils se sentent concernés par les autres, qu'ils font preuve à leur égard de tolérance, de curiosité et de solidarité. Il ne faut donc pas désespérer de ces jeunes qui s'efforcent de réconcilier l'individuel et le collectif, le local et le global, l'accessoire et l'essentiel, le présent et l'avenir, mais plutôt les encourager.

… mais ils sont réalistes et pragmatiques.

Désorientés, pessimistes, individualistes, blasés mais plutôt solidaires, c'est ainsi que l'on peut définir les jeunes aujourd'hui. On peut ajouter qu'ils sont pour la plupart pragmatiques, éclectiques, hédonistes, nomades, amateurs de dérision et de transgression. Tout en « craquant » facilement devant les innovations, ils prennent aussi un malin plaisir à dérouter ceux qui veulent les récupérer (créateurs de mode, professionnels du marketing, partis politiques…). Ils ont peur de la solitude, du vide et de l'avenir. C'est pourquoi la communication, la consommation, l'agitation et la fête sont pour eux des façons d'oublier et de vivre. Plus encore que leurs parents, les jeunes ont besoin de « divertissement ».

La « génération zapping » est celle du désenchantement, au sens à la fois religieux et laïque du terme. Elle n'entend pas changer le monde, car la tâche lui paraît trop difficile. Elle souhaite au contraire s'y intégrer et elle se montre même parfois conformiste. Mais elle est également réaliste, débrouillarde et capable de s'adapter à toutes les situations. Sa désapprobation à l'égard de la société ne signifie pas qu'elle ne pourra pas assumer les responsabilités qui l'attendent. Elle est ainsi intéressée par l'innovation et capable de se montrer créative, comme on peut le voir dans l'usage qu'elle fait des technologies. Son pragmatisme et sa volonté de s'en sortir devraient constituer des leviers pour « soulever » le monde, en tout cas pour le faire évoluer.

Loin d'être les membres passifs, les jeunes seront capables d'imposer progressivement leurs valeurs. Mais il leur faudra préalablement les définir. On peut imaginer qu'elles seront fondatrices d'un monde dans lequel la technologie, l'image, la musique, le virtuel, les rapports humains (sélectifs) et les appartenances (renouvelées) joueront un rôle essentiel.

Les relations familiales sont plutôt harmonieuses...

Les rapports au sein de la famille sont moins hiérarchisés. Ils ne sont plus organisés autour de l'autorité du père, qui d'ailleurs connaît une baisse sensible. Le contenu des discussions entre les générations a changé. Les tabous ont disparu et les jeunes ont le droit d'exprimer un avis différent de celui de leurs parents. Les relations entre grands-parents et petits-enfants sont le plus affectées par ces changements ; elles sont devenues plus fréquentes et plus libres. Mais les grands-parents les plus âgés ont parfois des difficultés à comprendre leurs enfants et, a fortiori, leurs petits-enfants. Les jeunes grands-parents ont un système de valeurs différent de celui de leurs propres parents ; leur relation avec leurs petits-enfants est donc plus libérale et « moderne ». Il faut noter qu'à l'âge de 56 ans la moitié des Français sont grands-parents.

La vie de famille est aujourd'hui moins subie que par le passé. Elle ne doit pas étouffer le besoin d'autonomie de chacun de ses membres. On hésite donc moins à sélectionner les personnes que l'on fréquente, parfois à exclure de ses fréquentations certains proches parents avec lesquels on n'a pas d'affinité.

... et les solidarités intergénérationnelles jouent un rôle croissant, ...

Contrairement à une idée répandue, les solidarités familiales ne sont pas moins présentes qu'autrefois, lorsque plusieurs générations cohabitaient durablement sous un même toit. L'entraide familiale joue même un rôle croissant et la famille reste un amortisseur important, en période de conjoncture économique et sociale défavorable.

L'aide intergénérationnelle dont bénéficient les jeunes est réelle. Elle leur permet de faire face aux difficultés qu'ils rencontrent pour trouver un emploi ou fonder un foyer, mais aussi lors d'incidents de parcours ou de ruptures dans leur vie professionnelle ou familiale. Cette aide est aujourd'hui apportée à la fois par les parents et les grands-parents. Ces derniers ont en effet bénéficié d'une augmentation sensible de leur pouvoir d'achat, même si celui-ci connaît depuis quelques temps une stagnation (p. 363). En contrepartie, les aînés qui deviennent eux-mêmes dépendants peuvent compter sur une aide de la part de leurs enfants et petits-enfants : visites régulières, aide aux tâches ménagères, soins quotidiens, vacances communes, etc.

Si la nature et la provenance des aides sont très diverses, l'entraide familiale est plus intense entre les membres de la famille les plus proches. Par ailleurs, la distance géographique n'entraine pas la disparition des liens familiaux. Le sentiment de proximité est même plus grand chez les personnes qui ont moins de contacts avec les autres membres de la famille, tels que les cadres, les diplômés du supérieur et les Franciliens. « Loin des yeux » ne signifie donc pas « loin du cœur ».

... mais elles tendent à renforcer les inégalités sociales.

Les pratiques de solidarité familiale sont d'autant plus fréquentes que les parents et grands-parents disposent de moyens financiers importants. Cela vaut d'abord pour les aides financières, qui sont pratiquées deux fois plus souvent dans les foyers dont les revenus excèdent 3 000 € par mois que dans ceux où ils sont inférieurs à 1 000 € (Crédoc). Il en est de même en ce qui concerne le réconfort psychologique ; il est pratiqué dans la très grande majorité des ménages les plus aisés (neuf sur dix), contre deux fois sur trois parmi les moins diplômés et modestes.

Les différences d'aide reçue par les jeunes en fonction de leur milieu social sont aussi particulièrement apparentes au cours de leur vie professionnelle, notamment lors de la recherche du premier emploi, ou des stages qui le précèdent. Les « recommandations » sont à la fois plus fréquentes et plus

Les jeunes vus par leurs parents

Sans surprise, 83 % des Français de 15 ans et plus pensent que les jeunes d'aujourd'hui sont différents de ce qu'ils étaient eux-mêmes à leur âge. Mais ils les jugent à 63 % égoïstes, à 53 % paresseux, à 53 % encore intolérants. Mais le plus étonnant est que ce sont les jeunes qui sont les plus sévères avec... les jeunes. 70 % des moins de 30 ans se jugent égoïstes, 65 % paresseux et 51 % intolérants.

81 % des Français reconnaissent en tout cas qu'il est difficile d'être un jeune aujourd'hui. 92 % estiment notamment que la vie est plus difficile qu'avant en matière d'emploi, 89 % en matière de logement, 84 % en matière de pouvoir d'achat. Mais une large majorité des Français (59 %) se déclare hostile à une augmentation «significative» de ses impôts pour financer une politique plus ambitieuse pour la jeunesse.

Les « trentas », génération oubliée ?

Comme les 15-24 ans qu'ils ont été, les trentenaires constituent une génération particulière, entre jeunesse et maturité. Proches des plus jeunes par un certain nombre de comportements, ils partagent aussi certaines valeurs avec les plus âgés, qui peuvent être parfois leurs grands-parents. C'est le cas par exemple en ce qui concerne la vie sentimentale : les trentenaires sont, avec les plus de 60 ans les plus nombreux à penser qu'ils passeront le reste de leur vie en couple avec la même personne (*Les Inrockuptibles*/BVA, octobre 2011). Il est vrai que cette conviction est plus facile à 70 ans qu'à 35.

La vision de l'avenir des « trentas » est la plus pessimiste de toutes les tranches d'âge. 74 % des 30-39 ans considèrent que leur génération a une vie « moins bonne que celle de leurs parents » ; ils ne sont que 24 % à penser le contraire. Leurs cadets, âgés de 15 à 29 ans, sont légèrement moins pessimistes : 72 % contre 26 %. Les quadragénaires et les quinquagénaires ont un point de vue plus partagé (54 % contre 44 %). À l'inverse, les personnes de 60 ans et plus reconnaissent majoritairement (74 % contre 24 %) qu'ils ont été une « génération dorée » (celle des Trente Glorieuses), ayant eu la chance de vivre une vie meilleure que leurs parents.

En matière de loisirs, les trentenaires sont des « adulescents », adultes actifs et indépendants mais ayant gardé des aspirations et des pratiques proches de celles des 15-29 ans, juste sortis de l'adolescence. Ils se distinguent de leurs aînés par leur goût pour le sport (41 % le pratiquent et 48 % en font leur loisir préféré) et le shopping (22 % et 27 %), alors que ces activités sont nettement moins prisées des plus de quarante ans (27 % à 35 % pratiquent un sport et 10 % à 15 % font du shopping). Ils affichent un réel intérêt pour les activités culturelles, mais ils les pratiquent nettement moins que les plus âgés : 32 % contre 41 % des quadras et quinquas et 55 % des 60 ans et plus. Le fossé entre les intentions et les actes s'explique sans doute par le manque de temps et de moyens financiers. On observe le phénomène inverse pour la télévision, qui est une activité en moyenne moins appréciée que les activités culturelles, ou le sport, mais qui est davantage pratiquée. Mais cet écart concerne l'ensemble des tranches d'âge.

efficaces dans les familles de cadres ou de professions à fort « entregent », disposant d'un réseau amical et professionnel important. Les familles aisées apportent plus souvent un soutien à un de leurs proches que celles à faibles ressources.

L'aide reçue par les jeunes décroît avec l'âge (et le nombre de leurs proches). Elle est moins forte chez les personnes célibataires, divorcées ou séparées. L'entraide familiale joue donc un rôle plutôt complémentaire aux prestations de l'État-providence, qui sont destinées aux personnes les plus vulnérables. Mais il apparaît, dans la pratique, qu'elle contribue à renforcer les inégalités sociales.

Les différences entre les générations s'estompent.

Les *baby-boomers* font des efforts croissants pour rester jeunes ; ils entretiennent leur corps, adoptent parfois des comportements adolescents, tout en s'accrochant à leur pouvoir économique. Les pères peuvent moins facilement que dans le passé avoir une relation d'autorité sur des enfants qui en savent parfois plus qu'eux dans bien des domaines de la vie courante. Les mères choisissent certains styles vestimentaires pour se rapprocher de leurs filles et ne pas « faire leur âge ». Le recours à la chirurgie esthétique brouille encore un peu plus les cartes. Quant aux grands-parents, ils refusent de vieillir et y parviennent assez bien (p. 166). Certains sont aujourd'hui plus proches de leurs petits-enfants que de leurs propres parents, qui sont eux souvent passés à côté des évolutions récentes liées à la technologie et à la mondialisation. L'allongement de l'espérance de vie, la complexité du monde et les accidents de parcours individuels ont bouleversé les âges apparents.

Les différences entre les générations sont donc de plus en plus floues. Les aînés ne craignent plus de montrer leur part d'enfance ; les jeunes tiennent au contraire parfois des discours réactionnaires. Les différences individuelles sont ainsi plus importantes au sein d'une même tranche d'âge qu'entre les diverses générations. Les rites de passage ou d'initiation disparaissent (la première communion, le service militaire, le premier verre de vin...) ou se déplacent : le premier baiser et la première cigarette arrivent plus tôt, au contraire du premier emploi, du mariage ou du premier enfant. Certains attendent l'âge de 40 ans avant de trouver la stabilité professionnelle ou familiale ; d'autres connaissent plusieurs vies professionnelles ou conjugales successives. Les relations entre les générations tendent ainsi à être remplacées par des relations entre des personnes, l'âge ayant moins d'importance que la façon d'être, de penser, d'agir. La vie de famille en est transformée.

LES SENIORS

DÉMOGRAPHIE

Un Français sur quatre est âgé d'au moins 60 ans.

Au 1er janvier 2012, 15,3 millions de Français étaient âgés d'au moins 60 ans (métropole et DOM), contre 9,5 millions en 1982. Leur part dans la population était de 23,2 %, contre 18 % en 1970 et 13 % au début du XXe siècle. Les 65 ans et plus représentent quant à eux 17,1 % de la population, soit 11,2 millions de personnes. Près du quart des Français sont donc âgés d'au moins 60 ans, un sur six d'au moins 65 ans.

La pyramide des âges s'est beaucoup transformée au fil du temps. On comptait cinq jeunes de moins de 20 ans pour une personne de plus de 65 ans à la fin du XVIIIe siècle ; il y en a trois pour deux aujourd'hui, et leur part est passée sous la barre des 25 % de la population pour la première fois en 2007; elle était de 24,5 % début 2012. Le vieillissement démographique s'explique par les progrès de l'espérance de vie, ainsi que par la diminution du nombre des naissances entre 1965 et 1995, dans un contexte d'immigration réduite.

La structure de la pyramide est donc de plus en plus déséquilibrée. La proportion de personnes dépassant 60 ans s'est beaucoup accrue depuis les années 1980, les classes creuses de 1914-1918 ayant eu 60 ans entre 1974 et 1978. Le vieillissement a connu une nouvelle accélération à partir de 2006, avec l'arrivée à 60 ans des premiers enfants du baby-boom, nés en 1946 et il s'est poursuivi depuis. Cette évolution aurait dû entraîner une diminution du nombre d'actifs à un moment de très forte augmentation du chômage, mais elle ne s'est pas réellement produite (p. 299). Elle a cependant de nombreuses autres conséquences économiques et sociales, comme l'accroissement de la part des retraités dans la société et l'augmentation de la charge des pensions à verser.

Un Européen sur six a 65 ans ou plus.

Si la césure des générations se situe vers 60 ans en France, elle est plutôt fixée à 65 ans en Europe, compte tenu notamment d'un âge de départ à la retraite généralement plus tardif. 17,4 % des habitants de l'Union européenne à vingt-sept ont au moins 65 ans (2010), ce qui en fait la région du monde la plus âgée, derrière le Japon (23 %), mais largement devant les États-Unis (13 %), l'Australie (14 %) et surtout les pays ou régions émergents comme la Chine (9 %). La proportion est de 8 % dans l'ensemble du monde et 3,5 % pour l'Afrique. L'âge moyen de la population des pays de l'Union européenne augmente de plus de deux mois chaque année ; il était de 41 ans fin 2011 (40 ans en France) et devrait atteindre 48 ans en 2060. La part des personnes de 65 ans et plus est d'ores et déjà de 20 % en Allemagne et en Italie (contre 17 % en France) ; le taux minimal est de 11 % en Irlande.

L'arrivée en 2004 de dix nouveaux pays dans l'Union européenne s'est traduite par une diminution de la part

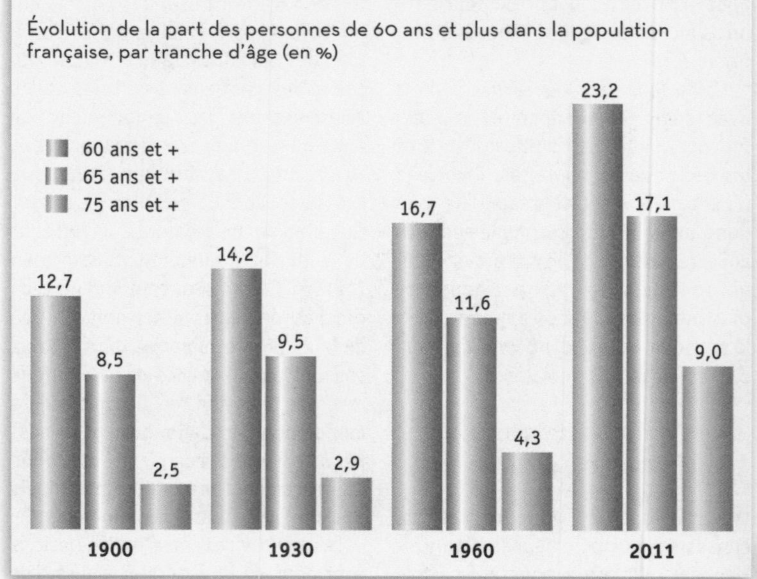

La vieille Europe

Évolution de la part des 65-79 ans dans les pays de l'Union européenne (en %)

	65 ans et plus	
	1990	2010
Allemagne	14,9	20,7
Autriche	14,9	17,6
Belgique	14,8	17,2
Bulgarie	130	17,5
Chypre	10,8	13,1
Danemark	15,6	16,3
Espagne	13,4	16,8
Estonie	11,6	17,1
Finlande	13,3	17,0
France[1]	**13,9**	**16,6**
Grèce	13,7	18,9
Hongrie	13,2	16,6
Irlande	11,4	11,3
Italie	14,7	20,2
Lettonie	11,8	17,4
Lituanie	10,8	16,1
Luxembourg	13,4	14,0
Malte	10,4	14,8
Pays-Bas	12,8	15,3
Pologne	100	13,5
Portugal	13,2	17,9
Rép. Tchèque	12,5	15,2
Roumanie	10,3	14,9
Royaume-Uni	15,7	16,5
Slovaquie	10,3	12,3
Slovénie	10,6	16,5
Suède	17,8	18,1
EU 27	*13,7*	*17,4*

(1) France métropolitaine pour 1990

globale des personnes âgées. Mais ce phénomène n'est pas lié à une forte fécondité dans les pays concernés ; la plupart ont au contraire connu une chute assez sensible dans les années 1990. Elle tient surtout à une espérance de vie moins élevée.

Le vieillissement devrait se poursuivre dans les décennies à venir. Au sein de l'Union à vingt-sept pays, la proportion de personnes de plus de 65 ans devrait passer de 17 % en 2010 à 30 % en 2060. La part des personnes âgées de 80 ans et plus passerait de 5 % à 12 % au cours de la même période. Le phénomène serait particulièrement sensible en Allemagne, où la fécondité est très basse (1,3 enfant par femme). Le « ratio de dépendance », proportion des 65 ans et plus par rapport aux 15-64 ans, qui était de 26 % en 2010, atteindrait 31 % en 2020, 38 % en 2030, et dépasserait 50 % en 2050.

Les « seniors » constituent une population très hétérogène.

Les « seniors » sont depuis déjà quelques années l'objet d'une attention croissante. Elle est justifiée par leur poids démographique, qui s'est fortement accru du fait de l'allongement continu et spectaculaire de l'espérance de vie : deux tiers de plus au cours du XXe siècle, près de trois mois supplémentaires par an au cours des deux dernières décennies. Aujourd'hui, quatre générations cohabitent dans la société française et les enfants actuels ont de fortes chances de connaître cinq générations au cours de leur vie, une situation tout à fait inédite dans l'histoire de la société. Un chiffre symbolise à lui seul cette évolution : la durée moyenne de la retraite avait doublé entre 1950 et 2000 ; elle est aujourd'hui d'environ 24 ans pour l'ensemble des nouveaux retraités (p. 159).

L'importance numérique du « troisième âge » dépend de la définition qu'on en donne. En complément de l'âge « civil », il faudrait ainsi distinguer l'âge « biologique » et l'âge « psychologique » (encadré page suivante). Pourtant, paradoxalement, le « seniorat » commence souvent à 50 ans dans les typologies de clientèles utilisées par les entreprises et les publicitaires. La femme de 50 ans et plus tend ainsi à remplacer la fameuse « ménagère » de moins de 50 ans, d'autant qu'elle continue de consommer (p. 167). En réalité, la véritable césure (sociologique, psychologique, comportementale) correspond à l'âge de la cessation d'activité professionnelle, qui se produit en moyenne vers 62 ans (ci-dessous). La France compte ainsi au total quelque 15 millions de retraités. Malgré une natalité élevée (p. 134), il y a depuis 2012 autant de personnes de 60 ans et plus que de moins de 20 ans (24 %), pour la première fois dans l'histoire. En 2020, l'inversion des courbes d'âge concernera les 65 ans et plus.

Les seniors forment une population très hétérogène en fonction de leur âge, de leur état de santé (les incapacités apparaissent plutôt à partir de 75 ans), de leurs ressources financières et de leurs « vies antérieures ». Compte tenu d'un différentiel d'espérance de vie entre les sexes encore proche de 7 ans, la population se féminise au fur et à mesure du vieillissement.

À partir de 75 ans, les femmes sont deux fois plus nombreuses que les hommes…

Si les femmes sont minoritaires à la naissance (il naît 105 garçons pour 100 filles), elles représentent 53 % de la population âgée de 65 à 74 ans. Parmi

Les trois âges

Un individu est d'abord défini par son âge *officiel*, indiqué par sa date de naissance. Mais il se caractérise aussi par son âge *biologique*, mesuré par son degré d'usure physique ou cérébrale. Celui-ci peut varier sensiblement entre des individus ayant le même âge civil. Il change aussi selon les époques. Vers 1930, on était considéré comme un vieillard à partir de 50 ans ; dans la société actuelle, on est un « senior ». On estime que les personnes âgées aujourd'hui de 75 ans ont des caractéristiques biologiques comparables à celles des personnes de 50 ans au début du XXe siècle. Les photographies anciennes témoignent d'ailleurs de cette évolution. Elle est apparente aussi à des âges plus avancés ; les personnes de 80 ans sont dans un état de santé comparable à celui des personnes de 70 ans il y a vingt ans. Le niveau socio-économique est un facteur important. On constate, à âge égal, que les personnes ayant arrêté leurs études à l'école primaire présentent en moyenne un vieillissement avancé de 3 ans par rapport à celles qui ont fait des études supérieures, qui est probablement lié à leurs conditions de vie professionnelles et personnelles moins favorables.

On peut évoquer un « troisième âge », qui est celui ressenti par chaque individu en fonction de son état de santé, de son caractère, ou de l'image que lui renvoie son entourage. Cet âge *psychologique* est le plus souvent inférieur à celui indiqué par la date de naissance et l'état biologique réel. Ainsi, les deux tiers des personnes de plus de 50 ans se sentent moins âgées que leur état civil ne le mentionne ; le décalage représente en moyenne une quinzaine d'années vers l'âge de 70 ans. Cette rémanence de la jeunesse dans les esprits s'explique notamment par la comparaison avec les générations antérieures. Elle est surtout liée au fait que les capacités mentales des personnes âgées sont préservées. L'esprit vieillit moins vite que le corps. Par ailleurs, le vieillissement s'accompagne moins qu'avant d'opinions, d'attitudes et de comportements conservateurs ou « réactionnaires ». Les retraités récents ont forgé leur système de valeurs à une époque de profonde transformation de la société, à laquelle ils ont d'ailleurs largement participé. Ils restent donc plus « modernes » que les générations précédentes dans leurs idées, leur perception du monde et leurs activités.

Au XVIIIe siècle, Montesquieu écrivait : *« C'est un malheur qu'il y a trop peu d'intervalle entre le temps où l'on est trop jeune et le temps où l'on est trop vieux. »* La situation actuelle est fort différente, du fait que l'on n'est jamais trop jeune et que l'on est vieux de plus en plus tard et de plus en plus longtemps.

les 15,3 millions de Français de 60 ans et plus début 2012, la majorité sont des femmes. Les femmes sont minoritaires dans toutes les tranches d'âge jusqu'à celle des 50-55 ans. Elles sont de plus en plus majoritaires à partir de celle des 65-69 ans. À partir de 75 ans, leur part atteint près de deux tiers (63 %), et elle dépasse les trois quarts parmi les plus de 90 ans.

Cette surreprésentation des femmes parmi les personnes âgées tient à la différence des espérances de vie entre les sexes, qui reste élevée en France (6,6 ans début 2012). Cependant, l'écart s'est atténué au cours des dernières années : entre 1994 et 2011, l'espérance de vie féminine à la naissance n'a augmenté que de 3,0 ans, alors que celle des hommes progressait de 4,6 ans (p. 96). Ce rapprochement pourrait se poursuivre avec la convergence croissante des modes de vie masculins et féminins, tant en ce qui concerne la consommation d'alcool et de tabac que la conduite automobile ou l'exposition professionnelle à des substances toxiques.

… et les veuves cinq fois plus nombreuses que les veufs.

4,3 millions de Français sont veufs (2010) et 83 % d'entre eux sont des femmes. Parmi les personnes âgées de 60 ans et plus, quatre femmes sur dix sont veuves, contre seulement un homme sur dix. Cet écart important entre les sexes s'explique d'abord par celui des espérances de vie (p. 95). Il est aussi accru par la différence d'âge entre les époux : les hommes se marient en moyenne environ 2 ans plus tard que les femmes (32 ans contre 30), un écart qui a été plus important dans le passé (p. 96).

Le veuvage frappe beaucoup plus les femmes au bas de la hiérarchie sociale : un peu plus d'un tiers des anciennes ouvrières sont veuves, du fait de la moindre espérance de vie des hommes ouvriers, contre un peu moins d'un quart des anciennes femmes cadres. On constate par ailleurs que les hommes d'un milieu social élevé refont plus facilement leur vie : quatre anciens cadres de 65 à 74 ans sur dix se remarient, contre seulement un ancien ouvrier sur quatre dans la même tranche

d'âge. Les écarts sont moins marqués chez les femmes. Après la perte d'un conjoint, la tendance est de vivre seul. La surmortalité des hommes à la suite du veuvage est beaucoup plus élevée que celle des femmes, mais ceux qui survivent s'adaptent plutôt mieux à la perte de leur conjoint que les veuves. La très grande majorité des couples de 60 ans ou plus n'ont connu qu'un seul mariage.

La fin de vie des personnes âgées a connu des changements importants au cours des dernières décennies. La baisse de la mortalité a retardé le veuvage. À l'inverse, la montée du taux de divorce a rendu l'isolement plus fréquent. Les couples âgés de plus de 60 ans hésitent moins aujourd'hui à se séparer. En 2008, la part des divorces des 60 ans et plus était de 12 % pour les hommes et 7 % pour les femmes. Contrairement à une idée reçue, le passage à la retraite n'est pas associé à une augmentation du taux de divorce.

L'âge moyen de départ effectif à la retraite est proche de 62 ans.

Sur le plan social et individuel, c'est la cessation de l'activité professionnelle qui marque véritablement le passage dans la catégorie des « seniors ». L'âge moyen effectif de cessation d'activité des nouveaux retraités était de 61 ans et 11 mois en 2011, soit six mois de plus qu'en 2009 (CNAV). Les agents de l'État sont partis en moyenne à 59 ans et 10 mois en 2011, contre 58 ans et 8 mois en 2004. Les réformes de 2003 et 2010 ont produit leurs premiers effets, avec des départs en retraite plus tardifs et moins nombreux. Le nombre des nouveaux retraités a ainsi diminué récemment à 630 000, retrouvant le niveau de 2003. Cette évolution s'explique aussi par des rai-

L'Europe de la retraite

Âge légal du départ à la retraite et âge moyen de sortie du marché du travail dans les pays de l'Union européenne (situation en vigueur au 1er juillet 2011)

	Âge légal du départ à la retraite	Âge moyen de sortie du marché du travail
Allemagne	67 ans	femmes : 61,4 ans hommes : 62,1 ans (2008)
Belgique	65 ans	femmes : 61,9 ans hommes : 61,2 ans (2007)
Danemark	65 ans	femmes : 60,3 ans hommes : 62,3 ans (2008)
Espagne	65 ans	femmes : 62,7 ans hommes : 62,5 ans (2008)
France	**60 ans (62 ans à partir de 2017)**	**femmes : 59,1 ans hommes : 59,4 ans (2008)**
Italie	femmes : 60 ans hommes : 65 ans	femmes : 60,7 ans hommes : 60,8 ans (2008)
Pays-Bas	65 ans	femmes : 62,8 ans hommes : 63,7 ans (2008)
Pologne	femmes : 60 ans hommes : 65 ans	femmes : 57,5 ans hommes : 61,4 ans (2007)
Portugal	65 ans	femmes : 62,3 ans hommes : 62,9 ans (2007)
République tchèque	62 ans et 4 mois pour les hommes et 56 ans et 8 mois pour les femmes mères de 5 enfants et plus, à 60 ans et 8 mois pour celles sans enfant Progressivement : 65 ans pour les hommes et femmes avec 1 enfant et de 62 ans à 64 ans pour celles avec plusieurs enfant(s)	femmes : 59 ans hommes : 62,3 ans (2008)
Royaume-Uni	femmes : 60 ans hommes: 65 ans (alignement progressif sur 65 ans d'ici 2020, passage prévu à 68 ans en 2046))	femmes : 62 ans hommes : 64,1 ans (2008)
Suède	âge flexible entre 61 ans et 67 ans, possibilité de travailler au-delà, moyennant l'accord de l'employeur.	femmes : 63,2 ans hommes : 64,4ans (2008)

MISSOC, Commission européenne

sons démographiques : l'âge moyen des départs a été décalé par l'arrivée à 65 ans en 2011 de la génération nombreuse de 1946. On a dénombré 39 000 départs anticipés, au titre des carrières longues. Les nouveaux retraités ont cotisé en moyenne 149 trimestres, soit 37 années et un trimestre. L'âge de cessation d'activité était de 61 ans à la fin des années 1980 et de 64,5 ans en 1970 (avec un âge légal de la retraite de 65 ans).

60 % des actifs qui demandent aujourd'hui la liquidation de leur retraite au régime général de la Sécurité sociale sont en réalité déjà sortis de la vie active. Les deux tiers d'entre eux sont au chômage ou en préretraite. Les autres se sont volontairement retirés du monde du travail ou bénéficient d'une convention spéciale. L'une des « exceptions françaises » en matière professionnelle est le taux d'emploi très faible des 55-64 ans. Il était de 39,7 % en 2010, alors qu'il atteignait 70 % en Suède, 58 % en Allemagne et 46 % en moyenne dans l'U.E. Il faut cependant noter qu'il a gagné 3,2 points entre 2007 et 2011. Par ailleurs, dans la seule tranche 55-59 ans (ce qui permet d'annuler l'impact des générations nombreuses de 60-65 ans), le taux d'emploi atteignait 60,6 % en 2010, contre une moyenne de 60,9 % dans l'Union européenne, alors qu'il était seulement de 17,9 % dans la tranche 60-64 ans, contre 30,5 % en Europe. Mais, si davantage de seniors restent sur le marché du travail, tous ne trouvent pas un emploi ou ne conservent pas celui qu'ils occupent, comme en témoigne leur taux de chômage élevé.

À partir de 2017, l'âge minimal sera fixé à 62 ans pour la génération née en 1955, contre 60 ans précédemment, à condition d'avoir cotisé pendant 166 trimestres (41,5 ans). Il restera possible de partir avant cet âge dans certains cas, notamment de carrières longues ou « pénibles » ou pour des personnes handicapées.

Espérance de vie en bonne santé : le retournement

On a cependant constaté dans la période récente un ralentissement des progrès en matière de cancer féminin, avec notamment une hausse importante des cancers du poumon, alors que la mortalité liée à la maladie d'Alzheimer a augmenté très fortement pour les deux sexes. Plusieurs explications sont proposées à ce retournement : la meilleure prise en charge des personnes atteintes de maladies chroniques et vivant plus longtemps avec des incapacités ; une plus grande sensibilisation des populations, qui pourrait conduire les personnes concernées à mieux identifier et déclarer leurs troubles fonctionnels ; une dégradation des conditions de vie et des fins de carrière des 50-65 ans par rapport aux générations précédentes qui aurait entraîné des problèmes de santé.

L'espérance de vie « en bonne santé » des femmes reste légèrement supérieure à celle des hommes (63,2 ans contre 62,5 ans), mais elle ne représente que les trois quarts de leur espérance de vie totale, contre les quatre cinquièmes pour les hommes. Au cours des années 1990, l'allongement de la durée de la vie s'était accompagné d'un allongement du temps vécu sans difficulté sévère, mais le temps passé sans incapacité modérée avait stagné. Depuis le milieu des années 2000, les évolutions semblent moins favorables, particulièrement pour les femmes et entre 50 et 65 ans : la progression de l'espérance de vie sans incapacité sévère ralentit pour les hommes et s'interrompt pour les femmes, et l'espérance de vie sans incapacité modérée stagne toujours.

L'état de santé des aînés a beaucoup progressé…

L'espérance de vie à la naissance a augmenté des deux tiers au cours du XXe siècle. À 60 ans, les femmes ont en moyenne 27,3 années à vivre et les hommes 22,5 (2011). À 65 ans, l'espérance de vie passe à 22,9 ans pour les femmes et 18,7 ans pour les hommes, c'est-à-dire qu'elle augmente en 5 ans de 1,2 an pour les hommes et de 0,6 an pour les femmes.

En outre l'espérance de vie « en bonne santé » (sans limitations d'activités ou sans incapacités majeures) était estimée à 63,5 ans à la naissance pour les femmes et à 62,7 ans pour les hommes en 2010. Des chiffres comparables à ceux des pays européens voisins, mais un peu inférieurs à ceux des pays nordiques (70,5 ans pour les hommes et 69,5 ans pour les femmes en Suède). À 60 ans, une femme peut ainsi aujourd'hui espérer vivre encore 20 ans sans être en situation de dépendance, contre 18 ans pour un homme. L'espérance de vie sans incapacités majeures avait davantage augmenté que l'espérance de vie à la naissance au cours des dernières décennies. Mais les estimations les plus récentes (Baromètre Santé 2011) indiquent une rupture de tendance. L'espérance de vie sans difficultés pour les soins personnels continue de progresser, mais plus faiblement que l'espérance de vie totale (encadré). L'écart aurait ainsi diminué d'un an au cours des toutes dernières années.

En tout état de cause, les personnes âgées sont plus concernées que les autres par la maladie et le handicap. Elles souffrent plus fréquemment de pathologies de toutes sortes. Elles consultent des généralistes plus souvent que les plus jeunes ; l'écart est plus réduit en ce qui concerne la consultation des spécialistes. La moitié des dépenses de santé sont le fait des personnes de 60 ans et plus, contre un tiers pour celles de 30 à 59 ans et un cinquième pour celles des moins de 30 ans. Les personnes de 75 ans et plus dépensent trois fois plus que la moyenne pour se soigner.

... mais il varie fortement avec l'âge.

À 65 ans, les « troubles fonctionnels courants » occupent en moyenne les deux tiers des années restant à vivre (Baromètre Santé 2011). Mais ils ne se traduisent pas systématiquement par des gênes dans les activités. Les limitations d'activité en général occupent un peu plus de la moitié de l'espérance de vie à 65 ans, alors que les « difficultés pour les activités de soins personnels » occupent 15 % des années restant à vivre des hommes et 20 % de celles des femmes. Ces dernières ont une espérance de vie plus longue, mais elles subissent aussi plus longtemps des incapacités. La proportion de personnes déclarant une limitation durable (depuis au moins six mois) « dans les activités que les gens font habituellement » à cause de problèmes de santé augmente progressivement avec l'âge, passant de 29,3 % pour les personnes de 55-64 ans à 80,6 % pour les 85 ans ou plus.

Parmi les personnes de 60 à 75 ans, près d'une sur deux déclare une maladie chronique, contre moins d'une sur trois dans la tranche 45-59 ans. Les personnes âgées souffrent aussi davantage de handicaps physiques et les difficultés motrices sont plus fréquentes avec l'âge ; elles s'accentuent à partir de 70 ans. La proportion de femmes de 70 à 75 ans déclarant ce type de difficulté est presque deux fois plus élevée que parmi les 60-69 ans ; pour les hommes, elle est trois fois plus élevée que pour les 60-64 ans et plus du double de celle des 65-69 ans. Les femmes de 60 à 75 ans déclarent aussi plus fréquemment que les plus jeunes souffrir d'une « douleur physique difficile à supporter ».

À partir de 75 ans, les difficultés sont encore plus fréquentes. Un quart des cancers surviennent après cet âge. La déficience mentale s'accroît ; la première cause est la maladie d'Alzheimer, qui affecterait environ 15 % des 80-90 ans et un tiers des plus âgés, et dont le diagnostic est encore largement ignoré (p. 47). Les handicaps physiques se développent aussi ; un tiers des personnes seules âgées de 75 ans et plus éprouvent des difficultés pour sortir de chez elles, la moitié pour monter un escalier.

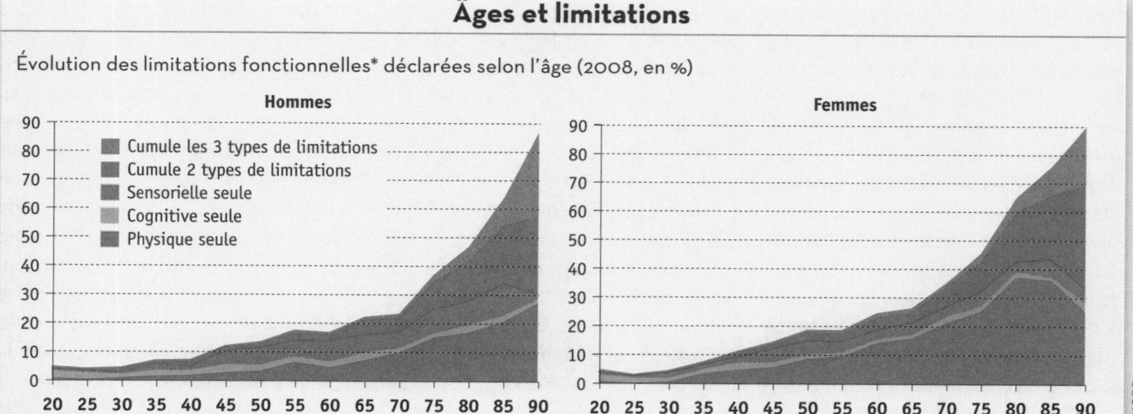

* Personnes ayant déclaré : « avoir beaucoup de difficultés » ou « ne pas pouvoir du tout » réaliser les actions suivantes. Limitation sensorielle : voir clairement les caractères d'imprimerie d'un journal (avec éventuelle correction) ; voir le visage de quelqu'un à 4 mètres, de l'autre côté de la rue (avec éventuelle correction) ; entendre dans une conversation avec plusieurs personnes (avec éventuel appareillage) ; marcher 500 mètres sur un terrain plat. Limitation physique : monter ou descendre un étage d'escaliers ; se baisser ou s'agenouiller ; porter un sac à provisions de 5 kg sur 10 mètres ; lever le bras pour attraper un objet en hauteur ; prendre un objet dans chaque main ; utiliser ses doigts pour manipuler un robinet, des ciseaux... Limitation cognitive : apprendre de nouveaux savoirs ; résoudre des problèmes de la vie quotidienne ; se concentrer plus de 10 minutes ; comprendre ou se faire comprendre des autres ; savoir à quel moment de la journée on est ; se mettre en danger par son comportement.

Enquête Handicap-Santé, INSEE

Les familles comptent souvent quatre générations vivantes.

Jusqu'au début du XXe siècle, on ne comptait le plus souvent que deux générations dans les familles (parents et enfants). La présence d'une troisième, celle des grands-parents, s'est ensuite progressivement accrue. Dans les familles actuelles, l'existence d'une quatrième génération (arrière-grands-parents) est de plus en plus fréquente. On peut estimer (d'après notamment les travaux de l'INED) que la moitié des femmes de 60 ans connaissent cette situation. Cet accroissement devrait se poursuivre au cours des prochaines décennies, avec le vieillissement de la population, dans des conditions comparables de natalité et d'âge à la maternité.

Cela représente pour chaque génération une chance, celle de pouvoir côtoyer les autres, en acceptant les différences de valeurs et de modes de vie. La génération des arrière-grands-parents, née entre les deux guerres, a connu les privations, la nécessité de l'effort et se trouve parfois mal à l'aise dans un monde qui a connu de véritables mutations. Leurs enfants sont pour beaucoup eux aussi à la retraite ; ils ont bénéficié d'un accroissement général et continu du pouvoir d'achat et s'efforcent de profiter pleinement des années qu'ils ont devant eux. La troisième génération a grandi après Mai 1968, qui avait provoqué une transformation des mœurs ; elle a traversé plusieurs crises économiques, avec parfois des ruptures dans la carrière personnelle.

Enfin, la quatrième génération, née depuis le milieu au début du XXIe siècle, est celle de la révolution numérique, de la mondialisation et de la crise budgétaire ; elle porte un regard distancié, réaliste et pragmatique sur la société (p. 148). Elle est plongée dans une crise économique du même ordre que celle que leurs parents ont connue dans les années 1920. Pour ces deux dernières générations, la présence des deux (voire trois) plus anciennes peut être parfois aussi vécue comme une charge, lorsqu'il faut financer les dépenses de retraite ou de santé, dans une période d'incertitude.

Le vieillissement de la population devrait se poursuivre, ...

L'accroissement prévisible de la part des personnes âgées sera d'abord la conséquence de la structure de la pyramide des âges. Les générations issues du *baby-boom* (nées entre 1945 et 1975) vont accéder aux âges élevés ; celles nées juste après la guerre ont atteint 65 ans en 2010, ce qui a représenté un nouveau choc démographique.

Le vieillissement à venir sera aussi induit par la poursuite de l'allongement de l'espérance de vie. À raison d'une augmentation d'environ trois mois par an (moyenne des deux dernières décennies), elle pourrait passer de 84,8 ans pour les femmes au début 2012 à 90 ans en 2050. Celle des hommes se situerait à 85 ans, contre 78,2 ans aujourd'hui. Le nombre de centenaires a atteint 20 000 en 2012, contre seulement 200 en 1950. Il pourrait atteindre 50 000 en 2030 et 150 000 centenaires en 2050.

Les gains pourraient être encore plus spectaculaires en cas d'amélioration sensible des habitudes alimentaires et des modes de vie en général, et surtout de progrès décisifs de la médecine. La lutte contre les cancers ou les maladies génétiques devrait en effet progresser, de même que la mise à disposition de traitements préventifs contre le vieillissement. Il faut aussi compter avec les innovations possibles en matière de biotechnologies, nanotechnologies, cellules souches, etc. À l'inverse, d'autres facteurs pourraient ralentir ou renverser la tendance : catastrophes naturelles, écologiques ou climatiques, apparition de nouvelles maladies, guerres, etc. La longévité de la population n'est donc que partiellement entre ses mains et prévisible.

Des études réalisées sur des centenaires montrent que l'intérêt que l'on porte à sa santé et à sa personne ne suffit pas à retarder le vieillissement et à assurer une fin de vie plus longue et agréable. Il est important aussi de s'intéresser aux autres et de ne pas être en retrait du monde. À ces conditions, l'espérance de vie moyenne à la naissance pourrait approcher 100 ans à la fin du XXIe siècle.

... au risque de créer des tensions entre les générations.

Les relations entre les quatre générations qui cohabitent de plus en plus souvent aujourd'hui dans la société détermineront le climat social des prochaines décennies. Des risques de tension existent entre la vision plus collective des anciens et celle, plus individualiste, des jeunes. La sédentarité des uns pourrait s'opposer au nomadisme des autres, le conservatisme à la flexibilité. La question se posera aussi du recours à l'immigration pour lutter contre le vieillissement de la population et renforcer le nombre des actifs ; elle pourrait donner lieu à des appréciations différentes entre les générations. Surtout, les jeunes devront supporter par leur travail la charge croissante du financement des retraites. Dès aujourd'hui, deux actifs cotisent pour un retraités, et le rapport pourrait être de un pour un en 2040. Le niveau très élevé de l'endettement national représente un autre défi pour les générations à venir.

Pourtant, la perspective d'une guerre des âges opposant des « jeunes

Beaucoup d'électeurs, beaucoup d'élus

Plus nombreux et plus aisés que leurs aînés, les enfants du *baby boom* (nés à partir de 1944) ont atteint l'âge de 60 ans à partir de 2004. Ils contribuent depuis à renforcer le poids politique des seniors. L'âge moyen des électeurs inscrits est de 49 ans, et il augmente d'un an environ tous les quatre ans. On observe par ailleurs que les électeurs âgés de plus de 55 ans votent plus souvent que ceux des autres tranches d'âge. Lors des élections de 2007, les 65-69 ans avaient été plus de deux fois plus nombreux que les 25-29 ans à participer aux scrutins des présidentielles et des législatives (65,5 % contre 29,6 %). Ceux de 2012 ont confirmé ces écarts. Après 70 ans, le taux de participation tend à diminuer, mais il reste proche de 60 % chez les personnes de 80 ans ou plus. Il faut bien sûr se garder d'en tirer des conclusions sur l'orientation politique des futures assemblées, mais on peut s'attendre à ce que les thèmes chers aux seniors, comme le système de soins, la sécurité ou le niveau de vie des retraités, occupent une large place dans les campagnes électorales à venir

Au sein de l'Assemblée nationale élue en 2007, les jeunes sexagénaires étaient déjà surreprésentés, comme l'a montré le sociologue Louis Chauvel. Les députés âgés de 60 à 64 ans y représentaient 22 % des élus, contre 14 % en 2002 et 10 % en 1997. Les députés de plus de 55 ans y étaient majoritaires, avec 59 %, les moins de 40 ans ne comptaient que pour 4 %, soit neuf fois moins que ceux de 60 ans et plus. La composition de l'Assemblée élue en 2012 continue de faire la part belle aux seniors. À cet égard, la France fait figure d'exception. Le rapport entre les 60 ans et plus et les moins de 40 ans n'est est en effet que de un à trois au Royaume-Uni et en Italie ; il est même inversé dans des pays comme l'Allemagne (0,8) et la Suède (0,4), où les moins de 40 ans sont largement majoritaires.

pauvres » et des « vieux riches » n'apparaît pas probable. D'abord, parce que la situation des retraités devrait être moins favorable qu'aujourd'hui, au fur et à mesure de la mise en place de la réforme des retraites, si l'on s'en tient au montant individuel des pensions (p. 161). Ensuite, il ne faut pas sous-estimer les efforts de solidarité et de compréhension entre les générations, que l'on voit à l'œuvre depuis quelques années. Enfin, il faut compter avec la capacité d'adaptation de la société, qui devra trouver un équilibre entre la vie active et inactive (âge légal de la retraite, durée et taux des cotisations, niveau des pensions), entre les ressources liées au travail et celles issues du capital.

Modes de vie

Les aînés vivent de plus en plus longtemps…

L'état de santé des personnes âgées a beaucoup progressé en quelques décennies, comme en témoigne l'allongement de l'espérance de vie à 60 ans (p. 98). Cette évolution s'était accompagnée longtemps d'un accroissement encore plus sensible de l'espérance de vie sans incapacité, qui s'est cependant interrompu depuis quelques années (p. 157). Mais les Français vivent à la fois plus vieux et en meilleure santé que les générations précédentes. Pour lutter contre les effets du vieillissement et se maintenir en bonne forme physique, beaucoup pratiquent les mêmes activités que les plus jeunes. Ils sont de plus en plus nombreux à faire du sport : marche, gymnastique, natation, mais aussi tennis ou golf. Ils surveillent leur santé en se rendant régulièrement chez le médecin. Ils pratiquent la prévention, notamment en matière alimentaire ou en consommant des produits diététiques. Beaucoup s'efforcent aussi de modifier leurs habitudes de vie, en excluant par exemple le tabac et l'alcool. La part des fumeurs quotidiens décroît ainsi fortement aux âges avancés : entre 65 et 75 ans, elle n'est plus que de 9 % chez les hommes et de 6 % chez les femmes, contre respectivement 48 % et 36 % entre 26 et 34 ans.

Cette volonté de bien vieillir s'accompagne d'un souci croissant de l'apparence. Les personnes âgées attachent davantage d'importance à leur habillement, sont plus sensibles à la mode et renouvellent plus souvent leur garde-robe. Elles utilisent aussi les produits cosmétiques destinés à lutter contre le vieillissement ou à en cacher certains effets (rides, peau sèche…). Enfin, elles hésitent de moins en moins à recourir à la chirurgie esthétique pour rajeunir leur apparence. Les sexagénaires sont ainsi de plus en plus souvent des « sexygénaires ».

… et la durée moyenne de la retraite a plus que doublé depuis 1950.

Au milieu du XXe siècle, la retraite était prise officiellement à 65 ans. À cet âge et à cette époque, l'espérance de vie moyenne était de 13,4 ans pour les femmes et 10,4 ans pour les hommes. En 2012, l'âge officiel de la retraite est encore de 60 ans, mais la cessation effective d'activité a lieu en moyenne vers 62 ans (p. 155). À cet âge, les femmes ont encore 26 ans à vivre et les hommes près de 21 ans.

La durée moyenne de la retraite a donc plus que doublé en un demi-siècle. Elle est aujourd'hui plus longue que celle de la scolarité, bien que cette dernière se soit beaucoup allongée : 19 ans aujourd'hui contre 11 ans au début du XXe siècle. Cette évolution entraîne des perspectives totalement différentes pour les personnes concernées. Elles disposent du temps nécessaire pour faire des projets, s'intéresser à des activités de plus en plus variées et continuer de participer à la vie collective après être sorties du système productif.

On devrait cependant assister dans les années qui viennent à une évolution, avec un âge effectif de la retraite retardé progressivement, après la réforme de 2010 et celles qui devront suivre. En janvier 2012, 60 % des Français se déclaraient inquiets pour leur retraite contre 57 % en 2011 et 61 % en 2010 (CECOP/CSA). Cette inquiétude explique que la majorité (58 %) estime désormais que le report à 65 ans de l'âge légal sera nécessaire d'ici une dizaine d'années, alors qu'ils n'étaient que 30 % en 2011.

Le pouvoir d'achat des retraités est légèrement supérieur à celui des actifs...

Au cours des Trente Glorieuses (1945-1975), le revenu des inactifs avait profité de la très forte augmentation du minimum vieillesse. Il s'est encore accru sensiblement jusqu'au début des années 1990, de sorte qu'entre 1970 et 1990 il avait augmenté deux fois plus vite que celui des actifs. L'évolution a été depuis moins spectaculaire, mais l'évolution des prestations sociales a permis de réduire la proportion de ménages pauvres parmi les retraités, plus encore que chez les actifs. Par ailleurs, les couples de retraités disposent plus souvent de deux pensions, du fait de l'activité professionnelle antérieure des femmes, plus fréquente que par le passé.

Le « niveau de vie » individuel des personnes appartenant à un ménage dont la personne de référence a 65 ans ou plus était de 22 510 € en 2009, contre 22 140 € pour l'ensemble des ménages. Il est calculé en divisant le revenu disponible du ménage (tous revenus y compris ceux du patrimoine et les prestations sociales, après cotisations et impôts, p. 367) par le nombre d'« unités de consommation », soit 1 pour le premier adulte, 0,5 pour les autres personnes de 14 ans et plus, 0,3 pour les moins de 14 ans. Cet écart favorable aux retraités s'explique notamment par le fait que leurs ménages comptent moins de personnes que les plus jeunes. Il faut noter en outre que les ménages retraités sont beaucoup moins endettés que les plus jeunes, que leurs revenus sont assurés et prévisibles.

Parmi les pays de l'Union européenne, la France est, derrière l'Italie et les Pays-Bas, celui dans lequel le niveau de vie des retraités est proportionnellement le plus élevé par rapport à l'ensemble de la population. Le Royaume-Uni, l'Irlande et le Danemark occupent les dernières places.

... mais les disparités restent fortes, ...

Le montant moyen des pensions des retraités, tous régimes confondus, s'élevait à 1 216 € par mois au 1er janvier 2010 (DREES) ; celui perçu par les hommes était de 1 552 €, contre 899 € pour les femmes (encadré). Entre 2005 et 2010, le rythme de croissance des pensions a été supérieur à l'inflation annuelle d'environ 1,2 point. Cette évolution globalement favorable résulte pour une moitié de la revalorisation légale annuelle et pour l'autre moitié de l'effet dit de *noria* : les retraités les plus âgés, décédés en cours d'année, sont remplacés par des nouveaux, qui ont eu généralement des carrières salariales plus favorables.

La France compte un peu plus de 15 millions de retraités percevant un droit direct dont 14 millions résident en France et 1,4 million à l'étranger. 12 millions sont pensionnés au titre du régime général de la Caisse nationale d'assurance vieillesse. Entre 2004 et 2010, le nombre des retraités s'est accru en moyenne de 350 000 par an. 4,9 millions de retraités reçoivent une pension d'au moins deux régimes de base, soit un sur trois. 40 % des retraités hommes sont ainsi « polypensionnés », contre 26 % des femmes, du fait de leurs carrières généralement plus longues, qui ont aussi entraîné des changements de régimes plus fréquents.

Le niveau moyen des pensions de retraite a progressé au fil des générations, notamment entre celles nées au début des années 1920 (et retraitées à partir de 1981, année de la retraite à 60 ans) et celles nées au début des années 1940, retraitées à partir de 2000. L'amélioration a profité à l'ensemble des catégories de salariés et de non salariés. Cependant, au cours des dernières années, l'augmentation globale, liée à l'arrivée de nouveaux retraités, masque une diminution du pouvoir d'achat de la pension moyenne perçue par les personnes déjà retraitées, après prise en compte de l'inflation.

À revenu antérieur égal, les revenus des retraités sont financièrement très inégaux selon le type de carrière, avec un avantage considérable aux anciens

Les retraitées pauvres

La pension de retraite moyenne perçue par les femmes (899 € par mois en 2010) ne représente que 58 % de celle des hommes (1552 €). Cet écart s'explique notamment par le fait qu'elles ont eu des carrières plus courtes : une sur deux seulement a eu une « carrière complète » (nombre de mensualités au moins égal au minimum requis), contre neuf hommes sur dix. De plus leurs revenus d'activité ont été inférieurs. Enfin, parmi les 1,1 million de personnes qui perçoivent uniquement une pension au titre de la réversion, la plupart sont des femmes, qui sont plus fréquemment veuves (p. 153).

L'écart de pension est nettement moins important pour les retraitées plus récentes, qui ont eu des carrières plus longues, avec un niveau de qualification plus élevé, et qui ont bénéficié du rapprochement progressif (mais inachevé) des rémunérations entre les sexes, à poste égal. Au fil des générations, les inégalités tendent ainsi à se réduire : la quasi totalité des femmes nées à partir des années 1950 ont exercé une activité professionnelle. Une sur trois a interrompu sa carrière, mais les trois quarts d'entre elles ont repris ensuite une activité. Près des deux tiers des retraitées de la génération la plus récente (63 %) ont exercé une activité continue, contre seulement 44 % de celles nées entre 1920 et 1940. Dans le même temps, l'écart entre le salaire moyen des femmes et celui des hommes a fortement diminué. Le salaire féminin moyen reste toutefois 20 % inférieur à celui des hommes (contre 35 % au début des années 1970, p. 348).

salariés et, surtout, aux ex fonctionnaires (ci-après). Les écarts sont moins marqués pour les professions non salariées, qui ont en outre constitué un capital professionnel négociable (commerçants, certaines professions libérales...). En moyenne, la part des revenus du patrimoine représente un cinquième des revenus globaux des retraités.

... notamment entre le secteur public et le privé.

Les pensions des retraités du secteur public sont sensiblement supérieures à celles du secteur privé. Les anciens fonctionnaires civils de l'État ont perçu entre 2 000 € et 2 300 € en 2010, selon qu'ils étaient unipensionnés ou polypensionnés. L'écart avec les anciens salariés du privé est de l'ordre de 25 %. Il faut préciser que ces montants ne sont pas directement comparables, du fait des structures différentes des professions ; le niveau de qualification moyen est en effet un peu plus élevé dans le secteur public, en raison du poids des enseignants. Cependant, les fonctionnaires bénéficient au cours de leur carrière d'avantages, à la fois en matière de taux et de durée de cotisation. Le « taux de remplacement » de leurs revenus professionnels représente souvent plus de 80 % de leur dernier salaire (lequel est parfois majoré par le « coup de chapeau » de fin de carrière). Les salariés du privé voient au contraire leurs pensions calculées sur les vingt-cinq meilleures années de salaire (depuis la réforme de 1993), de sorte que le taux de remplacement de leur dernier salaire est plus proche de 50 %.

Les régimes de retraite des fonctionnaires étant très déséquilibrés du fait des niveaux de cotisation réduits et des prestations plus élevées, c'est l'État qui complète le financement (et le répercute sous des formes diverses à l'ensemble des contribuables). La « subvention d'équilibre » versée aux comptes des régimes spéciaux devrait ainsi atteindre 6,6 milliards d'euros en 2012. L'essentiel de ce montant (90 %) finance quatre régimes spéciaux : SNCF, RATP, marins et mines. Le régime des retraites des militaires est également particulier et coûteux ; en 2012, les cotisations employeurs versées par l'État représenteront 120 % des traitements des militaires (contre 68 % pour les pensions civiles).

Sur l'ensemble de la durée de la retraite (environ 25 ans en moyenne), l'écart entre les pensions reçues par les anciens fonctionnaires et les anciens salariés du privé, est considérable. On peut l'estimer à 150 000 € par agent en monnaie courante. Entre 1990 et 2010, la part du budget de l'État consacrée au financement des retraites du secteur public est passée de 9 % à 15 % du budget général. La dépense se monte à près de 40 milliards d'euros pour 2012, soit les deux tiers du budget de l'Éducation nationale (60 milliards). Dans les projections du Conseil d'orientation des retraites, les régimes de la Fonction publique pèsent pour près de la moitié du déficit de l'ensemble des régimes, alors que les anciens fonctionnaires ne représentent que 20 % des retraités.

La réforme de 2003, en alignant progressivement la durée de cotisation des fonctionnaires sur celle du secteur privé, n'a réduit que partiellement l'écart existant. De même, la révision de certains régimes spéciaux fin 2007 (qui avait occasionné des grèves nombreuses, notamment dans les transports) a été annulée en grande partie par les compensations accordées aux personnes concernées.

Avantage aux anciens fonctionnaires

Montant de l'avantage principal de droit direct* moyen par régime de retraite en 2010
(au 1er janvier 2012, en euros par mois)

	Montant mensuel (avantage principal de droit direct) en euros	Écart relatif de la pension des femmes à celles des hommes (en %)	Évolution(5) 2010/2005 en euros constants (en %)
CNAV	552	−27	4,3
MSA salariés	179	−22	2,2
ARRCO	*294*	*−41*	*nd*
AGIRC	*729*	*−59*	*nd*
Fonction publique d'État civile(1)	1 897	−15	1,5
Fonction publique d'État militaire(1)	1 580	−23	−0,4
CNRACL(2)	1 207	−11	−0,1
IRCANTEC	*93*	*−38*	*12,2*
MSA non salariés	347	−25	4,2
RSI commerçants	274	−38	−4,2
RSI commerçants complémentaire	*110*	*−32*	*nd*
RSI artisans	332	−42	4,9
RSI artisans complémentaire	*128*	*−56*	*nd*
CNIEG	2 306	−30	3,1
SNCF(3)	1 791	−19	nd
RATP	2 039	−17	nd
CRPCEN	926	−39	nd
CAVIMAC	277	−6	nd
Ensemble, tous régimes confondus(4)	**1 216**	**−42**	**6,2**

(1) Hors pensions d'invalidité des moins de 60 ans, hors pensions cristallisées pour les anciens combattants après indépendance de territoires sous souveraineté française
(2) Hors pensions d'invalidité des moins de 60 ans
(3) Y compris pensions de réforme
(4) Y compris pensions d'invalidité des régimes de la Fonction publique et des régimes spéciaux pour les bénéficiaires ayant atteint l'âge minimal de départ à la retraite (cf. fiche 2)
(5) L'évolution du montant mensuel est corrigée de l'évolution de l'indice des prix à la consommation (hors tabac) France entière, en glissement annuel au 31 décembre de l'année
nd : non déterminé
Note : Les données présentées correspondent à une définition homogène à tous les régimes de retraite, assurant leur comparabilité. Elles peuvent de ce fait différer de celles publiées par les régimes concernées, notamment dans leur blans statistiques. *En italique* figurent les régimes complémentaires.

* Droits acquis en contrepartie de l'activité professionnelle et donc des cotisations versées et des validations de trimestres acquis qui y sont liées, hors droits dérivés (reversion) et avantages accessoires (bonifications pour trois enfants ou plus...). L'avantage principal de droit direct représente en moyenne 94 % de la pension totale perçue par les hommes et 71 % de celle perçue par les femmes.

DREES

Les écarts de revenus sont amplifiés par ceux des patrimoines.

15 % environ des ménages de retraités perçoivent les deux tiers de la masse des retraites. 580 000 personnes, soit 5 % des 65 ans et plus, sont bénéficiaires de l'allocation de solidarité aux personnes âgées (ASPA), qui a remplacé le minimum vieillesse (742 € par mois pour une personne en avril 2011, 1 182 € lorsque les deux conjoints, concubins ou partenaires liés par un PACS en bénéficient). Un peu plus d'un million de personnes veuves ne disposent que d'une retraite de réversion (54 % du montant de la retraite du conjoint). Au total, le rapport entre les 10 % de revenus les plus élevés (pensions et autres revenus, ceux du capital notamment) et les 10 % les plus faibles est plus grand parmi les retraités que parmi l'ensemble des actifs : 3,5 contre 3,1.

Les 15,3 millions de retraités au 1er janvier 2012 représentent 23,2 % de la population. Mais ils possèdent un peu plus de 40 % du patrimoine total des Français et près de la moitié du patrimoine de rapport. Plus de sept sur dix (72 %) sont propriétaires de leur logement principal contre un peu plus de la moitié vingt ans plus tôt. Ils ont bénéficié de la hausse globale des prix de l'immobilier au cours des dernières décennies, de celle des valeurs mobilières dans les années 1990 et au début des années 2000, ainsi que d'héritages. Plus du quart des ménages dont la personne de référence a entre 60 et 70 ans détiennent un portefeuille de valeurs mobilières, contre un sur dix de moins de 30 ans. Plus de la moitié des contribuables payant l'impôt sur les grosses fortunes sont des ménages de plus de 60 ans et plus. Ces patrimoines ont été constitués grâce à l'épargne accumulée pendant la vie active, qui représente en moyenne 15 % du revenu disponible sur longue période (p. 417). Les ménages âgés continuent d'ailleurs d'épargner davantage que la moyenne nationale.

Pour les retraités, plus encore que pour les actifs, les écarts entre les patrimoines sont ainsi très supérieurs à ceux existant entre les revenus. La part des compléments de revenu apportés par le patrimoine est d'ailleurs d'autant plus grande que les pensions de retraite sont élevées. Dans un contexte où les pensions pourraient stagner ou diminuer à l'avenir, ces compléments auront des incidences sensibles sur le pouvoir d'achat des retraités et sur leurs modes de vie.

Le pouvoir d'achat des retraites stagne et son évolution est incertaine.

Après avoir augmenté de façon continue et sensible, le montant des pensions de retraite a cependant été amputé au cours des dernières années par les cotisations de CSG (contribution sociale généralisée) et de CRDS (contribution au remboursement de la dette sociale) qui n'étaient auparavant payées que par les actifs. Pour les retraités qui ne sont pas exonérés de ces charges, cela a conduit à une stagnation moyenne du pouvoir d'achat depuis 2001, que leur régime relève du secteur public ou privé. Il est permis de penser que les difficultés de financement des retraites futures rendront difficile le maintien à long terme de ce pouvoir d'achat (encadré page suivante) ; la réforme de 2010 ne prévoit ainsi un équilibre que jusqu'en 2016.

Le financement des retraites futures constitue l'une des préoccupations principales des Français (45 %, Baromètre TNS Sofres, mars 2012). Elle a cependant diminué par rapport au plus haut atteint en janvier 2008 (59 %), sans doute parce qu'une réforme a été faite pour parer au plus pressé. Elle arrive après les inquiétudes à plus court terme que sont le chômage et emploi (78 %), le pouvoir d'achat (54 %) et la santé (54). Les plus préoccupés sont les retraités eux-mêmes (53 %) ainsi que les personnes âgées de 50 à 64 ans (58 %). Le pouvoir d'achat du revenu global disponible des nouveaux retraités ne paraît pas véritablement menacé à moyen terme. La plupart appartiennent à des couples biactifs (dans lesquels l'homme et la femme travaillaient), qui ont bénéficié d'une augmentation du pouvoir d'achat de leurs revenus d'activité et du patrimoine. Ce dernier a souvent été augmenté par des héritages de montants plus élevés que pour les générations précédentes.

La Sécurité sociale a été construite en France au milieu du XXe siècle. Les conditions démographiques ont été depuis totalement bouleversées, avec une durée moyenne de la retraite qui a plus que doublé et un ratio actifs/inactifs en constante diminution. Il n'y a donc guère d'autre choix que d'adapter le système des retraites à ces nouvelles données, en jouant sur les niveaux de cotisations et leur durée, ainsi que sur la part de l'épargne personnelle complémentaire.

Les retraités sont de plus en plus actifs.

La cessation d'activité professionnelle n'est plus aujourd'hui synonyme de retrait social ou économique. L'accroissement des ressources financières des retraités au cours des dernières décennies a été sans équivalent dans l'histoire. L'image des retraités a aussi beaucoup changé, dans un contexte où l'attachement au travail est moins fort et où la vie personnelle occupe une place cen-

Financement des retraites : la grande menace

On devrait compter 18 millions de retraités en 2020, 23 millions en 2050 (soit une hausse de moitié par rapport à 2010). La prochaine génération de pensionnés risque de connaître une situation financière plus difficile que la génération actuelle. Le besoin de financement de l'ensemble des régimes devrait atteindre 70 milliards d'euros en 2030 avec les règles en vigueur depuis la réforme de 2011 (âge de départ, montant des pensions, niveau des recettes), en retenant un scénario « médian » pour l'évolution de l'économie (Conseil d'orientation des retraites, 2011).

La crise économique qui sévit depuis 2008 a accru de plus de 20 milliards d'euros les besoins. La hausse du chômage prive en effet le système d'un montant très important de cotisations sociales. Dans le scénario dit « intermédiaire », les échéances de déficit seraient avancées de plusieurs années, voire de plusieurs décennies, par rapport à celles prévues lors des projections réalisées en 2009. Les besoins de financement initialement attendus pour 2030 auraient lieu dix ans plus tôt, ceux qui étaient projetés pour 2050 seraient atteints dès 2030.

Dans le cas d'un scénario « pessimiste », le déficit annuel atteindrait 70 milliards d'euros en 2030 et dépasserait 100 milliards en 2050. L'essentiel des besoins de financement concerne le régime de base des salariés du privé (CNAV). Pour la fonction publique d'État, la pression financière la plus forte se ferait sentir d'ici à 2015.

Ces projections sont d'autant plus inquiétantes que les hypothèses les plus noires ne sont pas irréalistes. Le taux de chômage pris en compte est en effet de 7,7 % à long terme, ce qui représente une amélioration sensible par rapport à celui qui prévaut depuis quelques années (proche de 10 %). Pour dégager les ressources nécessaires, les trois leviers essentiels restent le niveau des cotisations, celui des pensions et l'âge du départ à la retraite. Il faudrait ainsi augmenter l'âge effectif moyen du départ de 5 ans d'ici 2020 pour retrouver l'équilibre, dans le cas du scénario le plus « optimiste ». L'allongement nécessaire serait de 7 ans et demi à l'horizon 2030 et de 10 ans en 2050. Si l'on agissait uniquement sur le levier des prélèvements (actuellement 28,8 % sur les rémunérations brutes), il faudrait les augmenter de près de 8 points d'ici 2030. En agissant seulement sur le niveau des pensions par rapport aux revenus d'activité, il faudrait le réduire de 30 % d'ici à 2030 pour retrouver l'équilibre.

trale. Au point que les propositions de préretraite faites dans certains secteurs d'activité comme l'automobile ou par des entreprises en difficulté ont séduit de nombreux salariés à partir des années 1980.

Pour beaucoup d'actifs, la fin du travail est perçue comme un soulagement, un terme aux menaces de chômage et au stress inhérents à la vie dans les entreprises. De sorte que cette période est une occasion de bien vivre, souvent mieux que pendant les années qui l'ont précédée. Les retraités bénéficient pour la majorité d'entre eux d'un revenu très supérieur à celui des générations précédentes et au moins équivalent à celui des actifs (p. 160). Ils disposent aussi de davantage de temps et considèrent le « troisième âge » comme une opportunité de « rattrapage », pour réaliser des projets qu'ils avaient dû laisser de côté, faute de temps ou de moyens. Les retraités d'aujourd'hui, même s'ils ne sont pas tous aisés, sont conscients qu'ils ont bénéficié de la retraite à 60 ans, d'une hausse sensible des pensions et des progrès de l'espérance de vie. Ils ne sont pas certains que leurs enfants et petits-enfants bénéficieront des mêmes avantages, notamment financiers.

Le troisième âge est vécu comme une seconde vie.

Un Français sur deux de 18 ans et plus déclare penser à la retraite au moins une fois par mois (AXA/Ipsos, octobre 2011). 65 % en ont une image positive (83 % parmi les retraités), 9 % seulement négative. 89 % voient (ou vivent) la retraite comme une période offrant moins de contraintes et plus de libertés. La très grande majorité des Français (90 %) affirment qu'une fois à la retraite, ils s'occuperont en priorité d'« eux-mêmes », loin devant leur conjoint (68 %) et leurs petits-enfants (59 %). Ce recentrage tend à modifier le schéma classique de la transmission matérielle entre les générations : 18 % des Français assument aujourd'hui « ne rien vouloir transmettre de leur capital » et seuls 9 % sont prêts à « limiter leurs dépenses pour laisser à leurs descendants le maximum de capital ».

Le souhait le plus fort est celui de ne pas être inactif. 35 % imaginent même travailler pendant cette période de leur vie. Parmi eux, seuls 16 % le feraient uniquement par obligation, les autres y ajouteraient une motivation de plaisir. 92 % des Français

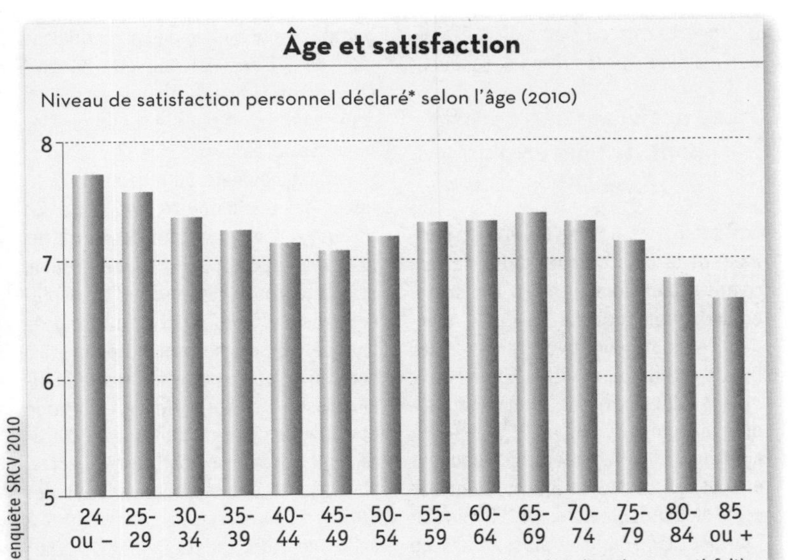

* Moyenne des réponses à la question : *« sur une échelle allant de 0 (pas du tout satisfait) à 10 (très satisfait), indiquez votre satisfaction concernant la vie que vous menez ».*

envisagent en tout cas une fois à la retraite de conserver les loisirs qu'ils pratiquent actuellement, voire d'en expérimenter de nouveaux, comme se lancer dans la réalisation d'un projet qui leur tient à cœur (22 %). Près de six sur dix souhaitent avoir une vie sociale active. 64 % pensent qu'ils conserveront les mêmes amis et 43 % qu'ils les verront plus souvent. Cette volonté de continuité s'applique également à la vie amoureuse et intime. 90 % des Français en couple imaginent poursuivre et prolonger à l'âge de la retraite leur histoire avec la même personne. Près d'un sur deux pense avoir une vie sexuelle aussi active ; seuls 21 % envisagent une moindre activité.

Les relations familiales restent fréquentes...

N'ayant plus généralement d'activité professionnelle, les personnes âgées sont encore plus attachées à leur famille que les plus jeunes. 77 % des personnes de 50 ans et plus estiment que la famille est un élément « essentiel » de leur vie sociale (Quintonic-Hopscotch/LH2, septembre 2011). Elle arrive devant les amis (« essentiels » pour 52 %), la mairie de leur commune (32 %), les médias (31 %), Internet (19 %) et les associations (18 %).

La famille tend d'ailleurs à s'élargir, avec la présence de plus en plus fréquente de quatre générations vivantes (p. 158). La grande majorité des personnes de 60 ans et plus ont des enfants, et 14 millions de Français ont des petits-enfants, en moyenne quatre (extrapolation à partir de données INSEE de 2001). À 60 ans, plus de la moitié des Français ont des petits-enfants. Plus de 2 millions sont également arrière-grands-parents et plus de 50 000 ont au moins un arrière-arrière-petit enfant. Les hommes deviennent pour la première fois grands-pères vers 53 ans en moyenne, les femmes vers 50 ans. Ces dernières sont beaucoup plus nombreuses à connaître la cinquième génération. La moitié des personnes de 45 ans ont perdu leur père alors que la moitié de celles de 55 ans ont encore leur mère. À 70 ans, une personne sur dix a encore au moins un parent.

Plusieurs études montrent que les solidarités intergénérationnelles (contacts, échanges de services, soutien affectif, aides diverses) se maintiennent, malgré la généralisation de la décohabitation des générations et l'accroissement du nombre de personnes vivant seules (p. 120). Les relations familiales restent fréquentes. Elles sont entretenues par les services que se rendent les membres de la famille (garde d'enfants, déménagements, bricolage, courses, prêts, dons en argent ou en nature...). Les grands-parents et arrière-grands-parents jouent un rôle important sur le plan éducatif ; ce sont eux qui transmettent l'histoire familiale. Ils aident aussi financièrement leurs enfants et petits-enfants dans les périodes difficiles (chômage, rupture de couple, difficultés affectives...).

... et la sociabilité des personnes âgées s'est accrue.

Plus d'un tiers des Français de 60 ans et plus reçoivent des amis ou relations chez eux au moins une fois par semaine contre seulement un sur cinq en 1980. Plus d'un tiers adhèrent à des associations, contre un quart en 1980. Ils privilégient celles qui proposent des activités de loisir. Bien qu'inférieure à celle des plus jeunes, la sociabilité des retraités progresse. Le bénévolat concerne un peu moins d'un tiers des 60-69 ans, une proportion identique à celle de l'ensemble de la population, mais il n'est pratiqué que par une personne sur cinq de 70 ans et plus.

Malgré l'évolution favorable, la solitude reste présente dans la société. Parmi les 4 millions de Français qui se trouvent dans une situation d'isolement objectif (9 % de la population adulte), beaucoup sont des personnes âgées (Fondation de France/TMO, janvier 2010). Celles qui n'ont pas d'enfants sont les plus concernées. L'isolement concerne en priorité les personnes modestes : 18 % des Français ayant des revenus inférieurs à 1 000 € par mois, soit le double de la moyenne nationale. La corrélation au revenu est apparente aussi en ce qui concerne le patrimoine. Bien qu'ayant plus de contacts que les hommes, les femmes apparaissent plus touchées par le sentiment de solitude.

On constate un accroissement du nombre de personnes souffrant de solitude autour de 60 ans. Au fur et à mesure du vieillissement, la sociabilité se transforme. La perte des contacts professionnels est compensée par les relations entretenues avec les enfants et petits-enfants, ainsi qu'avec le voisinage. Un peu avant 60 ans, le nombre moyen d'interlocuteurs au cours d'une semaine est d'environ une dizaine (les femmes en ont un peu plus que les femmes). Il diminue ensuite régulièrement pour arriver à cinq vers 80 ans. 16 % des personnes de 75 ans et plus sont en situation d'isolement, contre 15 % chez les 60-74 ans (11 % chez les 50-59 ans et 9 % chez les 40-49 ans). Une personne non diplômée a deux fois plus de chances d'être isolée qu'une personne diplômée. Il en est de même des personnes handicapées.

Enfin, les relations virtuelles réalisées par téléphone, par ordinateur ou autres supports de communication concernent un nombre croissant de personnes âgées (p. 168). Elles sont en effet nombreuses à échanger des textos ou des mails, à avoir des « amis » sur les réseaux sociaux.

Les activités des seniors sont de plus en plus diversifiées.

Les personnes âgées (60 ans et plus) passent la plus grande partie de leur temps à leur domicile : 20 h par jour en moyenne, dont 8 h 45 de sommeil (enquête emploi du temps INSEE 2010). Leurs activités sont donc d'abord domestiques : bricolage, jardinage, cuisine, travaux ménagers, médias… Elles regardent plus souvent et plus longtemps la télévision que le reste de la population : 4 h 10 min par jour pour les 75 ans et plus. La lecture et l'écoute de la radio sont pratiquées par plus de la moitié des personnes de plus de 80 ans. La nouvelle génération de retraités fait preuve aussi d'un intérêt croissant pour les technologies numériques (encadré p. 497).

Cet attachement au logement n'empêche pas une mobilité croissante. On observe un engouement des retraités pour les voyages, seuls ou en groupe, en France ou à l'étranger. Ces déplacements s'effectuent tout au long de l'année ; ils permettent notamment à ceux qui le peuvent de moins subir l'hiver, saison difficile sur le plan physique et mental. Les pratiques culturelles (musées, expositions, théâtre, concerts et autres spectacles…) des 60 ans et plus restent comparables à celles de leurs cadets immédiats (50-59 ans), avec des taux de participation

Espérance de vie, expérience de vie

Si le poids démographique des aînés est important et croissant (un Français sur quatre a au moins 60 ans contre un sur cinq en 1990), il en est de même de leur poids économique. Il se manifeste par leur consommation, leurs activités diversifiées, leur intérêt grandissant pour les biens d'équipements technologiques.

En même temps que l'espérance de vie se développe chez eux la volonté d'accroître l'« expérience de vie ». La plupart des nouveaux seniors partagent un même objectif : « profiter de la vie ». Outre l'envie, ils en ont le temps, et beaucoup en ont les moyens. Le niveau de vie des retraités est en effet légèrement plus élevé que celui des actifs (p. 160), leurs dépenses de logement sont généralement moins élevées du fait qu'ils en sont plus fréquemment propriétaires. Enfin, leurs patrimoines sont en moyenne sensiblement supérieurs à ceux des plus jeunes et ils peuvent le mobiliser en partie pour compléter leurs revenus.

Ces envies et tentations expliquent la mobilité croissante des seniors, dont témoigne leur goût pour les voyages. On observe parmi eux une tendance à des départs multiples au cours de l'année, avec un développement des courts séjours et des décisions plus tardives, en fonction des envies et des opportunités. L'objectif est de se changer les idées, d'enrichir ses expériences et sa culture en changeant de cadre. Pour ces raisons, on vu aussi se développer chez ceux qui en ont les moyens la bi-résidentialité : deux lieux de vie utilisés à des périodes différentes au long de l'année. Les seniors sont aussi très nombreux à pratiquer des activités de loisirs à travers des associations, ou en se regroupant entre amis.

de 20 % à 40 % selon les activités. Le nombre des sorties diminue fortement avec l'âge. Après 80 ans, seule environ une personne sur dix se déplace pour visiter un musée ou une exposition ou pour un concert ou un spectacle, et seuls 6 % vont au théâtre.

Les aînés sont aussi de plus en plus nombreux à faire du sport, avec le double objectif d'entretenir leur condition physique et de se divertir. Leur taux de pratique a ainsi été multiplié par sept en quinze ans. Une personne de 65 ans ou plus sur quatre continue de pratiquer un sport (natation, gymnastique, vélo, pétanque, etc.). La pratique diminue cependant de façon significative avec l'âge. Cette baisse s'explique à la fois par des raisons d'incapacité physique et par l'existence de mentalités différentes selon les générations.

Les retraités sont des consommateurs à part entière...

Les retraités n'ont le plus souvent pas d'emprunts à rembourser (notamment immobiliers). L'essentiel de leur revenu est donc disponible pour la consommation, d'autant qu'il est régulier, prévisible et n'est pas soumis comme pour les actifs aux aléas de la vie professionnelle. Entre 1980 et 2000, les foyers de plus de 65 ans avaient multiplié par plus de trois leurs dépenses de consommation en monnaie constante (après prise en compte de l'inflation), contre deux et demi pour les moins de 65 ans. Le mouvement s'est poursuivi depuis et les « seniors » sont une cible commerciale privilégiée dans de nombreux secteurs. Plus de la moitié d'entre eux partent en vacances (presque autant que les actifs) contre 36 % en 1975. Ils dépensent de plus en plus pour l'alimentation, la santé ou les voyages (60 % des acheteurs de croisières ont plus de 60 ans). Leur surconsommation est sensible dans des domaines comme les produits frais ou d'hygiène-beauté et dans les produits haut de gamme en général. C'est pourquoi ils sont l'objet d'attentions particulières de la part des entreprises, de plus en plus attirées par ce marché disposant à la fois d'un pouvoir d'achat et d'un « vouloir d'achat ».

Les aînés privilégient plus que les autres la qualité, la durabilité, le confort, la sécurité (physique, psychologique, financière...), l'information, la considération. Ils font preuve d'un moindre attachement au prix et d'une plus grande fidélité aux marques et aux enseignes. Ils sont aussi davantage concernés par les produits qui préservent l'environnement. S'ils sont moins sensibles que les plus jeunes aux modes, ils sont de plus en plus attentifs aux innovations. Dans la plupart des activités de consommation et de loisirs, l'effet de génération est plus important que celui de l'âge. Les 60-69 ans sont ainsi plus proches de la génération qui les suit que de celle qui les précède. Sur de nombreux sujets, leurs opinions sont comparables à celles des plus jeunes : vision du monde et de la société, place des femmes, intérêt pour les nouvelles technologies, préoccupations face à la crise...

Techno-seniors

78 % des Français de 50 ans et plus ont une image positive d'Internet (*Notre Temps*/TNS-Sofres, avril 2011). Parmi Les 27 % qui ne l'utilisent pas, 48 % n'en voient pas l'intérêt, 27 % se sentent « dépassés » par l'outil et 26 % le trouvent « trop compliqué à utiliser ». 25 % considèrent qu'Internet est comme la télévision « un media d'où sort le meilleur et le pire », 21 % qu'il est « un meilleur moyen de communiquer » (comme le téléphone), 19 % qu'il est comme l'imprimerie «un progrès de civilisation». Mais 8 % le comparent plutôt au briquet électrique : « un gadget dont on peut très bien se passer ».

62 % des seniors utilisateurs d'Internet s'en servent pour communiquer avec leurs amis et leurs proches (la même proportion que parmi les 18 ans et plus). 12 % d'entre eux sont inscrits sur Facebook, contre 35 % des 18 ans et plus. 27 % se servent de la Toile pour organiser leur vie quotidienne, 42 % pour se cultiver, 15 % pour jouer ou se divertir. Les 50-70 ans représentent un tiers des acheteurs en ligne français (34 %) et réalisent 48 % des dépenses sur Internet (Kelkoo/LH2).

La fracture numérique devient apparente au-delà de 70 ans. Les aînés doivent en effet changer radicalement leurs habitudes (correspondre par courriel, réserver des billets de train par Internet, etc.) et leurs équipements. L'usage de smartphones, de tablettes tactiles, de liseuses ou de téléviseurs connectés ne leur est pas naturel car ils n'ont pas eu l'occasion lorsqu'ils étaient plus jeunes d'utiliser ces appareils. Pour beaucoup, envoyer un texto depuis leur téléphone portable, transférer des photos numériques sur un ordinateur ou naviguer sur Internet est compliqué. Certains fabricants proposent des équipements simplifiés, mais une formation et un apprentissage sont nécessaires pour rassurer et éviter l'abandon. Ce sont souvent les enfants ou les petits-enfants qui s'en chargent ; ils constituent d'ailleurs la motivation principale des personnes âgées à l'usage de ces outils.

… et ils se montrent de plus en plus « modernes ».

Au cours des deux dernières décennies, les attitudes et les comportements des personnes de plus de 60 ans se sont beaucoup modifiés. Outre les aspects matériels (revenus plus élevés, patrimoine plus important, accroissement du niveau de confort et d'équipement du logement), leur état d'esprit s'est transformé, dans le sens d'une plus grande autonomie, d'un moindre conformisme, d'une ouverture croissante au monde extérieur. Les retraités se sentent davantage concernés par la conjoncture économique et sociale. Ils s'informent et agissent dans leur environnement personnel pour aider à rétablir certains équilibres menacés ou lutter contre les inégalités.

La césure véritable entre les âges s'est déplacée ; elle se situe aujourd'hui un peu au-delà de 75 ans. On constate à partir de cet âge des problèmes de santé plus fréquents, davantage de solitude, une vie sociale plus réduite, des opinions plus conservatrices. Les logements des plus anciens sont aussi souvent moins confortables et moins bien équipés, leurs revenus moins élevés. Ils manifestent une plus grande inquiétude quant à l'avenir de la société et sont plus souvent dépassés par l'évolution technologique. La mondialisation, le chômage, les menaces qui pèsent sur l'environnement ou la transformation des mœurs les inquiètent davantage que les autres. Bien qu'ils aient connu aussi des périodes difficiles, beaucoup sont convaincus que le monde se dégrade et que « c'était mieux avant ».

D'une manière générale, les aînés contribuent largement à l'équilibre social. Ils ne constituent pas un facteur d'appauvrissement de la collectivité et de perte de dynamisme. Ils sont au contraire les témoins du changement social et une source de réflexion irremplaçable dans le débat permanent entre le passé et l'avenir. Ils sont souvent des acteurs importants de la vie locale et participent largement à la solidarité nationale en transmettant leur savoir, en donnant de leur temps et, de plus en plus, de leur argent. Ils font vivre les territoires et les campagnes et favorisent la conservation du patrimoine national. Ils constituent la mémoire vivante d'un XXe siècle qui fut particulièrement riche en événements et en mutations de toutes sortes. Ils sont détenteurs d'une expérience qui peut être utile aux nouvelles générations, pendant qu'elle est encore disponible. Comme dit le proverbe africain : *« Un vieillard qui meurt, c'est une bibliothèque qui brûle. »*

HABITAT

75 % des Français occupent 18 % du territoire.

Entre les recensements de 1936 et 1999, la population des villes avait doublé, alors que la population n'augmentait que de 40 %. En 2010, près de 51 millions de Français métropolitains (plus de trois sur quatre) habitent dans les aires urbaines (au moins 2 000 habitants), qui représentent 18 % de la superficie nationale, contre un sur deux en 1936. 60 % de la population de 65 millions d'habitants (métropole et DOM) occupent seulement 8 % d'un territoire total de 633 000 km².

Depuis 1999, la croissance démographique la plus forte a concerné les régions du Sud et de l'Ouest, du fait de leur attractivité : Languedoc-Roussillon, Midi-Pyrénées, Corse, Aquitaine. Le solde migratoire a été négatif dans les régions du Nord et de l'Est (Champagne-Ardennes, Nord-Pas-de-Calais, Picardie, Haute-Normandie, Picardie), la croissance globale étant due à l'excédent des naissances sur les décès. C'est le cas aussi de l'Île-de-France, qui a connu un déficit migratoire, mais dont la population a progressé un peu plus vite que l'ensemble du pays entre 1999 et 2010 : 0,7 % contre 0,6 %.

L'aire urbaine de Paris compte 12 millions d'habitants, soit un cinquième de la population métropolitaine, contre 7 % au milieu du XIXe siècle et 12 % au début du XXe. Paris reste le centre de la plus grande agglomération européenne avec 10 millions d'habitants, devant Londres (8,6), Madrid (5,8), Barcelone (5.1) et Berlin (3,5). Mais Paris *intra-muros* (2,3 millions d'habitants) n'arrive qu'à la cinquième place, derrière Londres (7,6), Berlin (3,5), Madrid (3,3), Rome (2,7).

Dans les départements d'outre-mer, la population s'est accrue à un rythme deux fois plus soutenu qu'en Métropole soit 1,3 % par an contre 0,7 % entre 1999 et 2010. Le record est atteint en Guyane, avec un accroissement annuel de la population de 4,4 %, suivi de la Réunion (1,6 %). En France Métropolitaine, c'est la Corse qui voit le plus sa population croître (1,7 %), devant la région Languedoc-Roussillon (1,4 %), l'Aquitaine et les Pays de Loire (1 %). Après une longue période de déclin, puis de stagnation, la population des espaces ruraux a crû au même rythme que l'ensemble de la population.

La mobilité résidentielle tend à stagner.

La mobilité résidentielle est le résultat de nombreux facteurs : évolutions familiales, opportunités ou contraintes professionnelles, âge, revenus des ménages, prix et loyers des logements, attractivité comparée des régions et des communes, etc. Les années 1950-1960 avaient été marquées par une hausse continue. Les recensements de la population effectués entre 1975 et 1999 indiquaient au contraire une baisse de la proportion de ménages ayant déménagé : 81 % entre 1990 et 1999 (date du dernier recensement global), contre 88 % entre 1982 et 1990 et 94 % entre 1975 et 1982. L'enquête logement de 2006 (INSEE) avait confirmé cette tendance : 31 % des Français avaient changé de logement entre 2002 et 2006, soit une moyenne de 8 % par an contre 9 % entre 1990 et 1999. La stagnation tend à prévaloir en 2012, malgré les effets d'un solde migratoire positif et du nombre élevé des naissances. Aujourd'hui, Sept Français sur dix vivent aujourd'hui dans la région où ils sont nés. La durée moyenne de résidence dans le même logement était passée de 12 ans en 1984 à 14 ans en 1999; elle est proche de 15 ans aujourd'hui. Les régions où la population s'accroît sont situées sur le littoral atlantique et méditerranéen, dans la vallée du Rhône et à la périphérie des grandes agglomérations. Depuis une dizaine d'années, la « diagonale du vide » (des Ardennes au Massif Central) a perd moins d'habitants qu'auparavant, grâce à des installations dans les zones rurales et au mouvement généralisé de périurbanisation ou néoruralité (page suivante). Les ménages jeunes (personne de référence de moins de 30 ans) sont les plus mobiles. Les habitants d'un logement collectif, propriétaires ou locataires, sont également plus mobiles que ceux

Métropoles

Population des villes de plus de 200 000 habitants (2011)

Paris	2 334 105
Marseille	850 602
Lyon	479 803
Toulouse	440 204
Nice	340 735
Nantes	282 047
Strasbourg	271 708
Montpellier	255 080
Bordeaux	236 725
Lille	226 827
Rennes	206 604

INSEE

d'une maison individuelle. Depuis le début des années 1980, la mobilité est principalement de proximité, avec des changements de logement ou de commune. Elle est davantage liée aux événements familiaux (mariage, naissance, rupture…) qu'aux nécessités ou opportunités professionnelles. En matière de location, le taux de mobilité avait atteint 27,5 % en 2011, soit une progression de 7 % depuis 2009 (Clameur). Mais on observait une baisse au premier semestre 2012.

La croissance démographique est plus équilibrée.

L'espace urbain est composé de 354 aires urbaines (contre 361 en 1990) qui constituent des « ensembles de communes d'un seul tenant et sans enclave constitués d'un pôle urbain (unité offrant au moins 5 000 emplois et n'appartenant pas à une couronne d'un autre pôle urbain) et d'une couronne périurbaine composée de communes rurales ou d'unités urbaines dont au moins 40 % de la population résidente active travaille dans le reste de l'aire urbaine ». Depuis 1999, la croissance s'accélère et s'étend de plus en plus loin des villes. Les zones en voie de désertification ne représentent plus que 3 % du territoire, contre 7 % pendant la période 1982-1999. L'écart de croissance entre les communes à dominante rurale et celles qui font partie d'une aire urbaine s'est fortement réduit avec l'étalement urbain.

L'évolution récente confirme l'émergence de vastes zones de croissance dans l'Ouest et le Sud-Ouest, l'élargissement continu du grand Sud-Est et la consolidation dans le grand bassin parisien. Le modèle largement dominant jusqu'à présent d'une croissance des pôles urbains qui était d'autant plus forte que l'on se déplaçait vers leur périphérie est en train de changer. Les villes-centres connaissent une certaine renaissance, la croissance des banlieues se ralentit dans les cinq agglomérations les plus importantes et les zones de forte densité se prolongent le long de grands axes urbains, qui suivent les infrastructures de transport (ainsi entre Narbonne et Nîmes) ou se situent près de certaines frontières (Pays basque, Luxembourg). Les grandes villes du Sud restent plus attractives que celles du Nord.

Les néoruraux, nouveaux modernes

60 % des Français vivent dans des communes de plus de 20000 habitants, mais 65 % d'entre eux préféreraient vivre à la campagne (20 *minutes*/BVA, mars 2011). Si les ruraux sont les plus nombreux à préférer la campagne (86 %), les urbains expriment aussi une préférence majoritaire pour la vie en milieu rural (54 %). Les habitants de l'agglomération parisienne font figure d'exception : 63 % disent préférer vivre en ville.

L'engouement pour la campagne s'explique par le besoin général de « retour à la nature ». Cette tendance est particulièrement forte en période de crise, dans un contexte socio-économique délétère. Les menaces qui pèsent sur l'environnement et les discours écologiques favorisent aussi ce mouvement. Il en est de même des modes de vie associés à la vie urbaine (stress, manque de convivialité et de solidarité, insécurité…) et du coût des logements dans les grandes villes. Pour toutes ces raisons, l'idée d'habiter à la campagne rassure, alors que la vie urbaine inquiète.

Mais, comme Alphonse Allais, les Français rêvent d'habiter dans des villes construites à la campagne. C'est le cas en particulier des « néoruraux ». Leurs prédécesseurs, que l'on avait baptisés « rurbains », s'étaient d'abord déplacés de centres-villes devenus trop chers et trop stressants vers les banlieues. Lorsque les conditions de vie dans la première couronne s'étaient dégradées, par capillarité urbaine, ils s'étaient de nouveau éloignés pour habiter la deuxième.

Aujourd'hui, les néoruraux ont abandonné le bruit, le stress, la pollution et l'insécurité des grandes villes pour s'installer dans des lieux plus accueillants : périphéries des petites villes de province ou zones rurales redynamisées. Mais ils ont transporté avec eux leurs habitudes urbaines et leurs exigences en termes de confort intérieur, d'équipements collectifs (transport, culture, sport…), de commerces (alimentaires et autres) et de services (médecins, hôpitaux, Poste, banques…). Contrairement aux soixante-huitards, qui partaient élever des moutons dans le Larzac, les néoruraux travaillent dans des entreprises, surfent sur Internet, jouent au tennis ou au golf. Ils sont un peu les « bobos des champs » (bourgeois bohèmes).

Pourtant, tous n'ont pas le sentiment d'avoir trouvé le Graal. Les nuisances comme le bruit ou la pollution, attribuées à la ville, ne sont en effet pas absentes de la campagne. Les relations de voisinage n'y sont pas toujours idylliques et l'intégration s'avère parfois difficile. Il s'y ajoute les problèmes liés aux distances à parcourir, à l'insuffisance d'équipements sportifs ou culturels.

La mobilité résidentielle suit les étapes de la vie.

Les migrations qui amènent à se rapprocher ou à s'éloigner des pôles urbains reflètent en grande partie le cycle de vie des ménages. Les jeunes tendent à quitter les zones rurales et la périphérie des villes au moment où ils commencent leurs études ou cherchent un premier emploi. Le mouvement s'inverse avec l'arrivée d'un premier enfant, lorsque les ménages souhaitent s'installer dans un logement plus spacieux. Le choix porte alors le plus souvent sur les espaces périurbains, voire ruraux, à condition que ceux-ci soient situés à proximité d'un ou plusieurs bassins d'emploi. Puis la mobilité résidentielle diminue avec l'âge. Mais au moment du passage à la retraite, de nombreux seniors quittent les pôles urbains pour des zones à dominante rurale, dans l'espoir d'y trouver un cadre de vie plus propice.

Depuis 1999, on observe une atténuation de ces mouvements. Le solde migratoire des 15-29 ans des espaces à dominante rurale vers les pôles urbains est devenu plus faible (moins de 134 personnes pour 10 000 habitants, contre moins de 206 pendant les années 90). En même temps, les 30-59 ans ont été davantage attirés par les communes à dominante rurale (106 de plus contre 156), ce qui se traduit par un gain net plus important (65 contre 39). La principale raison en est l'augmentation des prix de l'immobilier : les prix de vente rapportés aux revenus par ménage, plutôt stables depuis les années 60, ont plus que doublé entre 2000 et 2011 (ci-après). Ils ont en particulier augmenté à Paris et dans les communes proches des villes grandes et moyennes, obligeant de nombreux ménages à s'éloigner pour réaliser leur rêve de maison individuelle et de jardin. Les hausses de solde migratoire les plus fortes ont ainsi concerné les communes situées entre 20 et 30 kilomètres du centre des pôles urbains, mais aussi dans une moindre mesure au-delà de 50 kilomètres.

Cette évolution s'est traduite par une désaffection des Français à l'égard de certaines grandes villes dans lesquelles la vie est jugée trop stressante, et par un désir de vivre à l'abri du bruit, de la délinquance, de l'indifférence et de la pollution, thèmes relayés par les médias qui vantent les mérites d'un changement de vie et d'un « retour à la nature ».

Littoral attitude

Les principaux mouvements de population se produisent en direction d'un grand arc littoral allant de la Bretagne à la région de Marseille. Des villes comme La Rochelle, Nantes, Niort, Lorient ou Montpellier ont vu leur population s'accroître sensiblement depuis une vingtaine d'années. L'attrait de ces villes moyennes tient à leur situation géographique, mais aussi aux efforts qu'elles ont réalisés en matière d'équipements culturels ou sportifs, de transports en commun, d'urbanisme et de rénovation des quartiers historiques, de formation, de création d'emplois dans l'industrie ou les services dans des pôles de compétitivité.

Si de nombreux jeunes viennent en région parisienne pour y poursuivre leurs études ou exercer un premier emploi, beaucoup repartent ensuite en province pour y trouver de meilleures conditions de vie. La densité moyenne de population tout au long du littoral est de 256 hab./km², contre 108 au niveau national.

Dans les prochaines décennies, si les tendances actuelles se maintiennent, la population devrait continuer de se concentrer au sud de la France. Elle diminuera au contraire dans une large bande allant du quart nord-est du pays (excepté l'Alsace) jusqu'au Massif Central. Le vieillissement affecterait toute la France, mais toucherait plus particulièrement la moitié nord du pays, à l'exception de l'Île-de-France qui deviendrait la région la plus jeune. Ces évolutions sont en grande partie liées aux mouvements migratoires. Le Nord-Est du pays et l'Île-de-France voient partir plus d'habitants qu'elles n'en accueillent, tandis que le Sud et l'Ouest sont plus attractifs.

L'environnement est un critère clé dans le choix de l'habitat.

Dans leurs décisions d'implantation, les ménages actifs attribuent d'abord une grande importance à la disponibilité des emplois. Comme les autres Français, ils souhaitent aussi habiter à proximité des équipements collectifs (écoles, commerces, lieux de culture, équipements sportifs, transports, administrations...). L'intérêt s'est accru récemment pour un « écologis », qui prend en compte les principales contraintes environnementales : constructions durables ; consommations d'énergie et d'eau réduites ; faible production de CO2... Les Français attachent aussi une importance croissante à d'autres éléments environnementaux comme l'agrément de la région ou de la ville. La proximité de la nature, grande oubliée des villes et des banlieues bâties à la hâte au fil des décennies, est un critère essentiel. Le « phytotropisme » (attirance pour le végétal), est l'une des dimen-

Migrations régionales

Évolution et projection des populations régionales (en nombre) et soldes migratoires (en % de la population totale)

					Soldes migratoires	
	1975	1990	2011*	2040**	1975-2011*	1975-2040**
Alsace	1517330	1624372	1860243	2023308	23 %	33 %
Aquitaine	2550346	2795830	3258176	3877850	28 %	52 %
Auvergne	1330479	1321214	1347794	1447626	1 %	9 %
Bourgogne	1570943	1609653	1647708	1724932	5 %	10 %
Bretagne	2595431	2795638	3221451	3873411	24 %	49 %
Centre	2152500	2371036	2551372	2806583	19 %	30 %
Champagne-Ardenne	1336832	1347848	1334998	1312345	0 %	–2 %
Corse	225562	250371	312936	350619	39 %	55 %
Franche-Comté	1060317	1097276	1177295	1269153	11 %	20 %
Île-de-France	9878565	10660554	11866900	12764881	20 %	29 %
Languedoc-Roussillon	1789474	2114985	2661449	3290786	49 %	84 %
Limousin	738726	722850	746691	812150	1 %	10 %
Lorraine	2330822	2305726	2354876	2385533	1 %	2 %
Midi-Pyrénées	2268298	2430663	2916076	3595596	29 %	59 %
Nord-Pas-de-Calais	3913773	3965058	4038280	4149082	3 %	6 %
Basse-Normandie	1306152	1391318	1476937	1573363	13 %	20 %
Haute-Normandie	1595695	1737247	1843118	1945542	16 %	22 %
Pays de la Loire	2767163	3059112	3594865	4389480	30 %	59 %
Picardie	1678644	1810687	1919367	2040614	14 %	22 %
Poitou-Charentes	1528118	1595109	1780379	2062075	17 %	35 %
Provence-Alpes-Côte d'Azur	3675730	4257907	4944390	5588698	35 %	52 %
Rhône-Alpes	4780684	5350701	6272467	7450509	31 %	56 %
France de province	42713019	45954601	51260868	57969255	20 %	36 %
France métropolitaine	52591584	56615155	63127768	70734136	20 %	34 %
Guadeloupe	315848	353431	401730	403774	27 %	28 %
Guyane	55125	114678	236250	573601	329 %	941 %
Martinique	324832	359572	395953	423435	22 %	30 %
La Réunion	476675	597823	839480	1060835	76 %	123 %
France	**53764064**	**58040659**	**65001181**	**73195781**	**21 %**	**36 %**

* Estimation ** Projection

INSEE

9 millions de Français habitent seuls

En 2012, environ 9 millions de personnes habitent seules dans leur logement, contre 6 millions en 1990 (INSEE). Cette augmentation de moitié en vingt ans s'explique en partie par le vieillissement de la population, puisque 44 % des personnes concernées sont âgées de 60 ans ou plus. Parmi elles, les femmes sont majoritaires, car elles sont plus jeunes que leurs maris et bénéficient d'une espérance de vie supérieure : 38 % vivent seules contre 17 % des hommes.

Chez les plus jeunes, les occasions de vivre seul sont de plus en plus fréquentes. C'est le cas de 18 % des jeunes de 20 à 29 ans, du fait qu'ils s'installent moins rapidement en couple après avoir quitté le domicile parental. L'augmentation est sensible aussi entre 30 et 59 ans, car les ruptures d'unions sont plus nombreuses. Les hommes de cette tranche d'âge sont plus touchés que les femmes (15 % vivent seuls), car ils se mettent en couple plus tardivement et, en cas de divorce, obtiennent plus rarement la garde des enfants. En France métropolitaine, l'Île-de-France et la Corse remportent la palme des régions où l'on vit le plus souvent seul.

Les disparités sont fortes entre les catégories sociales. Entre 30 et 59 ans, 18 % des employés vivent seuls, contre 16 % des employés, mais seulement 10 % des agriculteurs. Ces derniers ne vivent pas plus tôt ou plus souvent en couple que la moyenne, mais ils sont nombreux à habiter avec leurs parents sur l'exploitation familiale. Les artisans-commerçants et les cadres habitent en revanche plus souvent en couple. Les premiers exercent des professions où la présence d'une compagne est particulièrement utile. Les cadres ont un niveau de vie plus élevé, ce qui les rend plus « attractifs » et favorise donc la vie de couple. Cependant, cette explication ne semble pas pertinente pour les femmes cadres : 18 % d'entre elles vivent seules, contre 12 % des employées et 11 % des ouvrières.

recherche des régions ensoleillées et chaudes, reste une motivation importante, notamment chez les retraités.

57 % des ménages vivent en maison individuelle.

La recherche de l'« éco-logis » (p. 185) s'accompagne d'une préférence pour la maison individuelle. 57 % en avaient une en 2011, contre seulement 48 % en 1992. Les ménages concernés sont en moyenne plus âgés et plus aisés que ceux qui vivent en appartement. Ils ont plus fréquemment des enfants et disposent de revenus plus élevés. On trouve parmi eux davantage de retraités et moins d'employés. 37 % des ménages habitent dans des maisons non mitoyennes, 20 % dans des maisons jumelées.

Pendant les Trente Glorieuses, le nombre de logements construits était passé de 100 000 à 550 000 par an. Il avait ensuite baissé puis s'était stabilisé autour de 300 000 vers le début des années 1990, avant de remonter à

sions de la tendance plus générale au « naturotropisme ». Dans ce contexte, les banlieues sont délaissées par des ménages en quête d'un cadre de vie plus authentique, moins stressant, et moins coûteux. Certaines catégories cherchent cependant à occuper au contraire les quartiers centraux et animés des grandes villes.

À la question, « quelle serait votre maison préférée ? », les Français répondent qu'ils souhaiteraient une maison de village rénovée (42 %) contre 30 % qui choisiraient une maison d'architecte (Ifop, octobre 2011). En ce qui concerne l'emplacement, l'attrait d'un « joli panorama » est cité par 40 % d'entre eux, l'idéal étant d'avoir une piscine ou un jardin paysager. Pour un Français sur deux, cette maison serait située en pleine nature. Cependant, pour un ménage sur quatre, le logement idéal est un loft, pour un cinquième un appartement. Il s'agit notamment de jeunes à la recherche d'une vie conviviale, voire communautaire, ainsi que d'équipements de loisir. Le phénomène des « bobos » s'est construit sur cette revendication. Quant aux ménages aisés, ils cherchent à réconcilier les avantages à la fois de la ville et de la campagne, en partageant leur temps entre leur appartement de ville et une résidence secondaire « verte ». Enfin, l'héliotropisme, propension à

Une minorité de ruraux

Répartition des résidences principales (2011, en %) et de la population selon le type d'espace (2006, en %)

Type d'habitat	
Individuel	56,7
Collectif	43,3
Type d'espace	
Pôles urbains dont :	60,2
villes-centres	27,7
banlieues	32,5
Périurbain	21,8
Espace à dominante rurale	18,0

INSEE

partir de 2004; il a atteint 370 000 en 2011 après un pic à 400 000 avant la crise financière de 2008. La construction de logements individuels est redevenue prépondérante depuis 1996 ; elle concernait 56 % des mises en chantier de logements neufs en 2011. Les maisons construites sont de plus en plus spacieuses : la surface moyenne par personne est passée de 31 m² en 1984 à 41 m² en 2010.

43 % des ménages habitent dans des immeubles collectifs (bâtiments comportant au moins deux logements). 4 % sont logés gratuitement dans des logements de fonction ou mis à leur disposition par leur famille.

57 % des ménages sont propriétaires de leur résidence principale...

L'acquisition de la résidence principale avait été la grande ambition des Français entre les années 1960 et 1980. La proportion de propriétaires était ainsi passée de 45 % en 1973 à 53 % en 1988. Elle avait ensuite connu une stagnation pendant les années 1990. L'intérêt pour la propriété s'est manifesté de nouveau du début des années 2000 jusqu'en 2007. La crise bancaire avait alors donné un coup d'arrêt aux achats immobiliers, en raison notamment d'un durcissement des conditions d'octroi des crédits. La baisse des prix avait surtout affecté les zones les plus éloignées des grandes agglomérations. Mais la hausse avait repris entre 2009 et 2011, avant le retournement de tendance de 2012.

Le taux de possession de la résidence principale est très variable selon le niveau de vie et l'âge. Trois quarts des ménages les plus aisés (quartile supérieur) étaient propriétaires en 2010, contre un peu plus d'un tiers des plus modestes (quartile inférieur). Chez les moins de 30 ans, seuls 13 % sont propriétaires de leur logement, contre 72 % chez les personnes de plus de 65 ans. Le rêve de propriété repose aujourd'hui davantage sur la volonté de ne pas payer des loyers à fonds perdus que sur celle de constituer un patrimoine à long terme et de le transmettre aux générations futures.

Les trois quarts des Européens sont propriétaires de leur logement (73,5 % en 2010). Tous les pays européens se situent au-dessus de 50 %, avec un minimum de 57 % en Autriche et un maximum de 96,5 % en Roumanie (Eurostat). La France se situe donc en-deçà de la moyenne européenne.

... et un sur dix possède une résidence secondaire.

La proportion de ménages disposant d'une résidence secondaire ou d'un logement occasionnel (pièce ou pied-à-terre utilisé pour des raisons professionnelles) était de 10 % en 2011, contre 6 % en 1960. Après s'être accrue régulièrement entre les années 1960 et le début des années 1990, elle avait connu une période de stagnation comme l'ensemble de l'immobilier (taux d'intérêt élevés, difficulté d'emprunter, précarité des situations professionnelles...). Cette stabilisation s'expliquait aussi par la proportion croissante de nouvelles résidences principales disposant d'un jardin. Un certain nombre de nouveaux ménages (notamment des jeunes et des étudiants) s'étaient aussi installés dans des résidences secondaires familiales, devenues leurs résidences principales. Des ménages de retraités avaient par ailleurs quitté leur logement pour aller habiter leur résidence secondaire.

Les achats ont de nouveau progressé à partir de 1996, mais ils tendent à stagner depuis quelques années, au profit des achats de biens immobiliers destinés à la location, favorisés par les avantages fiscaux (notamment la loi Scellier). Il s'agit dans deux cas sur trois de maisons, pour la plupart avec jardin. Un peu plus de la moitié des résidences sont situées à la campagne, un tiers près de la mer et le reste à la montagne. On observe un développement de la bi-résidentialité : actifs partageant leur temps entre deux logements ; retraités effectuant des séjours prolongés dans leurs résidences secondaires ; couples n'habitant pas ensemble pour des raisons professionnelles ou personnelles. La France comptait 2,4 millions de logements vacants en 2011, soit 7.1 % de l'ensemble des logements, en hausse de 1,7 % par an sur les dix dernières années à comparer à la hausse annuelle du nombre de logements (1,4 %).

Les prix de l'immobilier ont plus que doublé entre 2000 et 2010, ...

Entre 2000 et 2010, les prix de vente des logements ont doublé (+ 107 %) sur l'ensemble de la France, alors que le revenu par ménage n'a augmenté que de 25 %. Entre 1995 et 2011, ils ont été multipliés par 2,5. En 2011, les prix de vente des logements anciens avaient encore progressé de 4,3 % en France (6,7 % pour les appartements, 2,6 % pour les maisons, indice Notaires/INSEE). En Île-de-France, ils avaient augmenté de 9 % (10,6 % pour les appartements, 5,7 % pour les maisons). La hausse était encore plus marquée à Paris : 14,7 % pour les appartements anciens. Des sommets avaient été atteints dans la capitale avec un prix moyen de 8 390 € au m² (13 000 € dans le 6e arrondissement). L'acquisition d'un logement représente en moyenne plus de quatre années de revenu d'un ménage (cinq à Paris), soit une année de plus que pendant la période 1997-2001.

La durée moyenne des prêts immobiliers s'est allongée, passant de 13,6 ans entre 1993 et 1996 à 17,2 ans pour les transactions conclues entre 2002 et 2011. La part des primo-accédants a diminué (moins de 60 % en 2002-2010, contre 66 % en 1997-2001) quelque soit la tranche d'âge, le niveau de vie ou la catégorie sociale. La part des ménages modestes (en dessous du niveau de vie médian) ne représente plus qu'un quart chez les primo-accédants. L'apport personnel est donc de plus en plus souvent financé par la vente d'un logement. Près de quatre achats sur cinq ont été effectués grâce à un crédit en 2002-2010, contre deux sur trois en 1980-1984. Le remboursement des emprunts et les dépenses en énergie (chauffage, électricité, etc.) ne dépasse pas en moyenne un quart des revenus. Les deux tiers des ménages propriétaires n'ont pas (ou plus) de remboursement à effectuer.

... *entraînant la formation d'une bulle immobilière.*

À l'instar d'autres pays (Irlande, Espagne, Royaume-Uni, États-Unis, Grèce, Pays-Bas, Danemark...), la France a laissé depuis le début des années 2000 se développer une bulle immobilière. Mais, contrairement à ces pays, celle-ci n'a pas explosé. Cette situation singulière peut s'expliquer par l'importance de la demande, le niveau faible des taux d'intérêt pour les emprunteurs et l'effet de richesse pour ceux qui avaient un bien à vendre pour en acheter un autre, la rareté du foncier. Cependant, la croissance beaucoup plus modérée des loyers par rapport aux prix de vente (+ 27 % entre 2000 et 2010) ne confirme pas l'idée d'une pénurie généralisée de logements, à l'exception de Paris et de quelques zones en forte tension entre l'offre et la demande.

Lee résultat est une baisse forte du pouvoir d'achat immobilier des Français et l'éloignement des familles à revenu modeste ou moyen des centres-villes et des zones devenues inaccessibles. L'existence d'une bulle est illustrée par l'évolution du ratio entre les prix de l'immobilier et le revenu disponible des ménages (graphique). Pendant des décennies, il se situait entre 0,9 et 1,1. Le dépassement enregistré en 1992 avait engendré l'explosion d'une première « bulle » (largement favorisée par la spéculation immobilière). Le ratio était alors revenu à 0,9, au terme d'une crise immobilière de six années. La très forte remontée depuis 1999 jusqu'à 1,7 en 2008 est historique. La crise financière qui s'est alors produite n'a fait que l'interrompre, avant une nouvelle poussée de fièvre entre 2009 et 2011.

Le ratio atteignait 1,84 fin 2011 pour l'ensemble de la France, et culminait à 2,56 à Paris (2,13 en Île-de-France) contre 1,71 en province. Cette situation laissait augurer d'un retournement. Il a commencé en 2011 avec la baisse du nombre de transactions (10 %). Il s'est poursuivi début 2012 avec une baisse des prix. Les experts s'attendent plutôt à un « atterrissage en douceur » qu'à une crise comparable à celle qu'ont connue l'Irlande, l'Espagne, le Royaume-Uni, la Grèce ou les États-Unis, mais d'autres phénomènes comme la baisse du pouvoir d'achat des ménages, la hausse des taux d'intérêt, la réduction des crédits bancaires ou celle des aides à la propriété pourraient accentuer fortement le phénomène de retour

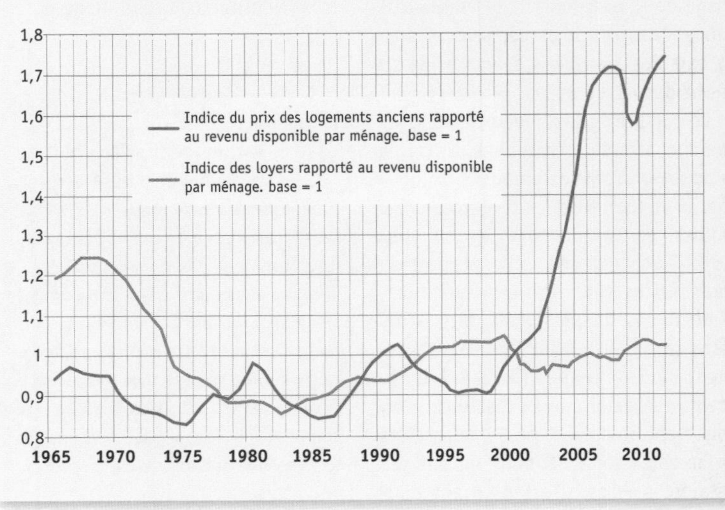

à la « normale », dans un contexte de crise économique et budgétaire.

Les ménages modestes se logent difficilement.

Avec 4,5 millions de logements en 2010, le parc locatif social a progressé de 1,6 % depuis 2008. 18 % des ménages louaient un logement social en 2009. La densité du parc social varie fortement selon les régions : moins de 40 logements pour 1 000 habitants en Midi-Pyrénées, plus de 100 en Champagne-Ardenne ou en Île-de-France. La plupart de ces logements (92 %) sont des HLM (habitations à loyer modéré). La grande majorité sont situés dans des immeubles collectifs (mais un tiers de ceux construits en 2006 l'ont été dans le secteur individuel). La mobilité des occupants de ces logements est nettement moindre que celle observée dans le parc privé (un peu plus de 10 chaque année, contre un peu plus de 20 %) ; leur ancienneté moyenne est de six ans environ, contre moins de quatre ans dans le parc locatif privé. La proportion de familles immigrées est forte, ainsi que celle de ménages avec enfants. La moyenne d'âge de la personne de référence des ménages s'accroît et dépasse 50 ans, la part des 25-40 ans ayant reculé au profit des 41-60 ans.

Le nombre de demandeurs d'un logement social est, en moyenne, trois fois plus important que la quantité de logements disponibles, soit environ 1,3 million de demandeurs par an pour 450 00 attributions. Cette proportion varie fortement selon les territoires, avec 62 % de demandes satisfaites dans la Sarthe (2008) contre seulement 32 % à Rennes (hors 1 % logement). Le délai moyen d'attente d'un logement social est de 12 mois dans la Sarthe contre 30 mois en Ille-et-Vilaine. À Paris, il est de 6 ans pour un T1, 9 ans pour un T3 ou T4 et de 10 ans pour les logements plus grands (HCLPD, 2008).). Les 30 % de ménages les plus modestes occupaient en 2009 la moitié de ces logements, contre seulement 35 % en 1984 ; les 30 % des ménages les plus riches comptaient pour 10 %.

En vingt ans, les sommes déboursées pour le logement ont augmenté plus vite que les revenus, une hausse qui n'a pas été atténuée par les aides au logement dont les conditions d'accès se sont durcies depuis 2001. La loi solidarité et renouvellement urbain (SRU) votée en 2000 impose aux communes de plus de 1 500 habitants appartenant à une agglomération de plus de 50 000 personnes une proportion d'au moins 20 % de logements sociaux dans leur parc immobilier d'ici à 2020. Dix ans après, seules 32 communes ont atteint le quota requis. La règlementation s'impose à 931 communes de métropole dont 677 étaient déjà en dessous des 20 % avant 2009. Cependant, seules 7 % de ces communes n'ont pas augmenté le nombre de leurs logements sociaux. Au palmarès des communes en-deçà des objectifs, on trouve dans l'ordre Paris, Neuilly-sur-Seine et Nice.

Le déficit de logements reste important.

Sur la décennie 2000-2010, il s'est construit en moyenne annuelle 338 000 logements neufs, dont 201 500 maisons individuelles (60 %). Le besoin annuel en nouveaux logements est estimé à 370 000 par an (MEDDTL-INSEE) soit 250 000 pour répondre à l'augmentation du nombre de ménages, 30 000 pour les résidences secondaires et 90 000 pour le renouvellement du parc. En 2011, les mises en chantier de logements ont augmenté de 21,8 % et les autorisations de permis de construire de 17,9 %.

L'estimation du déficit de logements semble toutefois en-deçà des besoins réels. Il faudra en effet prendre en compte trois types d'obsolescence des logements existants : géographique (due à la mobilité), sociétale (liée à la configuration du logement) et, surtout énergétique. Le coût de la mise aux normes de basse consommation (BBC) d'une maison construite dans les années 1970 dépasserait en effet celui d'une construction neuve (Caron Marketing).

HLM : la mixité impossible ?

Un peu plus de 10 millions de Français habitent des HLM (habitations à loyer modéré). 81 % des locataires se disent satisfaits de leur logement (USH, février 2012). Le parc en compte 4,1 millions, dont 72 % dans des petits immeubles. 5 % connaissent une situation dégradée et un million se situent dans des quartiers « sensibles ». Contrairement à une idée répandue, la consommation d'énergie est en moyenne inférieure de 30 % à l'ensemble des logements du parc français.

Les HLM sont par principe réservés aux ménages les plus démunis, ce qui ne favorise pas la mixité sociale. Un tiers des ménages locataires vivent sous le seuil de pauvreté. À l'inverse, 4 % dépassent les plafonds de ressources et seraient susceptibles de payer un supplément de loyer de solidarité (SLS). 0,3 % des ménages devront quitter le parc HLM en 2014 en raison de revenus trop élevés.

L'habitat, demain

89 % des Français se disent satisfaits de leurs lieux d'habitation (Gecina/Harris Interactive, mai 2011). La proportion augmente avec l'âge (96 % des 65 ans et plus) ; elle est plus élevée chez les propriétaires que chez les locataires (95 % contre 78 %), dans l'habitat individuel que dans le collectif (94 % contre 74 % pour les habitants de HLM). Les Français estiment que de nombreuses améliorations ont eu lieu depuis vingt ans en matière de confort (85 %), de conception (82 %) et d'agrément (82 %). 61 % pensent qu'elles vont se poursuivre à l'avenir, mais seuls 33 % considèrent que les logements construits aujourd'hui vont durer plus longtemps.

La principale attente concerne précisément le caractère durable de l'habitat. 97 % des Français souhaitent des logements construits avec des matériaux plus écologiques, et 95 % des logements présentant un bilan énergétique neutre. Seuls 48 % estiment que les habitations construites actuellement respectent suffisamment les principes du développement durable. Les Français sont sceptiques quant à la capacité des logements à s'adapter aux nouvelles formes de vie familiale et sociale (familles recomposées, colocations…) : 46 % y croient, 53 % non.

L'espace disponible est cité comme l'un des critères les plus importants par 48 %, alors que la même proportion s'attend à une baisse de la superficie des logements. 97 % des Français souhaitent qu'ils puissent évoluer avec l'âge de leurs occupants. 90 % attendent des logements modulables selon leurs besoins et leurs envies, à l'aide de cloisons coulissantes ou escamotables. Mais 71 % ne souhaitent pas que l'on supprime des cloisons lorsqu'elles séparent les espaces partagés et les espaces personnels.

La majorité des habitants se disent en revanche prêts à partager avec les voisins un espace vert (58 %), une salle de jeux pour les enfants (55 %), un garage (53 %) ou un espace communautaire où l'on pourrait lire, discuter, déposer des livres (52 %). Près de quatre sur dix partageraient un espace buanderie avec des machines à laver et des sèche-linge ainsi qu'un espace débarras. Un sur trois (32 %) se déclare potentiellement intéressé par le principe de l'habitat groupé coopératif (plusieurs familles faisant construire ensemble un immeuble avec des logements pour chacun et des espaces communs) ; la proportion atteint 44 % chez les 18-24 ans, comme chez les cadres.

On constate aussi que 90 % des interviewés appellent de leurs vœux des logements plus ouverts sur l'extérieur par le biais de grandes surfaces vitrées, de balcons et de terrasses. L'attachement au foyer ne traduit donc pas un repli par rapport au monde extérieur, mais une façon de créer un sas entre celui-ci et la maison. L'intégration de plus en plus poussée des innovations technologiques dans les logements divise en revanche les Français : 52 % y sont plutôt favorables, mais 47 % ne sont pas intéressés par la commande des appareils électroniques à la voix, la visiophonie, etc. Enfin, seuls 22 % des Français (et 30 % des Franciliens) souhaitent des logements qui seraient de plus en plus construits en hauteur, c'est-à-dire sous forme d'immeubles plus que de maisons ; 77 % y sont opposés.

Confort

Les Français passent en moyenne plus de 18 heures par jour chez eux…

Si les Français sont de plus en plus mobiles, c'est dans leur domicile qu'ils passent la plus grande partie de leur temps : 18 h 39 par jour en moyenne sur l'ensemble de la semaine (hors périodes de déplacements pour des vacances ou d'autres motifs). Ce chiffre très élevé (estimé à partir de l'enquête Emploi du temps INSEE 2010) représente un peu plus de 10 heures hors sommeil. Il s'explique en partie par l'accroissement du temps libre des actifs avec le passage aux 35 heures et l'augmentation du nombre de retraités (p. 152).

On assiste en outre au transfert vers le foyer d'activités autrefois pratiquées à l'extérieur. Il est favorisé par la diffusion des équipements électroniques de loisir et de communication (lecteur de DVD, téléviseur à grand écran, ordinateur connecté à Internet…). Les Français consacrent moins de temps aux tâches ménagères (une demi-heure par jour entre 1999 et 2010, essentiellement pour les femmes) et plus de temps à jouer ou naviguer sur Internet (33 minutes en 2010 contre 16 minutes en 1999). Les équipements de gymnastique et

La ville, demain

Les mots de la ville durable

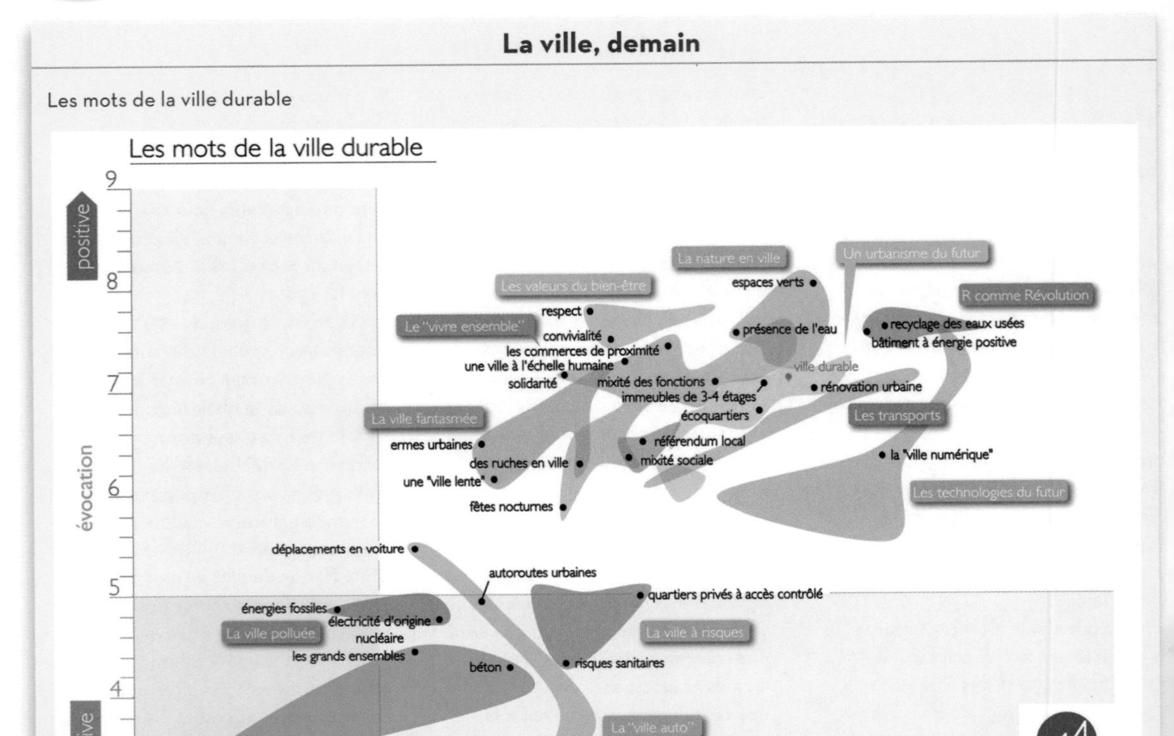

Perception de la « ville durable » par un échantillon représentatif des Français (18 ans et plus, résidant dans des agglomérations de plus de 200 000 habitants) à travers les mots qui la qualifient dans tous ses aspects : urbanisme, architecture, technologie, social, écologie, économique, services, vie collective. Chaque mot est noté sur deux échelles : « évocation » (positive ou négative) et « présence dans l'avenir » (forte ou faible), de 0 à 10. Le mapping obtenu représente la « carte mentale des Français » sur ce thème.

de sport pénètrent dans les chambres ou les salles de bains, les machines à café dans les cuisines.

Convaincus que c'est « dur dehors », les Français cherchent à faire en sorte que ce soit « doux dedans ». C'est pourquoi leur attachement au foyer est de plus en plus fort. Il témoigne d'une volonté d'investir la sphère privée, en réaction à ce qui est perçu comme un appauvrissement de la vie collective. C'est ce qu'indique par exemple le niveau élevé de la natalité (p. 134).

Le premier poste de dépenses

Évolution des dépenses consacrées au logement et à son équipement (en % de la consommation effective* des ménages)

	1960	1970	1980	1990	2000	2010	2011
Logement, chauffage, éclairage	9,8	14,7	15,4	16	18,1	19,3	19,1
Meubles, matériel ménager, articles de ménage, entretien	7,8	6,9	6,4	5,4	4,7	4,4	4,4

* Y compris les dépenses financées par les administrations publiques en biens et services individualisables et celles des institutions sans but lucratif au service des ménages.

... et lui consacrent un quart de leur budget.

Si l'on passe plus de temps chez soi, on consacre aussi plus d'argent à son logement. Celui-ci est depuis plus de vingt ans le premier poste de dépense des ménages, largement devant l'alimentation. En 2011, il représentait 19,1 % des dépenses effectives des ménages (définition dans le tableau p. 404), contre 15,4 % en 1980 et 9,8 % en 1960. Sa part a donc presque doublé en cinquante ans. En incluant les dépenses d'entretien et d'équipement (hors équipements de loisir), les Français lui consacrent près du quart de leurs dépenses de consommation effective (23,5 %), soit plus de 10 000 € dans l'année.

Le logement représente à la fois le centre de la vie familiale et un refuge contre les risques extérieurs (réels ou fantasmés). Il est le lieu de l'autonomie, mais aussi du partage et de l'harmonie. C'est parce que le monde leur apparaît complexe, dangereux et l'avenir incertain que les Français entretiennent un lien aussi fort avec leur maison. Ils y recherchent la tranquillité et la sérénité qu'ils ne trouvent guère ailleurs. D'où la tentation, parfois, de refuser le monde extérieur et de se replier sur un foyer en forme de bulle protectrice, de refuge, voire d'ermitage. C'est ainsi que le domicile tend à devenir le lieu privilégié, parfois unique, de l'accomplissement de soi. Il autorise le repos du corps et le répit de l'esprit.

Seuls 4 % des logements ne disposent pas du confort minimal.

Les conditions de confort des logements ont longtemps été inférieures en France à celles des autres grands pays d'Europe, en particulier du Nord. En 1973, on ne comptait que 44 % de résidences principales dotées de « tout le confort » au sens de l'INSEE : W-C intérieurs ; au moins une salle de bains ou douche ; chauffage central. Mais

Plus d'accédants à la propriété, plus de surface

Statut d'occupation des ménages et surface, selon l'âge en 2005 et 2010 (en % et m²)

Âge		Propriétaire non accédant	Accédant	Locataire privé	Locataire social	Autres statuts
Moins de 30 ans	2005	2,5	12,9	54,6	22,8	7,3
	2010	2,1	17,0	55,5	18,3	7,1
30-39 ans	2005	6,9	41,8	27,3	19,3	4,7
	2010	5,1	43,5	27,0	20,1	4,2
40-49 ans	2005	22,0	38,9	15,3	18,7	5,2
	2010	19,2	37,2	20,4	18,8	4,4
50-64 ans	2005	48,9	19,0	12,0	15,7	4,4
	2010	51,0	16,3	10,8	18,4	3,5
65 ans et plus	2005	60,9	2,8	10,4	14,5	11,5
	2010	64,5	2,3	9,4	13,6	10,2

	Ménages d'au moins 2 personnes		Personnes seules	
	2005	2010	2005	2010
< 30 ans	28,5	29,8	48,6	49,8
30-39 ans	28,0	27,7	59,4	62,5
40-49 ans	30,3	30,4	63,4	63,4
50-64 ans	41,8	42,4	77,9	77,5
65 ans et plus	49,2	50,8	79,1	82,4

INSEE, SRCV

un rattrapage s'est effectué au cours des décennies qui ont suivi : 75 % en étaient pourvus en 1988 et 93 % en 2006 (dernière enquête). Les progrès ont été plus rapides dans les zones rurales que dans les zones urbaines, de sorte que les écarts se sont réduits. Les logements à loyer modéré sont en moyenne plus confortables que ceux des ménages propriétaires (85 % avaient tout le confort en 2010, contre 83 %, en 2004) et surtout ceux des locataires du secteur libre (76 %).

Presque la totalité des logements (99 %) disposent d'au moins un W-C et d'une douche ou d'une petite baignoire. Plus d'un logement sur dix dispose d'au moins deux salles de bains, un sur cinq de deux W-C. La part des logements inconfortables (sans W-C ni installation sanitaire) est aujourd'hui inférieure à 1 %, contre 27 % en 1978. Celle des logements sans confort sanitaire est de 1,5 % ; il s'agit surtout de petits logements construits avant 1949, situés le plus souvent à la campagne, occupés par des ménages âgés ou étrangers. Trois résidences principales sur dix ont été construites avant 1949. Le niveau de confort est plus élevé dans l'habitat collectif que dans l'individuel, souvent plus ancien. Le parc tend à rajeunir, et les habitations anciennes sont rénovées et mises aux normes de confort actuelles.

Au sein de l'Europe, il reste des différences importantes en matière d'équipement sanitaire. Dans quinze États, plus de 90 % de la population bénéficient de toilettes intérieures, certaines populations restent encore largement privées de ces équipements comme en Roumanie (43 %) ou en Bulgarie (26 %). Il en est de même pour l'équipement en baignoire ou douche, puisque 17 pays membres ont un taux d'équipement supérieur à 99 %, contre seulement 16 % en Lituanie ou en Bulgarie, 18 % en Lettonie ou 41 % en Roumanie.

La superficie par personne s'est fortement accrue.

La surface moyenne des logements a connu une progression aussi régulière que spectaculaire : 72 m² en 1973 ; 82 m² en 1984 ; 86 m² en 1992 ; 91 m² en 2006 (dernier chiffre disponible). Mais les personnes âgées de 60 ans ou plus disposent en moyenne de 20 m² de plus que celles âgées de 20 à 40 ans, et une personne vivant seule de 30 m² de plus que celle qui cohabite. On constate que la part des petits logements (moins de 40 m²) a récemment augmenté en même temps que celle des plus grands (plus de 100 m²). 11 % des logements individuels comptent plus de 150 m², contre 1 % dans le collectif.

Dans le même temps, la taille moyenne des ménages a diminué : 2,4 personnes en 2009, contre 2,7 en 1982 et 2,9 en 1975. Ce phénomène est induit par le vieillissement de la population, qui accroît la proportion de foyers sans enfants, ainsi que celle de veufs (généralement des veuves, compte tenu de la surmortalité masculine). Il s'explique aussi par l'accroissement du nombre de foyers unipersonnels (personnes céli-

La panoplie électroménagère

Évolution des taux d'équipement des ménages en électroménager (en %)

	1970	2011
Réfrigérateurs	80	99
Lave-linge	57	96
Fours à micro-ondes	0	85*
Aspirateur	64	75,2
Grille-pain	15	72,2
Sèche-cheveux	43	69,3
Congélateurs	6	60
Fers à repasser vapeur	93	59,8
Hotte	0	57*
Lave-vaisselle	3	55,2
Cafetières filtres	6	54,3
Table de cuisson à encastrer	0	53*
Robots multi-fonctions	0	51,1
Fours à encastrer	0	47*
Bouilloires électriques	0	46,9
Friteuses électriques	10	36,4
Sèche-linge	0	31,3
Centrales vapeur	0	29,2
Cafetières expresso	0	12,7

* 2009

bataires, séparées, divorcées, veuves) et de foyers monoparentaux. En 2008, 66,1 % des ménages n'étaient composés que d'une ou deux personnes, contre 62 % en 1999, et le nombre de ménages d'une seule personne est désormais supérieur à celui des ménages de deux personnes : 8,8 millions contre 8,2. Les parts des ménages de 3, 4 ou 5 personnes ont baissé chacune d'un point en six ans. La conséquence est que la surface disponible par personne a progressé de façon encore plus sensible que la superficie totale : 25 m² en 1973 ; 32 m² en 1988 ; 41 m² en 2010.

Les logements comptent en moyenne quatre pièces. Le nombre est plus élevé dans l'habitat individuel, avec 4,8 pièces contre 2,9 dans le collectif. La proportion de logements surpeuplés est en diminution : elle est estimée par l'INSEE à 7 % en 2010 contre 12 % en 1988 et 22 % en 1973. La superficie des logements français se situe dans la moyenne européenne (UE à quinze) ; la plus élevée se trouve au Luxembourg (118 m²), devant le Danemark (108 m²); la plus faible est celle du Royaume-Uni et de la Finlande (76 m²).

Seul un ménage sur seize n'est pas satisfait de son logement.

Seuls 6 % des ménages français jugeaient leurs conditions de logement insatisfaisantes en 2010, contre 8 % en 1992 et 13 % en 1973 (INSEE). Cette faible proportion tient tout d'abord au recul du nombre de logements de qualité médiocre (7 %) ou surpeuplés (7 %). Seuls 1 % combinent les deux défauts. Ces logements, particulièrement nombreux dans l'agglomération parisienne et pour la plupart de construction ancienne, sont plus souvent occupés par des ménages modestes (près de 30 %), jeunes (28 % lorsque la personne de référence a moins de 30 ans), mais surtout immigrés (plus de 50 % des ménages originaires d'Afrique subsaharienne). Le sentiment d'inconfort est évidemment corrélé à la situation objective, mais ces ménages surestiment en partie leurs conditions de logement (28 % se disent insatisfaits, mais 10 % satisfaits). Les désagréments sont davantage ressentis lorsqu'ils s'accompagnent de nuisances environnementales, comme les mauvaises relations de voisinage, le bruit, l'insécurité ou la mauvaise qualité de l'air. Le taux globalement élevé de satisfaction (84 %) ne doit pas faire oublier l'existence de nombreux mal-logés.

Parmi les diverses formes de nuisances ressenties et dénoncées, le bruit est la plus fréquente : le bruit diurne est évoqué par trois ménages sur dix, le bruit nocturne par un sur six. Un ménage sur trois se plaint de celui occasionné par le voisinage, un taux en augmentation. Environ 100 000 plaintes sont déposées chaque année ; elles concernent des voisins, des commerces ou des véhicules. Des progrès sont attendus par les Français en matière de qualité de vie dans le logement, en tant que tel ou par rapport à son environnement.

La salle de bains répond à cinq fonctions distinctes.

La salle de bains est le lieu principal où se prépare, s'organise, s'évalue la fonction identitaire, qui s'exprime de deux façons complémentaires. On se « met en scène » pour les autres par le maquillage, le coiffage, le « parfumage » (fonction de vitrine). On prend aussi soin de soi pour soi (fonction de miroir).

Bien sûr, la salle de bains remplit toujours sa fonction *hygiéniste* traditionnelle. Il faut laver, nettoyer et, de plus en plus, aseptiser le corps pour le rendre moins perméable aux agressions extérieures, le lien entre environnement et santé étant désormais établi et intégré.

Cette dimension utilitariste est complétée par la fonction *hédoniste*, dont l'importance s'est fortement accrue. Il s'agit de se faire plaisir en s'occupant de soi dans un environnement agréable, protégé, intime. A ce besoin de détente s'ajoute celui de « ressourcement ». Le mot n'est évidemment pas anodin : l'imaginaire de la salle de bains est celui de l'eau, évocatrice de pureté, de relaxation, de délassement, de communion retrouvée avec la

Logements imparfaits

Part des ménages déclarant des défauts dans leurs logements (en %)

	2005	2010
Pas d'eau chaude courante	0,9	0,5
Pas de toilettes intérieures	1,4	0,9
Ni baignoire ni douche	1,3	0,9
Pas de chauffage central ou électrique	7,1	5,3
Fuites dans la toiture, murs/sols/fondations humides, pourriture dans les cadres de fenêtre ou le sol	12,2	11,7
Logement trop sombre, pas assez de lumière	8,0	9,1
Logement difficile ou trop coûteux à bien chauffer	25,2	26,9

Insee, SRCV

nature, de retour nostalgique au « premier matin du monde ».

Mais il n'est pas suffisant aujourd'hui d'être propre et en forme ; il faut aussi être « beau ». C'est pourquoi la fonction *esthétique* de la salle de bains s'affirme chaque jour davantage. Il s'y ajoute l'objectif, devenu presque revendication, d'être « bien ». Bien dans sa peau, au sens « propre » d'abord puisqu'il faut la laver, la protéger (de la pollution, du soleil, du vieillissement...). Bien aussi au sens figuré : se sentir en harmonie avec soi-même et avec les autres. Il s'agit au fond de « sauver sa peau » dans un monde dangereux qui privilégie la jeunesse et la beauté.

À ces quatre fonctions de nature physique, physiologique ou psychologique, il faut ajouter celle, plus triviale, du *rangement*. Il doit faciliter la vie dans la salle de bains, tout en contribuant à sa décoration. Dans le même ordre d'esprit, il faut mentionner la fonction d'*entretien*. Elle doit être favorisée par l'utilisation de matériaux qui vieillissent bien, qui sont traités pour résister au calcaire et aux salissures, si possible autonettoyants.

Enfin, on observe que les Français sont de plus en plus attentifs à l'aménagement des toilettes, souvent intégrées à la salle de bains. Les évolutions en cours concernent l'amélioration de l'hygiène (systèmes sans contact...) et du confort (espace, ergonomie...) ainsi que la réduction de la consommation d'eau.

La cuisine tend à devenir le centre du foyer...

L'usage des différentes pièces du foyer tend à se diversifier. La chambre ne sert plus seulement à dormir ; on y lit, regarde la télévision, fait du sport... L'élément principal du séjour n'est plus le buffet ou la table, mais le téléviseur accompagné du duo canapé-table basse. La cuisine est sans doute le lieu qui s'est le plus transformé ; elle est la pièce préférée de 15 % des Français (Ipea, 2012). Leurs attentes ne sont plus seulement utilitaires et fonctionnelles, elles sont aussi esthétiques et relationnelles. La pièce doit être belle, rangée et pouvoir ainsi être montrée aux visiteurs. Nombreux sont d'ailleurs ceux qui ont fait disparaître le mur entre la cuisine et le séjour (50 % en 2010 contre seulement 34 % en 2001).

La cuisine est devenue un lieu privilégié de convivialité dans lequel on se retrouve en famille ou avec des amis (12 %) mais aussi parfois seul pour grignoter ou se désaltérer. 48 % des ménages y prennent leurs repas quotidiens le soir en semaine et 36 % le week-end. On y pratique de plus en plus d'activités comme travailler (18 %), regarder la télévision (12 %), s'adonner à des loisirs créatifs (10 %), aider les enfants à faire leurs devoirs (8 %) ou lire (6 %).

Sa surface moyenne a augmenté, pour atteindre 15 m². 60 % des ménages français possèdent une cuisine intégrée contre plus de 98 % des Italiens et 75 % des Allemands. Une sur deux a été achetée en kit. Dans les petits logements, la cuisine tend à être conçue « à l'américaine ».

... et se professionnalise.

Les taux d'équipement des ménages en réfrigérateur, cuisinière, lave-linge ou aspirateur dépassent 90 %. Le lave-vaisselle n'est présent que dans 55 % des foyers (2011) et il progresse lentement depuis le début des années 1970. On le trouve beaucoup plus fréquemment chez les ménages aisés et surtout dans les familles avec enfants. Le sèche-linge n'est encore présent que dans 31 % des foyers.

L'intérêt croissant pour les savoir-faire culinaires (encadré p. xxx) explique la diversification des équipements électroménagers. On a vu apparaître des îlots centraux, des appareils semi-professionnels proches de ceux des restaurants, des réfrigérateurs traitant les bactéries, des compartiments sous vide accroissant la durée de conservation, des fours vapeur conservant les saveurs et les vitamines des légumes, des poubelles pour le tri sélectif. Les cafetières expresso constituent l'un des grands succès de ces dernières années (1610000 achats en 2011, deux fois plus qu'en 2006 %), comme les robots multi-fonctions présents dans la moitié des foyers Français avec des ventes annuelles de plus d'un million d'appareils depuis 2008. L'engouement pour les appareils de cuisson encastrables ne se dément pas, comme celui pour les tables de cuisson à induction alors que les hottes aspirantes jouent aujourd'hui un rôle plus décoratif que fonctionnel.

La chambre remplit des fonctions diversifiées.

Les Français déclarent dormir en moyenne 8 h 24 de sommeil par jour (INSEE, 2010). Les jeunes dorment plus longtemps que les personnes âgées, les femmes plus que les hommes. 83 % ont leur propre chambre ; les autres (17 %) dorment dans un lieu ayant d'autres fonctions durant la journée (cas typique du studio). Comme la cuisine, la chambre est moins cachée ou secrète, plus ouverte aux autres, même si elle doit protéger une part d'intimité. Elle est utilisée pour des activités multiples : lecture (65 %), télévision (39 %), musique (15 %), travail (7 %) ou sport pour 3,5 % des Français (Ipea, 2012).

Les achats de literie restent stables ; ils représentaient 11 % des dépenses d'ameublement en 2011 contre 10 % dix ans plus tôt. Les lits deviennent plus larges et plus longs pour tenir compte de l'évolution morphologique mais la literie française en 140 cm de

large et 190 cm de long représente encore 52 % des achats. La France se rapproche des pays du nord de l'Europe, qui privilégient les lits individuels alors que ceux du sud préfèrent les lits doubles. L'aménagement de la chambre des parents évolue puisque les achats sont de plus en plus déstructurés. Ainsi, l'ensemble lit-chevet-armoire-commode ne représente plus que 1,1 % des actes d'achats à destination de la chambre des parents contre 70 % il y a dix ans ; le lit seul représentait 40 % des achats en 2011. L'usage de la couette a aussi beaucoup progressé depuis quelques années ; il concerne aujourd'hui plus de la moitié des ménages. Mais on constate une résistance du drap plat, plus facile à changer que la housse de couette.

Les ménages dépensent peu pour se meubler...

Si les Français consacrent à leur logement environ un tiers de leur budget (p. 404), leurs dépenses d'ameublement (y compris les achats de tapis) ne pesaient que pour 1 % en 2011, contre 1,9 % en 1980 (Ipea). Entre 1990 et 2011, le taux de croissance de la consommation de meubles des ménages a été inférieur à 1 % en moyenne, pour une dépense de 9,8 milliards d'euros en 2011. La dépense française reste inférieure de 15 % à la moyenne des pays de l'Europe à 27. Elle est deux fois plus faible que celle des Allemands et 40 % en dessous de celle des Italiens. La dépense moyenne par acheteur était en France de 1 290 € en 2011.

Il existe donc un décalage entre l'attachement des Français à leur foyer, leur boulimie d'informations sur la décoration (ils sont les premiers acheteurs de magazines de décoration en Europe) et leur faible investissement financier. On observe une réelle dynamique des achats d'équipement, mais un faible taux de renouvellement (en 2011, un acheteur sur trois avait emménagé dans les deux dernières années). Un ménage allemand change sa cuisine tous les 14 ans, alors qu'un ménage français le fait tous les 23 ans. Un ménage anglais renouvelle son canapé tous les 7 ans, contre 15 ans pour un ménage français.

Il faut noter par ailleurs que c'est en France que la part des enseignes de la grande distribution offrant des prix bas est la plus élevée de tous les pays d'Europe. Elle représente plus de 80 % des meubles vendus, alors que la part des magasins haut de gamme représente un peu moins de 5 % des achats contre 20 % dans les pays voisins. Enfin, en dehors de l'équipement indispensable, l'achat de meubles peut être reporté en période de tension sur le pouvoir d'achat, comme en témoignent les ventes de coussins et plaids destinés à masquer l'usure des canapés.

... et mélangent volontiers les styles.

Depuis 1999, la demande des Français s'est orientée vers des produits modernes, jeunes, design voire contemporains après vingt années de domination des copies de styles anciens en chêne ou en merisier, née avec le premier choc pétrolier en 1973. En période de crise, les Français recherchent à créer chez eux une ambiance chaleureuse et conviviale, en recourant notamment aux meubles en bois ou d'aspect bois.

Au cours des dernières années, les acheteurs ont privilégié des meubles et objets répondant à des attentes de transparence, de clarté, de dimensions « panoramiques », comme le canapé d'angle, la table basse (de plus en plus grande) ou le banc télévision qui permet de mettre en scène les écrans plats. Ce style de produits a représenté 75 % des achats en 2011. Le métissage des styles se manifeste en 2012 par la recherche d'ambiances reflétant des modes de vie spécifiques ou exotiques, empruntées à plusieurs régions du monde. On observe également une réinterprétation de meubles des Trente glorieuses (1945-1975) qui avaient introduit de nouveaux matériaux et de nouvelles fonctions.

L'attachement à la fonction et à la valeur d'usage explique l'engouement des Français pour les cuisines et la literie au cours des dix dernières années. Les demandes des clients portent sur le confort, les solutions de rangement et la facilité d'entretien. Ils plébiscitent ainsi les produits modulables, composables ou les revêtements faciles d'entretien comme les microfibres pour les sièges ou les résines pour les plans de travail de cuisine.

La décoration est un moyen de personnaliser le foyer.

En matière de maison comme d'habillement, les comportements apparaissent souvent contradictoires ou paradoxaux : goût du luxe et recherche de la simplicité ; attachement à la proximité et fascination pour le lointain ; complexité et minimalisme ; ouverture (on n'hésite plus à montrer la cuisine, la salle de bains ou même la chambre à coucher) et repli sur soi... La tendance majeure est celle de l'individualisation, qui incite à la personnalisation du logement, y compris pour chacun de ses occupants. La maison est un lieu dans lequel on veut exprimer une identité, par le choix des meubles et de la décoration, par la pratique d'activités utiles (cuisine, bricolage, jardinage...) ou artistiques (peinture, dessin, photographie, sculpture...).
Pour décorer leur logement, les Français recourent de plus en plus aux accessoires. En combinant des éléments aux usages, formes et couleurs divers, ils

cherchent à composer un intérieur sur mesure. Les luminaires jouent dans ce domaine un rôle croissant, tant en matière de décoration que pour créer une ambiance particulière. Tapis, bougies et autres objets donnent de la vie et de la personnalité au foyer, dans le contexte d'une société hédoniste, à la recherche de plaisirs renouvelés, de moments forts solitaires ou partagés. Pour cela, la décoration puise aux sources les plus diverses, empruntant à des styles historiques, comme l'Art déco, et s'inspirant de cultures lointaines. On observe des clins d'œil au style mauresque. Les tissus « ethniques » sont de plus en plus présents. Le thème de la nature est largement décliné, avec des dessins d'animaux et de végétaux. L'ambiance recherchée est « polysensorielle ». Elle fait appel à l'œil, l'ouïe, l'odorat, le toucher et le goût. Tout est mis en œuvre pour satisfaire la quête d'un bien-être mental et spirituel.

La décoration doit aussi contribuer à la résolution des contraintes pratiques. Les problèmes de rangement ont ainsi été accrus par la multiplication des objets au foyer : souvenirs ; appareils domestiques ou de loisir ; vêtements... En 2009, c'est dans la cuisine que les Français déclaraient manquer le plus de rangements (34,4 %), devant les chambres (20,2 %), la salle de bains (14,8 %), l'entrée ou le couloir (13,1 %), le salon-séjour (10,1 %) et le garage (9,8 %, Ipea). C'est pourquoi ils sont de plus en plus à acheter des boîtes de rangement, qui allient l'esthétique au fonctionnel.

Le logement doit s'adapter aux modes de vie...

La famille traditionnelle (un couple de parents, un ou plusieurs enfants et un ou deux ascendants) a laissé place à une diversité de modèles familiaux : célibataires ; monoménages ; familles décomposées, recomposées, monoparentales ou multigénérationnelles ; groupes tribaux, claniques ou communautaires ; couples non cohabitants, homosexuels... Les individus sont par ailleurs « multidimensionnels » ; ils cherchent à varier les plaisirs, avec l'intention (consciente ou non) de lutter contre l'ennui, parfois de combler un vide existentiel. Le logement doit donc satisfaire des besoins très différents selon le type de famille qui l'habite, mais aussi en fonction des moments de la journée, de la semaine ou de l'année. Sa superficie et l'aménagement de l'espace doivent permettre l'alternance entre intimité et convivialité.

Cela implique un nouvel aménagement de l'espace, avec davantage de modularité, des pièces susceptibles de changer de fonction et, idéalement, de taille (ci-après). La transformation du décor et de l'ambiance peut être favorisée par des cloisons et séparations mobiles, comme en atteste le grand retour du paravent, un mobilier « nomade », des lumières changeantes (ci-après). La superficie doit être assez grande pour que chacun puisse disposer de son territoire et que la cohabitation avec les autres soit facilitée. L'autonomie est en effet une revendication croissante, notamment de la part des enfants. On remarque ainsi que les chambres des enfants et des parents tendent à s'éloigner et que la seconde salle de bains est de plus en plus fréquente. L'évolution des modes de vie justifie aussi l'existence de nouvelles pièces : bureau pour travailler ou gérer les affaires domestiques ; pièce multimédia ; cave ; chambre destinée aux amis des parents ou des enfants.

Le vieillissement de la population et l'allongement de l'espérance de vie sont aussi à l'origine d'une demande croissante de logements adaptés à la morphologie, aux activités et aux handicaps des personnes âgées. Afin d'assurer des déplacements en toute sécurité, les portes inutiles sont supprimées et les barres d'appui se multiplient. Les sièges doivent offrir un plus grand confort, être inclinables et réglables à volonté, pourvus d'accoudoirs et de repose-pieds amovibles. La lumière des pièces doit compenser une vision affaiblie. Demain, la technologie pourra venir à l'aide des personnes âgées grâce à la robotique et à la « domotique ».

... et remplir de nouvelles fonctions.

Les fonctions traditionnelles du foyer ne changent guère dans leur intitulé : repos ; alimentation ; hygiène ; réception ; rangement, stockage... Mais les attentes dans ces domaines évoluent en même temps que les modes de vie. Elles font une place croissante au confort, à la « praticité », à la sécurité et à l'esthétique. Le souci d'hygiène s'étend à l'ensemble du logement : élimination des déchets ménagers, pureté de l'eau et de l'air, éradication des bactéries... La fonction de réception doit être adaptée à la géométrie variable de la « tribu » ou du « clan ». Les espaces de stockage et de rangement doivent contenir les multiples objets accumulés au fil du temps, en les rendant facilement accessibles. Dans les grandes villes, on observe ainsi l'apparition d'entrepôts destinés à accueillir à proximité des ménages des objets en surnombre.

De nouvelles fonctions apparaissent ou se développent. Elles concernent en particulier l'information et la communication, les loisirs, le développement personnel, le travail au domicile, la gestion du foyer, celle des flux matériels (approvisionnement, déchets), l'automatisation de certaines tâches domestiques et la sécurité (encadré). Le logement doit être en perma-

nence relié au reste du monde, grâce aux équipements de réception (radio, télévision...) et de communication (téléphone, ordinateur connecté à internet). On observe que ces appareils sont en fait des objets de « distanciation », permettant un contact sans risque (au moins apparent), que l'on peut arrêter à tout moment, même s'ils restent le plus souvent en « veille » et prêts à être remis en marche.

La gestion du ménage, toujours plus complexe, devra être facilitée. Le foyer devra aussi être de mieux en mieux protégé. Les deux tiers des logements actuels sont équipés d'au moins un système de sécurité (porte blindée, digicode, caméra, alarme). La présence conjointe d'un digicode, d'un gardien et d'une porte blindée est fréquente dans les immeubles des grandes villes, comme les systèmes d'alarme et les chiens de garde dans les maisons des zones périurbaines et rurales. Ce besoin de sécurité face au sentiment d'une délinquance accrue est plus fort chez les propriétaires que chez les locataires, chez les ménages plus aisés et chez les seniors. L'installation d'un ou plusieurs dispositifs répond également aux exigences des assurances multirisques habitations (portes blindées, etc.).

Techno-logis, éco-logis, égo-logis

Les outils technologiques (ordinateur, connexion Internet, centres multimédias, lecteurs de supports numériques...) sont de plus en plus présents dans la maison. Ils sont installés dans toutes les pièces, disponibles à tout moment et pour chacun, intégrés dans des réseaux interne et externe. Demain, ils ne seront plus câblés, mais sans fils, grâce au développement des technologies du type Wifi. Ils favoriseront l'information et la communication interactive, les loisirs individuels et familiaux. Ils satisferont aussi des besoins de développement personnel : apprentissage ; perfectionnement ; culture générale ; expression artistique... Ils rendront possible le travail à domicile ou le télétravail des actifs et faciliteront l'administration de plus en plus complexe du foyer : entretien ; approvisionnement ; formalités administratives ; gestion des comptes bancaires et du patrimoine ; organisation des activités personnelles et des rencontres ; communication avec la famille, les amis et relations...

Après un tâtonnement qui aura duré plus de vingt ans, les usages de la domotique se précisent. Au-delà de certaines fonctions d'automatisation classiques (ouverture des volets, arrosage des plantes, allumage automatique des lumières ou alerte téléphonique en cas de problème), de nouveaux services sont proposés par la « maison intelligente » : surveillance à distance de chaque pièce grâce à des webcams ; accès aux contenus multimédias (musique, photo, vidéo, radio, télévision, Internet) dans toutes les pièces grâce à des écrans à plasma ; modification des ambiances sensorielles (lumières, odeurs, sons, décors...). Ces systèmes permettront aussi aux personnes handicapées de mieux vivre en retrouvant une autonomie accrue. L'entretien du logement devra aussi être facilité, avec l'usage de nouveaux matériaux et de nouveaux équipements (aspirateurs-robots...).

L'habitat de demain devra être non seulement plus confortable, mais aussi plus économe en énergie, plus respectueux de l'environnement en amont (construction) et en aval (usage, entretien). Le chauffage pourra être automatiquement régulé en fonction de la température extérieure, des prévisions météo des jours suivants ; les fenêtres pourront être fermées en cas de pic de pollution ou de nuisances sonores. La gestion des flux matériels jouera aussi un rôle croissant. Elle concernera aussi bien les objets de toute nature qui entrent dans le foyer (produits alimentaires et non alimentaires) que ceux qui en sortent : chaque ménage rejette tous les ans environ 800 kg de déchets. La gestion automatique des stocks alimentaires depuis les réfrigérateurs ou les placards trouvera peut-être aussi progressivement sa place, mais l'intervention humaine restera au moins pour quelques années dominante.

Les Français ne rêvent pas d'un logement en forme de laboratoire ou de vaisseau spatial. Leurs préoccupations ou « revendications » sont essentiellement pratiques ; elles concernent en priorité la lutte contre le bruit et l'amélioration de la sécurité. Elles vont aussi dans le sens d'une amélioration du niveau de confort, dans ses dimensions psychologiques, presque philosophiques. La maison de demain devra apporter de nouvelles réponses à la quête croissante de mieux-vivre, de bien-être et d'harmonie. À défaut de pouvoir être totalement conçu par eux, le logement devra être « co-produit » par les personnes qui vont l'habiter. Il devra être sur mesure, polysensoriel et antistress. Il sera aussi translucide (transparent ou opaque) et entrouvert (ouvert ou fermé) selon les moments et les humeurs de ses habitants. Il sera à la fois « techno-logis », « éco-logis » et « égo-logis ».

Enfin, la modularité des espaces et la flexibilité de l'aménagement (changement de décor et transformation en fonction des besoins, humeurs...) sera sans doute la grande affaire. L'ambiance de chaque pièce pourra être modifiée en fonction de l'humeur, du moment ou de l'activité de chacun des occupants, grâce aux nouvelles technologies : ampoules LED, écrans hyper plats, vitres et verres servant d'écrans tactiles, hologrammes, réalité augmentée, etc. Le logement, et la plupart des équipements et objets qui le remplissent, seront de plus en plus « connectés » et « intelligents ».

Les ménages sont de plus en plus demandeurs de services.

Les évolutions en matière démographique et sociologique entraînent une forte croissance de la demande de services, qui prend des formes multiples. Les services de proximité aux personnes sont de plus en plus recherchés. Ils impliquent la présence de commerces classiques (alimentation, biens d'équipement...), mais aussi des offres de substitution aux tâches réalisées par les ménages : restauration ; entretien du linge ; soins corporels et esthétiques ; garde des enfants ; aide scolaire ; achats et transport des marchandises ; décoration ; bricolage-installation-réparation... Ces services seront de plus en plus souvent rendus directement au foyer, sous la forme de

La « valeur » du logement

La notion de « valeur verte » des logements est apparue récemment. Elle est le plus souvent associée à une consommation énergétique faible, notamment depuis l'affichage obligatoire du DPE (diagnostic de performance énergétique) dans les transactions immobilières, tant pour la vente que pour la location. Mais, pour les Français, la « valeur » de leur logement intègre bien d'autres dimensions, qui contribuent à la qualité de vie, au confort, au bien-être.

À l'intérieur de l'habitation, l'espace doit être à la fois structuré et modulable en fonction des moments (réception, intimité, travail, loisirs...) ou des humeurs (p. 184). Outre les fonctions classiques (repos, alimentation, hygiène, rangement), il doit remplir des fonctions plus récentes comme le travail à domicile, la domotique, la gestion administrative du ménage ou la gestion des flux (produits ou objets entrants et sortants). Il doit être sécurisé, insonorisé et permettre une distanciation par rapport au monde extérieur. Mais il doit aussi lui être connecté, et pour cela favoriser la dimension relationnelle, dans ses formes traditionnelles (entre voisins) et virtuelles (câble, satellite, fibre de verre, wifi...). Le bien-être implique aussi des dimensions sanitaires (qualité de l'air, de l'eau...), esthétiques (logement, résidence, cadre naturel...) ou géographiques (région, climat, situation...). Une autre attente croissante concerne l'accessibilité des logements aux personnes à mobilité réduite ou handicapées.

Les attentes des Français concernent aussi tout ce qui se situe autour du logement, dans son « environnement » : proximité des lieux *d'emploi* (usines, bureaux, usines, points de vente...), des commerces, des services publics (mairies, bureaux de poste, hôpitaux, écoles, crèches...), des services privés (médecins, banques, coiffeurs, garages, services à domicile...), des équipements de loisirs (stades, bibliothèques, cinémas...) et des moyens de transport (gares, aéroports, stations de bus, tram, métro, vélo, parkings...).

Ces « revendications » diverses sont parfois contradictoires (être proche des commerces et dans un quartier résidentiel...). Elles ne sont pas non plus toujours compatibles avec ce qui est collectivement souhaitable en matière environnementale (la présence de centres commerciaux ou d'équipements collectifs engendre souvent des nuisances et un bilan carbone peu favorable...).

La « valeur » réelle ou perçue des logements est une notion complexe, difficile à quantifier. Elle est différente pour chaque ménage ou individu, selon sa propre échelle de priorités (espace, présence de commerces et services, tranquillité, proximité des moyens de transport...) et ne peut donc être « intrinsèque ». Quand à la valeur « verte », elle dépend des comportements des habitants des logements en matière énergétique. Elle varie avec les travaux et aménagements réalisés par les ménages occupants. Elle est soumise à des facteurs « exogènes » difficiles à anticiper : réglementations concernant la construction et la rénovation des logements ; subventions accordées (ou malus imposés) par les pouvoirs publics sous forme d'avantages fiscaux, de prêts bonifiés, etc. Tous ces facteurs, ajoutés au poids de la conjoncture économique et financière, auront de fortes incidences sur les prix de l'immobilier et sur la sensibilité des acquéreurs ou locataires aux différentes composantes (notamment environnementales) de la valeur. Ils pourraient entraîner un bouleversement de la définition et de l'échelle des prix de l'habitat au cours des prochaines années.

livraisons, de déplacements des professionnels à domicile.

La présence « physique » de certains services publics et administrations près du domicile (guichets de poste, agences bancaires ou d'assurances, bureaux de caisses d'épargne…) reste souhaitée par les ménages, mais elle sera difficile à satisfaire compte tenu des contraintes économiques, accrues par la libéralisation des marchés au sein de l'Union européenne. Une substitution partielle et progressive va sans doute s'opérer entre ces points d'accueil et leurs équivalents virtuels, disponibles sur Internet et/ou par téléphone. D'autres services concerneront le logement lui-même : ménage ; entretien du jardin ; maintenance et réparation des équipements ; gardiennage ; surveillance en l'absence des occupants ; débarras d'objets encombrants… De nombreux ménages auront recours à différents types de services pour des raisons diverses : impossibilité d'accomplir soi-même certaines tâches (ménages âgés, personnes handicapées) ; incompétence ou désintérêt pour les tâches d'entretien ; souhait de gagner du temps (ménages actifs).

Deux fois moins en 50 ans

Évolution de la part des dépenses d'alimentation et boissons-tabac dans le budget des ménages (en % de la consommation effective*)

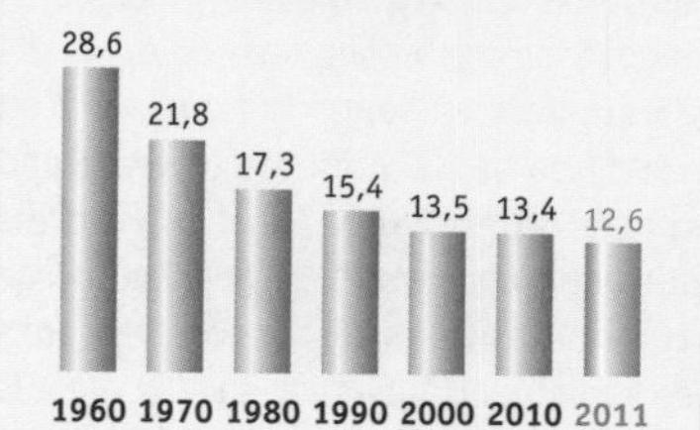

* Y compris les dépenses financées par les administrations publiques en biens et services individualisables et celles des institutions sans but lucratif au service des ménages

INSEE

ALIMENTATION

Les ménages consacrent 13 % de leur budget à l'alimentation.

Le budget alimentation, tel qu'il est mesuré par la comptabilité nationale, comprend les dépenses alimentaires de nourriture et boissons (non alcoolisées et alcoolisées) au domicile, ainsi que celles de tabac. Il inclut la production « autoconsommée » par les ménages d'agriculteurs et par ceux qui possèdent des jardins. La dépense moyenne consacrée à l'alimentation consommée au foyer représentait 12,6 % de la consommation effective des ménages en 2011 (définition en fin de graphique). Cela correspond à une dépense proche de 7 000 € par an (600 € par mois). Il faudrait y ajouter les dépenses effectuées hors domicile (cantines, restaurants…), qui représentent une part croissante : 2 % du budget total alimentaire, contre 6 % en 1980 et 10 % en 1965.

La part des dépenses alimentaires a été divisée par deux depuis le début des années 1960. Mais il ne s'agit que de sa valeur relative. Les achats de nourriture ont en effet continué d'augmenter en valeur absolue, et même en volume (un peu plus de 2 % par an depuis 1960), mais à un rythme inférieur à celui de l'ensemble des dépenses (3,2 %). L'accroissement du pouvoir d'achat pendant cette période a cependant été en priorité consacré à d'autres postes, plus extensibles que l'alimentation : loisirs, logement, transports… Le nombre de calories susceptibles d'être ingérées par une personne n'augmente pas en effet avec son pouvoir d'achat, même si elle peut acheter des produits plus coûteux. Avec la réduction des métiers manuels et l'amélioration des conditions de travail, les besoins énergétiques ont en outre fortement diminué ; la ration moyenne est passée de 3 000-3 500 calories par jour au début du siècle à 1 700-2 000 aujourd'hui.

Au sein de l'Union européenne, la part des dépenses alimentaires dans la consommation des ménages était de 20,1 % en 2009. Cette moyenne masque de réelles différences entre les pays de l'Union à 27. La part des dépenses alimentaires des Britanniques est ainsi de 9,7 %, contre 27,9 % pour les Roumains (14 % en Italie, 15,7 % en République Tchèque ou 17,7 % en Hongrie). Sur les mêmes bases de calculs, le budget représente 13,6 % en France.

La durée des repas reste stable, celle de la préparation diminue.

Après avoir augmenté de 12 minutes entre 1986 et 1999, la durée moyenne des repas pris à domicile est restée plutôt stable : les Français leur consacraient 2 h 13 en 2010 (INSEE). Le dîner, principal repas pris à la maison, dure en moyenne 30 minutes, un peu moins de 45 minutes le week-end (Gira, 2010). La durée des repas pris hors domicile a en revanche beaucoup diminué : 30 minutes en semaine, contre 1 h 38 en 1975. Le temps consacré au petit déjeuner a en revanche augmenté : près de 20 minutes par jour en semaine contre 10 minutes en 1980 et 5 minutes en 1965 ; il en est de même le week-end (plus de 30 minutes, contre 21 en 1998).

Le temps de préparation des repas au foyer s'est réduit, avec la généralisation du travail féminin, l'accroissement du taux d'équipement en congélateurs et en fours à micro-ondes, l'offre croissante de plats cuisinés ou préparés. Il tend à se stabiliser aux environs de 35 minutes en semaine (contre 42 en 1998) et de 45 minutes le week-end contre 60 en 1988. Mais un Français sur deux concerné consacre moins de 20 minutes à la préparation des repas en semaine. Un ménage sur dix recourt au moins occasionnellement à la livraison à domicile ; la proportion augmente avec le revenu des ménages, mais elle est plus importante chez les jeunes couples (un quart des moins de 35 ans, contre un sur vingt parmi les 65 ans et plus). Ce sont les femmes qui, dans la très grande majorité des cas (90 %), prennent en charge la cuisine au quotidien, mais la moitié des hommes disent y participer...

Les habitudes diffèrent selon les repas.

La très grande majorité des Français (85 %) prennent sept petits déjeuners par semaine, presque toujours à domicile (Crédoc, 2007, dernière enquête disponible). Derrière ces chiffres se cache cependant une grande diversité de pratiques : thé-café-chocolat, pain-biscottes, produits laitiers, céréales, jus de fruits, viennoiseries, œufs, charcuterie, etc. Si le petit déjeuner continental (tartines et boissons chaudes) continue de prévaloir chez les adultes (38 %), les jeunes et surtout les enfants ont adopté peu à peu le petit déjeuner à l'anglaise, à base de jus de fruits et de céréales (25 %, contre 15 % pour le petit déjeuner « traditionnel »). Quatre enfants sur cinq prennent leur petit déjeuner accompagnés, mais ce rituel familial et matinal diminue avec l'âge (51 % parmi les adolescents, 53 % chez les adultes).

Les trois repas continuent de fournir l'essentiel de l'apport énergétique quotidien. Il s'y ajoute le goûter chez les enfants de moins de 14 ans (5,6 goûters sur 7 jours). Les pratiques de grignotage se sont stabilisées (ci-après). Il en est de même des horaires des repas : entre 7 et 9 h pour le petit déjeuner, entre midi et 14 h pour le déjeuner et entre 19 et 21 h pour le dîner. En semaine et à domicile, 48 % des Français prennent leurs repas de midi dans la cuisine, 29 % dans la salle à manger, 22 % dans le salon-séjour (22 %) et 0,3 % dans la chambre. Les habitudes sont différentes pendant le week-end : 40 % prennent leurs repas dans la salle à manger, 36 % dans la cuisine et 23 % dans le salon-séjour. Ils ne sont que 0,1 % à prendre des repas au lit (Ipea). Au cours du dîner, la télévision est allumée dans deux ménages sur trois, contre quatre sur dix à l'heure du déjeuner. Les horaires des repas sont alors calqués sur ceux des journaux télévisés.

Les menus ont été simplifiés.

La composition traditionnelle des repas avec au moins trois plats successifs est de moins en moins courante. Le soir, un repas sur trois (32 %) est constitué d'un plat et d'un dessert, 15 % d'une grosse entrée et d'un dessert, 11 % d'un plat unique, 6 % d'une entrée et d'un plat garni, 10 % d'autres formules « allégées », dont 3 % un sandwich (Ocha, 2009). Au total, les trois quarts des repas ont une structure simplifiée en deux plats

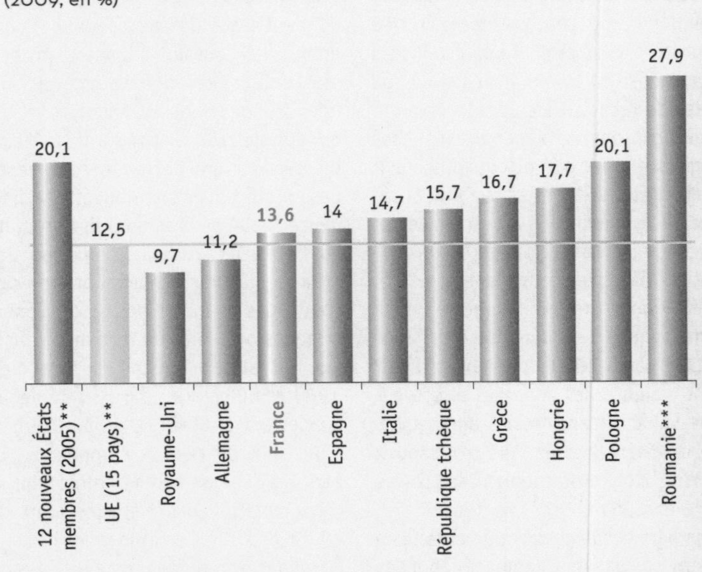

Les menus « complets » avec entrée, plat principal et dessert concernent surtout les hommes et les personnes de plus de 55 ans.

Les aliments de base ne varient guère : de la viande, du poisson ou des œufs sont présents dans 72 % des repas (déjeuners et dîners), du pain dans 64 %, du fromage dans 33 %, un yaourt dans 28 %, des fruits dans 24 %. La moindre fréquence des hors-d'œuvre induit une diminution de la consommation de légumes crus. On observe un timide retour de la soupe. La cuisine contemporaine fait une large place aux plats préparés et à l'assemblage, à partir d'ingrédients de base comme les pâtes, la viande ou la volaille. Les sauces et assaisonnements de toutes sortes sont de plus en plus utilisés pour donner du goût et personnaliser les menus.

Le goûter, qui est plutôt en régression chez les jeunes, concerne de plus en plus d'adultes: 20 % disent en prendre au moins occasionnellement. Après le *brunch* (qui fait office de petit déjeuner et de déjeuner), le *drunch* ou le *slunch* (dîner/souper), on voit arriver le *street-food*. La collation de l'après-midi est relativement récente ; elle s'inscrit dans les pratiques de grignotage tout au long de la journée (ci-dessous). Elle est favorisée sur les lieux professionnels par les pauses autour des machines à café et des distributeurs automatiques.

Le grignotage et le nomadisme se stabilisent.

Les repas ne représentent qu'une partie de l'activité alimentaire. Le grignotage (prises alimentaires hors des repas) est une pratique largement répandue, qui s'est développée dans les années 2000 (Ipsos). En 2004, 75 % des Français reconnaissaient ainsi s'y adonner au moins une fois par semaine à leur domicile, notamment devant la télévision. Le « nomadisme alimentaire » s'est développé en même temps, dans les transports, les lieux publics ou dans la rue. On observe une stabilisation de ces pratiques au cours des années récentes. Mais, au total, environ 90 % des Français sont concernés de façon habituelle ou occasionnelle. Les produits de grignotage représentent environ un quart des dépenses alimentaires et un cinquième des apports énergétiques.

Ces pratiques ont été favorisées par l'évolution des modes de vie, marqués par une individualisation des comportements et le refus des contraintes à la fois temporelles et spatiales ; on mange lorsqu'on en a envie ou le temps et n'importe où. Les repas ne sont plus des rendez-vous quotidiens fixes et rituels, notamment pour les jeunes. Ainsi, les membres d'une même famille ne mangent pas obligatoirement ensemble, et le menu est souvent différent pour chacun. Pour les enfants, le *snacking* est aussi un apprentissage de la vie et des transgressions des règles sociales ou parentales, lorsqu'elles existent.

L'offre de « *snacks* » destinée à la consommation nomade s'est diversifiée et elle est montée en gamme. Les deux produits phares, le hamburger et le sandwich, ont été complétés par d'autres : soupes, salades, tartines, kébabs, pastas, verrines, *wraps*, sushis... Les produits sont souvent présentés en portions individuelles, destinées à une consommation solitaire. Les fabricants de produits alimentaires, mis en cause dans le développement de l'obésité infantile, proposent désormais des produits de grignotage allégés. Au total, le nombre quotidien de prises alimentaires des Français (hors liquides) est de 6 (Gira). Il reste encore inférieur de moitié à celui mesuré aux États-Unis (13).

Les Français sont plus sensibles à l'équilibre nutritionnel...

La montée de l'individualisme a favorisé une attitude générale d'autonomie, de sorte que chacun se sent aujourd'hui davantage responsable de son corps et de sa santé. Un nombre croissant de Français possèdent en outre des rudiments de diététique et sont en mesure de mieux équilibrer leur alimentation. Plus d'un sur deux atteint ainsi en un seul jour le niveau maximal de diversité alimentaire (présence de toutes les catégories répertoriées), contre seulement un Américain sur trois.

Les industriels et les distributeurs, qui ont longtemps négligé l'information nutritionnelle concernant leurs produits, ont commencé à changer, sous l'effet conjugué des contraintes légales et des attentes des consommateurs. Ils se sont efforcés d'ajouter des bénéfices nutritionnels et sanitaires au plaisir gustatif (encadré). Mieux informés de ces questions, les Français consomment moins de viande rouge, d'alcool, de tabac et de graisses animales et davantage de fruits et de corps gras d'origine végétale que dans le passé. La consommation de viande et d'abats a ainsi diminué de 16 % chez les femmes adultes et de 3 % chez les hommes adultes entre 1989 et 2007 (enquêtes INCA), celle des boissons alcoolisées respectivement de 27 % et 9 %, celle du sucre et de ses dérivés (miel, confiseries, etc.) de 22 % et 27 %. C'était le cas aussi de celle des produits laitiers (16 % et 6 %) et surtout du lait (24 % dans les deux cas).

On a observé en revanche pendant cette période une augmentation d'environ 16 % de la consommation de fruits frais ou transformés, mais aussi de glaces (30 %), alors que celle des produits céréaliers, des poissons et fruits de mer, des légumes et des aliments de grignotage (sandwichs, pizzas, etc.) était restée stable. Les Français mangent moins de pain et plus de riz. L'évolution est comparable chez les enfants et chez les adolescents. On observe que les comportements alimentaires sont d'autant plus sains que le niveau d'éducation et les revenus du foyer sont élevés.

... et à la dimension sanitaire.

Les Français sont de plus en plus conscients du lien qui existe entre alimentation et santé. Les crises sanitaires ont eu un impact sur leurs comportements alimentaires. Celle de la « vache folle » s'était produite une première fois en 1986. Elle avait révélé aux Français que l'industrialisation de l'alimentation ne garantit pas sa qualité sanitaire. D'autres crises se sont succédé depuis, comme celle de la « charcuterie à la listeria » (1987), du « veau aux hormones » (1995), du « lait à la dioxine » (1998), sans parler des grippes aviaire et porcine.

Les craintes se sont portées depuis quelques années sur les conséquences des pollutions et autres atteintes à l'environnement sur la qualité des aliments, ainsi que des conditions de leur production, notamment l'utilisation des engrais et produits chimiques. C'est pourquoi ils se sont intéressés depuis quelques années aux produits « bio » (issus de l'agriculture biologique). En 2011, leurs achats ont atteint près de 4 milliards d'euros, en croissance de 10 % (estimations Agence Bio), alors que sur la même période, ceux des autres aliments augmentaient de 3 % seulement en valeur.

Les produits bio représentent cependant moins de 2 % des achats alimentaires et la plupart sont importés compte tenu de l'insuffisance des terres qui leur sont affectées en France. Leurs prix sont supérieurs de 20 % à 50 % aux produits classiques équivalents ; c'est sans doute pourquoi les Français tendent à être moins nombreux à les expérimenter. En 2011, 40 % ont déclaré en avoir consommé au moins une fois par mois, alors qu'ils étaient 43 % en 2010 et 46 % en 2009 (CSA). En revanche, 18 % de ceux qui consomment au moins un produit bio par semaine avaient l'intention d'accroître leur consommation en 2012.

Les produits consommés sont de plus en plus élaborés.

L'attention portée au contenu calorique des aliments a incité les Français à consommer des produits allégés, notamment en sucre, apparus depuis les années 1960 (yaourts, produits laitiers, boissons, charcuterie...). Mais cela ne les a pas empêchés, dans le même temps, de consommer davantage de produits « plaisir », ce qui explique la montée de l'obésité, tant chez les adultes que chez les enfants (p. 27).

Les Français souhaitent concilier non seulement le plaisir et la santé, mais aussi l'image de naturel et les avantages de l'industriel, le prix et la qualité, la rapidité de préparation et la possibilité d'ajouter une touche personnelle. Les choix des ménages se sont donc portés sur des produits moins basiques, plus sophistiqués et coûteux. Les achats de sucre, d'abats ou de triperie se sont effondrés au pro-

Plaisir et nécessité

44 % des Français considèrent que l'alimentation est avant tout une nécessité (ministère de l'Alimentation, de l'Agriculture et de la Pêche/Crédoc, juin 2011). Mais la notion de plaisir arrive presque à égalité en tant que motivation principale (41 %). En revanche, la perception de l'alimentation comme un moyen de prévenir les problèmes de santé n'est considérée comme prioritaire que par 15 %, contre 22 % en 2007.

Pour 53 % des Français, la qualité des produits alimentaires s'est améliorée depuis vingt ans, mais 43 % sont de l'avis contraire. Pour juger de la qualité d'un produit, 96 % se fient d'abord à son goût, 89 % à son apparence, 86 % à son prix (contre 90 % en 2009). La durée de conservation est également un critère de choix important (86 %), en augmentation par rapport aux années précédentes. La connaissance de la provenance du produit est citée par 83 %, la composition par 77 %, devant la garantie de respect de l'environnement (76 %).

69 % des Français disent avoir appris à cuisiner (78 % des femmes). 32 % ont appris avec leur mère, 12 % seuls, 6 % avec leurs parents, 6 % avec leur époux, 6 % dans des livres. La transmission maternelle de la cuisine reste donc une réalité.

Pour obtenir les informations sur ce qu'est une bonne alimentation, les Français font avant tout confiance aux professionnels de santé (53 %), devant les associations de consommateurs (48 %), les diététiciens (45 %) et les petits commerces (43 %). Ils sont très partagés sur le rôle de l'État : 51 % estiment qu'il doit avoir une politique en la matière, 49 % qu'il s'agit d'une affaire personnelle et que l'État n'a pas à s'en mêler. Pour 66 %, les pouvoirs publics doivent avant tout veiller à la sécurité sanitaire des produits (70 % considérant qu'elle s'est améliorée en France depuis vingt ans). Leur action doit ensuite se concentrer sur l'accès de tous, notamment des plus pauvres, à une alimentation de qualité (58 %).

Un an de nourriture

Évolution des quantités consommées de certains aliments (en kg ou litres par an)

	1970	2008
Pain	80,6	51,7
Pommes de terre	95,6	68,5
Légumes frais	70,4	86,0
Boeuf	15,6	13,3
Volailles	14,2	19,1
Œufs	11,5	13,5
Poissons, coquillages, crustacés	9,9	11,4
Lait frais	95,2	51,5
Fromage	13,8	18,6
Yaourts	8,6	21,8
Huile alimentaire	8,1	8,8
Sucre	20,4	6,2
Vins courants	95,6	22,7
Vins AOC	8,0	22,7
Bière	41,4	28,0
Eaux minérales et de source	39,9	151,1

fit de produits plus élaborés. Les achats de pommes de terre ont diminué d'un tiers depuis 1970 (68 kg par personne en 2008 contre 96 kg), mais la part des produits transformés s'est considérablement accrue. Les produits laitiers élaborés ont connu une croissance spectaculaire, avec un triplement en trente ans pour les yaourts aromatisés, les desserts lactés et les fromages frais. Les plats cuisinés frais ont aussi fait l'objet d'une forte demande, encouragée par les innovations des industriels et la montée en gamme des produits.

De la même façon, la consommation de vins AOC a fortement progressé alors que celle de vin de table s'est effondrée (p. 193). La consommation de pain a subi une forte baisse au cours des années 1950 à 1970 : 138 g par jour et par personne en 2008, contre 175 g en 1980, 325 g en 1950. Mais elle se maintient grâce à la croissance des spécialités (pain complet, aux raisins, aux noix…). Au total, un tiers des achats alimentaires des ménages concernent des produits qui n'existaient pas il y a cinq ans.

On assiste au développement d'une conception naturaliste et philosophique de l'alimentation. Celle-ci doit nourrir mais aussi soigner le corps, et favoriser le fonctionnement de l'« esprit ». C'est ainsi que s'est accrue la consommation de compléments alimentaires et d'« alicaments » (un terme inventé par l'auteur en 1995 et entré dans le Petit Larousse en 2000), supposés avoir des vertus préventives, voire thérapeutiques. La vogue des oméga-3 s'inscrit dans cette tendance, tout comme les *cosmeto-foods*, qui allient l'univers de l'alimentation à celui de la beauté.

La part des différents produits a changé…

Entre 1960 et 1990, la consommation de viande s'était accrue en volume. Elle est depuis en diminution, en volume comme en valeur. En 2009, les Français mangeaient 12 kg de viande de moins par habitant qu'en 1995. Les crises sanitaires des années 1990 et 2000 ne sont sans doute pas étrangères à ce phénomène, même si l'effondrement des ventes n'a été que de courte durée. Au cours des dernières années, les prix ont augmenté un peu plus vite que l'inflation, sauf pour les volailles. Les achats d'œufs ont également diminué de moitié depuis 1960, mais ils tendent à se stabiliser. La consommation de poisson a en revanche connu un grand essor, en particulier sous la forme de conserves et de produits surgelés ; leur part dans les dépenses a été presque multipliée par quatre. Depuis 1995, la consommation de produits frais a diminué au profit des produits transformés. C'est le cas notamment des fruits frais, avec une diminution de plus de 4 kg par habitant. Au contraire, celle des fruits transformés (jus, compotes, conserves au sirop) a augmenté de 74 kg pour atteindre 134 kg par habitant en 2009.

Au sein de l'Union européenne, les Français se caractérisent par une plus forte consommation de viande (notamment de bœuf) et de plats d'origine animale. Mais les achats de viande en valeur par habitant sont proches de la moyenne, du fait des prix relativement élevés pratiqués. Ceux de poisson, plutôt moins chers que dans les autres pays, sont en revanche supérieurs. Les produits d'origine végétale sont moins prisés des Français.

On observe par ailleurs que les Français cherchent à se simplifier la vie pour leur alimentation. La consommation de produits transformés a fortement augmenté au détriment des produits demandant plus de temps de préparation. Le taux de recours à la livraison à domicile a augmenté de 2 points entre 1999 et 2010 (11 % de la population contre 9 %), mais le taux d'utilisation d'Internet pour les courses est encore inférieur à 1 %. Le recours à la livraison à domicile de plats cuisinés a augmenté de 7 points entre 1999 et 2010 et concerne 16 % des ménages.

... et la crise économique modifie les comportements.

La stagnation du pouvoir d'achat, ou sa diminution pour un certain nombre de ménages (notamment du fait de la part croissante des dépenses « contraintes », p. 401), ont modifié certaines pratiques alimentaires. Les familles concernées ont tendance à passer plus de temps à faire leurs courses, à utiliser une liste d'achats, à se fixer un montant à ne pas dépasser (études CCCM et Kantar, 2012). Elles comparent plus systématiquement les prix des produits, utilisent les bons de réduction, font la « chasse aux promotions », privilégient les marques de distributeurs, opèrent un transfert des produits frais vers les conserves et le surgelé, réduisent les quantités, arbitrent entre les enseignes. La cuisine « maison » est aussi une façon de réduire les coûts, en achetant moins de produits élaborés et prêts à consommer (y compris parfois les yaourts ou le pain). Les menus comportent plus de plats nourrissants à base de féculents, et comportent moins souvent du fromage ou des desserts préparés. Les sorties au restaurant sont plus limitées, ainsi d'une manière générale que les dépenses d'alimentation hors foyer.

La viande n'apparaît plus comme un aliment incontournable de chaque repas. On enregistre un transfert de la viande rouge vers la volaille et les produits carnés dérivés (saucisses, raviolis, boulettes, nuggets...) plus économiques. Des transferts sont aussi opérés en ce qui concerne les poissons et crustacés, vers des espèces au profit de produits moins chers (maquereau ou sardine plutôt que thon ou sole...). Des changements de comportement importants apparaissent pour les fruits et légumes, au détriment des produits hors-saison.

Les achats de boissons sont aussi en diminution dans les ménages modestes. C'est le cas notamment des eaux minérales, auxquelles il est facile de substituer l'eau du robinet, ou des sodas (à l'exception des grandes marques, qui résistent mieux que les autres). Les grands formats sont privilégiés. Les achats de vins et d'alcool sont réduits. Ils sont plus souvent achetés dans les enseignes de maxi-discompte. La motivation économique se double souvent d'un argument de santé, ce qui rend ces restrictions plus acceptables pour les familles concernées. Il faut noter que ces évolutions se retrouvent en partie dans les comportements d'achat de l'ensemble des ménages.

La cuisine, une passion française

L'intérêt des Français pour la cuisine est l'une des illustrations de l'importance qu'ils attachent à la vie domestique (p. 177). Il a été encouragé par la multiplication d'ouvrages et d'émissions culinaires, notamment à la télévision *(Top chef, Masterchef, Un dîner presque parfait, Cauchemar en cuisine...)*, à mi-chemin entre émissions pratiques et téléréalité. On observe aussi depuis quelques années un engouement pour les cours de cuisine et une utilisation croissante d'Internet pour échanger et commenter des recettes. La préparation culinaire est ainsi moins souvent vécue comme une « corvée », mais plutôt comme une passion et un loisir lorsqu'elle est pratiquée de façon occasionnelle.

81 % des Français affirment cuisiner, dont 52 % « fréquemment » et 29 % « parfois » (Cuisines en fête/Ipsos, septembre 2011). Les femmes sont toujours plus nombreuses que les hommes : 65 % fréquemment contre 38 %. Mais la proportion de cuisiniers fréquents atteint 45 % chez les jeunes hommes (18-29 ans) et même 47 % chez ceux qui sont en âge d'avoir des enfants (40-49 ans), ce qui laisse espérer un début de rééquilibrage entre les sexes. La pratique fréquente de la cuisine est plus développée en province (54 %) qu'en Île-de-France (44 %), dans les foyers avec enfants que sans enfant (58 % contre 49 %).

Les Français qui s'adonnent à la cuisinent lui consacrent en moyenne 1 h 22 par jour (semaine et week-end confondus). Ils préfèrent cuisiner seuls plutôt qu'accompagnés et s'attribuent une note moyenne de 6,2/10 (6,7 pour les femmes, 5,7 pour les hommes). La majorité des Français (52 %) considèrent qu'ils font moins bien la cuisine que leurs parents ne la faisaient lorsqu'ils étaient enfants. Seuls 28 % estiment mieux cuisiner qu'eux. Les femmes sont plus nombreuses que les hommes à se trouver meilleures cuisinières (30 %) ou aussi bonnes (23 %) que leurs parents, notamment celles de 40 ans et plus (respectivement 32 % et 25 %).

Les Français apprécient à la fois l'exotisme et le terroir.

Le mouvement général de mondialisation a touché les pratiques alimentaires, avec l'apparition du *world food* et l'intérêt pour les produits « venus d'ailleurs ». Plus des trois quarts des Français consomment au moins occasionnellement des produits exotiques, contre moins de la moitié en 2000. Les plus concernés sont des personnes de moins de 40 ans ayant des enfants et appartenant aux catégories aisées. Ces produits répondent aux attentes de nouvelles expériences sensorielles, tant en ce qui concerne le goût (épices, saveurs) que l'apparence ou la texture. Les lieux d'initiation privilégiés sont les restaurants.

L'ouverture aux nouvelles saveurs se heurte à la crainte d'une perte de l'identité culinaire, alimentée par les discours sur la « malbouffe ». C'est pourquoi on constate parallèlement un regain d'intérêt pour les produits du terroir. Ils ont été en outre favorisés par l'engouement pour les produits « locaux », même si en France le nombre des « locavores » (acheteurs exclusifs de produits cultivés à proximité immédiate) et le développement des AMAP (association pour le maintien d'une agriculture paysanne). Il n'y a cependant pas contradiction entre ces deux mouvements ; il s'agit dans les deux cas de trouver ou de retrouver des points de référence, proches dans le premier, éloignés dans le second. Pour un Alsacien, la gastronomie provençale peut d'ailleurs être perçue comme « exotique », et réciproquement.

Le *world food* tend aujourd'hui à laisser place au *fooding* (contraction de *food* et de *feeling*), qui prône l'affranchissement des conventions culinaires au nom du plaisir. Il s'inscrit dans la tendance générale à la cuisine d'assemblage : mélange de goûts, d'ingrédients et de techniques d'origines géographiques et historiques les plus diverses ; association de différents genres culinaires et courants gastronomiques (cuisine traditionnelle, *fusion food*, *street food*, *easy eating*, etc.).

La consommation de vin continue de chuter, ...

Sur les vingt dernières années, la consommation globale d'alcool a diminué de 20 %. Les Français de 14 ans et plus ont consommé en moyenne 50 litres de vin en 2010, contre 76 litres en 1995. Depuis 1980, la proportion de consommateurs réguliers est passée de 51 % de la population à 17 %, tandis que celle des consommateurs occasionnels est passée de 30 % à 45 %. Celle des non-buveurs a plus que doublé, de 19 % à 38 % (FranceAgrimer). Un million de Français ont cessé de boire du vin entre 2000 et 2010. La proportion de consommateurs réguliers est passée de 36 % à 26 % chez les hommes et de 13 % à 11 % chez les femmes.

Pour 1,4 % des hommes âgés de 40 à 75 ans, la consommation régulière d'alcool entraîne un risque de dépendance, pour 13,1 % d'entre eux un risque chronique et pour un tiers d'entre eux un risque ponctuel alors

Dis-moi quel aliment tu préfères...

Parmi une liste de quarante plats proposés (*Vie Pratique Gourmand*/Sofres, octobre 2011), le magret de canard est désigné comme plat préféré par 21 % des Français, devant les moules-frites (20 %) et le couscous (19 %). Ces choix témoignent à la fois de l'attachement au patrimoine culinaire et régional, mais aussi d'une attirance pour des plats plus exotiques, illustrant notamment l'influence méditerranéenne. Les choix font peu de place à la diététique et à l'équilibre alimentaire, puisque parmi les sept plats préférés, seuls le couscous et la blanquette de veau (qui arrivait en tête en 2006) comportent des légumes.

Les traditions régionales restent prégnantes : les moules frites sont classées en deuxième position par les habitants du Nord (25 %), derrière le steak-frites (33 %) ; ceux du sud-ouest placent le magret de canard à la première place (37 %), et en troisième place le confit de canard, autre spécialité régionale (22 %) ; ceux du Centre mettent en deuxième place le bœuf bourguignon (24 %, derrière les tomates farcies à 28 %) ; ceux du Sud-est privilégient le patrimoine dauphinois et son célèbre gratin (22 %) ; ceux de l'Est sont nombreux à citer la choucroute comme leur plat préféré (22 %, mais en deuxième position derrière le couscous, 28 %). La raclette, représentative des Alpes, ne figure cependant qu'en septième position (17 %). Quant aux Parisiens, ils se prononcent en faveur du pavé de saumon grillé (25 %).

Alors que les cadres et professions intellectuelles affichent une préférence pour les diététiques pavés de saumon grillé et sushi (24 % et 21 %), les ouvriers choisissent la raclette et le traditionnel steak-frites (25 % chacun). L'âge est aussi un facteur discriminant. Les plats préférés des moins de 35 ans sont la raclette (31 %), la pizza (26 %), la tartiflette (24 %) et le steak-frites (23 %). Les plus âgés sont davantage attirés par les plats du terroir : pot-au-feu pour les 50-64 ans (25 %) ; gigot d'agneau (31 %) et blanquette de veau (30 %) pour les 65 ans et plus.

que pour les femmes du même âge, le risque est deux fois moindre (respectivement 0,2 %, 3 % et 12,9 %). La moitié des Français perçoivent aujourd'hui le vin comme un produit alimentaire à risque. Il est essentiellement associé au plaisir, ce qui explique sa consommation de plus en plus occasionnelle, voire exceptionnelle. En 2010, plus d'un tiers des hommes de 15 à 75 ans estimaient que le seuil de consommation dangereuse pour un homme se situe au-delà de 3 verres par jour, plus de la moitié parmi les buveurs quotidiens et moins d'un tiers parmi les non buveurs. Mais seuls 44 % des consommateurs quotidiens sont conscients des risques liés à l'alcool (contre 38 % des consommateurs hebdomadaires et 20 % des buveurs mensuels), alors qu'ils constituent la population la plus vulnérable.

… tout comme celle de bière.

La consommation de bière est la résultante de nombreux facteurs, tant sociologiques qu'économiques ou climatiques (1°C de moins entraîne une baisse de la consommation de l'ordre de 3 à 4 %). Comme celle du vin, mais moins nettement, elle a diminué en volume au fil des années : 30 litres par personne et par an en 2010 soit une baisse de 25 % en 25 ans. Au sein des pays européens, la consommation française se situe loin derrière celle des Tchèques (159 litres), des Allemands (110 litres), des Irlandais (90 litres), des Belges (81 litres) ou des anglais avec 76 litres.

Au pays du vin, la bière a sa place. Les deux tiers des Français (62 % des 18-65 ans) en consomment (au moins une fois tous les six mois). Un quart (23 %, soit à peu près la même proportion que le vin rouge) en boivent au moins une fois par semaine. Cependant, la part des « occasionnels » tend à s'accroître : 63 % en 2010 contre 60 % en 2004. On compte encore parmi les consommateurs une majorité d'hommes, mais elle diminue sensiblement : 61 %, mais 67 % en 2004. À l'inverse, la part des groupes sociaux aisés est passée en quatre ans de 40 % à 44 %. 23 millions de Français ne boivent jamais de bière. On observe depuis plusieurs années une baisse sensible dans les bars (un quart des volumes consommés). Elle peut être en partie attribuée à l'interdiction de fumer dans les lieux publics (fin 2006). Elle est aussi la conséquence de la désaffection générale à l'égard des boissons alcoolisées, souvent « diabolisées » par le corps médical et les institutions. Quant à la « crise » qui sévit, elle induit des arbitrages de consommation qui ne sont pas dans l'ensemble favorables aux produits alimentaires. Comme pour le vin, la consommation de bière a cependant connu une croissance en valeur, avec une montée en gamme (« premiumisation»), qui se traduit par le poids croissant des bières spéciales, régionales, bio, de luxe, de saison (Noël, Printemps, etc.).

La consommation de spiritueux est stable.

Dans un contexte de lutte généralisée contre l'alcoolisme, la consommation de spiritueux est stable depuis des décennies. Elle a représenté 2,7 litres par personne de 15 ans et plus en 2010 (équivalent alcool pur),, contre 2,5 en 1961 un volume comparable à celui de la bière. La désaffection pour les produits traditionnels (apéritifs à base de vin, portos, gentianes) se confirme. La baisse touche depuis quelques années les apéritifs anisés, qui représentent un quart des achats en valeur et concernent peu les jeunes, plus attirés par les goûts sucrés et fruités. Celle concernant le whisky (environ 40 % des achats) semble être enrayée, et la France reste le premier consommateur mondial. La consommation de vodka et de rhum poursuit sa progression, de même que celle des liqueurs dites « modernes » plus faiblement alcoolisées et aux goûts exotiques. Les cocktails et produits à mélanger connaissent aussi un engouement, ce qui explique la croissance des achats

Un litre par personne et par mois

Évolution de la consommation d'alcool en France (en litres d'alcool pur par habitant de 15 ans ou plus)*

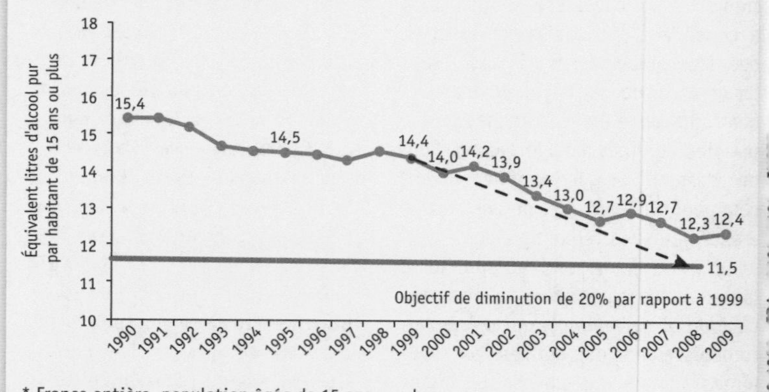

* France entière, population âgée de 15 ans ou plus

Alcool à domicile

58 % des Français déclarent consommer de l'alcool « uniquement à la maison » (baromètre Entreprise &Prévention 2011). 80 % des occasions de consommation ont désormais lieu à domicile, chez soi ou chez des amis, contre 5 % dans un bar ou 4 % dans un café. Ce transfert de la consommation vers le domicile peut s'expliquer par la crise économique et l'arbitrage des dépenses qu'elle a induit : pour le prix d'un verre de vin au restaurant ou d'une bière au café, le consommateur peut acheter une bouteille ou un pack.

Le budget moyen consacré à l'achat d'alcool a un peu diminué en valeur : 309 € en 2010 contre 314 € en 2007 (Kantar Worldpanel). Sur la même période, les volumes achetés ont diminué de 6,2 litres en moyenne par ménage, de 80,7 litres de boissons alcoolisées en 2007 à 74,5 litres en 2010. Mais on observe une montée en gamme, avec un prix d'achat moyen des produits alcoolisés passé de 3,90 € à 4,20 € par litre en quatre ans. Elle est accompagnée ou suscitée par l'offre des marques en magasins, avec des produits plus diversifiés destinés à des consommations plus occasionnelles. Ainsi, 75 % des volumes de bière sont aujourd'hui consommés à domicile.

La désaffection des Français pour les cafés, qui s'est amorcée il y a plus de vingt ans, est la conséquence d'un développement des pratiques de convivialité au foyer. Les prix pratiqués, notamment depuis le passage à l'euro en 2002, ont aussi incité à un transfert de consommation au domicile, de même que l'interdiction de fumer dans les lieux publics. Au total, un adulte sur deux consomme des boissons alcoolisées au moins une fois par semaine. 7 % en consomment plusieurs fois par jour. La prévention contre l'alcoolisme devra tenir compte des nouvelles habitudes.

de rhum. La consommation à domicile représente 80 % des occasions (chez soi ou en tant qu'invité) et la proportion de consommateurs est inférieure à 70 %. Hors foyer, les achats en grandes surfaces se maintiennent, alors qu'ils ont diminué sensiblement dans les cafés et restaurants (11 % des volumes) ainsi que dans les bars et discothèques (9 %). Bien qu'elle se situe toujours dans le peloton de tête (derrière l'Estonie, la République Tchèque, l'Irlande, la Lituanie, l'Autriche, la Hongrie, dans cet ordre en 2006), la France est le pays d'Europe où la consommation globale de boissons alcoolisées a le plus chuté au cours des quarante dernières années.

La consommation d'eau minérale a repris après une forte baisse...

La consommation des eaux minérales est de 140 litres environ par habitant, ce qui fait de la France le troisième consommateur en Europe, derrière l'Italie et l'Espagne. Elle avait connu une forte augmentation à partir des années 1970, grâce à l'image de santé qui lui était associée. La consommation avait cependant diminué entre 2007 et 2009, sous l'effet de la crise économique. Elle a augmenté de nouveau en 2010 (2 % en volume, baromètre C.I.Eau/TNS) et 2011 (3 %).

65 % des Français déclarent boire de l'eau du robinet tous les jours contre seulement 13 % occasionnellement alors qu'ils sont 47 % à déclarer boire quotidiennement de l'eau en bouteille et 30 % de façon occasionnelle. Sept Français sur dix trouvent que l'eau du robinet a bon goût, mais 21 % restent insatisfaits de sa qualité organoleptique. Les Français achètent ainsi de plus en plus de carafes destinées à filtrer l'eau courante. Un ménage sur cinq en est équipé et il s'en vend plus d'un million d'exemplaires chaque année depuis 2009. En 1970, les Français buvaient 2,6 fois plus de boissons alcoolisées que d'eaux minérales et de source et de jus de fruits. La proportion s'est inversée au début des années 1990 et s'est confirmée depuis.

... et les autres boissons non alcoolisées poursuivent leur croissance.

Les Français consomment environ quatre fois plus de boissons non alcoolisées (en volume) que de boissons alcoolisées. Cela représentait en valeur 0,9 % du budget des ménages en 2010 pour les premières et 1,1 % pour les secondes (à comparer par exemple à 1,7 % pour les fruits et légumes). Parmi les boissons non alcoolisées, les eaux en bouteille comptent pour 35 % (ci-après), suivies du café et du thé (22 %), du lait (18 %), des boissons rafraîchissantes sans alcool (14 %), des jus de fruits et des nectars (6 %) et des sirops après dilution (5 %).

La consommation des boissons rafraîchissantes sans alcool (sodas, colas, limonades, tonics, boissons aux fruits...) a plus que doublé depuis 1980 ; elle représentait 66 litres par personne en 2010 (Unesda). Il s'y ajoute celle des jus de fruits et nectars (27 litres) et des sirops (22 litres). Elle concerne surtout les adolescents, devant les enfants et les adultes. La France se situe très en-dessous de la moyenne européenne pour les BRSA (96 litres), dominée par l'Allemagne (139) et la Belgique (125) et le Royaume-Uni (107). Elle est en revanche au-dessus en ce qui concerne les jus de fruits (22 en moyenne dans l'U.E.) et des sirops (16). La consommation de jus de fruits commercialisés a triplé en dix ans, celle des nectars a été multipliée par cinq. Le jus d'orange représente la moitié des achats, suivi de très loin par le jus de pomme (10 %). La croissance des jus de fruits et nectars biologiques a atteint 25 % en 2011, mais ils ne représentent encore que 3,5 % de l'ensemble.

Un repas sur sept est pris à l'extérieur...

Les Français prennent en moyenne un repas sur sept à l'extérieur de leur domicile, les Espagnols un sur six, les Britanniques un sur trois et les Américains un sur deux. Quatre Français sur dix mangent au moins une fois par jour hors de chez eux. Les repas du midi représentent encore 40 % des repas pris hors foyer mais cette part baisse au profit des consommations du soir et du matin. La consommation à emporter a dépassé la consommation sur place en nombre d'occasions.

La dépense moyenne des ménages pour les repas pris hors du domicile représente un cinquième du budget alimentaire total (y compris les boissons alcoolisées) avec une incidence forte depuis le passage à l'euro. Les restaurateurs traditionnels se trouvent de plus en plus en concurrence avec la restauration rapide, surtout *low cost*. Le ticket moyen est ainsi en baisse et s'établissait à 7,90 € en 2011, conséquence de la crise économique.

Les Français ont dépensé 67 milliards d'euros en 2010 pour leur alimentation hors domicile (GIRA), soit 2 400 € en moyenne par ménage, ou 200 € par mois. La restauration commerciale a représenté 72 % de ce montant. Les commerces alimentaires (boulangeries, traiteurs, stations-service, cinémas...) figurent pour environ 12 %, les cafés-bars-brasseries 9 %, la restauration hôtelière (6 %) et la restauration automatique (1 %). Le reste (28 %) représente la restauration collective (entreprises, écoles, hôpitaux).

La restauration « structurée » (établissements appartenant à des chaînes et enseignes) recueille les deux tiers des dépenses, contre 32 % pour les restaurants indépendants. La restauration à table n'a pas encore retrouvé son niveau de 2006. Dans un contexte d'arbitrage des dépenses, on observe un accroissement des achats de vin au verre, de plats du jour et de formules à deux plats, au détriment des plats à la carte (en particulier entrées et desserts), des boissons alcoolisées, des softs drinks et eaux minérales, des cafés de fin de repas. À l'inverse, la restauration rapide poursuit sa croissance.

... et la restauration rapide se développe toujours.

Avec un chiffre d'affaires de plus de 10 millions d'euros par an, la restauration rapide a progressé à un rythme annuel de 5 % sur les dix dernières années contre seulement 3 % pour l'ensemble de la restauration. Entre 1999 et 2009, le nombre d'établissements a doublé, malgré un taux de survie des nouveaux restaurants inférieur à celui des autres commerces (37 % à cinq ans contre 52 %).

La boulangerie est devenue en 2011 le premier circuit de distribution, avec 17 % des repas de midi hors foyer (Food Service Vision), juste devant la sandwicherie (16 %), le *fast-food* (15 %), la grande distribution (14 %) et la restauration à table (11 %) selon. Le secteur des *fast-foods* anglo-saxons représente environ la moitié des dépenses avec plus de 90 millions de hamburgers vendus chaque année. Leur part reste cependant limitée ; les Français consomment environ neuf fois plus de sandwichs et seize fois plus de pizzas. Avec un peu plus de 1 500 établissements en 2011, le nombre de *fast-foods* est loin d'approcher celui des boulangeries (35 100). De son côté, la grande distribution développe des rayons *snacking* ; leur nombre a été multiplié par trois en dix ans.

La restauration rapide tente de retrouver le caractère innovant et « branché » qu'elle a eu pendant des années en développant des offres sur l'« *ethnic-food* » et le bio. Elle est aussi concurrencée par le développement du grignotage et du nomadisme (p. 189), qui favorise le recours à la distribution automatique et aux solutions de dépannage sur les lieux de transport, de transit (gares, aéroports...), dans les grandes surfaces ou dans la rue. Plus de 2 milliards de repas « sur le pouce » sont ainsi pris chaque année, avec une tendance à un grignotage plus équilibré sur le plan nutritionnel.

TRANSPORT

Les ménages consacrent 14 % de leur budget aux transports.

La part des transports dans les dépenses de consommation des ménages était passée de 10,6 % en 1960 à 15,6 % en 1990. Elle s'est un peu réduite depuis, du fait notamment

de la baisse du prix relatif des véhicules et du vieillissement du parc ; elle représentait 14 % en 2010. Elle constitue cependant le troisième poste du budget, derrière le logement et l'alimentation, alors que l'alimentation pesait trois fois plus que les transports en 1960 (27,3 % contre 8,9 %). Chaque ménage dépense ainsi près de 4 300 € par an pour ses déplacements, soit près de 400 € par mois.

La voiture absorbe l'essentiel (82 %) des dépenses de transport des ménages, avec notamment un prix des carburants en augmentation de plus de 30 % par rapport au prix des autres biens de consommation (Insee). Les moyens de transport collectifs terrestres (train, car, autobus) représentent quant à eux seulement 16,7 % avec une forte hausse de la part du TGV, qui passe de 4,2 à 5,9 % des dépenses. Certaines municipalités ont cependant développé les transports urbains et périurbains. Disparu pendant des décennies, le tramway est revenu en force dans les grandes villes : Paris, Lyon, Nantes, Montpellier, Orléans, Nancy, Rouen, Bordeaux... Les transports publics sont plus souvent utilisés par les femmes que par les hommes, plus souvent par les jeunes et les personnes âgées que par celles d'âge moyen. Les deux-roues ne comptent que pour 3 % des dépenses, une part en diminution depuis vingt ans, malgré la hausse du nombre de ces véhicules.

Le prix de la mobilité

Évolution de la part des dépenses de transport dans le budget des ménages (en % de la consommation effective*)

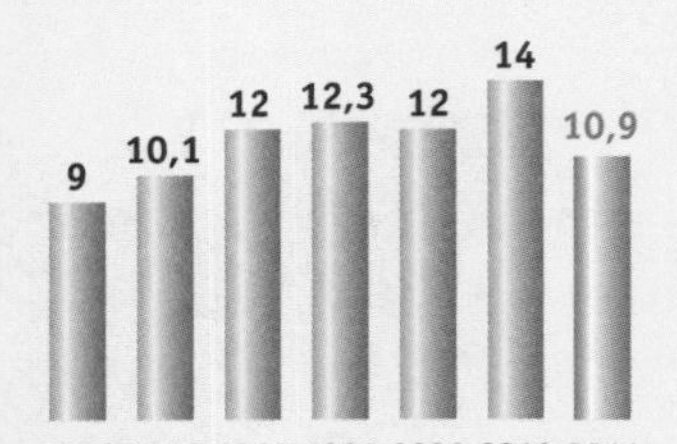

* Y compris les dépenses financées par les administrations publiques en biens et services individualisables et celles des institutions sans but lucratif au service des ménages

La mobilité s'accroît, mais le temps de transport est stable.

Les déplacements effectués par les Français, mesurés par le nombre de voyageurs multiplié par les distances effectuées, ont progressé de 25 % entre 1990 et 2010 (889 milliards de voyageurs-kilomètres contre 712), soit beaucoup plus que la population, mais il avait atteint 897 milliards en 2004. La France arrive en deuxième position en Europe, derrière l'Allemagne, devant l'Italie et la Grande-Bretagne. En 2010, les Français ont parcouru en moyenne 14 600 km pour l'ensemble de leurs déplacements, en incluant les week-ends et les vacances, dont 8 700 km en mobilité locale (moins de 80 km à vol d'oiseau autour de leur domicile), ce qui correspond à 99 % du nombre des déplacements et 40 % des distances parcourues (ENTD).

Les Français consacrent en moyenne 56 minutes par jour à leurs déplacements locaux, mais ce temps varie de 47 à 75 minutes entre les plus petites agglomérations et les plus grandes (Paris). La distance quotidienne parcourue était de 25 km en 2008, contre 23 km en 1994 et 17 km en 1982. La mobilité contrainte (trajets domicile-travail-études) représentait 20 minutes (35 minutes pour les actifs non-chômeurs), les autres déplacements 35 minutes. Le temps total consacré aux déplacements est quasiment inchangé depuis 1986 en ce qui concerne les trajets professionnels. Le nombre moyen de déplacements quotidiens par personne a lui aussi peu varié depuis vingt-cinq ans ; il est un peu supérieur à trois (3,15), dont 2 en voiture, 0,75 à pied, 0,1 en deux-roues.

La mobilité locale est restée stable, avec en moyenne 3,5 déplacements par jour. Les personnes traditionnellement plus mobiles (actifs occupés, élèves, étudiants) se sont un peu moins déplacées en 2008 qu'en 1994, alors que les moins mobiles, notamment les jeunes retraités, ont vu leur mobilité progresser. Quant à la mobilité sur longue distance, elle a augmenté de 20 % entre 1994 et 2008. Les 10 % des Français les plus mobiles ont réalisé la moitié du nombre total des voyages. En 2008, les Français ont effectué en moyenne 6,4 déplacements à longue distance dont 80 % pour des raisons professionnelles.

Les Français prennent plus souvent le train...

Le trafic ferroviaire avait diminué jusqu'en 1995, année marquée par les grèves de décembre. Il avait augmenté de 10 % sur l'ensemble des années 1990, grâce à l'expansion du TGV sur les anciennes lignes Sud-est et Atlantique et à la montée en puissance de Thalys et d'Eurostar au nord du pays, vers Londres et Bruxelles. Après les ouvertures de Paris-Tours (1990), Paris-Londres (1994), Paris-Bruxelles (1996) et Paris-Marseille (2001), celles vers l'Espagne (2005) et vers l'Est (2006) ont contribué à accroître la part du TGV. Le TGV représente désormais plus de la moitié du trafic SNCF (61 % en 2010), en hausse de 1,5 % entre 2009 et 2010 , alors que l'ensemble du trafic ferroviaire affichait une légère baisse de 0,1 %. Le train est de plus en plus utilisé pour des motifs professionnels, contrairement à la voiture.

L'usage des trains express régionaux a également augmenté (40 % depuis 1992), profitant notamment de la décentralisation. Les Français effectuent en moyenne 15 trajets en train par an, loin encore du Japon, par exemple, où le nombre est proche de 70, ou de la Suisse (40). Près de 50 000 personnes, appelées « navetteurs », prennent chaque jour le train (hors trains de banlieue) pour se rendre de leur domicile à leur lieu de travail. L'augmentation du trafic ferroviaire a été inférieure à celle de la mobilité, de sorte que le train représentait 11,3 % du trafic de voyageurs en 2010, contre 12 % en 1985. Les autobus et autocars représentent 5,7 % du trafic, une part presque inchangée en vingt ans. En Île-de-France, la RATP a transporté 4,2 millions de voyageurs par jour en 2010, dont 49 % en métro, 32 % en RER (Réseau express régional), 17 % en bus et 2,6 % en tramway. Sur l'ensemble des réseaux de transports collectif urbains franciliens en site propre, l'autobus (Paris et banlieue) compte 3 243 km contre 202 km pour le métro, 115 pour le RER et seulement 53 km pour le tramway en 2010 (Certu).

… et l'avion, …

Les années 1990 avaient été celles de la démocratisation de l'avion. Le trafic aérien intérieur avait ainsi augmenté de 60 % entre 1988 et 2000, contre 25 % pour le train et 10 % pour les autres transports terrestres (urbains, routiers, taxis). L'ouverture du ciel à la concurrence (janvier 2000) a entraîné une multiplication des offres et fait baisser les prix, avec l'apparition des compagnies *low cost*. Le trafic avait cependant connu une forte baisse entre 2001 et 2003, liée notamment à la concurrence du TGV, la disparition de plusieurs compagnies intérieures (Air Lib, puis Aéris et Air Littoral). Le transport aérien intérieur a souffert de la désaffection pour les lignes transversales, alors que les vols internationaux progressaient. En 2011, le taux de croissance a dépassé 6 %, malgré la faiblesse relative du trafic intérieur de passagers et le recul du trafic avec le Maghreb.

La France reste cependant le premier pays européen en ce qui concerne la densité de fréquentation des vols intérieurs. Près de 22 millions de voyageurs ont ainsi été transportés en 2010, dont 15,5 millions entre Paris et les régions et 6,2 millions entre les régions (DGAC). Le trafic entre la métropole et l'outre-mer a légèrement progressé, avec 3,5 millions de voyageurs. Celui à destination de l'international a connu en revanche une forte progression : 97,4 millions de voyageurs. Paris occupe la deuxième place européenne, derrière Londres et devant Francfort.

Le transport maritime de passagers connaît, lui, une progression globale, que ce soit sur les lignes trans-Manche avec près de 17 millions de personnes transportées via les 9 ports métropolitains (Dunkerque, Calais, Boulogne, Dieppe, Le Havre, Cherbourg, Saint-Malo et Roscoff) ou sur la façade méditerranéenne via les 8 ports (Sète, Marseille, Toulon, Nice, Bastia, L'Île-Rousse, Ajaccio et Bonifacio) qui ont vu passer près de 11 millions de voyageurs, en hausse de 4,1 % en 2010 par rapport à 2009.

… mais la plupart des trajets sont effectués en voiture.

Les Français utilisent la voiture pour les deux tiers de leurs déplacements. Sa place n'a cessé de s'accroître depuis des décennies. Plus de 80 % disent utiliser leur voiture pour leurs déplacements (trajets quotidiens et loisirs), ce qui confirme son caractère dominant parmi les modes de transport. Cependant, seul un Français sur quatre déclare n'utiliser que ce moyen, ce qui signifie que les trois autres sont occasionnellement piétons, cyclistes ou usagers des transports en commun. Parmi ceux qui disposent d'un arrêt de transport en commun à moins de 10 minutes à pied de chez eux, plus de la moitié (57 %) utilisent quand même leur véhicule personnel pour aller travailler.

En 2008 (dernière enquête disponible, INSEE), 76 % des déplacements locaux en semaine étaient effectués

La voiture d'abord

Évolution de la part des modes de transport (en %, sauf voyageurs-km)

	1990	2000	2010
Véhicules particuliers	81,7	83,2	81,8
Transports en commun ferroviaires	10,6	9,8	11,1
dont TGV	*2,1*	*4,2*	*5,9*
Autobus, autocars	5,9	5,2	56,1
Transports aériens	1,6	1,8	1,4
Milliards de voyageurs-km	694,7	825,7	889,2

INSEE

Le vélo, avenir de la ville ?

Le vélo compte en France 21 millions de pratiquants, soit la moitié (45 %) des 4-65 ans ; 30 % d'entre eux l'utilisent au moins une fois par semaine. Les régions ayant le plus fort taux d'utilisateurs sont l'Alsace, la Bourgogne et le Poitou-Charentes. 75 % des pratiques se font en groupe, 25 % en solo. Il représente au total 3 % des déplacements des Français. Plus de 3 millions de vélos sont achetés chaque année. Le vélo remplit trois fonctions distinctes et complémentaires : transport, loisir, sport. Son usage dans les villes est de plus en plus courant ; 14 000 km de voirie urbaine ont été créées, dont 6 000 km entre 2007 et 2011.

Pour ceux qui peuvent l'utiliser, le vélo présente en effet de nombreux avantages en tant que moyen de transport : coût d'utilisation très faible ; autonomie ; rapidité (la vitesse moyenne dans les grandes villes est plus élevée qu'en voiture) ; exercice physique ; impact écologique nul. Son potentiel de développement est important puisque la distance moyenne parcourue en vélo est de 75 km en France, contre environ 900 km au Danemark et aux Pays-Bas, 300 km en Belgique, Allemagne et Suède. D'autant que 50 % des déplacements urbains des Français sont inférieurs à 5 km, 42 % à 3 km, 21 % à 1 km.

Le développement à venir du vélo dépendra cependant de la capacité à résoudre certains problèmes associés à son usage : incivilités ; effort physique à fournir (dans un contexte de vieillissement de la population) ; inconfort en cas d'intempérie ; relation parfois difficile avec les autres usagers de la chaussée ; difficultés à ranger le vélo au domicile ou à stationner en ville. Il sera également nécessaire d'améliorer l'intermodalité et la signalisation urbaine.

en véhicule personnel à moteur (voiture ou moto), soit un peu plus qu'en 1994 (74 %). 19 % étaient effectués à pied ou en vélo, 5 % en transports en commun. La durée moyenne des déplacements en véhicule à moteur était de 16 minutes, soit 1 minute seulement de plus en quatorze ans.

Dans Paris, un déplacement sur deux se fait à pied, mais la moitié d'entre eux portent sur une distance inférieure à 900 mètres. Les femmes marchent davantage que les hommes : 60 % de leurs déplacements contre 47 % pour les hommes. La part des déplacements entre Paris et la banlieue ne représente que 1,5 % (dont 81 % sur des distances supérieures à 5 km). Le vélo est utilisé pour seulement 3 % des déplacements des Parisiens mais son utilisation est en progression, surtout chez les hommes, depuis l'installation des vélos en libre-service.

84 % des ménages possèdent une voiture, 36 % en ont au moins deux.

Aujourd'hui, seuls 16 % des ménages n'ont pas de voiture, contre 24 % en 1994 (CCFA 2011). 45 % des ménages en possèdent une seule (le même taux qu'en 1994), mais 36 % en possèdent deux ou plus (contre 26 % en 1990 et 16 % en 1980). Le taux de motorisation atteint 90 % parmi les 20 % de ménages les plus aisés, contre 60 % parmi les 20 % les plus modestes. Dans les centres villes, les ménages sont plutôt de petite taille et faiblement motorisés ; ils comportent plus de personnes en périphérie et en zone rurale, où ils sont fortement motorisés.

C'est dans les communes périurbaines et les zones rurales que l'équipement est le plus élevé et qu'il s'accroît le plus. Il se développe également dans les banlieues, alors qu'il a tendance à stagner dans les centres villes. L'usage de l'automobile s'est stabilisé dans les grandes villes (p. 205) et il a même reculé à Paris. Toutefois, avec la population et les distances de déplacements croissants, le trafic automobile a augmenté de 30 % entre 1995 et 2010. L'une des raisons de l'accroissement du nombre de voitures est que les femmes sont de plus en plus nombreuses à conduire (p. 206).

Le taux d'équipement automobile s'est accru de 21 % en vingt ans (entre 1990 et 2010,) alors que sur la même période la population française avait augmenté deux fois moins vite. La progression n'a été que de 6 % en Allemagne, 8 % aux États-Unis, loin des progressions de l'Espagne (51 %), de la Pologne (218 %), de la Turquie (284 %), de la Corée (406 %) et de la Chine (840 %). Cette dernière a atteint en 2011 un taux d'équipement de 47 voitures pour 1 000 habitants, à comparer aux 599 en France et 814 aux États-Unis.

Après les aides de l'État, les immatriculations reculent.

2,2 millions de voitures particulières neuves ont été immatriculées en 2011. La forte chute qui s'était produite entre 1990 (année record avec 2,3 millions) et 1996 (1,6 million) avait été enrayée à partir de 1998, et la hausse s'était poursuivie jusqu'en 2002 (2 145 000 véhicules), favorisée par l'accroissement du multi-équipement et la fré-

Vue sur le parc

Évolution des caractéristiques principales du parc automobile des ménages

	1990	2010
Parc total (en millions)	**23,0**	**33,6**
Âge moyen du parc (en années)	**5,8**	**8,0**
Répartition du parc par groupe automobile (en %)		
Renault (y compris Dacia)	33,3	28,6
PSA Peugeot Citroën (y compris Talbot en 1990)	38,3	38,2
marques étrangères	28,4	33,2
Répartition du parc par puissance fiscale (en %)		
2, 3, 4, 5 CV	41,8	44,3
6 et 7 CV	47,1	42,5
8 CV et plus	12,8	13,1
Répartition du parc par gamme (en %)		
petites voitures	39,4	46,8
moyenne inférieure	20,8	30,9
moyenne supérieure	26,0	11,5
haut de gamme	8,7	5,0
divers	5,1	5,7
Part des voitures achetées neuves (en %)	50,4	41,1
Répartition du parc par carburant utilisé (en %)		
super, sans plomb	15,5	nd
super plombé - ARS	62,9	nd
essence ordinaire	4,1	nd
GPL - GNV	0,1	nd
Super sans plomb + Super plombé - ARS + GPL-GNV	82,6	40,4
gazole	17,4	59,6
Kilométrage au compteur (en km)	**69 500**	**103 470**
Part des véhicules utilisés tous les jours ou presque tous les jours (en %)	**75,1**	**71,8**
Part des véhicules utilisés pour le trajet domicile-travail (en %)	**55,4**	**53,7**

CCFA

quence accrue des renouvellements. Elle était aussi la conséquence d'une évolution de l'offre, mieux adaptée à des attentes nouvelles. Mais la chute avait été brutale en 2003 (7 %). Après une évolution en dents de scie, entre 2004 et 2008, le marché s'est de nouveau effondré dans les premiers mois de 2009, sous l'effet de la crise économique. L'État décidait alors d'aider le secteur en offrant une prime à la casse pour l'achat d'un véhicule neuf, et les ventes ont progressé de 10,7 % en 2009. Malgré cela, elles ont baissé de 2,2 % en 2010 et de 2,1 % en 2011. La situation s'aggravait au premier trimestre 2012, avec une chute de 21,7 %, confirmée au second.

La course automobile

Évolution du nombre de voitures par pays entre 1990 et 2010 (pour 1 000 habitants)

Pays	1990	2010	2010/1990
États-Unis	752	814	8 %
Italie	507	688	36 %
Espagne	403	610	51 %
Allemagne	512	545	6 %
France	**495**	**599**	**21 %**
Japon	456	592	30 %
Canada	617	619	0 %
Royaume-Uni	454	570	26 %
Belgique	419	562	34 %
Suède	455	525	15 %
Pologne	160	509	218 %
Corée du sud	71	359	406 %
Turquie	37	142	284 %
Chine	5	47	840 %

L'occasion, une idée neuve

Évolution du nombre de voitures achetées, neuves et occasion (en milliers)

	1980	1990	2000	2011
Voitures neuves	1 873	2 309	2 134	2 204
Voitures d'occasion	4 441	4 759	5 082	5 440
Voitures d'occasion de moins de 5 ans	nd	52	40	37*
dont moins de 1 an	*nd*	*12*	*12*	*8**
Voitures d'occasion de plus de 5 ans	nd	48	60	63*

* 2010

Le groupe PSA (Peugeot-Citroën) a représenté 31,4 % des achats de véhicules particuliers en 2011 ; Peugeot a diminué sa part à 16,8 % (contre 18,6 % en 2000) tandis que celle de Citroën a augmenté (14,7 % contre 12,3 %). Celle de Renault a également baissé à 24,7 % (contre 28,2 %). Les groupes étrangers ont gagné plus de trois points, à 43,7 %. Volkswagen arrive en tête, avec 12,6 % du marché (Audi, Seat, Skoda, Wolkswagen), devant General Motors (Chevrolet, Opel à 5,4 %), Ford (5,2 %), Fiat (Alfa Romeo, fiat, Lancia à 3,5 %), Toyota-Lexus (3,2 %), Nissan (3,3 %), BMW (BMW et Mini, 3,1 %), Daimler (Mercedes et Smart, 2,3 %) et Hyundai (2,2 %). Les six autres marques présentes ont représenté 2,5 % des immatriculations neuves.

Sur les dix modèles les plus achetés en 2011, sept étaient français, avec en tête la Renault Clio (149 000 exemplaires), la Peugeot 207 (147 000), la Renault Mégane (145 000), la Citroën C3 (111 000), la Citroën C4 (93 000), la Renault Twingo (68 000) et la Peugeot 308 (62 000). Le parc automobile français comprend un tiers de voitures étrangères. La pénétration des constructeurs étrangers avait atteint le niveau record de 48,2 % en 2007, contre 23 % en 1980 ; il est revenu à 43,8 % en 2011. Pour la première fois, une voiture *low cost* a fait son apparition dans la liste des dix meilleures ventes avec le Dacia Duster du groupe Renault, vendu à 51 613 exemplaires.

Les Français achètent deux fois et demie plus de voitures d'occasion que de neuves.

Les immatriculations de voitures d'occasion ont atteint 5,4 millions en 2011. Leur nombre varie plus fortement que celui des voitures neuves ; ainsi, le ratio voitures d'occasion/voitures neuves était de 2,5 en 2011 contre 2,4 en 2000 comme en 1980, après 2,0 en 1990 et 2,7 en 2007. La part des voitures d'occasion de moins d'un an, principalement des voitures de location ou de démonstration, est en diminution (8 % contre 12 % en 2001). Plus de six véhicules d'occasion sur dix ont plus de cinq ans (contre un sur deux en 1990), du fait de l'importance croissante de la multimotorisation. En 2012, la baisse du prix des voitures neuves, due aux actions commerciales permanentes, a perturbé le marché de l'occasion récente avec des modèles neufs moins chers que l'occasion. De même, le renouvellement accéléré lié à la prime à la casse de 2009 a fortement accru le nombre des petits véhicules d'occasion.

La moitié des achats d'occasion se font par l'intermédiaire d'un professionnel. Les ventes entre particuliers représentent 40 %, les 10 % restants sont des achats à des loueurs ou ceux de véhicules de démonstration. L'achat d'une deuxième ou troisième voiture dans un ménage se fait plus souvent sur le marché de l'occasion, pour des raisons de coût mais aussi parce que son utilisation est moins fréquente et qu'elle n'a pas le même rôle statutaire. La conséquence est un vieillissement continu du parc automobile. L'âge moyen des véhicules a atteint 8 ans en 2010, contre 5,8 ans en 1980. La durée moyenne de détention par un même propriétaire est passée de 3,7 ans en 1990 à 4,9 ans en 2010. Le parc automobile global continue de s'accroître ; il comprend 33,6 millions de véhicules, dont 31,3 millions de voitures particulières.

Le prix de l'essence, frein à l'usage

Le prix des carburants, qui n'a cessé de battre des records au cours des années récentes, a un impact croissant sur l'usage de l'automobile. En janvier 2012, 39 % des Français déclaraient réduire l'utilisation de leur voiture (*Ouest France*/Ifop). Ce taux était en progression de 15 points par rapport à 2000. Il est également favorisé par la prise de conscience environnementale.

Pour faire des économies, 23 % disaient changer de station-service, afin de trouver de l'essence moins chère. Mais ce comportement était en recul de 16 points par rapport à 2000, le recours à la concurrence apparaissant nettement moins efficace qu'à l'époque. 16 % faisaient le choix de dépenser moins dans d'autres domaines (en hausse de 3 points). Mais plus d'un Français sur cinq (22 %, en baisse de2 points) déclarait que la hausse des prix des carburants ne changeait rien à sa situation personnelle.

L'âge moyen du parc s'est accru.

La proportion des ménages motorisés progresse peu, mais le taux de multimotorisation continue d'augmenter. Or, la seconde voiture est souvent une voiture d'occasion. Par ailleurs, l'amélioration de la qualité des véhicules leur a conféré une durée de vie plus longue. Le kilométrage moyen au compteur pour l'ensemble du parc a augmenté de façon spectaculaire : il dépassait 103 470 km en 2010, contre 69 500 km en 1990. Cette évolution s'est traduite par un vieillissement accru du parc automobile, avec un âge moyen de 8 ans en 2010 contre 7,3 ans en 2000 et 5,8 ans en 1990. Les dépenses d'entretien et de réparation représentaient 37 % de l'ensemble en 2010, du fait de la forte hausse des prix (5 % en moyenne par an depuis 2001), un coût cependant modéré par le nombre plus réduit des accidents pendant la période.

Confrontés à de fortes hausses du prix des carburants, les Français ont pris l'habitude d'utiliser moins fréquemment leur voiture. Le kilométrage annuel moyen est passé à environ 12 000 km en 2011, contre 14 550 en 2001 (CCFA, BIPE). Lors de l'achat d'un véhicule neuf, ils optent majoritairement pour le Diesel (ci-après), moins coûteux en terme de consommation de carburant. Mais l'écart entre les prix du gazole et de l'essence s'est resserré et les moteurs à essence sont devenus plus économes. Le covoiturage, qui permet de partager les coûts entre plusieurs personnes (notamment pour se rendre au travail, mais aussi pour de longs trajets) reste peu pratiqué : environ 3 % des Français (BIPE). Le système de l'autopartage (accès à une voiture en libre-service pour des usages occasionnels et de courte durée, organisé par des professionnels ou des groupes de particuliers) ne concerne aujourd'hui que 35 000 à 70 000 utilisateurs selon les sources.

Le budget automobile reste globalement stable.

Les dépenses liées à l'usage de la voiture ont connu une augmentation de 22 % sur les vingt dernières années. Celles de carburant, d'entretien, de réparations et de services liés sont ainsi passées de 2 700 € en 1990 à 3 880 € (DrivePad, 2011). Pourtant, la part totale de l'automobile dans le budget des ménages est stable : 12,3 % en 2010 contre 12,4 % en 1990. La part du budget consacré à l'achat d'un véhicule est même passée de 3,4 % en 2000 à 2,8 % en 2010.

La part des moyennes cylindrées (6 et 7 CV) a nettement diminué, à 42,5 % en 2010, contre 47 % en 1980. Dans le même temps, celle des 4 et 5 CV a presque doublé, passant de 23 % à 44 %. De sorte que les voitures de 8 CV et plus ne représentent plus que 13,1 % du parc, contre 18 % en 1980. Le poids croissant des voitures diesel, dont la puissance fiscale est inférieure, explique en partie cette évolution. Quant à la part des plus petites cylindrées (2 et 3 CV), elle est devenue insignifiante : moins de 1 % contre 12 % en 1980, l'offre s'étant raréfiée avec la demande.

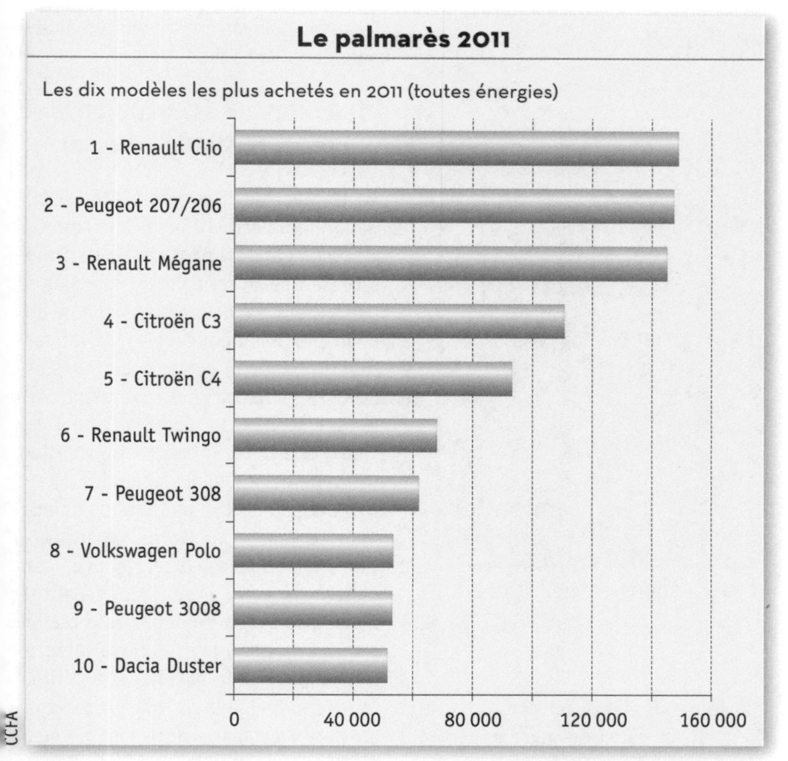

Le prix moyen d'achat des véhicules neufs a progressé en 2011, malgré la crise. La part des achats de voitures à plus de 25 000 € a atteint 36 %, contre seulement 29 % en 2008. Celle des véhicules à moins de 15.000 € a diminué, à 19 % contre 24 % en 2008. Celle de la catégorie intermédiaire (45 %) évolue peu. Le prix moyen des véhicules neufs est ainsi passé à 21 181 € contre 18 962 € en 2008, mais il était de 20 018 € en 2007 (Argus). En 2011, les acheteurs se sont tournés vers des véhicules de gabarit supérieur et l'on observe un recul des citadines (26 %) et des polyvalentes (12 %) alors que les grandes routières ont progressé de 37 %, les grands monospaces de 18 % et les familiales de 10 %. On note aussi un engouement pour les modèles de très haut de gamme, tels les SUV (Sport Utility Véhicule), qui peuvent atteindre 50 000 €. Il fallait 44 mois de SMIC pour s'offrir la voiture neuve « moyenne » de 1953, seulement 24 mois en 1961, 17 en 1971, 16 en 1981, 15 en 1991. Mais le chiffre a augmenté depuis, sous l'effet de la montée en gamme : 15,2 en 2001, 15,5 en 2011.

Plus de la moitié des voitures neuves ont un moteur Diesel.

Longtemps réservé aux camions et aux taxis, le moteur Diesel a conquis les particuliers, du fait de sa moindre consommation, de sa durée de vie plus longue et de l'écart de prix entre le supercarburant et le gazole. Les modèles diesel représentaient 60 % du parc automobile en 2010, contre 49 % en 2000 (17 % en 1990, 4 % en 1980 et 1 % en 1970), ce qui constitue le taux le plus élevé en Europe. En 2011, 71 % des immatriculations de voitures neuves concernaient des diesels, contre 49 % en 2000. La France, à égalité avec la Norvège, était cependant dépassée par le Luxembourg (77 %) et la Belgique (77 %).

Afin de réduire la pollution due aux particules rejetées dans l'atmosphère, les constructeurs ont mis au point des moteurs plus propres, et les pots catalytiques sont devenus obligatoires. Mais les voitures françaises restent parmi les moins équipées d'Europe dans ce domaine. La moitié des voitures roulent à l'essence sans plomb 12 % au super plombé, les autres au gazole ; l'essence ordinaire n'est plus utilisée. Les achats de véhicules roulant au GPL (gaz de pétrole liquéfié) ou au GNV (gaz naturel) représentent moins de 1 % des immatriculations annuelles.

Les berlines sont de plus en plus concurrencées.

Entre 1990 et 2011, la part des berlines est passée de 93 % des immatriculations à 57,6 % au profit des monospaces (16,5 % contre 1,2 %) et des 4X4-Tout-chemin (13,3 % des achats de véhicules neufs contre 0,7 %). Les berlines sont concurrencées par des voitures à vocation plus familiale, notamment les monospaces. Ceux-ci constituent en France une catégorie inaugurée par Renault dans les années 1980 avec l'Espace. En rupture avec les modèles traditionnels, ils se caractérisent par leur modularité et leur convivialité. Ils ont représenté (tous types confondus) 16 % des achats en 2011. Il s'agit essentiellement de monospaces compacts, dont la part dans les immatriculations s'est réduite : 10,1 % en

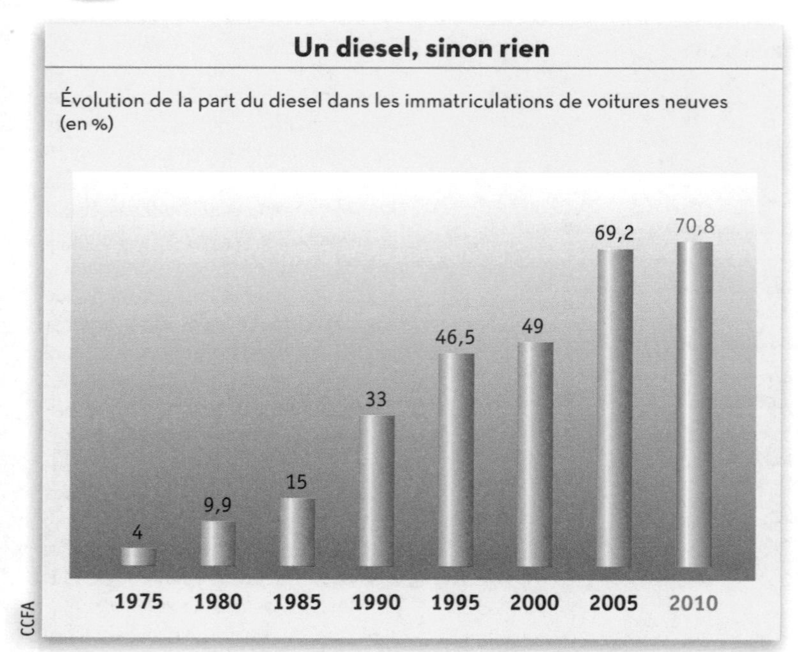

2011 contre 11,3 % en 2000 (après 15,8 % en 2007). On a vu plus récemment arriver les minispaces (4,8 % des immatriculations 2010) et même les microspaces, dérivées des monospaces compacts et offrant une alternative aux petites berlines. Cette évolution s'est faite au détriment des monospaces haut de gamme.

D'abord concurrencés par le développement du monospace, les modèles 4 x 4 (tout chemin, tout-terrain) avaient connu depuis quelques années une forte croissance, au détriment de la berline. Leur part dans les ventes était de 6,7 % en 2007, mais elle a bondi à 13,1 % en 2011. Dans les pays de l'Union européenne, elle est maximale au Nord (9 % en Suède) et minimale au Sud (0,3 % en Espagne) ; les conditions de circulation, de climat et de relief expliquent en grande partie ces écarts.

Les breaks bénéficient aussi d'une esthétique beaucoup plus affinée que par le passé, d'une motorisation performante et d'un niveau d'équipement élevé, avec des prix souvent comparables aux berlines. Leur pénétration en France reste très fluctuante d'une année à l'autre, avec 7 % des immatriculations en 2011 contre 9 % en 2008 et 6,7 % en 2007 (plus de quatre sur dix en Suède, un quart au Danemark et en Finlande et un cinquième en Allemagne).

Les berlines sont aussi en concurrence avec des modèles plus ludiques comme les coupés, les cabriolets ou les roadsters ou des voitures « récréatives » comme les « ludo-spaces » (véhicules à mi-chemin des utilitaires et des monospaces redessinés pour les particuliers, initiés avec la Kangoo de Renault ou la Berlingo de Citroën). Mais, sur longue période, l'heure est davantage à l'économie, à l'écologie et à la « praticité » qu'au plaisir et à l'ostentation en matière automobile, sauf quand des mesures comme la prime à la casse bouleversent l'évolution naturelle de la demande.

La relation à l'automobile est un révélateur social.

À la fin des années 1960, Jean Baudrillard décrivait la voiture comme « une sphère close d'intimité mais d'une intense liberté formelle ». Pour Régis Debray, elle est devenue le symbole de « l'idéologie libérale de la privatisation du bonheur, de la concurrence et du libre choix individuel », alors que le train serait « social-démocrate », le vélo « libertaire protestant alternatif » (et la péniche « écolo girondine »)...

Dans son usage quotidien (trajets pour se rendre au travail ou utilisation personnelle), l'automobile est certes au service de l'individualité. Comme son nom l'indique, elle est le résultat du compromis entre la volonté d'autonomie et le besoin de mobilité. Grâce à la technologie, elle est de plus en plus « communicante » et permet d'être relié au monde tout en lui étant extérieur. Elle constitue aussi un moyen de défoulement de l'agressivité accumulée à l'égard de la société, favorisé par la protection de l'habitacle. Mais la fonction de convivialité est de plus en plus présente dans les usages de loisir, comme en témoigne la part prise par les monospaces.

Le rapport des Français à la voiture est ambigu et schizophrène. Lorsqu'ils sont au volant, ils jugent l'automobile nécessaire et fustigent tout ce qui entrave son usage : embouteillages ; travaux ; couloirs de bus ; limitations de vitesse ; difficultés de stationnement ; comportements insupportables des autres conducteurs. Lorsqu'ils ne sont plus à bord, ils dénoncent les conséquences du « tout automobile » sur la vie quotidienne : bruit ; pollution ; insécurité ; accidents... Si l'automobiliste est un « piéton remonté

De l'égomobile à l'écomobile

Le contexte de crise a évidemment des répercussions sur la relation des Français à l'automobile. Une prise de conscience s'est ainsi faite que la voiture, si elle reste l'outil principal de la mobilité et de la liberté de ses utilisateurs, est en train de changer de statut. Contrairement au passé (tel que décrit par Roland Barthes dans les années 1950), elle est aujourd'hui moins « consommée dans son image que dans son usage ». La composante *identitaire* (être soi avec et dans sa voiture) se développe au détriment de la composante *statutaire* (donner aux autres une image de soi ou de celui qu'on voudrait être). Même si elle reste une vitrine, la voiture est de plus en plus un miroir.

Par ailleurs, l'usage de l'automobile est de plus en plus encadré par des mesures, incitations, contraintes et sanctions destinées à améliorer la sécurité. La consommation d'alcool maximale a été réduite, comme les vitesses autorisées. Les contrôles ont été multipliés. La circulation automobile dans les villes a été rendue plus difficile, au profit du vélo et des transports en commun. Même s'il a été éphémère, le monde a connu en 2008 un nouveau choc pétrolier ; il a laissé des traces dans les ménages, qui ont continué de réduire leur consommation lorsque les prix de l'essence ont baissé.

L'automobile va devoir s'adapter à ce nouvel environnement. Elle devra satisfaire et réconcilier des attentes individuelles et collectives. Parmi les premières, on peut citer l'efficacité, le plaisir (esthétique, vitesse, image...), la sécurité, le confort, la convivialité et, de plus en plus, l'économie. Les objectifs collectifs concernent la poursuite de la réduction du nombre des accidents, la diminution de la pollution par le CO_2, mais aussi par le bruit et par le stress (actif ou passif) liés à la circulation. Il faudra en effet passer dans les prochaines années de l'ère de l'*« égomobile »*, caractéristique d'un usage individualiste de la voiture, à celle de l'*« écomobile »*, au double sens d'économique (à l'achat et à l'usage) et d'écologique (avec comme objectif une empreinte nulle sur l'environnement). Sans pour autant sacrifier le plaisir personnel lié à l'usage de la voiture.

dans sa voiture » (Pierre Daninos), il est aussi doué d'une grande capacité d'oubli dès qu'il a mis le contact.

La voiture reste un attribut du standing, mais elle est de plus en plus considérée comme un moyen de se transporter et de se faire plaisir. Le rapport que les Français entretiennent avec elle est donc en train de se transformer, dans un sens à la fois plus utilitaire et plus personnel. Dans ce contexte, la jouissance devient plus importante que la possession. Le succès des voitures électriques en libre-service comme Yélo'mobile à La Rochelle ou Autolib' à Paris montre que «la voiture qui se partage» à de l'avenir. Enfin, la location de voiture classique évolue elle aussi avec l'arrivée des hypermarchés qui adaptent leurs offres de location aux moments de vie, surtout dans les zones rurales comme le montre le succès de l'enseigne Hyper-U avec la U-location dont le slogan est «Louez un véhicule adapté à vos besoins près de chez vous».

Monos, minis, combis...

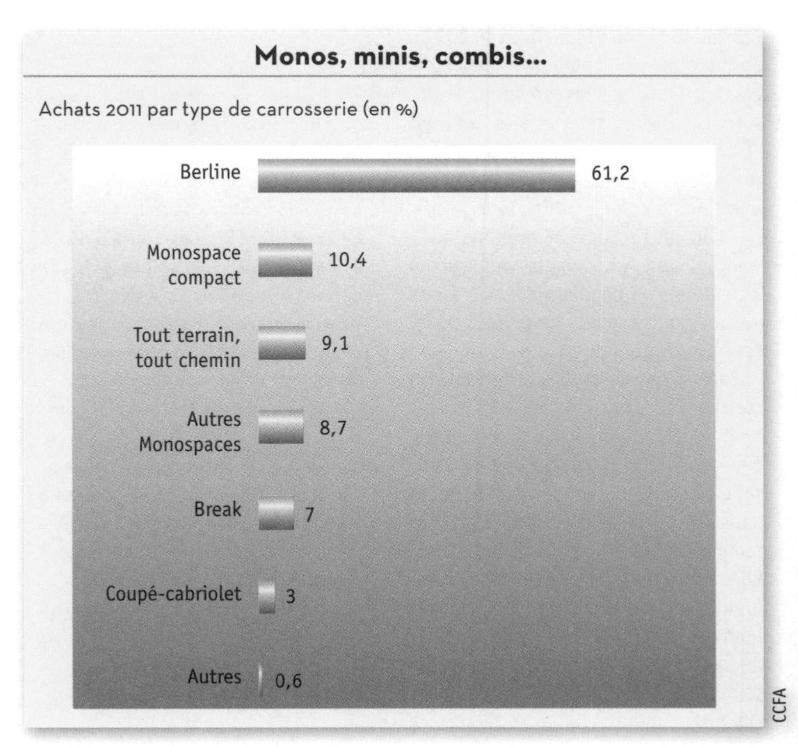

L'univers automobile s'est largement féminisé.

L'apparition du monospace à la fin des années 1980 avait été l'un des révélateurs du « changement de sexe » qui s'opérait dans la société, avec la prise en compte de l'émergence des « valeurs féminines ». Contrastant avec le 4 x 4 carré, agressif et masculin, le monospace se caractérisait par sa forme de cocon, sa convivialité, son confort et son habitabilité. La facilité de conduite et les aspects pratiques (espace pour les enfants, volume du coffre pour les courses, bacs et tablettes de rangement...) sont ainsi devenus des critères de choix aussi importants que la puissance du moteur.

En 1982, la moitié seulement des femmes (47 %) avaient le permis de conduire ; la proportion atteint aujourd'hui 80 % et la délivrance des permis de conduire B est proche de la parité (48 % pour les femmes en 2011). Parmi celles qui sont concernées, 80 % conduisent toutes les semaines, contre 77 % en 1994, alors que le taux est stable pour les hommes, à 87 %. Aujourd'hui, 42 % des véhicules ont une femme comme utilisateur principal. Sur un total de 26 millions d'automobilistes, on compte aujourd'hui 11 millions de conductrices. 42 % des voitures ont une femme pour conducteur principal.

Face à ces nouvelles attentes, les constructeurs ont dû au fil des années modifier leurs conceptions, en créant des modèles plus adaptés et en utilisant de nouveaux arguments de vente dans leur communication. Mais les femmes ont depuis brouillé les cartes. Elles sont ainsi de plus en plus nombreuses au volant de 4 x 4, alors que les hommes sont plus nombreux à conduire de petites cylindrées et des monospaces. La boîte de vitesses automatique, qui induit une autre relation à la voiture, est timidement adoptée en France (12 % des immatriculations en 2011, comme en Europe). Pour les deux sexes, la voiture reste un outil d'affirmation de soi.

La sécurité et le confort sont prioritaires.

L'émergence des « valeurs féminines » (sécurité, convivialité, sens pratique, pacifisme, modestie...), associée aux difficultés de circulation et aux nouvelles réglementations, a relégué l'idée de vitesse au second plan dans le choix d'une voiture. D'autant que les performances mécaniques des modèles se sont banalisées et qu'elles sont rarement utilisables dans des conditions normales (et légales) de circulation. Le confort et la sécurité sont ainsi devenus des motivations croissantes.

Les constructeurs ont fait des efforts pour répondre à ces nouvelles demandes. La surface vitrée s'est accrue, l'habitacle a été repensé, la climatisation a fait son apparition et la canicule de l'été 2003 a montré son utilité. Les progrès de l'électronique ont permis de développer la sécurité active, qui assiste le conducteur en cas de problème (freins ABS, tenue de route...). La « technologie embarquée » participe aussi au confort et au plaisir. Elle permet de connecter la voiture au monde extérieur : autoradio, téléphone, système de guidage électronique, jeux vidéo, lecteur DVD ou Blue Ray, ordinateur, téléviseur. Le GPS, qui permet un guidage automatisé vers la destination, est de plus en plus souvent intégré. Les modes de communication et les loisirs pratiqués à domicile sont désormais disponibles en déplace-

L'économie avant l'écologie

Lorsqu'il s'agit de choisir un mode de transport, la question du prix de revient concerne davantage les Français que les incidences environnementales. Parmi les éléments qui les incitent le plus aujourd'hui à limiter l'usage de leur voiture, la hausse des prix des carburants arrive ainsi largement en tête (64 %), suivie du coût de l'entretien (35 %), devant la pollution de l'air (31 % contre 53 % en 2009).

La proportion de Français affirmant que les phénomènes de pollution et de réchauffement climatique influencent leur comportement a diminué en trois ans : 76 % contre 79 % en 2008 lors de l'achat d'un véhicule ; 72 % contre 75 % dans leur manière de conduire ; 62 % contre 73 % lors de l'entretien et de la réparation (niveaux, pneus, changements de pièces ; 59 % contre 68 % dans leur choix de mode de transport. 78 % des automobilistes estimaient cependant faire des efforts dans leurs comportements en matière de transport fin 2011, mais ils étaient 89 % en 2009.

Seuls 36 % des Français se disent prêts à recourir au covoiturage (partage d'une voiture pour un trajet commun), 18 % à l'autopartage organisé par une collectivité ou association (utilisation pour une courte période d'une voiture mise à disposition), 12 % à l'autopartage entre personnes de connaissance. 31 % ne se disaient prêts à aucune solution de partage de véhicule.

Malgré les craintes sur les coûts des transports, 57 % pensent qu'on se déplacera de plus en plus d'ici à 2030, soit 11 points de plus qu'en 2010. 50 % imaginent que ce sera dans un véhicule personnel (contre 45 % en 2010), 48 % dans des véhicules partagés (51 % en 2010).

SNCF-Ateliers de la Terre-Mobivia/Harris Interactive

ment, ce qui fait de la voiture un prolongement naturel du logement. Une sorte de résidence secondaire.

Les achats de motos fluctuent, ...

L'histoire de la moto a connu de nombreuses évolutions au fil des décennies. Pendant la première moitié des années 1980, la désaffection pour les deux-roues s'était traduite par une division par deux des achats. Elle avait été suivie d'un redressement jusqu'en 1990, puis d'une rechute rapide jusqu'en 1995. La création de nouveaux permis correspondant à de nouvelles classifications administratives avait notamment porté un coup très dur à la catégorie des 125 cm^3. Les achats étaient ainsi passés de 75 000 en 1980 à 18 000 en 1995.

Le changement de législation ayant eu lieu en juillet 1996 a autorisé la conduite de ces motos à tous ceux qui détenaient le permis A. Il s'est traduit par une très forte hausse des achats, qui avaient plus que doublé entre 1996 et 1999, pour approcher 200 000. Plus récemment (janvier 2011), la législation a imposé la formation obligatoire de 7 heures pour la conduite d'une 125 cm^3 avec le permis B. Les ventes de 125 cm^3 se sont écroulées, à 70 000 exemplaires en 2011 (– 19 %) par rapport à 2010) au profit des cyclomoteurs (+ 3 %, à 125 000 unités).

Au total, les Français ont acheté 173 000 motos en 2011, dont 103 000 de plus de 125 cm^3. La quasi-totalité (94 %) est importée. Pour les moins de 125 cm^3, Yamaha, Honda et Suzuki représentent 38 % des immatriculations. Peugeot et MBK sont les deux seules marques françaises ; leurs ventes s'établissent à 13 % des immatriculations. Pour les plus de 125 cm^3, Yamaha, Kawasaki, Honda et Suzuki représentent 56 % des ventes, suivies de BMW (9,8 %) et de Harley Davidson qui profite du grand retour des roadsters (8,5 %). Un phénomène nouveau est venu bousculer le marché depuis plusieurs années : les tricycles, qui misent sur des puissances accrues, 300 et 500 cm^3. Ils se vendent à près de 11 000 exemplaires chaque année et peuvent être conduits avec le permis B.

La moto décélère

Évolution du nombre d'immatriculations de motocyclettes neuves et d'occasion (en milliers)

	1990	1995	2000	2005	2011
Immatriculations neuves	123	85	180	197	173
Immatriculations d'occasion	274	293	398	456	*

* Chiffre pour les immatriculations d'occasion non disponible pour 2011.

Moto-net.com

... comme ceux de cyclomoteurs et scooters.

Le parc de cyclomoteurs traditionnels avait été divisé par quatre entre 1990 et 2006 : seulement 182 000 engins à boîte mécanique et 313 000 de cyclomoteurs traditionnels contre 2 millions quinze ans auparavant. La « mob » ne séduit plus les jeunes, qui la trouvent « ringarde », trop lente et peu valorisante. Mais l'apparition des cyclomoteurs à boîte mécanique au milieu des années 1990 a entraîné un transfert des achats ; près de 200 000 sont aujourd'hui en circulation ; ils représentent plus d'un dixième du parc de cyclomoteurs.

Comme pour la moto, 1996 avait été l'année de la reprise pour les scooters, avec 16 000 immatriculations, essentiellement des modèles de 125 cm^3. Mais on était encore loin des ventes des années 1970. Les modèles de 100 cm^3 apparus en 1997, en remplacement des 80 cm^3 boudés par les acheteurs, ont contribué à la relance du marché. Mais les achats de moins de 125 cm^3 ont été touchés de plein fouet par la nouvelle législation imposant une formation de 7 heures, après quinze années de forte croissance. Le coût de cette formation peut atteindre un tiers du prix d'un modèle *low cost*. Les adeptes du scooter, souvent des urbains à la recherche d'un moyen de transport rapide, pratique et confortable, se sont tournés vers des modèles de moins de 50 cm^3 et vers les tricycles. Les achats de maxi-scooters, modèles récents de plus grosse cylindrée (300, 400, 500 cm^3), restent au-dessus des 10 000 exemplaires vendus chaque année : 11 000 en 2011 contre 17 000 pour l'année record de 2008 et 13 000 en 2007.

Les motivations d'achat des deux-roues ont changé.

Les nouveaux motards tendent à être plus âgés. On trouve parmi eux des quadragénaires urbains en quête de gain de temps, qui sont souvent des « repentis » de la voiture. Les femmes représentent plus de 10 % des nouveaux titulaires de permis moto. La mythologie attachée à la moto n'a cependant pas disparu, comme l'atteste l'intérêt pour les motos anciennes. Mais les motivations actuelles sont moins liées à la volonté de rébellion qu'au désir d'être plus efficace dans ses déplacements. La recherche de la sécurité et du confort est prioritaire par rapport à la vitesse. Cependant sur l'ensemble des personnes tuées sur la route en 2010, les conducteurs et passagers de motocyclettes représentaient 17,6 % des victimes, chiffre en forte hausse par rapport à l'année 2000 (11,6 %).

Dans la catégorie des scooters, le succès des « maxi » (qui reste cependant très en deçà de celui que l'on peut observer en Italie) s'explique aussi par la recherche du confort, de la facilité de conduite et de l'équipement. Il concerne notamment les professions libérales et les urbains nomades, désireux de trouver un compromis entre voiture et moto, et d'avoir un maximum de sécurité. Entre 2000 et 2010, sur l'ensemble des victimes de la route, les conducteurs et passagers de cyclomoteurs représentaient 6,2 % des personnes tuées en 2010, contre 5,6 % en 2000.

En Europe, la crise économique a eu un impact fort sur les ventes de motos et de scooters, qui ont chuté de 25 % en trois ans. Les Italiens sont de très loin les plus gros acheteurs de motos, avec environ 300 000 par an, devant les Allemands (plus de 200 000). Les Français arrivent en troisième position, suivis des Britanniques.

L'usage du vélo continue de se développer.

14 % des Français disent se servir d'un vélo pour se déplacer, au moins occasionnellement, 4 % de façon régulière. C'est le cas notamment d'au moins 2 millions de citadins qui l'utilisent de plus en plus grâce notamment à l'intermodalité (usages complémentaires du vélo, du métro ou du train pour un même trajet). Certaines grandes villes ont fait des efforts dans ce sens en créant des pistes cyclables, des systèmes de libre-service, des garages, etc. À Lyon, ville pionnière en la matière, on a compté 7 millions de locations en un an (+ 16 % en un an), dont 95 % de trajets gratuits, hors abonnement. À Paris, le système Velib' a enregistré plus de 120 millions de trajets depuis son lancement en 2007 et comptait 210 000 abonnés en 2011. En milieu rural, le vélo est le deuxième mode de déplacement et reste stable.

L'usage du vélo concerne toutes les catégories d'âge jusqu'à 65 ans. Il diminue ensuite, mais sans disparaître : environ 10 % des personnes de plus de 65 ans l'utilisent au moins occasionnellement. Il constitue un mode de transport plutôt masculin, sauf parmi les jeunes : entre 18 et 25 ans, les femmes sont presque deux fois plus nombreuses que les hommes.

Ce moyen de transport individuel présente un intérêt indéniable pour les personnes concernées (p. 199), sur le plan économique ou sanitaire (une demi-heure de vélo par jour diviserait par deux les risques de maladies cardio-vasculaires). Il offre aussi de nombreux avantages pour la collectivité : zéro pollution ; zéro bruit ; zéro énergie consommée (hors celle dépensée par le cycliste) ; zéro agressivité. Dans une vision psychanalytique des moyens de transport, on pourrait opposer le « vélo écolo maso » à l'« auto macho sado ».

En 2011, les achats des vélos et d'accessoires ont augmenté de 5 % en valeur, du fait de la montée en gamme de l'offre. Les vélos « loisirs » perdent du terrain mais représentent encore les deux tiers des achats, contre les trois-quarts en 2000. Les vélos de ville, les pliants et les vélos électriques progressent. Les composants et accessoires représentent 40 % des dépenses. La France se situe en deuxième position en Europe, derrière l'Allemagne pour le nombre de vélos. Elle occupe la troisième en ce qui concerne le taux de possession, avec 5 vélos pour 100 habitants, derrière les Pays-Bas (8) et l'Allemagne (6). 27 % des acheteurs optent pour un vélo dans un but de mobilité, contre 17 % il y a 10 ans. Sur l'ensemble des victimes de la route, les cyclistes représentent 3,7 % des personnes tuées en 2010 contre 3,3 % dix ans plus tôt.

ANIMAUX FAMILIERS

Un ménage sur deux possède un animal familier.

51 % des ménages possèdent des animaux familiers ; 55 % ont un chat et 54 % un chien (*Santé Magazine*/Obea-Intraforces, mai 2011). Il faut noter que la proportion a diminué par rapport aux années précédentes, conséquence probable de la crise économique. Parmi les ménages concernés, 35 % ont un seul animal et 14 % plusieurs. Aux 18 millions de chiens et chats s'ajoutent quelque 31 millions de poissons, 6 millions d'oiseaux, 3 millions de lapins nains, hamsters ou cochons d'Inde. La présence d'animaux exotiques dans les foyers (iguanes, serpents, etc.) reste marginale, à 0,4 %. Les propriétaires d'animaux considèrent leur présence comme rassurante. Ceux qui n'en ont pas invoquent principalement un manque de temps ou d'espace pour s'en occuper. La multipossession est de plus en plus fréquente : 18 % des possesseurs de chien en ont au moins deux, 31 % des possesseurs de chats ont au moins deux chats, 43 % des ménages ont au moins un chien et un chat.

Si les chiens et chats restent les animaux préférés des Français, d'autres animaux familiers ont trouvé leur place. Le nombre des poissons est désormais stable, après avoir connu une

Des animaux et des hommes

Taux de possession d'animaux familiers (2010, en % des ménages et en millions)

Ménages possédant des animaux domestiques (en %)		Nombre des principaux animaux familiers en France (en millions)	
au moins un chien	22,4	poissons	31,6
au moins un chat	26,1	chats	11,0
au moins un poisson	11,1	chiens	7,6
au moins un rongeur	6,1	oiseaux	6,0
au moins un oiseau	3,7	rongeurs	3,0

forte hausse ; il dépasse 31 millions contre 28 millions en 2002. C'est le cas aussi des rongeurs et lagomorphes (lapins...), dont la présence est plus fréquente dans le Nord et l'Est ; un tiers des foyers possesseurs habitent une ville de plus de 100 000 habitants ou l'agglomération parisienne. 69 % des possesseurs de poissons et 74 % des possesseurs de rongeurs ont entre 17 et 49 ans. Ce sont les 35-44 ans qui ont le plus fréquemment un animal (56 %). Les 25-34 ans préfèrent souvent la compagnie d'un rongeur, hamster, lapin ou souris (8 %). 7 % possèdent des poissons et 2 % des oiseaux.

Les chiens sont surtout présents en milieu rural.

La population canine a diminué de 1 million au cours des sept dernières années. La cause principale est la modification des modes de vie et l'évolution de la structure de la population par âges, plutôt qu'un « désamour » à l'égard des chiens. Les non possesseurs de chiens expliquent leur choix pour deux raisons principales : 18 % considèrent que cela pose problème quand ils partent en vacances ou le week-end ; 12 % ne veulent pas s'engager sur plusieurs années (FACCO/TNS, Sofres 2010). Le nombre de chiens diminue notamment auprès de la population des seniors, qui souhaitent avoir une flexibilité pour voyager et pratiquer des loisirs extérieurs.

Le nombre de personnes au foyer est déterminant pour la possession de chiens : 47 % des foyers concernés comptent 3 personnes et plus, c'est-à-dire à la fois des adultes et des enfants. La possession d'un jardin est également importante : 75 % des maîtres vivent en maison individuelle avec un jardin. Dans 63 % des cas, une personne est présente dans la journée. On trouve donc logiquement plus de chiens à la campagne qu'en ville : 39 % dans les foyers ruraux contre 18 % dans des agglomérations de 2 000 à 20 000 habitants (9 % en agglomération parisienne). La profession du chef de ménage est aussi un facteur déterminant pour la possession d'un chien. 28 % des possesseurs sont des ouvriers, 11 % des agents de maîtrise ou cadres moyens, et 29 % des retraités.

Parmi les races canines les plus répandues arrivent en tête le caniche, le labrador et le yorkshire-terrier. le berger allemand, longtemps premier dans le cœur des Français, est aujourd'hui au 5e rang, juste après l'épagneul breton. Dans la moitié des cas, les chiens ont été achetés.

Les chats sont plus nombreux que les chiens...

Pendant longtemps, les chiens ont été majoritaires dans les foyers français. Une inversion s'est produite au début des années 1990. On comptait près de 1 million de chats en 2010 (contre un peu moins de 9 millions en 2002) pour un peu moins de 8 millions de chiens. Cette évolution se retrouve dans la majorité des pays du nord de l'Europe.

La présence croissante des chats s'explique d'abord par la concentration urbaine ; l'absence d'un jardin rend plus difficile la possession d'un chien. 28 % des possesseurs d'un chat vivent en appartement contre 19 % pour les chiens. De plus, le rythme de vie des citadins ne leur permet guère de consacrer du temps à la promenade d'un chien. Une autre cause importante est l'augmentation du nombre de foyers de personnes seules (p. 173) ; le chat, plus indépendant, est bien souvent pour elles le compagnon idéal. Elle est aussi liée à la multipossession (1,5 chat par foyer possesseur, contre 1,3 chien). Enfin, le coût d'entretien d'un chat est inférieur à celui d'un chien. La découverte de chats morts de la grippe aviaire depuis le début 2006 a cependant amené certaines personnes à se séparer de leur animal.

Le choix du chat ou du chien comme animal de compagnie n'est pas seulement lié à des considérations de place ou de coût. Le chat est le symbole de la liberté et de l'indépendance, valeurs auxquelles sont particulièrement attachés les enseignants, les fonctionnaires et les membres des professions intellectuelles. L'image du chien est plutôt associée à la défense des biens et des personnes ainsi qu'à l'ordre, valeurs souvent jugées importantes par les commerçants, artisans, policiers, militaires, contremaîtres...

… et plus présents dans les villes.

On retrouve chez les possesseurs de chats les mêmes critères d'âge et de composition familiale que pour les chiens. La répartition géographique est en revanche légèrement différente : ils sont plus nombreux que les chiens en région parisienne (12 %) et dans les villes de plus de 100 000 habitants (25 %). Plus globalement, on constate une présence croissante dans toutes les tailles d'agglomérations, y compris les plus grandes villes, alors que le chien y est en légère régression. Les chats sont plus présents dans l'Ouest (15 %), en région PACA (15 %), à Paris (14 %) et dans le Sud-Ouest (13 %). Près de la moitié des possesseurs (44 %) ont entre 35 et 54 ans.

68 % des Français déclarent aimer les chats (mais 78 % les chiens). Ils sont en grande majorité trouvés ou reçus gratuitement (93 % des cas) alors que les chiens sont davantage achetés (50 %). L'une des explications est que les chats de race ne représentent en France que 5 % de la population féline. La très grande majorité sont des animaux « de gouttière ». Un sur trois ne sort jamais de l'appartement ou de la maison ; cette sédentarité explique l'apparition de certaines pathologies : pertes de poils ; régurgitations ; obésité ; difficultés digestives… 71 % des chats sont castrés ou stérilisés. L'âge moyen est de 5,8 ans et l'espérance de vie moyenne est de 9 ans.

Les animaux jouent un rôle affectif et social, …

Les fonctions traditionnellement dévolues aux animaux telles que la garde de la maison et la protection de ses occupants (pour les chiens) ou la dératisation (pour les chats) n'ont pas disparu. Mais les motivations des foyers possesseurs sont bien davantage d'ordre affectif. Elles peuvent être liées à la présence d'enfants pour certaines familles… ou à leur absence, pour les personnes âgées vivant seules ou en couple. Il existe souvent par ailleurs une justification écologique, car le contact avec les animaux permet de se sentir plus proche de la nature et des autres espèces vivantes.

Les chiens, chats, hamsters ou tortues sont un moyen de faire éclore chez les enfants des sentiments de tendresse qui pourraient être autrement refoulés. Les animaux familiers aident à la socialisation et participent au développement de la personnalité. L'attirance des enfants pour les animaux se traduit traditionnellement par leur intérêt pour les animaux en peluche. Cet intérêt est d'ailleurs de plus en plus partagé par les adultes, qui manifestent ainsi un besoin d'affection et de compagnie et cherchent inconsciemment des moyens de retourner en enfance. De nombreux adultes considèrent aussi les animaux comme des compagnons avec lesquels ils peuvent communiquer et, le cas échéant, partager leur solitude.

L'animal familier joue également un rôle dans les relations sociales, dans la mesure où il est un prétexte à la rencontre, à l'échange, à la convivialité. Dans la rue, des personnes se parlent plus facilement si elles promènent leur chien que si elles sont seules. L'animal est aussi un prétexte pour se parler entre voisins, se rendre des services. Il peut être aussi un motif de conflit. Les difficultés rencontrées par un certain nombre de ménages les amènent plus fréquemment qu'avant à abandonner leurs animaux ou à les confier à la SPA.

… voire thérapeutique.

Des études montrent que la présence d'animaux familiers peut améliorer la qualité de la vie humaine et avoir dans certains cas des effets thérapeu-

Alicaments pour animaux

Les progrès de l'alimentation animale ont suivi, parfois peut-être anticipé, ceux de l'alimentation humaine. L'amélioration de l'équilibre alimentaire a permis de combler certaines carences nutritionnelles (manque de zinc ou d'acides gras essentiels) et de lutter contre le rachitisme ou les dermatoses. Des produits spécifiques sont apparus pour la croissance, la gestation, la lactation, les animaux âgés ou les chiens de sport. Des aliments diététiques sont proposés pour les animaux obèses, atteints d'insuffisance rénale, de calculs vésicaux, d'insuffisance cardiaque, de diarrhée... Pour les plus fragiles, on trouve des laits antiallergiques, des ingrédients facilitant la digestion ou des fortifiants. Des aliments « physiologiques » incorporent des acides gras oméga 3, connus pour réduire les réactions inflammatoires et optimiser le fonctionnement cérébral. Des aliments spécifiques pour animaux sédentaires, comme les chats d'appartement, ont été mis au point afin de diminuer le risque d'embonpoint et de formation de calculs urinaires. L'évolution en matière de nutrition a par ailleurs permis d'améliorer la qualité du poil et sa couleur ainsi que la vivacité des animaux, même à un âge avancé. Comme celle des humains, la longévité des animaux familiers s'est accrue : les trois quarts des chiens et la moitié des chats vivent plus de 9 ans ; plus de six chiens sur dix ont plus de 12 ans, contre un sur deux en 1996.

tiques ou socio-éducatifs (TFA, ou thérapie facilitée par l'animal). C'est le cas notamment pour des enfants autistes, des malades mentaux, des personnes âgées, des marginaux ou des délinquants en cours de réhabilitation. D'une façon générale, les possesseurs d'animaux feraient plus d'exercice physique que les autres et bénéficieraient d'un meilleur équilibre psychologique. On constate aussi une moindre fréquence des fractures du col du fémur chez les personnes âgées concernées.

Les liens qui se tissent entre l'homme et l'animal entraînent souvent une véritable osmose. La présence d'un chien ou d'un chat peut aider certaines familles ayant des rapports conflictuels à retrouver des relations plus équilibrées. On observe d'ailleurs que l'existence de ces difficultés familiales rejaillit parfois sur l'animal. Elle peut être à l'origine d'une obésité ou de maladies dermatologiques ; les pathologies disparaissent lorsqu'on a soigné les maîtres. D'une façon générale, l'animal familier est une source de bien-être. Il sert souvent de médiateur et apporte une relation apaisante dans un contexte social générateur d'angoisse et de stress. Il est aussi un révélateur des émotions et des personnalités dans un processus de « double empreinte » qui permet la communication et l'interaction entre les deux espèces en présence.

L'anthropomorphisme domine.

Beaucoup de possesseurs d'animaux leur prêtent des comportements semblables à ceux des humains. Ils leur parlent de la même façon, interprètent leurs comportements comme s'ils étaient doués de la même logique et de la même appréhension du monde. Les évolutions dans les modes de vie des personnes se retrouvent donc souvent chez les animaux.

C'est le cas par exemple en matière d'alimentation. Le rayon hygiène-beauté pour animaux se développe parallèlement à ceux destinés aux femmes et aux hommes : produits contre le tartre dentaire ou la mauvaise haleine, shampooings, parfums, lingettes ; antioxydants pour la longévité... Il existe des bijoux pour chiens et chats, des restaurants spécialisés, des psychanalystes et même des offices religieux. Les téléphones portables pour chien (proposés aux États-Unis) arriveront sans doute en France : accrochés à leur cou et en forme d'os, ils se déclenchent automatiquement et un haut-parleur permet à l'animal d'entendre la voix rassurante de son maître.

Cet anthropomorphisme s'explique par le fait que les progrès de la civilisation n'ont pas fait perdre à l'homme sa dimension animale ; on la voit au contraire resurgir dans les comportements contemporains. Les sens, voire l'instinct, sont aujourd'hui valorisés dans une société qui a peur de l'intelligence humaine et des problèmes qu'elle engendre (pollution, menaces nucléaires, guerres, terrorisme...). Dans ce contexte, l'animal apparaît comme un être plus « pur » que l'homme, car incapable de cruauté. Il est paré de toutes les qualités et occupe une place croissante dans les familles. Pour les adultes et les enfants, il constitue un pôle de sérénité, de stabilité et de fiabilité. Lorsqu'un couple se brise, la question de la garde d'un animal est parfois presque aussi délicate que celle d'un enfant. La garde alternée n'est pas encore proposée.

Les animaux sont à l'origine de quelques nuisances.

Contrepartie de leur apport affectif ou sécuritaire, les animaux peuvent être à l'origine de quelques problèmes pour leurs possesseurs et pour leur entourage, ainsi parfois que pour l'ensemble de la collectivité. Les zoonoses, affections animales transmissibles à l'homme, tendent à se développer : teignes, gale, toxoplasmose, allergies... L'une des principales nuisances est sans doute celle liée aux excréments de chien qui polluent les villes et rendent la marche sur les trottoirs délicate. C'est le cas notamment à Paris, où quelque 200 000 chiens déposent environ 10 tonnes d'excréments par jour, et sept piétons sur dix considèrent ces déjections la première cause de malpropreté.

Par ailleurs, le nombre des morsures de chien est estimé à plus de 500 000 par an ; près de la moitié concernent des enfants de moins de 15 ans et une sur dix nécessite une hospitalisation. La plupart des morsures de chiens sont faites sur les enfants de la famille dans laquelle ils vivent. Les nuisances amenées par les chats étaient jusqu'ici limitées à des problèmes dermatologiques concernant des personnes allergiques aux poils. Il s'est ajouté en 2006 la crainte (infondée selon les spécialistes) d'une transmission de la grippe aviaire par des chats ayant été conta-

La santé (animale) n'a pas de prix

Les dépenses de santé pour les animaux pèsent de plus en plus lourd pour les ménages qui en possèdent. Celles de vétérinaires ont explosé au cours des dix dernières années : + 72 %. Une simple consultation coûte entre 30 et 50 € Il s'y ajoute le coût des traitements spécialisés (par exemple 80 € pour une gastro-entérite ou 120 € pour une castration mâle). Les spécialités médicales pour animaux se développent dans des domaines tels que la dermatologie, la traumatologie, la cardiologie, voire la cancérologie. La facture peut 1000 € par an pour une chimiothérapie, 150 euros par mois pour traiter un chien atopique (allergie cutanée).

Comme pour les humains, les dépenses sont plus élevées en début et en fin de vie des animaux. Avec une espérance de vie qui continue d'augmenter (11 ans pour les chiens et 9 ans pour les chats), les animaux requièrent plus de soin. Les assurances santé pour animaux coûtent entre 100 € et 250 € par an ; elles ne concernent encore que 4 % des animaux en France, contre 80 % en Suède et 30 % au Royaume-Uni. Les principales causes de décès des chiens sont les cancers (27 %), la vieillesse et les maladies cardiaques (18 %).

En marge des soins vétérinaires, les offres ne cessent de se développer : après le traditionnel salon de toilettage se développent les massages, de l'ostéopathie, des services de gardiennage haut de gamme, voire des sites de rencontres pour des animaux de compagnie, des sites virtuels de cimetières. La France reste cependant encore loin des pays comme le Japon qui proposent des accessoires griffés pour chiens et chats, des sources thermales, des salons de beauté avec massages, aromathérapie et même masques de beauté à l'argile pour chiens.

Dans un contexte de crise économique et d'inquiétude sur le pouvoir d'achat et d'arbitrage des dépenses, la forte augmentation des prix d'entretien des animaux explique sans doute le nombre élevé des abandons de chiens et chats avant les départs en vacances ; il est estimé à 60000 par an par la SPA.

Étude Santé Vet, mai 2011

minés par des oiseaux sauvages ou domestiques porteurs du virus H5N1. On a recensé 33 décès par morsures de chien au cours des vingt dernières années. Les deux tiers concernaient des enfants de moins de 15 ans (16 avaient moins de 5 ans).

Les dépenses annuelles sont proches de 6 milliards d'euros.

On estime que les Français dépensent plus de 3 milliards d'euros par an pour la nourriture, les soins, les assurances et les achats divers destinés à leurs animaux familiers. Il faut ajouter à ce budget environ 1,5 milliard d'euros pour les achats d'animaux. Dans les dépenses d'entretien courantes, le poste alimentation compte pour près des trois quarts. Un chien coûte de 500 à 1 300 € par an à son propriétaire selon sa taille et le type de nourriture qui lui est donné. Pour un chat, le coût peut varier de 250 à 700 € par an. Les dépenses de santé tendent également à s'accroître fortement (encadré). Parmi les autres dépenses, il faut mentionner le toilettage (entre 15 et 50 €), les assurances (environ 200 € par an) et le matériel nécessaire au confort des animaux (panier, gamelle, jouets, niches, etc...) pour un budget estimé entre 100 et 200 €.

Le souci de faire plaisir aux animaux, mais aussi de se faire plaisir, explique que les maîtres dépensent de plus en plus pour les compléments alimentaires (minéraux, vitamines...), les friandises, les produits d'hygiène-beauté, les accessoires et les jouets, sans compter les multiples services proposés. Un chien sur trois et un chat sur deux reçoivent un cadeau pour Noël ou leur anniversaire.

On observe ainsi une montée en gamme des aliments, favorisée ou induite par l'offre des industriels.

Chers animaux

Dépense annuelle moyenne pour les animaux d'agrément par type de ménage (2006, en euros courants)

Personnes vivant seules	74
Familles monoparentales	107
Couples sans enfant	141
Couples avec enfant(s)	163
Autres	312
Ensemble	130

INSEE

Les maîtres achètent à leurs chiens et chats des produits de plus en plus élaborés, voire « mitonnés ». Près de 90 % leur donnent des en-cas en cours de journée, contre 18 % en 1996. Comme chez les humains, ce grignotage peut entraîner un accroissement de l'obésité ; on estime qu'un chat sur quatre est en surpoids.

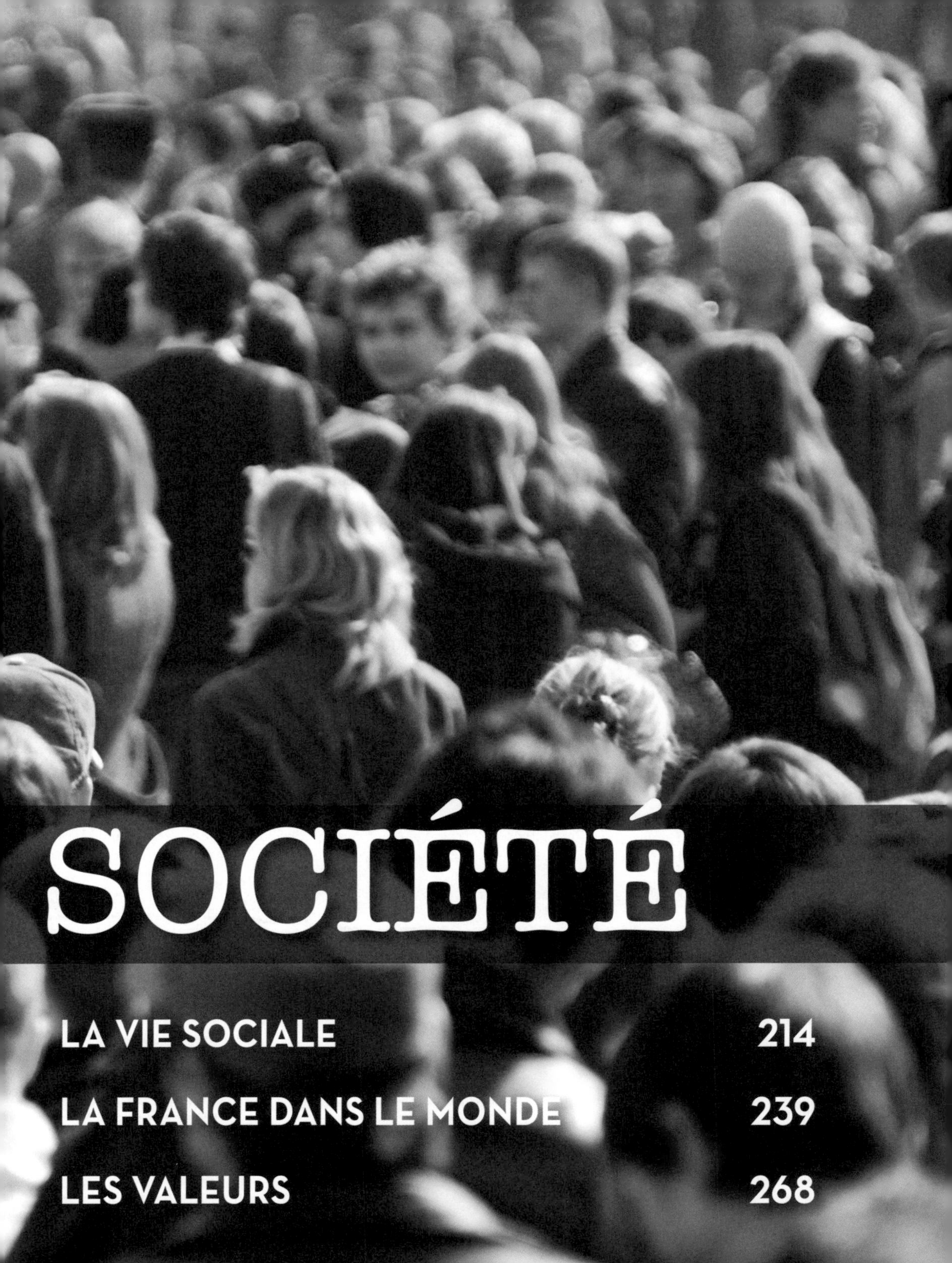

SOCIÉTÉ

GROUPES SOCIAUX

Les catégories sociales sont traditionnellement fondées sur la profession...

Les transformations de la société au cours des dernières décennies ont d'abord eu pour conséquence une décomposition des catégories sociales traditionnelles. La classe ouvrière a disparu, comme celle des agriculteurs. À l'intérieur de chacun de ces groupes, les modes de vie et les systèmes de valeurs se sont diversifiés, de sorte que les catégories n'obéissent plus à des règles comportementales explicites ou implicites. La même remarque s'applique, à des degrés divers, aux commerçants et artisans ou aux membres des professions libérales. Avec l'apparition d'une vaste « classe moyenne » dans les années 1960, issue de la période de croissance économique ininterrompue des « Trente Glorieuses » (1945-1975), le sentiment d'appartenance de classe s'est progressivement effrité. Mais les « classes moyennes » sont désormais plurielles et difficiles à définir (encadré ci-après).

Les groupes sociaux sont ainsi moins organisés autour de la profession, au sens des anciennes CSP (catégories socioprofessionnelles, définies par l'INSEE en 1954, remaniées et renommées en 1982 en PCS, professions et catégories professionnelles). Ces catégories ne font pas en effet la distinction importante entre les jeunes et les seniors, entre les fonctionnaires et les salariés du secteur privé, entre les secteurs d'activité, entre les salariés et les indépendants. Elles intègrent assez mal les nouveaux métiers et fonctions apparus depuis une vingtaine d'années, notamment dans le secteur des services. Elles sont en outre fondées sur la vie professionnelle, alors que le temps libre occupe aujourd'hui une place prépondérante dans les vies individuelles (p. 101). Les 25,7 millions d'actifs occupés (hors chômeurs) ne représentent d'ailleurs que la moitié de la population française adulte (18 ans et plus) ; les autres figurent dans le groupe hétérogène des « inactifs ».

... mais l'âge et le niveau d'éducation sont des critères importants.

Parmi les critères sociodémographiques traditionnels, l'âge constitue souvent un facteur déterminant des opinions, des modes de vie et des appartenances. Il conditionne assez largement la vision de la société et du monde, l'attitude plus ou moins favorable à l'égard des divers éléments constitutifs de la « modernité » : construction européenne ; mondialisation ; système économique ; environnement ; nouvelles technologies...

Ainsi, les plus jeunes se caractérisent globalement par un système de valeurs qui fait une large place à la reconnaissance de l'individu, au refus de la norme et à l'appartenance à des groupes (p. 148). Ils ont une vision à la fois hédoniste et pragmatique de la vie ; leur rapport au temps est fondé sur le court terme et l'improvisation. À l'inverse, les personnes âgées sont plus réticentes au changement, à l'usage des outils technologiques, à la globalisation de l'économie ou à la disparition des frontières. Elles continuent de planifier leur temps et sont préoccupées

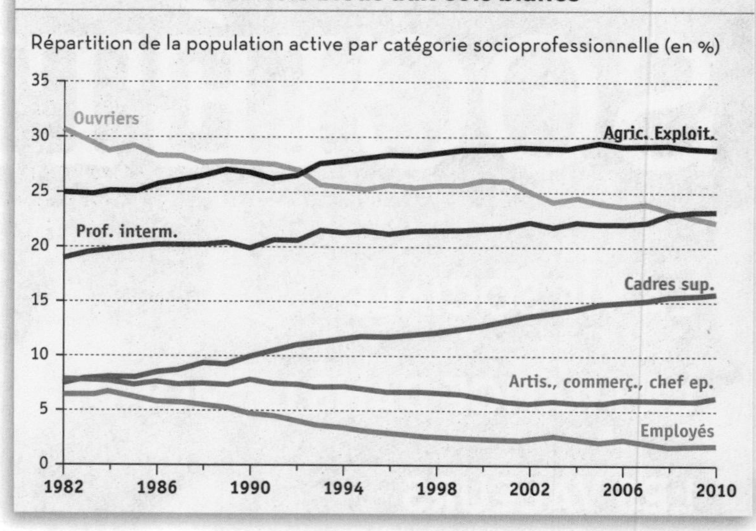

par l'avenir des générations. C'est pourquoi les clivages en matière de vie familiale, de consommation, de pratiques de loisir ou même de comportement électoral s'expliquent souvent davantage par les différences d'âge que par celles de profession, de pouvoir d'achat, de statut matrimonial ou d'habitat.

Le niveau d'instruction est un autre facteur de clivage d'importance croissante entre les groupes sociaux. La culture générale conditionne en effet largement la capacité à appréhender le monde et à se situer par rapport à lui (p. 86). La possession de diplômes permet de trouver plus facilement sa place dans la société et de disposer d'un pouvoir d'achat plus élevé. On observe ainsi de forts écarts d'opinions et de valeurs selon le niveau d'éducation. Les personnes peu diplômées ont souvent une vision plus radicale de la société. Elles font preuve d'une plus grande sympathie à l'égard de partis situés aux extrémités de la palette politique, à droite comme à gauche (p. 253). Les personnes plus diplômées sont en moyenne plus favorables à la mondialisation, à l'ouverture européenne, aux innovations technologies. Elles raisonnent davantage en termes d'opportunités que de menaces, dans la mesure où elles profitent plus facilement que d'autres de ces changements.

L'âge, le revenu, le diplôme et la catégorie socioprofessionnelle jouent un rôle important dans les modes de vie. Le graphique ci-après montre par exemple que les inégalités d'accès à Internet sont fortes pour chacun de ces critères, mais qu'elles se sont accrues au cours des années passées.

Fracture numérique

Évolution des principales causes d'inégalités d'équipement en Internet à domicile (indicateur synthétique d'inégalités*, en %)

	2005	2011	Évolution
Âge	18	14	+ 1,3
Revenu	23	14	+ 1,6
Diplôme	26	14	+ 1,9
PCS	28	14	+ 2,0

* Calculé à partir des écarts de taux d'équipement pour chaque critère (âge, revenus...). Plus le coefficient est élevé, plus les inégalités sont fortes.

Crédoc

Les individus sont de plus en plus multidimensionnels.

Tout individu est constitué de nombreuses dimensions et facettes qui se complètent ou s'opposent selon les phases de sa vie, mais aussi selon les moments de la journée, de la semaine ou de l'année. Tour à tour adulte et enfant, actif et oisif, observateur et acteur, exécutant et décideur, moderne et conservateur, élève et professeur, responsable et assisté, acheteur et vendeur, chacun change d'identité apparente en fonction de son humeur et de son environnement (professionnel, familial, social, médiatique...). S'il adhère globalement à un système de valeurs cohérent (bien qu'évoluant tout au long de sa vie), il n'a pas les mêmes réactions ni les mêmes attentes selon qu'il se trouve sur son lieu de travail, à son domicile ou en vacances. L'accélération des changements dans l'environnement économique, social, politique ou technique tend par ailleurs à remettre en question les habitudes ou les certitudes, à favoriser le *zapping* entre des valeurs différentes, voire contradictoires.

Ces dimensions et « rôles » multiples d'un même individu sont parfois difficiles à assumer, notamment lorsqu'ils s'écartent trop de son identité « fondamentale ». Les postures prises dans les différentes situations peuvent alors être ressenties par celui-là même qui les prend comme des impostures. Cette sensation peut être dans certains cas à l'origine d'une prise de conscience salutaire qui lui permettra d'être enfin « lui-même » et de s'accepter comme tel. Mais elle fait aussi parfois apparaître une trop grande distance entre le modèle et la réalité. Elle peut alors conduire à la dévalorisation de soi, parfois même au refus de soi. Ainsi, les pressions exercées par l'environnement sont souvent à l'origine de dépressions et de maladies psychologiques.

La multidimensionnalité est aussi, et peut-être d'abord, une *multifonctionnalité*. Les individus sont tour à tour (ou en même temps) des enfants, des parents, des travailleurs, des électeurs, des consommateurs, des lecteurs, des auditeurs, des spectateurs, des joueurs, etc. Leurs attitudes et comportements varient selon la fonction occupée. Cette multiplicité a été favorisée par la reconnaissance de l'individu dans toutes ses facettes, et la proclamation d'un « droit à la différence », au nom de la liberté et de la tolérance, parfois aussi de l'indifférence. Cet éclectisme croissant engendre une plus grande complexité des individus et une plus grande difficulté à les cerner, à les faire entrer dans des catégories préétablies.

Une recomposition de la société est en cours.

Les membres des « classes moyennes », qui s'étaient développées à partir des années 1960, ont eu longtemps des comportements relativement homogènes. Mais ces classes ont changé de statut avec les bouleversements économiques, sociologiques et technologiques, notamment depuis le milieu

Les classes moyennes, mythe ou réalité ?

Les discours sur les « classes moyennes » se sont multipliés depuis plusieurs années. Cette notion est certainement utile pour qualifier un groupe de Français qui ne sont ni « riches » ni « pauvres », même si les chiffres tendent à montrer qu'ils ont moins bénéficié de l'augmentation de pouvoir d'achat que les personnes situées en haut et en bas de l'échelle des revenus. Pourtant, il n'existe pas de définition précise et indiscutable de ce groupe, susceptible d'être utilisée dans les analyses. S'agit-il d'abord d'une véritable « classe », au sens d'individus ayant des valeurs et des modes de vie comparables, ou de plusieurs groupes que l'on pourrait alors difficilement agréger, du fait de leur hétérogénéité ? Comment, en tout cas, comptabiliser le nombre de personnes ou de ménages concernés ?

Le critère unique habituellement retenu est celui du revenu. Mais ce choix est contestable, dans la mesure où les attitudes et les comportements des Français sont sensiblement moins dépendants que par le passé de ce qu'ils gagnent, y compris dans leurs actes de consommation (p. 372). Si l'on accepte le critère financier, où commencent et où s'arrêtent les classes moyennes, sachant que le revenu moyen d'un ménage est d'environ 1300 € par mois et par unité de consommation (définition p. 367) ? Il faut d'ailleurs préciser que le revenu est le plus souvent confondu avec le salaire, alors que celui-ci n'en est qu'une composante (p. 359). Une étude publiée par le Crédoc en novembre 2007 montrait que le revenu ne permet pas d'identifier une direction unique d'évolution différente entre les classes moyennes (définies par le revenu) et les autres groupes sociaux au cours des vingt-cinq dernières années.

On définit parfois ces classes par ce qui reste de la population lorsqu'on a enlevé (arbitrairement) les 30 % de personnes ayant des revenus supérieurs au revenu médian (ou moyen, mais celui-ci est moins pertinent) et les 30 % ayant des revenus supérieurs. On constate alors... que les classes moyennes représentent 40 % de la population ; ce résultat est une évidence qui ne fait guère avancer la réflexion ! Le recours à l'autoclassification n'est guère plus utile. Les Français sont de moins en moins nombreux à déclarer spontanément appartenir à une classe spécifique. C'est ce qui explique qu'ils se rangent de plus en plus souvent dans la catégorie « moyenne » (pour 40 à 60 % d'entre eux, selon les questions posées dans les enquêtes), à défaut de se considérer comme riche ou pauvre. Malgré son usage répété, la notion de classes moyennes risque de rester pour quelques temps encore un OSNI (objet sociologique [ou statistique] non identifié).

des années 1990. De sorte que leur diversité est croissante et leur définition complexe, voire impossible (encadré). On peut déceler dans la nébuleuse sociale actuelle quatre groupes principaux, qui tendent à se substituer aux anciennes classes (et qui étaient proposés dans *Francoscopie* dès l'édition 1993).

Au-dessus de la société planent toujours ceux qui appartiennent à ce qu'il est convenu d'appeler les « élites » de la nation. Mais le pouvoir économique, politique, social, culturel, intellectuel ou médiatique s'est déplacé ; il est aujourd'hui dans les mains d'une nouvelle aristocratie du savoir, que l'on pourrait baptiser *cognitariat*. Ses membres sont patrons, cadres supérieurs, professions libérales, gros commerçants, mais aussi hommes politiques, responsables d'associations, syndicalistes, experts, journalistes, artistes, etc.

Au-dessous de ce groupe, une sorte de *protectorat* s'est constitué au cours des années de crise, bien avant 2007. Il est composé de l'ensemble des fonctionnaires, de certaines professions libérales peu menacées (pharmaciens, opticiens, huissiers, notaires...), d'employés et cadres d'entreprises du secteur privé non concurrentiel ou protégé (certaines spécialités médicales ou paramédicales, banque, assurance...). Il faut y ajouter la plupart des retraités et préretraités, dont la situation financière est le plus souvent correcte, en tout cas plus sûre et prévisible que celle de la plupart des actifs.

La « classe moyenne inférieure » a engendré vers le bas un *néoprolétariat* aux conditions de vie précaires. Car la société française n'est plus intégratrice ; elle tend aujourd'hui à marginaliser les plus vulnérables, membres de la « France d'en bas ». La partie la plus vulnérable de ce groupe est constituée des « nouveaux pauvres », exclus de la vie professionnelle, culturelle, sociale. On compte aussi parmi eux des actifs, souvent à temps partiel ou occasionnels, qui ne parviennent pas à joindre les deux bouts et qui sont touchés de plein fouet par la récession.

La « classe moyenne supérieure » est devenue une sorte de *néobourgeoisie* composée de commerçants, petits patrons, employés ou même ouvriers qualifiés, ainsi que de représentants de

certains membres de professions libérales (une partie des médecins, architectes, avocats...). Ils disposent d'un pouvoir d'achat acceptable ou confortable, mais restent vulnérables à l'évolution de la conjoncture économique et au bouleversement de la hiérarchie professionnelle.

L'ascension sociale n'est plus assurée.

L'un des aspects principaux du progrès social au XXe siècle est d'avoir donné à chaque citoyen la possibilité théorique d'accéder à toutes les positions sociales, tous les statuts. Un enfant né dans un milieu modeste pouvait avoir l'ambition légitime, s'il en avait les capacités, de se hisser dans les catégories plus élevées de la hiérarchie. Ce principe égalitaire généreux s'est heurté depuis quelques années à la réalité, et notamment aux crises qui ont secoué la France. Les différences initiales entre les individus apparaissent dès le plus jeune âge ; elles sont de moins en moins gommées par le système éducatif (p. 74). La promesse républicaine n'est donc plus tenue et c'est une source de frustration pour ceux qui ne parviennent pas à monter dans l'ascenseur social.

Ceux qui ont la chance de le prendre en tirent une fierté légitime, mais souvent de courte durée. Il reste en effet toujours des étages plus élevés à atteindre. Or la pyramide sociale est bien plus large en bas qu'au sommet, et le nombre de places diminue au fur et à mesure que l'on monte. Ceux qui restent bloqués à un étage intermédiaire (c'est le cas par définition des fameuses « classes moyennes ») en éprouvent souvent une forte déception. De plus, pour éviter que les étages élevés ne soient trop encombrés, l'ascenseur fonctionne aussi dans l'autre sens, celui de la descente. C'est là d'ailleurs un aspect spécifique de l'époque que, pour la première fois sans doute dans l'histoire sociale, les jeunes ne sont pas assurés de connaître un « meilleur » destin que leurs parents. Un certain nombre d'indicateurs, notamment le chômage, montrent que les craintes des jeunes sont fondées. Elles expliquent sans doute leur pessimisme (p. 227) ou leur vote en faveur des extrêmes lors de l'élection présidentielle de 2012.

La promesse d'une ascension sociale à chacun peut sans aucun doute être

La société du *casting*

La promesse républicaine, socialement et moralement correcte, d'une ascension sociale possible pour tous ceux qui le « méritent » prête à discussion dans son principe. On peut en effet penser que c'est en grande partie la « chance » (le hasard, la naissance, le sort...) qui est à l'origine des destinées individuelles. La thèse apparaît peu discutable en ce qui concerne les caractéristiques « innées » des personnes, notamment physiques ou intellectuelles, même si bien sûr chacune d'elles peut être améliorée par l'entraînement et la volonté (mais ne peut-on pas penser que la volonté et la capacité de progresser sont elles-mêmes en partie « innées » ?). On peut aussi suggérer que le « hasard » occupe une place importante en ce qui concerne certaines qualités ou caractéristiques considérées comme « acquises » (culture, comportements sociaux...). Elles le sont en effet plus facilement dans un milieu propice ou lorsqu'on a des prédispositions génétiques pour les acquérir.

Sans parler de déterminisme social, il semble donc que la part de pure responsabilité individuelle dans la trajectoire de vie soit moins forte qu'on l'imagine souvent. Les « crises » récentes ont en outre modifié la donne. Les places sociales sont devenues plus rares et plus chères. Il faut pour les obtenir passer par des processus de *sélection*, c'est-à-dire d'*élimination*. Celle-ci commence à l'école. Si elle est moins apparente jusqu'au niveau du baccalauréat, la sélection se fait sentir dans l'enseignement supérieur, où les écoles et les universités choisissent (même sans le dire) les étudiants et en laissent chaque année beaucoup au bord de la route (p. 83). Elle se poursuit au travail, avec des méthodes parfois brutales, lors de l'entrée dans la vie active.

Le système social est donc fondé sur la compétition, et la société contemporaine est le résultat d'un *casting* permanent. Comme dans les émissions de téléréalité, elle établit en permanence des classements, choisit, écarte, évince, récompense, sanctionne. Le principe est présent dans toutes les dimensions de la vie : conjugale, affective, familiale, professionnelle, sociale... Chacun est à tout moment jaugé, jugé, comparé aux autres afin d'être retenu ou au contraire exclu. Jusqu'au prochain *casting*. Ceux qui sont rejetés de la sélection (généralement les plus nombreux) en éprouvent toujours de la déception, souvent de la frustration, parfois de l'humiliation. Rares sont en effet ceux qui ont la sagesse de se réjouir du bonheur des autres et qui savent se contenter de ce qu'ils ont.

vue comme un progrès de la société, en réponse à une aspiration légitime. Elle a engendré des espoirs, mais aussi des déceptions et des frustrations lorsqu'elle n'est pas tenue, ce qui est de plus en plus souvent le cas. Elle explique également que les individus se satisfont moins facilement que par le passé de la position qu'ils occupent, qu'elle leur ait été acquise par leur milieu familial, leurs caractéristiques personnelles, leur mérite ou la chance. Ainsi, la difficulté de changer de place est souvent plus mal vécue que l'obligation implicite de « rester à sa place » qui était faite aux générations précédentes. Cela ne justifie évidemment pas la situation antérieure, mais montre la limite de promesses égalitaires et « républicaines » qui ne peuvent être tenues.

Les « tribus » sont des substituts aux classes sociales, ...

L'apparition de nouveaux groupes sociaux s'est accompagnée du développement de certaines formes d'appartenances. Comme les classes sociales d'antan, le « tribalisme » moderne est fondé sur le partage de valeurs ou d'opinions, mais surtout de modes de vie et de centres d'intérêt. Le regroupement peut ainsi s'effectuer à partir d'un goût commun pour un type de musique, un genre de cinéma, une discipline sportive ou toute autre activité de loisir spécifique. Il se manifeste de façon concrète par les lieux fréquentés, les modes d'habillement (vêtements et accessoires), la gestuelle, le langage spécifique, les héros et autres signes de reconnaissance. À la différence des tribus anciennes, celles d'aujourd'hui ne sont guère nomades, même si le mot est souvent utilisé pour décrire la mobilité contemporaine caractéristique de l'*Homo zappens*. Elles se reconnaissent au contraire souvent par le lieu qu'elles occupent, qui est partie prenante de leur identité. Ainsi, les *bobos* (qui appartiennent au groupe plus large des *métros*) se caractérisent par leurs quartiers d'habitation, les arrondissements chics et décontractés des grandes villes, leur aisance économique et leur volonté affichée de solidarité sociale). Dans les banlieues, chaque tribu a aussi son propre territoire de vie, de jeu et d'action, qu'elle cherche à protéger ou à agrandir. La mobilité est limitée aux déplacements permettant de se rendre dans les différents lieux d'activité et de rassemblement ; les tribus modernes sont de ce point de vue plutôt sédentaires.

Le tribalisme peut aussi être vécu dans le monde « virtuel » ; Internet est ainsi devenu l'outil de rapprochement de tous ceux qui ont des caractéristiques ou des passions communes, quelles qu'elles soient. Ces tribus ne se définissent plus alors par les lieux d'habitation de leurs membres, puisque la proximité géographique n'est plus une condition pour communiquer et se réunir. Elles constituent en ce sens plutôt des *diasporas*, dont les membres peuvent être disséminés partout dans le pays ou dans le monde.

Qu'elle soit urbaine ou périurbaine, la tribu représente avant tout un moyen d'intégration et d'appartenance. Mais elle peut être en contrepartie, parfois par construction, un facteur d'exclusion pour les autres. Sauf s'ils sont cooptés par les membres, au terme d'une procédure qui peut être longue et difficile.

Anémie et anomie

La France se trouve depuis quelques années déjà dans une situation doublement inconfortable. Sur le plan économique, elle souffre d'*anémie*, avec une croissance insuffisante, inférieure à celle de ses voisins européens et insuffisante pour créer de l'emploi et résorber le chômage. Avec la crise économique et financière des années 2008-2012, cette anémie s'est transformée en maladie, et même en handicap avec notamment des conséquences immédiates sur le taux de chômage. La conséquence est une aggravation des déficits, un très fort accroissement de la dette publique, une diminution des parts de marché en matière de commerce extérieur.

Sur le plan social, la France vit aussi depuis des années dans une situation d'*anomie*, au sens défini par le sociologue Durkheim. Les Français ne se reconnaissent plus dans un système de valeurs commun susceptible de les aider à organiser leur vie. Cette disparition des repères se traduit par un pessimisme élevé et croissant, sans équivalent dans les autres pays développés (p. 228). Il explique aussi la difficulté de vivre ensemble, le fossé entre le peuple et les « élites », la recherche de boucs-émissaires qui seraient responsables de la crise. Le « modèle républicain » n'est plus le creuset qui pendant longtemps donnait un sens à la société et des objectifs communs aux citoyens.

L'anémie économique et l'anomie sociale s'alimentent et se renforcent mutuellement. Leur conjonction rend plus difficile le sursaut national nécessaire pour sortir de la crise, engager les réformes, réconcilier les Français avec la politique et leur faire accepter les efforts qui vont devoir être faits.

... de même que les communautés, ...

La tribu regroupe généralement un nombre peu élevé de membres et elle est souvent fondée sur plusieurs critères d'appartenance. La communauté est au contraire définie par un critère principal, souvent « socialement sensible », tel que la religion, l'ethnie, la couleur de la peau ou la préférence sexuelle. On parle ainsi des communautés juive, musulmane, immigrée, beur, chinoise, noire, homosexuelle, *geek* (passionnés de technologie), etc. Le terme est utilisé à la fois pour évoquer les caractères qui les fondent et le respect auquel elles ont droit. Dans leur principe même, ces communautés partielles apparaissent peu compatibles avec le « modèle républicain », qui repose sur l'idée d'une « communauté nationale » qui ne saurait se diviser en sous-groupes autonomes.

Le développement du communautarisme répond à la volonté de lutter contre les discriminations. Ses partisans défendent l'idée d'un multiculturalisme basé sur la reconnaissance et l'acceptation des différences. L'émergence progressive d'une communauté homosexuelle est par exemple significative de cette évolution. Le communautarisme est également encouragé par certaines entreprises, qui pratiquent un « marketing ethnique » ou « sexuel » avec des produits et des modes de communication spécifiques aux « cibles » visées. Chaque communauté représente évidemment un marché potentiel, à la fois acheteur et prescripteur, avec un taux de fidélité souvent supérieur à la moyenne. Elle constitue aussi un groupe de pression, susceptible de défendre un point de vue ou des revendications spécifiques, qu'il faut mieux avoir avec soi que contre soi. Les responsables politiques et les marques l'ont bien compris, qui s'efforcent d'accroître par tous les moyens le nombre de leurs « amis », *fans* ou *followers* sur les réseaux sociaux.

... les clubs et les réseaux.

À côté des tribus et des communautés, les clubs et les réseaux représentent d'autres modes d'appartenance, complémentaires ou concurrents. Leur raison d'être est souvent d'ordre pratique : permettre à leurs membres de progresser dans la vie, notamment professionnelle, et d'exercer une influence dans la société. On attribue ainsi aux francs-maçons un rôle important dans les instances de décision politique ou économique. Leur goût du secret fait qu'on les assimile parfois à une secte. L'image contrastée de ces groupes constitués s'explique par leur manque de transparence, le poids du « copinage » et de la cooptation en leur sein ; il est apparent par exemple dans les nominations aux conseils d'administration des grandes entreprises. Mais d'autres réseaux ont une motivation plus ludique ; c'est le cas notamment des réseaux sociaux sur Internet tels que Facebook, Twitter ou Google +.

Cette évolution récente des appartenances vers les tribus, communautés, clubs ou réseaux s'est faite au détriment de la « communauté nationale ». La nation est en effet aujourd'hui une notion trop large et floue pour que chacun puisse y reconnaître ses propres valeurs, ses particularités, ses modes de vie. Elle est au contraire jugée trop restreinte pour certains, qui souhaitent un transfert de souveraineté vers l'Europe, voire même un « gouvernement planétaire ». Trop éloigné de l'individu moderne pour qu'il puisse s'y épanouir, trop difficile à définir dans le contexte actuel de fragmentation de la société, le « modèle républicain » apparaît ainsi mal en point. Concurrencé par d'autres formes possibles d'appartenance, il ne correspond plus à l'époque, à la diversité des composantes de la nation, aux motivations individuelles et à l'esprit du temps. Il n'aura guère d'autre choix que de se renouveler ou de disparaître.

La « société centrifuge » peine à intégrer tous ses membres.

Le modèle national s'est longtemps caractérisé par sa volonté d'intégrer chaque citoyen, et par son aptitude à le faire. Il utilisait pour cela les institutions républicaines : école, armée, système de protection sociale. Mais l'école peine aujourd'hui à remplir cette mission (p. 78), l'armée de conscription a disparu et le système de protection croule sous les dettes, d'autant qu'il est beaucoup sollicité en temps de crise.

Après avoir été soumise à des forces de type centripète, qui tendaient à maintenir ou ramener l'ensemble des citoyens à l'intérieur de la machine, la société française est aujourd'hui soumise à des forces *centrifuges*. Elles projettent un nombre croissant de personnes vers les marges et tendent à exclure certaines d'entre elles. Les individus concernés sont ceux qui ne disposent pas des atouts nécessaires pour assumer leur autonomie, prendre les bonnes décisions, maîtriser leur destin. Ces « maillons faibles » de la chaîne sociale souffrent d'un manque d'éducation ou de culture générale, de problèmes de santé, de handicaps physiques ou mentaux, d'une absence de réseaux relationnels, qui leur rend difficile de se mouvoir dans la société et de s'y développer. Comme dans les jeux de « téléréalité », ils sont progressivement écartés par leur entourage et leur environnement, au terme d'une sélection qui est plus artificielle que naturelle. Comme la télévision, la société est devenue un gigantesque *casting* dans lequel les processus d'élimina-

Le refus de l'autorité

Des salariés prenant en otage le patron de leur entreprise ou des cadres dirigeants pour protester contre des plans sociaux. Des écologistes fauchant des cultures expérimentales de maïs transgénique. Un maire mariant de manière illégale des couples homosexuels. Des associations occupant des immeubles pour permettre à des sans-abri de les habiter. Des étudiants opposés à la réforme de l'université interdisant l'accès de leurs bâtiments à ceux qui veulent y étudier. Des élèves de lycée ou de collège insultant ou frappant leurs professeurs pour une mauvaise note ou appréciation. Des usagers arrachant des relais téléphoniques soupçonnés de diffuser des ondes électromagnétiques. Des personnes défilant dans les rues pour protester contre des décisions de justice. Tels sont quelques-uns des multiples exemples de mise en cause des décisions prises par les acteurs économiques, institutionnels, politiques du pays.

Les formes diverses de l'« autorité » sont ainsi de plus en plus contestées par des Français qui doutent de la légitimité de ceux qui la représentent, de leurs capacités à décider, de leurs motivations, de leur intégrité. La désobéissance civique témoigne du fossé qui s'est creusé entre les élites et le peuple. Elle illustre aussi une crise de la démocratie. Les « rebelles » ou les « Indignés » (p. 268) justifient leurs actions par la nécessité de reprendre un pouvoir qui aurait été confisqué aux citoyens. Mais ils bafouent ainsi les fondements de la vie démocratique, selon lesquels tout citoyen doit se conformer aux lois et ne peut changer le système que par les urnes. La « jacquerie » (à l'origine un soulèvement paysan dans les campagnes en 1358, pendant la Guerre de Cent ans) reste l'une des singularités françaises. Sa tentation est exacerbée par la crise et l'incertitude qu'elle engendre dans la population. Elle ouvre la voie à la violence et peut engendrer le retour à un régime autoritaire, qui serait à coup sûr pire que celui qu'elle dénonce.

tion se multiplient, sur fond de discours égalitariste (encadré p. 217).

La recomposition sociale s'accompagne d'une quête identitaire.

La difficulté actuelle d'appartenir à une catégorie sociale bien définie se double d'un questionnement sur l'identité nationale. Qu'est-ce qu'être français aujourd'hui ? Quels sont les fondements de l'appartenance à la communauté globale et en principe « supérieure » qu'est la France ? N'ayant pas de réponse précise et satisfaisante à cette question, de nombreux Français développent des identités multiples. Au gré de leurs envies et des circonstances, ils adhèrent à des tribus, des communautés, des réseaux ou des associations constitués à partir de centres d'intérêt divers et communs. Ces appartenances n'ont pas vocation à durer. Elles ne sont donc pas toujours parties prenantes de l'identité des personnes concernées, mais plutôt révélatrices d'un engouement correspondant à un aspect de leur personnalité ou à un moment de leur vie, en même temps que d'un vide à combler. C'est pourquoi elles évoluent au fil du temps, des fréquentations, des occasions ou des modes, lorsque les envies changent ou quand la lassitude apparaît. Ces multiappartenances éphémères tendent à se substituer à la monoappartenance durable à la nation qui a longtemps prévalu.

La quête identitaire revêt une importance croissante dans une société qui ne fournit plus de repères collectifs et vit en *anomie* (encadré p. 218). Elle traduit la volonté des personnes et des groupes d'exister, d'être reconnus socialement, de se différencier des autres, voire de s'opposer à eux. Elle entraîne parfois des réactions à des évolutions vécues comme des menaces. Ainsi, c'est à partir du moment où les femmes ont accru leur poids dans la société que l'on a vu apparaître la notion d'identité masculine. La demande de sens dans le travail a suivi la disparition des classes sociales fondées sur le statut professionnel (ouvriers, paysans, cadres, commerçants...). Le développement de certaines identités régionales a été favorisé par le transfert de certaines charges autrefois assumées par l'État et la peur de la globalisation. Pris dans un monde mouvant, partagé entre des sentiments multiples et souvent contradictoires, contraint à une autonomie difficile ou impossible, chaque individu s'efforce de construire ou de reconstruire son identité afin de survivre et de maîtriser son destin.

ÉTRANGERS ET MINORITÉS

La France compte 3,5 millions d'étrangers...

En 2008, on dénombrait 3,7 millions d'étrangers en France métropolitaine, soit 5,8 % de la population totale, contre 5,7 % lors du recensement de 1999, 6,3 % en 1990 et 6,6 % en 1931. La proportion avait atteint un maximum de 6,8 % en 1982.

Parmi les étrangers, 0,8 % sont nées en France. Plus d'un tiers sont originaires du Portugal, d'Algérie ou du Maroc. La part des ressortissants du Maghreb est de 1,1 million de personnes contre 1,3 million pour les ressortissants de l'Union européenne.

La part des Européens est en baisse sur longue période (38 %, contre 61 % en 1975), en raison de décès (Espagnols et Italiens notamment) et d'acquisitions de la nationalité française : 65 000 Portugais sont ainsi devenus français entre 1999 et mi-2005.

Les étrangers sont un peu plus jeunes que les Français : ils ont en moyenne 38,4 ans (contre 39,5 ans pour les Français). Les régions Île-de-France, Rhône-Alpes et Provence Côte-d'Azur en regroupent plus de la moitié (57 %).

La population étrangère présente quelques caractéristiques particulières. Elle connaît un fort taux de renouvellement et sa pyramide des âges est spécifique, avec un âge moyen moins élevé que la moyenne nationale. Avec un peu moins de 6 % d'étrangers, la France se situe dans la moyenne de l'Union européenne à vingt-sept (6,5 %). Elle arrive en treizième position derrière le Luxembourg, qui se trouve dans une situation atypique (42,1 % d'étrangers, en grande majorité européens), la Lettonie (17,6 %), l'Estonie (15,9 %), Chypre (15,8 %), l'Espagne (12,3 %), l'Autriche (10,4 %), l'Irlande, la Belgique, l'Allemagne et la Grèce (entre 8 et 10 %), ainsi que le Royaume-Uni et l'Italie (7 %). Les plus faibles proportions sont celles de la Finlande (2,9 %), du Portugal et des Pays-Bas (4,3 % et 3,9 %). La France est le pays d'Europe où la croissance démographique est la moins liée à l'immigration.

… et plus de 5 millions d'immigrés.

Tout immigré n'est pas nécessairement un étranger, et réciproquement. Les étrangers sont d'une nationalité autre que française, alors que les immigrés sont nés non français à l'étranger, mais certains peuvent être devenus français par acquisition de la nationalité. À l'inverse, les enfants nés en France de parents étrangers ne sont pas immigrés, mais peuvent être étrangers. Le nombre des immigrés est plus élevé que celui des étrangers. Les estimations 2008 font apparaître une forte hausse par

Les limites du recensement

La difficulté de connaître précisément les chiffres de l'immigration alimente des débats récurrents dans lesquels l'angélisme le dispute à la xénophobie. Les chiffres fournis par les recensements sur le nombre des étrangers ou immigrés sont en partie faussés par les déclarations erronées des personnes concernées. Ainsi, une fraction croissante des personnes âgées ayant migré en France dans leur jeune âge tend, avec le temps, à se déclarer française de naissance, plutôt qu'ayant acquis la nationalité. Certaines familles ne savent pas si leurs enfants nés en France sont « français de naissance » et déclarent ainsi une nationalité qui ne sera effective que plus tard. Le sous-enregistrement des étrangers lors des recensements pourrait ainsi atteindre 10 %.

De son côté, l'immigration clandestine est par nature impossible à mesurer. Elle nourrit donc tous les fantasmes. On peut cependant tenter d'évaluer à partir des statistiques de l'aide médicale d'État (AME) accordée aux migrants illégaux à faible revenu. Le nombre de bénéficiaires est passé de 75 000 en 1999 à 230 000 fin 2010 (192 000 fin 2006). Beaucoup d'étrangers en situation irrégulière ne bénéficiant pas de l'AME, il est probable que le nombre total des sans-papiers est plus élevé que celui de 300 000 parfois évoqué. Un rapport de l'Inspection générale des affaires sociales avait indiqué par ailleurs que 250 000 demandeurs d'asile déboutés entre 1998 et 2005 vivraient toujours en France sans papiers ; depuis on estime qu'environ 40 000 des 50 000 demandes d'asile annuelles sont rejetées. Enfin, le nombre des retours au pays d'étrangers en situation irrégulière n'est connu qu'à travers celui des expulsions et reconduites à la frontières exécutées (officiellement 30 000 en 2011, chiffre contesté) ; elles ne représentent qu'environ 30 % des décisions de justice. Pour toutes ces raisons, le solde migratoire apparaît donc sous-estimé.

D'une manière générale, les données statistiques ne permettent pas de connaître la composition véritable de la population en termes d'origine ethnique, de couleur de peau, de religion ou de préférence sexuelle. À l'inverse des États-Unis par exemple, les enquêtes sur ces indicateurs ne sont en effet pas autorisées (sauf exception, p. 280) ; seule la nationalité des étrangers et celle de leurs parents sont connues (dans les limites indiquées ci-dessus). Ces chiffres permettraient pourtant d'en savoir plus sur la population du pays, de répondre aux fantasmes par des données objectives, de mesurer et favoriser l'évolution de la diversité sociale, de lutter contre les discriminations.

rapport à celles de 1999 : 5,3 millions contre 4,3 millions (France métropolitaine). Leur part dans la population était de 8,4 % (contre 7,1 % dix ans plus tôt). 2 millions étaient des Français par acquisition nés à l'étranger (contre 1,6 million), soit 3,3 % de la population. 3 millions étaient des étrangers résidant en France mais nés hors de France (contre 2,7 millions), soit 4,9 %.

En 2011, l'attribution des premiers titres de séjour a diminué de 3,6 %, à 182 500. C'est sur les flux du travail que la baisse a été la plus forte (26 %) mais aussi sur les titres de séjours délivrés pour « liens personnels et familiaux » (14 %). Elle est la conséquence du fait que pour 24 % des immigrés de 2008, le motif d'admission sur le territoire français était le travail, devant les études (20 %) et le rapprochement avec un conjoint français pour (17 % des cas, 8,3 % avec un conjoint étranger). Pour plus de 60 % des immigrés en provenance des nouveaux pays de l'Union européenne, le motif principal des délivrances d'un titre de séjour reste le travail. 3 % concernent des régularisations : résidence habituelle depuis plus de dix ans en France ; naissance et résidence en France pendant au moins huit ans ; justification de liens personnels et familiaux en France (parents d'enfants français, par exemple). Dans ces différents cas, il s'agit principalement de personnes nées dans un pays autrefois sous administration française.

Le nombre d'immigrés et d'étrangers présents sur le territoire ne dépend pas que des flux entrants. Il dépend aussi des départs d'immigrés (naturalisés ou non) vers leurs pays d'origine. C'est le cas en moyenne d'un immigré sur quatre, dans les dix ans qui suivent son arrivée. 24 % de ceux d'Algérie arrivés entre 1962 et 1968 sont ainsi rentrés dans leur pays de naissance entre 1968 et 1975. Les personnes originaires d'Italie et d'Espagne comme

Français et étrangers

Évolution de la population non française de naissance (en % de la population, France métropolitaine)

	Français par acquisition	Étrangers	Nés à l'étranger
1911	0,6	2,8	3,0
1921	0,7	3,9	3,7
1926	0,6	6,0	5,7
1931	0,9	6,6	6,6
1936	1,3	5,3	5,6
1946	2,1	4,4	5,0
1954	2,5	4,1	5,4
1962	2,8	4,7	6,2
1968	2,7	5,3	6,6
1975	2,6	6,5	7,4
1982	2,6	6,8	7,4
1990	3,1	6,3	7,4
1999	4,0	5,6	7,4
2008	**4,4**	**5,8**	**8,4**

INSEE

celles (moins nombreuses) venant de Pologne ou d'Asie du Sud-Est semblent davantage adopter leur pays d'accueil que celles natives des pays du Maghreb.

La France est le pays qui reçoit le plus de demandes d'asile.

En 2011, le Haut commissariat des Nations Unies pour les réfugiés (HCR) annonçait une augmentation internationale des demandes d'asiles de 20 % dans les pays industrialisés, conséquence directe du « printemps arabe », des nouveaux conflits et d'un afflux croissant généré par des crises plus anciennes comme en Afghanistan.

Sur les 327 000 demandes reçues par les pays européens, la France en comptait 57 000. Elle se situait ainsi au deuxième rang dans le monde, derrière les États-Unis (74 000), devant l'Allemagne et l'Italie. Les demandes africaines représentent 36 % du total, celles de l'Europe 34 %, et l'Asie 25 %. Les cinq premières nationalités de demandes d'asile sont le Bangladesh, l'Arménie, la République démocratique du Congo et la Russie qui prend la première place si l'on compte les enfants.

Le taux global d'admission (ensemble des décisions de l'OFPRA et décisions d'annulation de la CNDA) était passé de 30 % en 2007 à 27 % en 2008. En 2011, l'Île-de-France restait la principale région de demande d'asile (42 % du total des demandes), la région Rhône-Alpes arrivait en deuxième position (9 %). Celles reçues par les départements d'Outre-mer (6 %) étaient en progression de 17 % par rapport à 2010.

Le nombre des naturalisations s'est fortement accru.

La proportion d'étrangers a varié entre un minimum de 3,9 % en 1921, entre les deux guerres, et un maximum de 6,8 % en 1982. La baisse constatée depuis s'explique moins par l'évolution des flux migratoires que par les phénomènes d'acquisition de la nationalité française (naturalisation) à la suite de mariages, de demandes exprimées par des étrangers nés en France, ou de décrets.

Pour les adultes, les deux voies principales d'acquisition de la nationalité française sont la naturalisation et le mariage avec un Français. La première voie est une acquisition par décret ; elle a représenté 62 % des acquisitions de nationalité en 2010. La seconde est l'acquisition par déclaration (32 % des acquisitions dont 15 % par mariage). Jusqu'en 2010, les trois quarts des demandes de naturalisation étaient acceptées. En 2011, une chute de 30 % des naturalisations a été annoncée, par une volonté politique de n'accorder cette dernière qu'à des personnes parlant le Français et adhérant aux principes de la République.

Le nombre de naturalisations était de 88 500 en 2010. Le nombre d'étrangers ayant acquis la nationalité française en 2011 a été de 143 275, en augmentation de 5,5 % par rapport à 2010. Mais ce nombre reste proche de la moyenne observée sur les dix dernières années (142 700). L'évolution récente montre une augmentation des déclarations pour raisons de mariage et une baisse des naturalisations. Parmi les acquisitions, près de trois sur cinq concernent des adultes, plus d'une sur cinq des mineurs bénéficiant de l'effet collectif et le reste des mineurs nés en France.

Origines

Immigrés selon le pays d'origine en 1999 et en 2008 (France, en milliers)

	1999	2008
Amérique, Océanie	130	282
Asie	594	757
Maghreb	1298	1602
Autres pays d'Afrique	393	669
Union européenne	1631	1808
Autres pays d'Europe	303	224

Le solde migratoire est d'environ 180 000 personnes par an.

Les grandes périodes d'immigration ont coïncidé avec les années de prospérité économique. À partir de 1956, la décolonisation avait provoqué l'entrée de près d'un million et demi de rapatriés, dont 650 000 d'Algérie en 1962. La politique d'immigration officielle a été interrompue en 1974 à cause du ralentissement de l'activité économique. Entre 1975 et 1990, le nombre d'étrangers avait progressé de 66 000, soit seulement un peu plus de 4 000 par an (un chiffre qui ne tient évidemment pas compte de l'immigration clandestine). Au cours des années 1990, l'accroissement des mesures de contrôle aux frontières s'est traduit par une diminution des entrées. Les mesures et objectifs affichés de ces dernières années traduisaient une volonté de « maîtriser » l'immigration, au besoin en instaurant des « quotas », en fonction des besoins en main-d'œuvre et des capacités d'accueil et d'intégration de la société.

Depuis 2006, les étrangers âgés de 18 ans ou plus qui viennent rejoindre leur conjoint et leur famille sont éligibles au contrat d'accueil et d'intégration (CAI), de même que les réfugiés et les travailleurs permanents. À cette catégorie de migrants s'ajoutent depuis 2007 ceux et celles qui bénéficient d'une carte de résident « compétences et talents ».

Le solde migratoire de la France au 1er janvier 2011 (excédent des entrées sur les sorties du territoire métropolitain) était estimé à 77 000 personnes (INSEE), à comparer aux 152 000 de 1996, solde le plus haut, et aux 38 000 de 1996, solde le plus bas. Les flux migratoires ont représenté 21 % de l'accroissement de la population française au cours de la décennie. Contrairement à la plupart des autres pays d'Europe, le dynamisme de la démographie française est davantage dû au solde naturel (naissances supérieures aux décès) qu'au solde migratoire. Il faut noter qu'un recours plus massif à l'immigration pourrait s'avérer nécessaire à l'avenir, du fait du vieillissement de la population et du ratio de plus en plus défavorable entre actifs et inactifs.

La peur de l'immigration reste présente.

Pendant les périodes de crise économique, l'attitude des Français envers les étrangers (mais aussi les immigrés) a tendance à se durcir. Certains estiment qu'ils sont responsables de la montée du chômage ou de celle de la délinquance. La reprise économique et la baisse du chômage qui avait été constatée à partir de 1998 avait au contraire donné le sentiment d'une modification de l'attitude des « Français d'origine » à l'égard des immigrés. La victoire de la France lors de la Coupe du monde de football et l'implosion du Front national avaient aussi contribué à pacifier les relations.

La reprise du chômage à partir de 2001 a de nouveau relancé le débat. Les attentats de New York avaient par ailleurs accru les craintes face à un islam intégriste dont la France était considérée comme l'une des bases européennes. Les élections présidentielles de 2002, 2007 et 2012 ont montré que l'immigration et la place des étrangers dans la société constituent toujours des enjeux importants pour les Français. Le thème avait été également très présent lors du référendum sur la Constitution européenne de 2005 (marqué par la peur du « plombier polonais »...). La création d'un ministère de l'Immigration, de l'Intégration, de l'Identité nationale et du Développement solidaire, la fermeture du centre de Sangatte, la récession engagée en 2008 avaient redonné de la vigueur à ce débat récurrent. En 2012, les meurtres commis par un jeune islamiste à Toulouse ont marqué la campagne présidentielle.

Le principal reproche adressé par un certain nombre de Français à des catégories spécifiques d'étrangers et d'immigrés est de ne pas s'adapter aux modes de vie et aux valeurs de leur pays d'accueil. Leur crainte est le développement d'un communautarisme fondé sur l'appartenance ethnique ou religieuse (p. 284). Ces critiques s'adressent surtout aux personnes d'origine maghrébine ou africaine, dont la culture et les habitudes sont les plus différentes des pratiques nationales. Le débat sur le port du voile islamique (qui a donné lieu en 2004 à une loi l'interdisant dans l'enceinte des écoles) ou sur l'excision, l'annulation en 2008 d'un mariage pour cause de non virginité furent à cet égard révélateurs des agacements et des peurs. Ils ont connu une suite au printemps 2009 avec la discussion sur le port de la *burqa*, jusqu'à la publication le 11 avril 2011 d'une « circulaire d'application de la loi interdisant la dissimulation du visage dans l'espace public ». Ce texte ne concernerait en fait que 2 000 femmes portant la *burqa* sur le territoire français.

Les étrangers, ailleurs

Évolution de la part des étrangers dans la population de quelques pays européens (en %)

	1993	2010
Allemagne	8,5	8,7
Autriche	8,6	10,4
Belgique	9,1	9,6
Danemark	3,6	5,9
Espagne	1,1	12,3
France	6,3	5,8
Finlande	1,1	2,9
Irlande	2,7	8,6
Italie	1,7	7,0
Pays-Bas	5,1	3,9
Portugal	1,3	4,3
Rep. tchèque	0,8	4,0
Royaume-Uni	3,5	7,0
Slovaquie	0,2	1,2
Suède	5,8	6,3
UE à 27	*nd*	*6,5*

OCDE pour 1993, Eurostat pour 2010

Les modes de vie familiaux se rapprochent...

Lors du recensement de 1999, 2,9 millions d'immigrés vivaient en couple ou étaient à la tête d'une famille monoparentale. Les 2 millions de familles auxquelles ils appartenaient regroupaient 6,9 millions de personnes, dont moins de la moitié étaient immigrées. Bien qu'on ne dispose pas de chiffres plus récents, on peut estimer que leur nombre s'est accru au cours des dix dernières années. Plus du tiers des couples d'immigrés sont mixtes (immigré/non immigré). L'endogamie (propension à se marier au sein du même groupe social) est très forte. Lorsque les deux conjoints sont immigrés, ils sont originaires du même pays dans neuf cas sur dix. Plus du tiers des immigrés étaient en couple à leur arrivée en France. Les immigrés entretiennent en effet des liens avec leur pays d'origine à travers des alliances matrimoniales.

En 2010, les couples mixtes (un des deux époux est étranger) ont représenté 12,2 % des mariages et la situation où les deux époux étaient étrangers correspondait à 2,9 % des mariages. Parmi les couples mixtes franco-étrangers, un tiers des étrangers mariés ayant obtenu un titre de séjour permanent avaient un conjoint français né en France de parents nés également en France. Plus d'un quart avaient un conjoint français né en France mais de parents nés à l'étranger. Un tiers avaient un conjoint français né à l'étranger de parents nés à l'étranger (DEDS).

Au cours des dernières décennies, la vie familiale des immigrés a connu les mêmes évolutions que celle de l'ensemble de la population, avec notamment un accroissement du nombre de personnes seules et de familles monoparentales, des ruptures et remises en couple plus fréquentes. Si les femmes immigrées se mettent en couple au même âge que les autres, les hommes immigrés le font nettement plus tard que les autres hommes. Le retard est particulièrement marqué pour ceux venant d'Algérie ou d'Afrique subsaharienne. Comme l'ensemble de la population, les immigrés commencent de plus en plus souvent leur vie de couple sans être mariés, mais ce mode d'entrée en union reste peu fréquent pour ceux venus du Maghreb ou de Turquie.

Leur mariage intervenant plus rapidement après la mise en couple, les immigrés se marient désormais plus jeunes que le reste de la population. Malgré un âge au premier enfant relativement proche de la moyenne, les femmes immigrées ont, en fin de vie féconde,

davantage d'enfants. Ces écarts de descendance finale ne tiennent pas seulement à des différences de composition sociale. Les adultes immigrés vivent plus souvent en famille et sont plus souvent mariés que les Français d'origine. Les cohabitations hors mariage sont moins fréquentes chez les immigrés. Le recul de l'âge au premier mariage est moins marqué, et les âges au premier enfant sont désormais proches. 13,3 % des naissances de 2010 étaient issues d'au moins un parent étranger contre 8,7 % dix ans plus tôt. La part des naissances issues de couples avec les deux parents étrangers reste stable depuis le début des années 2000 à 6,5 %. La part des mères nées hors de l'Union européenne dans les naissances en 2010 était de 15,9 % (INSEE).

... mais l'intégration économique et sociale est difficile.

En 2010, 2,7 millions d'immigrés âgés de 15 ans ou plus étaient présents sur le marché du travail en métropole, actifs ou chômeurs, soit 9,4 % de la population active. Leur taux de chômage est supérieur de sept points à celui des non-immigrés. Les étrangers actifs représentent 10,7 % des chômeurs n'ayant jamais travaillé, 9,6 % des ouvriers, 8,3 % des artisans et chefs de petites entreprises , et seulement 4,1 % des cadres supérieurs.

Les difficultés spécifiques des immigrés à accéder au travail s'expliquent en partie par leur formation initiale : 56 % d'entre eux ont un diplôme ou une formation inférieure ou équivalente au BEPC, contre 36 % pour le reste de la population française. Mais, si les étrangers font en moyenne de moins bonnes études que les Français, c'est souvent parce qu'ils sont issus de milieux familiaux moins favorisés. On constate aussi qu'à diplôme égal, un étranger ou un immigré trouve moins facilement un emploi (p. 307) et bénéficie de promotions moins importantes, notamment lorsque les différences d'origine (ethnique, culturelle ou religieuse) sont apparentes. Un certain nombre d'entreprises ne sont pas favorables à l'introduction de la « diversité » dans leurs politiques de recrutement.

Les écarts dans les parcours professionnels en induisent d'autres. Le pouvoir d'achat moyen des étrangers est largement inférieur à celui du reste de la population. Leurs conditions de logement et de confort sont également moins favorables, d'autant que leurs familles sont souvent plus nombreuses. À ces différences économiques s'ajoute la difficulté de vivre entre deux identités. Elle est apparente chez les beurs, nés en France dans des familles maghrébines (pour la plupart immigrées pendant les Trente Glorieuses). Si certains réussissent leur intégration (ils sont parfois qualifiés de « beurgeois »), la plupart souffrent d'une image doublement stéréotypée : délinquants de banlieue pour les uns, victimes d'un système social raciste et xénophobe pour les autres.

Intégration ou assimilation ?

Les interrogations sur l'identité de la France et sur l'aptitude des Français à vivre ensemble sont inséparables de celles concernant la place faite aux « minorités », quelle que soit la définition qu'on en donne. Le « modèle républicain » a longtemps intégré en assimilant. Il demandait aux étrangers arrivant dans le pays de se conformer non seulement aux lois de la République, mais aux usages en vigueur dans les relations entre les individus. Cela implique d'adhérer au système de valeurs et à la culture du pays d'accueil et de le placer au-dessus des systèmes d'appartenance personnels, notamment culturels ou religieux. Ces exigences sont aujourd'hui parfois jugées contradictoires avec les principes de liberté individuelle, de reconnaissance et d'acceptation des « différences » (modes de vie, religion, culture).

Force est de constater que la machine à intégrer est en panne et que la cohabitation entre « Français » et « étrangers » (dont beaucoup sont en réalité français, par naissance ou par acquisition) est souvent conflictuelle. Les incidents et dans les banlieues (parfois émeutes comme en octobre 2005) et les faits divers en témoignent. On a pu observer lors de l'élection présidentielle de 2012 un raidissement (notamment à l'extrême-droite) à l'égard de l'accueil des étrangers en général, et de certaines communautés en particulier. Entre assimilation autoritaire et intégration laxiste, il reste à trouver un équilibre, qui doit préciser les limites de la tolérance, les droits et les devoirs des « hôtes ». Il est d'ailleurs significatif que ce mot qualifie dans la langue française à la fois ceux qui reçoivent et ceux qui sont reçus. Ce qui tendrait à montrer qu'ils ont vocation à être confondus lorsque le processus d'intégration fonctionne.

CLIMAT SOCIAL

Le moral des Français s'est largement dégradé.

* Synthèse des soldes des opinions concernant les cinq indicateurs de confiance suivants : niveau de vie passé et futur en France ; situation financière personnelle passée et future ; perspective du chômage ; opportunité de faire des achats importants ; capacité à épargner actuelle et dans les mois à venir. Le solde pour chaque question est la différence entre les pourcentages de réponses positives et négatives (réponses « ne sait pas » non prises en compte). Données corrigées des variations saisonnières.

65 % des Français se disent inquiets pour leur avenir et celui de leurs enfants (Ifop/Dimanche Ouest France, janvier 2012). Après la crise de 2007 et les soubresauts des années suivantes, les Français s'inquiètent de l'issue des élections présidentielles et du niveaux des prélèvements obligatoires. Tous les indicateurs d'opinion témoignent d'un fort pessimisme quant à la situation nationale, dans son évolution récente comme dans ses perspectives à court ou moyen terme. Depuis, les enquêtes se suivent et se ressemblent pour témoigner du malaise national ; c'est le cas par exemple du baromètre mensuel sur le « moral des ménages » réalisé par l'INSEE, qui avait atteint son plus bas niveau en juillet 2008 (– 44) : était « remonté » durant l'été 2009 pour revenir au niveau de l'été 2009 fin 2011. La campagne électorale du 1er semestre 2012 semble mettre le moral des Français entre parenthèses, une véritable situation d'attente. La proportion de personnes considérant que la situation économique ou sociale s'est détériorée au cours des derniers mois ou qu'elle va se dégrader au cours des prochains est toujours largement supérieure à celle des personnes estimant qu'elle s'est améliorée ou qu'elle va le faire. Aujourd'hui est toujours perçu comme moins favorable qu'hier, mais plus que demain. On peut cependant se rassurer en observant l'écart permanent entre la perception de la situation collective (désastreuse) et celle de la situation individuelle, qui l'est moins. L'indicateur résumé de l'évolution passée du niveau de vie en France était ainsi de - 65 en mars 2012, contre – 28 pour celle de la situation financière personnelle (– 39 et – 18 pour ce qui concernait les perspectives des prochains mois). Ces écart sont traditionnellement plus élevés en France qu'ailleurs, ce qui traduit le pessimisme national mais fournit aussi une raison de le relativiser.

Les « Trente Heureuses » ont été suivies des « Trente Peureuses ».

Le moral des Français s'est détérioré au fil des années. Après les Trente Glorieuses (1945-1975), qui apparaissent aussi rétrospectivement comme les « Trente Heureuses », est arrivée la crise économique provoquée par le premier choc pétrolier de 1974. Elle a entraîné une montée du chômage dans un climat de torpeur générale et de refus de la réalité. La France s'est alors engagée dans une période douloureuse, que l'on pourrait baptiser les « Trente Peureuses », qui ne s'est d'ailleurs pas achevée en 2004, malgré la courte embellie de 1998 à mi-2001.

La période a été marquée par la montée d'un fort sentiment d'insécurité, de déclin national et d'appauvrissement individuel, la résurgence de comportements xénophobes ou racistes. On a assisté dans le même temps à un accroissement de la consommation de drogues et de médicaments hypnotiques. La dégradation du climat social a été particulièrement sensible dans les grandes villes, dont les habitants ont subi à la fois le stress urbain, la délinquance et les difficultés de cohabitation avec les minorités ethniques ou religieuses.

L'euphorie de la Coupe du monde de football de 1998, puis du changement

de millénaire (célébré par la victoire à l'Euro 2000) avait été de courte durée. Les promesses de la nouvelle économie et d'Internet n'ont pas été tenues. Les attentats de septembre 2001 à New York ont porté un coup décisif au moral des démocraties. Les Français y ont puisé de nouvelles raisons d'avoir peur, de se sentir mal dans leur peau, mal dans le nouveau siècle. L'élection présidentielle de 2002 a constitué un choc national avec la présence au second tour du candidat du Front national. L'histoire sociale s'est ensuite emballée, avec une année 2005 particulièrement difficile : référendum de mai 2005 et embrasement des banlieues en novembre. L'élection présidentielle de 2007 avait fait naître des espoirs, qui ont été balayés par l'arrivée de la crise économique. Le sentiment de peur s'est accru face à un monde de plus en plus instable et une Europe affaiblie et menacée. Lors de l'élection de 2012, le désarroi des Français s'est davantage traduit par le rejet de Nicolas Sarkozy que par une adhésion massive au programme proposé par François Hollande.

L'environnement est de plus en plus anxiogène.

La catastrophe nucléaire de Fukushima (mars 2011), la montée du chômage, les incertitudes sur l'avenir de l'Europe et de l'euro, les craintes de récession et de baisse du pouvoir d'achat n'ont fait que justifier et accroître le stress dans la vie quotidienne des Français (p. 47). Dans les médias, les « mauvaises nouvelles » sont beaucoup plus nombreuses que les bonnes : guerres ; attentats ; catastrophes naturelles ; délinquance ; plans sociaux ; scandales en tout genre ; risques économiques et écologiques...

L'usage généralisé des numériques est un autre facteur d'anxiété, du fait de leur complexité et des risques qu'ils engendrent. L'utilisation d'Internet s'accompagne d'une phobie des virus, des intrusions de *hackers*, des *cookies* et des *spywares* qui surveillent l'utilisateur à son insu. Les révélations de *WikiLeaks* ont d'ailleurs montré qu'il n'y a plus de secrets possibles, même au niveau des plus grandes instances internationales. Le risque terroriste est lui aussi patent. L'indicateur du « moral des ménages » de l'INSEE montrait, en mars 2012, que les Français sont aussi inquiets sur leur avenir financier personnel à court termes qu'à la rentrée 2008. Ils le sont aussi pour leur santé, dans un contexte de déremboursement et de renchérissement des assurances complémentaires. Il s'ajoute à ce stress les formes multiples de « harcèlement » : commercial, publicitaire, médiatique, sexuel ou moral (dans l'entreprise), administratif, technologique...

L'incertitude est aujourd'hui omniprésente. Elle est apparente en matière professionnelle (chômage), familiale (divorce, rupture, difficultés d'un proche), économique (faible croissance, endettement...) ou sociale (difficulté à vivre ensemble). Ces craintes produisent une impression générale de déclin (p. 239), de régression ou de décadence. Elles favorisent l'impression diffuse que « c'était mieux avant ». Elles se traduisent par une méfiance croissante à l'égard des « autres » : individus, institutions ou entreprises, jugés responsables de la violence, de l'insécurité, des incivilités, des malheurs et des dangers. Elle favorise les mauvais sen-

Pessimisme : les Français champions du monde

Fin 2011, l'indice des perspectives économiques pour 2012 (différence entre les anticipations positives et négatives pour l'économie en 2012) atteignait -79 points pour les Français (en quête *Le Parisien*/ Gallup International-BVA, décembre 2011), soit le plus bas niveau parmi les 51 pays ayant fait l'objet de l'enquête (-3 points au niveau mondial). Le taux national affichait une baisse de plus de 20 points en un an. Le pessimisme est proportionnel à l'âge : de -67 chez les moins de 30 ans à -88 chez les 65 ans et plus. Il n'est pas corrélé aux revenus : les Français de la « classe moyenne », ceux dont les revenus se situent entre 1800 € nets mensuels et 2500 € sont les plus inquiets, avec un solde de -86.

Les tendances observées par zone les années précédentes se confirment : les Européens sont les plus pessimistes (-45 en Europe occidentale, -29 en Europe centrale et orientale), suivis des Nord-Américains (- 25). Le reste du monde demeure majoritairement optimiste, avec en premier l'Afrique (+ 51). La palme revient au Nigéria, troisième économie africaine et douzième producteur de pétrole, avec un solde de + 80, en progression de 10 points.

On observe toujours un fort contraste entre les opinions concernant l'évolution de la situation du monde ou de son pays et celle de sa situation personnelle, que l'on juge toujours meilleure, ou en l'occurrence moins mauvaise. Avec un solde de -36 (contre -22 en 2011), les Français se montrent là encore beaucoup plus pessimistes que le reste du monde. Ils sont cependant dépassés par les Irlandais (- 39) et les Serbes (- 37) craignent plus que nous de voir leur situation personnelle empirer. L'indice personnel français varie aussi sensiblement avec l'âge : -10 chez les moins de 30 ans, -49 chez les 65 ans et plus.

timents : colère, jalousie, envie… Elle encourage le repli, l'amoralité, parfois la violence. Chez certains, l'anxiété tend à se transformer en paranoïa. Car beaucoup de Français ont peur de perdre ce qu'ils ont. C'est ce qui explique leur propension à le préserver coûte que coûte, à refuser ou repousser sous de multiples prétextes les changements, adaptations et réformes., lorsqu'ils les concernent directement.

Le climat social se caractérise par un manque de confiance.

L'attitude générale des Français est celle de la méfiance à l'égard de leur environnement, qu'il s'agisse des institutions, des entreprises, des médias ou des voisins de palier. Elle est favorisée par la difficulté croissante de connaître la « vérité » dans de nombreux domaines (p. 447). L'information disponible apparaît tronquée, voire truquée par ceux qui sont à sa source ou qui la diffusent. Chacun a le sentiment d'être manipulé à coups de discours lénifiants, de promesses non tenues, d'informations orientées et invérifiables, de publicités exagérées ou mensongères. En novembre 2011, plus d'un Français sur cinq (83 %) estimait que les responsables politiques ne se préoccupaient pas d'eux (OpinionWay/CEVIPOF). Ils étaient une majorité à réclamer une réforme « en profondeur » du capitalisme et d'avantage de « protection » face à l'environnement international.

Le rejet des élites est apparu à partir du milieu des années 1960. Il allait de pair avec celui des règles et des usages. On a vu alors se développer des comportements de transgression (sexe, violence, incivilités…) dans la publicité, le cinéma ou la télévision. Dans les années 1980 et 1990, les affiches de Benetton, les tags, le rap, l'humour des *Nuls*, des *Inconnus* ou des *Guignols*, puis les émissions comme *Loft Story* (M6), *On ne peut pas plaire à tout le monde* (France 3) ou *Tout le monde en parle* (France 2) ont témoigné de cette volonté de ne plus respecter les acteurs de la société. Plus récemment, des humoristes comme Stéphane Guillon, Florence Foresti ou Jean-François Lemoine, des chroniqueurs comme Éric Nolleau ou Stéphane

La société sans contact

La « société de communication » est parfois celle de l'incommunication. Hors de la sphère familiale, amicale ou « tribale », les relations entre les individus (dans le monde « réel » notamment) apparaissent plus limitées, en tout cas insuffisantes à leurs yeux si l'on se réfère aux enquêtes. Au point que l'on pourrait parler parfois de « société d'excommunication », dans un sens non pas religieux mais laïque. Consciemment ou non, beaucoup de Français imaginent que « les autres » sont potentiellement porteurs de maux (microbes, virus, bactéries), qu'ils représentent en tout cas un danger ou un risque. En référence au système social indien des castes, chacun est pour ses voisins (occasionnels ou durables) un « intouchable » ; il n'est d'ailleurs pas anodin que le film portant ce titre ait connu en 2011 un véritable triomphe, avec 20 millions d'entrées. Il l'est aussi au sens propre du terme ; il faut éviter à tout prix d'être en contact avec l'autre (en tout cas celui qu'on n'a pas choisi), de toucher, voire l'effleurer. L'utilisation de « préservatifs » n'est pas aujourd'hui limitée à l'acte sexuel ; elle concerne (au sens figuré cette fois) la plupart des situations de la vie. On assiste ainsi au développement d'une *société sans contact*.

Paradoxalement, cette évolution est favorisée par l'évolution technologique, alors que celle-ci prétend au contraire favoriser les relations au moyen des multiples instruments de communication qu'elle propose. Mais il s'agit le plus souvent d'outils permettant une relation virtuelle, aseptisée. L'étude des usages du téléphone portable montre que beaucoup de Français, sans en être conscients, préfèrent se parler à distance que se rencontrer dans le « monde réel ». Certains s'envoient des textos ou des courriels pour éviter de se parler. La plupart des équipements de communication sont en fait des outils de « distanciation ». La télévision, la radio, le téléphone ou Internet sont des moyens de se tenir informé tout en restant hors du monde. Même les objets dits « nomades » (téléphone portable, baladeur radio ou lecteur MP3…) constituent des prétextes pour s'isoler de son environnement immédiat, être présent sans être là. On peut observer cette tendance lourde dans de nombreux usages quotidiens de la technologie (pass sans contact dans le métro, paiement sans contact avec le téléphone…), y compris les plus triviaux : dans les toilettes publiques, les chasses d'eau se vident automatiquement sans intervention manuelle, l'eau coule des robinets, les sèche-mains se déclenchent. Dans les halls, les portes s'ouvrent sans qu'on ait à les pousser et donc à les toucher. Ces technologies « sans contact » constituent une métaphore de la vie sociale.

Guillon se sont appliqués à faire tomber les derniers tabous.

L'attitude de méfiance est présente dans tous les domaines, à l'égard des acteurs de la société, des institutions, des médias ou même de l'Église. Elle est particulièrement apparente en matière de consommation. Les Français ont pris de la distance par rapport au « système marchand » : produits ; marques ; enseignes de distribution ; publicité ; pratiques commerciales (p. 374). Ils dénoncent les fausses innovations, les promesses non tenues, les augmentations de prix injustifiées. Ils s'informent avant d'acheter, n'hésitent pas à marchander ou à se plaindre en cas de mécontentement. Par ailleurs, les médias les ont fait pénétrer dans les coulisses des entreprises et du « marketing » et leur ont montré les efforts qui sont faits pour les séduire. De sorte que les consommateurs résistent et s'efforcent de ne pas se laisser « manipuler ».

Les formes classiques de sociabilité sont moins présentes...

Les Français misent beaucoup sur l'éducation pour reconstruire le « lien social ». Fin 2010, ils étaient 46 % à estimer prioritaire l'apprentissage du « vivre ensemble » à l'école et 21 % à préconiser le contrôle du respect des règles de vie collective (Revue civique /Ipsos). De nombreux Français constatent et déplorent une dégradation du « lien social ». Il est vrai que les points de repère collectifs qui en constituaient traditionnellement le fondement ont été fortement ébranlés. C'est le cas par exemple de la pratique religieuse (p. 281), de l'engagement idéologique, syndical (p. 336) ou politique (p. 254). À défaut d'être moins forts, les liens familiaux sont moins durables, avec la multiplication des divorces et des familles recomposées ; le nombre de personnes seules s'est aussi beaucoup accru (p. 173). Les Français se parlent aussi moins dans leur vie professionnelle ; ils y passent moins de temps, les contraintes de productivité se sont accrues et les échanges tendent à se limiter aux sujets directement liés au travail.

Le manque de temps (ressenti, plutôt que réel) engendre aussi l'impression d'un délitement de la sociabilité. Il en est de même de l'« individualisme », que l'on peut préférer appeler autonomie ou « égologie » (p. 291). Les prétextes collectifs de rassemblement se sont réduits : à l'exception des élections présidentielles, les meetings électoraux sont souvent boudés et le « banquet républicain » n'est plus qu'un souvenir. Les lieux traditionnels de convivialité (petits commerces, cafés...) sont moins nombreux. La vie urbaine engendre plus de solitude que l'habitat rural et les modes de vie qui l'accompagnaient. Enfin, la télévision est de moins en moins un facteur de rassemblement familial, avec le multiéquipement du foyer et la concurrence de nouveaux loisirs individuels.

... mais d'autres tendent à les remplacer.

Les Français n'ont pas perdu le goût de la convivialité, voire de la communion. Mais les rassemblements spontanés qui avaient eu lieu lors de la Coupe du monde de football de 1998, de l'euro 2000, du changement de millénaire en 2000-2001 ou des coupes du monde de rugby de 1999 et de 2006 semblent moins nombreux depuis la crise de 2008. Mais certaines initiatives d'une autre nature ont pris le relais : les « repas de quartier » ou les opérations comme *Immeubles en fête* ou *Voisins solidaires* (lancée en mai 2009) répondent non seulement à une attente de convivialité, mais à un besoin de solidarité face à la crise. De même, la rue n'est pas seulement un espace de violence et d'insécurité ; elle peut être celui de la rencontre, de l'échange, de la gentillesse (voir la mode des *free hugs* ou câlins gratuits).

Le temps consacré à la communication interpersonnelle est aussi en augmentation sensible, comme le montre l'usage du téléphone mobile ou celui d'Internet (p. 494), avec l'explosion des textos, courriels, forums, blogs ou « murs personnels » des réseaux sociaux. Les médias offrent des espaces croissants d'expression et d'échange à leurs lecteurs, auditeurs ou téléspectateurs.

Les solidarités se sont aussi accrues à l'intérieur des familles ou des « tribus » (p. 218). La « mise en réseaux » de la société entraîne une évolution sensible du lien social, dans le sens de relations plus sélectives, plus virtuelles et aussi plus éphémères. L'*e-solidarité* est apparue avec le développement d'Internet et prend des formes multiples : forums d'entraide informatique ; informations « consuméristes » ; échanges de « bons plans » ; mise à disposition entre pairs de fichiers ; diffusion de *scoops*, *buzz*, rumeurs et canulars ; signature de pétitions ; relais de messages humanitaires ; dons virtuels aux associations ; jeux caritatifs ; clics humanitaires. Les nouvelles formes de sociabilité virtuelle connaissent une véritable explosion.

La moitié des Français ont une activité associative...

La proportion de Français adhérant à une association n'a guère évolué depuis deux décennies ; elle se situe à environ 45 %, soit 29 millions de personnes. Beaucoup sont inscrits dans plusieurs associations, ce qui explique que le nombre total d'adhé-

Les Français associés

Taux d'adhésion à une association au cours des douze derniers mois selon le sexe et les principaux types d'association (2010, en % des 16 ans et plus)

	Hommes	Femmes	Ensemble
Action sanitaire et sociale ou humanitaire et caritative	3,9	4,8	4,3
Association sportive	16,3	10,5	13,3
Association culturelle ou musicale	6,3	7,3	6,8
Association de loisirs, comité des fêtes	5,8	5,5	5,6
Défense de droits et d'intérêts communs	2,2	3,0	2,6
Clubs de 3e âge (60 ou plus uniquement)	7,1	10,2	8,8
Syndicat, groupement professionnel (actifs uniquement)	8,1	6,3	7,2
Association religieuse, culturelle, groupe paroissial	1,0	1,5	1,3
Protection de l'environnement	1,3	0,9	1,1
Tous types	37,2	31,7	34,3

INSEE

sions s'élève à 36 millions (1,5 million de Français sont adhérents d'au moins quatre associations). On estime à 900 000 le nombre d'associations actives. Le ministère de l'Intérieur a enregistré 65 500 nouvelles associations en 2011 contre 20 000 en 1975. Après une longue période de hausse, le nombre de créations a diminué sur les deux dernières années (-3,5 % en 2011 et -6 % en 2010). Une nouvelle association sur dix disparaît cependant peu après sa naissance, beaucoup ne survivent pas à la deuxième année et une sur cinq correspond à une fusion.

Les principaux secteurs d'activité sont la culture (23 %), les sports (15 %), les loisirs (14 %) suivis par le social (8 %), l'enseignement (6 %), l'économie (5 %) la santé (4 %), l'environnement (4 %) et l'aide à l'emploi et au développement local (3 %, R&S, novembre 2010). Plus d'une association sur trois (35 %) est active dans au moins un deuxième secteur. 23 % des Français exercent une responsabilité dans au moins une association dont ils sont membres, 45 % participent de façon régulière ou occasionnelle à la vie associative. 8 % des associations ont une activité tournée vers des personnes en difficulté. 72 % des adhérents d'au moins une association la fréquentent régulièrement tout au long de l'année, et 13 % de temps en temps. Près d'un président d'association sur deux est retraité.

Le besoin d'« adhésion » est révélateur d'une société à la recherche de *liens* après avoir centré ses efforts sur les *biens* (page suivante). Les liens ont été longtemps favorisés par la religion (le latin *religere* signifie relier), mais ils se sont amoindris avec le développement de la laïcité et la baisse de la pratique religieuse (p. 281). Le sentiment douloureux de solitude incite à chercher des moyens de rencontrer les autres. Des formes nouvelles d'adhésion à des projets à caractère humanitaire ou altruiste sont cependant apparues : parrainage d'enfants du tiers-monde, de chômeurs, de sans-papiers, de SDF, d'apprentis, de créateurs d'entreprises ou d'étudiants. Les entreprises participent au mouvement en parrainant et finançant des événements de toutes sortes : culturels, sportifs, humanitaires... La motivation des personnes ou organismes concernés n'est pas seulement désintéressée. Elle s'accompagne souvent d'une recherche de sociabilité et d'épanouissement personnel.

... et un sur quatre est concerné par le bénévolat.

Près de 14 millions de Français sont engagés de façon bénévole dans le seul secteur associatif (ADDES-Fondation Crédit coopératif). Ils effectuent un volume de travail équivalent à 935 000 emplois à temps plein On compte en moyenne 16 bénévoles par association, 15 dans les associations sans salarié et 22 dans celles qui emploient également du personnel. Dans les premières, les bénévoles réalisent en moyenne 84 heures de travail non rémunéré par an, dans les secondes 97 heures.

Les associations créent elles aussi de vrais emplois. En 2009, le secteur associatif avait présenté 3,2 millions de déclarations uniques d'embauches,

Pendant la crise, les dons continuent

Les Français font globalement preuve de générosité. Fin 2011, la collecte nationale organisée par les banques alimentaires avait ainsi bénéficié d'une hausse des dons d'environ 5 %. Celle du Téléthon s'était également soldée par une augmentation, à 86 millions d'euros, après cependant deux années de baisse (liées sans doute à des débats sur la concentration des dons sur certaines causes, au détriment des autres). Au total, les dons des Français en 2010 s'étaient élevés à 3,7 milliards d'euros, (association Recherches et Solidarités), en hausse d'environ 4 % si l'on fait abstraction des dons exceptionnels qui avaient suivi le tremblement de terre d'Haïti.

Contrairement à une idée reçue, l'effort de générosité est comparable chez les jeunes donateurs (moins de 30 ans) et chez ceux de 70 ans et plus. Les trois causes qui mobilisent le plus sont l'aide sociale (18 % des donateurs), la santé (13 %) et l'environnement (12 %). 73 % des donateurs signalent tous leurs dons dans leurs déclarations de revenus et bénéficient ainsi de réductions fiscales. C'est pourquoi beaucoup d'associations réalisent jusqu'à 80 % de leur collecte annuelle au cours des mois de novembre et de décembre.

Malgré les difficultés économiques et les craintes, les difficultés semblent jusqu'ici stimuler la générosité et l'altruisme. Elles permettent à chacun de relativiser ses propres difficultés. La poursuite de la crise économique pourrait transformer, provisoirement ou plus durablement, les rapports humains. On pourrait craindre aussi qu'elle favorise le repli sur soi ou sur la sphère familiale, amicale et sociale. On a constaté entre 2008 et 2010 une tendance à la stagnation du nombre de foyers déclarant un don, mais avec des montants déclarés plus importants (309 € en moyenne en 2010).

dont 76 % correspondaient à des contrats courts (moins d'un mois), 18 % à des contrats longs à durée déterminée et 6 % à des contrats à durée indéterminée. Les deux tiers (64 %) des associations sans salariés estiment suffisant le nombre de leurs bénévoles pour organiser leurs activités, contre seulement 55 % de celles qui disposent de salariés et de bénévoles réguliers (R&S, novembre 2010).

Le bénévolat constitue aussi une réponse à l'exclusion et à la perte de lien social. Longtemps considéré comme une activité à connotation religieuse, il a pris d'autres formes depuis notamment les années 1980. Les nouveaux bénévoles sont plus souvent areligieux, apolitiques et « asyndiqués », mais l'engagement militant n'a pas disparu : mobilisation contre le sida, défense des intérêts des usagers ou des riverains, altermondialisme, protection de l'environnement, respect des droits de l'homme, droit au logement...

Outre son utilité collective, le bénévolat permet d'occuper le temps libéré par l'augmentation de l'espérance de vie et la diminution du temps de travail, l'accroissement du chômage et des emplois précaires. Il représente un moyen de s'épanouir soi-même tout en aidant les autres, c'est-à-dire de réconcilier le collectif et l'individuel.

Les liens deviennent aussi importants que les biens.

Même s'ils ne le reconnaissent pas volontiers, la grande majorité des Français se sont matériellement enrichis au fil des années, malgré les « crises » successives. L'accroissement du revenu disponible des ménages s'est traduit par une amélioration spectaculaire du confort des foyers (p. 177). Les taux d'équipement en électroménager (réfrigérateur, lave-linge, four à micro-ondes...) sont proches de la saturation, comme ceux des biens de loisir (téléviseur, magnétoscope, chaîne hi-fi, ordinateur, voiture...). Les équipements issus des nouvelles technologies pénètrent rapidement dans les foyers : appareil photo numérique ; lecteur de DVD ; écran à plasma ; ordinateur connecté à Internet ; téléphone 3 G, tablettes numériques...

Cette accumulation des biens semble lasser certaines catégories de Français. Est-on plus heureux avec trois téléviseurs qu'avec deux, avec deux voitures qu'avec une seule, avec un lecteur de DVD plutôt qu'un magnétoscope ? Faut-il changer d'ordinateur ou de téléphone chaque fois qu'une innovation apparaît ? Beaucoup ont le sentiment que la contrepartie de cet enrichissement matériel est un appauvrissement des relations au sein de la famille ou à l'intérieur de la société. La course à la nouveauté technologique engendre une frustration, liée à la certitude que l'objet acheté aujourd'hui sera obsolète demain et qu'il faudra de nouveau s'informer, comparer, dépenser, puis jeter pour renouveler encore.

Cette omniprésence du bien (matériel) semble parfois se faire au détriment du lien (immatériel) entre les personnes. C'est l'un des thèmes principaux du débat actuel sur la modernité. De nombreux Français voudraient aujourd'hui privilégier les relations avec les autres, se situer par rapport à eux, partager des idées et des émotions, faire preuve de solidarité. Il faut cependant noter que le « système marchand », que l'on accuse spontanément, répond à cette forte demande de lien, mais en proposant des biens (d'équipement de communication), ce qui tend à montrer que les deux notions ne sont pas antinomiques.

DÉLINQUANCE

La délinquance globale aurait diminué entre 2003 et 2011, ...

Avec 3 436 147 faits constatés en 2011, la criminalité apparaissait en baisse de 9 % sur un an. La délinquance serait ainsi en baisse pour la neuvième année consécutive, selon les chiffres du ministère de l'Intérieur. Ces chiffres, publiés début 2012 ont été comme chaque année largement commentés, mais aussi contestés. Ils revêtent en effet une importance particulière, et l'établissement des statistiques est délicat (encadré). L'évolution du nombre total de délits ne saurait en tout cas refléter une réelle tendance, car il mélange et met sur le même plan des crimes et délits aussi variés que les vols, insultes, agressions, meurtres ou escroqueries. Leurs variations d'une année sur l'autre sont en outre très différentes : les vols à main armés ont diminué de 19 % en 2011, tandis que les homicides et tentatives d'homicides augmentaient de 11 % et les cambriolages de 17 %. Ces deux derniers chiffres témoignent ainsi d'une dégradation plutôt que d'une amélioration des relations sociales.

Après la diminution de la criminalité enregistrée au milieu des années 1990 (6,5 % en 1995, année de retournement), on avait espéré la fin du processus continu d'accroissement de l'insécurité, qui avait débuté à la fin des années 1950 (ci-après). Mais il avait repris son cours entre 1998 et 2002, avec des augmentations spectaculaires en 2000 (6 %) et 2001 (9 %). La hausse s'était poursuivie à un rythme moins élevé en 2002 (1 %), aboutissant à un record absolu : 4,1 millions de crimes et délits constatés par les services de police et de gendarmerie, soit un toutes les sept secondes. La tendance s'est véritablement inversée à partir de 2003, avec un taux de criminalité ramené à 52,9 pour mille habitants, contre 64,2 en 2000.

Un peu plus de sept infractions sur dix sont constatées par la Police nationale, les autres par la Gendarmerie nationale. Quatre régions enregistrent à elles seules plus de la moitié des actes de délinquance en France métropolitaine : Île-de-France, Provence-Alpes-Côte d'Azur, Rhône-Alpes et Nord-Pas-de-Calais. L'Île-de-France en concentre le quart pour un cinquième de la population totale. La baisse a cependant été plus forte dans Paris intra-muros qu'en moyenne nationale.

... après avoir été multipliée par sept entre 1950 et 2002, ...

La barre des 4 millions de délits avait été dépassée pour la première fois en 2001, contre 574 000 en 1950, alors que la population n'avait augmenté que de 41 % pendant cette période. Le nombre de délits pour mille habitants était ainsi passé de 14,1 en 1949 à 20,3 en 1969, 43,5 en 1979, 58,3 en 1989. Cette forte hausse ne constituait pas un phénomène propre à la France. On l'a retrouvée dans l'ensemble des pays d'Europe depuis le milieu des années 1950.

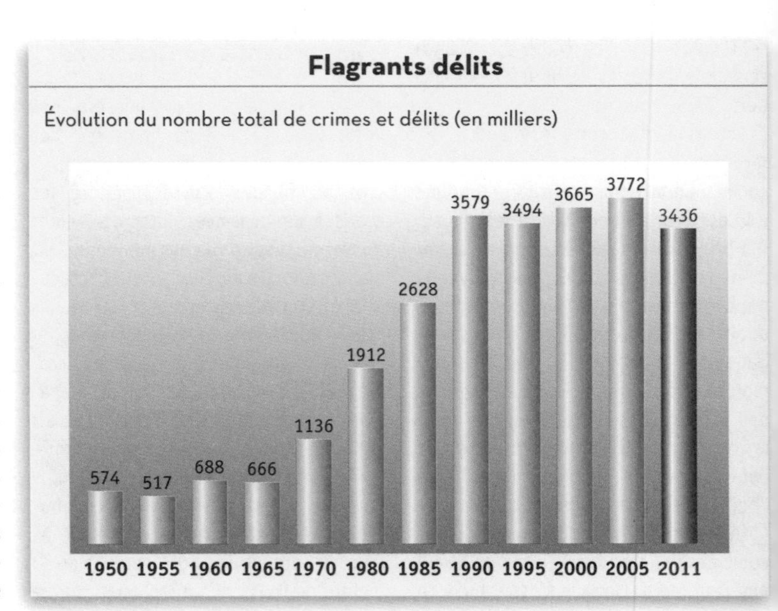

Crimes et délits

Évolution du nombre des délits par catégorie (France métroplitaine)

	1950	1960	1970	1980	1990	2000	2011
Vols (y compris recels)	187 496	345 945	690 899	1 624 547	2 305 600	2 334 692	1 804 871
Infractions économiques et financières	43 335	71 893	250 990	532 588	551 810	352 164	350 040
Crimes et délits contre les personnes	58 356	53 272	77 192	102 195	134 352	254 514	423 153
Autres infractions (dont stupéfiants)	285 102	216 656	116 540	369 178	500 950	830 479	858 083
Total	574 289	687 766	1 135 621	2 628 508	3 492 712	3 771 849	3 436 147
Taux pour 1 000 habitants	13,7	15,1	22,4	48,9	61,4	64,2	52,9

Ministère de la justice

Le nombre de délits pour mille habitants n'était plus que de 52,9 en 2011, soit une multiplication par six en soixante ans. Le développement de la société de consommation a favorisé celui de la délinquance. Entre 2000 et 2011, le nombre de délits a connu une baisse de 6,2 %. La France occupe aujourd'hui une position moyenne, mais meilleure que celle de l'Allemagne, du Royaume-Uni et des pays scandinaves (environ 100 délits pour mille habitants). Les comparaisons internationales doivent cependant être considérées avec prudence, les méthodes

Des statistiques contestées

Le chiffre global des « crimes et délits » représente l'addition d'éléments de nature et de gravité très différentes, aux évolutions contrastées. Il cumule des faits qui sont l'objet de plaintes ou de déclarations, et d'autres que seuls les services concernés peuvent enregistrer (usage de stupéfiants, étrangers en situation irrégulière, infractions diverses). Leur nombre dépend parfois essentiellement de l'activité déployée par la police et la gendarmerie pour les identifier ou les élucider ; c'est le cas en particulier en matière de stupéfiants.

Par ailleurs, les chiffres ne comprennent pas les faits mentionnés en « main courante » des commissariats et non transmis à la justice, ni les infractions à la circulation routière, les fraudes fiscales ou douanières, celles du travail ou des services vétérinaires. Les faits qui n'ont pas de suite pénale et ceux qui ne sont pas signalés par les victimes échappent aussi à la comptabilisation. À l'inverse, certains délits ont pu être plus fréquemment déclarés par les victimes, du fait de l'accroissement des effectifs de la police de proximité et d'un meilleur accueil dans les commissariats. Enfin, les comparaisons dans le temps ne sont pas toujours fiables, car les méthodes utilisées pour mesurer la délinquance évoluent.

La nomenclature mise en place en 1972 a été actualisée en 1988 et 1995 pour prendre en compte les modifications de la loi pénale. Chaque ministre de l'Intérieur apporte sa touche (ou « retouche ») personnelle au système de comptabilisation. Depuis 2003, c'est l'OND (Office national de la délinquance) qui est chargé de publier et de commenter mensuellement l'évolution de la délinquance constatée par les services de police et les unités de gendarmerie. En 2005, un « indicateur national des violences urbaines » comprenant neuf indices a par ailleurs été créé, afin d'avoir une vision précise et exhaustive des actes de violence ; mais il ne permet aucune comparaison avec les années passées.

Pour toutes ces raisons, les chiffres globaux de la délinquance sont à considérer avec prudence. Ils sont d'ailleurs systématiquement contestés. Certaines pratiques sont dénoncées, comme les refus de dépôts de plaintes, l'utilisation excessive de la main courante ou les requalifications d'actes délictueux en simples contraventions (dégradations de biens privés ou publics, des coups et blessures reconvertis en violences légères, etc.). Certains évoquent aussi un « toilettage » des statistiques afin de présenter à l'opinion un bilan en amélioration. Les tentatives d'analyses qui se prétendent « objectives » de ces chiffres, de leur évolution et des méthodes utilisées pour les mesurer indiquent plutôt une stagnation de la délinquance globale qu'une diminution régulière. Mais il est difficile de mesurer leur degré réel d'objectivité.

de comptabilisation n'étant pas identiques d'un pays à l'autre.

... du fait de l'explosion de la petite délinquance.

Entre 1950 et 2011, le nombre des vols a été multiplié par quinze. Dans la même période, celui des infractions économiques et financières était multiplié « seulement » par dix, celui des crimes et délits contre les personnes par cinq. La criminalité liée aux stupéfiants a également connu une très forte hausse ; les faits constatés sont passés de quelques centaines jusqu'en 1968 à plus de 100 000 à la fin des années 1990. Il faut d'ailleurs noter que cette forme de délinquance en induit d'autres ; les utilisateurs sont souvent contraints de voler pour se procurer les sommes d'argent dont ils ont besoin pour s'approvisionner. La petite délinquance a plutôt diminué au cours des dernières années. Le taux d'homicides a lui, chuté de façon spectaculaire : 1,1 pour 100 000 habitants en 2011 contre 4,5 en 1990.

Les délits les plus graves ne sont donc pas ceux qui augmentent le plus. C'est la petite délinquance qui a été la principale responsable de l'accroissement de l'insécurité pendant des décennies. D'autant qu'elle s'est accompagnée de plus en plus fréquemment d'actes de violence ; entre le début des années 1970 et le milieu des années 2000, le nombre des infractions pour coups et blessures volontaires avait ainsi été multiplié par cinq. Elle est souvent le fait de jeunes qui n'hésitent pas à sortir un couteau pour s'attaquer à un autre jeune, à un professeur, voire à un policier. Les armes sont de plus en plus présentes dans les quartiers sensibles, où règne parfois la terreur.

La violence est ainsi devenue un mode d'expression. Elle s'exerce à l'école, dans la rue ou dans les stades, imitant parfois des scènes, réelles ou fictives, vues à la télévision ou au cinéma. Elle traduit la marginalisation d'une partie croissante de la population qui refuse les règles de la vie en société et préfère vivre selon ses propres lois. Elle est une cause et un révélateur de la crise sociale qui sévit depuis plusieurs décennies.

La délinquance de proximité et les atteintes aux biens ont globalement diminué, ...

Entre 2005 et 2011, les destructions et dégradations de biens ont diminué d'un tiers (36 %) selon les statistiques officielles. À l'intérieur de cette catégorie, les destructions et dégradations de véhicules privés ont chuté de 43 % en six ans. Pour ce qui concerne les vols, la baisse a été plus réduite, mais elle a tout de même été de 16 %. Il faut noter que ce chiffre est la résultante de plusieurs tendances distinctes : une réduction de 30 % des vols liés à l'automobile et aux deux-roues à moteurs, et une stabilité des vols à main armée avec armes à feu. Ces différents types de vols sont évidemment vécus de façon très différente par les personnes qui en sont victimes.

Comme les autres, ces statistiques sont contestées. Le reproche qui leur est le plus souvent fait est qu'elles regroupent désormais plusieurs catégories sous le vocable de « délinquance générale ». On trouve ainsi dans cette catégorie les vols à mains armées (qui ont diminué de 19 % en 2011 et les homicides et tentatives d'homicides qui elles ont augmenté de 11,5 %, de même que les cambriolages, qui étaient en hausse de 17 %.

Escroqueries en tout genre

Nombre d'infractions économiques et financières et autres infractions en 2011

Infractions economiques et financieres	**350 040**
Escroqueries, faux et contrefaçons	313 304
Délinquance économique et financière	36 736
autres destructions et dégradations de biens privés	8 913
Infractions à la législation sur les chèques (sauf usage de chèques volés)	858 083
Autres infractions (dont stupefiants)	**184 397**
Infractions à la législation sur les stupéfiants, dont :	17 094
usage-revente	*153 968*
usage	*93 077*
Délits à la police des étrangers	341 881
Destructions et dégradations de biens, dont :	35 232
incendies volontaires contre les biens privés	*148 914*
destructions et dégradations de véhicules privés	*116 982*
Délits divers	**250 561**

… au contraire des infractions économiques…

L'indicateur du nombre d'escroqueries et infractions économiques et financières est lui aussi difficile à cerner. Des réformes sur son mode de calcul et sur les organismes en charge de traiter les infractions rendent délicates les comparaisons depuis 2009 puisque 70 % des infractions qui constituaient l'indicateur historique ne sont plus enregistrées de façon homogènes dans le temps. Les chiffres disponibles indiquent qu'il y avait eu une diminution entre 2003 et 2005, suivie d'une remontée à partir de 2006. La hausse avait atteint 10 % en 2008, après 3 % en 2007 et 5 % en 2006.

Entre les années 2005 et 2011, les données disponibles indiquent une hausse de 10 % des infractions constatées, avec là encore des résultats contrastés selon les types de délits. Ainsi, la délinquance économique et financière a doublé (+ 93 %), alors que les escroqueries, faux et contrefaçons n'ont augmenté que de 8 %. Les infractions sur la législation des chèques n'ont augmenté, elles, que de 4 %. Les délits concernant les chèques sans provision ont été mécaniquement réduits depuis vingt ans par la dépénalisation de ce délit décidée en 1991.

La criminalité organisée et la délinquance spécialisée, qui avaient fortement baissé en 2004 et 2005, ont connu une inversion de tendance, avec une hausse de 4 % en 2008. Sur la période 2006-2011, les règlements de comptes ont été réduits d'un tiers. Il faut noter enfin que la délinquance concernant les machines à sous clandestines connaît une forte augmentation, mais elle échappe très largement aux inspections.

5 000 vols par jour

Nombre de vols enregistrés en 2011

Vols à main armée (armes à feu)	5 726
Autres vols avec violence sans arme à feu	115 240
Vols avec entrée par ruse	8 557
Cambriolages	333 338
Vols liés à l'automobile et aux deux-roues à moteur	552 125
Autres vols simples	616 158
Recels	36 513
Total des vols	**1 804 871**

… et de la violence contre les personnes.

Sur la période 2005-2011, le nombre de faits constatés de violences contre les personnes a progressé de 19 %. Il avait connu une hausse quasi continue depuis 1972, avec notamment un doublement entre 1995 et 2001 (280 000 contre 134 000). Au cours des six années, les coups et violences volontaires ont progressé de 17 %, les viols sur majeurs de 12 % et les violences sexuelles sur majeurs également de 12 % également. Dans le même temps, les violences, mauvais traitements et abandons d'enfants ont progressé de 32 %.

Les vols à main armée (y compris les vols avec armes à feu factices), qui avaient connu une progression d'un tiers (33 %) sur les années 2008 et 2009, ont diminué de 12 % en 2010 et de 8 % en 2011. Il faut noter que, même si leur nombre reste faible, les vols à main armée contre des entreprises de transports de fonds ont connu une forte hausse en deux ans, passant de 30 en 2009 à 63 en 2011.

La recrudescence de la violence contre les personnes s'explique par l'évolution sociale, mais aussi par l'amélioration de la protection des biens matériels (serrures renforcées, alarmes, digicodes…). Les délinquants sont ainsi incités à s'attaquer aux personnes, devenues plus vulnérables que leurs biens. Il n'est ainsi guère étonnant que les principales victimes soient les personnes âgées, les mineurs et les femmes.

2 meurtres par jour

Nombre de crimes et délits contre les personnes en 2011

Homicides	743
Tentatives d'homicides	1 203
Coups et blessures volontaires	192 263
Autres atteintes volontaires contre les personnes	119 334
Atteintes aux moeurs	40 019
dont viols	10 406
Infractions contre la famille et l'enfant	59 185
Total	**423 153**

Ministère de l'Intérieur

La réforme a fait baisser le nombre des gardes à vue…

La réforme de la garde à vue entrée en vigueur en juin 2011 stipule que seuls les suspects de faits passibles d'au moins un an de prison peuvent-être désormais concernés. Au 30 novembre 2011, le nombre de gardes à vue était ainsi en baisse de 23 % par rapport à la même période de l'année précédente. La baisse enregistrée était particulièrement sensible en matière de délits routiers (50 %), devant celles des atteintes à l'intégrité des personnes (32 %) et des atteintes aux biens (28 %). Au total, l'année 2011 s'est soldée par une diminution de 150 000 du nombre des gardes à vue. Cette évolution doit cependant être relativisée, car il avait quasiment doublé entre 2001 et 2010, passant de 300 000 à 580 000.

En 2009, le premier motif de placement en garde à vue était le défaut de titre de séjour (14 %, soit 80 000 personnes), suivi des coups et blessures volontaires non mortels (13 %), du simple usage de stupéfiants (9 %), des dégradations et destructions de biens (6 %), des vols simples (5 %), des outrages, rébellions ou violences à agent (5 %) et des cambriolages (5 %).

... mais pas celui des incarcérations.

89 135 personnes ont été incarcérées en 2010. La hausse sur les dix dernières années s'est élevée à 16 %. La durée moyenne de détention était de 9,7 mois, en hausse de 3 mois par rapport à 2009. En avril 2012, on comptait 67 161 personnes écrouées, dont 2 807 femmes (4 % des personnes détenues) et 780 mineurs (1 %). 12 848 personnes écrouées bénéficiaient d'un aménagement de peine sous écrou, soit 20 % de l'ensemble des personnes écrouées condamnées. 1 054 personnes bénéficiaient d'une mesure de placement à l'extérieur, 2 036 d'une mesure de semi-liberté et 9 774 d'un placement sous surveillance électronique (contre 7 147 en avril 2011). Près d'une personne écrouée sur cinq serait de nationalité étrangère, une sur dix originaire d'Afrique.

Compte tenu de la capacité d'hébergement de 57 243 places « opérationnelles » en avril 2012 dans les 189 établissements pénitentiaires (52 535 places au 1er avril 2009), la densité de la population incarcérée est supérieure à 120. Elle dépassait 200 % dans 12 établissements ou quartiers. Cette surpopulation, se chiffre à peu plus de 10 000 personnes depuis des années (il avait atteint un maximum de 16 000 en juin 2004). Cela se traduit par des conditions de détention de plus en plus difficiles, parfois scandaleuses. Elles sont dénoncées depuis de nombreuses années par des rapports nationaux et européens mettant en évidence le non-respect de la dignité humaine des condamnés. La forte densité des prisons françaises résulte aussi de l'accroissement de la durée moyenne des détentions. Il répond à une demande sécuritaire croissante et à l'idée que les délinquants doivent être punis et mis hors d'état de nuire (encadré).

L'inflation sécuritaire

Dans une société très anxiogène, le fait que le « risque zéro » n'existe pas est mal accepté par les citoyens. Au cours des dernières décennies, les dispositifs de prévention se sont donc multipliés dans de nombreux domaines. Dans celui de la santé, les mesures préventives ont pris une place croissante, avec par exemple la multiplication des tests de dépistage. Dans celui de l'environnement, l'application du principe de précaution s'est généralisée (centrales nucléaires, OGM, téléphonie mobile...).

Face à un sentiment croissant d'insécurité, les gouvernements successifs ont d'abord durci la loi pénale (allongement de la durée des peines, peines plancher...). Chaque nouveau fait divers grave, largement relayé par les médias, a incité les politiques à rendre plus sévère la législation. La prévention et la punition des délinquants sont devenues prioritaires par rapport à leur réinsertion dans la société, avec pour conséquence une dégradation des conditions de détention (surpeuplement, suicides des détenus...).

Depuis quelques années, on assiste en outre à l'introduction de mesures préventives, qui placent sous surveillance un nombre croissant de citoyens. C'est le cas, par exemple, du stockage de données de communication (téléphonie, Internet), réservé auparavant au terrorisme et à la criminalité organisée, ou de la vidéosurveillance. Des projets ont été envisagés, comme l'identification précoce de malfaiteurs potentiels, ou mis en place, comme le fichage de la population (EDVIGE devenu EDVIRSP). Sous la pression de l'opinion, la « rétention de sûreté » est appliquée dans certains cas à des auteurs de crimes sortant de prison mais jugés dangereux.

On peut faire valoir que ces mesures n'ont pas d'impact pour ceux qui n'ont « rien à se reprocher ». On peut aussi dénoncer l'efficacité incertaine de certains dispositifs : des études montrent par exemple que la vidéosurveillance, qui a un certain effet dissuasif, contribue peu à l'éradication de la délinquance. Il existe aussi un risque croissant d'erreurs inhérent à l'enregistrement de données (saisie ou mise à jour). En 2008, les vérifications sur demande effectuées par la CNIL avaient conclu que seuls 17 % des fichiers du STIC (système de traitement des infractions constatées contenant des données sur 28 millions de victimes et 5,5 millions de suspects) étaient exacts et conformes à la loi. L'affaire d'Outreau avait révélé un autre risque, celui de l'incarcération prolongée de personnes innocentes.

Un Européen sur mille

Nombre de détenus (2009 en milliers) et taux de détention dans les pays de l'Union européenne (2005-2007, pour 100 000 habitants)

	Nombre	Taux
Allemagne	72 043	93
Autriche	8 423	107
Belgique	10 105	91
Bulgarie	9 167	145
Chypre	670	79
Danemark	3 715	71
Espagne	76 079	146
Estonie	3 555	302
Finlande	3 231	68
France	**66 178**	**95**
Grèce	10 864*	91
Hongrie	15 253	149
Irlande	3 275	75
Italie	64 791	84
Lettonie	7 055	293
Lituanie	8 332	232
Luxembourg	679	152
Malte	494	87
Pays-Bas	14 555	99
Pologne	85 598	228
Portugal	11 099	116
Rep. Tchèque	19 371	185
Roumanie	26 616	154
Royaume-Uni	83 454	146
Écosse	7 964	139
Irlande du Nord	1 465	82
Slovaquie	9 033	162
Slovénie	1 360	60
Suède	6 976	77
UE à 27	*608 550*	*123*

*2007 et 2005-2007 (taux)

Eurostat

Le taux de détention de la France sur la période 2005-2007 est de 95 détenus pour 100 000 habitants à comparer aux 123 pour la moyenne des pays de l'Union européenne à 27. le pays ayant le taux de détention le plus important est l'Estonie (302), suivi par la Lettonie (293), la Lituanie (232), la Pologne (228). L'Espagne est à 146 tout comme la Bulgarie (145) et le Luxembourg (152). La Slovénie (60) est le pays avec le taux le plus bas, suivi de la Finlande (68) et du Danemark (71).

Le changement social s'est accompagné d'une montée de la violence.

La baisse de la délinquance enregistrée depuis 2003 ne saurait faire oublier l'accroissement spectaculaire des formes diverses de la violence depuis des décennies. Elle est présente au quotidien dans le vocabulaire, les attitudes et les comportements, les informations, les images. Elle s'exprime dans tous les lieux publics ou privés : cours de récréation, classes, routes, stades, magasins, centres commerciaux, entreprises, maisons et appartements. Le nombre des vols s'est accru parallèlement à l'augmentation des objets susceptibles d'être volés. Le vol avec violence s'exerce contre les biens ; il a été favorisé par le développement de la société de consommation et l'évolution technologique, qui ont engendré des envies et des frustrations. Le vol de téléphone portable a ainsi remplacé celui de la mobylette. La violence s'exerce aussi contre les personnes : enfants, élèves, professeurs, personnes âgées, femmes... Elle est parfois présente dans un regard, un geste ou un simple mot.

Les fêtes et les rassemblements populaires sont souvent l'occasion d'actes d'agression. Ils sont fréquents dans les stades ; certains supporters de football ne s'y rendent plus pour assister à un spectacle sportif, mais pour voir gagner leur équipe à n'importe quel prix. Il est ainsi devenu courant d'insulter les équipes adverses ou de jeter des objets sur des joueurs. La professionnalisation du sport, l'importance croissante de l'argent et les pressions exercées par l'environnement (entraîneurs, sponsors, médias, public) ont rendu le résultat plus important que le spectacle. Il s'ajoute à cela les attitudes racistes de plus en plus fréquentes de la part de « supporters ». Cette évolution est d'autant plus préoccupante que les sportifs sont les héros de l'époque et qu'ils exercent sur les jeunes une influence croissante (p. 527).

La violence est souvent perpétrée par des bandes organisées. 313 étaient répertoriées sur le territoire métropolitain au 1er janvier 2012 (contre 607 en 2010, selon le ministère de l'Intérieur). 331 affrontements entre bandes ont été comptabilisés en 2011, contre 401 l'année précédente. L'Île-de-France demeurait la région la plus exposée avec 237 faits, soit 72 % de l'ensemble (contre 28 % en 2010). Cette surreprésentation s'explique notamment par la concentration des quartiers d'habitat social en Île-de-France.

La cybercriminalité se développe fortement.

La délinquance n'est pas seulement présente dans le monde « réel ». Elle a investi le monde virtuel en même temps que celui-ci prenait une place croissante dans la vie quotidienne des individus et des institutions. La contrefaçon des logiciels, la copie privée des fichiers électroniques, le piratage des appareils (téléphones, décodeurs numériques de télévision...), le téléchargement illégal représentent pour les entreprises concernées des pertes considérables. Mais tous les secteurs sont menacés par le piratage de données et le chantage opéré par des *hackers* qui s'introduisent dans leurs systèmes informatiques. Il est difficile d'estimer ces pertes, car les entreprises n'ont pas intérêt à révéler leur vulnérabilité ; néanmoins, on peut estimer que les préjudices se chiffrent chaque année en milliards d'euros pour la France.

Les particuliers sont également concernés. Ils subissent les dégâts occasionnés par les virus informatiques qui circulent sur Internet. Ils sont harcelés par les *spams* (courriels indésirables) et des propositions non sollicitées de toute nature. Certains hésitent à utiliser leur carte de crédit pour effectuer des cyberachats. D'autres se font escroquer par le *phishing*, courriels demandant sous des prétextes fallacieux (souvent en se faisant passer pour une banque) des informations confidentielles comme le numéro de carte bancaire. Le développement spectaculaire d'Internet a donné une nouvelle dimension au « vandalisme en col blanc ». La cybercriminalité regroupe des infractions très diverses, qui évoluent avec les technologies. On constate un développement des infractions liées aux systèmes d'information et de traitement automatisé de données (STAD). 626 atteintes de ce type ont été recensées en 2010 par la police et la gendarmerie, un chiffre probablement très inférieur à la réalité. 33 905 infractions de « délinquance astucieuse » ont été commis par le biais d'Internet. Les escroqueries et abus de confiance ainsi que les falsifications et usages de cartes de crédit en représentent environ 80 %.

Pour les délinquants, le risque est plus réduit que le vol à l'étalage, et les réseaux comme Internet sont difficiles à sécuriser sans réduire les usages qui en sont faits. La prévention de ces délits s'accompagne en outre d'une surveillance accrue des utilisateurs qui la ressentent souvent mal. Ainsi, la loi Hadopi, destinée à protéger la propriété intellectuelle et artistique, a été très mal accueillie par la majorité des Français. L'utilisation des outils de la modernité est de plus en plus anxiogène. Elle rappelle à tout instant que l'intelligence et la volonté de nuire cohabitent sans cesse dans la société.

LA FRANCE DANS LE MONDE

INSTITUTIONS

La France connaît une situation économique dégradée...

En 2011, la croissance française a été de 1,7 %, contre 1,5 % dans l'Union européenne à 27, comme dans la zone euro (Eurostat). L'Allemagne affichait une progression de 3 %, tandis que la Grèce subissait une très forte récession (– 7 %), au contraire des trois pays Baltes (+ 6 à + 8 %). Le PIB du Portugal était en baisse de 1,6 % alors que celui de l'Espagne connaissait une timide reprise (+ 0,7 %). Entre 2000 et 2010, la France avait connu une croissance annuelle moyenne de 1,9 %, à comparer aux 2,2 % de l'ensemble des pays de l'Union européenne. Pour 2012, les prévisions d'Eurostat en fin de premier trimestre faisaient état globalement d'une stagnation, avec une récession en Grèce (4,7 %), au Portugal (3,3), en Espagne (1,8 %), Italie (1,4), Pays-Bas (0,9) et une faible croissance en France (0,5).

La croissance française reste cependant insuffisante pour permettre une réduction du taux de chômage, proche de 10 % de la population active au premier semestre 2012. Le déficit commercial s'est aussi accru de façon spectaculaire pour atteindre 70 milliards d'euros en 2011 (contre 40 en 2007), soit 3,6 % du PIB, un ratio jamais atteint. Les programmes des deux candidats en lice au second tour de l'élection présidentielle de 2012 étaient basés sur des estimations de croissance plutôt optimistes par rapport à celles des organismes internationaux.

Au sein des pays de l'OCDE, la France est l'un des pays où le poids des prélèvements sur les salaires (impôts sur le revenu et cotisations de sécurité sociale) est déjà le plus élevé. Pour l'ensemble des ménages, il était supérieur de 13 % à la moyenne des pays de l'OCDE en 2011. Pour une famille avec deux enfants, le poids des prélèvements sur les revenus était ainsi de 42,3 % en France contre 25,4 % pour la moyenne des pays de l'OCDE. D'autres pays ont des taux de prélèvements similaires à la France, comme la Belgique (40,3 %) et l'Italie (38,6 %). C'est en Irlande et en Suisse que ce poids est le plus faible, respectivement 7,1 % et 8,4 % (OCDE).

... et un niveau d'endettement public préoccupant.

Jusqu'en 2004, le déficit budgétaire national avait été supérieur à l'engagement européen (3 % du PIB). Après une amélioration en 2005 et 2006, il a atteint 5,7 % en 2011. La dette publique notifiée (au sens du traité de Maastricht) représentait 86 % du PIB en 2011 (contre 68 % en 2008), soit près de 63 000 € par ménage ou 34 années d'impôt sur le revenu 2011. Le paiement de ses seuls intérêts pèse ainsi chaque année plus que le montant de cet impôt sur le revenu.

Par ailleurs, la productivité du travail a progressé sensiblement moins vite en France que dans les autres pays de l'OCDE, du fait notamment d'un nombre d'heures travaillées parmi les plus faibles du monde (p. 333). Il faut cependant noter que, pendant la crise, la France a tout de même été l'un des seuls pays à avoir maintenu ses dépenses de recherche et développement (OCDE). Les Français sont d'ailleurs nombreux à penser que les initiatives de l'Union européenne d'aide aux politiques de recherche et de transformation des inventions en produits sont importantes pour sortir de la crise ; ils donnent à ce type d'action une note de 7,5 sur 10, contre une note moyenne de 7 sur 10 dans l'ensemble des pays de l'Union (Eurobaromètre, novembre 2011).

La France apparaît en revanche mal placée en ce qui concerne le niveau des dépenses publiques (57 % du PIB en 2011), par rapport à ses concurrents, mais les comparaisons sont à considérer avec prudence, compte tenu des méthodes employées. Au-delà de tout « déclinisme », on ne saurait en tout cas sous-estimer les difficultés de la situation économique de la France, exacerbées par la crise qui sévit depuis 2008.

La France a « décroché » du peloton de tête des pays développés.

Depuis une vingtaine d'années, l'évolution du PIB par habitant a été inférieure en France à celle des pays

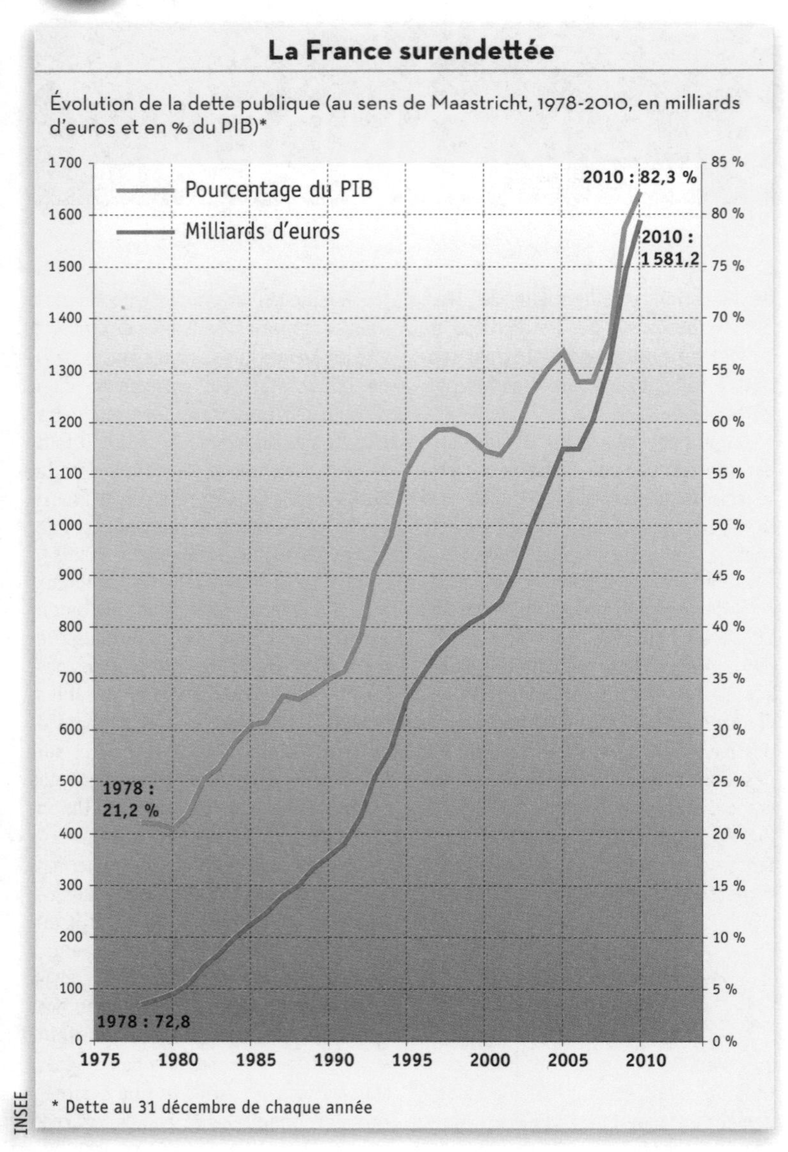

La France surendettée

Évolution de la dette publique (au sens de Maastricht, 1978-2010, en milliards d'euros et en % du PIB)*

* Dette au 31 décembre de chaque année

INSEE

développés, hors Japon. L'écart s'est accru avec les pays de l'OCDE comme bien sûr avec les économies émergentes. Le décrochage de la France avait été marqué au cours de la première moitié des années 1990. L'indice de PIB par habitant exprimé en standard de pouvoir d'achat (de façon à éliminer les différences de niveaux de prix entre les pays) était passé de 109 en 1992 à 99 en 1998 (pour une moyenne de 100 dans l'Union européenne de l'époque) alors que l'Europe connaissait elle-même une progression inférieure aux autres régions du monde. Au cours des années 2000, la situation de la France s'est de nouveau dégradée : le taux de croissance du PIB a été systématiquement inférieur à celui de l'Union à 27, que ce soit en global ou par habitant (graphique). L'indice de PIB par habitant (non comparable à celui des années 1990) est ainsi passé de 115 en 2000 à 108 en 2010. La France ne se situait plus qu'au quatorzième rang de l'Union européenne à 27 en 2010, alors qu'elle occupait le cinquième en 1990. Elle était à la cinquième place en matière de taux d'endettement. Elle occupait le quinzième rang mondial de la compétitivité selon le World Economic Forum (2012), le vingt-neuvième selon l'institut suisse IMD.

La situation critique de la Grèce, avec un endettement de 145 % du PIB et un déficit public dépassant les 13 %, a fait prendre conscience à ses partenaires européens de la gravité de la crise. L'U.E. a dû établir en urgence des plans de sauvetage et verser 140 milliards à la Grèce (auxquels se sont ajoutés 28 milliards du FMI) et l'ensemble des créanciers ont dû effacer la moitié de la dette accumulée, sans pour autant empêcher le chaos. La crise de la dette souveraine s'est étendue à l'Italie, à l'Espagne et au Portugal. L'Espagne est la plus touchée, avec un taux de chômage des moins de 30 ans supérieur à 50 %. Au début 2012, les demandes de prêts des banques espagnoles à la Banque Centrale Européenne (BCE) représentaient plus de 150 milliards d'euros, soit huit fois plus que le montant de leurs dépôts à la BCE. Le 13 janvier 2012, l'agence de notation Standard and Poor's avait aussi retiré le Triple A à la France et à l'Autriche, entraînant un risque de renchérissement du prix de l'argent pour financer la dette des deux pays.

Le laxisme budgétaire français n'est pas né avec la crise des *subprimes* en 2008 ; il remonte aux années 1970.

Dix ans de croissance

Évolution du PIB de différents pays sur la période 2000-2010 (en % annuel)

Roumanie	4,8
Italie	4,4
Autriche	4,1
Portugal	4,1
Norvège	3,9
Danemark	3,8
Irlande	3,7
Turquie	3,4
Pologne	3,2
Lettonie	3,0
Belgique	2,8
Royaume-Uni	2,7
Grèce	2,5
Finlande	2,4
UE 27	2,2
Slovaquie	2,0
France	**1,9**
Espagne	1,8
Lituanie	1,8
Japon	1,6
Allemagne	1,4
République tchèque	1,4
Suède	1,3
Slovénie	1,2
Pays-Bas	1,1
États-Unis	0,7
Hongrie	0,3
Suisse	0,0

Eurostat

Contrairement à d'autres pays, la France ne s'est pas donnée pour objectif principal de résoudre le problème du chômage, notamment dans ses causes structurelles. Sa tradition jacobine et la résistance traditionnelle au changement l'ont amenée à continuer d'accroître le pouvoir d'achat de ceux qui avaient un emploi et placer un filet de protection sociale autour des chômeurs. D'autres pays développés, notamment l'Allemagne, ont fait des choix différents et mis en place des réformes que la France a retardées.

Les piliers du « modèle républicain » sont ébranlés...

En privilégiant le principe d'égalité, le « modèle républicain » s'était donné pour mission de réduire les différences, au moins initiales, entre les individus. Il avait abouti à un système plutôt intégrateur, mais uniformisateur, qui consistait à les faire entrer dans un même « moule ». Celui-ci reposait sur l'école, l'armée et l'ensemble des institutions et pratiques collectives porteuses des « valeurs républicaines ». Les systèmes de santé, de culture, de redistribution et d'assistance sont quelques-unes des réalisations issues de cette vision égalitariste.

Cependant, la société a considérablement évolué depuis l'avènement de la République, et les principes qui la fondaient sont aujourd'hui plus difficiles à satisfaire aujourd'hui. La liberté des citoyens, et en tout cas leur tranquillité, sont entravées ou menacées par des comportements d'incivilité, mais aussi par des contraintes réglementaires nombreuses. L'égalité apparaît théorique à beaucoup de Français, qui dénoncent au contraire une montée des inégalités, parfois des injustices. Enfin, la fraternité est peu apparente dans sa dimension globale, dans un environnement où le lien social s'est défait, où le communautarisme, le tribalisme et le « réseautage » se développent (p. 218), où il apparaît de plus en plus difficile de vivre ensemble.

Le premier pilier du modèle républicain, l'école, éprouve aujourd'hui des difficultés à prendre en compte les « différences » entre les élèves qui lui sont confiés ; elle ne parvient plus en tout cas à les gommer (p. 74). Le service militaire a été supprimé en 2002 avec l'approbation de tous. Quant aux autres institutions, elles font l'objet de critiques croissantes de la part des citoyens-usagers-administrés-assujettis, qui se comportent de plus en plus comme des clients ou des consommateurs. Ainsi, les partis politiques ne mobilisent plus les électeurs, lassés par les promesses non tenues de ceux qui sont au pouvoir et l'attitude systématiquement hostile de ceux qui sont dans l'opposition. Les syndicats ne recrutent guère (p. 336). La justice croule sous les dossiers qu'elle ne parvient plus à gérer. Les grandes administrations et les entreprises publiques, auxquelles les Français restent malgré tout attachés (Sécurité sociale, Poste, énergie, transport...), peinent à se réformer dans un contexte de concurrence internationale e et de dérégulation.

Quant aux entreprises privées, elles sont accusées de porter une responsabilité dans le chômage, les délocalisations, la mondialisation et, plus récemment, la crise. L'Église a aussi beaucoup perdu de son influence sur les modes de pensée et les modes de vie (p. 281). Enfin, les médias, qui ont acquis un statut d'« institution » dans l'esprit du public, ont perdu de leur crédibilité et leur image s'est détériorée, même si leur poids sur l'opinion est considérable (p. 447). Beaucoup de Français leur reprochent d'être davantage motivés par la recherche de l'audience que par celle de la vérité.

… et la peur du « déclassement » s'est installée.

Pendant des décennies, chaque nouvelle génération bénéficiait d'un « surclassement » presque systématique par rapport à celle qui la précédait. Les enfants étaient ainsi quasiment assurés, dans leur grande majorité, de faire mieux que leurs parents en termes d'accès à des emplois qualifiés, valorisants et bien rémunérés. Cette perspective, qui alimentait dans les esprits le postulat d'un « progrès » continu et obligatoire, apparaît désormais très incertaine. De nombreux jeunes éprouvent au même âge que leurs parents des difficultés plus grandes. Leur insertion dans la vie professionnelle est moins aisée, plus longue, moins durable.

À la fin des années 1990, un tiers des fils et des filles d'ouvriers qualifiés et d'employés de la génération du *baby-boom* pouvaient prétendre accéder à un emploi de cadre ou de profession intermédiaire au cours de leur vie active; vingt ans après, on estime qu'ils ne sont plus qu'un sur quatre. À l'inverse, les trajectoires « descendantes » sont plus fréquentes : un quart des fils et un tiers des filles de cadres et de professions intellectuelles de la génération actuelle sont devenus ou pourraient devenir ouvriers ou employés (dans les conditions actuelles) contre respectivement 14 % et 22 % dans la génération née dans les années 1970.

La peur du « déclassement » n'est donc pas un fantasme. Les personnes qui le subissent en sont meurtries et frustrées. Leur tentation est alors forte de tenir le « système » pour responsable et de se laisser séduire par les discours anti-élites ou populistes tenus par les partis extrêmes, comme on a pu le voir lors de la campagne présidentielle de 2012. Les manifestations de colère des Français sont souvent causées par ce sentiment que l'avenir sera moins facile et confortable que le passé, que les acquis pourraient être mis en question et que les enfants pourraient se voir priver des espérances qu'ont connu leurs parents.

Les citoyens s'étaient éloignés de l'État…

Depuis le milieu des années 1960, la relation des Français à l'État s'est transformée, avec un point culminant en Mai 1968. Le fossé s'est creusé entre les citoyens et les institutions, de même qu'entre le « peuple » et les « élites ». Il suffit pour s'en convaincre d'examiner l'image des hommes politiques dans les sondages ou les chiffres de l'abstention aux élections. Le score des partis pro-

Défiance et déFrance

Le sentiment que la France se porte mal n'est pas né avec la crise financière de 2008 ; il est apparent dans de nombreuses enquêtes depuis des années. Ainsi, en novembre 2003, 48 % des Français estimaient que le pays était en « déclin » (9 % seulement « en progrès », 52 % « ni l'un ni l'autre », *L'Humanité*/CSA). En novembre 2006, 54 % considéraient « en pensant à la situation de la France » qu'elle « déclinait », 12 % seulement qu'elle « progressait » et 33 % « ni l'un ni l'autre » (*la Tribune*/Ipsos). En octobre 2008, seuls 11 % des Français jugeaient « bonne » la situation économique de la France, contre 29 % des habitants de l'Union européenne (Eurobaromètre). En février 2012, 79 % des Français considéraient « en pensant à la situation économique » que « nous sommes encore en pleine crise », contre 52 % des Américains, 38 % des Allemands, 38 % des Russes et 35 % des Chinois (*La Croix*/Ifop).

Le déclin perçu est d'abord économique : 84 % des Français pensent aujourd'hui que la France est « de moins en moins performante » (W&Cie/ViaVoice, février 2012), une proportion en hausse de 20 points en deux ans (79 % en février 2011, 64 % en février 2010) alors même que la crise financière avait déjà largement touché l'économie française. Les cadres et les professions intermédiaires se montrent plus pessimistes que les artisans et les commerçants.

Le pessimisme national record a plusieurs causes (p. 227). Il s'explique en partie par le caractère inquiet et « râleur » des Français ainsi que par la tonalité pessimiste des informations qui leur parviennent via les médias sur l'état du pays. Il est heureusement contrebalancé par l'écart important (souvent record également) entre la perception collective et la perception individuelle. Ainsi, 49 % des Français (+ 6 points en deux ans) estimaient en février 2012 que « les Français sont trop pessimistes sur les capacités économiques de leur pays ». On constate un écart de même nature dans la mesure du « moral » individuel et collectif des ménages (p. 226). Le décrochage de l'économie au plan national ne s'est en effet pas traduit, dans la grande majorité des cas, par une baisse sensible du niveau de vie individuel (p. 364). Mais la nécessité de remettre de l'ordre dans l'économie ne laisse pas entrevoir une hausse à court terme du pouvoir d'achat moyen.

testataires (extrême droite et extrême gauche) à la présidentielle de 2002 avait été un fort témoignage de l'hostilité envers le système technocratique issu des grandes écoles. Le référendum européen de mai 2005 avait confirmé cet éloignement. Après la parenthèse de l'élection présidentielle de 2007, la montée des extrêmes a atteint un niveau inégalé lors du premier tour des élections présidentielles de 2012, avec 17,9 % pour le Front National et 11,1 % pour le Front de gauche.

Même s'il s'est déjà en partie désengagé de certaines activités qui ne sont pas directement stratégiques (transport aérien, chemins de fer, télécommunications, énergie...), l'État est encore présent dans la quasi-totalité des services d'intérêt général. C'est ce qui explique que les citoyens le rendent souvent responsable des difficultés qu'ils vivent au quotidien. Au fil des années, la plaie du chômage et le sentiment d'un accroissement des inégalités ont entamé le crédit de l'État tout-puissant. L'absence d'un « grand projet » collectif a aussi pesé dans cette désaffection. Mais les Français mettent davantage en cause le fonctionnement des institutions que leur existence, à laquelle ils restent attachés et vers lesquelles ils se tournent volontiers en période difficile (ci-après).

... mais ils lui retrouvent des vertus en période de crise.

Les effets relativement atténués de la crise sur la population française depuis 2008 ont incité ceux qui dénonçaient le « modèle social français » à lui redécouvrir des vertus protectrices, qui ont permis une meilleure résistance que les systèmes plus libéraux comme celui de la Grande-Bretagne ou de l'Irlande. Cette conviction n'empêche cependant pas les Français d'être plus pessimistes que leurs grands voisins européens (encadré).

L'État occupe depuis longtemps une place essentielle dans le fonctionnement de l'économie et de la société. Depuis sa création par Bonaparte en 1800, la fonction publique a connu une croissance impressionnante. Quelque 6 millions de personnes travaillent aujourd'hui à son service, soit un quart de la population active (p. 316). Leur part a doublé depuis 1970 (12 %), quadruplé depuis 1936 (6 %), quintuplé depuis 1870 (5 %). Parmi les pays développés, la France est l'un de ceux qui emploient le plus de fonctionnaires en proportion de la population, juste derrière les pays scandinaves et la Belgique (contrainte de doubler les effectifs, du fait de l'existence de deux administrations, wallonne et flamande).

L'État-providence est né au début de la IIIe République, avec la restructuration des mesures d'assistance sociale jusqu'ici confiées au secteur privé. Mais son développement le plus spectaculaire s'est produit après la Seconde Guerre mondiale, avec la nécessité de reconstruire le pays. Il s'est poursuivi pendant les Trente Glorieuses ; la croissance économique et le progrès social ont alors accru le nombre des tâches improductives laissées à sa charge. Le poids de l'État repose sur une culture jacobine qui confère aux administrations un rôle déterminant sur la vie économique et sur celle des citoyens. La loi sur la réduction du temps de travail fut l'une des illustrations d'une tendance nationale ancienne qui donne la primauté au politique sur l'économique, afin de peser sur le social.

Pendant des décennies, l'État a indéniablement joué un rôle positif dans le développement de l'économie et de la protection sociale. Mais, tourné essentiellement vers l'intérieur, il n'a pas pris la mesure des changements intervenus dans le monde. Il ne les a pas non plus suffisamment expliqués aux Français, ce qui a rendu plus difficiles et moins consensuelles qu'ailleurs les adaptations nécessaires. Des pans entiers de l'État sont aujourd'hui dans une situation difficile ou critique ; c'est le cas notamment de la justice (comme l'a montré le scandale du procès d'Outreau), de l'administration pénitentiaire, des universités ou du système hospitalier. Ces difficultés sont aggravées par l'endettement inquiétant de nombreuses collectivités locales, à qui ont été transférées de nombreuses responsabilités autrefois centralisées.

Un État très dépensier

Les dépenses des administrations publiques ont représenté 57 % du PIB français en 2011, contre 48 % en moyenne dans les 27 pays de l'Union européenne et 45 % en Allemagne. La part des dépenses de protection sociale de la France (30 % du PIB) est la plus élevée du monde derrière la Suède; son poids a doublé depuis 1970, sous l'effet notamment de la hausse des dépenses de santé (p. 68) et d'éducation (p. 75).

En 1992, le poids des dépenses publiques dans le PIB de la France était inférieur de 1,5 point à celui de la moyenne des pays qui constituent aujourd'hui la zone euro. L'écart s'est inversé dès 1993 (+ 2 points); il a atteint 8 points en 2011 par rapport et 10 points par rapport à l'Allemagne. D'après l'OCDE, près des deux tiers de cet écart sont dus à la rémunération des fonctionnaires : si elle avait la même proportion de fonctionnaires que l'Allemagne, la France en aurait 1,5 million de moins, ce qui la ramènerait aux effectifs de 1980.

Les services publics sont diversement appréciés.

La crise a modifié les attentes des Français envers l'État et l'image qu'ils en ont. En juillet 2011, seul un sur trois se disait satisfait des services publics, alors qu'ils étaient une majorité en 2009 (Institut Paul-Louvrier/ BVA). Le taux de satisfaction variait largement selon les domaines (encadré). Les Français souhaitaient en priorité des efforts sur l'éducation (60 %), l'emploi et la lutte contre le chômage (58 %), la santé (43 %) et la justice (24 %). Les Français dénoncent volontiers les défauts des administrations et services publics : lenteur, lourdeur, qualité d'accueil insuffisante, horaires peu pratiques... Leur attitude de plus en plus « consumériste » explique qu'ils attendent davantage de considération et d'efficacité.

Dans la même enquête, les Allemands et les Britanniques plaçaient la santé publique en tout premier lieu, avec respectivement 55 % et 53 % (48 % pour l'ensemble des pays européens étudiés). L'éducation était la deuxième priorité des Britanniques (58 % contre 46 % dans les pays européens). L'emploi et la lutte contre le chômage se situait en deuxième position pour les Espagnols (64 %) comme pour les Français (58 %). Quant à l'environnement, 24 % des européens considéraient que les pouvoirs publics devraient s'en occuper plus, 19 % des Français, 33 % des Allemands et 29 % des Italiens.

Lors de l'élection présidentielle de 2012, les Français ont choisi de privilégier le rôle de l'État plutôt que de le réduire. Au cours du quinquennat précédent, la réorganisation des services d'État dans le cadre de la Révision générale des politiques publiques (cartes judiciaire, militaire, hospitalière) avait ainsi rencontré de fortes résistances. Le clivage reste fort selon les appartenances politiques. Les sympathisants de gauche estiment nécessaire de garder des services publics à proximité des usagers sur l'ensemble du territoire, quitte à augmenter les impôts. Ceux de droite sont davantage préoccupés par la nécessité de faire des économies budgétaires afin de réduire le déficit public. Un consensus existe cependant sur la nécessité d'une extension du service minimum à l'ensemble des services publics locaux.

Les Français sont favorables au principe des réformes...

Les Français vivent depuis une dizaine d'années une réforme de l'État qui vise à simplifier la vie des usagers de l'administration mais surtout à réduire son budget de fonctionnement. Cette action s'est amplifiée au lendemain de l'élection présidentielle de 2007 avec la mise en place de la Révision Générale des politiques publiques (RGPP). La création de guichets uniques communs à plusieurs administrations et la dématérialisa-

Des services perfectibles

On observe depuis 2007 une dégradation régulière de l'opinion des Français sur la qualité des services publics. Spectaculaire après la crise de l'automne 2008, elle s'est poursuivie en 2009 et 2010, avec les taux de satisfaction les plus faibles jamais enregistrés. Dans le Baromètre Institut Paul Delouvrier/BVA de décembre 2011, les principales baisses concernaient la police (12 points), la fiscalité (8 points) et la santé (7 points). Un net rebond de satisfaction s'est produit en 2011, avec un retour à des niveaux comparables à ceux d'avant 2008. Le « rattrapage » a été de 10 points sur la police et la santé, 12 sur la fiscalité et 14 sur la sécurité sociale. Mais l'opinion globale des Français sur les services publics reste mitigée, avec seulement 50 % d'opinions favorables.

La justice et les services de l'emploi bénéficiaient jusqu'en 2010 d'un taux de satisfaction très inférieur aux autres services publics. En 2011, la justice a enregistré une progression spectaculaire de 14 points, à 68 % contre seulement 47 % en 2006. Les services de l'emploi ont gagné 5 points, à 57 %.

Les marges de progression restent importantes et les attentes nombreuses. Pour Pôle Emploi, elles concernent principalement l'adéquation des offres aux profils des demandeurs. En matière de logement, les Français souhaitent plus de rapidité dans la finalisation des dossiers (seulement 33 % de satisfaction). Dans le fonctionnement de la justice, c'est aussi la rapidité (dans le jugement des affaires) qui est en cause : seulement 42 % de satisfaction, malgré une hausse de 28 points. Les attentes concernant l'éducation se situent toujours à un niveau très élevé, tandis que celles sur la santé publique poursuivent leur progression.

Placés devant le choix de privilégier l'amélioration des prestations fournies par les services publics quitte à augmenter les impôts ou de diminuer les impôts quitte à réduire les prestations fournies, les Français choisissaient en majorité la seconde solution, à 52 % contre 44 %.

Les Européens peu satisfaits des services publics

« Globalement, direz-vous que vous êtes satisfait de l'action des services publics (dans les domaines suivants) ? »
(juillet 2011, en % de réponses « très satisfait » et « plutôt satisfait »)

	France	Allemagne	Royaume-Uni	Espagne	Italie	Ensemble
Santé	42	36	60	58	40	46
Éducation	24	44	57	37	31	39
Police	47	68	62	68	60	59
Organisme de sécurité sociale	33	44	41	44	29	39
Fiscalité et collecte des impôts	34	24	36	29	15	28
Justice	26	48	46	48	23	35
Emploi, lutte contre le chômage	15	33	32	16	12	23
Environnement	38	49	58	41	28	43
Logement	21	59	40	22	30	36
Moyenne	**31**	**45**	**48**	**37**	**30**	**39**

BVA/Institut Paul-Louvrier

tion des démarches ont rendu l'accès à l'administration plus direct pour les usagers, mais il leur a demandé aussi plus d'efforts pour utiliser des services en pleine réorganisation. Les principales actions de la RGPP ont été la réorganisation de la carte judiciaire, la création de l'Agence nationale d'appui à la performance hospitalière (ANAP) et celle de Pôle emploi.

Les Français se disent souvent favorables aux réformes des services publics. Déjà en 2009, 84 % d'entre eux considéraient que « la société [avait] besoin de se transformer en profondeur » (Crédoc). En mars 2012, 50 % d'entre eux estimaient nécessaire de « réformer l'École en profondeur », et 84 % souhaitaient « une amélioration de la formation initiale des enseignants par le recours systématique à l'alternance » (Appel/OpinionWay). Mais ils préféraient en majorité des réformes progressives (61 %), plutôt que des changements radicaux (39 %).

Le rythme de mise en œuvre des réformes dépend beaucoup du calendrier électoral : Sécurité sociale en 1995 ; Éducation nationale et ministère de l'Économie en 2000 ; financement de la recherche et régime des intermittents du spectacle en 2003; contrats de nouvelle ou de première embauche en 2005 et 2006 ; régimes spéciaux de retraite en 2010... Certaines réformes ont été progressivement vidées en partie de leur substance : réforme de l'Université en 2008 ; réforme de la Santé en 2009, etc. Très peu sont en mesure en tout cas de régler les problèmes qui se posent à la société sur le long terme. Le déficit prévu des régimes de retraite n'a ainsi été que très partiellement résolu par les réformes successives depuis 2003.

... mais réticents dès lors qu'ils sont directement concernés.

Dans la réalité, on observe que les réformes proposées par l'État se heurtent souvent à de fortes résistances. Elles viennent souvent des agents de la Fonction publique eux-mêmes, dont beaucoup se montrent peu enthousiastes lorsqu'il est question notamment de réduire les dépenses de l'État. Ils disposent au sein des administrations d'un pouvoir de blocage considérable qu'ils n'hésitent pas à mettre en œuvre. La France est ainsi restée longtemps l'un des seuls pays à ignorer le salaire au mérite des fonctionnaires, la décentralisation de la gestion, la professionnalisation du service public, le service minimum lors des grèves. La création de Pôle emploi n'a pu se faire sans concessions vis-à-vis du personnel de l'Anpe et des Assedic. Ceux qui ont accepté d'abandonner leur statut d'agent de l'État (65 %) pour le transformer en contrat de droit privé spécifique à Pôle emploi ont ainsi bénéficié d'un treizième mois. La réforme des régimes spéciaux de retraite (transports, etc.) s'est faite avec d'importantes contreparties pour les personnes concernées.

L'autre résistance au changement vient des citoyens eux-mêmes. S'ils sont volontiers critiques à l'égard de l'État, beaucoup ont encore l'habitude de se tourner vers lui lorsqu'ils connaissent des difficultés : agriculteurs touchés par de mauvaises récoltes ; particuliers subissant des catastrophes naturelles ; salariés menacés par des plans de licenciement... Louis XIV déclarait déjà il y a plus de trois siècles : *« En matière d'administration, toutes les réformes sont odieuses. »*

La France dispose de nombreux atouts collectifs...

La liste des atouts nationaux est longue et connue. Les infrastructures et les services publics sont de qualité ; ils sont à porter au crédit d'un État fort qui a construit des routes, des ponts, des lignes de chemin de fer, des écoles, des crèches, des stades, des théâtres...

L'État-providence a permis aussi aux citoyens de disposer d'une protection sociale enviée. Les niveaux de revenus d'activité restent comparativement élevés, comme ceux des retraites. Quant aux inégalités, elles sont moins fortes que dans bien d'autres pays. Ces atouts sont cependant à relativiser : la France ne figure qu'au 20e rang de l'indicateur du développement humain en 2011 (PNUD) qui prend en compte

La France vue d'ailleurs

L'image de la France, telle qu'elle est renvoyée par la presse étrangère et les enquêtes internationales, est celle d'un pays complexe, qui se complaît dans ses singularités ou exceptions. L'exception sociale est la plus souvent commentée : objet de désir pour les peuples qui rêvent d'une meilleure protection ; repoussoir pour ceux qui considèrent que l'assistance nuit au dynamisme et détruit la responsabilité. L'exception culturelle est aussi souvent citée ; elle est selon les cas perçue comme l'un des signes du déclin d'un pays qui a perdu son aura, ou comme un moyen efficace de résister à l'hégémonie anglo-saxonne (à cet égard, le triomphe de *the Artist* aux États-Unis leur a fourni un argument).

La France apparaît également comme le pays des exceptions en matière professionnelle. Elle cumule notamment la plus courte durée de travail (p. 333) et le taux d'adhésion syndicale le plus faible (p. 336), qui s'accompagne paradoxalement d'une forte propension à la grève, notamment dans le secteur public. La première spécificité est souvent considérée comme un frein à la compétitivité et à la croissance, la seconde comme un handicap au consensus social. Beaucoup d'observateurs étrangers s'étonnent qu'on préfère en France se confronter et s'affronter plutôt que se parler et s'écouter. Beaucoup dénoncent encore la fameuse « arrogance française ».

Dans l'image de la France vue d'ailleurs, deux autres paradoxes reviennent souvent. Le pessimisme record de ses habitants, dont témoignent les enquêtes internationales (p. 227) est jugé incompréhensible, voire indécent au « pays du bien-vivre ». Par ailleurs, l'attachement croissant à la « proximité » s'oppose à la vocation longtemps universaliste du « pays des Droits de l'Homme ». Certains estiment qu'une partie des atouts traditionnels de la France sont devenus au fil des années des handicaps, qui expliquent son décrochage économique et sa difficulté à engager des réformes qui ont été réalisée depuis longtemps ailleurs.

Une enquête conduite entre décembre 2011 et février 2012 dans onze pays (*RFI-France24*-MCD/TNS Sofres) fait apparaître une image très contrastée. La « cote d'amour » de la France reste forte : environ 80 % des Brésiliens, Polonais, Indiens et Marocains déclarent aimer le pays (beaucoup ou assez), environ 70 % des Allemands, Égyptiens, Japonais, Maliens et Espagnols, 65 % des Nord-Américains et 54 % des Britanniques. Mais ces pays sont partagés quant à l'évolution du rôle de la France depuis une vingtaine d'années : si 77 % des Marocains, 59 % des Indiens, 55 % des Brésiliens et des Espagnols le jugent plus fort, ce point de vue est minoritaire dans les autres pays, notamment les plus développés comme l'Allemagne (36 %), les États-Unis (30 %), le Royaume-Uni (27 %) et le Japon (15 %).

Parmi les onze populations faisant l'objet de l'enquête, les Brésiliens sont les plus francophiles ; 81 % aimeraient ou auraient aimé étudier en France, 77 % y travailler, 74 % y vivre. Viennent ensuite les Marocains (respectivement 64, 68 et 70 %), les Américains (52, 42, 49 %), les Allemands (33, 36, 48 %) et les Japonais (22, 20, 35 %) Les Britanniques restent les plus francophobes (28, 28, 35 %).

Les Français eux-mêmes ne sont guère indulgents à l'égard de leur pays. 45 % ne le classent plus dans le peloton de tête des grandes puissances, mais parmi les six à dix premières puissances. Sur la scène internationale, 57 % estiment que le rôle de la France se dégrade. Ils sont 32 % à penser qu'elle ne joue plus un rôle important sur la scène internationale, ce qui constitue la plus grosse proportion parmi tous les pays sondés.

des facteurs comme l'espérance de vie, l'inégalité des revenus ou l'accès au soin. Le « BIB » (bonheur national brut) ne compense pas la faible croissance du PIB (p. 241).

Mais la France est la cinquième puissance industrielle mondiale, la sixième exportatrice de biens, la quatrième de services (la deuxième en matière agricole après les États-Unis) et la première destination touristique. Sa dépendance énergétique est réduite grâce au nucléaire. Son pouvoir d'attraction industriel est indéniable. En 2011, elle était le deuxième pays d'accueil pour les investissements étrangers directs, à égalité avec le Royaume-Uni. 38 % du capital des entreprises françaises du CAC 40 sont d'ailleurs détenus par des investisseurs étrangers. On compte 35 d'entreprises françaises parmi les 500 premières mondiales, contre 140 américaines, 61 chinoises, 34 allemandes, 30 britanniques, 10 Italiennes et 8 indiennes (Global Fortune 500), avec des fleurons telles que Total (11e rang mondial), Axa (14e) BNP Paribas (26e), Carrefour (32e), GDF Suez (38e), Crédit Agricole (43e), auxquels s'ajoutent à partir de la 142e place Auchan, Saint-Gobain, Renault, L'Oréal, Vinci, Air France-KLM, Bouygues ou Sanofi-Aventis. La France est « incontournable » dans les secteurs du luxe, des cosmétiques ou de la gastronomie, mais aussi de l'agriculture, des transports (automobile, ferroviaire, aérien) ou du nucléaire.

... et d'une histoire riche, ...

La liste des atouts nationaux ne s'arrête pas là. Le pays bénéficie d'une géographie privilégiée, tant par sa situation que par son climat ou la diversité de ses paysages. L'histoire a été aussi très généreuse avec lui. La France a accumulé un patrimoine culturel exceptionnel, avec même l'inscription du « repas gastronomique des Français » au patrimoine culturel immatériel de l'Humanité (Unesco, 2010). On peut ajouter le cinéma qui demeure l'un des plus vivants au monde, tout comme la création musicale populaire, et un certain nombre de succès en matière sportive (handball, judo, escrime, voile, athlétisme...).

Les Français ne manquent pas non plus de qualités pour réussir individuellement et collectivement. Leur niveau d'instruction est globalement élevé et il a progressé pendant les décennies précédentes. Il est complété par un système de formation continue auquel les entreprises consacrent environ 3 % de leur masse salariale, l'un des taux les plus élevés au monde. Certaines spécialités nationales sont universellement reconnues, comme les mathématiques. La *french touch* est appréciée jusque dans les studios d'Hollywood ou dans les entreprises de production de jeux vidéo.

Enfin, la démographie nationale est plus dynamique que dans les autres grands pays de l'Union européenne, avec un taux de fécondité plus élevé.

Les Français et le « modèle allemand »

Les comparaisons entre la France et l'Allemagne nourrissent régulièrement les débats, comme ce fut le cas pendant la campagne pour l'élection présidentielle de 2012. Les Français considèrent en majorité que la situation de leur grand voisin est meilleure que celle de leur pays dans de nombreux domaines économiques ou sociaux : croissance économique (76 %), commerce extérieur (73 %), déficits publics (62 %), négociation syndicale (60 %), fiscalité (46 %). Ils sont même 50 % à juger plus élevés les salaires allemands (*Jolpress*/Harris Interactive, février 2012), ce qui n'est pas démontré. Ils affichent en revanche une préférence marquée pour les prestations sociales pratiquées en France (à 67 % contre 21 % pour l'Allemagne) et le droit du travail (44 % contre 8 %).

Au total, une courte majorité de Français considère que l'Allemagne pourrait constituer un modèle économique et social pour la France (50 % oui, 42 % non). Mais 58 % craignent qu'il soit difficile à transposer, du fait des situations différentes dans les deux pays. Les Français sont plus partagés quant à la qualité de vie : 27 % la jugent meilleure en France, 33 % en Allemagne (30 % similaire). Mais seule une petite minorité estime qu'il est plus agréable de vivre en Allemagne (9 % contre 64 % de l'avis contraire) ou d'y travailler (25 % contre 64 %).

Deux Français sur trois estiment par ailleurs que l'Allemagne veut devenir la puissance dominante en Europe : 26 % se disent « totalement » de cet avis et 35 % « plutôt » (*ARD*/ Infratest Dimap-TNS Sofres). Seuls 31 % estiment que ce pays n'a pas d'ambition dominatrice. 41 % pensent que l'Allemagne utilise la crise de l'euro pour « renforcer son économie sur le dos des autres pays de l'U.E. », 42 % qu'elle « soutient les pays en crise de la zone euro pour sauver l'U.E. ». Enfin, 60 % des Français ont une opinion positive de la chancelière Angela Merkel, alors que le président français Nicolas Sarkozy comptait au moment du sondage seulement 36 % d'avis favorables.

Quant à la longévité de ses habitants (84,8 ans en moyenne pour les femmes, 78,1 ans pour les hommes), elle témoigne de progrès sanitaires spectaculaires.

… mais elle doit les entretenir et les diversifier.

Si les atouts de la France sont nombreux, certains connaissent une évolution préoccupante. Ainsi, les infrastructures nationales sont souvent plus coûteuses qu'ailleurs ; l'endettement de la SNCF est considérable (8,5 milliards d'euros fin 2011, + 80 % en 3 ans), comme celui de France Telecom (32 milliards) ou d'EDF (33 milliards), malgré le montant élevé des subventions publiques (souvent dénoncées au niveau européen). Le montant des recettes touristiques, plus important pour l'économie du pays que le nombre des étrangers de passage, ne la situe qu'en troisième position dans le monde (derrière les États-Unis et l'Espagne) et cette place n'est pas assurée.

Par ailleurs, les créations d'entreprises (hors auto-entreprises), plutôt moins nombreuses que dans d'autres pays développés, créent moins d'emplois (p. 325). Les multinationales françaises sont l'arbre qui cache une forêt de PME moins armées pour un développement hors des frontières. Certains domaines d'excellence de la France ont quasiment disparu, comme la haute couture, d'autres sont en difficulté comme la viticulture ou le textile.

Surtout, la France ne brille plus depuis des années dans les domaines porteurs d'avenir que sont l'éducation et la recherche. 160 000 jeunes sortent chaque année du système éducatif sans diplôme et les universités sont paupérisées. On constate une relative faiblesse des brevets français dans les domaines les plus innovants, les biotechnologies

Une autre vision du « progrès »

Depuis des décennies, le PIB (produit intérieur brut) est l'indicateur quasi exclusif de la croissance économique, supposée être la source essentielle sinon unique de l'enrichissement et du « progrès ». Par construction, il prend en compte l'ensemble des opérations qui engendrent des flux monétaires. Or, celles-ci peuvent être liées à des créations de valeurs mais aussi à des destructions ; c'est le cas par exemple pour les accidents de voiture ou la déforestation. À l'inverse, il ne prend pas en compte de nombreux services que les ménages se rendent les uns aux autres ou à eux-mêmes : éducation, garde d'enfants, confection des repas, etc.

D'autres indicateurs socio-économiques apparaissent donc nécessaires pour rendre compte de l'état réel de la société et de la qualité de vie de ses habitants. Ils concernent par exemple leur état de santé : durée de vie ; maladies ; handicaps ; dépendance, etc. Ils peuvent également s'intéresser au déroulement de leur vie professionnelle. Ainsi, la mesure du chômage n'a de sens véritable que si on complète le taux d'inactivité de la population susceptible de travailler par la durée moyenne de recherche d'un emploi et de son niveau d'indemnisation. La connaissance des revenus et des inégalités qu'ils engendrent est un autre facteur important. Les salaires ne sont que la partie apparente du revenu disponible global et du niveau de vie (p. 363). Le « taux de pauvreté », calculé à partir du revenu médian de la population, ne mesure en réalité que des écarts et ne dit rien sur la pauvreté « absolue ». Un « pauvre » français serait considéré comme riche dans beaucoup de pays.

Ces nouveaux indicateurs de mesure du bien-être de la population doivent aussi prendre en compte la densité et la qualité des infrastructures nationales et locales, évaluer le fonctionnement des institutions, l'efficacité du dialogue social, l'accès à l'information, la responsabilité des entreprises, la solidité du lien social, la fréquence de la solitude et la nature des solidarités. Il doit décrire de façon détaillée l'état de l'environnement, de même que celui de l'opinion. Il est également nécessaire de redéfinir la façon de mesurer et de comparer le niveau d'éducation des individus, leur culture générale, leur degré de confiance dans les autres, leurs perspectives d'évolution en matière personnelle, familiale, professionnelle ou sociale. Le « bonheur » ne saurait en effet être réduit à ses dimensions quantitatives, matérielles ou économiques.

Cette réflexion a été largement favorisée par les travaux de la commission Stiglitz qui s'est réunie en 2009. Son rapport a présenté des recommandations dans trois domaines principaux : redéfinition du PIB ; qualité de vie ; développement durable et environnement. Depuis 2010, l'INSEE a réalisé (en partenariat avec Eurostat) des travaux novateurs, notamment en matière d'analyse de la dispersion des revenus, de mesure de la consommation dans les comptes nationaux ou encore de qualité de vie perçue par les individus (p. 278).

et les technologies de l'information et de la communication. Dans un contexte de crise, le déficit commercial s'est accru de façon spectaculaire (70 milliards d'euros en 2011), comme l'endettement public (1 750 milliards). Les dépenses de santé connaissent une dérive continue (p. 68). Les retraites futures ne sont pas financées (p. 164). Les entreprises ont fortement ralenti leurs investissements. La consommation est anémique et l'accroissement du pouvoir d'achat insuffisant pour la relancer. Des millions de personnes vivent des minima sociaux, sans réel espoir, opportunité ou parfois volonté d'en sortir (p. 354). Dans un monde en mouvement perpétuel où la compétition est de plus en plus implacable, la France ne pourra se contenter de ses atouts. Elle devra les valoriser et les actualiser.

POLITIQUE

L'histoire électorale a connu de nombreuses péripéties depuis 1958.

Les relations entre les Français et la politique depuis la fin de la Seconde Guerre mondiale ne sont pas un long fleuve tranquille. L'un des actes fondateurs fut la création en 1958 de la Ve République par le général de Gaulle. Celui-ci sera désavoué en 1969, un an après la « révolution de Mai » qui témoignait d'une transformation en profondeur de la société (p. 272). Les revendications exprimées furent un peu oubliées pendant les années Pompidou, au profit de la modernisation industrielle du pays. Valéry Giscard d'Estaing entendait la poursuivre à partir de 1974 dans la lignée d'une politique de centre droit. Mais ses efforts furent perturbés par les effets progressifs d'une crise économique (déclenchée par le choc pétrolier de 1973) dont les Français refusèrent longtemps d'admettre l'existence.

Déçus de constater que la France n'avait pas réussi à maintenir cette crise hors de ses frontières, les Français choisirent l'alternance en 1981, offrant à la gauche sa première occasion de gouverner depuis vingt-trois ans. Commença alors l'ère Mitterrand. En 1986, une nouvelle déception des électeurs les amena à provoquer une situation jusqu'alors inconnue : la cohabitation. Elle ne profita guère au nouveau Premier ministre, Jacques Chirac. En 1988, les Français,

Politique et morale

Le fossé entre les Français avec les « élites » s'est élargi au fil des années, notamment avec les responsables politiques. Ainsi, en février 2012, seuls 22 % des citoyens considéraient que les politiciens « respectent les grandes règles de la morale » (*Le Monde*-Lire la Société/Ipsos), 57 % estimant que « seuls certains » observent ces règles, 20 % « la plupart », 20 % « aucun », 2 % « tous ». 50 % sont convaincus que la « sincérité en politique » a diminué, 39 % qu'elle est restée la même, 9 % seulement qu'elle s'est accrue. Pire encore, 72 % des Français estiment que les élus et les dirigeants politiques sont « plutôt corrompus » (*Canal+*/TNS, décembre 2011), le score le plus élevé jamais mesuré depuis 1977, en augmentation de 4 points par rapport à juillet 2010, qui constituait déjà un record.

Cet éloignement est pour une part lié au développement de la « crise », qui incite un certain nombre de citoyens à désigner des boucs-émissaires. Il apparaît surtout corrélé au sentiment général d'un manque d'exemplarité de la part des acteurs politiques. Il a été nourri par un certain nombre d'affaires impliquant des responsables. Les Français ont le sentiment que les détenteurs du pouvoir se considèrent au-dessus des lois, intouchables, comme s'ils bénéficiaient par leur position d'une impunité implicite. 58 % dénoncent une confusion croissante entre intérêts personnels et responsabilités politiques (32 % une stabilité, 7 % une amélioration).

En 2007, la « soirée au Fouquet's » de Nicolas Sarkozy, ses vacances sur le yacht d'un riche chef d'entreprise ou la tentative de prise de pouvoir de son fils Jean sur l'EPAD (centre d'affaires de Paris-la Défense) avaient ainsi marqué les esprits, plus encore que les affaires Woerth-Bettancourt, Dominique de Villepin-Clearstream, ou la condamnation de Jacques Chirac dans l'affaire des emplois fictifs de la mairie de Paris.

La gauche n'a pas été épargnée par les scandales, règlements de comptes ou accusations de corruption, que ce soit dans la fédération du Pas-de-Calais ou celle des Bouches du Rhône (Jean-Noël Guérini). L'affaire la plus retentissante fut évidemment celle concernant Dominique Strauss-Kahn (été 2011), donné jusqu'alors comme probable gagnant de l'élection présidentielle de 2012. Après la crise financière de 2008 (mais aussi après), les comportements (et les revenus) de certains chefs d'entreprise, banquiers ou traders avaient aussi profondément choqué l'opinion. L'exemplarité avait ainsi été l'un des thèmes de la campagne de François Hollande.

Une désaffection croissante

« Quand vous pensez à la politique, pouvez-vous me dire ce que vous éprouvez tout d'abord ? » (en %)

	1988	2011	Évolution
De la méfiance	29	39	10
Du dégoût	4	23	19
De l'intérêt	20	15	–5
De l'ennui	10	12	1
De l'espoir	22	6	–16
Du respect	6	2	–5
De la peur	3	2	–1
Sans réponse	4	1	–3
De l'enthousiasme	1	0	–1
Total	100	100	0

CEVIPOF

pour la première fois dans l'histoire de la Vᵉ République, reconduisirent le président sortant. La réélection de François Mitterrand s'effectua dans un contexte d'inversion idéologique, entre une droite jugée trop moderniste et aventureuse et une gauche qui se présenta opportunément comme conservatrice. Pas plus que les précédents, le gouvernement d'ouverture qui suivit ne trouva grâce aux yeux des Français. Ce fut donc de nouveau l'alternance et la cohabitation entre 1993 et 1995, avec la nomination d'Édouard Balladur comme Premier ministre.

La présidentielle de 1995 avait mis en évidence les fractures sociales, ...

L'élection présidentielle de 1995 fut l'occasion d'une nouvelle inversion apparente des rôles traditionnels dévolus à la droite et à la gauche. Abandonnant le terrain économique traditionnel de la droite, Jacques Chirac l'emporta sur la promesse de réduire la « fracture sociale ». Mais les Français eurent très vite le sentiment que les actes du gouvernement dirigé par Alain Juppé n'étaient pas en accord avec les promesses du président. Le projet de réforme de la Sécurité sociale, en décembre 1995, fut le prétexte à une explosion de mécontentement. Pendant un mois, la France paralysée retrouva des airs de Mai 1968.

Les élections législatives anticipées de 1997 témoignèrent de la déception des électeurs ; la gauche, emmenée par Lionel Jospin, obtint une nette majorité. Une troisième période de cohabitation s'engagea, inversée par rapport à celles de 1986 et 1993. Les élections régionales (et cantonales) de mars 1998 confirmèrent le déclin de la droite modérée, en même temps que la croissance de l'extrême droite (15 % des voix), portée par le sentiment d'insécurité de nombreux Français, mais aussi d'agacement face à la multiplication des affaires de corruption.

La consultation pour les élections européennes de 1999 mobilisa peu les citoyens (53 % d'abstentions), davantage concernés par les problèmes nationaux. La gauche plurielle en sortit confirmée par rapport à une droite de plus en plus désunie. Deux ans après, celle-ci redoutait un raz-de-marée socialiste aux élections municipales de 2001. Mais elle résista beaucoup mieux que prévu ; ses divisions lui firent cependant perdre deux grandes villes symboles : Paris et Lyon.

... celle de 2002 fut un électrochoc...

L'élection présidentielle de 2002 provoqua un véritable séisme, avec l'élimination au premier tour de Lionel Jospin, Premier ministre en exercice. Contre toute attente, le second tour vit s'affronter la droite (Jacques Chirac) et l'extrême droite (Jean-Marie Le Pen). Les explications *a posteriori* ne manquèrent pas : lassitude des électeurs à l'égard de la politique traditionnelle ; pouvoir d'attraction des candidatures de protestation ; confusion des offres de la droite et de la gauche modérées ; éparpillement des voix sur un nombre élevé de candidats (16) ; certitude induite par les instituts de sondage et les médias d'un premier tour joué d'avance qui verrait s'opposer les deux candidats « naturels ».

Ces causes ne doivent cependant pas faire oublier la principale : le mécontentement et la frustration ressentis par un grand nombre de Français face à un monde en mutation accélérée, qui leur paraissait davantage porteur de menaces que d'opportunités. La mobilisation entre les deux tours a abouti à un « vote républicain » en forme de plébiscite pour Jacques Chirac : 82,2 % des voix.

Lors des élections législatives qui suivirent, les Français donnèrent à la droite une très large majorité (399 sièges) avec la mission d'enga-

ger les actions d'urgence annoncées et de mettre en place les réformes promises. Mission non remplie, selon eux, puisqu'ils votèrent massivement pour la gauche aux élections régionales (et cantonales) de mars 2004, lui assurant la présidence de 20 des 22 régions françaises (seules l'Alsace et la Corse restèrent à droite, malgré une majorité de gauche dans cette dernière).

Une autre démonstration de mauvaise humeur des Français se produisit en mai 2005, à l'occasion du référendum sur le projet de constitution européenne. Le « non » l'emporta largement, avec 56 % des voix et un taux de participation identique à celui du référendum sur le traité de Maastricht, en 1992 (70 %). Le fort mécontentement des électeurs était confirmé fin 2005 par les émeutes dans les banlieues, puis en 2006 par l'ampleur de l'opposition au CPE (contrat nouvelle embauche).

... et celle de 2007 une rupture.

L'élection présidentielle de 2007 se déroula dans des conditions différentes. La dispersion des votes (12 candidats) fut nettement moindre : les trois candidats des partis de gouvernement réunirent à eux seuls 76 % des suffrages exprimés lors d'un premier tour caractérisé par un taux de participation record (83,8 %, confirmé au second (83 %). Cette élection marqua aussi une rupture dans la désignation du candidat à l'issue d'une primaire, au Parti socialiste puis à l'UMP. Une femme figura ainsi pour la première fois en position éligible.

On assista à un changement de génération, avec les candidatures de *baby-boomers* : Ségolène Royal, Nicolas Sarkozy et François Bayrou, tous nés entre 1951 et 1955. Nicolas Sarkozy sortit vainqueur du premier tour (31,2 %), devant Ségolène Royal (25,9 %) et François Bayrou (18,6 %). Le choix politique du second tour laissa peu d'électeurs indifférents (le taux d'abstention descendit à 16 %). Ils durent choisir entre un « ordre juste » et un « ordre en mouvement ». La promesse faite par le candidat de droite d'une « rupture tranquille », visait à satisfaire à la fois les partisans de réformes profondes et à rassurer ceux qui les craignaient. Elle convainquit une majorité des Français (53,1 % contre 46,9 %). L'utilisation intensive d'Internet lors de la campagne constitua une autre innovation.

Les législatives de juin 2007 donnèrent une large majorité aux élus de droite (345 sièges, contre 227 pour la gauche parlementaire). L'échec de la candidature de François Bayrou, fut confirmé aux législatives (3 sièges). La victoire de la droite ne lui bénéficia cependant pas lors des élections municipales de 2008, caractérisées à nouveau par une forte dispersion des voix. Parmi les grandes villes, seule celle de Mulhouse bascula à droite grâce au soutien de Jean-Marie Bockel (ancien PS) par l'UMP.

La gauche conquit en revanche plusieurs grandes villes (Strasbourg, Toulouse, Reims, Metz...), dans un contexte de clivages politiques moins marqués au plan local, notamment dans les communautés urbaines (élection unanime de présidents, partage de la présidence et de la vice-présidence entre la droite et la gauche...). La gauche profita aussi de la recomposition sociale des grandes villes amorcée depuis les années 1970 : présence accrue de jeunes diplômés, exode des classes populaires et moyennes vers les banlieues et zones périurbaines. Les élections européennes de 2009 furent marquées par un nouveau record du taux d'abstention (59,3 %, contre 39,3 % en 1979), signe du peu d'intérêt que la majorité des Français accordent aux instances parlementaires de l'Europe.

La présidentielle de 2012 a été marquée par la montée des extrêmes.

Le premier tour des élections présidentielles de 2012 a été marqué par le score historique du Front national (17,9 % des voix) et celui du Front de gauche (11,1 %). À l'inverse, celui de la candidate écologiste n'était que de 2,3 %. Face à la crise, au scepticisme envers les acteurs politiques et aux craintes liées à la mondialisation, les Français ont voté massivement pour un renforcement de l'indépendance nationale. Seuls 9,3 points séparaient ainsi les scores de Marine le Pen et de Nicolas Sarkozy. Ce dernier, avec 27,2 % des voix, était légèrement distancé par François Hollande (28,6 %), qui profitait du rejet affiché par de nombreux Français et partis pour le président en exercice. Au centre, François Bayrou (Modem) n'obtenait que 9,1 % des voix, contre 18,6 % en 2007, 6,8 % en 2002 et 18,6 % en 1995. Entre les deux tours de 2012, il indiquait qu'à titre personnel il voterait pour le candidat socialiste, annonçant ainsi un glissement à gauche de sa formation. Marine le Pen annonçait quant à elle qu'elle voterait blanc, engageant ses électeurs à faire de même.

Au second tour, François Hollande était ainsi élu par les Français avec 51,6 % des suffrages. 1,1 million de votes séparaient les deux candidats, soit la moitié du nombre de bulletins blancs et nuls (2,1 millions). Le vote anti Sarkozy s'est doublé d'un vote anti-Europe. Depuis le « non » (à 56 %) au référendum de 2005 sur le projet de constitution européenne, on savait que l'engagement des Français pour l'Union était fragile. Leurs doutes s'étaient accrus après la mise en place de l'euro. Ils s'étaient généralisés avec la montée du chômage, la crise de la dette grecque, les difficultés de l'Espagne, de l'Italie ou du Portugal. La dégradation des échanges extérieurs, la désindustrialisation croissante et la perte du Triple A avaient également confirmé les craintes et fait de l'Europe un bouc-émissaire de la crise. Les candidats des grands partis modérés ont ainsi été bousculés par les extrêmes, qui proposaient une rupture avec l'Europe (et l'euro) et le retour à l'État nation.

Les législatives de 2012 ont confirmé la présidentielle.

Les élections des 10 et 17 juin 2012 ont permis au nouveau président de disposer de la majorité absolue à l'Assemblée nationale, avec 331 élus sur 577 sièges de députés (dont 280 pour le Parti socialiste, 17 pour Europe Écologie-Les Verts, 22 pour les Divers gauche et 12 pour le Parti radical de gauche). La droite parlementaire n'en comptait plus que 229. Les Français s'étaient une fois encore fortement abstenus, avec des taux de 43 % au premier tour et 45% au second. L'extrême droite obtenait 3 députés, contre 10 pour le Front de gauche, tandis que le Centre était laminé. François Bayrou (Modem) était lui-même éliminé, ainsi que d'autres personnalités politiques de premier plan comme Ségolène Royal (PS), Marine Le Pen (Front national), Jean-Luc Mélenchon (Front de gauche) ou Claude Guéant (UMP).

L'UMP sortait amoindrie de l'élection, mais pas exsangue ; la sanction des partis au pouvoir avait été plus brutale dans les autres pays européens (Grande-Bretagne, Espagne, Hongrie, Irlande). Mais la « guerre des chefs » pour la direction du parti ne tardait pas à se préciser entre les candidats déclarés (François Fillon, Jean-François Coppé) ou potentiels (Alain Juppé). De son côté, le Front national se félicitait d'être devenu le « troisième pouvoir » et d'être en position de prendre le leadership de l'opposition. Les communistes sortaient plutôt affaiblis de leur alliance avec le Front de gauche.

La majorité présidentielle disposait ainsi de l'ensemble des pouvoirs : Assemblée nationale, Sénat, Régions, Départements... Cela lui conférait une responsabilité particulière pour gérer une crise grave au plan national et européen. C'est au total la social-démocratie qui sortait gagnante de l'élection. Le gouvernement dirigé par Jean-Marc Ayrault pouvait commencer à prendre en charges les difficiles dossiers qui l'attendaient : plans sociaux dans certaines entreprises ; évolution du SMIC ; mise en place d'une procédure de concertation et d'action avec les partenaires sociaux ; remise à plat de la fiscalité ; programme de réduction des dépenses publiques...

La « société civile » pèse de plus en plus sur les politiques.

L'engagement des Français dans l'élection présidentielle de 2012 a montré à la fois leur inquiétude quant à l'avenir et leur volonté de se faire entendre des acteurs politiques. La désaffection à l'égard de la politique qui s'était accrue au fil des années s'est traduite par des taux d'abstention croissants (encadré), en dehors des élections présidentielles. Les élections cantonales ont perdu leur signification en milieu urbain. Le mode de scrutin majoritaire à deux tours, instauré pour assurer la stabilité des gouvernements (lorsque le gaullisme s'opposait au parti communiste dans le contexte de la Guerre froide) prend mal en compte l'individualisation croissante de la société.

Cette revendication « participative » se traduit par la multiplication des sondages (plus de 400 réalisés pendant la campagne présidentielle de 2012). Elle explique aussi le développement des groupes de pression militant pour des causes particulières (mariage homosexuel, suicide assisté en cas de maladie grave, condamnation par le parlement du génocide des Arméniens en 1915-1916...). L'importance croissante des thèmes sociétaux divise les grandes familles politiques. Une droite conservatrice, attachée aux valeurs de la famille et de la solidarité, s'oppose ainsi à une autre, moderniste, inspirée par une vision libérale. À gauche, les défenseurs de la laïcité se confrontent aux partisans du multiculturalisme, les « Européens » aux « Nationaux ». La société civile transcende les clivages politiques traditionnels, comme l'ont montré par exemple les débats qui avaient précédé la loi Hadopi. L'invention de nouvelles formes de participation politique en complément de la représentation électorale est l'un des enjeux majeurs des années à venir.

Cette évolution n'est pas spécifique à la société française. Elle caractérise tous les pays développés, même si elle a pris des formes différentes selon le contexte national. Tous ont ainsi vu l'émergence de mouvements écologistes au début des années 1970. Dans les pays au mode de scrutin proportionnel, comme l'Allemagne, ils siègent au parlement et ont déjà fait partie du gouvernement national à titre indépendant ; dans d'autres, comme la France, ils ont dû conclure des alliances électorales pour y parvenir ; dans d'autres encore, ils sont restés extraparlementaires, comme en Angleterre, pays au scrutin majoritaire à un seul tour, peu favorable aux nouveaux arrivants.

Dis-moi comment tu votes...

Caractéristiques sociodémographiques de l'électorat au premier tour de l'élection présidentielle de 2012 (candidats ayant obtenu plus de 10%, en %)

		Hollande	Sarkozy	Le Pen	Mélenchon
Sexe	Hommes	27	25	21	14
	Femmes	30	29	15	9
Âge	18-24 ans	29	27	18	8
	25-34 ans	32	18	20	13
	35-44 ans	29	21	23	11
	45-59 ans	30	25	19	12
	60 ans et plus	25	37	13	11
Catégorie socio-professionnelle	Artisans, commerçants, chefs d'entreprise	21	42	25	3
	Profession libérales, cadres	30	33	8	9
	Professions intermédiaires	34	22	12	14
	Employés	28	22	21	12
	Ouvriers	27	19	29	11
Statut	Salarié du privé	27	27	20	9
	Salarié du public	34	16	19	14
	À son compte	28	32	17	5
	Au chômage	28	23	18	19
Dernier diplôme obtenu	Pas de diplôme	39	19	19	14
	BEPC/BEP/CAP/CEP	26	27	21	13
	Baccalauréat	26	31	21	9
	Bac +2	32	26	17	8
	Au moins Bac +3	31	27	10	11
Niveau de revenu du foyer	Moins de 1000 €	30	23	19	13
	De 1200 à 2000 €	29	25	19	11
	De 2000 à 3000 €	26	27	19	11
	3000 euros et plus	31	30	15	11
Catégorie d'agglomération	Rural	24	26	20	11
	Moins de 20000 hab.	28	29	17	11
	20000 à 100000 hab.	33	22	17	13
	Plus de 100000 hab.	31	30	16	10
	Agglomération de Paris	29	26	20	12

France Télévisions – Radio France – Le Monde – Le Point / Ipsos-Logica Business Consulting, avril 2012

Le vote est de plus en plus volatil…

Comme dans de nombreux autres domaines, les électeurs tendent à adopter une attitude « consumériste » face à l'offre politique. Elle peut les amener à changer leur affiliation partisane, à s'abstenir ou à apporter ponctuellement leur vote à un parti contestataire, comme ce fut le cas au premier tour des élections présidentielles de 2012. Ce comportement explique pour une bonne part les fréquentes alternances et les longues périodes de cohabitation observés depuis plus de vingt ans.

Le rapport gauche/droite (hors partis extrêmes) était favorable à la droite aux élections présidentielles de 1995 (44 % au premier tour contre 37 % à la gauche), puis il avait basculé aux législatives de 1997 en faveur de la gauche. Celle-ci obtenait 36 % aux régionales de 1998 (36 % également à la droite) et 38 % (contre 35 %) aux européennes de 1999. Le rapport s'inversait de nouveau aux législatives de 2002, où l'Union pour la majorité présidentielle obtenait 47 % des voix. Aux régionales de 2004, la gauche retrouvait une forte majorité : 40 % au premier tour, contre 34 % à la droite. L'inversion du calendrier électoral a rendu la cohabitation plus improbable. Mais la défection de nombreux électeurs proches du Parti socialiste ou de la droite en faveur de François Bayrou au premier tour des présidentielles de 2007 avait montré que la dynamique est toujours à l'œuvre. En 2012, la montée des extrêmes était un signal fort envoyé aux partis traditionnels ; il a en outre provoqué un affaiblissement du Centre.

Les mouvements de l'électorat ouvrier sont révélateurs de ce zapping électoral. Dans les années 1960, leur vote se partageait entre droite et gauche. Il s'est massivement déplacé à gauche dans les années 1970 et 1980 (75 % aux législatives de 1978). Il était de nouveau plus partagé dans les années 1990, pour évoluer ensuite en faveur de l'extrême gauche et, surtout, de l'extrême droite, traduisant une forte exaspération à l'égard du système politique. En 2007, une part importante de leur vote avait en revanche bénéficié aux deux grands partis de gouvernement. En 2012, le monde ouvrier a voté à 29 % pour le Front national et seulement 11 % pour le Front de gauche. Au total, les ouvriers ont voté à 51 % pour un candidat de droite ou d'extrême droite, à 40 % à gauche et à 9 % au centre.

… et les taux d'abstention de plus en plus élevés.

L'abstention aux élections s'est accrue de façon pratiquement continue depuis

Absentéisme électoral

Évolution du taux d'abstention aux élections présidentielles, législatives et européennes (en % des inscrits)

		1er tour	2e tour
1981	Présidentielles	18,9	14,1
	Législatives	29,1	25
1986	Législatives	21,5	30
1988	Présidentielles	18,6	15,9
	Législatives	34,3	30,1
1993	Législatives	30,8	32,4
1995	Présidentielles	21,6	23
1997	Législatives	32	28,9
2002	Présidentielles	28,4	20,3
	Législatives	35,6	38,5
2007	Présidentielles	16,2	16
	Législatives	39,6	40
2012	Présidentielles	20,7	19,7
	Législatives	42,8	43,7
1979	Européennes	un seul tour	39,3
1984	Européennes	un seul tour	43,3
1989	Européennes	un seul tour	51,3
1994	Européennes	un seul tour	47,3
1999	Européennes	un seul tour	53,0
2004	Européennes	un seul tour	57,2
2009	Européennes	un seul tour	59,4

Ministère de l'Intérieur

les débuts de la Ve République. Le record avait été atteint en 2000, lors du référendum sur le quinquennat, avec 70 % de non-votants (le précédent était de 63 % en novembre 1988 pour le référendum sur le statut de la Nouvelle-Calédonie). Une pause avait été constatée lors du second tour de la présidentielle de 2002 (20,3 %), marqué par une mobilisation républicaine contre le Front national, et lors de la présidentielle de 2007 (16,3 % au premier et 16,0 % au second tour). Mais l'abstentionnisme se manifestait de nouveau aux européennes de 2009 (57 %). En 2012, il s'est établi à 20,5 % au premier tour de la présidentielle et 19,7 % au second, dans un contexte de forte inquiétude en matière économique et sociale.

La propension à l'abstention est plus forte chez les citoyens qui se sentent le plus éloignés de la politique (chômeurs, salariés précaires, personnes peu diplômées...). Les personnes plus âgées sont les moins concernées. L'abstention peut être interprétée comme le signe d'un désintérêt des électeurs pour la politique, mais ces derniers prétendent le contraire dans de nombreuses enquêtes, à l'exception cependant des jeunes : en février 2012, 87 % des 18-30 ans considéraient que les responsables politiques ne se préoccupaient pas de ce qu'ils pensent et de leurs préoccupations (*Glamour*/Ipsos-Logica Business Consulting).

On peut aussi attribuer le refus de voter au mécontentement face à des résultats jugés insuffisants de la part des gouvernants. Cette attitude de rejet a favorisé l'émergence des partis extrémistes de protestation, à gauche comme à droite. Enfin, l'abstention peut être la conséquence d'un désaccord ou d'une déception à l'égard du parti dont on se sent le plus proche et que l'on ne veut pas « trahir » en votant pour un autre. Le résultat est que la plupart des élus de la République le sont par une minorité de la population.

Il peut ainsi sembler paradoxal que les Français se disent majoritairement favorables à l'instauration du vote obligatoire, à 57 %, contre 38 % (CRAN/Sofres, décembre 2011), notamment chez les 50 ans et plus. On ne mesure pas de clivage majeur en termes de préférence partisane, mais les « sans préférence partisane » et les « déjà abstentionnistes en 2007 » ou « au référendum 2005 » y sont majoritairement opposés, de même que les ouvriers.

Le clivage droite-gauche tend à s'estomper.

L'opposition traditionnelle entre des conceptions propres à la droite et à la gauche a perdu de sa pertinence au fil des années, du fait de la difficulté de distinguer le social de l'économique dans le monde contemporain. Les principaux partis (PS et RPR devenu UMP) avaient ajouté à la confusion en abandonnant en partie leurs fonds de commerce traditionnels. Ainsi, l'élection présidentielle de 1988 avait été gagnée par François Mitterrand sur le terrain du conservatisme, tandis que celle de 1995 l'avait été par Jacques Chirac sur celui de la solidarité. Les autres partis (écologistes, extrémistes) avaient aussi brouillé les cartes en cherchant à élargir leurs territoires naturels. Cette difficulté de décoder la vie politique explique la volonté d'alternance et de cohabitation affichée par le corps électoral.

Les clivages traditionnels étaient présents, mais de façon atténuée, lors de l'élection présidentielle de 2002, qui avait fait resurgir l'image d'une gauche spécialisée dans la protection

Bonnet rose et bleu bonnet

En matière économique, les grands partis politiques se sont rapprochés. Avec l'abandon en 1983 du programme commun de gouvernement entre socialistes, communistes et radicaux de gauche (signé en 1972), la gauche de gouvernement avait accepté le principe de l'économie de marché. Le gouvernement de Lionel Jospin avait ainsi procédé à autant de privatisations que les gouvernements de droite qui l'avait précédé.

De son côté, la droite, en principe attentive à la maîtrise de la dette publique, n'avait pas hésité à l'augmenter depuis 1975. En outre, la mise en place du marché unique européen et de la zone euro avait abouti à la création d'un cadre réglementaire qui réduisait la marge de manœuvre des gouvernements nationaux, quelle que soit leur couleur politique ou leur tradition historique (en France, celle d'un fort interventionnisme économique de l'État).

Les différences n'ont pas pour autant disparu ; ainsi, le « paquet fiscal » de 2007 avait été très mal accueilli par la gauche. Ces différences reflètent encore des visions divergentes de la société, que l'on peut simplifier ou caricaturer ainsi : égalitarisme à gauche, libéralisme à droite. Mais certaines mesures économiques font l'objet d'un large consensus : introduction du RSA, sauvetage des grandes entreprises en cas de difficultés, nécessité de réduire l'endettement, obligation morale d'accroître en priorité les prélèvements sur les plus aisés... Cette convergence traduit aussi le poids croissant des thèmes de société dans le débat public (p. 447).

sociale et celle d'une droite fascinée par l'ordre. Les régionales de 2004 avaient redonné de la vigueur au clivage entre une droite réformatrice et une gauche protectrice, au profit de cette dernière. On avait ainsi vu le PS reconquérir une partie de sa base électorale et redevenir (avec ses alliés) le premier parti des ouvriers (33 % des votes au second tour) et des employés (38 %). Les régionales avaient même élargi cette base, puisque 35 % des cadres supérieurs avaient voté pour les partis de gauche (ainsi que 39 % des professions intermédiaires). Mais le référendum sur le projet de constitution européenne de 2005 avait fait éclater le PS entre partisans et opposants. Il a laissé des traces dans les états-majors comme dans l'opinion. En 2012, l'électorat n'a pas basculé à gauche. Comme dans la plupart des pays affectés par la crise, il s'est éloigné du candidat sortant plus qu'il n'a été convaincu que son opposant détenait les clés de la sortie de crise.

Le Front de gauche mobilise l'électorat de l'extrême gauche et du Parti communiste.

Pendant quelques années, on a pu croire que les idéologies politiques ne s'étalaient plus le long d'un axe, mais plutôt à l'intérieur d'un cercle où les extrêmes pouvaient se toucher. C'est ainsi qu'à la présidentielle de 2002, une partie des électeurs du Parti communiste, déçus de son ancrage dans une « majorité plurielle » recentrée, s'étaient reportés sur le Front national. De même, on avait pu observer des transferts entre l'extrême gauche et l'extrême droite de la part d'électeurs plus sensibles à leur volonté commune de changement radical qu'à leurs idéologies respectives, au demeurant fort éloignées.

Le score de l'extrême gauche au premier tour de l'élection présidentielle de 2002 (10,4 % pour les trois candidats qui la représentaient) traduisait une volonté d'en découdre avec le système politique et social. Le référendum de mai 2005 avait également montré l'influence dans l'opinion des arguments antimondialistes et antilibéraux exprimés par l'extrême et l'audience croissante de ses leaders. Cependant, lors des autres élections, le PS avait su mieux cristalliser les votes protestataires à gauche. Les scores de l'extrême gauche avaient nettement baissé aux législatives de 2002 (2,8 %) et de 2007 (3,4 %), de même qu'aux régionales de 2004 (5 %) , à la présidentielle de 2007 (6,7 %) ou aux municipales de 2008 (0,2 %). Le score personnel d'Olivier Besancenot était quasiment stable entre les présidentielles de 2002 et celles de 2007 (4,3 % contre 4,1 %). Le Nouveau Parti anticapitaliste avait obtenu 5,8 % aux européennes de 2009.

Le parti communiste, quant à lui, poursuivait son déclin, amorcé au cours des années 1990. Marie-Georges Buffet n'avait obtenu que 1,9 % aux présidentielles de 2007 (contre 3,4 % en 2002). Aux législatives, les communistes avaient un peu mieux résisté (4,3 %, après 4,8 % en 2002) et conservé un groupe parlementaire à l'Assemblée, grâce à une alliance avec les Verts. Sur le plan communal, l'érosion avait été moins prononcée, même si le PCF avait perdu plusieurs villes aux municipales de 2008 (Caen, Montreuil...) sans en conquérir de nouvelles.

Le Front de Gauche, constitué avec les dissidents de plusieurs partis de gauche et de l'extrême gauche à l'occasion des européennes de 2009, avait obtenu quatre sièges (6,8 %). À la présidentielle de 2012, son candidat, Jean-Luc Mélenchon, était soutenu par le parti Communiste et il avait obtenu 9,1 % des voix au 1er tour, après une campagne remarquée. Fortement axé sur la rupture vis-à-vis de la classe politique traditionnelle ainsi que sur un refus de la fatalité de l'austérité, le discours de son leader avait redonné une dynamique à la gauche de la gauche.

L'extrême droite est devenue le parti des ouvriers.

Avec 17,9 % des voix en 2012 pour sa candidate, Marine Le Pen (après 19,2 % à la présidentielle de 2002 pour les deux candidats, Jean-Marie le Pen et Bruno Maigret), l'extrême droite a plus encore que l'extrême gauche bénéficié de la désaffection des Français pour les partis traditionnels. Elle a notamment profité de l'« embourgeoisement » du Parti socialiste et de l'incapacité de la droite à mobiliser. Marine Le Pen a misé sur les peurs et les frustrations des citoyens en matière de chômage, de pouvoir d'achat, d'insécurité ou de délitement de l'identité nationale. Elle est apparue à près d'un Français sur cinq (et un jeune électeur sur quatre) comme l'incarnation d'une rupture avec l'Europe, avec l'euro, avec le communautarisme, avec le « complot » ourdi par les responsables politiques traditionnels et le « système » dans lequel ils s'inscrivent. Son message a séduit des électeurs fragilisés par la crise, inquiets des conséquences de la « globalisation » sur leur emploi et leur pouvoir d'achat. Lors de l'élection présidentielle, son discours a été entendu notamment par les ouvriers, dont 29 % ont voté pour elle.

Le FN s'est construit et a prospéré sur son image de parti xénophobe et « antisystème ». Au premier tour des régionales de 2004, il avait recueilli 14,8 %, un résultat très voisin de celles de 1998 (15,3 %). Il avait été freiné

dans son développement par son incapacité à évoquer de façon crédible les sujets autres que l'immigration, et par les échecs de ses élus. Il avait été en outre concurrencé par le Mouvement des citoyens de Philippe de Villiers, qui fut l'un des artisans du « non » au référendum européen de 2005. Il l'avait été aussi en 2007 par Nicolas Sarkozy, qui n'avait pas hésité à reprendre certains de ses thèmes, notamment en matière de sécurité. Jean-Marie Le Pen n'avait ainsi recueilli que 10,4 % des suffrages au premier tour de la présidentielle. Fin 2008, les difficultés électorales et financières du FN avaient été accrues par la succession difficile à sa tête. Aux élections municipales de 2008, il n'avait remporté aucune ville. Aux européennes de 2009, la liste conduite par Marine Le Pen n'avait obtenu que 6,3 % des voix (3 sièges). Mais elle a presque triplé son score en 2012, par un discours souverainiste et protectionniste, tout en tentant de faire oublier les dérives verbales de son père.

Le centre ne parvient pas à trouver sa place.

Selon la conviction exprimée dans les années 1970 par Valéry Giscard d'Estaing, les Français voudraient être gouvernés au centre. Il apparaît qu'ils attendent davantage que les partis modérés de gauche ou de droite élargissent leur champ de vision et d'action ou organisent des cohabitations. Pendant des décennies, le candidat de centre droit à l'élection présidentielle avait toujours été largement battu : Lecanuet en 1965, Chaban-Delmas en 1974, Barre en 1988, Balladur en 1995, Bayrou en 2002 (7 %). En janvier 2006, au congrès extraordinaire de Lyon, la motion de François Bayrou, définissant l'UDF comme un « parti libre », fut soutenue par une large majorité (92 %).

Lors des présidentielles de 2007, François Bayrou, qui s'était repositionné vers le centre-gauche, réalisa un score élevé au premier tour (18,6 %) en ralliant les électeurs mécontents de l'UMP et du PS. Ce succès le conduisit à la création du Mouvement démocrate (MoDem). Aux législatives qui suivirent, ses candidats obtinrent un score supérieur à ceux de l'UDF en 2002 (7,6 % contre 4,8 %) et du Nouveau Centre en 2007 (2,4 %), mais loin derrière ceux du PS (24,7 %) et de l'UMP (39,5 %). Seuls 3 des 535 candidats de l'UDF-MoDem (dont François Bayrou) purent siéger à l'Assemblée nationale. Le Nouveau Centre, créé par d'anciens membres de l'UDF en désaccord avec la création du MoDem et se situant plutôt au centre droit, formèrent en revanche un groupe parlementaire de 23 députés (dont 2 apparentés). Les mauvais résultats des sondages publiés en amont des européennes de 2009 avaient incité le Nouveau Centre à ne pas présenter de listes autonomes. La liste Centre-MoDem, conduite par Corinne Lepage, n'avait recueilli que 8,7 % des voix et obtenu 6 sièges.

Avant la campagne présidentielle de 2012, la multiplicité des candidatures déclarées du Centre témoignait d'un problème d'identité, face aux deux grands partis de gouvernement et aux partis extrêmes qui ne se sentaient pas tenus par leurs promesses. Malgré les désistements d'autres candidats centristes (Hervé Morin, Dominique de Villepin), François Bayrou n'obtenait que 9,1 % des voix au premier tour et arrivait en cinquième position. Son pouvoir de peser sur le résultat final en était affaibli, comme sa position avant les législatives. La difficulté du Centre à émerger est paradoxale, puisque les Français sont nombreux à ne pas se reconnaître dans les programmes ou les idéologies de droite ou de gauche et à souhaiter un gouvernement d'« union nationale » pour faire face à la crise. Elle peut s'ex-

Le vote homosexuel

La proportion de Français de 18 ans et plus se déclarant homosexuels et/ou bisexuels est de 6,5 % (Cevipof/Ifop, octobre 2011), soit une population de 3,2 millions de personnes, dont 1,5 millions d'homosexuel(le)s et 1,7 million de bisexuel(le)s (p. 127). Leurs préférences politiques et leurs votes ont donc une incidence réelle. Leur ancrage politique se situe nettement à gauche (50 % contre 37 % des hétérosexuels) et ils manifestent un net rejet de la droite parlementaire (15 % contre 21 %). Leur attrait pour l'extrême droite est comparable à celui de l'ensemble de la population (10 % contre 9 %).

88 % des homosexuels se disent proches d'un parti, contre 75 % des hétérosexuels. Les personnes s'identifiant comme gays ou lesbiennes se déclarent toujours plus à gauche que les bisexuels. Si la population homosexuelle et bisexuelle apparaît ainsi plus à gauche, moins abstentionniste, moins hésitante et plus constante dans ses choix que le reste des Français, elle ne constitue pas pour autant un électorat monolithique dont les choix électoraux seraient exclusivement déterminés par l'orientation sexuelle.

pliquer par l'hésitation d'un parti qui semble indécis à basculer d'un côté ou de l'autre et ne se dit pas prêt à nouer des alliances.

L'écologie peine à s'imposer.

L'écologie était apparue en France au début des années 1970 comme une suite logique de l'esprit de Mai 1968. Mais la crise économique allait mettre au premier plan des préoccupations plus immédiates comme le chômage. Il aura fallu l'accident de Tchernobyl (1986), les craintes liées à la destruction de la couche d'ozone, l'effet de serre ou la disparition de la forêt amazonienne pour que l'environnement prenne une place dans les médias, les conversations privées et les débats politiques.

Ce mouvement de prise de conscience se traduisit aux élections européennes de 1999 par le score de 9,7 % réalisé par les Verts. Celui de Noël Mamère au premier tour de l'élection présidentielle de 2002 fut nettement en retrait (5,3 %), mais très supérieur à celui de Dominique Voynet en 2007 (1,3 %), Le résultat aux législatives de 2007 (3,2 %) ne fut guère plus élevé, mais les alliances partielles conclues avec le PS permirent aux Verts de faire élire 4 députés. Les Verts réussirent mieux lors des régionales de 2004, avec 6 % dans les sept régions où ils présentaient des candidats. Leur engagement en faveur de l'Europe fut récompensé par un score élevé aux européennes de 2009 : 16,3 % (14 sièges), presque à égalité avec celui du PS (16,5 %).

Fort de ce succès aux européennes, les partis Europe Écologie et Les Verts décidèrent en novembre 2010 de se rassembler, pour ne former qu'une seule puissance politique, Europe-Écologie-Les Verts (EELV). Les primaires réalisées au sein de cette nouvelle entité désignèrent une candidate proche des convictions du noyau dur écologiste en France, Eva Joly. Au terme d'une campagne présidentielle sans relief en 2012, le score fut sans appel : 2,3 %. Hormis les écologistes « purs », le mouvement n'a pas réussi à rassembler les Français et n'a pas profité du débat sur le nucléaire réactivé par la catastrophe nucléaire de Fukushima de mars 2011. Au lendemain de l'élection, Cécile Duflot quittait son poste de secrétaire générale pour entrer au gouvernement de Jean-Marc Ayrault, au poste de ministre de l'Égalité des territoires et du Logement.

Le vote écologiste se caractérise par de fortes fluctuations, dues à la volatilité et à l'hétérogénéité de l'électorat, composé de militants aux sensibilités politiques différentes. Le parti réussit mieux dans les scrutins à la proportionnelle (régionales, européennes) mais se voit contraint de former des alliances pour obtenir des élus dans les autres. Il a parfois aussi souffert de la présence de candidats écologistes indé-

Valeurs actuelles

Valeurs exprimées par les Français (en % de réponses positives aux affirmations proposées) en novembre 2011

République	
Les valeurs de la République (Liberté, Égalité, Fraternité) sont bien appliquées en France	34
Libéralisme culturel	
Les couples homosexuels devraient pouvoir adopter des enfants	53
Tous les étrangers résidant en France depuis plusieurs années devraient avoir le droit de vote aux élections municipales	49
Autoritarisme, ethnocentrisme	
Il y a trop d'immigrés en France	66
L'Islam progresse trop en France	76
L'État français devrait aider financièrement à la construction de mosquées	14
Libéralisme économique	
Il y a trop d'assitanat et beaucoup de gens abusent des aides sociales	79
Les chômeurs pourraient trouver du travail s'ils le voulaient vraiment	53
Il faut que l'État donne plus de liberté aux entreprises	69
Il faut généraliser l'impôt sur le revenu à tous les foyers car actuellement les plus modestes n'en payent pas	46
Pessimisme social et économique	
On ne se sent en sécurité nulle part	56
Il est de plus en plus difficle de devenir propriétaire de son logement	89

Europe 1-Paris Match/Ifop

pendants ou présentés par les autres partis politiques.

Pour la plupart des Français, l'écologie apparaît aujourd'hui comme une préoccupation majeure. Elle constitue un garde-fou nécessaire contre les dérives de la modernité, qui mettent en danger la planète et l'Humanité. La sensibilité environnementaliste se développe au fur et à mesure que les menaces se précisent. Elle ne peut plus être ignorée par les autres partis politiques. Mais la crise tend à modifier les priorités. Dans leur majorité, les Français ne sont pas convaincus que la priorité soit de dépenser des sommes importantes pour la destruction des centrales nucléaires. Ils sont davantage intéressés par des solutions permettant de résorber le chômage, maintenir le pouvoir d'achat et rembourser la dette.

Les comportements électoraux sont moins liés aux facteurs sociodémographiques.

La profession, le revenu, l'âge, le sexe ou la croyance religieuse n'exercent plus une influence aussi déterminante qu'autrefois sur les comportements électoraux. Les cartes ont été brouillées depuis 1981. Le vote des cadres supérieurs, autrefois marqué à droite, est ainsi devenu plus équilibré. À l'inverse, les facteurs personnels liés aux opinions, à la vision du monde et de la vie interviennent de façon croissante. L'attitude à l'égard du rôle de l'État est un indicateur important : ceux qui sont favorables à son intervention votent plutôt à gauche, mais cette distinction a perdu de sa pertinence (p. 255).

Les préoccupations sociales dominent dans les choix des électeurs, l'économie jouant un rôle plus indirect (p. 239). On observe une influence croissante de l'entourage non seulement familial mais aussi professionnel ou « tribal ». On peut disposer d'un emploi et d'un revenu confortable et craindre pour son avenir et celui de ses enfants. C'est ainsi que l'implantation du Front national s'est élargie au-delà des ouvriers ou des chômeurs. Le vote des chasseurs est aussi révélateur de ce type d'influence par le milieu. Celui des écologistes est favorisé par les modes de vie urbains. Historiquement, l'évolution était moins nette pour le vote communiste, encore marqué par des références et des réflexes anciens, l'appartenance à une classe ouvrière défavorisée. Les résultats du Front de gauche à l'élection présidentielle de 2012 sont venus ajouter à la confusion avec une forte mixité sociale dans l'électorat.

Parmi les facteurs « clivants », l'appartenance religieuse joue un rôle (ci-dessous). Les catholiques pratiquants restent plus proches de la droite, d'autant plus qu'ils ont une pratique régulière (73 % en 2012). Les protestants votent également massivement à droite. À l'inverse, la quasi-totalité des musulmans (93 %) ont voté à gauche ; c'était le cas aussi des deux tiers (66 %) des personnes sans religion.

La participation politique active varie fortement selon les catégories sociales. Cette diversité s'accroît d'autant plus que l'on se rapproche des centres de pouvoir. Parmi les députés de l'Assemblée nationale en 2007, 59 % étaient cadres, ingénieurs ou exerçaient une profession intellectuelle supérieure, 22 % appartenaient aux professions libérales et 8 % étaient chefs d'entreprise, artisans ou commerçants (Observatoire des inégalités). Les agriculteurs ne comptaient que pour 2 %, les professions intermédiaires pour 8 %. La proportion des employés représentait 1 % et celle des ouvriers était nulle. Près de la moitié des députés (49 %) étaient des fonctionnaires ou occupaient un autre emploi dans le secteur public. Les femmes restent également sous-représentées dans de nombreuses assemblées élues.

Vote et religion

Vote au second tour de l'élection présidentielle de 2012 (18 ans et plus, en %)

	François Hollande	Nicolas Sarkozy	Blancs ou nuls
Catholiques pratiquants réguliers	27	73	2
Catholiques pratiquants occasionnels	42	58	4
Catholiques non pratiquants	49	51	10
Protestants	39	61	6
Musulmans	93	7	10
Sans religion	66	34	8

Le Figaro-LCI/OpinionWay

MONDE

Le mouvement de globalisation est très ancien...

Le mot mondialisation, traduction française du concept anglo-saxon de globalisation, est apparu au début des années 1980. Il a pris une importance particulière après l'effondrement du bloc soviétique. Dans son acception la plus large, il renvoie à un phénomène engagé depuis des siècles. La mondialisation fut en effet partie prenante de la construction des empires (grec, romain, chinois, ottoman, espagnol, britannique, français...). Les grandes découvertes maritimes des XVe et XVIe siècles ont ainsi engendré la colonisation d'une partie du monde par les pays découvreurs.

Le terme s'applique aussi à la seconde expansion coloniale européenne, au XIXe siècle, qui s'est accompagnée d'une intensification des échanges commerciaux et financiers mondiaux. Interrompue par l'abandon de l'étalon-or et les crises économiques des années 1920, elle s'est poursuivie avec les accords de libre-échange, notamment dans le cadre du GATT puis de l'OMC, supprimant les barrières à la libre circulation des biens, services et capitaux. Le processus d'internationalisation concerne les échanges à la fois économiques, culturels, sociaux... Les mouvements de convergence entre les pays développés sont plus importants que ceux qui vont dans le sens d'un renforcement des singularités nationales. Ils sont favorisés par le rapprochement des modes de consommation (produits, marques, enseignes, attitudes et comportements). L'accroissement de la mobilité personnelle et professionnelle a accéléré la convergence. Les médias fournissent aussi de plus en plus d'éléments d'information, de comparaison et d'ouverture sur ce qui se passe ailleurs. De sorte que le monde occidental tend à s'unifier.

... et les Français y sont peu favorables, ...

La peur de la mondialisation est très présente dans l'opinion. En octobre 2011, 33 % estimaient que la mondialisation est la première cause du chômage en France, devant la politique du gouvernement (25 %), la crise de l'euro (21 %) et le système social français (18 %, CSA). Pour eux, la mondialisation économique est associée aux « systèmes financiers qui menacent les équilibres écologiques et sociaux de la planète » ainsi qu'à la « délocalisation de la production vers des pays émergents comme la Chine ou l'Inde ». 54 % d'entre eux se disaient ainsi favorables à une augmentation des droits de douanes sur les produits importés. Le phénomène nouveau était que les sympathisants de droite étaient même les plus nombreux à nommer la mondialisation comme la première cause du chômage (37 % contre 33 % pour l'ensemble des Français). Les scores des partis extrémistes à l'élection présidentielle de 2012, qui prônaient le protectionnisme, ont confirmé cette hostilité.

La mondialisation est ainsi rendue responsable d'une bonne part des maux de la planète, de la « malbouffe » au « mal-être », en passant bien sûr par la crise économique. Elle constitue un repoussoir pour la majorité des citoyens, parfois un défouloir pour tous ceux qui veulent exprimer leurs craintes et leurs frustrations face à un monde complexe et dangereux. La globalisation est pour eux synonyme d'une concurrence accrue, inégale et féroce entre les pays, de contraintes nouvelles pour les salariés, d'inégalités croissantes entre les pays et entre les groupes sociaux, de risques pour la planète et pour ses habitants. Ils dénoncent aussi l'impact des nouvelles technologies et leur diffusion trop rapide : produits alimentaires transgéniques, clonage... Ils craignent une uniformisation des modes de vie et une disparition des cultures nationales ou régionales au profit d'une culture unifiée, planétaire, d'obédience américaine. La moitié des Français considèrent que la mondialisation profite avant tout aux pays « nouvellement développés » comme la Chine, le Brésil ou l'Inde plutôt qu'aux pays les plus développés (CSA, octobre 2011).

... mais ils plébiscitent le principe de développement durable

Les risques engendrés par la mondialisation ont débouché sur un concept en forme de solution, baptisé « développement durable ». Il a donné un nouvel élan au débat engagé au début des années 1970 par le Club de Rome *(Halte à la croissance)*. Il avait été au centre du rapport Brundtland de l'ONU en 1987 *(Notre futur commun)*. Il était présent au Sommet de la Terre de Rio en 1992 *(Agenda 21)*, à la Conférence de Kyoto en 1997 sur le réchauffement climatique et au Sommet de Johannesburg en 2002. Le Sommet de Copenhague de décembre 2009, puis celui de Durban en 2011, en ont été les suites logiques et nécessaires. L'ambition affichée est de favoriser à la fois la croissance économique, l'équité sociale et la protection de l'environnement. Le moyen proposé est de penser globalement et d'agir localement. Comme l'indiquait déjà Saint-Exupéry, *« on n'hérite pas de la terre de ses parents, on emprunte celle de ses enfants »*.

La crise a eu pour effet de renouveler le débat sur les bienfaits et méfaits de la mondialisation. Si certains pays comme la Chine et, dans une moindre mesure, l'Inde ont été incontestablement les grands bénéficiaires de l'ouverture des marchés, le bilan global paraît plus mitigé. Les ménages français ont profité de la baisse continue des prix pour un grand nombre de biens (biens d'équipement, textiles...), ce qui a contribué à renforcer leur pouvoir d'achat (p. 363). Mais une partie d'entre eux ont subi les effets de la désindustrialisation et des délocalisations, entraînant la perte de leur emploi ou un déclassement économique.

Le nombre des victimes de la mondialisation s'est accru depuis 2008 sous l'effet d'une crise sans équivalent. Entre avril 2008 et juin 2009, la production industrielle mondiale avait chuté dans des proportions comparables à celles observées en 1929 (Eichengreen et O'Rourke, juin 2009). En 2012, l'indice du CAC 40 plafonne vers 3 000 points contre plus de 6 000 d'avant la crise. La chute du commerce international (en volume) a représenté 12 % en 2009. La reprise avait été forte en 2010 (13,8 %), avant de ralentir à 5 % en 2011. Les prévisions pour 2012 tablent sur une croissance mondiale modérée (3,7 %) qui profitera avant tout aux pays émergents (OMC). Les gouvernements actuels ont été cependant plus rapides à réagir à la crise qu'en 1929, mais la zone euro est menacée d'éclatement. Les Français sont inquiets de la situation des pays comme la Grèce, l'Espagne ou le Portugal et de ses répercussions probables sur la France. C'est là l'une des clés du vote du premier tour des élections présidentielles de 2012.

Mutants, Mutins, Moutons

À tout moment de son histoire, l'état de la société française et la vision de l'avenir ont fait l'objet de débats entre les « Anciens » et les « Modernes ». Il a pris au cours des dernières années une importance particulière, dans un contexte de transformation économique, technologique et scientifique sans équivalent depuis la fin du XVIIIe siècle. Au point que l'on vit peut-être l'amorce d'un véritable changement de civilisation. Face au présent et, surtout, à l'avenir, on peut observer chez les Français deux attitudes contradictoires, incarnées par deux groupes que nous avons baptisés *Mutants* et *Mutins* (la première description en a été donnée dans l'édition 2001 de l'ouvrage).

Les *Mutants* sont les tenants du principe de modernité, voire de « postmodernité » si ce mot a un sens. Ils considèrent que la mondialisation et la technologie sont des chances pour l'Humanité, car elles vont faire disparaître les frontières, la misère et les inégalités en introduisant plus d'efficacité et de solidarité. L'État est à leurs yeux une contrainte qui limite la liberté des citoyens et les empêche d'être totalement autonomes.

Les *Mutins* ont une vision du monde beaucoup plus pessimiste. Inquiets des conséquences et des menaces de la mondialisation et du « tout technologique », ils souhaitent une pause, un moratoire et en tout cas l'application du « principe de précaution ». Leur volonté est plus de préserver que d'innover. Ils redoutent le métissage culturel et le communautarisme, ne souhaitent pas l'ouverture des frontières et préfèrent la « proximité ».

Le troisième groupe est celui des *Moutons*, baptisé ainsi (sans aucune intention péjorative) car il est composé de personnes qui ont plus vocation à suivre les autres qu'à les précéder. Leur difficulté, bien compréhensible dans le contexte actuel, est qu'ils ne savent pas aujourd'hui qui suivre, des Mutants ou des Mutins. En attendant que la situation leur apparaisse plus claire et les perspectives plus favorables, beaucoup préfèrent se replier sur la sphère domestique et ne pas s'impliquer dans des débats qui leur semblent stériles, marqués par l'idéologie, l'incompétence ou la mauvaise foi.

Cette typologie des Français est volontairement simplificatrice et n'a pas vocation à être quantifiée. On peut en revanche tenter d'estimer l'évolution du poids de ces trois mentalités, notamment depuis 2008, lorsque la « crise » financière puis économique s'est officiellement installée dans la société, même si elle était présente depuis des années dans les esprits (p. 268). L'observation et l'analyse des modes de vie et des relations sociales laissent penser que la part des Mutins s'est accrue sensiblement, tandis que celle des Mutants diminuait. La prise de conscience accélérée des menaces pesant sur l'environnement est un autre facteur explicatif, même si elle n'a pas conduit à un vote massif pour la candidate écologiste à l'élection présidentielle de 2012. Quant aux Moutons, ils sont sans doute un peu moins nombreux aussi, dans un contexte de radicalisation des opinions qui laisse peu de place à la neutralité, parfois à la nuance. C'est en tout cas du débat entre ces trois composantes qu'est issu le résultat des votes de mai 2012.

… et celui de la « démondialisation ».

Outre le développement durable, la crise de la dette souveraine a suscité l'intérêt pour d'autre concepts oubliés. À l'occasion des primaires socialistes de 2011, le candidat Arnaud Montebourg avait ainsi repris l'idée de « démondialisation » développée en 1996 par Bernard Cassen, fondateur d'ATTAC. Son objectif est de *« tendre à ce que le périmètre de la prise de décision démocratique coïncide le plus possible avec celui de la capacité de régulation des flux économiques et financiers »*. Dans les propositions de celui qui allait être nommé ministre du Redressement productif après l'élection de François Hollande, il s'agissait avant tout de protéger les Français vis-à-vis des effets néfastes de la mondialisation, voire de tendre vers le protectionnisme.

Comme les « démondialistes », les « antimondialistes » (qui sont devenus « altermondialistes »), refusent un système de libre-échange aux mains d'entreprises multinationales qu'ils jugent sans morale. Ils leur reprochent d'encourager les spéculations sur les cours des monnaies et les prix des matières premières, de ne s'intéresser aux régions du monde qu'en fonction de leur importance stratégique et de leurs ressources naturelles (Irak, Afghanistan…), d'accroître la dépendance des pays pauvres et de nourrir chez eux un sentiment d'humiliation. La survenue de la crise financière, puis économique, dont les origines sont attribuées à un libéralisme débridé du « modèle anglo-saxon », a renforcé cette attitude hostile et la revendication d'une plus forte régulation.

En avril 2012, seuls 28 % des Français estimaient que la mondialisation est une bonne chose pour les pays développés (Manifeste pour le débat sur le Libre Échange-Ifop) et les trois quarts considéraient qu'elle aura des effets négatifs sur l'emploi dans les dix prochaines années. Les Français ont cependant conscience de l'incapacité des États à résoudre seuls les problèmes liés à la crise. 62 % estimaient nécessaire de relever les droits de douanes en France même si les partenaires européens ne le souhaitent pas. L'altermondialisme apparaît jusqu'ici comme une utopie utile, mais peu efficace. Plus que jamais, le débat se poursuit entre *Mutants* et *Mutins* (encadré page précédente). Il tend même à se radicaliser de la part des seconds, convaincus d'un accroissement des inégalités sociales et de la nécessité de résister au processus de mondialisation engagé, tant pour eux que pour les générations futures.

La montée du terrorisme a transformé la vision occidentale du monde…

Les attentats du 11 septembre 2001 aux États-Unis ont eu des répercussions considérables sur la marche du monde. L'effondrement des tours du *World Trade Center* symbolisait celui d'un système fondé sur le commerce, le capitalisme et la mondialisation. Cette tragédie historique a d'abord laissé de profondes cicatrices dans la population américaine, traumatisée par sa confrontation brutale à un hyperterrorisme capable, pour la première fois, d'agir sur son territoire. Elle eut aussi de nombreuses répercussions dans les autres pays du « monde libre » et démocratique, sur lesquels pèsent des menaces semblables. L'existence de réseaux et de kamikazes prêts à mourir au nom d'une idéologie religieuse dont l'ambition annoncée est de détruire tous les « infidèles » rend le risque permanent et impossible à juguler.

Les attentats islamistes perpétrés à Madrid en 2004, ceux de Londres en juillet 2005, comme les meurtres commis en mars 2012 par Mohamed Merah en France ont renforcé les craintes de la population européenne et ravivé celles liées à la présence de certaines formes d'intégrisme musulman sur le territoire. Elles sont alimentées régulièrement par les nouvelles menaces et les tentatives déjouées par les services de renseignement et la police. Mais chacun craint qu'elles ne puissent l'être toujours et partout.

Ces peurs viennent s'ajouter à celles qui pèsent déjà sur l'avenir du monde : poursuite de la crise économique, croissance démographique, réchauffement climatique, pollutions, manque d'eau, épidémies, etc. Elles renforcent dans les pays développés le climat d'inquiétude et d'angoisse existant. Les modes de vie, les mentalités et les systèmes de valeurs en sont affectés, dans le sens d'un plus grand attachement à la vie et au moment présent. Dans le sens aussi d'attentes plus fortes envers les institutions, tant dans la vie nationale qu'internationale. On pourrait voir demain se développer en Occident un fatalisme que l'on observait jusqu'ici plutôt dans le monde oriental. La tragédie du 11 septembre a sans doute ébranlé les fondements de la civilisation occidentale.

… et modifié l'image des États-Unis.

Comme l'ensemble des habitants des pays occidentaux, les Français ont d'abord manifesté leur compassion et leur solidarité à l'égard des Américains touchés par les attentats du 11 septembre 2001. Le temps de l'émotion passé, ils ont engagé une réflexion sur les causes de ces actes barbares. Ils ont cherché à comprendre ce qui, dans les valeurs et dans les comportements des États-Unis à l'égard des autres pays du monde, avait pu déclencher une telle

haine et produire une tragédie de cette ampleur. Dans une société française qui se posait déjà des questions sur sa relation avec l'Amérique, ce drame a balayé des certitudes, introduit le doute dans les esprits. La décision américaine de « libérer » l'Irak, en 2003, a été mal accueillie par une majorité des Français qui y ont vu une nouvelle manifestation de l'impérialisme américain. L'hostilité a été moins forte en ce qui concerne la guerre en Afghanistan, à laquelle les troupes françaises ont été associées.

L'anti-américanisme latent de la France, mais aussi d'une bonne partie de l'opinion européenne, a retrouvé de la vigueur à ces occasions. Mais il était davantage lié à une hostilité envers le gouvernement Bush que dirigé contre la population américaine. En France, la relation à l'Amérique est de type schizophrénique. D'un côté, le « rêve américain », synonyme de réussite individuelle, de modernité technologique et de multiculturalisme. De l'autre, le regret teinté de jalousie d'une France qui a perdu sa grandeur passée et n'est plus en position, malgré sa tentation permanente, de proposer un avenir pour le monde. L'élection de Barack Obama à la présidence, fin 2008, a ainsi été saluée pratiquement à l'unanimité par les Français de toute obédience politique.

Les différences culturelles entre la France et les États-Unis demeurent cependant. Comme l'avait déjà observé Alexis de Tocqueville en 1835, la démocratie américaine reste fondée sur l'accroissement continu de la richesse, le poids des communautés, associations et organisations intermédiaires, mais aussi sur l'existence d'un fort sentiment national et le rôle central de la religion. Les Français ont, quant à eux, une relation ambigüe à l'argent (p. 340), ils sont plutôt individualistes et la pratique religieuse est devenue minoritaire. Malgré cet écart culturel existant entre l'Amérique et la « vieille Europe » (dont la France est aux yeux de nombreux Américains le symbole), les deux pays appartiennent à la même communauté occidentale, partagent un certain nombre de valeurs et ont une histoire largement commune.

Les Français sont sceptiques sur l'avenir de l'Union européenne...

En novembre 2011, seuls 32 % des Français disaient avoir une image positive de l'Union européenne (Eurobaromètre). 26 % en avaient une image négative et 40 % une vision neutre. 52 % estimaient que les réponses à la crise doivent être apportées au niveau européen, 38 % au niveau national (Eurobaromètre, février 2012). La crise financière joue un grand rôle dans l'état de l'opinion publique : 91 % de Français se disaient ainsi favorables à une réglementation plus stricte des marchés financiers, 73 % à un contrôle plus poussé des agences de notation et 72 % à une taxe sur les transactions financières.

66 % des Français estimaient au début 2012 que l'appartenance à l'Union européenne rend la France plus forte face au monde, alors qu'ils étaient 78 % en mars 2009. Si beaucoup s'interrogent sur les avantages et les inconvénients de l'Union européenne, la plupart (76 %) reconnaissent qu'elle a permis aux pays membres de vivre en paix depuis 1945. Pour la majorité des Français, l'Union est aujourd'hui une réalité et une nécessité, mais elle ne leur paraît plus irréversible. La crise économique, les graves difficultés de certains pays et les menaces qui pèsent sur la zone euro ont en effet transformé les mentalités. La difficile ratification du Traité de Maastricht (1992), puis le mouvement d'humeur lors du référendum de 2005 sur la constitution, étaient des signes avant-coureurs de cette évolution.

L'« européanité », ou sentiment d'appartenance à l'Union européenne ne s'est pas substitué aux appartenances nationales, régionales ou locales. Elle varie largement selon les pays. Elle diffère aussi selon certaines caractéristiques sociodémographiques. Les femmes, les personnes âgées et celles qui ont le plus faible niveau d'instruction sont les moins concernées par l'idée européenne. Avec un taux d'abstention de 57 %, les élections européennes de juin 2009 avaient aussi montré un faible intérêt des Français pour la désignation des représentants. Il est sans doute en partie la conséquence d'une pédagogie insuffisante sur l'importance du Parlement européen, mais en même temps beaucoup de Français s'en inquiètent. En février 2012, on constatait un accroissement du mouvement de « désolidarisation » : 74 % des Français estimaient que les pays européens avaient d'abord fait prévaloir leurs intérêts immédiats face à la crise et seulement 21 % qu'ils avaient agi collectivement (Eurobaromètre).

... et partagés sur les bénéfices que la France en retire.

L'image de l'Europe diffère selon les catégories socioprofessionnelles. Ainsi, 60 % des ouvriers estimaient au début 2012 que la construction européenne ne contribue pas à la prospérité de la France, contre 43 % de l'ensemble des Français (Eurobaromètre). 52 % se disaient pessimistes quant à l'évolution de leur situation personnelle dans les trois prochaines années, un chiffre en hausse de 12 points par rapport à 2009.

Le soutien à la cause européenne est donc loin d'être unanime, encore moins

L'état de l'Union

Principales caractéristiques des 27 pays de l'Union européenne

	Population1	Espérance de vie2		Moins de 15 ans (%)	Plus de 65 ans (%)	Nuptialité3	Fécondité4	Divorces3	Scolarité5	Inflation6	Chômage6	PIB/hab. SPA7
		Hommes	Femmes									
UE (27 pays)	502,0	76,7	82,6	15,6	17,3	4,5	1,59	2,0	17,2	3,1	10,2	24400
Belgique	10,9	77,6	83	16,7	17,2	4,2	1,57	3	19,6	3,4	7,3	29000
Bulgarie	7,5	70,3	77,4	13,7	17,7	3,2	1,49	1,5	15,6	2,7	12,6	10700
Rép. tchèque	10,5	74,5	80,9	14,2	15,5	4,4	1,49	2,9	17,7	2,7	6,7	19400
Danemark	5,6	77,2	81,4	18,0	16,8	5,6	1,87	2,6	18,8	2,7	8,1	31000
Allemagne	8,2	78	83	13,5	20,6	4,7	1,39	2,3	17,7	2,5	5,6	28800
Estonie	1,3	70,6	80,8	15,1	17,0	3,8	1,63	2,2	17,9	4,9	11,7	15700
Irlande	4,5	78,7	83,2	21,3	11,6	4,6	2,07	0,7	17,3	1,4	14,5	31100
Grèce	11,3	78,4	82,8	14,4	19,3	5,0	1,51	1,2	18	2,4	21,7	21900
Espagne	46,1	79,1	85,3	14,9	17,1	3,6	1,38	2,2	17,2	2,7	24,1	24500
France	**65,0**	**78,3**	**85,3**	**18,4**	**16,7**	**3,8**	**2,03**	**2,1**	**16,3**	**2,4**	**10**	**26300**
Italie	60,6	79,4	84,6	14,0	20,3	3,6	1,41	0,9	17	3,2	9,8	24600
Chypre	0,8	78,6	83,6	16,9	13,0	7,9	1,51	2,2	15,8	3,5	10	24200
Lettonie	2,3	68,6	78,4	13,9	17,4	4,1	1,17	2,2	17,5	4,1	14,6	12500
Lituanie	3,2	68	78,9	15,4	16,5	5,7	1,55	3	18	4,2	14,3	14000
Luxembourg	0,5	77,9	83,5	17,4	13,9	3,5	1,63	2,1	14	3,6	5,2	66300
Hongrie	10,0	70,7	78,6	14,8	16,7	3,6	1,25	2,4	17,6	4,3	11,2	15800
Malte	0,4	79,2	83,6	15,5	15,5	6,2	1,38	nd	15,2	2,2	6,8	20100
Pays-Bas	16,6	78,9	83	17,5	15,6	7,9	1,79	1,9	17,9	2,7	5	32500
Autriche	8,4	77,9	83,5	14,8	17,6	4,5	1,44	2,1	16,8	3,5	4	30800
Pologne	38,2	72,1	80,7	15,1	13,6	6,0	1,38	1,6	18,1	4	10,1	15300
Portugal	10,6	76,7	82,8	15,2	18,2	3,8	1,36	2,5	18,8	3,5	15,3	19600
Roumanie	21,4	69,8	77,4	15,2	15,0	5,4	1,38	1,5	16,6	4,6	7,5	11400
Slovénie	2,0	76,4	83,1	14,0	16,5	3,2	1,57	1,1	18,5	2,1	8,5	30300
Slovaquie	5,4	71,7	79,3	15,3	12,4	4,7	1,40	2,2	16,5	4,2	13,9	20700
Finlande	5,4	76,9	83,5	16,5	17,5	5,6	1,87	2,5	20,4	3,2	7,5	17900
Suède	9,4	79,6	83,6	16,5	18,5	5,3	1,98	2,5	19,6	1,3	7,3	11900
Royaume-Uni	62,4	78,6	82,6	17,4	16,6	4,3	1,94	2,0	16,7	4,4	8,2	27400

1 Population en millions d'habitants en 2011. 2 Espérance de vie en années en 2010. 3 Taux de nuptialité et de divorces pour 1000 habitants en 2010. 4 Taux de fécondité par femme en 2010. 5 Durée probable de scolarité en 2009. 6 Taux moyen sur 12 mois en mars 2012. 7 PIB en SPA (standard de pouvoir d'achat) par habitant et à prix courants.

Eurostat

inconditionnel. Depuis ses débuts en 1957, la construction européenne a été jalonnée de crises, qui pendant longtemps concernaient surtout les techniciens. Celles qui se sont succédées depuis 1993 et la création du Marché unique européen concernent les citoyens. Ainsi, le traité de Maastricht et la perspective de la monnaie unique n'avaient pas provoqué l'enthousiasme, mais au contraire avivé les craintes quant à l'avenir des identités nationale ou régionale. La volonté de renégocier le traité européen de discipline budgétaire affichée par François Hollande au cours de la campagne présidentielle avait sans doute été l'une des clés de son élection. De nombreux Français restent en effet sceptiques sur les bienfaits de l'Union en matière de création d'emplois, de contrôle de l'immigration clandestine ou de protection sociale. Ils lui reprochent d'être trop technocratique et autoritaire, et regrettent que l'État français ait progressivement abandonné une partie de sa souveraineté. Si les résistances idéologiques se concentrent aux extrêmes de l'appartenance politique (à droite comme à gauche), elles traversent aussi la droite et la gauche modérées.

L'euro, l'élargissement et le projet de constitution ont renforcé les inquiétudes.

63 % des Français souhaitaient en novembre 2011 que la France garde l'euro comme monnaie (Canal+/TNS). La mise en place de l'euro, en 2002, avait déçu les Français, qui considérèrent très vite qu'elle était responsable d'une hausse des prix. En 2004, l'entrée de dix nouveaux pays très différents sur les plans politique, économique, culturel ou religieux est apparue prématurée à beaucoup de Français, à un moment où l'Europe à quinze n'avait pas tenu toutes ses promesses, résolu toutes ses difficultés. Parmi les quinze, les Français étaient d'ailleurs les moins favorables à cet élargissement, qui leur apparaissait d'une autre nature que les précédents : Europe à neuf en 1973, à dix en 1981, à douze en 1986, à quinze en 1995. Ils sont très peu nombreux aujourd'hui à souhaiter un nouvel élargissement, qui concernerait notamment la Turquie.

Le vote sur le projet de constitution en 2005 a été le révélateur de leurs craintes : perte de souveraineté nationale ; harmonisation par le bas ; dérive libérale... L'épouvantail de la « directive Bolkenstein », illustré par le fantasme du « plombier polonais », fut le symbole de cette peur d'une libéralisation des services et de la victoire du « moins-disant » social dans un pays

L'Europe en panne

Les premières tentatives de création d'une Europe unifiée remontent à la diffusion du christianisme. Au Moyen Âge, le flambeau fut repris par Charlemagne, puis par le Saint Empire germanique. Les grandes croisades contre l'Islam, dès la fin du XIe siècle, favorisèrent aussi l'unité entre les Francs, les Anglais, les Italiens et les Allemands, sous l'égide de l'Église. C'est Charles Quint qui poussa l'idée le plus loin, sans cependant la mener à son terme.

La réalisation de l'unité européenne fut évoquée à de nombreuses reprises tout au long de l'histoire tourmentée des relations entre ses peuples.
Elle fut l'objet du « grand dessein » d'Henri IV et de Sully, du programme de confédération européenne de Leibniz sous la double direction du pape et de l'empereur, du projet de William Penn et des Quakers (qui fut finalement mis en œuvre en Amérique).

Artistes, philosophes, humanistes et marchands furent aussi les acteurs d'une unification silencieuse et pacifique : Philippe de Commynes (historien de Louis XI) ; Rousseau et la « République européenne » (proposée en écho au projet de Charles-Irénée Castel), l'abbé de Saint-Pierre, etc. Montesquieu considérait l'Europe comme l'entité intermédiaire entre la patrie et l'ensemble de l'humanité : *« Si je savais quelque chose d'utile à ma patrie et qui fût préjudiciable à l'Europe, ou bien qui fût utile à l'Europe et préjudiciable au genre humain, je la regarderais comme un crime. »* Il exprimait ainsi la vocation universaliste de l'Europe. Le rêve européen fut proclamé par Victor Hugo avec un lyrisme inégalé, avant d'être réalisé par Monnet et Schumann.

La création du Marché Commun, l'élargissement progressif de l'Union européenne jusqu'aux 27 membres actuels, les décennies de progrès partagé, la création d'une monnaie commune et surtout le maintien de la paix depuis plus de soixante ans n'ont pas permis de forger une appartenance véritable. Les effets de la crise financière et économique, notamment dans les pays méditerranéens, ont remis en cause les acquis et les perspectives dans les opinions nationales. L'Europe n'inspire guère aujourd'hui les poètes ou les intellectuels. Quant aux dirigeants politiques ou économiques, ils ne font pas rêver ses habitants. Ils ne parviennent même plus à les rassurer sur l'avenir de l'Union.

attaché à son modèle et à son « exception » dans ce domaine. De nombreux électeurs ont sans doute voulu marquer leur opposition à l'élargissement en votant contre la constitution.

La crise qui sévit depuis 2008 a cependant modifié le regard des Français quant au rôle que l'Union européenne doit jouer vis-à-vis des États membres, dans le sens notamment d'une harmonisation en matière budgétaire et fiscale : en février 2012, 79 % se disaient favorables à un plus grand contrôle sur les budgets des États membres, 71 % à un rapprochement de la fiscalité au sein de l'Union (Eurobaromètre). En mai 2012, les Français étaient partagés quant à la perspective d'une sortie de la Grèce de la zone euro : 49 % estimaient que ce serait la meilleure solution pour résoudre la crise grecque, 50 % pensaient le contraire (Tilder-LCI/OpinionWay). 57 % considéraient par ailleurs que François Hollande ne parviendrait pas à obtenir de l'Allemagne une réorientation de la politique européenne, contre 43 % de l'avis contraire.

Malgré les crises, la convergence européenne se poursuit.

La convergence des modes de vie n'exclut pas les différences nationales ou régionales. L'alimentation, l'habitat, les rapports au sein de la famille, la vie professionnelle ou les pratiques de loisirs se rapprochent entre les pays de l'Union. Les différences de structure des budgets des ménages se réduisent (p. 414). Des valeurs communes réunissent les Européens, comme la justice, le travail et la liberté. Cette convergence est l'une des manifestations du mouvement plus général de globalisation.

Pourtant, les différences nationales n'ont pas disparu. Elles restent sensibles en matière d'alimentation, d'habillement, d'équipement du logement ou de loisirs. Elles reposent sur l'histoire, la culture, le climat ou les habitudes. On observe aussi une résurgence des différences régionales. Les divers pays de l'Union européenne sont en effet de plus en plus constitués de régions ou d'entités administratives culturellement et souvent politiquement autonomes. C'est le cas en Espagne, en Italie, au Royaume-Uni, en Belgique ou en Allemagne. La région tend à devenir le lieu le plus fort de l'enracinement.

L'heure de vérité

La crise financière, économique, budgétaire et morale de l'Europe constitue un obstacle important pour son avenir, le plus difficile sans doute depuis le début. Les grandes étapes qui ont conduit à la construction d'une Union à 27, puis d'une zone euro à 17 sont aujourd'hui critiquées par beaucoup d'Européens. Ils leur reprochent d'avoir engendré une entité ingouvernable, parce que composée d'éléments trop différents. Les institutions européennes (Commission, Banque centrale...) sont aussi sévèrement jugées. Quant aux traités qui ont jalonné une histoire mouvementée, notamment les plus récents, ils sont accusés d'être à la fois contraignants et imprévoyants.

La crise a mis en évidence l'incapacité de l'Union à intervenir de façon à la fois préventive et curative, du fait de sa disparité, de son impréparation, de sa lourdeur, de l'absence de consensus politique à défaut d'unanimité. Depuis 2008, l'Europe s'est de fait souvent contentée de réagir aux pressions des « marchés » et des opinions publiques, de naviguer à vue plutôt que d'agir dans le cadre d'une vision commune. Plutôt que d'établir un diagnostic des vulnérabilités de ses « membres » et de ses « organes », puis de soigner les causes de la maladie qui la gagnait et de faire en sorte d'éviter la contagion, elle s'est contentée de placer des pansements sur les plaies les plus visibles, au fur et à mesure qu'elles apparaissaient. De sorte que la maladie ne pouvait régresser.

Mais cette crise est aussi l'occasion unique de réaffirmer et de préciser la vocation de l'Europe, de redéfinir ses objectifs, de se doter de nouveaux moyens d'action. Cela implique de s'assurer que chacun des pays concernés est d'accord pour participer à l'aventure commune et entreprendre les efforts nécessaires. Cela nécessite de mettre en place une nouvelle gouvernance politique, de rapprocher les systèmes fiscaux pour rendre la concurrence plus loyale, les systèmes sociaux pour réduire les inégalités et renforcer la compétitivité, tout en rassurant les peuples sur la possibilité de conserver leur identité. C'est ainsi que l'Europe pourra trouver l'équilibre entre croissance et rigueur, redonner l'espoir aux jeunes générations, et peser sur l'avenir du monde. Le handicap de l'Europe est qu'elle doit en permanence composer avec des intérêts, des visions et des situations différentes. La chance de l'Union est que les destinées des pays membres sont étroitement liées. Indépendamment de toute dimension morale, il sera donc plus efficace pour chacun d'être solidaire que solitaire.

Au total, la convergence l'emporte cependant. Elle est apparente en matière d'opinions, de valeurs ou de modes de consommation. Les différences sont aujourd'hui plus marquées entre les groupes sociaux d'un même pays qu'entre les différents pays pour un même groupe. C'est ainsi que les jeunes ont des attitudes et des comportements de plus en plus proches dans l'ensemble des pays développés, ce qui devrait favoriser la poursuite de la construction européenne.

Le modèle européen devra réconcilier libéralisme et humanisme.

La longue histoire de l'Europe, ses origines chrétiennes et l'héritage des civilisations grecque et romaine lui ont conféré une identité commune, bien plus qu'elle n'a accentué les différences nationales ou régionales. La vocation de l'Union est aujourd'hui de recréer les conditions d'une croissance économique durable, de rembourser des dettes souveraines gigantesques, de réduire le chômage et d'améliorer la cohésion sociale. Il s'agit en fait de définir et d'approfondir un « modèle européen », dans lequel l'ensemble des membres se reconnaîtraient.

Au cours des siècles, l'Europe a connu deux mouvements contradictoires. Celui du morcellement s'est traduit par l'émergence des États-nations, la diversification des cultures, des religions et des langues. Celui de l'unification s'est produit d'abord par la religion, puis par la conquête, enfin par la paix, la coopération et le traité de Rome de 1957. L'Union européenne s'est construite sur l'utopie d'un modèle social issu de valeurs humanistes, éthiques et esthétiques, qui la distinguent du reste du monde.

Le mouvement d'unification pourra-t-il se poursuivre à l'avenir, jusqu'à ce que l'Europe devienne ce que Nietzsche appelait une « communauté de destins » ? Il lui faudra pour cela réconcilier les deux grandes idées européennes : le libéralisme et le socialisme. Ce projet sera la tâche principale des acteurs qui feront l'Europe : politiciens, chefs d'entreprise, syndicats, artistes, mais il ne pourra se faire qu'avec les citoyens. La forme qui sera choisie (juxtaposition d'États indépendants, fédération d'États ou autre structure supranationale) devra permettre de réaliser cette ambition. L'avenir de l'Europe n'est pas à découvrir, mais à inventer.

ATTITUDES ET OPINIONS

La mutation sociale s'est amorcée au milieu des années 1960.

Comme l'ensemble des sociétés développées, la France s'est engagée depuis plusieurs décennies dans un processus de transformation de ses valeurs et de son fonctionnement. Ce processus a pris naissance vers le milieu des années 1960. Certains phénomènes, passés presque inaperçus, annonçaient déjà la « révolution des mœurs » dont Mai 68 serait le point d'orgue. La natalité commençait à chuter, le chômage à s'accroître. La pratique religieuse régressait, en particulier chez les jeunes. Le nu faisait son apparition dans les magazines, dans les films et sur les plages. La délinquance connaissait une très forte croissance, avec un triplement du nombre de crimes et délits entre 1965 et 1975 (1 912 000 contre 666 000).

Dans l'ensemble des pays occidentaux, la productivité des entreprises diminuait, pour la première fois depuis vingt ans. Les coûts de la santé et de l'éducation amorçaient leur ascension, préparant le terrain de la crise économique des années 1970. Les rapports des Français avec les institutions commençaient aussi à se détériorer. L'Église, l'armée, l'école, l'entreprise, l'État connaissaient tour à tour la contestation.

Ces mouvements de la société constituaient des tentatives d'adaptation et d'ajustement aux changements profonds qui se produisaient en matière technologique, démographique, idéologique, politique, économique, spirituelle ou culturelle. Sans en être vraiment conscients, les Français sont entrés peu à peu dans une nouvelle société. Ils ne rejettent pas cependant cette période de mutation : en mai 2008, quarante ans après, 72 % considéraient que Mai 68 fut plutôt pour la société française « une période de progrès social », 16 % seulement « une période de déclin » (*l'Humanité-la Nouvelle vie ouvrière*/CSA) ; ils étaient d'ailleurs 41 % à souhaiter qu'un mouvement d'une même ampleur se reproduise (57 % non). L'avenir dira si celui des « indignés » en est le précurseur (encadré).

Les points de repère traditionnels ont disparu.

Dans un monde caractérisé par la complexité et l'incertitude, chaque individu cherche des explications, des points de repère et d'ancrage. Ils sont

Les Indignés, nouveaux Soixante-huitards ?

Après avoir été longtemps un adjectif, le mot « indigné » est devenu un nom commun à la suite de la publication en France du petit livre phénomène de Stéphane Hessel *(Indignez-vous !)*. Mais le mouvement des « Indignés » était en fait apparu en Espagne en mai 2011 *(Indignados)* avant de se répandre dans de nombreux pays, sous des noms parfois différents (*Occupy Wall Street* aux États-Unis par exemple). Le « printemps arabe » qui a embrasé la Tunisie, l'Égypte et la Lybie peut être aussi rangé dans cette catégorie.

Dans tous les cas, les mouvements ont été lancés par des jeunes, souvent diplômés mais dans l'incapacité de trouver un emploi en rapport avec leur formation et de s'intégrer dans des sociétés qui leur apparaissent fermées. L'époque diffère en cela de celle de Mai 68, période de prospérité et de plein emploi où les revendications étaient plus « romantiques » (refus d'une société jugée trop traditionnelle, et un capitalisme industriel jugé inhumain). Les modes opératoires sont également différents ; on ne construit pas des barricades et on ne lance pas des pavés. Outre le relais des médias traditionnels, Internet et les réseaux sociaux jouent aujourd'hui un rôle considérable dans ces mouvements, qui sont ainsi plus spontanés et moins facilement maîtrisables. Mais ils traduisent une inquiétude comparable quant à l'évolution du monde et à la capacité des « élites » à écouter les questions des « vrais gens » et à proposer des réponses adaptées.

Le plus souvent sans leaders, sans idéologie, sans programmes et sans violences (hors celles qui leur ont été faites), les Indignés de quelques pays opprimés ont réussi à faire partir les dictateurs, avec parfois l'aide de l'Occident. Dans les pays développés (Islande, Grèce, Espagne, Portugal, États-Unis, France...), ils continuent de « travailler » la société. Sans que l'on sache comment ils vont la faire changer.

de moins en moins apportés par la religion. La séparation de l'Église et de l'État, décidée dès 1905, s'est en effet accompagnée au cours des dernières décennies d'une érosion de la foi et des pratiques religieuses. L'influence du catholicisme sur les modes de vie et sur les valeurs a beaucoup diminué, notamment auprès des jeunes (p. 280). Avec la loi de 2004, la France a réaffirmé sa laïcité, interdisant notamment le port du voile islamique à l'école. Elle s'est interrogée en 2009 sur celui de la burqa, considérée comme un signe ostentatoire d'appartenance à la religion musulmane mais aussi de soumission de la femme. Elle a débattu en 2012 sur l'utilité de l'« abattage rituel » de la viande.

Le contexte laïque a éloigné pour chacun la perspective d'accéder à une vie après la mort, de sorte que les Français sont à la recherche de satisfactions « ici et maintenant ». De leur côté, les institutions de la République laïque ne sont plus en mesure de fournir les réponses attendues par les citoyens (p. 241). L'école peine à assumer sa mission de formation des cerveaux et des esprits. L'armée de conscription a été supprimée. Le crédit des partis politiques et des institutions s'est considérablement réduit. D'une manière générale, les figures de l'autorité sont ébranlées : parents, professeurs, patrons, dirigeants, prêtres, policiers, médias... Tous ceux qui incarnent le pouvoir, la morale et la foi sont aujourd'hui l'objet de critiques et leur influence est remise en cause.

L'évolution du système social et celle des mentalités se sont accélérées au cours des quarante dernières années. Elles ont abouti à ce que beaucoup de Français ont ressenti comme un effondrement des valeurs. Il s'agissait en réalité d'une transformation spectaculaire et inédite des fondements sur lesquels reposait jusqu'ici la société.

Certains principes fondateurs se sont inversés.

L'histoire de ces dernières décennies est celle d'une inversion spectaculaire des grands principes qui déterminaient la conception et le fonctionnement de la société française. Ainsi, l'importance du lignage s'est affaiblie avec le développement de la famille éclatée (p. 121). La transcendance, issue d'une conception spirituelle et éternelle du monde, a été remplacée par une vision matérialiste, avec un horizon limité au court terme (p. 109). La solidarité, vertu des sociétés traditionnelles, a fait place à l'individualisme. Le décalage entre le discours de l'Église et la réalité de la vie quotidienne a éloigné le sacré, qui a été peu à peu remplacé par le profane.

Le principe de continuité a été mis en question par la généralisation des ruptures, des chocs (encadré), des inversions de tendances et des « accidents de parcours », qui rendent la vie des gens plus difficile et les perspectives plus incertaines. L'*Homo sapiens* des origines a laissé place à un *Homo zappens* dont la caractéristique essentielle est la mobilité, à la fois physique et mentale. Le principe d'autorité, sur lequel reposaient les sociétés antérieures, a été bousculé par l'idéologie libertaire. La primauté du masculin s'est érodée au profit de la célébration des valeurs féminines.

D'autres inversions se sont produites dans les mœurs contemporaines, liées à l'émergence de la « société du spectacle ». Le paraître a remplacé l'être, la forme a pris le pas sur le fond, les sens sur le sens. Le prestige et l'argent ne viennent plus du travail accompli mais de la notoriété, de la capacité à se donner en spectacle dans les médias. Les hiérarchies sont moins fondées sur la connaissance que sur la reconnaissance. Les dernières décennies du deuxième millénaire et la première du nouveau millénaire en cours ont donc défait ce que les siècles précédents avaient patiemment construit, entretenu et préservé. Plus qu'une nouvelle société, c'est une nouvelle civilisation qui se prépare sur les décombres de la précédente.

L'anxiété sociale est favorisée par la précarisation...

L'un des mots qui permettent le mieux de qualifier la vie actuelle des Français est sans doute *précarité* (encadré). Il s'applique souvent à la vie professionnelle, faite d'une succession de métiers, de fonctions, de responsabilités, de secteurs d'activité, de régions ou même de pays différents, entrecoupés de périodes de chômage ou de transition. La multiplication des contrats à durée déterminée en est le symbole (p. 302), comme en avaient témoigné les réactions provoquées par la création en août 2005 du CNE (contrat nouvelle embauche) puis en mars 2006 du CPE (contrat première embauche).

Le terme s'applique aussi à la vie familiale, marquée par des changements plus fréquents : séparations, divorces, rencontres, remariages, familles décomposées-recomposées... Il concerne la vie sociale, faite d'appartenances éphémères et renouvelées à des groupes, tribus ou communautés diverses, au gré des envies, des opportunités, des lieux et des moyens de communication utilisés. La précarité qualifie enfin la vie personnelle et intérieure : les idées, certitudes, opinions ou croyances changent plus fréquemment, de sorte que chaque individu vit une perpétuelle transformation. Dans un tel contexte, la sécurité, la continuité et la stabilité tendent à disparaître au profit du risque et de la mobilité.

Les jeunes sont les plus nombreux à subir et ressentir cette précarité. Avant l'âge de 30 ans, rares sont ceux qui ont une vie stable sur le plan professionnel, sentimental, résidentiel ou financier. Beaucoup vont de petit boulot en petit boulot, de petit(e) ami(e) en petit(e) ami(e), de logement en logement, avant de fonder un foyer et d'être de nouveau soumis aux aléas de la vie contemporaine. Dans de telles conditions, les plans de carrière ou les programmes de vie n'ont plus guère se sens ; c'est l'improvisation qui domine.

Si elle est parfois choisie comme un moyen de renouveler les pratiques et les sensations, cette précarité est le plus souvent subie. Elle engendre moins la satisfaction liée au changement et à l'expérimentation que le stress, l'anxiété et l'inquiétude. Surtout, elle s'accompagne d'une impossibilité de se projeter dans l'avenir. Elle favorise le *carpe diem*, la volonté répandue dans tous les groupes sociaux et à tous les âges de « profiter de la vie », tant que c'est possible.

... et la difficulté d'accéder à la « vérité ».

L'une des causes principales du malaise français contemporain est la difficulté croissante d'accéder à la « vérité » et aux certitudes. Tout d'abord parce qu'elles sont cachées, dans un monde de plus en plus complexe. Ensuite, parce que les acteurs sociaux et les experts de toutes sortes (responsables politiques, économistes, sociologues, scientifiques...) expriment des points de vue différents et souvent opposés sur la plupart des sujets. Enfin, parce que certains leaders d'opinion n'hésitent pas à déformer la réalité, à faire circuler des rumeurs pour défendre leur point de vue et dévaloriser celui de leurs adversaires ou concurrents.

Le doute contemporain est souvent entretenu ou provoqué par les médias. Certains se sentent obligés de faire la part égale entre des thèses contradictoires, au prétexte de l'objectivité. D'autres ont tendance à favoriser les conceptions différentes de celles communément admises ; la chasse aux « idées reçues » fait vendre, de même que les « révélations ». L'exercice est salutaire lorsqu'il permet de faire évoluer l'opinion à partir d'éléments factuels, mais il induit de la confusion lorsque son objectif principal est de surprendre. La tolérance est souvent un alibi pour fournir une tribune à des attitudes et comportements minoritaires ou marginaux. Présentés avec force et talent, ils peuvent contribuer à faire basculer une partie de l'opinion ou à la faire douter de ses propres convictions. L'impression générale qui en res-

Normalité et précarité

Plus de quatre Français sur dix (41 %) déclaraient avoir été confrontés à une situation de précarité au cours des trois dernières années, que ce soit pour eux-mêmes (20 %) et/ou pour un proche (34 %), dans l'enquête FNARS/ Harris Interactive de janvier 2012. 77 % estimaient alors que la lutte contre l'exclusion et la précarité occupaient une place insuffisante dans les programmes des candidats à l'élection présidentielle, alors que 85 % souhaitaient qu'elle devait en être l'un des axes.

Depuis des années, le mot « précarité » et l'adjectif « précaire » reviennent sans cesse dans les débats et les conversations. Ils résument le double sentiment largement partagé d'une paupérisation individuelle et d'un accroissement des risques de déclassement. C'est donc le principe même du « progrès social », que l'on a cru longtemps garanti par le « modèle républicain » qui est mis en cause. Les générations qui se succèdent ne bénéficient pas « automatiquement » d'une amélioration de leur sort ; la société ne fonctionne pas (ou plus) comme une roue à rochet, qui ne peut tourner que dans un sens, celui du « toujours plus, toujours mieux ». Les plus jeunes en sont conscients, mais reprochent à leurs aînés d'avoir détraqué le « modèle » ; les plus âgés regrettent de ne pas avoir pu faire mieux et s'inquiètent de l'avenir de leurs enfants.

Il faut cependant rappeler que, dans son sens initial, le mot précaire signifie « obtenu par la prière » (*precarius*, XVIe siècle). Il qualifie une situation qui n'est pas assurée d'avance, qui peut être passagère, modifiable, révocable. En cela, il est le reflet de la vie-même, toujours passagère et jamais assurée. La période de croissance économique qui avait suivi la Seconde Guerre mondiale avait fait oublier aux Français l'existence de cette précarité fondamentale. D'autant qu'elle s'était accompagnée de la généralisation d'un système de protection sociale efficace et plus développé que dans la plupart des autres pays. Les « crises » qui ont bouleversé le monde et le pays depuis le premier choc pétrolier du milieu des années 1970 ont rappelé avec force que rien n'est acquis, que tout est donc précaire.

sort est que « tout se vaut ». C'est sans doute l'une des explications de la méfiance des Français à l'égard des médias (p. 447).

S'ils permettent d'accéder à l'information et à la connaissance, les moyens de communication et d'information contemporains ne simplifient pas pour autant la recherche de la réalité ou de la « vérité ». La profusion et la diffusion engendrent souvent la confusion. Comment savoir aujourd'hui si la manipulation génétique des embryons humains est à proscrire ou à encourager ? La culture des céréales génétiquement modifiées est-elle une chance ou une menace pour l'Humanité ? Les nanotechnologies seront-elles bénéfiques à la santé ou introduiront-elle de nouveaux risques ? Les agricarburants sont-ils une solution à la pénurie de carburants ou une menace pour l'alimentation des humains ? L'exploitation des gaz de schiste est-elle dangereuse pour l'équilibre écologique ? Faut-il sortir du nucléaire après Tchernobyl et Fukushima ? Dans ces domaines comme dans bien d'autres, les vérités du jour sont souvent mises en question le lendemain. La conséquence est une incertitude généralisée et inconfortable. Elle explique aussi la montée d'un certain fatalisme au sein de la population.

Les peurs se sont diversifiées...

Comme leurs lointains ancêtres gaulois (tels que décrits par Alexandre le Grand, bien avant René Goscinny), les Français ont « peur que le ciel leur tombe sur la tête ». Cette crainte est plus psychologique que physique, plus diffuse qu'identifiée, plus collective qu'individuelle. Elle recouvre des domaines très divers. Peur des autres et de leur pouvoir de nuisance à travers la délinquance, l'incivilité ou la concurrence. Peur du vide existentiel produit par la société matérielle. Peur de la science et de ses perspectives effrayantes. Peur de la technologie qui en est issue, des objets complexes qu'elle produit et des frustrations qu'ils engendrent (p. 286). Peur de ne pas savoir, de ne pas comprendre, de prendre de mauvaises décisions. Peur de ne pas trouver sa place dans la société, de ne pouvoir la maintenir ou l'améliorer. Peur d'être seul. Peur de la maladie, de l'accident, de la catastrophe. Peur, évidemment, de la mort.

Il n'est donc pas étonnant que les « psys » soient de plus en plus présents dans la vie des Français, tant professionnelle que personnelle ou familiale. Leurs cabinets ont remplacé les confessionnaux des églises. Certains sont devenus des « gourous » (Boris Cyrulnik, Marcel Rufo, Aldo Naouri...). Le magazine *Psychologies* avait connu dans les années qui suivirent son lancement (1997) la plus forte progression des ventes enregistrée. Dans un pays riche et en bonne santé, la souffrance mentale est en effet plus répandue que la souffrance physique. Selon le Baromètre santé 2010, environ 10 % des femmes et 6 % des hommes déclaraient avoir souffert d'un épisode dépressif au cours des douze derniers mois. La moitié des Français disent aussi souffrir de mal de dos ; la proportion atteint ou dépasse un sur trois pour l'insomnie, la nervosité, les maux de tête ou migraines, des maladies considérées comme psychosomatiques.

Comme l'affirmait Sénèque : *« Il y a plus de choses qui nous font peur que de choses qui nous font mal » (Lettres à Lucilius)*. Cette vérité probablement universelle et éternelle a une valeur d'explication particulière dans la France contemporaine où la crainte d'avoir mal est si forte qu'elle peut provoquer par elle-même une véritable souffrance.

... et la demande de sécurité s'est accrue.

La quête sécuritaire est de plus en plus palpable. Les Français refusent le risque et acceptent mal le hasard. La revendication sécuritaire est diverse, transversale et croissante, à un moment où tous les changements qui affectent l'environnement (technologique, économique, politique, social, écologique, démographique...) sont vécus comme porteurs de nouveaux risques.

Ces craintes sont sans aucun doute alimentées par des événements objectifs : montée du chômage ; menaces environnementales ; actes de délinquance ; catastrophes naturelles ou d'origine humaine. Elles sont amplifiées par les médias qui leur accordent une place prépondérante. Mais certaines apparaissent excessives. On peut ainsi démontrer que la sécurité dans les transports progresse, comme la qualité sanitaire des aliments ou celle des soins. La preuve en est que l'espérance de vie ne cesse de s'accroître (p. 95).

Soucieux de répondre à la demande des citoyens, les pouvoirs publics ont multiplié les initiatives sécuritaires. La lutte contre l'insécurité routière a été considérablement renforcée. Les contraintes, interdictions et sanctions contre l'alcoolisme et le tabagisme se sont multipliées. La lutte contre l'obésité est devenue cause nationale. Le « principe de précaution » a été inscrit dans le préambule de la Constitution française. Les ascenseurs des immeubles ont dû être adaptés à des règles plus strictes, comme l'installation des piscines privées ou la vente des appartements (multiplication des diagnostics). Le souci de sécurité imprègne l'ensemble du modèle national, dans toutes les circonstances de la vie : emploi ; santé ; éducation ; transport, logement...

Chocs en stock

Depuis le milieu des années 1960, les Français ont vécu de nombreux événements de toute nature. Certains ont représenté de véritables chocs et provoqué une transformation des modes de vie et des systèmes de valeurs. Chacun des chocs, en même temps qu'il annonçait une rupture, a marqué le début d'une nouvelle période.

1968. Le choc provoqué par la « révolution de Mai » a été d'abord culturel. Les Français sont descendus dans la rue pour dénoncer la civilisation industrielle et ses dangers. Leur goût de plus en plus affirmé pour la liberté provoquera la levée progressive des tabous qui pesaient depuis des siècles. Avec, en contrepoint, la remise en cause des institutions républicaines. La « révolution introuvable » de Mai 68 aura été un moment clé de l'histoire contemporaine. Elle reste inachevée, mais elle annonçait la fin (provisoire ?) des utopies.

1973. Le premier choc pétrolier a sonné le glas de la période d'abondance, annonçant la montée brutale du chômage. Mais il a fallu dix ans aux Français pour s'en convaincre. Il a coïncidé avec la fin de la croissance forte et de l'idée qu'elle était nécessairement durable.

1981. Le retour de la gauche au pouvoir après vingt-trois ans de monopole de la droite a été pour les Français un choc politique. Le plan de relance économique à contre-courant de l'année suivante fut l'occasion pour la gauche et pour l'ensemble des Français de découvrir l'interdépendance économique planétaire. Fin d'une vision binaire de la politique et de la prépondérance de l'économique sur le politique.

1987. Le choc financier d'octobre a mis en évidence les déséquilibres entre les zones économiques, les limites de la coopération internationale, l'insuffisance des protections mises en place depuis 1929, l'impuissance des experts à prévoir et à enrayer les crises. Il a coïncidé avec la fin de la confiance des citoyens envers les institutions.

1989. La chute du mur de Berlin a créé un choc idéologique, marquant la fin du communisme (en tout cas d'obédience soviétique), à défaut de celle de l'Histoire. Il a été suivi d'une période d'angélisme qui a laissé penser que la démocratie allait s'étendre sur le reste du monde.

1991. Le choc psychologique provoqué par la guerre du Golfe a mis fin à cette illusion. La preuve était une nouvelle fois donnée que le monde est dangereux et la coexistence avec les autres pays, précaire.

1993. Ce choc européen est resté largement ignoré. Pour la première fois depuis la fondation de l'Europe en 1957, la crise ne concernait pas les institutions européennes mais les citoyens. Ceux-ci se demandaient si leurs identités nationales n'allaient pas se dissoudre dans celle, encore peu apparente, de l'Union. Cette réaction annonçait la fin d'une vision d'abord technocratique de l'Europe. 1993 fut aussi marquée par un retournement de l'opinion ; une majorité de Français se disaient prêts à partager le travail et les revenus pour lutter contre le chômage.

1995. Le choc social de décembre, suite au plan de réforme de la Sécurité sociale proposé par le gouvernement, s'est traduit par des grèves du secteur public qui ont paralysé le pays, comme en Mai 1968. Mais les deux mouvements étaient de nature très différente. Dans le premier cas, les jeunes et les travailleurs, solidaires, refusaient la société industrielle et revendiquaient davantage de liberté individuelle. Dans le second, les grévistes s'efforçaient au contraire de préserver les acquis du passé. Ce mouvement de colère annonçait peut-être la fin de la période de transition commencée au milieu des années 1960.

2000. Le choc calendaire de la fin du XXe siècle a été vécu par beaucoup de Français comme une période de grâce. Conscients du privilège de connaître un changement de siècle et de millénaire, ils se sont efforcés de solder les comptes du passé et de penser à l'avenir. Mais les lendemains de fête allaient être difficiles.

2001. En même temps qu'il détruisait les tours de Manhattan, le choc terroriste du 11 septembre a ébranlé l'ensemble du monde occidental. Si les nouvelles formes du terrorisme ne mettent pas en cause l'existence même des démocraties (confirmant au contraire leur supériorité sur les systèmes totalitaires), elles éclairent d'un jour nouveau leurs responsabilités à l'égard du reste du monde.

2002. L'élimination du candidat socialiste par celui du Front national au premier tour de l'élection présidentielle a constitué un choc sociétal pour les Français. Il a révélé le fossé existant entre les groupes sociaux du sommet et de la base de la pyramide.

2005. Le rejet de la Constitution européenne par les Français (et les Néerlandais) a peut-être constitué le plus important choc européen depuis sa fondation. Les émeutes de novembre dans les banlieues ont confirmé la difficulté des Français à vivre ensemble.

2007. La bulle immobilière aux États-Unis, nourrie par la création de nouveaux instruments financiers, a déclenché une crise financière mondiale inconnue depuis 1929. En France comme ailleurs, l'État a dû secourir les grandes banques pour prévenir un effondrement du système financier.

2008-2012. La crise financière s'est propagée à l'économie « réelle », entraînant dans tous les pays développés une forte montée du chômage et une augmentation inégalée de la dette publique. Ce choc économique a fait prendre conscience aux Français de la nécessité d'une refondation du système économique et social. Une nouvelle ère s'est ouverte.

Il faut cependant noter que la demande de sécurité « physique » (protection des personnes et des biens), dont il avait été beaucoup question pendant la campagne présidentielle de 2012 (notamment après la tuerie de Toulouse), ne constitue plus la priorité pour les Français. Les enquêtes montrent qu'elle arrive largement derrière d'autres préoccupations comme le chômage et l'emploi (78 %, *la Croix*-Covea/TNS Sofres, février 2012), l'évolution du pouvoir d'achat (54 %), la santé et la qualité des soins (54 %), l'école et la qualité de l'enseignement (46 %), le financement des retraites (45 %), les inégalités sociales (38 %) ou le logement (30 %). Il s'agit bien cependant dans ces domaines d'une attente de « sécurité », dans un sens plus large. Elle ne concerne pas la suppression du risque physique ou matériel, mais la poursuite du progrès social.

Les Français plébiscitent les valeurs républicaines...

Les valeurs associées au pacte républicain (liberté, égalité, laïcité, solidarité, par ordre décroissant) obtiennent des taux d'adhésion élevés (de 80 à 90 %) de la part des Français (*Paris-Match*-Europe 1/Ifop, novembre 2011, voir graphique). Mais la même enquête indique que seuls 34 % des Français considèrent que la devise de la République « Liberté, Égalité, Fraternité » est bien appliquée.

Les valeurs plus personnelles comme l'effort, le travail (et son corollaire, l'entreprise) figurent également en haut de la hiérarchie, avec des scores plutôt en hausse entre 2006 et 2011. Mais cet attachement des Français à la valeur travail est contrarié par le sentiment que la société fait preuve d'une trop grande mansuétude à l'égard de ceux qui ne travaillent pas (79 % estiment qu'« il y a trop d'assistanat et de gens qui abusent des prestations sociales », 53 % que « les chômeurs pourraient réellement travailler s'ils le voulaient vraiment »). Une large majorité (69 %) estime qu'*« il faut que l'État laisse plus de liberté aux entreprises »*.

Les mots évoquant l'idée d'adaptation (changement, réforme) sont les plus clivants : ils sont plus souvent cités par les sympathisants de droite que par ceux de gauche. C'est le cas aussi de la notion de services publics ; si elle est davantage appréciée par l'ensemble des Français qu'auparavant (68 %, 13 points de plus qu'en 2006), elle l'est bien plus à gauche qu'à droite. Quant aux mots ayant une portée idéologique (capitalisme et socialisme), ils enthousiasment peu les Français. Il en est de même de ceux qui évoquent l'international : l'Union européenne et surtout la mondialisation sont jugées plutôt sévèrement (graphique ci-dessous).

On mesure dans le même temps une radicalisation des Français sur des sujets identitaires et, singulièrement, religieux. Ainsi, 76 % considèrent que « l'islam occupe trop de place en France », un score en progression de 5 points en un an. Par ailleurs, seuls 14 % acceptent l'idée d'un financement public des mosquées (28 % en 2006). Même si elle n'est pas prioritaire (ci-dessus), l'inquiétude demeure en matière sécuritaire : 56 % des Français estiment qu'« on ne se sent en sécurité nulle part ».

... mais les valeurs individualistes se renforcent...

Si l'on en croit les connaissances scientifiques et sociologiques actuelles, les valeurs ne sont pas innées. Elles sont acquises dans le milieu familial et social, expérimentées et intériorisées jusqu'à devenir constitutives de l'identité de chacun (ce qui n'implique pas qu'elles soient immuables). Elles

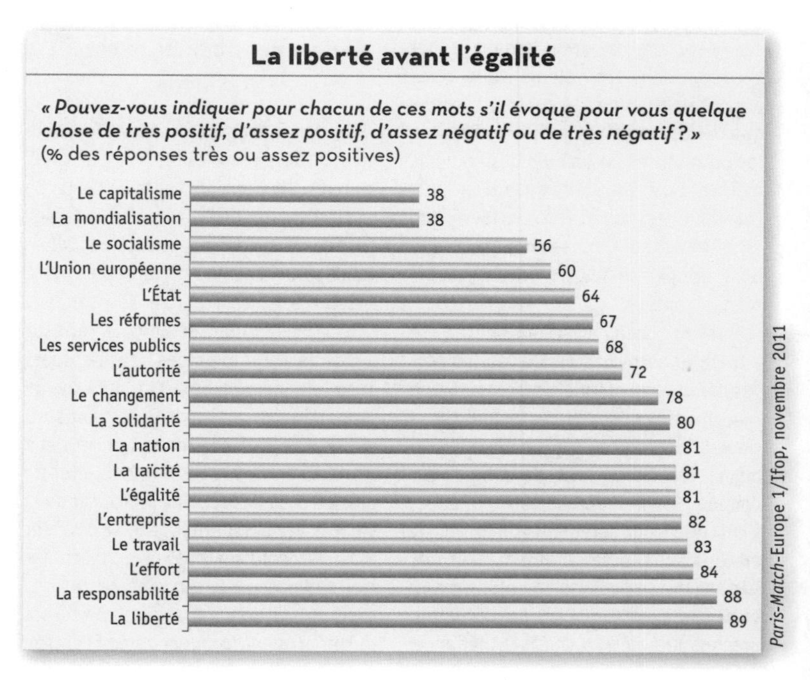

sont donc influencées, parfois façonnées par les événements et le contexte de l'époque à laquelle elles se rattachent. Aux chocs subis dans les dernières décennies du xxe siècle se sont ajoutés depuis le début du xxie des événements forts, qui sont survenus à un rythme accéléré : 35 heures, mise en place de l'euro, guerres en Irak , en Afghanistan, en Lybie, émergence d'Internet et des nouvelles technologies, attentats de Madrid et de Londres, soulèvements dans les banlieues, menace du virus H1N1, crise financière, économique, budgétaire, catastrophe de Fukushima, assassinats terroristes de Toulouse, etc.

Tous ces chocs ont eu des conséquences sur la vie individuelle et collective des Français. Elles ont été d'autant plus fortes que ces chocs se sont produits sur fond de mutations technologiques : informatique, communication, biotechnologies... Ils ont accentué le sentiment de malaise et de montée des inégalités entre les catégories sociales et enclenché un processus de recomposition sociale. Le contexte dans lequel se définissent les valeurs collectives en a été bouleversé. L'analyse sur longue période des multiples enquêtes sur les opinions et les valeurs des Français montre qu'elles sont devenues plus individuelles, au fur et à mesure que les repères se sont estompés et que les « normes sociales » ont été moins bien acceptées.

Chacun cherche aujourd'hui à se « bricoler » un système de valeurs personnelles, dans lequel le pragmatisme joue un rôle croissant. Les visions théoriques, idéologiques, globalisantes ou même idéalistes sont donc rejetées, comme la mondialisation (p. 273). Bien que régulièrement dénoncé, le matérialisme reste dominant dans une société qui se demande de plus en plus comment mettre en place un « développement durable » (p. 288). La méfiance, l'indifférence et le scepticisme se traduisent par des comportements de distanciation, de protestation, voire de refus à l'égard de tous les acteurs sociaux. Le système de valeurs est donc centré sur la personne, dans une posture de repli et parfois de cynisme à l'égard de la collectivité et des différentes formes de pouvoir et d'autorité.

La revendication majeure des années 1970 avait été celle de la liberté individuelle. Les années 1980 furent marquées par une demande de bien-être matériel ; l'argent occupait une place croissante dans la société pour devenir l'étalon de la réussite et la condition du bonheur. La décennie 1990 fut placée sous le signe d'une demande d'identité et de sens. La première décennie du xxie siècle a été déterminée par une recherche d'équilibre et d'harmonie, contrariée par les « crises ». La décennie en cours devra apporter des réponses à ces revendications, sous peine d'explosion sociale.

... et la volonté de « profiter de la vie » s'affirme.

83 % des Français dénoncent le faible niveau de la cohésion sociale dans le pays (Crédoc, octobre 2011). Ce constat est à la fois la cause et la conséquence de la montée des valeurs individualistes. Face à la difficulté de « vivre ensemble », les Français se réfugient dans la vie familiale et amicale. Huit sur dix déclaraient avoir des liens réguliers avec leur famille en 2011; une même proportion disait inviter des amis au moins une fois par mois, contre deux sur trois en 1991. Les Français sont de plus en plus désireux de « profiter de la vie » à titre personnel. 16 % se disaient ainsi d'accord fin 2011 avec l'affirmation suivante : *« Ce qui compte surtout, pour moi, c'est de me faire plaisir, les autres arrivent toujours après »*, contre seulement 7 % en 2006 et 12 % en 2010. La proportion a donc plus que doublé en cinq ans.

Les Français hésitent moins que par le passé à revendiquer leur plaisir personnel. Même parmi ceux qui n'en font pas un principe de vie, on observe une plus large acceptation de ces comportements. Les jeunes l'expriment à leur façon lorsqu'ils disent : *« tu fais comme tu le sens »*. Le droit au plaisir s'ajoute ainsi à la liste sans cesse allongée des autres droits de l'individu. Le succès du « luxe de masse » témoigne de cette évolution, comme le goût du voyage et l'envie d'accumuler les expériences agréables. Chacun se sent autorisé à satisfaire ses envies, sans autocensure. Profiter de la vie pendant qu'il en est temps est même pour certains un devoir. Parce que, comme l'exprimait la publicité de l'Oréal, *« [il] le vaut bien »*.

Les Français sont fortement attachés à l'idée de « proximité ».

La quête de la « proximité » est devenue depuis quelques années la notion et la potion magiques. Les politiciens tentent de se rapprocher de leurs électeurs, dont ils se sont éloignés. Quitte à oublier que les Français attendent aussi d'eux une vision plus globale dans l'espace comme dans le temps, plus ambitieuse et responsable à l'égard des générations présentes et futures. Les entreprises cherchent à être proches de leurs clients, au point parfois d'entrer dans leur intimité au moyen des outils dont elles disposent (bases de données personnalisées, géolocalisation...). De leur côté, les grandes surfaces réinventent les méthodes du « commerce de proximité » en apportant de nouveaux services (échange gratuit, livraison à domicile, ouverture de magasins dans les centres-villes, personnel dédié au

conseil…). Les médias s'efforcent de réduire la distance qui les sépare de leurs lecteurs ou auditeurs en généralisant les émissions interactives dans lesquelles ils peuvent exprimer un point de vue, poser des questions ou voter.

Les Français ont ainsi développé une sorte de culte de la proximité ; ils préfèrent le « local » au « global », qu'ils désignent volontiers comme bouc émissaire de la « crise ». Dans une période difficile et incertaine, ils se concentrent sur la sphère domestique, font des enfants, investissent dans leur logement et cherchent à recréer des relations de voisinage. Ils recherchent le bonheur « dans le pré » ou dans les choses simples. Cette attitude est le contrepoint au gigantisme contemporain. Elle témoigne des peurs collectives et des besoins individuels de réassurance. Mais elle engendre aussi une tentation ou une volonté de repli et de refus du monde extérieur. La concentration sur la proximité peut engendrer une forme de myopie sociale, une difficulté à « voir plus loin que le bout de son nez », c'est-à-dire à appréhender la réalité dans son ensemble, une propension à privilégier les Solidarités locales ou micro-locales au détriment des solidarités plus larges.

Les communautés occupent une place croissante dans les modes de vie.

Si les Français plébiscitent les valeurs républicaines (p. 273), c'est souvent pour regretter qu'elles ne soient plus aussi présentes dans la vie sociale. La *liberté* individuelle est de plus en plus encadrée par les règlements, les lois et les contraintes de toute sorte. Ils sont d'ailleurs souvent créés pour remplacer les obligations, devoirs ou dettes que les citoyens ne s'imposent plus à l'égard de la collectivité. Le rêve national d'*égalité* a été malmené par les crises successives qui ont renforcé le « chacun pour soi » et les pratiques consistant à profiter de son temps, de son argent, en attendant un éventuel « déluge ». Ces pratiques n'ont pas encouragé la *fraternité* au quotidien entre des individus qui se considèrent comme des concurrents, obligés de se partager un gâteau dont la taille n'augmente plus. Certains regardent aussi avec un air soupçonneux ceux qui leur semblent vivre de la solidarité nationale sans rien faire pour la mériter.

Face à ce délitement du « modèle républicain » et à son incapacité à faire fonctionner le contrat social entre tous les membres de la collectivité nationale, beaucoup se tournent vers des groupes plus restreints dans lesquels ils se reconnaissent davantage. Ils se regroupent selon des caractères identitaires forts (origine ethnique, religion, culture, préférence

Petisme et bougisme

Après avoir longtemps fasciné, le gigantisme effraie. Le rejet de la mondialisation par les Français est l'expression la plus apparente de cette peur d'un monde global dans lequel l'être humain serait oublié (p. 273). Les « Mutins » s'opposent ainsi aux « Mutants » (p. 261). Ils craignent la disparition de la souveraineté des États, remplacés par des entreprises multinationales sans morale, et la perte des identités nationales, voire individuelles, dans un contexte d'uniformisation et de standardisation. Cette réaction au gigantisme induit ce qu'on pourrait appeler le « petisme ». Il est perceptible dans la recherche croissante de proximité, de structures « à taille humaine », de « petits plaisirs ».

Une autre peur contemporaine est celle de l'immobilité, qui évoque la maladie, le temps perdu et la mort. C'est pourquoi les Français cherchent à tirer le meilleur parti du temps dont ils disposent (p. 107) et s'efforcent de « collectionner » les expériences et les souvenirs. Leur devise pourrait être : « je bouge, donc je suis ». Les enfants courent pour concilier leurs contraintes scolaires et leur besoin de loisirs. Les adultes se hâtent pour mener de front leurs vies professionnelles, familiales et sociales. Les personnes âgées s'activent pour profiter du temps qui leur reste ou pour ne pas y penser. La recherche du « divertissement » est une clé de lecture essentielle de la société.

Le « bougisme » traduit l'importance prise par la mobilité, à l'ère de l'« *Homo zappens* ». Il est encouragé par les sollicitations de toutes sortes et par les modèles diffusés par les médias. Les héros contemporains sont des personnages efficaces, qui mènent une vie riche et trépidante. Cette attitude traduit à la fois la peur de mal vivre et celle de mourir. Elle illustre aussi la difficulté de se retrouver seul face à soi-même. Certains commencent cependant à se lasser de cette course épuisante et sans fin. L'accélération du temps et le sentiment d'en manquer entraînent chez eux une frustration croissante. En réaction à la vitesse et à l'accélération, mais aussi parce que la course finit par coûter cher, ils redécouvrent la lenteur et pratiquent le *slow food* et la *slow life*.

sexuelle ou autre critère) ou parfois de simples centres d'intérêt (goûts musicaux, vestimentaires, activités sportives, ludiques, etc.). Ces associations d'individus en réseaux, tribus, clans et autres groupes affinitaires prend une place croissante dans leur vie ; elle les rassure, leur fournit des points d'appui, leur propose des modèles, des comportements, des visions de la vie et du monde, des aides en cas de besoin. C'est ainsi que le « communautarisme » tend à remplacer le modèle républicain défaillant. Il a été favorisé par le développement des réseaux sociaux sur Internet et, d'une manière générale, par l'« horizontalisation » de la société.

C'est donc l'*anomie*, disparition du sentiment d'appartenance à une « identité » nationale dans laquelle chaque citoyen se reconnaissait (système de valeurs), qui est à l'origine du communautarisme ambiant. Il est choisi par ceux qui appartiennent naturellement à des communautés et qui ne parviennent pas facilement à s'exprimer en dehors d'elles. Il est subi par les autres, tous ceux qui pensaient jusqu'ici que le modèle républicain était nécessaire et suffisant à la cohésion de la collectivité nationale.

La signification des valeurs traditionnelles a changé.

L'ampleur et la rapidité des transformations survenues depuis quarante ans expliquent l'interrogation actuelle de la société française sur les valeurs qui la fondent. Les mots qui les désignent sont inchangés, mais ils n'ont plus le même sens. Ainsi, la *famille* n'est plus le centre de la transmission d'un héritage culturel et financier placé sous l'autorité exclusive du père ; elle est un lieu égalitaire où chacun doit pouvoir trouver son autonomie. La *patrie* n'est plus l'objet d'un attachement aussi fort, dans un contexte d'appartenance européenne et de mondialisation, même si le sentiment se réveille en certaines occasions comme lors des grandes compétitions sportives (Coupe du monde de football en 1998 et en 2006, Coupe de rugby en 2006...) ou d'événements tragiques (tuerie de Toulouse en mars 2012). Le *travail* est redevenu avec la crise récente un bien rare, après avoir perdu de son importance sociale avec la mise en place des 35 heures au début des années 2000.

La demande de *liberté* n'a pas non plus les mêmes motivations qu'auparavant. Elle est d'autant plus forte aujourd'hui que beaucoup de Français ont le sentiment qu'elle est menacée par le développement d'outils permettant de tout connaître des agissements des individus, citoyens ou consommateurs. La revendication d'*égalité* s'est amplifiée avec la perception d'un écart croissant entre les personnes modestes et celles qui sont aisées ou riches. Elle a aussi donné lieu à un allongement continu de la liste des droits de l'individu : droits des travailleurs, des femmes, des enfants, des minorités ; droit au logement, à l'expression, à la différence ; droit au loisir et au plaisir, droit à mourir dans la dignité... Dans le même temps, la liste des devoirs, elle, a peu évolué. Ce déséquilibre est sans doute l'une des causes des frustrations ressenties par les Français dans leur vie quotidienne. Il explique aussi leur difficulté à vivre ensemble (p. 241).

La « crise » inquiète beaucoup les Français...

Pour de nombreux Français, aujourd'hui est moins bien qu'hier et beaucoup pensent aussi que demain sera encore moins bien. Ce pessimisme peut s'expliquer par un certain nombre de causes. La principale est sans doute que l'on tend à embellir, voire à idéaliser le passé, sachant que l'avenir individuel a un terme. Il est sans doute aussi lié à la façon dont la civilisation répond aux différents besoins humains. Dans la pyramide popularisée par Maslow dans les années 1940, la base est constituée par les besoins de survie : se nourrir (alimentation), avoir chaud (vêtements), disposer d'un abri (maison). Après viennent les besoins de sécurité physique : être à l'abri des dangers qui menacent l'intégrité du corps, en provenance de la nature (accidents, catastrophes) ou des autres hommes (guerres, agressions de toutes sortes). On imaginait ces besoins primaires de sécurité satisfaits par les progrès de la science et de l'économie, de sorte que l'on s'était concentré depuis des décennies sur les étages plus élevés de la pyramide : besoins d'appartenance, puis de reconnaissance, enfin de réalisation de soi. Or, les événements de cette dernière décennie ont montré que la survie physique n'était pas aussi assurée qu'on l'imaginait. Les menaces pesant sur l'environnement, les crises alimentaires, le danger terroriste, la crise économique ont fait resurgir des angoisses oubliées. Les Français, dans leur immense majorité, n'ont plus faim, froid ou soif ; mais beaucoup d'entre eux ont peur d'en souffrir un jour. Leurs craintes sont renforcées par les informations peu rassurantes qui leur parviennent quotidiennement sur l'état du monde. Ils ont pris conscience que la civilisation occidentale (comme les autres) est mortelle.

La conséquence est une remise en cause du rôle des entreprises, du libéralisme, du capitalisme ou de la mondialisation, une dénonciation des inégalités de toute sorte, à commencer par les rémunérations. Ces réactions

La gentillesse, valeur montante

La gentillesse était jusqu'ici plutôt considérée comme une faiblesse dans une société dure où chacun se doit d'être vigilant afin de ne pas « se faire avoir ». Qualifier quelqu'un de « gentil » n'était pas toujours un compliment, comme en témoigne une réplique célèbre du film *Le Père Noël est une ordure* (1982) : *« Je n'aime pas dire du mal des gens, mais effectivement elle est gentille »*... Le mot tend aujourd'hui à être utilisé plus positivement. Ainsi, les Français placent la politesse au premier rang (avec 38 %) des « valeurs et qualités qui contribuent le plus à les rendre heureux dans leurs rapports aux autres » (*Dimanche Ouest France*/Ifop, novembre 2011). Elle arrive devant la tolérance (37 %), la simplicité (33 %), la convivialité (29 %), l'humour (28 %), le courage (16 %), le dynamisme (12 %) et la séduction (2 %).

Les gens s'efforcent de se montrer gentils (les deux mots sont dérivés du latin *gentis*) et solidaires envers leur entourage, dans le but de lutter contre l'indifférence et de mieux vivre ensemble. Des inconnus proposent des *free hugs* (câlins gratuits) aux passants stressés dans des lieux publics. D'autres mettent en place des SEL (systèmes d'échange locaux) qui favorisent la convivialité tout en réduisant les dépenses. Les entreprises accordent aussi une place croissante à la gentillesse et à l'empathie (p. 397), complément apprécié à la simple politesse.

Face au sentiment d'un durcissement des rapports sociaux, l'amabilité, la courtoisie, l'affabilité et la prévenance apparaissent comme des contrepoints nécessaires à la compétition, l'individualisme et le chacun pour soi. Les exemples d'agressivité et de méchanceté sont omniprésents dans les médias, des guerres aux faits divers criminels en passant par les « petites phrases » échangées par les responsables politiques et les injures entre automobilistes. La « crise » est sans doute en partie responsable de ce durcissement des relations sociales. Elle a engendré des sentiments de frustration, de colère, d'accroissement des inégalités et des injustices. La montée de l'« indignation » (p. 268) est l'occasion de modifier et d'assouplir les rapports humains, en faisant preuve de plus de bienveillance et de gentillesse.

expliquent la désaffection à l'égard de l'Europe (et, dans une moindre mesure, de l'euro), des partis et des dirigeants politiques. Les réformes, les grèves et la violence sociale inquiètent. On observe au contraire un intérêt croissant pour le développement durable, la « croissance verte » et des modes de consommation différents. Les Français attendent aussi un meilleur partage des richesses, plus de solidarité et de lien social, d'intervention de l'État, de règles et de valeurs.

... mais la plupart se disent heureux.

La diversité des difficultés et des peurs contemporaines semble avoir un effet limité sur le niveau de satisfaction individuel des Français. En novembre 2011, ils étaient 91 % à se déclarer « heureux » (62 % « plutôt » et 29 % « très ») ; seuls 8 % se considéraient malheureux (Kelkoo/LH2). Les femmes sont plus nombreuses à se déclarer « très heureuses » que les hommes ((31 % contre 26 %). Malgré leurs problèmes spécifiques, ce sont les jeunes qui se disent le plus satisfaits : 95 % des 18-24 ans, contre 85 % des plus de 65 ans (qui ont sans doute moins le sentiment d'avoir la vie devant eux pour résoudre leurs soucis). Les écarts entre les professions sont faibles : 96 % des employés se disent heureux, contre 94 % des professions intermédiaires et 93 % des cadres et professions intellectuelles.

Le bonheur perçu est plus fréquent en province qu'en région parisienne (30 % de très heureux contre 22 %) ; les écarts peuvent s'expliquer par les conditions de vie, mais aussi par les pyramides des âges ou les taux de chômage comparés. Ils ne semblent pas en revanche corrélés au climat, puisque la proportion de personnes « heureuses » est plus élevée dans les régions du Nord que dans celles du Sud (92 % contre 88 %).

Parmi les facteurs qui leur permettraient d'être davantage heureux, les Français citent d'abord le pouvoir d'achat (46 %). Sans surprise, la proportion est plus élevée chez les jeunes actifs (56 % des 25-34 ans) et les ouvriers (63 %). Il est aussi davantage cité par les personnes qui s'estiment déjà heureuses que par les autres (47 % contre 39 %). Chez les moins satisfaites, la santé est prioritaire (53 %), comme pour les personnes âgées de plus de 65 ans (54 %). D'une manière générale, la santé se situe à la deuxième place (29 %), devant le temps, autre facteur clé dans la quête du bonheur au quotidien (19 %).

Toutes les enquêtes montrent un écart important et récurrent entre la vision collective et la vision individuelle des Français (p. 273). Il s'explique en grande partie par les informations dont ils disposent pour juger du bonheur des autres. Elles accordent une place beaucoup plus grande aux drames (faits divers, catastrophes naturelles, corruption, violence...) qu'aux motifs de satisfaction. L'accumulation de mauvaises nouvelles a fini par installer dans l'esprit des Français l'image d'un monde qui va mal et d'une société à la dérive. En contrepartie, tous ceux qui ne connaissent pas de difficultés importantes dans leur vie personnelle, familiale ou professionnelle (et qui sont heureusement majoritaires) se sentent plutôt privilégiés. Le malheur des autres (réel ou perçu) fait ainsi par différence le bonheur de chacun.

La « modernité » est en débat...

Depuis la fin du XVIIIe siècle et la révolution industrielle, la notion de « modernité » est fondée sur un postulat, qui exprime une relation de causalité entre le développement scientifique et le bien-être de la population. Ainsi, l'accroissement de la connaissance entraîne celui des techniques, lesquelles apportent de nouveaux services à l'Humanité. L'innovation assure la croissance continue de la richesse collective, qui se traduit par celle des individus et, supposément, de leur bien-être. Le progrès matériel permettrait en effet à chacun de s'accomplir dans une société à la fois plus riche et plus juste, et d'en profiter de plus en plus longtemps, grâce à l'allongement de la durée de la vie.

Beaucoup de Français contestent aujourd'hui cette conception implicite de la modernité. Ils sont de plus en plus conscients des risques liés aux applications possibles de la science et de la technologie : dégradation de l'environnement, accident nucléaire, attentats avec des armes chimiques, biologiques ou électroniques, atteintes à la vie privée, etc. Leur perception de l'avenir s'est assombrie avec la prise de conscience des menaces qui pèsent sur le monde. Le confort matériel s'est accompagné d'un inconfort moral. La croyance scientifique, qui avait succédé à la foi religieuse, a fait place au doute et à l'anxiété.

Ce qu'on a pris pour la « fin de l'Histoire » n'était en fait que la fin d'une

Le devoir de bonheur

Saint-Simon présentait il y a deux siècles le bonheur comme « une idée neuve en Europe ». Elle ne l'est plus aujourd'hui, et sa recherche est omniprésente, banalisée. On y observe même une sorte de « devoir de bonheur », apparent dans les motivations individuelles et les injonctions collectives. Cette quête prend des formes et surtout des appellations différentes : bien-être, qualité de vie, sérénité, équilibre, harmonie, développement personnel...

La plupart des Français sont persuadés que la recherche du bonheur est inscrite dans la nature humaine, c'est-à-dire universelle, mais il n'en est rien. Cette notion est en effet peu présente dans les autres civilisations. Elle n'a pas grand sens par exemple dans les pays d'Asie. Ainsi, les Chinois, dans la tradition confucéenne, ne rêvent pas de bonheur, mais d'ordre social, ce qui implique la mise en place et le respect d'une hiérarchie et le primat de la collectivité sur l'individu. En Inde, le nirvana n'est pas comme on l'imagine souvent l'accès au paradis, mais la fin des désirs, le détachement absolu.

En France, l'obligation implicite d'être heureux implique de faire beaucoup d'efforts pour le devenir, parfois de faire semblant de l'être. Car, si la société plaint en apparence les malheureux, les handicapés ou les pauvres, elle préfère les voir à la télévision (avec la possibilité de les « zapper ») que dans sa rue. Elle met en avant les individus qui réussissent, qui se portent bien et s'enrichissent, même si c'est parfois pour en faire des boucs émissaires de la « crise ». Ainsi, les pressions sociales, professionnelles ou médiatiques sont fortes pour que chacun s'efforce d'appartenir à la catégorie des « gens heureux », capables de mener une carrière, de fonder une famille, de bien gagner leur vie, d'accumuler un patrimoine, de vivre intensément en multipliant les activités de loisir ou les voyages.

C'est notamment la fonction de la publicité et du marketing que de mettre en scène ce bonheur possible, et aussi de faire croire qu'il est « nécessaire ». Dans la « société de consommation » toujours prévalente, il ne peut être induit que par la satisfaction des désirs et leur renouvellement permanent. Mais ce système, qui a pour but de réduire le stress, tend au contraire à l'accroître (p. 378). Des voix s'élèvent cependant pour dénoncer ce « modèle » et remplacer les satisfactions matérielles par d'autres qui le sont moins : confiance en soi ; simplicité de la vie ; disponibilité du temps ; qualité des relations avec autrui ; sentiment d'appartenance commun ; pratiques de solidarité...

certaine vision du monde. Celle en tout cas avec laquelle la France vit depuis l'avènement, il y a deux siècles, de la civilisation industrielle. La contestation a d'abord pris la forme de l'écologie, plus récemment celle de l'anti-mondialisme, exacerbé par la crise économique et morale des pays développés. Dans le débat qui s'est engagé sur le sens de la modernité et du progrès, les *Mutins* s'opposent aujourd'hui aux *Mutants*, sous le regard attentif des *Moutons* (p. 261).

... et la « post modernité » est en train de naître.

Les transformations technologiques, économiques et sociales qui se sont produites depuis plusieurs décennies ne peuvent être assimilées à un simple changement de société. Elles s'apparentent davantage à un changement de *civilisation*. Leurs incidences sur l'état de la société française (et, plus largement, sur l'ensemble des pays développés) sont en effet au moins aussi grandes que celles qui avaient provoqué à la fin du XVIIIe siècle la Révolution française, sur fond de révolution industrielle.

Cette nouvelle civilisation en préparation repose sur quatre principes fondateurs, que l'on voit à l'œuvre depuis quelques temps. Le premier est la *reconnaissance des individus* (seuls ou regroupés en communautés) par rapport à la collectivité. Le deuxième est le développement du *principe de responsabilité et d'autonomie,* par idéologie ou par défaut (le coût de l'assistance devenant difficile à assumer). Le troisième est la place prépondérante du *loisir* par rapport au travail (p. 436). Le quatrième est l'objet principal de la réflexion en cours : la *transformation de la société de consommation* (voir chapitre *Consommation*).

Ce changement de civilisation est la résultante d'autres « tendances lourdes » de la société. La famille traditionnelle s'élargit à un groupe plus électif, qui ressemble plutôt à une tribu ou à un clan (p. 218). Les valeurs féminines imprègnent une société jusqu'ici dominée par les valeurs masculines. Il faut noter aussi que la mondialisation et les outils technologiques tendent à faire converger les modes de vie et les valeurs dans les pays développés et même au-delà (p. 413).

Les conséquences de ces transformations sont nombreuses. La société française traditionnellement verticale, hiérarchisée, devient horizontale, avec des citoyens qui fonctionnent de plus en plus en réseaux. Longtemps soumise à des forces centripètes, qui tendaient à ramener en permanence les membres de la société vers le milieu, la machine sociale est de plus en plus le jouet de forces centrifuges, qui tendent à marginaliser et à exclure ceux qui ne disposent pas des atouts nécessaires pour se maintenir (santé, instruction, relations...). L'époque actuelle apparaît comme celle d'un bouleversement des certitudes et des habitudes, des attitudes et des comportements, des valeurs et des modes de vie.

La société de l'émotion

Dans une société démocratique, la « vérité » est censée naître du débat entre tous les citoyens. Pour être objectif, celui-ci doit être nourri par une argumentation fondée sur des faits, des preuves ou au moins des présomptions. Il devrait donc s'inscrire dans le registre du rationnel, en proposant des arguments que l'esprit humain peut peser, évaluer, comparer avant de décider s'ils sont convaincants.

Force est de constater que les débats contemporains s'écartent souvent de cette conception rationaliste. La plupart se situent sur le registre de l'émotion. Les exemples ne manquent pas de ces échanges tronqués, parfois même truqués, dans lesquels la rhétorique chaude des « humanistes » se heurte aux démonstrations froides des « technocrates ». On peut citer par exemple les discussions récurrentes sur l'ouverture des magasins le dimanche ou sur l'euthanasie. Le débat sur la réforme des retraites en a été une autre illustration : aux projections « rationnelles » des courbes d'espérance de vie et du vieillissement étaient opposés les acquis sociaux ou la fatigue accumulée par les travailleurs, arguments davantage « émotionnels ». Il en est de même pour les projets de réforme de l'assurance-maladie, auxquels beaucoup de Français ou de responsables opposent le fait que « la santé n'a pas de prix » et qu'on ne saurait en avoir une approche seulement « comptable ». Les débats sur la réforme du droit pénal ont aussi mis en évidence le pouvoir de l'émotion, des crimes particulièrement odieux mais très rares servant d'arguments ou de prétextes pour renforcer les politiques de sanction.

Dans les médias, la confrontation de la raison et de l'émotion se termine souvent par la victoire de la seconde. Le déséquilibre est particulièrement apparent à la télévision. La raison éprouve d'autant plus de difficulté à s'affirmer que la vérité est de moins en moins simple et accessible, et que les experts sont jugés de moins en moins crédibles.

CROYANCES

Un peu plus de la moitié des Français déclarent une appartenance religieuse.

Du fait de leur caractère intime, les attitudes à l'égard de la religion et les croyances sont difficiles à exprimer, donc à mesurer. En outre, les chiffres obtenus dans les différentes enquêtes varient en fonction de la formulation des questions et des thèmes abordés. Par ailleurs, à la différence de nombreux autres pays, la France interdit, depuis 1872, toute interrogation des citoyens sur leur appartenance confessionnelle dans les recensements officiels, la question étant qualifiée de « sensible » au sens de la loi de 1978. Cet interdit ne frappe cependant pas les enquêtes par sondage sur des sujets connexes, comme la pratique religieuse. La loi prévoit également une exception pour les organismes publics (comme l'INED ou l'INSEE) « dans la mesure où la finalité du traitement l'exige » et après autorisation de la Commission nationale de l'informatique et des libertés (CNIL) et du Conseil national de l'information statistique (CNIS).

La dernière grande enquête répondant à ces critères est celle réalisée conjointement par l'INED et l'INSEE en 2008-2009 (Trajectoires et Origines), portant sur 21 000 personnes de 18 à 50 ans et publiée en octobre 2010. 55 % de la population interrogée déclaraient avoir une religion. Le catholicisme restait de loin la principale, 43 % de la population métropolitaine de 18 à 50 ans s'en réclamant. Les musulmans formaient la première religion minoritaire, avec 8 %. Les protestants déclarés représentaient 2 % de la population enquêtée. Le judaïsme, l'orthodoxie, le bouddhisme et les autres religions étaient cités chacune par moins de 1 % des personnes interrogées.

La moitié de la population (45 %) se déclarait donc « sans religion » (athée ou agnostique). Il faut garder à l'esprit que l'enquête ne portait pas sur les personnes de 50 ans, de sorte qu'elle a probablement sous-estimé la proportion de catholiques et surestimé celle des musulmans, du fait des pyramides des âges spécifiques de ces deux populations. D'autres enquêtes permettent de le confirmer et de le préciser (ci-après).

Le paysage religieux français s'est transformé.

De profondes évolutions se sont opérées dans la société en matière religieuse. La plus spectaculaire concerne la poursuite du mouvement de sécularisation (la séparation officielle de l'Église et de l'État date de 1905, sauf en Alsace-Moselle où elle n'est pas appliquée). Au fil des décennies, le sentiment religieux et la pratique ont globalement diminué, à l'exception notable des personnes déclarant une appartenance à l'islam, dont le nombre a connu une forte croissance. L'émergence de cette religion en France, à côté du protestantisme, du judaïsme et du bouddhisme (généralement considéré comme une religion, mais qui est aussi une philosophie), représente en effet un événement important.

En avril 2011, 45 % des Français de 18 ans et plus déclaraient ainsi ne pas croire en Dieu (*Journal du Dimanche*/ Ifop), ce qui est conforme à l'enquête INED, contre seulement 20 % en 1947. On observe cependant que cette proportion est très supérieure à celle des personnes qui, dans le même sondage, se déclaraient « sans religion » (25 %, voir tableau), ce qui tend à montrer que les deux notions sont vécues comme différentes par un certain nombre de personnes. L'absence de croyance concerne davantage les hommes que les femmes : 49 % contre 39 %. Elle est d'autant plus sensible que l'on est jeune : 53 % des 18-24 ans contre 33 % des 65 ans et plus.

La baisse de la pratique religieuse est également patente depuis des décennies. Elle a affecté également toutes les catégories sociales à l'exception des agriculteurs : plus des deux tiers des agricultrices un tiers des agriculteurs déclarent encore une pratique régulière ou occasionnelle. La pratique religieuse diminue lorsque le niveau d'instruction s'élève : elle concerne un quart des personnes qui ont au moins le baccalauréat, contre au moins un tiers de celles des autres. Elle dépend principalement de la transmission familiale, qui s'effectue le plus souvent par le père. Enfin, les comportements en matière religieuse ont pris des formes de plus en plus personnelles, moins soumises au conformisme social et confessionnel.

Six Français sur dix se disent catholiques...

Au début des années 1970, près de neuf Français sur dix se déclaraient catholiques (87 % en 1972). Leur proportion avait ensuite enregistré un net recul à partir du milieu des années 1970, pour se stabiliser à environ 75 % jusqu'à la fin des années 1980. Elle avait ensuite diminué à 65 % fin 2007 (*La Croix*/ Ifop). Le mouvement s'est poursuivi depuis, avec une proportion de 61 % en avril 2011 (*Journal du Dimanche*/ Ifop). Ce chiffre paraît peu compatible avec celui des personnes qui, dans la même enquête, se définissaient comme « sans religion » (45 %, voir ci-dessus). L'explication que l'on peut proposer est de même nature que pour l'écart entre les personnes se disant « sans religion » et celles affirmant « ne pas croire en Dieu » (ci-dessus) : un cer-

Individus et croyances

Croyance en Dieu selon quelques caractéristiques sociodémographiques (en % des 18 ans et plus)

	Oui (%)	Non (%)
Ensemble	**56**	**44**
Sexe de l'interviewé(e)		
Homme	50	49
Femme	61	39
Âge de l'interviewé(e)		
18-24 ans	47	53
25-34 ans	49	50
35-49 ans	52	48
50-64 ans	58	41
≥ 65 ans	66	33
Profession de l'interviewé(e)		
Artisan ou commerçant	45	55
Profession libérale, cadre supérieur	46	54
Profession intermédiaire	55	44
Employé	58	42
Ouvrier	47	53
Retraité	62	37
Autre inactif	57	42
Région		
Région parisienne	58	41
Nord-est	59	41
Nord-ouest	48	52
Sud-ouest	49	50
Sud-est	61	39
Catégorie d'agglomération		
Communes rurales	52	47
Communes urbaines de province	55	45
Agglomération parisienne	63	37

tain nombre de Français qui se considèrent non croyants se perçoivent en même temps comme « d'origine catholique », ce qui témoigne de la prégnance de la culture catholique dans le pays. Être catholique serait ainsi constitutif d'une identité, plus que le résultat d'une croyance. Les femmes et les personnes âgées sont un peu plus nombreuses que les hommes à se déclarer catholiques.

Sur le plan géographique, la part des catholiques est proche de 70 % dans la plupart des départements de l'Est et environ la moitié de ceux de l'Ouest, ainsi que dans le Cantal, la Corrèze, la Haute-Loire, le Tarn-et-Garonne et les Pyrénées-Atlantiques. La part des catholiques pratiquants (réguliers ou occasionnels) atteint ou dépasse 10 % en Alsace, en Lorraine et dans les pays de la Loire.

En matière électorale, le comportement des catholiques non pratiquants est proche de celui des électeurs dans leur ensemble. Ils votent cependant un peu plus fréquemment pour le Front national et en défaveur de l'extrême-gauche. Les catholiques pratiquants sont en revanche beaucoup plus nombreux à voter à droite.

… mais leurs pratiques religieuses sont de plus en plus réduites.

La pratique religieuse des catholiques ne cesse de diminuer. Un catholique sur quatre (25 %) se disait « pratiquant » en mai 2011 (*La Croix*/Ifop), sans qu'il soit précisément indiqué ce que cela implique en termes de fréquence. Ainsi, la proportion de « messalisants » (personnes assistant à la messe dominicale) a chuté de façon continue depuis 1952, passant de 27 % à environ 5 % aujourd'hui. Parmi les catholiques déclarant une pratique régulière ou occasionnelle (au moins une fois par mois), les femmes sont majoritaires (60 %). Les personnes de 65 ans ou plus représentent près de la moitié des pratiquants, alors qu'elles ne comptent que pour un cinquième de la population. C'est ce qui explique que les catholiques pratiquants sont moins nombreux en proportion parmi les actifs que parmi les inactifs. À l'exception des agriculteurs et des retraités, les non pratiquants, largement majoritaires, se distinguent peu de l'ensemble de la population française selon leur appartenance sociale ou leur lieu de résidence. Le fait de se revendiquer catholique n'implique pas forcément d'avoir la foi : 59 % des catholiques non pratiquants se disent croyants ; à l'inverse, la quasi-totalité (98 %) des catholiques pratiquants déclarent croire en Dieu.

Le nombre des mariages religieux a été divisé par deux en vingt ans, passant de 147 000 en 1990 à 70 000 en 2010, soit 29 % de l'ensemble des mariages célébrés (Conférence des évêques de France). Celui des baptêmes a connu une baisse encore plus spectaculaire, passant de 472 000 à moins de 200 000. Fin 2011, on comptait en France 14 300 prêtres diocésains, soit en moyenne un pour 45 000 habitants. La moitié d'entre eux ont plus de 75 ans, ce qui pose la question de leur renouvellement. Après avoir régulièrement reculé (89 nouveaux prêtres en 2010 contre 142 en 2004), le nombre des ordinations a atteint 106 en 2011. Celui des diacres permanents et des prêtres étrangers a augmenté (1 530 prêtres étrangers sont installés en France, dont près de 850 viennent d'Afrique). On recensait par ailleurs 31 100 religieuses et 6 300 religieux fin 2011.

Appartenances

« Vous, personnellement, êtes-vous... » (en %)

Catholique	61
– *dont pratiquant*	*15*
– *dont non pratiquant*	*46*
Protestant	4
Musulman	7
Juif	1
Autre religion	2
Sans religion	25
Total	100

Journal du Dimanche/Ifop, avril 2011

La France compte entre 2 et 6 millions de musulmans selon les approches, ...

Les chiffres avancés sur le nombre des musulmans présents en France varient considérablement selon leur provenance et les modes de comptabilisation. L'enquête *a priori* la plus fiable est celle réalisée par l'INED et l'INSEE en 2008-2009 auprès de 21 000 personnes de 18 à 50 ans. Selon les deux organismes publics, la France métropolitaine compte 2,1 millions de « musulmans déclarés », en tenant compte des plus de 50 ans. On peut cependant supposer que ce nombre sous-estime la réalité, compte tenu des difficultés à s'affirmer musulman dans un pays où existent des tensions à l'égard de cette communauté (encadré). D'autres sources, telles le ministère de l'Intérieur (également chargé des cultes) font état de 5 à 6 millions. Mais ce chiffre est établi en comptabilisant le nombre de personnes venues de pays à dominante musulmane, ou ayant des parents qui en viennent, et qui sont ainsi supposés être musulmans. Or, on sait qu'un tiers seulement de ces personnes se déclarent croyants et pratiquants.

La confusion provient donc du mélange entre le nombre d'individus qui seraient musulmans « de naissance » et ceux qui le seraient « véritablement » du fait d'une pratique religieuse active. Comme le catholicisme aujourd'hui, l'islam présente une grande diversité d'expressions, qui rend difficile l'évaluation du nombre exact de ses membres. Il est en tout état de cause la deuxième religion de France, loin derrière le catholicisme, mais largement devant les autres confessions.

On estime que la moitié des musulmans présents en France n'ont pas la nationalité française. La plupart sont des immigrés non naturalisés en provenance du Maghreb, de Turquie, d'Afrique noire et d'Asie (par ordre décroissant). Parmi ceux qui sont originaires d'Algérie, environ 600 000 sont français ; ce sont principalement les familles de harkis et leurs enfants nés depuis 1962. Un tiers des musulmans habitent en Île-de-France, un cinquième en Provence-Alpes-Côte-d'Azur, 15 % en Rhône-Alpes, 10 % dans le Nord-Pas-de-Calais.

... dont la plupart sont sunnites.

La très grande majorité des musulmans français sont sunnites (plus de 90 %). Ils se réclament du courant majoritaire de l'islam qui s'appuie sur la sunna, ensemble des paroles et actions de Mahomet et de la Tradition qui s'y rapporte. Les autres sont pour la plupart chiites. Les principes du Coran sont interprétés différemment dans les communautés concernées, dont les principales et les plus modérées sont regroupées dans le Conseil national du culte musulman. On compte environ 1 000 imams présents en France, dont 90 % sont étrangers et ont été formés dans les universités coraniques d'Égypte, de Turquie ou du Maghreb.

Les musulmans pratiquants sont désormais plus nombreux que les seuls croyants : 41 % contre 34 % (*La Croix*/Ifop, août 2011). L'accroissement de la pratique a été favorisé par celui du nombre des lieux de culte (environ 2 000). Le ramadan est aussi de plus

L'Islam et la République

La présence en France d'une importante communauté de religion (ou d'origine) musulmane est l'objet d'un débat récurrent. Il a été ravivé par la campagne pour l'élection présidentielle de 2012, avec les discussions sur la viande halal ou le vote des étrangers, sous l'impulsion notamment du Front national. De nombreuses enquêtes (celles par exemple réalisées par la Commission nationale consultative des droits de l'homme) font apparaître un double mouvement. D'une part une ouverture croissante à la « différence » (quelle que soit d'ailleurs sa nature, religieuse, philosophique, sexuelle...) et un respect plus grand des croyances de chacun. D'autre part, une stigmatisation par une partie de l'opinion de l'immigration en provenance des pays musulmans et de l'islam en général. 42 % des Français estimaient ainsi, en avril 2011 que « la présence d'une communauté musulmane est une menace », 22 % « un facteur d'enrichissement », 36 % ni l'un ni l'autre (Ifop). 59 % se disaient opposés au « port du voile ou du foulard par les musulmanes qui le souhaitent » (9 % favorables, 32 % indifférents). La proportion de Français défavorables atteignait 90 % pour le port du voile dans les classes des écoles publiques. 70 % se disaient hostiles à l'existence de partis politiques ou de syndicats se référant à l'islam (14 % non hostiles, 12 % sans avis).

Une proportion croissante de Français considère qu'il existe une incompatibilité entre les principes de l'islam et ceux de la République française laïque. Ainsi, 62 % estiment que c'est « le refus de s'intégrer à la société française » qui explique le plus que les musulmans et les personnes d'origine musulmane sont mal intégrés dans la société » (Ifop, avril 2011). 45 % citent aussi « le fait que les personnes d'origine musulmane soient regroupées dans certains quartiers et certaines écoles », 22 % « le racisme et le manque d'ouverture de certains Français », 15 % « les difficultés économiques et le manque de travail ». On note que les jeunes se montrent moins inquiets que leurs aînés d'une « menace » islamiste, mais plus enclins à trouver un « enrichissement culturel » dans la présence des musulmans de France.

Les critiques envers l'Islam concernent aussi la place qu'elle fait aux femmes ou sa non reconnaissance de l'homosexualité. Elles portent également sur le refus de certains musulmans de consulter un médecin de sexe opposé, de manger des plats non préparés selon le rituel religieux, de laisser leurs enfants aller à la piscine, au gymnase ou à la cantine. On observe des attitudes semblables dans les pays d'Europe du Nord (Scandinavie, Pays-Bas), en Italie ou en Autriche, qui vont de pair avec une présence croissante de l'extrême-droite dans ces pays.

en plus observé ; il concerne désormais près des trois quarts (71 %) des croyants. Les femmes sont presque autant concernées que les hommes (68 % contre 73 %). L'âge intervient assez peu dans la pratique : 73 % des 18-34 ans et des 55 ans et plus, contre 64 % entre 35 et 54 ans.

Le vote musulman se porte massivement vers la gauche (Cevipof, 2011). Ainsi, 95 % des suffrages exprimés au second tour de l'élection présidentielle de 2007 par des votants de religion musulmane étaient en faveur de Ségolène Royal, contre 5 % seulement pour Nicolas Sarkozy. Cette préférence pour la gauche était encore présente dans les intentions de votes lors de l'élection présidentielle de 2012.

Le nombre des protestants est estimé à 1,7 million.

Les chiffres disponibles font apparaître une proportion variant entre 2 et 4 % de Français adultes se définissant comme protestants. D'après l'enquête Ifop commanditée par la Fédération Protestante de France et *la Croix* de mai 2010, il y aurait en France (métropole et DOM) environ 1,7 million de protestants, en incluant les « chrétiens évangéliques ». Leur nombre n'a pas connu l'érosion observée parmi les catholiques. Il tend même à se renouveler, puisque 22 % des protestants actuels disent l'être devenus (dont plus de la moitié étaient auparavant catholiques). Au sein de la Fédération Protestante de France, environ un tiers des membres sont rattachés à l'Union des Églises protestantes d'Alsace et de Lorraine, un autre tiers à l'Église réformée de France ; les autres adhèrent aux autres Unions d'Églises, très majoritairement parties prenantes du courant dit « évangélique ».

Les protestants sont plus présents dans l'est et le sud-est du pays et dans les agglomérations urbaines ; ils sont moins nombreux dans l'Ouest. Leur profil socioprofessionnel tend à se rapprocher de celui de la population, avec une légère sur-représentation des cadres et une sous-représentation des employés et ouvriers. Leur vote se situe majoritairement à gauche, avec également un intérêt plus marqué que la moyenne des Français pour le centre.

26 % déclarent se rendre chaque semaine au culte et 13 % au moins

une fois par mois, soit 39 % de pratiquants dits « réguliers » ; 16 % n'y vont jamais. 34 % disent lire la Bible une fois par semaine et 12 % à la lire au moins une fois par mois, 24 % jamais. Ces taux de pratique plutôt élevés sont dus pour une large part aux protestants de sensibilité évangélique. Les *Born again*, qui déclarent avoir rencontré Jésus, représenteraient plus d'un tiers du nombre total des protestants de France.

La France compte un peu moins d'un million de juifs.

Comme celle des autres religions, l'estimation du nombre des adeptes du judaïsme est complexe. Leur part dans la population française étant estimée entre 1 et 2 %, soit de 600 000 à 1,2 million de personnes. La France est le pays de l'Union européenne qui en compte le plus, devant le Royaume-Uni et l'Allemagne. La communauté juive apparaît bien plus diversifiée que ne le laissent penser certains clichés ou préjugés. Même si les cadres supérieurs, les professions libérales, les commerçants, artisans et chefs d'entreprise sont sur-représentés (19 % contre 11 % dans la population totale, Cevipof, octobre 2011), on compte 24 % d'ouvriers et d'employés (contre 31 % dans l'ensemble de la population) et 12 % de professions intermédiaires (contre 14 %).

L'implantation sur le territoire est en revanche très spécifique. 50 % des personnes se déclarant juives résident dans l'agglomération parisienne, alors que ce territoire n'abrite que 16 % de la population française. La sur-représentation est également un peu plus marquée dans les régions PACA et Languedoc-Roussillon (17 % contre 12 % dans l'ensemble de la population) au détriment des régions du Grand Ouest (3 % des Juifs contre 14 % de la population) et de manière plus générale des zones rurales (5 % contre 25 %). On note que, même en Île-de-France où la population juive est la plus nombreuse, elle ne représente que 2 % de la population locale.

Les ashkénazes (de culture et de langue yiddish), arrivés d'Europe centrale entre les deux guerres, représentent environ 40 % de la population juive. Ils ont été suivis par les séfarades (juifs des pays méditerranéens) venus d'Afrique du Nord après la décolonisation entre 1956 et 1962, qui sont aujourd'hui majoritaires (60 %). La communauté se répartit entre des groupes multiples, qui reflètent la diversité du judaïsme. 15 % seulement sont des pratiquants réguliers (ce sont en particulier des séfarades), 4 % des pratiquants occasionnels, lors des grandes fêtes. 40 % se considèrent comme laïcs, voire athées, la condition juive étant fondée sur l'appartenance à un peuple autant qu'à une religion. Le vote juif se caractérise par un refus des partis extrémistes, avec une propension à porter ses voix vers la droite.

Le besoin de spiritualité reste fort.

Les individus ne sont plus « reliés » par la religion (les deux mots ont la même étymologie) comme par le passé. Le lien social s'est appauvri dans les lieux où il s'exerçait autrefois. Au travail, la contrainte d'efficacité a ainsi réduit les temps improductifs et les discussions à caractère personnel entre les salariés. Dans les actes de consommation, les relations sont souvent réduites à quelques mots échangés à la caisse des hypermarchés. Dans la vie familiale, la télévision occupe une part croissante du temps passé ensemble. Par ailleurs, la science

Réalités et fantasmes

Les Français estiment en moyenne le nombre des juifs à 3,7 millions (UEJF- SOS Racisme/Harris Interactive, mai 2011), soit trois fois plus que les chiffres les plus fiables ; le chiffre médian (qui partage les réponses en deux moitiés) en est cependant beaucoup plus proche (1,5 million). Dans la même enquête, un Français sur cinq (18 %) estimait à plus de dix millions le nombre de musulmans vivant sur le territoire français. Une partie citait même des chiffres nettement supérieurs, de sorte que la moyenne s'élevait à 7,5 millions, avec un chiffre médian de 5 millions.

Ces écarts entre la « réalité » (telle qu'on peut l'évaluer) et celle perçue par les Français s'expliquent de plusieurs façons. Ils témoignent d'abord de l'absence de données indiscutables sur l'appartenance religieuse. Ce n'est pas tant le sérieux des enquêtes qui est en cause que la fiabilité des réponses obtenues. La sous-déclaration est en effet fréquente, dans une société où il peut être difficile de s'affirmer musulman ou juif, mais il est très difficile de les « corriger », en l'absence de données de référence, contrairement à ce qui est fait par exemple pour les intentions de vote, qui sont « redressées » en fonction des résultats réels des derniers scrutins.

Outre la difficulté de recueillir des réponses fiables, une explication de la dispersion des réponses obtenues peut être la volonté de manifester la crainte ou le ressentiment à l'encontre des communautés concernées. Elle amène les personnes concernées à refuser les chiffres disponibles les plus modérés au profit de ceux qui vont dans le sens de leur inquiétude.

n'a pas réussi à fournir les réponses aux questions essentielles concernant l'origine et le but de la vie (p. 286).

Les Français ne constituent donc plus une communauté soudée par des valeurs religieuses communes et par un lien social fort. Cette évolution entraîne une frustration, car le besoin d'échange et de transcendance n'a pas disparu. Beaucoup s'efforcent donc de restaurer les pratiques de sociabilité par le mouvement associatif (p. 230), la pratique sportive, l'appartenance à des communautés ou à des réseaux Sociaux (p. 218). Ils tentent aussi de retrouver un lien spirituel en se tournant vers d'autres sources : ésotérisme, religions « exotiques », voyance, astrologie… Après avoir connu une progression inquiétante, les sectes semblent aujourd'hui moins influentes, du fait peut-être des mises en garde répétées des médias et du travail de fond effectué par certaines associations. Des mouvements sectaires tendent cependant à se développer au sein des religions officielles.

Certains Français à la recherche de valeurs fortes se tournent aussi vers la franc-maçonnerie. Leur nombre serait d'environ 120 000. La principale obédience est le Grand Orient, devant la Grande Loge de France et la Grande Loge nationale française. Née à l'époque des Lumières, la franc-maçonnerie a toujours été entourée d'ombre et de mystère. On lui reproche aujourd'hui encore aujourd'hui un manque de transparence qui alimente les craintes et les fantasmes quant à son rôle et à son influence dans la société.

Les pratiques religieuses se sont individualisées.

Pour la grande majorité des catholiques (76 %), la religion joue un rôle au mieux secondaire dans leur vie (voir tableau). C'est le cas de seulement la moitié des protestants, des orthodoxes ou

La religion et la vie

Importance de la religion dans la vie quotidienne (personnes de 18 à 50 ans déclarant avoir une religion, en %)

	Peu ou pas d'importance	Beaucoup et assez d'importance
Catholiques	76	24
Orthodoxes	52	48
Protestants	53	47
Musulmans	22	78
Juifs	24	76
Bouddhistes	48	52

INED-INSEE, 2008-2009

Religion et transmission

Avant d'être éventuellement un choix personnel, la religion est souvent transmise par les parents, sous la forme d'un « lignage confessionnel ». Les enfants qui grandissent dans une famille où la religion est très présente sont porteurs dans 85 % des cas de la même appartenance religieuse (INED-INSEE, 2008-2009, personnes de 18 à 50 ans vivant en France métropolitaine). On constate cependant que la transmission religieuse tend à s'atténuer par rapport aux parents, pour un quart des enfants vivant dans ce type de familles.

De la même façon, la très grande majorité des enfants qui ont été élevés dans une famille non religieuse (agnostique ou athée) se déclarent agnostiques ou athées (93 %). 24 % des personnes ont grandi dans une famille de ce type (sans religion), mais ils sont deux fois plus nombreux (44 %) à se définir ainsi, ce qui traduit aussi l'atténuation générale de l'appartenance religieuse. Le « taux d'abandon » de la religion est cependant bien plus fréquent pour les personnes ayant été élevées dans une famille bouddhiste (30 %), chrétienne ou juive (26 %) que pour celles ayant eu des parents musulmans (11 %). Dans une minorité de cas (7 %), le niveau de religiosité des enfants est supérieur à celui des parents. La situation la plus fréquente (deux tiers des cas) est celle d'enfants exprimant un sentiment religieux de même nature et de même intensité que leurs parents.

Ces proportions sont relativement semblables quel que soit le groupe de population et la religion concernée. Ainsi, le maintien d'un attachement à l'islam pour les descendants d'immigrés musulmans est vérifié, mais l'hypothèse d'un « retour du religieux » ne concerne qu'une fraction extrêmement minoritaire des descendants. Au total, 34 % des Français de 18 à 50 ans ayant déclaré une religion disent accorder assez ou beaucoup d'importance à cette religion dans leur vie, contre 66 % des immigrés et 53 % des descendants d'immigrés, ce qui témoigne de l'atténuation progressive du sentiment religieux.

des bouddhistes (ces derniers raisonnant sans doute davantage en termes de pratiques philosophiques que religieuses). La religion joue en revanche un rôle important pour les trois-quarts des musulmans et des juifs.

D'une manière générale, on observe une « personnalisation » des croyances et des pratiques, notamment chez les catholiques. Les valeurs du christianisme survivent de façon diffuse, alors que l'adhésion aux doctrines a fortement diminué. Une large majorité des Français se dit d'ailleurs favorable à une « libéralisation » de la religion catholique. Huit sur dix souhaitent qu'un homme marié puisse devenir prêtre ou qu'un prêtre puisse se marier. La même proportion trouverait normal qu'une femme puisse devenir prêtre (*La Croix*/Sofres, mai 2009). Les Français attendent davantage des prêtres qu'ils effectuent un travail social (aider et réconforter les plus déshérités, animer la paroisse, être présent sur les lieux de travail…) que sacerdotal (prodiguer les sacrements) ou doctrinal (enseigner la religion ou le catéchisme, convertir…).

Si Dieu est mort, comme l'affirmait Nietzsche, c'est davantage en tant que notion collective que comme certitude individuelle. La sphère privée prend aujourd'hui en effet une importance croissante. La foi n'est plus une tradition familiale et sociale, elle est devenue une question personnelle. Beaucoup de Français s'efforcent ainsi de « bricoler » des croyances et des comportements sur mesure, sans lien réel avec les dogmes et les structures de l'Église catholique. Ils piochent dans des croyances diverses ce qui leur apparaît conforme à leur mode de vie et de pensée. Les pratiques sont adaptées, éclatées, modifiées en fonction des circonstances de la vie. À côté, ou peut-être à la place des religions classiques, se profile l'invention de formes de spiritualité multiples.

SCIENCE ET TECHNOLOGIE

Les Français reconnaissent les bienfaits de la technologie…

Les applications de la recherche scientifique et technique ont eu des conséquences spectaculaires sur les modes de vie des Français. C'est le cas en particulier en matière de communication. La diffusion de l'ordinateur personnel et du téléphone portable, l'accès à Internet et au multimédia ont transformé le rapport au temps, en imposant paradoxalement le « temps réel » (alors qu'il est devenu « virtuel »), qui est celui de l'immédiateté. Ils ont aussi modifié le rapport à l'espace en satisfaisant le vieux rêve d'ubiquité, en faisant éclater les frontières (géographiques ou culturelles) dans un contexte de mondialisation.

Surtout, la révolution numérique a transformé la relation aux autres. Pour la première fois dans l'histoire du monde, tout habitant d'un pays développé (ou en développement) peut être connecté par le son et l'image à tous les autres. Grâce aux moyens de communication et d'expression (mails, textos, blogs, forums, réseaux sociaux…) il peut appartenir à des groupes ou à des « communautés » dont les membres n'ont pas besoin d'être présents physiquement dans un même lieu pour se rassembler. Des formes nouvelles de *diasporas*, « tribus » nomades ou sédentaires, mais virtuelles et dont les adhérents sont disséminés, se sont ainsi créées (p. 515). Elles peuvent être thématiques ou généralistes, durables ou éphémères.

Ces transformations induisent des changements dans les façons de concevoir le monde, de penser l'avenir, de vivre le présent. La science a permis depuis des siècles de lutter contre l'ignorance, de soigner les maladies, d'allonger la durée de vie. Elle a fourni aux humains les moyens de se nourrir, de se déplacer, de travailler, de communiquer, de se divertir. Les Français sont conscients des avancées liées à la révolution numérique : développement des réseaux 3G (et 4G à partir de 2012) permettant d'accéder à Internet sur le téléphone mobile ; passage au numérique de la télévision (TNT) et de la radio ; offres *triple* et *quadruple play* des opérateurs ; smartphones ; tablettes numériques… Deux sur trois (65 %) estiment qu'elle a facilité leur quotidien (Orange/CSA, juin 2011), contre 34 %.

… mais considèrent que son rôle est ambivalent.

En même temps qu'ils reconnaissent les améliorations matérielles apportées par les techniques, les Français estiment qu'elles font peser de lourdes menaces sur l'avenir de l'humanité : pollution de l'environnement, changement climatique, manipulation génétique des êtres vivants, effets indésirables des aliments transgéniques, catastrophes nucléaires, développement d'armes bactériologiques… L'Histoire, ancienne ou récente (Fukushima, le scandale du Mediator…) leur a montré que science ne rime pas toujours avec conscience ; les « apprentis sorciers » sont d'autant plus nombreux que les enjeux économiques sont importants. Les chercheurs sont soumis à de fortes pressions de la part des entreprises, des gouvernements ou des organisations qui souhaitent tirer profit de leurs travaux. On peut lire dans l'Ecclésiaste, écrit il y a plus de 2 000 ans : *« Celui qui accroît sa science accroît sa douleur. »*

Pour 93 % des Français, il est « important de connaître les enjeux de la recherche pour comprendre les évolutions de la société » (*Le Monde-La Recherche*/Ipsos, juillet 2011). Mais 80 % jugent que « les citoyens sont insuffisamment informés et consultés » sur ces dossiers. L'interrogation est d'autant plus forte que la science d'aujourd'hui dépasse souvent la science-fiction d'hier. Alors que la révolution de la communication se poursuit, d'autres se préparent. Ainsi, les biotechnologies promettent (et permettent déjà) de modifier les cellules germinales d'un individu. Cette possibilité ouvre la voie à des progrès considérables dans la lutte contre certaines maladies, notamment génétiques. Elles laissent envisager un accroissement de la longévité, grâce à la production de tissus et d'organes à partir d'embryons. Mais elles ouvrent aussi des possibilités de créer des espèces et de modifier l'être humain.

L'idée resurgit alors d'une « sélection » et d'une « amélioration » des individus, à travers les biotechs, les nanotechs, les infotechs, les neurosciences et autres domaines de recherche aux perspectives considérables (p. 17). Le risque est accru par la tentation d'appropriation du vivant par des laboratoires et des entreprises qui pourraient en faire une marchandise. L'utilisation incontrôlée du décryptage du génome pourrait aussi devenir la source de nouvelles inégalités, induire de nouvelles discriminations entre les individus selon leur patrimoine génétique, avec des conséquences multiples (emploi, assurance maladie, accès aux soins médicaux...). Au total, les Français ne sont que 49 % à penser que les nouvelles technologies ont un impact positif sur la société, 23 % pensent qu'il est négatif, 25 % neutre (Orange/CSA, juin 2011).

Les Français s'interrogent sur la notion de progrès...

La notion de progrès entretenue depuis des siècles (Bacon, Condorcet, Comte...) repose sur trois idées-forces : la croyance absolue dans la science et dans la technique ; le primat de la raison sur la passion ; la réalisation de soi-même par le travail. Le bien-fondé de ces idées est aujourd'hui mis en doute par une partie croissante de la population. La science est à double facette ; ses perspectives sont aussi fascinantes qu'effrayantes. La passion apparaît comme une caractéristique de la nature humaine et comme le moteur de la vie. Ainsi, l'émotion est souvent plus forte que la raison, dans une société hédoniste où chacun s'efforce de « profiter de la vie » ici et maintenant, à défaut de savoir s'il pourra le faire ailleurs et plus tard (p. 109). Quant à la place du travail dans la société et dans la vie de chacun, elle s'est beaucoup réduite, avec la diminution régulière et spectaculaire du temps consacré à la vie professionnelle et l'importance croissante des loisirs (p. 434).

La confiance dans la science est donc moins forte et l'inquiétude omniprésente. Elle est nourrie par les risques liés aux formes modernes de terrorisme et de fanatisme, à l'industrialisation, au nucléaire, aux manipulations génétiques, aux virus. Ces peurs s'ajoutent à la montée (objective ou ressentie) de la précarité, de la violence, du chômage, dans un contexte de mondialisation qui rend les peuples moins responsables de leur destin. La phobie des virus informatiques (ou de celui de la grippe H1N1) et les autres anxiétés contemporaines ne sont pas sans rappeler les craintes, eschatologiques ou apocalyptiques, du Moyen Âge : épidémie, famine, guerre, diable, sorciers, démons, colère divine, fin du monde...

... et sur ses conséquences sociales.

De nombreux Français ont aujourd'hui le sentiment que la qualité de la vie s'est détériorée au cours des dernières décennies. Ils sont en effet plus nombreux

Technophiles et technophobes

	Oui (%)	Non (%)	Autres (%)
La révolution numérique a-t-elle facilité votre quotidien ?	*65*	*34*	*1* (ne se prononcent pas)
Pourriez-vous aujourd'hui passer une journée sans vous connecter à Internet, que ce soit via la télévision, l'ordinateur ou le téléphone mobile, pour le travail ou à titre personnel ?	*49*	*39*	*12* (pas d'accès à Internet)
Imagineriez-vous vivre une journée d'aujourd'hui avec les technologies d'il y a 10 ans ?	*63*	*37*	–
En pensant à ces innovations futures, pensez-vous être dépassé un jour par de nouvelles innovations technologiques ?	*57*	*42*	*1* (ne se prononcent pas)

La balance du progrès

À la question, fondamentale, de la réalité du « progrès », on peut proposer deux types de réponses, aux conclusions contradictoires. La première est de nature *quantitative*. On peut ainsi constater que l'évolution sociale est placée depuis des décennies sous le signe « plus ». Les Français disposent d'abord de plus de temps, avec l'accroissement spectaculaire de l'espérance de vie et du temps libre (p. 101). Leur niveau d'instruction s'est accru, avec un allongement de la scolarité de quatre ans en moyenne depuis le début des années 1950. Ils ont aussi gagné plus d'argent, du fait d'un accroissement continu du pouvoir d'achat, même si celui-ci est contesté (p. 369). On peut en donner pour preuve l'accroissement du confort des foyers, dont témoignent les taux d'équipement en électroménager, automobile, appareils de communication ou de loisirs. D'autant que, dans le même temps, le taux d'épargne des ménages a plutôt progressé. Enfin, les Français ont à leur disposition plus d'informations, du fait de la multiplication des sources (radios, télévisions, journaux et magazines, Internet...), lesquelles sont d'ailleurs souvent accessibles gratuitement.

L'autre façon d'approcher le changement social est *qualitative* ; c'est alors le signe « moins » qui domine. L'époque est ainsi caractérisée par une diminution, voire une disparition des certitudes. Les Français ont le sentiment qu'ils sont moins en sécurité dans leur vie quotidienne. Ils font de moins en moins confiance aux institutions, aux médias, aux « autres ». Ils sont persuadés que l'égalité est partout en diminution. Ces convictions se traduisent évidemment par une moindre sérénité dans les attitudes et les comportements, les perceptions du monde et de l'avenir.

Chacun se demande ainsi si les cadeaux de la « modernité » ne sont pas empoisonnés. Le débat reste ouvert entre l'approche quantitative (et optimiste) de la mesure du progrès, et le point de vue qualitatif (et pessimiste). La première est caractérise les *Mutants*, alors que la seconde identifie les *Mutins* (p. 261).

à penser que la société est en déclin qu'à être convaincus qu'elle continue de progresser. Ainsi, les indices mensuels de confiance des ménages mesurés chaque mois par l'INSEE (niveau de vie, situation financière, chômage, prix, capacité d'épargne...) sont largement négatifs depuis des années, ce qui signifie qu'ils anticipent systématiquement une détérioration plutôt qu'une amélioration.

Ce pessimisme récurrent et record (p. 227) traduit une remise en cause du postulat sur lequel est fondée la civilisation industrielle, depuis la fin du XVIIIe siècle : il n'est plus certain que le progrès technique engendre la croissance économique et le bien-être, collectif et individuel (p. 287). Cette interrogation était déjà inscrite dans les mouvements de Mai 1968. D'autres signes, de nature différente, se sont accumulés depuis une vingtaine d'années : idéalisation du passé, quête de proximité et de solidarité. Les grands succès populaires de films comme *les Visiteurs* (1993), *Amélie Poulain* (2001), *Bienvenue chez les Ch'tis* (2008) ou *Intouchables* (2011) en témoignent, comme ceux d'émissions de télévision basées sur la nostalgie ou la régression. Autant de façons de dire que « c'était mieux avant » ou de montrer que « ce n'est pas bien aujourd'hui ».

La réflexion en cours est rien moins qu'une profonde mise en question du rêve matérialiste, jusqu'ici inséparable de la conception du « progrès ». Beaucoup de Français sont désormais convaincus que des inégalités nouvelles se sont développées depuis quelques années, non seulement entre les pays mais aussi à l'intérieur de chacun d'eux. Certaines catastrophes écologiques leur suggèrent que le progrès scientifique et ses applications techniques menacent la survie de la planète. Le rationalisme du XVIIIe siècle et le scientisme du XIXe, qui plaçaient dans la science tous les espoirs de l'humanité, font place aujourd'hui à un scepticisme croissant.

Les menaces sur l'environnement se sont accrues, ...

Les Français ont progressivement, et tardivement par rapport aux autres pays développés, pris conscience des risques qui pèsent sur l'environnement et de la nécessité de le préserver. Leur inquiétude s'est accrue en matière climatique, avec l'augmentation sensible en quelques années des situations extrêmes : alternance de pluviométrie exceptionnelle (inondations plus fréquentes) et de sécheresse (avec notamment la canicule meurtrière de l'été 2003). Ils ont intégré la perspective de réchauffement de la planète annoncée par les spécialistes et ses conséquences probables sur les zones et les populations concernées. Les déséquilibres

Le progrès chronophage

Les Français consacrent un temps de plus en plus important à utiliser les outils numériques (téléphone, ordinateur, tablettes, consoles, liseuses...) pour communiquer, jouer, travailler, s'informer, commercer, regarder des films, lire... Les écrans ont pris une place considérable dans leur vie, au point d'occuper la moitié de leur temps de loisir (p. 435). Il s'y ajoute le temps requis pour des tâches induites et répétitives : charger les batteries des appareils ; décliner ses identités numériques pour être reconnu sur Internet ; « faire le ménage » dans les mails, les fichiers ; mettre à jour les logiciels.... L'usage de ces outils engendre aussi beaucoup de stress (pannes, pertes de données), d'agacement (recherche des bons boutons sur les bonnes télécommandes...) ou d'impossibilité pour des non spécialistes (installer des logiciels, paramétrer des équipements et des fonctions, synchroniser les différents appareils...).

Au total, le temps consacré aux outils numériques, tant pour leur utilisation que pour leur « gestion » constitue une contrainte dont les Français sont de plus en plus conscients. Mais ils savent aussi combien il est difficile de se « déconnecter », parfois de se « désintoxiquer » lorsqu'ils ont développé une addiction. C'est ainsi que 46 % des personnes équipées d'un ordinateur portable ou d'une tablette tactile déclarent l'emporter en week-end ou en vacances (21 % toujours, 25 % occasionnellement) et 41 % disent ne pas pouvoir se passer d'Internet plus de quelques jours (Crédoc, décembre 2011).

environnementaux, liés pour la plupart aux activités humaines, ont déjà abouti à la destruction d'espèces animales et végétales, et beaucoup d'autres sont menacées. L'épuisement de certaines ressources naturelles (pétrole, gaz, minerais...) est programmé, de même que le manque d'eau pour une partie de la population mondiale.

En France comme ailleurs, ces transformations ont et auront des incidences sur les modes de vie en matière de consommation, de déplacements et de rythmes sociaux. C'est pourquoi les attentes de prévention, de protection, de prévoyance et de précaution sont croissantes. La menace est aussi économique. Les prix de l'essence, du gaz ou de l'électricité ont ainsi connu de fortes hausses, et 89 % des Français s'attendent à ce que l'énergie devienne plus chère qu'aujourd'hui dans les deux ans à venir (*20 Minutes*-Evasol/BVA, novembre 2011).

Une petite moitié de la population reste cependant « écolo-sceptique » : 44 % estimaient fin 2011 que l'on « exagère les menaces pesant sur notre planète », mais la proportion a diminué de 9 points depuis 1992. Ils sont ainsi moins nombreux qu'auparavant à penser qu'« une société dont la première priorité serait de préserver l'environnement ne serait pas viable économiquement » : 46 %, en baisse de 4 points. On observe cependant que les préoccupations écologiques n'ont pas été au cœur des débats de la présidentielle de 2012, ni dans les comportements des électeurs.

... de même que sur la santé.

Les crises ont aussi entretenu les craintes en matière de santé. Celle de la « vache folle », dont la première manifestation date de 1986, a été le révélateur des risques liés à l'industrialisation de l'alimentation. Le fait de transformer des bovins herbivores en carnivores était apparu aux Français comme une transgression dangereuse des lois de la nature. D'autres dangers sont apparus depuis : poulet à la dioxine ; bœuf aux hormones ; fromage à la listériose ; grippes aviaire et porcine ; scandale du Mediator ou des prothèses PIP... Ils ont renforcé le sentiment commun que le rapport bénéfices/risques de l'innovation n'est pas obligatoirement favorable. C'est ce qui explique par exemple que la grande majorité des Français (80 %) se disent hostiles à la culture des OGM (organismes génétiquement modifiés) en plein champ (*Ouest-France*/ IFOP, décembre 2011).

On assiste à une mise en accusation, voire une diabolisation de la science dans une partie de l'opinion. Elle se fonde sur l'impossibilité d'apprécier les risques et de connaître la « vérité » (p. 447). Une crainte renforcée par la logique de marché et la compétition qu'elle engendre entre les grandes entreprises mondiales. Elles favorisent une vision à court terme, peu compatible avec le doute scientifique et le principe de précaution. C'est pourquoi les Français sont de plus en plus nombreux à se tourner vers les aliments biologiques, supposés moins dangereux : en 2011, 60 % des ménages en ont consommé, pour un montant proche de 4 milliards d'euros (agence Bio).

Le respect de la vie privée apparaît menacé...

Si l'ambition ultime des êtres humains est de décoder la vie, force est de constater qu'elle est de plus en plus « codée ». Elle fait appel au quotidien à un ensemble de numéros d'identification, mots de passe ou cryptogrammes : Sécurité sociale, interphones et digi-

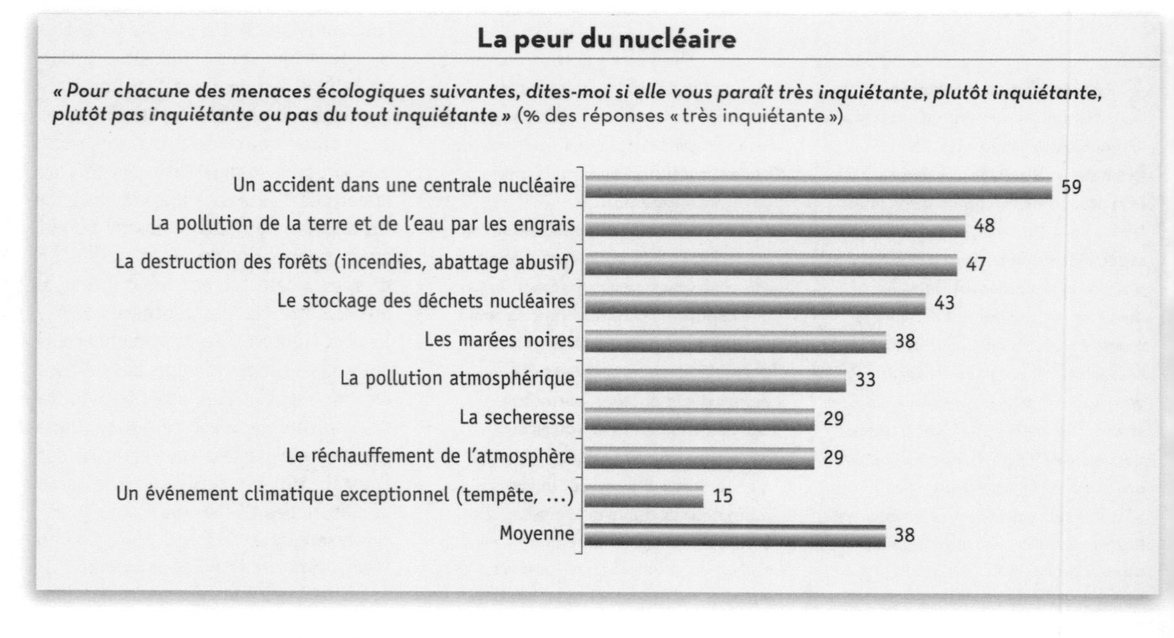

codes, cartes et comptes bancaires, téléphones (fixe et mobile), sites internet, immatriculations diverses... La biométrie s'ajoute à ces moyens de reconnaissance, ainsi que les puces de radio-identification (RFID) qui permettent de tracer un objet (marchandise, passeport...) à l'insu de celui qui le détient. En attendant, demain, que chacun soit identifié par le code ultime, celui de son génome.

Ces mesures de sécurité, censées protéger les personnes et les biens, constituent une source de stress. Elles sont autant de moyens de contrôle des faits et gestes des individus, à partir des « empreintes électroniques » qu'ils laissent dans les magasins (cartes de paiement) dans les ordinateurs (traçage de la navigation internet), sur les lieux publics (caméras de surveillance) ou en situation de mobilité (téléphonie mobile). Ces traces peuvent être interprétées en temps réel, archivées dans des bases de données et utilisées par des entreprises commerciales, des administrations ou des particuliers, sans que les personnes concernées en soient informées, avec parfois des conséquences désagréables sur leur vie professionnelle, familiale ou personnelle. Des scandales sont régulièrement dénoncés à propos des pratiques de « flicage » ou de vols de données de la part de réseaux sociaux, d'opérateurs ou de fabricants de téléphones, de logiciels ou de systèmes de géolocalisation.

Les Français ont ainsi le sentiment que leur liberté de mouvement se restreint de plus en plus et que le respect de leur vie privée est de moins en moins assuré. Les développements de l'électronique et de l'informatique leur laissent craindre l'avènement d'un *big brother* capable de surveiller chaque individu en permanence. 77 % considèrent qu' « avec Internet on se sent plus surveillé » (Netexplo/Ifop, janvier 2012). Pour 34 % des Français, le principal frein à la diffusion d'Internet est la crainte que les données personnelles ne soient pas assez protégées (Crédoc, décembre 2011), un chiffre en augmentation de 5 points en un an et de 14 points depuis 2006. Le coût de l'équipement ou des abonnements n'arrive qu'en deuxième position, à seulement 13 %. 81 % souhaitent pouvoir interdire la transmission de leur localisation par téléphone mobile à des entreprises commerciales. La lutte contre ces pratiques constitue un enjeu majeur pour l'image et l'usage des technologies dans les prochaines années.

... et la fracture technologique s'accroît.

Malgré l'accroissement des taux d'équipement des ménages et la banalisation de certains appareils (ordinateur, téléphone portable), l'innovation technologique n'est pas également disponible. Ainsi, un Français sur quatre ne dispose pas encore d'un ordinateur et d'une connexion internet à son domicile (p. 494). La barrière est souvent économique, les prix pratiqués restant élevés, de même surtout que les dépenses d'abonnements et de consommables qui vont avec. Elle est

Écologie, « égologie »

Le consensus scientifique sur le changement climatique et l'information accumulée sur les menaces écologiques ont entraîné une prise de conscience des Français et, plus récemment, des changements de comportement. Beaucoup adoptent des gestes écocitoyens dans la vie quotidienne : éteindre les appareils électriques plutôt que de les laisser en veille, trier les déchets, préférer les produits respectueux de l'environnement, prendre des douches plutôt que des bains, conduire plus souplement et moins vite... L'écologie se développe ainsi en complément de l'« égologie », forme contemporaine de l'individualisme.

Le degré de conscience et d'engagement varie selon les groupes sociaux et, surtout, avec les systèmes de valeurs personnels, qui déterminent la perception du monde. Certains freins demeurent, comme la méfiance des Français envers les « élites » et l'autorité en général (politique, institutionnelle, scientifique, médiatique...). La culture du confort incite aussi à repousser à plus tard les changements d'habitudes, les efforts, voire les sacrifices.

Les Français sont en tout cas désormais convaincus que la dégradation de l'environnement est une menace réelle et grave. Beaucoup la considèrent aussi comme une opportunité pour le monde et une voie de sortie de la crise, à travers la « croissance verte ». Même si elle est par nature portée par les partis écologistes, la cause apparaît de plus en plus « transversale », non partisane, ce qui devrait permettre à chacun d'y adhérer sans craindre de se faire « récupérer ». Elle a une dimension à la fois émotionnelle (celle de la compassion pour les congénères et de la responsabilité à l'égard des générations futures) et rationnelle (les preuves tangibles des problèmes apparaissent désormais irréfutables).

Le front commun contre la « fin du monde » et le déclin de la France pourrait être un motif de réconciliation nationale, le fondement d'un « grand projet » pour la France. Le déroulement de la campagne pour l'élection présidentielle de 2012 n'a cependant pas donné corps à cette opportunité, en renouant avec la bipolarisation traditionnelle de la société.

également culturelle ; elle concerne la capacité d'utiliser ces outils et les usages que l'on en fait. On peut parler en la matière de véritable fracture.

Elle est particulièrement apparente en matière d'équipements numériques. Parmi les personnes qui peuvent se connecter à Internet, certaines le font pour se cultiver, se former, s'informer, s'exprimer et s'enrichir culturellement. Elles améliorent leurs connaissances, leurs compétences, leur compréhension du monde et leur capacité à y trouver leur place. D'autres se contentent de se divertir, au risque parfois de s'abrutir. Il en est de même avec la télévision, la radio, la photographie ou le cinéma ; l'explosion de l'offre accroît la « segmentation » des groupes et des personnes et renforce les différences. Les écarts initiaux (le capital culturel) tendent alors à s'accroître, avec des conséquences dans tous les compartiments de la vie.

La fracture numérique et technologique risque de s'aggraver avec la poursuite de l'innovation technologique. De nombreux projets fabuleux sont dans les cartons des laboratoires de recherche en matière de biotechnologie, nanotechnologie, neurotechnologie, etc. Certains déboucheront sans doute sur des innovations de rupture, dont les conséquences ne peuvent être prévues, ni sans doute empêchées. Il apparaît ainsi probable que l'on ira vers un *« individu augmenté »* dont les capacités et les fonctions seront multipliées (p. 287). Les risques sont de plusieurs natures. Le premier est une mutation véritable d'un être humain doté de nouveaux pouvoirs, qui les utiliserait pour conquérir le monde, domestiquer ou éradiquer la nature, dominer les autres.

Un autre risque est que ces nouveaux pouvoirs, s'ils s'avèrent utiles, ne seront sans doute pas accessibles à tous. Leur coût élevé les interdira aux plus modestes. Les inégalités en seront encore accrues, ce qui créera des tensions fortes entre les groupes sociaux et entre les individus. Par ailleurs, la dépendance (ou l'addiction) à ces outils et « prothèses » sera plus forte, ce qui privera les humains de leur liberté. Enfin, les risques de piratage numérique, de terrorisme technologique, de vols et de trafics de données personnelles seront élevés. Une société composée d'« individus augmentés » ne pourra survivre que si elle augmente aussi son éthique, sa responsabilité, son sens de la solidarité, sa volonté de préserver l'avenir.

Le risque individuel est de plus en plus mal accepté...

La phobie du risque propre aux sociétés développées s'est construite sur l'idée (scientiste) que l'homme est capable

de maîtriser son environnement. C'est pourquoi l'opinion publique juge aujourd'hui inacceptables les risques liés à la présence d'usines chimiques ou de centrales nucléaires, les maladies causées par des produits alimentaires, les accidents dus à l'utilisation d'équipements collectifs ou même les « dommages collatéraux » inhérents aux guerres. Même les catastrophes naturelles (inondations, avalanches, tornades, tempêtes...) doivent dans leur esprit être au moins annoncées, si possible évitées, en tout cas remboursées dans leurs conséquences.

Si le risque est ainsi refusé par les Français, c'est parce qu'il a changé de nature. Il n'est plus aujourd'hui perçu comme collectif mais dans ses conséquences individuelles. Celles-ci ne sont plus limitées dans le temps ni dans l'espace ; elles peuvent être planétaires et définitives. L'idée que l'on ne puisse se prémunir contre les événements aléatoires est de plus en plus mal acceptée dans une société fortement sécuritaire. Au point que l'on cherche systématiquement des responsables ou des boucs émissaires lorsque se produit un accident. Les élus locaux tremblent à la perspective d'un panneau de basket mal fixé tombant sur un de leurs administrés et entraînant ainsi leur responsabilité juridique. Quelques heures après la survenance d'un drame, la « polémique » surgit dans les médias (p. 447), une enquête est ouverte, des négligences possibles sont évoquées, des noms cités, des mesures revendiquées, des projets de lois déposés, puis éventuellement votés. L'objectif, souvent inconscient, est d'exorciser la catastrophe, afin qu'elle ne puisse se reproduire. Au cours des années passées, la société a ainsi fait le choix d'un peu moins de liberté pour un peu plus de sécurité présumée.

... et le hasard tend à être rejeté.

Comme la plupart des citoyens riches de la planète, les Français ont oublié l'existence du hasard. Ils attendent des institutions une protection totale, le « risque zéro ». Mais le hasard est indissociable de la vie ; la science a même démontré qu'il est responsable de son apparition. L'Histoire démontre son importance. La philosophie et l'art de la Grèce antique auraient sans doute été différents si l'empereur Alexandre, menacé par un Perse sur un champ de bataille, n'avait été sauvé par son garde du corps. De simples aléas météorologiques ont à plusieurs reprises modifié le cours du monde. Si l'été de 1529 n'avait été si humide, les Turcs auraient pu prendre Venise et (peut-être) s'installer plus facilement et durablement en Occident. Si les conditions avaient été plus clémentes le 6 juin 1944 (notamment le vent et la forte marée), le débarquement allié aurait sans doute subi moins de pertes. Si la centrale de Fukushima n'avait pas été construite dans une zone à fort risque sismique, une catastrophe aurait été évitée...

Les hommes tendent aussi à sous-estimer certains risques qui leur paraissent très peu probables. L'« effet papillon » (le simple battement d'ailes d'un papillon au Brésil peut déclencher une tornade au Texas) est ainsi devenu une métaphore courante pour décrire les grands effets d'une cause infime. Les crises récentes peuvent aussi en partie s'expliquer par la non-prise en compte d'un événement rare, que les modèles mathématiques sophistiqués ne peuvent intégrer.

Du hasard, les Français ne veulent connaître que la face positive, c'est-à-dire la chance, qu'ils sollicitent par exemple en jouant à des jeux d'argent (p. 530). Un contrôle social de l'activité scientifique leur apparaît ainsi de plus en plus nécessaire. Beaucoup considèrent que la science est une chose trop importante pour être laissée aux seuls scientifiques. Ils regrettent aussi parfois une certaine arrogance de la part de ceux qui « savent » (ou croient savoir) et leur manque de pédagogie envers ceux qui « ne savent pas ». Les responsables politiques et les chefs d'entreprise ne sont pas considérés comme plus crédibles par les citoyens et il paraît donc difficile de leur confier le contrôle de la science et de son usage. C'est pourquoi les Français estiment aujourd'hui nécessaire d'être consultés ou représentés dans les débats sur les applications des recherches, voire sur la nature même de ces recherches. Face au pouvoir de la science contemporaine et à ses relations avec les autres pouvoirs, le peuple se pose de plus en plus en contre-pouvoir. Il souhaite participer à son destin.

TRAVAIL

IMAGE DU TRAVAIL

La conception du travail a longtemps été « religieuse », ...

Le travail constitue l'un des principes fondateurs de la civilisation judéo-chrétienne : « *Tu gagneras ta vie à la sueur de ton front*... ». Il a longtemps été placé au centre de la société, déterminant à la fois son fonctionnement et ses structures. De ce fait, il était aussi au cœur de la vie de chaque individu. La « situation » (profession, métier, emploi...) a toujours été l'un des principaux marqueurs sociaux ; elle témoigne d'une appartenance à une classe sociale, laquelle est en principe fortement indicative d'un niveau de revenu, d'un mode de vie et d'un système de valeurs.

Selon cette conception, le travail est considéré comme une part essentielle et inéluctable du destin individuel, mais aussi comme un devoir à l'égard de la collectivité, de la famille et de soi-même. Ce n'est qu'après avoir effectué son labeur quotidien que l'on peut s'accorder un repos mérité, éventuellement un peu de loisirs. Dans sa dimension « religieuse », le rôle du travail est au fond, pour chaque chrétien, d'assumer le péché originel et de racheter les fautes de ses lointains ancêtres. L'intérêt qu'il lui porte est donc relativement secondaire ; il suffit à chacun d'effectuer avec application les tâches qui lui sont confiées, sans chercher à sortir de sa condition : *« Fais énergiquement ta longue et lourde tâche dans laquelle le sort a voulu t'appeler, puis après, comme moi, souffre et meurs sans parler. »* (Alfred de Vigny, *La Mort du loup*).

Cette conception du travail est aujourd'hui peu présente. Elle concerne encore des actifs des générations précédentes et des catholiques pratiquants ; mais les premiers se sont éloignés peu à peu de la vie professionnelle et le nombre des seconds est en forte diminution (p. 281). Elle est en tout cas de moins en moins présente chez les plus jeunes, qui considèrent que l'existence ne peut être seulement fondée sur le travail.

... puis « sécuritaire » au début des années 1970, ...

La transformation du rapport au travail s'est amorcée vers le milieu des années 1960, avec la mise en cause explicite de la notion de travail-obligation et la revendication d'une liberté individuelle qui s'accommode mal des contraintes liées à la vie professionnelle.
Mais cette évolution des mentalités a été mise entre parenthèses pendant les années de ralentissement économique qui ont suivi les Trente Glorieuses, après le premier choc pétrolier de 1973. On a vu alors se développer une attitude de crainte, notamment dans les catégories sociales les plus vulnérables au chômage pour des raisons diverses : manque de formation ; charges de famille ; emploi situé dans une région sinistrée ; entreprise ou secteur d'activité menacés.

La peur croissante de perdre son emploi a ainsi donné naissance pendant les années 1980 à une conception « sécuritaire » du travail. Les personnes concernées s'accrochaient à leur poste pour éviter de le perdre et d'en subir les conséquences dans leur vie personnelle, familiale et sociale. Le travail était alors essentiellement un moyen de gagner sa vie et de ne pas entrer dans la spirale du malheur. Cette conception n'a pas disparu avec les années 1990. Elle concerne encore de nombreux actifs pour qui l'argent ne fait sans doute pas le bonheur, mais fournit au moins la possibilité de consommer et d'exister socialement en se procurant des biens matériels. Les motivations spirituelles du travail ont disparu, essentiellement au profit des attentes pratiques.

... « aventurière » pendant la parenthèse de la « nouvelle économie », à la fin du XXᵉ siècle...

Les idées de Mai 1968 ne se sont pas évanouies avec la crise économique. Elles sont restées présentes dans les mentalités, même si elles s'exprimaient moins fortement dans un contexte social devenu incertain. Cette rémanence explique la frustration ressentie par beaucoup d'actifs obligés d'effectuer un travail dans des conditions qui ne les satisfaisaient pas, en acceptant des contraintes qui leur paraissaient incompatibles avec la liberté individuelle qu'ils revendiquaient.

La sensation collective d'une sortie de crise, à partir de fin 1998, avait incité les Français à se montrer plus exigeants dans leur vie professionnelle. Cette évolution était particulièrement apparente chez les jeunes, qui ne perpétuaient pas

la même relation au travail et à l'entreprise que leurs parents. S'ils attachaient une grande importance au montant de leur salaire, la nature des tâches qu'ils effectuaient et la satisfaction qu'ils en retiraient jouaient un rôle croissant. C'est à cette période que la qualité du cadre professionnel et de l'ambiance de travail avec les collègues ainsi qu'avec la hiérarchie ont fait l'objet d'attentes de plus en plus fortes.

La création de start-ups, entreprises fondées sur les nouvelles technologies, avait fait croire pendant une courte période (1998 à 2001) que le monde était entré dans une « nouvelle économie » dont les règles n'avaient plus rien à voir avec celles de l'ancienne. Cette idée a aussi donné naissance à une conception originale du travail, fondée sur la recherche d'une aventure personnelle et professionnelle. Les fondateurs et les salariés des entreprises concernées ont eu le sentiment exaltant de participer à la construction d'un nouveau monde, de défricher des terres inconnues.

Pour ces mutants de l'économie, il devenait possible de créer et de réaliser quelque chose de nouveau et passionnant… tout en s'enrichissant rapidement. La contrepartie était une disponibilité et une mobilité accrues, peu compatibles avec les contraintes administratives et les réglementations du travail, notamment celle des 35 heures hebdomadaires. Mais la nouvelle économie (dans cette version initiale) a fait long feu, et le retour aux règles de l'ancienne a remis en vigueur d'autres conceptions du travail.

… et « schizophrène » aujourd'hui.

Le taux de satisfaction des Français dans leur vie professionnelle apparaît globalement élevé. 74 % des actifs se disent heureux dans leur travail actuel (*La Croix/CSA*, octobre 2011). Mais leur relation au travail est complexe et ambiguë. D'abord, le niveau de satisfaction tend à diminuer : fin 2011, le baromètre annuel Bien-être et satisfaction au travail des salariés (BVA) indiquait une chute de l'indice de 4 points, à 60 sur 100, avec un score minimum de 54 chez les ouvriers.

La baisse concerne en particulier la fonction publique (où la satisfaction au travail reste néanmoins un peu plus élevée que dans le privé) et chez les cadres. Surtout, l'image du travail a changé : pour la majorité des actifs (57 %), il constitue avant tout « un moyen d'avoir une place dans la société », alors que 42 % le considèrent d'abord comme « un moyen d'être utile à la société ». Seuls 37 % estiment que le travail est « un moyen de s'épanouir personnellement », alors que 62 % le considèrent comme « un moyen de gagner de l'argent ».

Les Français sont ainsi de moins en moins enclins à sacrifier leur vie privée

Gagner sa vie ou la perdre ?

Le travail a été longtemps considéré comme une punition, voire une malédiction. Le paradis terrestre, d'où Adam et Ève furent chassés, se caractérisait notamment par le fait qu'on n'était pas obligé d'y travailler. L'origine latine du verbe travailler, tripaliare, signifie « torturer avec un trepalium », instrument à trois pieux utilisé pour ferrer les bœufs. Condition de la « richesse des nations » selon l'économiste Adam Smith, mais aussi de celle des individus, le travail symbolisait pour Marx l'exploitation de l'homme par l'homme et constituait la cause de son aliénation. Cette vision a été renforcée par la division du travail qui s'est opérée tout au long du XXe siècle, afin de le rendre plus productif.

Pourtant, le rapport au travail a longtemps eu une composante affective, liée au partage de valeurs et de pratiques (la « culture d'entreprise »), au sentiment de participer à une œuvre collective. Il reste l'un des lieux principaux de la sociabilité et demeure le « grand intégrateur » décrit par Durkheim. Mais la crise économique a entraîné une contrainte de productivité. Les fusions-absorptions d'entreprises, la mondialisation et la délocalisation qui en est résulté ont rendu les emplois plus précaires. Les actifs sont ainsi de plus en plus nombreux à penser qu'il est plus difficile aujourd'hui de construire son identité et de se réaliser par le travail. Pour la grande majorité des Français, le travail est plus un moyen de survivre financièrement que de s'épanouir. Une nécessité, sinon un mal.

Cette évolution est aussi la conséquence des mutations de l'emploi du temps de la vie, qui ont donné une place prépondérante au loisir, considéré comme « choisi » par rapport au travail, souvent considéré comme « subi » (p. 100). Il reste donc à inventer ou réinventer des formes d'épanouissement personnel et d'implication sociale susceptibles de remplacer ou de compléter le travail. Elles passent en partie par une redéfinition du statut de salarié et une remise à plat de la gestion de la « ressource humaine » dans les entreprises, dans le sens d'un développement personnel favorisé par la participation à une action collective. En attendant peut-être la déclaration d'un droit au « non-travail », qui annoncerait pour ceux qui la redoutent la fin de la « malédiction ».

pour réussir leur vie professionnelle, se prouver quelque chose à eux-mêmes ou se surpasser. Les jeunes apparaissent les moins motivés, mais beaucoup d'actifs d'âge mûr disent attendre la retraite avec impatience (p. 164). On note également que, pour qualifier leur travail, environ un Français sur trois choisit le mot stress, ce qui est révélateur de leurs difficultés professionnelles. Un stress accru par les conditions de travail (p. 47) et la peur de perdre son emploi, qui concernait 25 % des salariés fin 2011 (pour l'année à venir).

L'évolution de l'environnement social, économique et technologique et la très forte croissance du chômage depuis 2008 (p. 303) ont donc transformé l'image du travail dans la société, et renforcé les interrogations sur son sens. Malgré la difficulté à obtenir et garder un emploi, ou plus probablement à cause d'elles, le travail reste une valeur importante pour les Français. Il est la clé de l'indépendance financière et familiale, et contribue largement à l'existence sociale. Les femmes se montrent souvent les plus exigeantes, car l'activité est pour elles un moyen plus récent de satisfaire des ambitions personnelles.

La loi sur les 35 heures a modifié la relation au travail...

La mise en place de la RTT (réduction du temps de travail) au début des années 2000 a été l'occasion d'un débat sur la place du travail dans la vie individuelle et la vie collective. En même temps qu'elle proposait d'apporter une réponse au chômage en « partageant » le travail, la loi a mis en lumière la demande d'un meilleur équilibre entre métier, famille et loisirs. Elle a accéléré le processus de réduction de la durée du travail engagé depuis plus d'un siècle, de sorte que celui-ci ne représente plus qu'une faible fraction du temps de vie disponible (p. 101).

La loi a aussi renforcé dans l'opinion l'idée que le progrès social va de pair avec la diminution de la place accordée à la vie professionnelle. Il est révélateur que, malgré les avantages objectifs importants qu'elle a représentés pour ceux qui en bénéficient (travailler moins pour un salaire de base égal), une part non négligeable des Français restent réservés sur l'opportunité de cette mesure. Ainsi, 38 % estimaient en octobre 2011 (sondage *La Croix/CSA*) qu'on ne travaille pas assez dans la société française, contre 17 % qui pensaient que l'on travaille trop (42 % « juste comme il faut »).

Le principal reproche adressé à cette loi est qu'elle n'a pas tenu sa promesse de lutter contre le chômage en partageant l'emploi. Les études réalisées montrent en effet que la création d'emplois a été plus réduite que prévu et souhaité : 350 000 selon l'INSEE entre 1998 et 2002, beaucoup moins selon d'autres sources. On peut en tout cas regretter que la loi n'ait pas pris en compte un mouvement majeur de la société : l'individualisation des modes de vie (p. 273). En imposant à chaque salarié la même durée de travail, elle a ignoré les souhaits très différenciés entre les actifs qui ont envie (ou besoin) de travailler plus et ceux qui souhaitent se contenter du minimum. Les besoins de travail rémunéré varient

Génération Y

Les jeunes âgés de 18 et 30 ans (nés entre la fin des années 1970 et le milieu des années 1990) constituent ce qu'on appelle communément la « Génération Y ». Ils sont plus de 13 millions d'individus (un Français sur cinq) aux statuts très hétérogènes : lycéens, étudiants, actifs, parents... Mais ils ont en commun d'avoir été adolescents plus tôt et adultes plus tard que les générations précédentes. Ils ont été bercés par la technologie, la mondialisation, la crise et l'écologie. Leurs centres d'intérêt sont diversifiés, leurs motivations temporaires, leurs appartenances multiples. Leurs valeurs sont hésitantes, entre hédonisme, cynisme, pragmatisme, éclectisme, individualisme, nomadisme et tribalisme.

Ces attitudes et comportements se retrouvent au travail, lorsqu'ils ont la chance d'en avoir un, car la génération Y est aussi celle de la précarité professionnelle. Elle se caractérise par sa facilité à utiliser les outils de communication, sa volonté d'indépendance et sa volonté de séparer vie professionnelle et personnelle. Parfois aussi par sa difficulté à respecter les horaires ou les règles établies.

Les jeunes « Y » donnent souvent aux plus anciens une impression d'instabilité. Pourtant, ils sont la clé de l'avenir des entreprises, pour peu qu'elles donnent du sens à leur travail et qu'elles leur laissent la possibilité de s'exprimer et d'innover. Ils sont en effet mieux placer que les anciens pour inventer le futur, mettre en question les certitudes et en cause les habitudes. Leur cynisme peut se transformer en enthousiasme, leur réserve en ambition. À condition que l'entreprise leur fasse partager des valeurs, des objectifs, qu'elle reconnaisse leur autonomie et leur diversité, qu'elle pratique le travail en équipe ou en « réseau », qu'elle respecte les individus et l'environnement. Génération Z ?

en effet selon les personnes, mais aussi pour une même personne selon les moments de sa vie.

… et accru les inégalités entre les actifs.

Le passage aux 35 heures a engendré ou augmenté les écarts entre les vies professionnelles. Certains bénéficient de la réduction de façon quotidienne, d'autres sur une base hebdomadaire, mensuelle ou annuelle. Certains salariés peuvent compter leurs heures, d'autres ne le peuvent pas, tels les commerciaux. Les salariés des petites entreprises, qu'une application stricte de la loi aurait mis en grande difficulté, n'ont pas eu les mêmes avantages que ceux des grandes. L'inégalité s'est enfin accrue entre les « salariés à la petite semaine » (celle des 35 heures) et les non-salariés (agriculteurs, commerçants, professions libérales), qui continuent de travailler beaucoup plus.

En novembre 2011, à quelques mois de l'élection présidentielle, la majorité de Français (56 %) se disaient opposés à la suppression de la loi sur les 35 heures, contre 43 % de personnes favorables (*BFM-Challenges-Avanquest*/BVA). La sensibilité politique est en la matière un important facteur de clivage : les personnes proches de la gauche se disaient hostiles à la suppression à 82 %, alors que celles proches de la droite lui étaient favorables à 81 %. L'âge est aussi largement corrélé aux réponses : plus on est âgé, plus on souhaite la suppression de la loi. Il apparaît que la majorité des salariés sont attachés à leur temps de loisirs. Ce sont surtout ceux qui perçoivent une faible rémunération, parce qu'ils sont jeunes et/ou peu qualifiés, qui se déclarent prêts à travailler plus pour gagner plus.

Concilier le professionnel et le personnel

95 % des actifs ayant des enfants (de moins de 25 ans) à la maison estiment que l'équilibre entre vie professionnelle et vie familiale constitue un sujet de préoccupation important (UNAF-OPE/Viavoice, mars 2012). Seuls 57 % se sentent bien ou plutôt bien écoutés dans l'entreprise ou l'organisation dans laquelle ils travaillent (43 % plutôt peu ou pas du tout). Mais, au total, 76 % estiment satisfaisante la façon dont ils concilient vie professionnelle et vie familiale. Une autre enquête (*l'Express*-BPI Group-Institut du Leadership/BVA, mars 2012) donnait un chiffre comparable : 77 % se déclaraient plutôt ou tout à fait « satisfaits de l'équilibre actuel entre leur vie professionnelle et leur vie privée ».

Les attentes de type qualitatif à l'égard du travail tendent à s'accroître. La compétition et le stress sont de plus en plus durement ressentis. Le secteur d'activité et l'engagement de l'employeur dans son environnement prennent aussi une place croissante. La grande entreprise, lieu de prédilection des « jeunes loups » des années 1960, n'est plus le terrain d'expression favori de leurs ambitions professionnelles. Les petites structures dynamiques, qui autorisent une plus grande autonomie, ont les faveurs des jeunes, diplômés ou sortis prématurément du système scolaire. La fonction publique continue d'attirer les candidats, du fait de la sécurité d'emploi qu'elle garantit à ses titulaires.

De plus en plus, les salariés attendent des entreprises qu'elles favorisent l'ambiance de travail, la reconnaissance individuelle, le sentiment d'appartenir à un groupe et de partager des valeurs. Bref, d'être non seulement heureux mais aussi fiers d'aller travailler le matin. C'était le cas de 71 % des salariés en mars 2012.

La grande majorité des actifs se disent satisfaits de leur travail.

Si l'image du travail s'est un peu dégradée au cours des années de « crise », le désir de réussir sa vie professionnelle n'a pas disparu. En mars 2012, 80 % des salariés disaient « avoir plaisir à venir travailler » (plutôt ou tout à fait, enquête *l'Express-BPI Group-Institut du Leadership*/BVA). 86 % étaient plutôt ou tout à fait satisfaits des relations avec leurs collègues, 80 % du contenu de leur travail, 78 % de leurs horaires de travail, 76 % de la stabilité de leur emploi, 75 % de leurs relations avec leurs supérieurs hiérarchiques, 73 % de leurs conditions de travail.

Les niveaux de satisfaction mesurés étaient cependant moins élevés dans d'autres domaines. Ainsi, 48 % seulement des actifs se disaient satisfaits de leur rémunération, 50 % des possibilités d'évolution professionnelle dans leur entreprise, 57 % de la reconnaissance de leur travail, 61 % de la possibilité de développer leurs compétences. Au total, si 75 % des actifs se déclaraient motivés par leur travail, seuls 59 % disaient s'« identifier » à leur entreprise.

Dans cette enquête, réalisée dans 16 pays (développés et émergents), la situation au travail des salariés français apparaissait plutôt en retrait. Ils se situaient ainsi à l'avant-dernière place en termes de « plaisir à venir travailler », juste devant le Royaume-Uni (80 % contre 78 %) ; le taux atteignait ou dépassait 90 % au Brésil, Maroc,

Suisse et Finlande. Les Français étaient aussi ceux qui se sentaient le moins informés sur la vie de l'entreprise ou du service, et les orientations stratégiques.

Activité

Seuls quatre Français sur dix sont actifs.

La population active occupée (salariés et non-salariés, hors chômeurs) comprenait 26,4 millions de personnes au début 2012, soit 43 % de la population métropolitaine. Cela signifie que six Français sur dix (57 %) n'ont pas d'activité professionnelle effective et rémunérée. Enfants, étudiants, chômeurs, inactifs, retraités ou préretraités, ils ne contribuent pas à l'accroissement de la richesse nationale et vivent des revenus versés par la collectivité sous des formes diverses (même s'ils ne font pour certains que « récupérer leur mise », comme c'est le cas des retraités).

La proportion d'inactifs s'est beaucoup accrue au cours des dernières décennies. Le travail commence en effet plus tard, du fait de l'allongement de la scolarité (p. xxx) : seul un quart des 15-24 ans occupait effectivement un emploi (au sens du Bureau International du Travail BIT, DARES) au début 2012, un chiffre en diminution régulière avec la montée du chômage qui affecte particulièrement les jeunes. La période active se termine aussi plus tôt : l'âge légal de départ à la retraite avait été fixé à 60 ans en 1981 et la réforme de 2010 n'avait pas encore eu des effets mesurables. L'âge de cessation effective ne recule que très lentement, malgré les mécanismes de surcote et de décote. Le taux d'emploi des seniors (55-64 ans) n'était que de 39,7 % en 2010, alors qu'il atteignait 70 % en Suède, 58 % en Allemagne et 46 % dans l'U.E.

Au total, le taux d'emploi effectif (au sens du BIT) des 15 à 64 ans n'était que de 63,8 % en France au début 2012 (les autres actifs potentiels ne se déclaraient pas en recherche d'emploi ou se trouvaient au chômage). Cette faible proportion de personnes en activité est l'une des faiblesses de la France par rapport à d'autres pays de l'Union européenne. Au sein de la zone euro l'Allemagne, l'Autriche et les Pays-Bas ont des taux d'emploi supérieurs à 70 % ; l'Italie et l'Espagne ont les taux les plus faibles (inférieurs à 60 %). En France, le taux d'activité calculé en équivalent d'emplois à temps plein était de 59,4 % fin 2011. Le taux d'activité global (emploi et chômage) s'élevait à 70,5 %.

La durée de la vie active a diminué de dix ans depuis les années 1960.

Entre 1911 et 1968, la proportion d'actifs dans l'ensemble de la population avait diminué d'un cinquième. Cette évolution était liée au vieillissement général, à l'allongement de la scolarité, à l'avancement de l'âge moyen de départ à la retraite et à la réduction de l'activité féminine. Le taux d'activité est ensuite remonté à partir du début des années 1970, du fait de la chute de la fécondité, de l'arrivée sur le marché du travail des générations nombreuses du baby-boom et des flux d'immigration importants (jusqu'en 1974) en provenance principalement des pays du Maghreb.

L'accroissement du taux d'activité global jusqu'au niveau actuel de 70 % s'explique surtout par l'arrivée des femmes sur le marché de l'emploi. Au premier trimestre 2012, elles représentaient près de la moitié de la population active (48 %). Entre 15 et 64 ans, 66 % étaient actives, soit 13 points de plus qu'en 1975. À l'inverse, le taux d'activité des hommes (75 %) est en déclin depuis des décennies.

Les jeunes entrent aujourd'hui dans la vie active à 22 ans en moyenne, contre 18 ans en 1969, soit quatre ans plus tard. La sortie de l'emploi (qui a lieu en moyenne plusieurs années avant la mise à la retraite effective) se fait vers 59 ans, contre 65 ans à la fin des années 1960, soit environ six ans plus tôt.

Entre 55 et 59 ans, six Français sur dix (61 % en 2011) exercent une activité professionnelle, contre 83 % en 1970. À cet âge, un peu moins d'un actif sur dix est en préretraite ou dispensé de recherche d'emploi indemnisée. Leur nombre a toutefois diminué de plus d'un tiers entre 2003 et 2011. Entre 60 et 64 ans, seuls 18 % des Français sont occupés (contre 30 % dans l'Union européenne). La durée moyenne de la vie active a ainsi diminué de dix ans en quatre décennies.

Les entreprises françaises ont en effet un peu oublié les « seniors » (tableau page suivante). Si leur souci de proposer des « plans de carrière » et d'identifier au plus tôt les « collaborateurs à fort potentiel » est légitime (bien que peu apparent dans la réalité, à en juger par les chiffres du chômage des jeunes), la compétence et l'expérience des « quinquas » méritent d'être davantage utilisées. D'autant que l'allongement de la vie s'est accompagné d'une amélioration de l'état physique et mental à ces âges (p. 159).

L'apport des quinquagénaires est aussi utile pour assurer l'intégration des jeunes dans l'entreprise et maintenir le lien entre les générations de salariés. Leur taux d'emploi « sous-jacent » (corrigé des effets démographiques) a toutefois augmenté entre 2003 et 2010 (+ 6,4 points, DARES). À 60 ans, seulement 30 % des hommes et 27 % des

L'emploi en Europe

Taux d'emploi dans les pays de l'Union européenne à quinze des 15-64 ans et des 55-64 ans (2010, en % de la population active)

	15 à 64 ans	55 à 64 ans
Allemagne	71,1	57,7
Autriche	71,7	42,4
Belgique	62,0	37,3
Danemark	73,4	57,6
Espagne	58,6	43,6
Finlande	68,1	56,3
France	**63,8**	**39,7**
Grèce	59,6	42,3
Irlande	60,0	50,0
Italie	56,9	36,6
Luxembourg	65,2	39,6
Pays-Bas	74,7	53,7
Portugal	65,6	49,2
Royaume-Uni	69,5	57,1
Suède	72,7	70,5
UE 15	*65,4*	*48,4*
UE 27	*64,2*	*46,3*

Eurostat

De plus en plus d'actifs

La population active est composée des personnes en emploi ou au chômage. Elle avait stagné de 1910 jusqu'au début des années 1960, puis elle a progressé rapidement. De 1962 à 2012, on a compté environ huit millions d'actifs supplémentaires (+ 40 %). Depuis la fin des années 1980, le nombre de personnes au travail a augmenté de 3,1 millions pour atteindre aujourd'hui 26 millions d'actifs. En vingt-cinq ans, le nombre de femmes actives a augmenté de près de 3 millions, contre seulement 0,2 million pour les hommes ; elles représentent aujourd'hui 47 % des emplois, contre 41 %.

Cette progression importante est la conséquence de l'arrivée sur le marché du travail des « baby-boomers », générations nombreuses nées après la seconde guerre mondiale, mais aussi de l'apport migratoire et de la croissance de l'activité féminine entre 25 et 54 ans. Ainsi, les femmes représentaient 48 % de la population active en 2012, contre 34 % en 1962. De 1975 à 2012, la population active âgée de 25 à 54 ans a augmenté de 6,5 millions en France métropolitaine (selon les critères du Bureau international du travail). Près des deux tiers de cette augmentation s'expliquent par la démographie (y compris l'apport migratoire) : 4 millions répartis à égalité entre les sexes. Mais la hausse des taux d'activité féminins a contribué à hauteur d'environ 2,5 millions à l'accroissement, alors que celle des taux d'activité masculins a été très légèrement négative.

femmes étaient encore actifs au début 2011 ; à 65 ans, on n'en comptait plus respectivement que 8 % et 5 %.

La baisse de la population active attendue en 2006 ne s'est pas produite.

À partir de 2006, les *baby-boomers* (nés après la Seconde Guerre mondiale) sont arrivés à l'âge de la retraite, ce qui a augmenté considérablement le nombre de départs. Mais celui-ci a diminué à partir de 2009 avec la baisse du nombre de départs anticipés à la retraite pour carrière longue due à l'allongement de la durée de cotisation, du renforcement des contrôles sur la validation d'anciens trimestres (travaux agricoles, apprentissage...) et des premiers effets de la scolarisation obligatoire jusqu'à 16 ans pour les générations nées après 1952. La baisse s'est poursuivie avec le recul progressif de l'âge légal de départ à la retraite à partir du 1er juillet 2011.

Contrairement à ce qui avait été prévu et annoncé, la population active n'a donc pas baissé fortement depuis 2006. Elle a même légèrement augmenté, passant de près de 28 millions début 2006 à 28,2 millions début 2012, du fait des mesures d'allongement de la durée d'activité. L'espérance apparente d'activité des 55-64 ans, qui représente la durée moyenne d'activité d'une génération fictive soumise aux conditions d'activité de la période, est passée de 4,0 à 4,6 années entre le 1er janvier 1980 et fin 2011. Toutefois, cette évolution n'a pas bénéficié aux nouvelles générations entrant dans la vie active. La crise économique de 2007 a conduit à une hausse du taux de chômage de la population des 15-64 ans, passé de 4,0 % début 2008 à 6,9 % début 2012. Elle a particulièrement touché les plus jeunes (p. 305). La population active devrait se stabiliser, l'augmentation de la natalité (p. 134) ne devant montrer ses effets qu'à partir de 2015.

En Europe, les perspectives d'évolution diffèrent selon les pays, mais restent difficiles à établir. Ainsi, en Allemagne, la population active aurait dû diminuer selon les prévisions, du fait d'un faible taux de fécondité depuis trente ans et d'un faible solde migratoire net dans les années 2000.

Elle est passée en réalité, de 39 millions en 2006 à 41 millions en 2011 (Statistisches Bundesamt).

Les femmes représentent près de la moitié de la population active...

L'accroissement du travail féminin est l'une des données majeures de l'évolution sociale de ces quarante dernières années. Entre 1960 et 1990, le nombre des femmes actives avait augmenté de 4,3 millions, contre seulement 900 000 pour les hommes. L'écart a continué de se combler au cours des années 1990, de sorte que les femmes représentaient 48 % de la population active début 2012, contre 35 % en 1968. Il continue de se réduire à tous les âges, mais reste plus élevé entre 25 et 49 ans. Dans le même temps, le taux d'activité des hommes a diminué, de sorte que les situations des deux sexes se sont rapprochées. Début 2012, seule une femme sur cinq de 25 à 49 ans n'avait pas d'activité professionnelle et n'en cherchait pas. La proportion montait à quatre sur dix parmi celles qui avaient deux enfants à charge (dont le plus jeune de moins de 3 ans) et à six sur dix quand elles en avaient au moins trois (dont le plus jeune de moins de 3 ans). Il s'accroissait ensuite avec la scolarisation des enfants. 72 % des femmes qui avaient un enfant étaient actives, contre 53 % de celles qui avaient trois enfants ou plus.

Malgré cet accroissement spectaculaire, le taux d'activité des femmes de 15 ans et plus est aujourd'hui comparable à ce qu'il était au début du siècle. Il avait en effet fortement diminué jusqu'à la fin des années 1960 (39 % en 1970) sous l'effet de l'évolution démographique. La France est l'un des pays de l'Union européenne où l'écart entre les taux d'emploi masculin et féminin est le plus faible : 10 points en 2011, contre 12 en moyenne. Mais il est encore moins élevé dans les pays du Nord (2 points en Finlande, 4 en Islande, 5 en Suède et au Danemark).

Le travail rémunéré a permis aux femmes d'accéder à l'autonomie, de s'épanouir et de participer à la vie économique. La diminution du nombre des mariages, l'accroissement du nombre de femmes seules (avec ou sans enfants), la sécurité ou la nécessité pour un couple de disposer de deux salaires sont d'autres causes de cette évolution. Le couple biactif est ainsi devenu la norme; il concerne aujourd'hui les deux tiers des ménages. Par ailleurs, les changements apparus dans la nature des emplois, notamment de services, ont été favorables à l'insertion des femmes. Il en est de même du développement du travail à temps partiel.

... mais n'ont pas les mêmes carrières que les hommes...

Les femmes n'ont la possibilité de pratiquer une activité professionnelle sans le consentement de leur mari que depuis 1965. Le congé de maternité indemnisé date de 1971 et la première loi sur l'égalité professionnelle, de 1983. Elle a été suivie en 1986 de la féminisation des noms de métiers, en 1992 de la loi sur le harcèlement sexuel. Malgré l'arsenal juridique mis en place, les écarts entre les sexes restent importants. Les femmes travaillent deux fois plus souvent à temps partiel que les hommes : 31 % contre 7 % début 2012 (ci-après). Leur taux de chômage reste plus important (9,7 % contre 9,0 % au début 2012). Elles sont aussi plus souvent en situation de « sous-emploi » (temps de travail à temps partiel subi ou à temps complet réduit pour des causes diverses) que les hommes (8,8 % de la population en emploi, contre 3,3 %).

Malgré la convergence en cours, les postes restent inégalement partagés. Les femmes sont plus présentes dans la fonction publique : 26 % des emplois féminins contre 14 % de ceux des hommes. Parmi les personnes occupant un poste d'employé ou d'ouvrier non qualifié, les femmes étaient 2,1 fois plus nombreuses que les hommes en

Entrée tardive, sortie précoce

Évolution des taux d'activité selon l'âge et le sexe
(en % de la population concernée)

	1985	1995	2005	2010
Hommes	78,6	75,1	75,0	74,6
– 15-24 ans	53,0	37,4	38,0	42,9
– 25-49 ans	96,9	95,7	94,7	94,8
– 50-64 ans	64,5	58,6	63,7	61,2
Femmes	57,4	61,6	64,7	65,3
– 15-24 ans	44,3	31,3	30,7	35,6
– 25-49 ans	72,1	79,6	81,9	84,2
– 50-64 ans	39,8	43,9	55,0	54,1

INSEE

2011, contre 1,8 fois au début des années 1980. 14 % des femmes qui travaillent sont cadres, ingénieurs, chefs d'une entreprise comptant plus de 10 salariés ou exercent une profession libérale, intellectuelle ou artistique, contre 21 % des hommes. Les femmes n'occupent qu'un emploi de direction sur six dans les ministères et sont sous-représentées dans les assemblées élues (p. xxx) ; elles sont cependant à parité dans le gouvernement formé par Jean-Marc Ayrault en mai 2012. Dans le secteur privé, seul un poste d'encadrement sur quatre est occupé par une femme.

Enfin, l'écart de salaire entre les sexes est de l'ordre d'un quart, au détriment des femmes (p. 348). Dans les entreprises de plus de 10 salariés, il s'explique pour deux tiers par des facteurs comme l'interruption de carrière, le choix du métier, la situation familiale ou des pratiques discriminatoires ; seul un tiers est dû aux caractéristiques propres aux salariés (niveau du diplôme, ancienneté...). Il continue de se réduire, du fait notamment d'un niveau d'éducation féminin de plus en plus élevé et supérieur en moyenne à celui des hommes (p. 74). Au total, la France reste moins égalitaire en matière professionnelle que de nombreux pays développés.

... et travaillent beaucoup plus souvent à temps partiel.

Le temps partiel concerne les salariés dont la durée de travail est inférieure à la durée légale ou conventionnelle. 30,0 % des femmes actives étaient dans cette situation en 2010, contre seulement 6,4 % des hommes ; elles représentaient ainsi 80 % des emplois à temps partiel. La fréquence augmente avec l'âge des femmes : une sur quatre entre 15 et 29 ans, une sur trois entre 55 et 64 ans. Pour les hommes, elle est plus élevée aux âges extrêmes : environ un sur dix entre 15 et 29 ans, comme entre 55 et 64 ans, contre un sur vingt entre 30 et 54 ans. Parmi les 4,6 millions de personnes concernées en 2010 (y compris celles qui déclaraient ne pas avoir d'horaire habituel), 668 000 travaillaient moins de 15 heures, 2,4 millions entre 15 et 29 heures, les autres 30 heures ou plus.

Les salariés à temps partiel constituent une catégorie hétérogène, qui réunit à la fois des personnes souhaitant un travail à temps réduit (notamment les femmes et les étudiants) et d'autres qui n'ont pas trouvé d'emploi à temps plein. Les entreprises bénéficient, de leur côté, d'une gestion plus flexible de l'organisation du travail : durée hebdomadaire plus courte, horaires atypiques... Un tiers des salariés des petites entreprises (moins de 10 employés) travaillent à temps partiel, soit davantage que dans les plus grandes. Près de 30 % des agents des collectivités territoriales sont concernés, mais seulement 11 % de ceux de la fonction publique d'État.

Le travail à temps partiel s'est développé rapidement de la fin des années 1970 à la fin des années 1990, avec un palier durant la seconde moitié des années 1980. La part du temps partiel dans l'emploi a ainsi doublé en vingt ans, passant de 8 % en 1978 à 17 % en 1998. À la fin des années 1970, la part des femmes dans les emplois à temps partiel était déjà de 80 %.

Ce type de travail est un peu moins développé en France que dans la moyenne des pays européens, pour les hommes comme pour les femmes. En 2010, il concernait en moyenne 36,9 % des femmes dans l'UE à 15 et 8,5 % des hommes, soit respectivement 7 points et 2 points de plus qu'en France. La fréquence varie beaucoup suivant les pays. Elle approche ou dépasse 40 % pour les femmes, avec un maximum de 75 % aux Pays-Bas et un minimum en Grèce (10 %) et au Portugal (12 %). Pour les hommes, la proportion est beaucoup plus faible dans tous les pays. Elle varie de 3 % en Grèce à 24 % aux Pays-Bas.

L'Europe à temps partiel

Proportion de travailleurs à temps partiel dans les pays de l'Union européenne (2010 en % des salariés)

	Hommes	Femmes
Allemagne	26,2	9,7
Autriche	25,2	9,0
Belgique	24,0	9,0
Danemark	26,5	15,2
Espagne	13,3	5,4
Finlande	14,6	10,0
France	**17,8**	**6,7**
Grèce	6,4	3,7
Irlande	22,4	11,8
Italie	15,0	5,5
Luxembourg	17,9	4,0
Pays-Bas	48,9	25,4
Portugal	11,6	8,2
Rép. tchèque	5,9	2,9
Roumanie	11,0	10,6
Royaume-Uni	26,9	12,6
Suède	26,4	14,0
UE 27	*19,2*	*8,7*

Eurostat

Le travail intérimaire a diminué avec la crise économique.

En décembre 2012, on comptait 621 000 actifs intérimaires (Pôle Emploi), en baisse de 5,5 % sur un an. Les perspectives pour 2012 s'annonçaient aussi pessimistes, alors que l'intérim est considéré comme un indicateur de l'évolution à venir de l'emploi. Les courtes périodes de croissance économique incitent les entreprises à faire appel à ce type de main-d'œuvre, pour des raisons de flexibilité. La moitié de ces emplois (46 %) se trouvent dans l'industrie, un tiers dans le secteur tertiaire et la plupart des autres dans la construction. Sa part avait dépassé 1 % de la population active en 1995, puis atteint 2,5 % en 2001 (605 000 personnes), ce qui situait la France au troisième rang mondial. Elle était à son plus bas niveau au cours du premier trimestre 2009 (475 000), le plus haut (670 000) datant d'avril 2001.

Les trois quarts des intérimaires occupent des postes d'ouvriers. Un dixième des salariés de l'industrie de l'automobile sont intérimaires, près d'un sur dix dans le bâtiment, contre moins de 1 % seulement dans l'administration. Si environ la moitié des intérimaires effectuent plus de dix missions dans l'année, d'autres n'en accomplissent qu'une à trois, ce qui fait d'eux des travailleurs au statut très précaire. La durée moyenne des contrats est d'environ trois mois. Les plus jeunes et les ouvriers sont les plus affectés par la baisse constatée depuis juin 2011. Les premiers recourent de plus en plus à l'intérim pour trouver un premier emploi et acquérir une première expérience professionnelle.

La baisse d'activité de l'intérim constatée en 2011-2012 n'est pas le signe d'une confiance croissante des entreprises les incitant à embaucher avec des contrats plus durables. Elle témoigne au contraire de leurs craintes face à l'instabilité économique et au coût élevé du travail. Cette situation se traduit par un paradoxe : la France représente un tiers du marché mondial de l'Intérim, alors que les recrutements en CDI ne pèsent que 4 %. Pour de nombreuses entreprises, l'intérim est une solution d'ajustement dans un marché du travail considéré comme trop rigide.

On compte 2,6 millions d'actifs immigrés et 1,4 million d'étrangers.

Beaucoup d'étrangers sont arrivés en France pendant les années 1960, période de prospérité économique, pour occuper des postes généralement délaissés par les Français. Leur nombre a continué d'augmenter sous l'effet des nouvelles vagues d'immigration, mais il s'est stabilisé depuis une vingtaine d'années. On comptait 1 366 000 travailleurs étrangers en 2010, dont 810 000 hommes et 560 000 femmes, soit au total 5,1 % de la population active employée. Parmi eux, 607 000 venaient des pays de l'Union européenne et 760 000 d'autres pays. Le taux d'emploi des premiers était très supérieur à celui des seconds : 46,7 % pour les femmes et 58,4 % pour les hommes, contre respectivement 30,4 % et 52,1 %. Neuf femmes étrangères sur dix occupent un emploi dans le tertiaire, contre six hommes sur dix. Elles sont quatre fois plus nombreuses dans les secteurs de l'éducation, de la santé et de l'action sociale, et trois fois plus nombreuses dans les services aux particuliers. Les hommes sont davantage présents dans la construction et l'industrie, mais aussi dans les services aux entreprises.

On recensait par ailleurs 2 626 000 immigrés actifs en 2010, dont les deux tiers originaires d'autres pays que ceux de l'Union européenne. Alors que la population active totale a augmenté de 2 % en trois ans, le nombre d'actifs immigrés a progressé de 10 %, qu'ils soient issus de l'U.E. ou des autres pays. L'évolution des actifs descendants d'immigrés est plus stable dans le temps. Ils étaient 2,4 millions en 2010, dont un peu moins de la moitié avec des parents originaires des pays non européens. Près de la moitié des femmes immigrées (nées à l'étranger et résidant en France) sont actives. Mais les hommes restent plus représentés qu'elles : 9,1 % des actifs contre 8 %. Leur taux d'activité est supérieur à celui des femmes (64 % contre 47 %), y compris à celui des non-immigrées (61,7 % chez les hommes non immigrés). La population active immigrée originaire des pays tiers reste très majoritairement concentrée en Île-de-France (48 % contre 20 % de l'ensemble des actifs) mais cette concentration diminue au fil des années au profit du reste de la France, sans qu'aucune région ne soit privilégiée.

Les immigrés représentent désormais 8,6 % de l'emploi, contre 7,9 % en 2007 ; près des deux tiers de cet apport est le fait d'immigrés non européens. Cette contribution est presque aussi élevée chez les descendants d'immigrés (8,1 %) mais elle n'a pas augmenté au cours des dernières années. La baisse de la part des descendants de l'Espace Économique Européen (EEE) dans la population en emploi est compensée par une hausse du même ordre de ceux des pays tiers.

6 millions d'actifs sont en situation de précarité.

Depuis le début des années 1980, le modèle traditionnel de l'activité professionnelle (un emploi stable à plein-temps) a laissé place à des formes plus complexes, plus souples et moins stables, qui concernent aujourd'hui plus de 3 millions de salariés. Parmi les 22,7 millions de salariés occupés début 2011, 1,9 million avaient des contrats

à durée déterminée, 409 000 étaient intérimaires et 318 000 apprentis. Un peu moins d'un emploi sur huit était occupé par une personne qui travaillait dans l'entreprise depuis moins d'un an, avec une part élevée dans le secteur de la construction et, surtout, dans les activités tertiaires. Les femmes, les jeunes et les personnes peu qualifiées étaient les plus concernés.

Les contrats en apprentissage concernent presque exclusivement les plus jeunes : deux apprentis sur trois ont moins de 20 ans. Ils se concentrent sur les métiers ouvriers (49 % des apprentis en 2010) et sur les hommes (66 %). Comme l'apprentissage, mais dans une moindre mesure, l'intérim touche surtout les plus jeunes (33 % des intérimaires ont moins de 25 ans et 51 % moins de 30 ans). Ces emplois sont très majoritairement ouvriers (74 % des intérimaires) et masculins (69 %). Les contrats à durée déterminée (CDD) concernent moins systématiquement les ouvriers (21 % des CDD en 2010) et plus massivement les employés (44 %) et les femmes (60 %). Bien que présents dans toutes les tranches d'âge, ils restent plus fréquents chez les jeunes. Les salariés en CDD ont en moyenne près de 8 ans de moins que ceux en CDI.

Aux 1,9 million de CDD et aux 570 000 intérimaires, on pourrait ajouter quelque 1,5 million d'emplois à temps partiel concernant des personnes qui souhaiteraient travailler davantage ou à temps plein, ou qui ont (involontairement) travaillé moins que d'habitude. En incluant les 2,7 millions de chômeurs, ce sont donc au total plus de 6 millions de salariés qui sont soit sans emploi, soit en situation de travail précaire. Seul un sur quatre retrouve un emploi stable, contre un sur deux aux Pays-Bas, et quatre sur dix en Allemagne, un sur trois en Italie (un sur dix au Portugal).

Chômage

Un actif sur dix est sans emploi.

La définition du chômage est complexe et sa mesure nécessite quelques précisions méthodologiques (encadré). Selon les conventions adoptées, 2,9 millions de personnes étaient sans emploi (catégorie A) au début 2012. Mais, au total, 4,3 millions de personnes inscrites à Pôle emploi étaient tenues de faire des « actes positifs de recherche d'emploi » (4,5 millions y compris Dom), dont 1,4 million exerçaient une activité réduite, courte ou longue (catégories B, C). Le taux de chômage s'élevait à 9,8 % de la population active en France (y compris DOM) et 9,4 % en métropole.

Depuis la fin de la Seconde Guerre mondiale, la montée du chômage a commencé au milieu des années 1960. Le cap des 500 000 chômeurs avait été atteint au début des années 1970 et considéré à l'époque comme alarmant. Le seuil symbolique du million était dépassé en 1976. Le mal gagnait encore pour toucher 1,5 million de travailleurs au début de 1981, puis 2 millions en 1983. Entre 1960 et 1985, le nombre de chômeurs avait été multiplié par dix. Entre 1985 et 1990, il se stabilisait, avant de reprendre sa croissance. Le cap des 3 millions était officiellement franchi en 1993. La hausse s'est poursuivie au cours des années 1990, jusqu'à l'embellie économique de 1998. Une nouvelle détérioration s'est produite à partir de 2001, dans un contexte économique défavorable. Le taux de chômage avait retrouvé au début 2004 le niveau symbolique de 10 % de la population active.

Après avoir un peu diminué entre début 2006 et fin 2007 (7,1 % fin 2007 en métropole), il a connu une très forte progression en 2008 et 2009 sous l'effet de la crise financière puis économique, atteignant de nouveau 10 % fin 2009. Fin janvier 2012, en France métropolitaine, 2 412 000 demandeurs d'emploi inscrits à Pôle emploi (en catégories A, B, C, D, E) étaient indemnisés (hors allocations de formation), dont 352 000 par le régime de solidarité nationale. Ils représentaient la moitié (49,6 %) de l'en-

Trente six ans de chômage

Évolution du taux de chômage depuis 1975 (au sens du BIT, en % de la population active de 15 ans et plus, France métropolitaine)

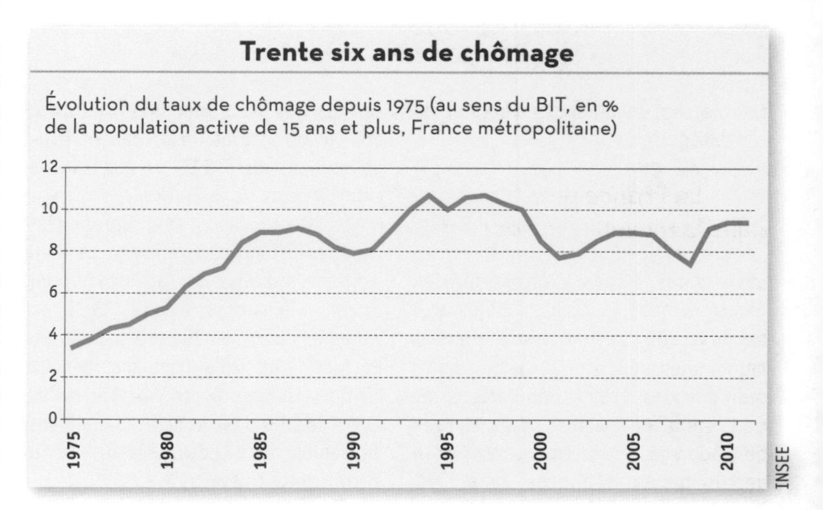

Qu'est-ce qu'un chômeur ?

La première définition du chômage par le BIT (Bureau International du Travail, agence spécialisée de l'ONU) date de 1954. Elle a été précisée en 1982 et reprise dans la plupart des pays du monde, notamment dans l'Union européenne. Elle énonce trois conditions pour qu'une personne soit considérée comme chômeur : être sans emploi ; rechercher activement un emploi (c'est-à-dire avoir pris des dispositions spécifiques au cours d'une période récente spécifiée pour chercher un emploi salarié ou non salarié); être disponible pour travailler.

La première condition définit la frontière entre les personnes ayant un emploi et celles qui n'en ont pas ; les deux suivantes établissent la distinction entre chômeurs et inactifs. Certaines personnes souhaitent en effet travailler mais ne sont pas disponibles pour le faire, notamment pour des raisons familiales ou de santé ; elles sont alors classées comme inactives. Il en est de même des personnes sans emploi et qui, bien que disponibles, ne recherchent pas d'emploi parce qu'elles ne pensent pas, ou plus, pouvoir en trouver. C'est le cas en particulier d'anciens salariés proches de l'âge de la retraite.

L'approche du BIT se réfère aux concepts économiques de la comptabilité nationale selon lesquels toute personne ayant contribué à la production nationale est considérée comme ayant un emploi, même si elle ne travaille qu'à temps très partiel. Il s'agit donc d'une définition extensive de l'emploi et, par conséquent, restrictive du chômage. Cette définition a été complétée par Eurostat (l'office statistique de l'Union européenne) afin que les taux de chômage soient aussi comparables que possible entre les pays. Ainsi, une personne doit avoir entrepris au cours des quatre dernières semaines des démarches spécifiques en vue de trouver un emploi (ou avoir trouvé un emploi qui va débuter dans les trois mois, ce qui la dispense de recherche). Une liste de ces « démarches spécifiques » a été adoptée : par exemple, avoir répondu à une petite annonce ou contacté une agence d'intérim, s'être inscrit comme demandeur d'emploi auprès d'un bureau public de placement ou avoir eu un entretien avec un conseiller de ce bureau (au-delà d'un simple renouvellement de cette inscription). En outre, la personne doit pouvoir commencer une activité dans un délai de deux semaines.

La définition internationale du chômage ne correspond pas exactement au nombre de personnes inscrites à Pôle emploi, car ils le sont par une démarche administrative. C'est pourquoi on distingue depuis mars 2009 cinq catégories (A à E). La catégorie A est la plus importante et la plus proche de la définition du BIT ; elle regroupe les demandeurs sans emploi qui n'ont exercé aucune activité, même réduite, le mois précédent, et qui sont tenus de faire des actes positifs de recherche d'emploi. Les autres catégories regroupent les demandeurs d'emploi qui sont soit en activité réduite mais tenus de faire des recherches d'emploi, soit non tenus de faire des actes de recherche d'emploi car ils ne sont pas considérés comme immédiatement disponibles, qu'ils soient en emploi (contrats aidés notamment) ou non (maladie, stages de formation...).

semble des demandeurs d'emploi de ces catégories.

La France se situe dans la moyenne européenne.

Les comparaisons internationales montrent que, à partir du début des années 1990, la France avait plutôt moins bien réussi à préserver l'emploi que ses principaux partenaires de l'Union européenne. Mais le taux de chômage a également progressé depuis quelques années dans l'ensemble des pays membres, de sorte qu'il avait atteint un niveau historiquement élevé (9,8 %) fin 2011, identique à celui de la France.

Les taux de chômage en Europe restent très différenciés : entre 4 et 5 % en Autriche, aux Pays-Bas, au Luxembourg et en Allemagne, contre 23 % en Espagne, 22 % en Grèce et 14 % au Portugal, les trois pays malades de l'Union. Le taux de chômage est plus élevé au sein de la zone euro que dans l'ensemble des 27 pays, avec 10,1 % fin 2007 contre 9,8 %.

La situation des jeunes reste particulièrement alarmante (ci-après), avec plus de 5,6 millions de chômeurs fin 2011, soit un taux de chômage de 22,3 %, contre 15 % à mi-2008. Parmi les populations les plus touchées se trouvent également les personnes les moins qualifiées et les immigrés. La part du chômage de longue durée a également progressé, représentant plus de 4 % mi-2011, contre 2,5 % mi-2008. De nombreuses personnes qui avaient perdu leur emploi en 2008 ou 2009 n'étaient pas parvenues à réintégrer le marché du travail fin 2011.

L'Europe au chômage

Taux de chômage, dans les pays de l'Union européenne, aux Etats-Unis et aux Japon (mai 2012, en % de la population active de 15 ans et plus)

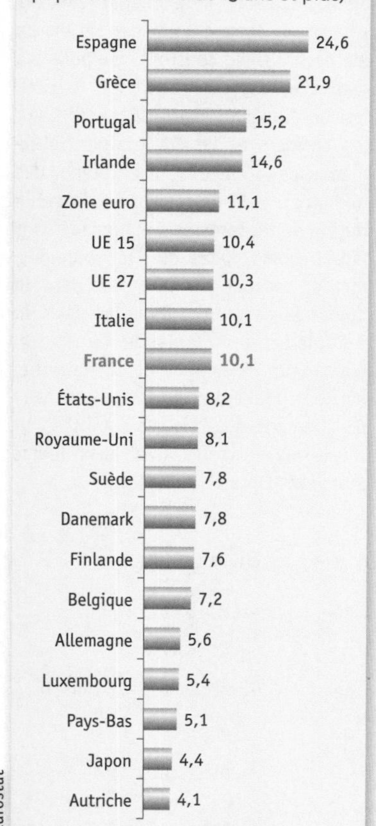

Eurostat

Un jeune sur quatre est considéré comme chômeur.

Fin 2011, le taux de chômage des 15-24 ans avait atteint 22,4 % en métropole (23,2 % en incluant les Dom), contre 17 % en 2007. Il avait ainsi retrouvé le niveau maximum atteint en 1997 avec 22,6 %, mais il se situait déjà à 22,2 % en 2006. Le minimum enregistré, entre 15 et 16 %, l'avait été pendant les années 2000 et 2001. Une grande partie des emplois détruits en 2011 l'ont été dans l'intérim, où les jeunes sont surreprésentés (p. 301).

Le taux de chômage français des jeunes se situe légèrement au-dessus de la moyenne de l'Union européenne (22,3 % fin 2011) et de la zone euro (21,5 %), quasiment à égalité avec des pays comme le Royaume-Uni (22,2 %) ou la Suède (23,3 %). L'Allemagne (7,9 %) et les Pays-Bas (8,6 %) ont les taux les plus faibles, au contraire de l'Irlande (29,2 %), l'Italie (31,2 %), la Grèce (48,1 %) et l'Espagne (49 %), qui connaissent des situations très graves.

Les comparaisons internationales en matière de chômage des jeunes ont cependant une portée limitée. Le taux est en effet calculé sur une population active de jeunes (en emploi ou en recherche d'emploi), dont le volume et les caractéristiques varient selon les pays. En France, la durée des études est plus longue que dans d'autres pays, la formation en alternance y est plus rare, et le cumul emploi-étude est peu fréquent. Le taux de chômage des jeunes est donc mesuré sur une population plus réduite que dans un certain nombre de pays européens. Parmi les jeunes Français qui sont en recherche d'emploi et qui n'en trouvent pas, beaucoup ont eu une scolarité courte et une qualification faible, deux handicaps particulièrement forts dans la recherche d'un emploi. Il faut ajouter que les jeunes peu ou pas qualifiés sont surreprésentés parmi les 15-24 ans au chômage puisqu'ils ont interrompu leurs études, alors que les plus diplômés sont peu nombreux au sein de la population des chômeurs de cette tranche d'âge.

Le taux de chômage diminue sensiblement à partir de 25 ans; il est de 8,6 % entre 25 et 49 ans et de 6,5 % pour les actifs de 50 ans et plus (2011). Mais, à l'inverse de celui des jeunes, le taux mesuré pour la tranche d'âge des « seniors » est sous-évalué par le nombre encore élevé des préretraités et le fait qu'un certain nombre d'autres chômeurs ont été « dispensés de recherche d'emploi » pour des motifs divers. En réalité, les plus de 50 ans au chômage éprouvent toujours des difficultés à retrouver un emploi (p. 308).

Le diplôme apporte une moindre protection.

Le taux de chômage des personnes n'ayant aucun diplôme ou seulement le certificat d'études atteignait 16 % en 2010, alors qu'il n'était que de 5,6 % chez les diplômés de niveau égal ou supérieur à bac + 2. Les diplômés de l'enseignement supérieur long ont ainsi un risque trois fois moins élevé que les moins formés de ne pas trouver ou de perdre un emploi.

Cependant, l'obtention des diplômes les plus élevés ne constitue plus une protection absolue. Les formations scientifiques et techniques sont les plus efficaces en la matière, compte tenu du déficit de candidats pour des postes correspondants (notamment d'ingénieurs). On observe par ailleurs qu'un salarié sur deux exerce une activité sans rapport avec sa formation initiale. Détenir un CAP-BEP ou équivalent réduit de moitié le risque de se trouver au chômage dans les premières années d'entrée sur le marché du travail. Le taux de chômage décroît ensuite, mais plus rapidement chez les plus diplômés, pour lesquels il baisse de moitié environ entre la cinquième et dixième année de sortie de formation initiale, pour se stabiliser ensuite. Chez les moins diplômés ou ceux qui n'ont aucun diplôme, il persiste plus longtemps.

Les écarts entre les niveaux de formation se retrouvent entre les catégories professionnelles : le taux de chômage des ouvriers était de 14 %, contre 10 % chez les employés, 5 % chez les cadres et 6 % chez les professions intermédiaires. Les inégalités sont encore plus marquées parmi les femmes ayant une faible qualification : le chômage concernait ainsi 18 % des ouvrières, contre 13 % des ouvriers. La disparité se retrouve aussi au sein de chaque catégorie : les ouvriers non qualifiés sont deux fois plus nombreux à être sans emploi que les ouvriers qualifiés.

Au milieu des années 1980, le taux de chômage des non diplômés était 2,2 fois supérieur à celui des diplômés du supérieur. L'écart entre le taux de chômage des non diplômés et celui des diplômés d'études supérieures s'est accru dans les années 1980 et 1990 avec la montée du chômage, même si les plus diplômés ont aussi lourdement ressenti la récession de 1993. Depuis 2004, leur taux de chômage a davantage diminué que celui des actifs peu qualifiés, creusant encore les inégalités.

L'écart entre les sexes continue de se réduire.

9,7 % des femmes actives étaient au chômage début 2012, contre 9,2 % des hommes. Dans toutes les tranches d'âge, elles étaient un peu plus fréquemment concernées que les hommes : 22,8 % contre 22,0 % chez les 15-24 ans, 9,0 % contre 8,3 % chez les 25-49 ans, et 6,7 % contre 6,5 % parmi les 50 ans ou plus. Mais les situations des deux sexes à l'égard du chômage se sont rapprochées depuis le milieu des années 1970 : en 1975, le taux féminin était de 4,8 %, soit presque le double de celui des hommes. On observe notamment que, lorsque la conjoncture économique est défavorable, les hommes sont proportionnellement plus affectés car ils sont davantage concernés par l'intérim et plus généralement par la baisse des postes dans l'industrie et la construction, secteurs habituellement touchés par les crises. À l'inverse, ils profitent plus que les femmes des périodes de reprise.

Si les femmes sont davantage sans emploi que les hommes, ce n'est pas le cas en début de carrière, dans la mesure où elles sont plus diplômées qu'eux (p. 74). Au cours des prochaines années, ce phénomène devrait se diffuser aux âges plus élevés, de sorte que le taux de chômage de l'ensemble des femmes pourrait devenir inférieur à celui des hommes. Cinq à dix ans après la fin des études, les taux de chômage des hommes et des femmes sont presque identiques. L'écart devient défavorable aux femmes au-delà de dix années d'ancienneté sur le marché du travail. La durée de chômage est légèrement plus longue pour les femmes : en 2011, 42 % d'entre elles étaient toujours à la recherche d'un emploi après un an, contre 39 % des hommes. On observe aussi que 2,5 % des femmes sont inactives mais souhaitent travailler contre seulement 1,6 % des hommes, mais là encore l'écart se réduit.

La tendance au rapprochement varie beaucoup selon les catégories professionnelles. Les femmes cadres sont ainsi beaucoup moins nombreuses à se trouver sans emploi depuis un an ou plus : 37 % contre 47 % pour les cadres et 39,5 % contre 42 % pour les employés. L'écart s'inverse pour les ouvriers et les professions intermédiaires (10 % et 7 % en faveur des hommes). L'Île-de-France est la seule région où les femmes au chômage sont moins nombreuses que les hommes, du fait de leur moindre part dans la demande d'emplois. Dans les pays du nord de l'Europe (Finlande, Danemark, Suède), en Allemagne et en Autriche, au Royaume-Uni et en Irlande, le taux de chômage des femmes est inférieur à celui des hommes. C'est aussi le cas aux États-Unis et au Japon.

Âge, sexe, diplôme et chômage

Nombre de chômeurs et taux de chômage selon le sexe, l'âge et le diplôme (2010, en % de la population active, France métropolitaine)

	Femmes	Hommes	Ensemble
Âge			
15 ans ou plus	9,7	9,0	9,4
15-64 ans	9,7	9,1	9,4
15-24 ans	23,7	22,2	22,9
25-49 ans	8,9	7,9	8,4
50-64 ans	6,6	6,2	6,4
65 ans ou plus	6,3	3,0	4,3
Diplôme			
Sans diplôme ou CEP	16,2	16,0	16,1
Brevet des collèges, CAP, BEP	11,2	9,0	10,0
Baccalauréat	9,7	7,9	8,9
Bac + 2	5,2	5,8	5,4
Diplôme supérieur au Bac + 2	6,0	5,1	5,6

INSEE

Les étrangers et immigrés sont deux fois plus touchés que les Français.

Le taux de chômage des actifs de nationalité étrangère était de 18 % en 2011, contre 9 % pour les actifs français. L'écart entre les sexes reste plus important que chez les Français (20 % contre 16 %), alors qu'il s'était atténué pendant l'embellie économique de 2007 ; il avait même été divisé par deux entre 2005 et 2007 parmi les Africains. Alors que le taux de chômage des ressortissants de l'Union européenne est proche de celui des Français par naissance, celui des Africains et des Turcs dépasse 25 %. Les Français par acquisition occupent une place intermédiaire. Le taux de chômage des immigrés est comparable à celui des étrangers : 16 % en 2011. L'écart entre les sexes est de même nature et d'ampleur comparable.

Une partie de ces écarts s'explique par le niveau de diplôme et la qualification : les étrangers sont moins qualifiés en moyenne que les Français et certains diplômes obtenus à l'étranger ne sont pas reconnus. Par ailleurs, les étrangers et immigrés ne peuvent accéder à un certain nombre d'emplois, notamment dans la fonction publique. Il s'ajoute à ces explications le fait que des étrangers sont parfois victimes de discriminations.

On observe dans presque tous les pays de l'Union européenne que la part des étrangers dans le nombre des chômeurs est nettement plus élevée que dans la population. On constate en revanche qu'il n'existe aucune corrélation entre la proportion d'étrangers dans un pays et son taux de chômage.

Un actif sur deux a connu le chômage

Parmi les personnes nées entre 1960 et 1970, une sur deux (46 %) a déjà été au chômage (DARES). Une proportion beaucoup plus élevée que pour celles nées avant 1940 : une sur sept (14 %).

Les parcours professionnels sont beaucoup moins linéaires qu'ils ne l'étaient pour la génération précédente, avec notamment des périodes plus fréquentes de chômage entre deux emplois. À 40 ans, un Français né dans les années 1960 a connu plus de quatre changements professionnels, contre deux à trois pour ses parents. Les moins de 50 ans ont ainsi occupé en moyenne 4,4 emplois, contre 2,7 pour ceux qui sont aujourd'hui âgés de plus de 70 ans.

Si le chômage touche plus durement les plus jeunes, les ouvriers et les moins diplômés, il n'épargne désormais aucune catégorie sociale. Depuis 2008, et surtout en 2009, la situation s'est sensiblement détériorée pour toutes, y compris celles qui étaient le moins concernées auparavant. Ainsi, c'est parmi les cadres que le chômage a progressé le plus vite, passant de 130000 à 177000 personnes entre 2008 et 2010, soit un accroissement de 37 %, contre 28 % chez les ouvriers et 29 % chez les employés.

La progression du chômage chez les 50 ans et plus a été elle aussi rapide : elle avait atteint 37 % entre 2008 et 2010, ce qui en faisait la classe d'âge la plus durement touchée sur cette période. La dégradation s'est cependant atténuée en 2011. Chez les jeunes, l'augmentation du chômage avait été particulièrement brutale entre 2008 et 2009 (+ 28 %) ; elle a été suivie d'une légère amélioration en 2009 et 2010 (3,0 %), qui n'a pas été confirmée en 2011. Le taux de chômage des 15-24 ans reste largement supérieur à celui des plus de 50 ans, avec un jeune sur quatre concerné. Au total, plus d'un ménage sur sept compte au moins un chômeur.

Les personnes handicapées sont souvent oubliées par les employeurs.

Environ 2 millions de personnes en âge de travailler et vivant à domicile déclarent souffrir d'un handicap reconnu par l'administration publique (DARES) ; leur taux d'activité est nettement inférieur à celui de la population active dans son ensemble : 40 % contre 71 % en 2010. Si l'on y ajoute les personnes qui ont un problème de santé depuis au moins six mois, qui ont subi un accident du travail dans l'année ou qui éprouvent des grandes difficultés dans leur travail ou dans leur vie quotidienne, on arrive à environ 10 millions de personnes (p. 48).

En 2010, le taux de chômage des personnes handicapées était de 19,3 %, soit le double de l'ensemble de la population active. Les pays du nord de l'Europe, le Royaume-Uni et le Portugal appliquent un concept de non-discrimination entre les travailleurs, assorti de mesures d'accompagnement. Les autres pays, dont la France, ont donné la préférence à un système des quotas. Ainsi, les entreprises françaises de plus de 20 salariés ont l'obligation légale d'employer au moins 6 % de travailleurs handicapés (loi de 1987, modifiée en 2005). Mais elle n'est respectée que par une minorité d'entre elles, de sorte que le taux d'embauche global ne dépasse pas 3 %. Les autres entreprises préfèrent payer des pénalités, dont le montant a été augmenté depuis 2010 : jusqu'à 1 500 fois le SMIC horaire par salarié « manquant » pour celles qui n'ont engagé aucune action en ce sens (embauches, contrats avec un établissement d'aide par le travail, accord avec les syndicats...). Cette disposition a eu quelques effets, puisque seulement 21 % des entreprises n'ont engagé aucune action.

Une autre raison du fort taux de chômage des personnes handicapés est qu'elles occupent plus souvent que les autres des emplois peu qualifiés d'ouvriers ou employés. Elles travaillent aussi plus fréquemment à temps partiel (28 %). Mais la situation professionnelle qui leur est faite est d'autant plus paradoxale, et même choquante, que de nombreux handicapés le sont devenus à la suite d'accidents du travail. C'est le cas de 70 % de ceux qui travaillent dans le secteur privé. Par ailleurs, il existe un nombre important de postes et de tâches qui peuvent sans grande difficulté être adaptés à des handicapés. On observe enfin que leur motivation est plus forte et que les résultats obtenus sont généralement d'un niveau élevé. C'est ainsi que 70 % des entreprises créées par des personnes handicapées sont pérennes trois ans après leur création, contre 60 % en moyenne pour l'ensemble des créations.

Le chômage frappe inégalement les régions et les communes.

Début 2012, le taux de chômage dépassait 10 % dans six régions françaises (métropole) : 13,1 % dans le Languedoc-Roussillon, 12,7 % dans le Nord-Pas-de-Calais, 11,3 % en Picardie, 11,2 % en Provence-Alpes-Côte d'Azur, 10,6 % en Haute-Normandie, 10,1 % en Champagne-Ardenne (seule région qui était en dessous-de 10 % l'année précédente). Les régions ayant le plus faible taux étaient la Bretagne et les Pays-de-Loire (8 %). Dix autres se situaient entre 8 et 9 % et quatre entre 9 et 10 %. Dans les départements d'outre-mer, les taux variaient entre 20 et 30 %, soit près de trois fois plus qu'en métropole : 29,5 % à la Réunion, 24,5 % en Guadeloupe, 22,7 % en Martinique, 13,0 % en Guyane. Le chômage de longue durée, le travail à temps partiel et les emplois intérimaires y sont en outre plus fréquents.

Plusieurs facteurs ont une incidence sur le niveau du chômage, en plus de la nature et du dynamisme de l'activité économique. C'est le cas notamment de la composition de la population. Certaines zones d'emploi comptent en effet moins de personnes en âge de travailler que d'autres, du fait par exemple de la pyramide des âges (par exemple en région PACA). Les comparaisons peuvent donc s'avérer trompeuses. Certains départements, comme la Lozère, ont un faible niveau de chômage (5 %) parce que les créations de postes y sont peu nombreuses, de sorte que les jeunes vont chercher du travailleur ailleurs, notamment dans les départements limitrophes comme l'Hérault où le taux de chômage est presque trois fois plus élevé (14 %). Mais des départements comme les Yvelines ou la Haute-Savoie ont un taux plus faible (7 %) du fait de leur dynamisme propre. On note que le taux de chômage tend à augmenter avec la taille de la commune.

Depuis la fin des années 1990, l'évolution du marché du travail a été très différente selon les zones d'emploi. En périphérie de la région parisienne, en Rhône-Alpes, en Alsace et le long du littoral atlantique, l'emploi a progressé plus fortement qu'ailleurs. L'offre de travail a été satisfaite par une importante augmentation de la population en âge de travailler et un excédent migratoire. De l'intérieur des Pays de la Loire jusqu'à la Normandie, du Nord à la Lorraine, certaines zones ont été très touchées par les mutations économiques. Le fort déséquilibre entre la baisse de l'emploi et l'arrivée massive des générations du baby-boom sur le marché du travail s'est accompagné d'un important déficit migratoire. Du Morvan aux Pyrénées en passant par le Massif central, dans les zones peu ou moyennement urbanisées, l'entrée sur le marché du travail des générations d'après-guerre a été moins sensible, et l'emploi a augmenté faiblement. À l'inverse, dans de nombreuses zones du Sud méditerranéen et de la couronne parisienne, le marché du travail a bénéficié d'une importante attractivité, qui a parfois entraîné un surcroît de chômage.

Quatre chômeurs sur dix le sont depuis au moins un an.

En février 2012, la proportion de chômeurs de longue durée (inscrits depuis un an et plus à Pôle Emploi, catégories A, B, C, Dares) était de 38 %, soit la même proportion qu'un an auparavant, mais elle n'était que de 36 % en 2009. Il faut rappeler que le taux avait dépassé 40 % au cours des années 2003-2008, avec un maximum de 42,3 % en 2006. Les femmes sont un peu moins touchées que les hommes : 36 % le sont

La longue marche

Proportion de chômeurs au chômage depuis un an ou plus
(France métropolitaine, en %)

	Femmes	Hommes	Ensemble
15-24 ans	26,6	33,0	30,0
25-49 ans	38,9	42,8	40,8
50 ans ou plus	54,1	53,1	53,6
Ensemble des 15 ans et plus	*38,7*	*42,0*	*40,4*

depuis au moins un an contre 40 % des hommes.

L'ancienneté moyenne de la recherche d'emploi pour ces personnes est en progression. Elle était de 463 jours en février 2012, soit une hausse de 18 jours en un an. Après avoir plus que doublé entre 1975 et 1985, elle avait diminué jusqu'en 1992, puis augmenté de nouveau entre 1993 et 1998. En 2001, elle avait fortement diminué, à 13 mois contre 16 en 2000. Elle s'est de nouveau accrue depuis 2002, dépassant 15 mois. L'écart entre les hommes et les femmes s'est en même temps réduit.

La durée moyenne d'inscription pour l'ensemble des chômeurs diffère de l'ancienneté du chômage ; elle mesure à la fin d'un mois le nombre de jours passés sur les listes par les demandeurs d'emplois sortis au cours de ce mois, y compris ceux inscrits depuis moins d'un an. Cette durée moyenne était de 250 jours en février 2012, contre 234 un an auparavant. Les personnes les plus âgées sont les plus touchées : 407 jours en moyenne pour les 50 ans et plus (en hausse de 50 jours sur un an) contre 143 pour les moins de 15 ans et 263 jours pour les 25-49 ans. Le chômage de très longue durée (trois ans et plus) s'est fortement accru en 2012 (+ 23 %) ; il concernait 437 000 personnes.

Les cadres et les employés retrouvent un emploi plus rapidement que les ouvriers. Le temps nécessaire est plus long pour les demandeurs d'emploi ayant subi un licenciement économique. La cessation d'un emploi à durée déterminée est la principale cause de recherche d'emploi (près d'un cas sur deux). La part des licenciements représente environ un tiers, contre un

Recherche emploi désespérément

La montée du chômage et la difficulté de trouver (ou retrouver) un emploi entraînent des comportements nouveaux de la part des candidats. Les entreprises et les cabinets de recrutement observent ainsi une tendance à la fraude dans les CV qui leur parviennent. Certains postulants font état de diplômes qu'ils n'ont pas obtenus, d'expériences professionnelles qu'ils n'ont pas vécues, de qualités qu'ils ne possèdent pas. D'autres mentent sur leur âge, leur situation familiale ou leur rémunération antérieure. Ces accommodements avec la vérité peuvent avoir des conséquences importantes : médecins exerçant sans qualification, responsables techniques n'ayant pas les compétences nécessaires pour assumer leur fonction, etc.

Les escroqueries, arnaques ou tricheries dans la recherche d'emploi prennent aussi d'autres formes. Des candidats ayant fait de longues études « gomment » certains diplômes, de peur d'être considérés comme surqualifiés pour les postes. D'autres passent sous silence des caractéristiques personnelles « sensibles » comme l'origine géographique ou ethnique, ou indiquent un faux nom afin de ne pas risquer d'être victimes de discrimination de la part des employeurs. Le « CV anonyme » avait été créé pour éviter ces pratiques, mais il n'a pas connu le succès espéré.

Ces pratiques s'inscrivent dans un contexte général de méfiance, qui justifie aux yeux de certains la tricherie comme un moyen de ne pas subir passivement celle des autres. Par ailleurs, la relation employeur-candidat revêt de plus en plus une dimension « commerciale » : il s'agit de « vendre » sa force de travail à un « acheteur » potentiel. La pratique de l'exagération (voire tromperie) est alors considérée par les personnes concernées comme « acceptable », à l'image de la publicité ou du marketing (p. 396). De plus, le développement d'Internet et de la « vie virtuelle » a favorisé la tentation de changer d'identité (ou d'en avoir plusieurs), avec la création d'« alias » ou de « pseudos ».

Enfin, la société française contemporaine se caractérise par son anomie : elle est de moins en moins organisée autour d'un système de valeurs partagé, le modèle républicain jouant de moins en moins ce rôle (p. 273). C'est pourquoi l'ère de la « déprime » tend à devenir aussi celle de la « débrouille ».

quart en 2005 (mais 30 % en 1997). La part des démissions est d'environ une sur dix. Les causes diffèrent selon le sexe : les démissions sont plus fréquentes chez les femmes que chez les hommes, à l'inverse des licenciements.

Les causes du chômage sont en partie structurelles.

Depuis le début des années 1980, les plans de lutte contre le chômage se sont succédé à un rythme élevé. Plus de 80 dispositifs ont été mis en œuvre : contrats de qualification, contrats jeunes, travaux d'utilité collective, semaine de 35 heures, contrat nouvelle embauche, etc. Les efforts entrepris ont donné peu de résultats et les améliorations qui avaient été constatées avant la crise de 2008 apparaissent surtout liées à l'évolution démographique et au « nettoyage » des listes de chômeurs, la création nette d'emplois ayant été relativement faible.

La difficulté de la France à lutter contre le chômage tient à des causes conjoncturelles (absence de croissance économique en une période d'incertitude), qui ont touché l'ensemble des pays développés, souvent d'ailleurs plus que la France (Espagne, Royaume-Uni, Italie...). Mais elle a aussi des causes structurelles qui lui sont propres. Ainsi, selon l'OCDE, le coût du travail non qualifié pour les entreprises est plus élevé en France que dans d'autres pays développés, notamment l'Allemagne. Les gains de productivité (passés et à venir) limitent également les embauches et entraînent des licenciements dans des secteurs où existent encore des sureffectifs, dans un contexte de durcissement de la compétition. De plus, la part des fonctionnaires dans la population active (un quart) est plus élevée en France que dans la plupart des pays de l'Union européenne (p. 316). Il est ainsi difficile d'envisager des embauches massives dans le secteur public, sauf dans des secteurs spécifiques.

À ces spécificités structurelles s'ajoute le niveau élevé des déficits et de l'endettement publics, qui rend malaisées des mesures de grande ampleur en faveur de l'emploi. Un seuil de croissance de 2 à 2,5 % du PIB est ainsi nécessaire pour que l'économie crée des emplois (contre 1,5 à 2 % à la fin des années 1990 et un niveau inférieur dans la plupart des grands pays développés). Or, un tel taux de croissance apparaît peu probable dans la conjoncture actuelle.

Enfin, Pôle Emploi (issu de la fusion de l'ANPE avec les ASSEDIC en décembre 2008), n'est pas en mesure d'assurer un suivi personnalisé des chômeurs. Le dialogue social entre patrons et syndicats s'est avéré peu constructif. Les entreprises ont peu embauché, du fait des contraintes de la compétition internationale, du poids des charges sociales et de la difficulté à ajuster les effectifs en fonction de l'activité. Par ailleurs, certains actifs ont préféré le non-emploi et l'assistance, dans la mesure où un travail peu rémunéré peut s'avérer moins rentable. Le RSA (Revenu de solidarité active) a précisément été mis en place en mai 2007 pour les inciter à chercher un emploi.

Chômage et formation

Les causes du chômage sont en partie à chercher dans le système éducatif. Les universités surchargées ne parviennent pas à former les jeunes aux demandes du marché du travail. La « politique de l'excellence », associée à un refus du principe de sélection, joue aussi sans doute un rôle. Ainsi, les filières professionnelles, jugées moins valorisantes, sont délaissées. La conséquence est que l'entrée dans la vie active se fait aujourd'hui en moyenne à 22 ans, contre 19 ans en 1985, 17 ans en 1960 et 15 ans et demi en 1940. Cet allongement des cursus, renforcé par la mise en place du système LMD (licence-maîtrise-doctorat) n'a pas facilité l'accès au premier emploi.

Par ailleurs, les stages en entreprise se sont multipliés, mais ils participent à la précarisation des jeunes et constituent parfois pour les entreprises un moyen d'ajuster les effectifs en évitant la rigidité liée à la complexité du Code du travail. Une étude basée sur les données de l'Unedic établit ainsi que les personnes formées connaissent des épisodes de chômage plus longs (de 100 jours environ) que celles aux caractéristiques similaires qui ne passent pas par la formation. Ce constat s'explique par le fait que les chômeurs en formation cherchent moins intensément un emploi, ce qui ralentit leur sortie du chômage.

Mais on observe aussi, phénomène plus inquiétant, que la formation n'a pas d'effet positif lorsqu'elle s'achève. Quelques semaines après la fin du stage, le taux de retour à l'emploi des chômeurs formés devient inférieur à celui des non-formés. Comme si le fait d'être passé en formation sans retrouver immédiatement un emploi à la sortie stigmatisait les candidats ou les décourageait.

Il faut pourtant souligner que la formation peut être un investissement rentable dans la mesure où elle permet de retrouver des emplois plus durables. Ainsi, la durée de l'emploi retrouvé par les chômeurs formés est plus longue (de 330 jours en moyenne) que celle des chômeurs non formés.

PROFESSIONS

La structure de l'emploi a été bouleversée, ...

Au milieu des années 1950, l'agriculture, l'industrie et les services occupaient un nombre égal de personnes soit environ 5 millions par branche. Aujourd'hui, la répartition est très différente. On ne compte ainsi plus que 970 000 personnes participant régulièrement au travail des exploitations agricoles ; leur nombre a diminué en moyenne de 3,7 % par an entre la fin des années 1940 et le milieu des années 1990, puis de façon plus lente.

Dans l'industrie, le nombre des actifs est de 3,6 millions. Il avait légèrement augmenté jusqu'en 1974 (+0,6 % par an), puis diminué de 1,5 % par an en moyenne, avec cependant des écarts importants selon les secteurs. Ainsi, les effectifs dans la construction (1,8 million de personnes aujourd'hui) ont crû de 2,7 % par an jusqu'en 1974, dans un contexte de forte croissance démographique qui avait soutenu la demande de logements, avant de diminuer après le premier choc pétrolier. Ils ont de nouveau augmenté entre 2000 et 2010 (+2,3 %).

Mais ce sont les services qui ont de loin connu la plus forte progressions : il représentaient 19,4 millions d'emplois en 2010, contre 8,4 millions en 1955, avec une croissance de 1,5 à 2 % par an. Dans les services non marchands, le nombre d'emplois dépasse celui de l'industrie depuis 1982.

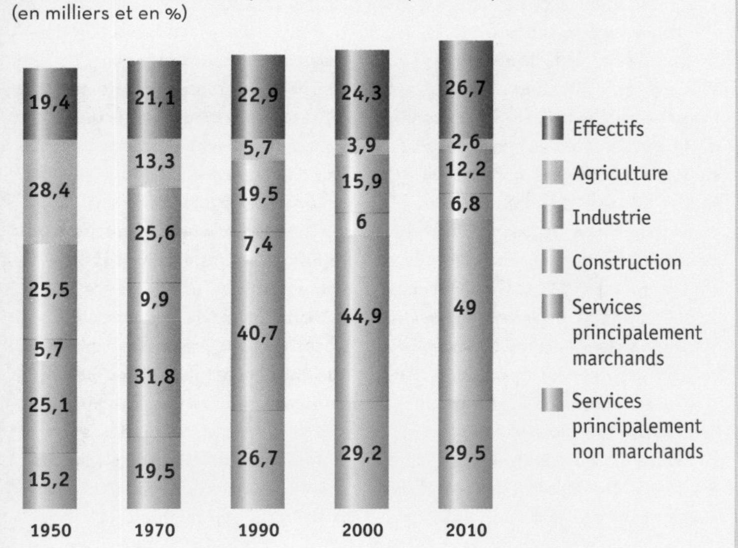

... ainsi que celle des professions.

L'évolution des trois grands secteurs de l'économie se reflète dans celle des catégories professionnelles. Les agriculteurs exploitants ne représentaient plus que 2 % des actifs occupés en 2010. La part des ouvriers se limitait à 21,3 %. Les « cols bleus », manœuvres et ouvriers de toutes qualifications dont le nombre s'était accru à la faveur des deux premières révolutions industrielles (machine à vapeur et électricité), ont été victimes de la troisième, celle de l'électronique, qui a entraîné des « délocalisations productives ».

Les professions intermédiaires (techniciens, contremaîtres, chefs d'équipe, instituteurs...) ont connu dans le même temps une forte progression de leurs effectifs ; leur part dépasse désormais celle des ouvriers (24,4 % en 2010). Il en est de même des cadres et des professions intellectuelles supérieures (professeurs, professionnels de l'information, de l'art et des spectacles...), qui représentait 16,7 % des actifs occupés en 2010.

Les artisans et commerçants (y compris les chefs d'entreprise) ont vu au contraire leur nombre se réduire au fur et à mesure du développement des grandes surfaces. Mais la tendance récente montre une nouvelle dynamique, puisqu'ils représentaient 6,7 % des actifs occupés en 2010 contre 6,2 % en 2007.

On a assisté globalement à une « tertiarisation » des emplois : les trois quarts concernent aujourd'hui les services, marchands ou administrés (74,9 %). Une proportion plus élevée que la moyenne européenne (69,6 %, avec un maximum de 79,7 % au Royaume-Uni) ; la part de l'agriculture est restée forte en Espagne et dans les pays de l'ex-Europe de l'Est. La féminisation de la société a eu aussi des incidences sensibles ; les femmes représentaient 47,5 % de la population active occupée en 2010 (p. 300). Enfin, le salariat s'est développé et regroupe aujourd'hui 91 % des actifs, contre 64 % en 1949. Le secteur tertiaire est plus développé en France que dans l'ensemble de l'Europe, au détriment notamment de l'industrie, qui représente moins d'un quart de la production économique (tableau).

L'agriculture ne représente plus que 2 % des emplois.

En 1800, les trois quarts des actifs travaillaient dans l'agriculture. Une diminution régulière de la part de celle-ci dans la production nationale s'est amorcée dès 1815, mais les effectifs se sont maintenus pendant toute la période 1870-1940. Dès la fin de la Seconde Guerre mondiale, la mécanisation a accéléré l'exode rural. Le déclin s'est ensuite poursuivi, et les effectifs ont encore diminué de moitié entre 1980 et 1995. On compte aujourd'hui à peine un million d'agriculteurs (exploitants et ouvriers, à temps plein ou partiel), contre 7,5 millions en 1946. Le nombre des exploitations (490 000 en 2010) a été divisé par deux depuis 1980, par trois depuis 1960, sous l'effet de la concentration des terres. En dix ans, le nombre d'exploitations a baissé de 26 % en France, 24 % en Italie, 29 % aux Pays-Bas et 36 % en Allemagne.

Au-delà des difficultés de reconversion, c'est un drame plus profond qui s'est joué au cours de la seconde moitié du XXe siècle : la perte progressive des racines de tout un peuple. Les trois quarts des paysans qui partent aujourd'hui à la retraite n'ont pas de successeurs, du fait des perspectives limitées offertes par la profession en général. Ceux qui restent sont de moins en moins ruraux, au sens traditionnel du terme. Leur travail s'est transformé avec la mécanisation et la course à la productivité. Un quart d'entre eux habite aujourd'hui dans des communes urbaines (contre 14 % en 1968), la moitié en périphérie des villes. Cette proximité explique que 100 000 conjointes d'exploitant ne travaillent plus aujourd'hui à la ferme. Elle est à l'origine d'un rapprochement sensible du mode de vie des paysans de celui du reste de la population. La « classe paysanne » a donc en grande partie disparu. Et le métier d'agriculteur s'est considérablement transformé (encadré).

On compte moins de 6 millions d'ouvriers et près de 8 millions d'employés.

Les « cols blancs » (employés, cadres et techniciens) ont pris la relève des « cols bleus ». On ne comptait plus que 5,5 millions d'ouvriers en 2010, soit 1,6 million de moins qu'en 1975, contre 7,4 millions d'employés. La crise économique a contraint les entreprises industrielles à mettre en place des programmes d'accroissement de la productivité, qui se sont traduits par des réductions massives d'effectifs dès la fin des années 1970. Entre 1982 et 1990, plus de 400 000 postes d'ouvriers non qualifiés avaient ainsi disparu du fait de l'automatisation de certains secteurs (sidérurgie, automobile...) et de la restructuration qui s'était opérée dans d'autres (textile, mines, cuir...).

La part des ouvriers dans la population active représente aujourd'hui 21 %, contre 40 % au début des années 1960. Le nombre d'ouvriers qualifiés et de contremaîtres continue de s'accroître, alors que celui des manœuvres et des ouvriers spécialisés diminue. Huit ouvriers sur dix sont des hommes (81 % en 2010 contre 77 % en 1962) ; la proportion est encore plus élevée parmi les ouvriers qualifiés (93 %). À l'inverse, les femmes représentent 76 % des employés. La nature du travail ouvrier

Les nouveaux paysans

Les exploitants actuels sont de véritables chefs d'entreprise et le statut d'exploitation agricole à responsabilité limitée (EARL) s'étend maintenant à 25 % des moyennes et grandes exploitations contre seulement 14 % en 2000. 37 500 conjoints co-exploitants participaient à l'activité des exploitations agricoles en 2010 contre 26 800 en 2000. Cette forte augmentation est directement liée à la reconnaissance accrue du statut du conjoint. 17 % des effectifs sont aujourd'hui des salariés permanents, contre 14 % en 2000. L'emploi par groupement d'employeurs agricole progresse lui aussi pour atteindre 8 % des postes de salariés contre 5 % dix ans plus tôt.

Entre 2000 et 2010, la superficie moyenne des exploitations agricoles a gagné 13 hectares pour atteindre 55 hectares et même 80 hectares pour les moyennes et grandes exploitations. Une exploitation sur quatre a disparu en dix ans pour atteindre le nombre de 490 000 en France métropolitaine en 2010. Une sur trois est une grande exploitation contre une sur quatre en 2000. En 2010, près d'une exploitation sur cinq commercialisait ses produits en ventes directes (ventes collectives, marchés, ventes en tournées, à distance ou à domicile) ou en circuits courts (via un intermédiaire tel qu'un restaurateur, un commerçant).

a changé. Les tâches de production sont moins nombreuses et les deux tiers des ouvriers travaillent dans le tertiaire, la majorité dans des entreprises de moins de 500 salariés. Par ailleurs, beaucoup de postes d'ouvriers se sont transformés en postes d'employés, avec des conditions de travail diversifiées.

Comme la « classe paysanne », la « classe ouvrière », dont l'identité s'était forgée autour du travail dans la grande industrie, a en partie disparu. De même, la « conscience de classe » s'est beaucoup atténuée ; le déclin des effectifs syndicaux en est l'une des manifestations (p. 336). Les modes de vie des ouvriers se sont rapprochés de ceux des autres catégories sociales, de la façon de manger à celle de s'habiller, en passant par les achats de biens d'équipement. Certains comportements restent cependant distincts, notamment en matière de loisirs. Les ouvriers sont ainsi moins nombreux à partir en vacances que les autres catégories (p. 551). Surtout, le rattrapage culturel se fait de façon assez lente ; on compte encore trois fois moins de bacheliers parmi les enfants d'ouvriers que parmi ceux des cadres supérieurs et des professeurs, mais le rapport était de 4,5 il y a vingt ans.

Le nombre des commerçants a fortement diminué, ...

2,1 millions d'actifs travaillent dans le commerce (de détail) ou l'artisanat commercial (métiers associant la vente et une activité artisanale classée dans les industries agroalimentaires, telles que la boulangerie, charcuterie, etc.). Environ 400 000 d'entre eux (19 %) sont des non salariés, contre un million en 1960. Parmi eux, on compte 240 000 commerçants dont 52 000 petits et moyens détaillants en alimentation spécialisée et 56 000 en habillement et articles de sport (2008). Les autres non-salariés exercent une profession libérale ou sont chefs d'entreprise, pour 50 000 d'entre eux et 90 000 sont des artisans. Au total, le secteur du commerce emploie près de 1,5 million de salariés en équivalent-temps plein (2010). L'emploi y est très féminisé (63 % de femmes). Un peu plus d'un tiers des salariés travaillent à temps partiel (36 %).

Le commerce a connu en France un véritable bouleversement avec le développement des grandes surfaces, d'abord alimentaires puis généralistes. Il a été suivi de celui des grandes surfaces spécialisées (bricolage, jardinage, équipement de sport, ameublement, électroménager, jouets...) et, depuis la fin des années 1980, des magasins de maxidiscompte. L'érosion du petit commerce a été parti-

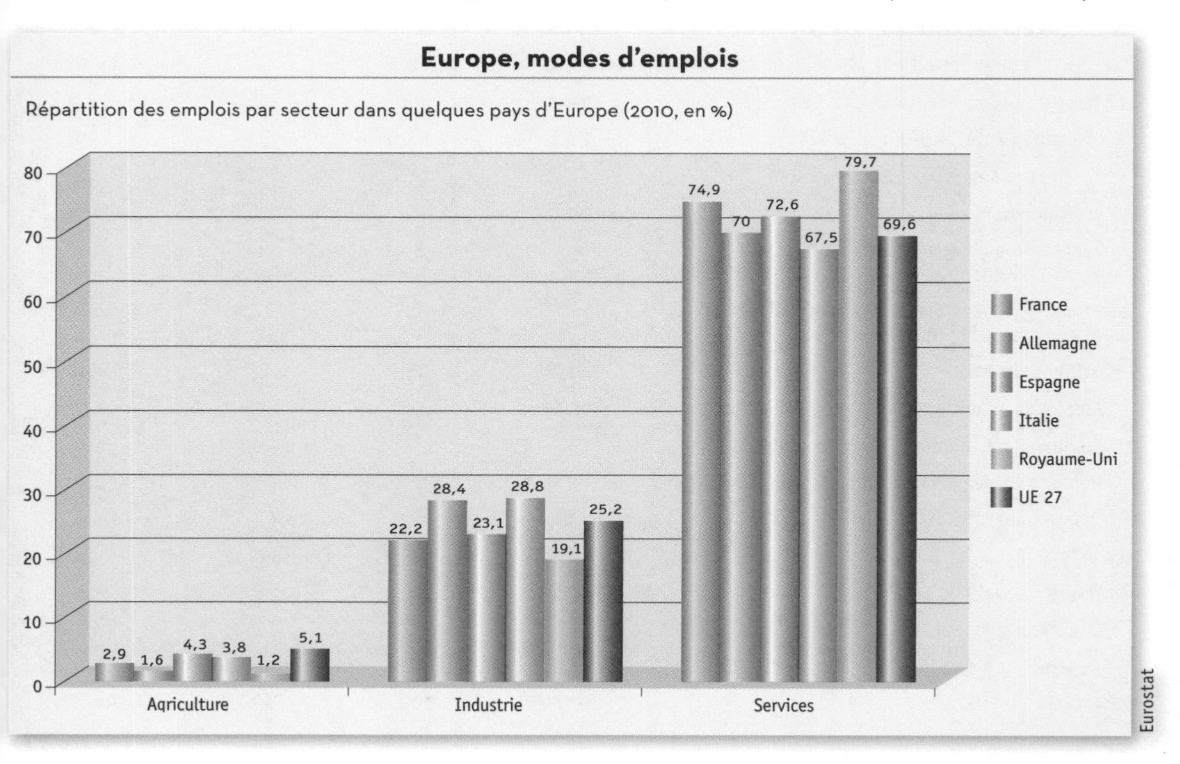

culièrement spectaculaire au cours des années 1990 : 54 % des magasins de bricolage avaient disparu, 41 % des épiceries, 39 % des boutiques d'habillement, 35 % des magasins d'ameublement, 25 % des boucheries, soit au total près de 100 000 commerces.

Cette évolution de l'offre avait accompagné celle de la demande. Les consommateurs ont plébiscité le libre-service, la possibilité de faire l'ensemble de leurs courses dans un même lieu, les prix inférieurs permis par la puissance d'achat des grandes centrales de la distribution (p. 408). Plus des deux tiers des dépenses alimentaires des ménages sont aujourd'hui effectués dans les hypermarchés (1 899 en janvier 2012, Nielsen-*Linéaires*), supermarchés (5 679) et maxidiscomptes (4 766). Mais le commerce se porte globalement mieux : tous secteurs confondus (détail, gros, réparation), il emploie 3,0 millions de salariés (2011), un chiffre en augmentation de 22 % depuis 1994. Le nombre de non-salariés, qui avait diminué jusqu'en 2001, a de nouveau progressé, grâce aux nombreuses créations d'entreprises, le plus souvent individuelles.

… comme celui des artisans.

Au 1er janvier 2010, l'artisanat français comptait 1,1 million d'entreprises. Il rassemble un peu plus de 500 activités différentes, réparties dans 250 métiers nécessitant une certification pour pourvoir les exercer. 10 % sont concentrées dans le secteur de la construction, 17 % dans l'industrie et 14 % dans le commerce et la réparation d'automobiles et motocycles. Les entreprises individuelles en représentent plus de la moitié : 580 000.

Des métiers et des âges

Évolution de la structure des actifs occupés par catégories socioprofessionnelles et par âge (France métroplitaine, en %)

	2003		2010	
	15 ans ou plus	50 ans ou plus	15 ans ou plus	50 ans ou plus
Agriculteurs exploitants	**2,9**	**5,4**	**2,0**	**3,5**
Artisans, commerçants et chefs d'entreprises	**6,1**	**10,4**	**6,7**	**8,9**
Cadres et professions intellectuelles supérieures	**14,6**	**20,7**	**16,7**	**18,3**
Professions intermédiaires, dont :	**23,5**	**23,5**	**24,4**	**22,0**
Instituteurs et assimilés	3,4	3,3	3,6	3,1
Techniciens	4,1	3	4,3	3,6
Professions intermédiaires de la santé et du travail social	4,4	3,6	5,2	4,7
Professions intermédiaires administratives et commerciales des entreprises	2	2,5	7,3	5,9
Employés, dont :	**28,7**	**25,9**	**28,9**	**28,6**
Employés administratifs d'entreprises	7,4	6,1	6,4	5,9
Employés de commerce	4	2	4,4	2,4
Personnels des services directs aux particuliers	6,4	7,2	7,4	8,9
Policiers et militaires	2	0,9	1,7	0,8
Ouvriers	**23,9**	**18,9**	**21,3**	**18,6**
Ouvriers qualifiés	11,4	9,3	9,9	8,8
Chauffeurs, manutention, magasinage-transport	4,4	4,2	4,0	4,1
Ouvriers non qualifiés	7,2	4,9	6,5	4,8
Total	**100,0**	**100,0**	**100,0**	**100,0**

INSEE

L'artisanat représente au total 1,8 million d'emplois (2010). Plus de la moitié des entreprises n'emploient aucun salarié et plus du quart d'entre elles en emploient d'un à trois (plus de 80 % ont au maximum trois salariés). 87 % des entreprises artisanales sont dirigées par des hommes. Parmi celles dirigées par des femmes, les deux tiers exercent dans le secteur des activités de services aux ménages.

Les entreprises artisanales représentent une part importante de l'« économie de proximité » : un tiers en communes rurales, un quart dans les communes de plus de 200 000 habitants. Elles sont proportionnellement plus nombreuses dans le sud du pays, mais de taille plus importante (en nombre de salariés) dans le nord. Dans les départements d'outre-mer, l'artisanat est le moteur essentiel de l'activité économique. 183 000 entreprises artisanales ont été créées en 2010, dont 70 000 auto-entreprises. C'est dans la construction que les créations sont les plus nombreuses (42 %).

Les artisans sont les dépositaires de nombreux savoir-faire, qui sont transmis essentiellement par le biais de l'apprentissage. Un chef d'entreprise artisanale sur deux en est d'ailleurs issu et 200 000 apprentis sont formés par les entreprises artisanales chaque année, dont huit sur dix ont un emploi à l'issue de leur formation. On estime que près d'un million de personnes devraient partir à la retraite dans le secteur artisanal au cours des dix prochaines années (dont 400 000 patrons et 600 000 salariés), ce qui risque de poser des problèmes de remplacement.

Un salarié sur dix dans l'économie sociale

L'économie sociale regroupait 2,3 millions de salariés en 2010, soit 10 % de la population salariée. La grande majorité (1,8 million) d'entre eux étaient employés dans des associations, qui interviennent en priorité dans l'action sociale, l'éducation, la santé et l'animation culturelle et sportive. Les coopératives bancaires, agroalimentaires et de commerce emploient 300 000 salariés et les mutuelles d'assurance 120 000. Les fondations regroupent 70 000 salariés, dans des secteurs qui vont de la santé à l'hébergement médico-social.

L'échelle des salaires de l'économie sociale est plus resserrée que dans le privé. Les salariés des associations, les plus nombreux, travaillent plus souvent à temps partiel et ont globalement des revenus plus faibles. La santé est l'un des rares secteurs où les salariés sont en moyenne mieux payés que dans les autres secteurs du privé, du fait notamment d'emplois très qualifiés dans des centres de recherche. Dans les coopératives, mutuelles et fondations, les salaires sont plutôt au-dessus de la moyenne, avec cependant une grille salariale resserrée. Mais certaines coopératives et mutuelles, notamment dans la banque-assurance, concentrent les activités les mieux rémunérées dans des filiales de droit privé.

Trois actifs sur quatre travaillent dans le secteur tertiaire...

75 % des actifs travaillaient en 2011 dans les activités tertiaires : commerce ; transport ; finance ; immobilier ; services aux entreprises ou aux particuliers ; éducation ; santé et action sociale ; administration. Le secteur emploie deux salariés sur trois. Leur qualification est sensiblement supérieure à celle des autres branches. La majorité des nouveaux emplois sont créés dans le secteur des services, notamment ceux du commerce. Malgré le niveau encore élevé du chômage, on estime qu'environ un million d'emplois ne trouvent pas preneurs, dans des secteurs comme le bâtiment, l'alimentation, les transports, l'informatique, les télécommunications. Cette situation est particulièrement apparente dans l'hôtellerie et la restauration.

La société française a eu très tôt besoin de tailleurs, barbiers, commerçants, scribes, cantonniers ou allumeurs de réverbères. En 1800, à l'aube de la révolution industrielle, les travailleurs impliqués dans les activités de services représentaient un quart de la population active et près d'un tiers de la production nationale. Le développement de l'industrie a largement contribué à celui des services connexes (négoce, banques, ingénierie...). Mais c'est l'émergence de la société de consommation dans les années 1950 et 1960 qui lui a donné son importance actuelle.

En quarante ans, le nombre d'emplois industriels est passé de 5,5 millions à 3,6 millions. Une partie d'entre eux ont été transformés en emplois de service, du fait du recours à l'intérim, à l'externalisation des activités de restauration collective, de comptabilité, d'entretien... Le secteur des services aux entreprises (activités informatiques, intérim, télécommunications...) a été le plus créateur, devant celui des transports et de l'immobilier. Cette hausse a profité à toutes les catégories de salariés, mais plus particulièrement aux cadres et aux professions intellectuelles supérieures. Elle a davantage concerné les femmes que les hommes. La part de l'emploi féminin était de 55 % en 2010 contre 29 % dans l'agriculture, 28 % dans l'industrie.

Services aux personnes : un gisement à confirmer

Dans tous les pays développés, la société « informationnelle » va de pair avec le développement d'une « société relationnelle » dans laquelle les métiers de service de proximité prennent une place croissante : dépannage ; entretien de la maison ; baby-sitting ; aide aux personnes âgées ou handicapées ; jardinage... Ils sont favorisés notamment par un taux d'activité féminine élevé et par le vieillissement de la population. Ils ont permis de créer 80 000 emplois par an depuis une dizaine d'années.

Ces métiers sont considérés comme un gisement d'emplois pour l'avenir. D'autant qu'ils ne sont pas délocalisables et que les gains de productivité potentiels y sont moins élevés que dans les autres secteurs de l'économie. On recensait 3,7 millions de particuliers employeurs en 2010 (FEPEM), qui finançaient 1,7 million de salariés pour un montant de 11,5 milliards d'euros de masse salariale brute (assiette déclarative) correspondant à 560 millions d'heures travaillées (hors assistantes maternelles).

Ces activités ont cependant connu un fléchissement en 2011 (hors celle concernant la garde des enfants et l'assistance maternelle), avec une baisse de 5 % du volume d'heures déclarées, de 2 % du nombre de particuliers employeurs, de 3 % de la masse salariale nette (ACOSS, dernier trimestre 2011). Les principaux freins à l'emploi d'une personne à domicile restent les craintes liées à la présence d'un tiers, la gêne engendrée par l'idée d'employer une personne à des tâches ingrates et de l'« exploiter », mais aussi le coût qui élevé pour certains ménages, malgré l'avantage fiscal existant.

Statuts

Neuf actifs sur dix sont salariés.

L'une des conséquences de la révolution industrielle a été l'accroissement régulier de la proportion de salariés. On en comptait 22,9 millions en 2010 parmi les actifs occupés, pour 2,8 millions de non-salariés, soit 89 %. Parmi les 15-24 ans, 98 % sont salariés, contre 83 % des 50 ans et plus. Les non-salariés sont principalement des agriculteurs, des commerçants ou des artisans, dont le nombre a diminué (p. 311). Beaucoup de femmes sont venues rejoindre les rangs des salariés des entreprises depuis une vingtaine d'années ; 94 % des actives occupées ont le statut de salariées. Mais ce sont les postes créés dans la fonction publique qui ont le plus contribué à l'accroissement de ces emplois au cours des dernières décennies (ci-après).

9,6 % des salariés, soit un peu plus de 2,2 millions de personnes, occupaient des emplois à durée limitée en 2010 : intérim ; CDD (contrat à durée déterminée) ; apprentissage, contrats aidés. Leur nombre a été multiplié par quatre en vingt ans, alors que l'effectif des emplois classiques restait stable. Le nombre de CDD (contrats à durée déterminée) est passé de 550 000 en 1991 à 2,2 millions en 2010, y compris les contrats aidés. Il a augmenté de 9 % depuis 2003. Celui des emplois d'apprentis a connu une progression de moitié (46 %) sur la même période, pour atteindre 360 000. Le travail temporaire a servi de variable d'ajustement à la crise, le nombre des contrats étant passé de 164 000 en 1991 à 728 000 en 2007 pour redescendre à 462 000 en 2010.

Ces statuts précaires plus fréquents ont en outre une durée de plus en plus longue. Mais seules trois personnes concernées sur dix obtiennent un emploi stable. La probabilité de faire partie de cette dernière catégorie augmente avec le niveau d'instruction. Celle d'être au chômage est inversement proportionnelle ; elle est notamment plus forte chez les jeunes (p. 305).

Le secteur public emploie 5 à 7 millions d'actifs selon le mode de calcul, ...

Les effectifs du secteur public varient selon qu'on adopte une approche juridique ou économique. La première, qui est celle de l'Observatoire pour l'emploi public (OEP) repose sur le statut juridique de l'employeur et de l'agent. Celui-ci relève de la fonction publique dès lors qu'il travaille pour un organisme à caractère administratif recrutant des agents de droit public (les trois fonctions publiques) et certains organismes marchands (enseignement privé sous contrat, musées locaux...). 5,37 millions de salariés, soit 22,1 % des salariés français (métropole et DOM) sont dans cette situation.

La seconde approche, retenue par l'INSEE, s'appuie sur les données de la comptabilité nationale et prend en compte l'ensemble des effectifs des services publics financés majoritairement par des prélèvements obligatoires. Elle exclut donc les organismes

marchands cités ci-dessus, mais intègre, outre les effectifs des trois fonctions publiques, ceux des établissements au statut de recrutement de droit public (CNRS, OPHLM, maisons de retraite publiques...) et privé (offices agricoles, la Poste, CNES, Opéra de Paris...). On recensait ainsi au 31 décembre 2009 :

- 2 392 364 agents de la fonction publique d'État (ensemble des agents employés dans les ministères civils, celui de la Défense et les établissements publics administratifs, nationaux ou d'enseignement), titulaires et non titulaires, ouvriers d'État et militaires ;
- 1 805 936 agents de la fonction publique territoriale (communale, intercommunale, départementale et régionale) ;
- 1 100 073 agents de la fonction publique hospitalière.

Dans les deux cas, on doit ajouter à ces effectifs :

- soit les 896 300 agents des autres administrations publiques (195 900 dans des organismes publics hors fonction publique et 700 400 dans des organismes privés à financement public prédominant). On arrive ainsi à un effectif total de 6,2 millions.
- soit les 96 000 emplois des organismes marchands relevant du secteur public selon l'OEP, ainsi que 55 000 emplois outre-mer et à l'étranger, qui ne sont pas pris en compte par la comptabilité nationale. L'effectif total est alors de 5,5 millions dans le second.

Enfin, on peut tenir compte des emplois dans des entreprises contrôlées majoritairement par l'État (directement ou indirectement). Elles étaient 1 217 entreprises en 2010 (mais plus de 3 000 en 1985) et employaient 792 000 salariés. On arrive alors à un effectif total de 6,3 millions avec la première approche et de 7 millions dans la seconde.

Le cumul des fonctions

Le nombre de fonctionnaires exerçant une activité complémentaire dans le secteur privé s'accroît sensiblement. En 2010, la Commission de déontologie de la fonction publique le nombre de demandes adressées a reçu 3 386 demandes pour créer ou reprendre une entreprise, parfois poursuivre une activité dans une entreprise privée après un recrutement dans la fonction publique, tout en exerçant des fonctions dans l'administration, à temps plein ou à temps partiel. En un an, ces chiffres étaient en hausse de 15 % pour la fonction publique d'État, 55 % pour la fonction publique territoriale et 17 % pour la fonction publique hospitalière.

Cette forte croissance des demandes s'explique notamment par la mise en place en 2009 du statut d'auto-entrepreneur (p. 324), qui simplifie les procédures de démarrage d'une activité et présente des avantages en matière administrative, comptable et fiscale. Elle correspond aussi à des demandes de travail à temps partiel de certains fonctionnaires. Les activités de commerce et de restauration ainsi que les soins corporels et de bien-être étaient les secteurs privilégiés par les agents de l'État, tandis que les agents territoriaux étaient surtout tentés par le bâtiment et les travaux publics. Un peu plus de la moitié des demandes ont reçu un avis favorable.

... soit environ un salarié sur quatre.

Si l'on ne tient pas compte des entreprises contrôlées par l'État, la part de la fonction publique dans l'emploi salarié s'établit à 22,1 % (approche juridique) ou 25,1 % (comptabilité nationale). En moins d'un siècle, le secteur public a connu un développement spectaculaire ; sa part dans la population active occupée n'était que de 6 % en 1936 ; elle a donc quadruplé. Les effectifs s'étaient accrus avec le processus de nationalisation d'entreprises privées engagé après la Seconde Guerre mondiale. Le mouvement s'était poursuivi entre 1980 et 2000 (un million de plus) malgré les privatisations réalisées en 1987-1988.

Entre 1990 et 2010, le nombre d'emplois publics a ainsi progressé de plus d'un quart (27 %), malgré la décision en 2007 de non remplacement d'un fonctionnaire sur deux partant à la retraite. Les effectifs des collectivités territoriales ont augmenté de 55 %, du fait notamment de la décentralisation. Ceux de la fonction hospitalière ont progressé 40 % et ceux de la fonction publique d'État (pour l'essentiel dans les domaines de la sécurité et de l'éducation) de 4 %.

Avec 1,1 million de salariés en 2011, l'Éducation nationale est le plus gros employeur du monde. Le nombre des militaires a en revanche diminué à la

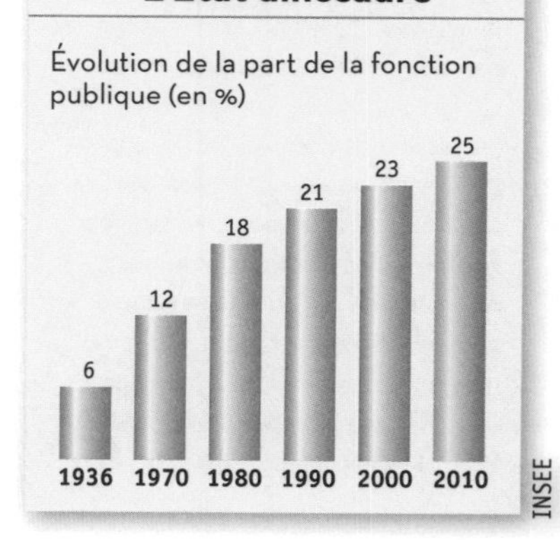

suite du processus de professionnalisation et, depuis 1996, de la suppression de la conscription. L'armée compte un effectif de 322 000 personnes dont 77 % de militaires en activité et 23 % de personnel civil. L'armée de terre a perdu en dix ans près de la moitié de ses effectifs (124 000 en 2009), l'armée de l'air un tiers (59 000), la marine un quart (38 000). De même, le rôle de l'État dans l'économie marchande tend à se réduire depuis quelques années.

15 % des actifs sont cadres ou « professions intellectuelles supérieures ».

4,3 millions de cadres et actifs avaient le statut de profession intellectuelle supérieure en 2010, soit près de cinq fois plus qu'en 1962 (900 000). Dans le processus de recomposition de la population active, la disparition des paysans et la réduction du nombre des ouvriers ont surtout profité aux cadres. Leur nombre avait doublé entre 1970 et 1990.

La création de la fonction est issue de l'armée du XIXe siècle, où les cadres étaient ceux qui exerçaient le commandement. Elle répondait à un besoin croissant de compétences techniques et scientifiques, à la nécessité de superviser des tâches administratives complexes et d'avoir des commerciaux performants. Le rôle des cadres a pris de l'importance au fur et à mesure du développement des activités de services, fortes consommatrices de matière grise. La part des cadres supérieurs s'est accrue au détriment de celle des cadres moyens.

Le statut de cadre reste une spécificité française, qui introduit une discontinuité dans la hiérarchie professionnelle. Il a longtemps représenté une sorte de récompense pour services rendus à l'entreprise, un « bâton de maréchal » assorti d'une sécurité de l'emploi et de privilèges divers. Son élargissement a fini par constituer un groupe très hétérogène aux formations, fonctions, responsabilités et salaires de plus en plus diversifiés. La proportion de femmes s'accroît régulièrement, mais elle n'est que de 30 % (1,3 million) ; elle est d'autant moins élevée que l'on s'élève dans la hiérarchie. Entre 2010 et 2016, environ 100 000 cadres devraient prendre leur retraite ; 160 000 à 210 000 devraient être recruté chaque année (APEC, avril 2012).

Le statut des cadres s'est transformé, ...

Le modèle du cadre a fait rêver les salariés pendant des décennies. Il a contribué à l'unification des catégories moyennes et supérieures de la société. S'il conserve une image symbolique assez forte, il a connu un certain nombre d'évolutions. Ainsi, un nombre croissant de cadres n'exercent pas de fonction d'encadrement véritable. Leur autorité est aujourd'hui davantage liée à des compétences, à un savoir-faire, à des qualités relationnelles et à des résultats qu'à leurs diplômes et à leurs titres. La loi sur les 35 heures hebdomadaires a distingué les cadres de direction, qui en sont exemp-

L'ère des technocadres

80 % des cadres en activité se déclarent heureux dans leur travail (CFE-CGC/OpinionWay, mai 2011). 50 % se disent motivés, 10 % enthousiastes, mais 13 % démotivés et 2 % démobilisés (26 % ni motivés, ni démotivés). 73 % ont le sentiment que, par rapport à il y a quelques années, la charge de travail qui pèse sur eux dans leur entreprise est plus lourde, 5 % plus légère, 22 % équivalente. 86 % ont l'impression de devoir travailler trop vite, au moins de temps en temps, 12 % rarement, 1 % jamais. 67 % estiment cependant disposer des outils et des moyens nécessaires pour faire leur travail, 33 % plutôt pas, 1 % pas du tout. Pour 61 %, les objectifs prescrits par la direction sont réalistes, pour 39 % plutôt pas ou pas du tout. 40 % reconnaissent que leurs responsabilités dépassent (parfois ou souvent) leurs compétences, 55 % jamais.

Les cadres sont partagés quant à la reconnaissance de leurs efforts : 49 % pensent que ceux-ci sont reconnus (dont 6 % tout à fait), 50 % non (dont 14 % pas du tout). Mais 68 % considèrent qu'il y a trop d'incertitude sur les choix et la stratégie de leur entreprise à moyen ou long terme (57 % à court terme). Sur une échelle de stress de 1 à 10, ils s'attribuent en moyenne la note de 6,15. 61 % déclarent avoir eu au cours des douze derniers mois des troubles du sommeil liés à leur travail, 22 % des difficultés conjugales, 6 % ont même des idées suicidaires.

Deux explications apparaissent à ces difficultés. Seuls 56 % des cadres estiment que les dirigeants et représentants du personnel ont réussi à établir une relation de confiance dans leur entreprise (56 % non). Surtout, 85 % déclarent que les outils de communication électroniques (ordinateurs portables, téléphones mobiles, blackberries...) nécessitent des temps de réponse toujours plus courts, 82 % qu'ils accroissent le volume d'information à traiter, 78 % qu'ils engendrent un nombre croissant de tâches à traiter en dehors des horaires ou du lieu de travail. Le technocrate a laissé la place au technocadre.

tés, les cadres au forfait jour (dits autonomes) et ceux intégrés à l'entreprise.

Le « malaise des cadres » fait régulièrement la une des médias depuis des années. Les avantages dont ils bénéficiaient se sont estompés (salaires, notes de frais, avantages en nature...) en même temps que la considération qui leur était accordée. La compétition économique leur a imposé une obligation de résultats à laquelle tous n'étaient pas préparés. Ils ont dû apprendre à animer, convaincre, décider, utiliser les nouveaux outils technologiques et atteindre des objectifs. Le stress a fait des ravages dans leurs rangs, et beaucoup sont aujourd'hui à la recherche de plus de sérénité et d'harmonie. La fin des « plans de carrière » a en outre modifié leur relation à l'entreprise, dans le sens d'un moindre engagement.

En avril 2012, seuls 17 % des cadres estimaient qu'ils auraient des opportunités de carrière importantes dans les mois à venir contre 79 % qui pensent qu'elles resteront faibles en raison de la situation économique (*Le Figaro*/LH2). Au cours de l'hiver 2011-2012, le moral des cadres était à son niveau le plus bas (– 56 en différence entre les anticipations positives et négatives) après avoir connu son niveau le plus haut juste après les élections de 2007 (+ 1) et une chute (– 45) après l'affaire Lehman Brothers, en septembre 2008.

... comme celui des professions libérales.

L'ensemble du secteur libéral (qui n'a de définition légale que depuis 2012) représentait en 2010 un peu plus de 800 000 professionnels et 1,5 million de salariés (UNAPL). Les emplois sont répartis pour 52 % dans le secteur technique et cadre de vie, 41 % dans celui de la santé et 7 % dans le juridique.

Comme les cadres, dont ils sont proches par la formation, les responsabilités et les revenus, les professionnels libéraux ont connu des évolutions de statut et d'activité. À la pression fiscale s'est ajoutée pour eux l'augmentation des charges sociales. Même si leurs revenus restent en moyenne élevés (p. 350), les disparités au sein de chaque catégorie se sont accrues. Seuls les pharmaciens, les notaires ou les huissiers, qui bénéficient du *numerus clausus*, sont encore à l'abri de la concurrence. Certains médecins, avocats ou architectes connaissent des difficultés financières, du fait d'une concurrence plus vive ou d'une clientèle plus rare. La liberté d'installation au sein de l'Union européenne a eu cependant peu d'incidence sur leur activité, car elle a été jusqu'ici peu utilisée.

Les professions libérales ont cependant mis en place des moyens d'adaptation à ce nouveau contexte. Un certain nombre d'entre eux se sont regroupés, à l'exemple d'avocats, notaires, agents d'assurances ou conseillers financiers, qui s'efforcent ainsi d'offrir de meilleurs

26 millions d'actifs

Actifs ayant un emploi selon le secteur d'activité (2010, en milliers et en % de la population active) et le sexe (en %)

	Total (milliers)	Part des femmes (%)	En % des actifs occupés
Agriculture, sylviculture et pêche	745	29,3	2,9
Industrie	3 597	27,6	14,0
Industries agricoles	591	39,2	2,3
Industries électriques, électroniques	462	28,6	1,8
Industries du transport	411	17,7	1,6
Autres industries	1 696	27,5	6,6
Construction	1 824	9,7	7,1
Tertiaire	19 398	55,4	75,5
Commerce et réparation	3 314	46,8	12,9
Transports et entreposage	1 310	28,3	5,1
Hébergement et restauration	951	48	3,7
Information et communication	745	31,9	2,9
Activités financières et d'assurance	848	55,5	3,3
Activités immobilières	308	56,7	1,2
Activités scientifiques et techniques	2 595	44,3	10,1
Education, santé, action sociale	7 682	67,3	29,9
Autres activités de services	1 670	70	6,5
Activité indéterminée	128	52,4	0,5
Total	**25 693**	**47,5**	**100,0**

INSEE

services à leur clientèle. L'adaptation passe aussi, comme pour l'ensemble des professions indépendantes, par une meilleure compréhension des évolutions de l'environnement économique et social. La profession des experts-comptables a par exemple réalisé un travail important de réflexion en la matière.

Une nouvelle hiérarchie professionnelle est en place.

La restructuration en cours dans la vie professionnelle a entraîné une transformation de la nature et de la hiérarchie des métiers. Beaucoup de « notables » d'hier ne bénéficient plus d'un statut social aussi valorisant. C'est le cas de certaines professions libérales, de commerçants ou d'artisans qui jouissaient d'une position sociale et financière enviable et qui sont soumis aujourd'hui à une concurrence croissante et à une clientèle plus exigeante. Les détenteurs de l'information (journalistes, professions intellectuelles...) et ceux qui sont en mesure de l'analyser (experts, consultants...) détiennent au contraire une part de plus en plus grande du pouvoir économique et social, formant une sorte de *cognitariat* (p. 216).

Dans le même temps, certains métiers manuels ou de service ont été revalorisés : plombier, restaurateur, viticulteur, garagiste, kinésithérapeute... Ils ont profité de l'accroissement général du pouvoir d'achat, du souhait de consommateurs de plus en plus exigeants d'être dépannés rapidement en cas de problème, du vieillissement de la population ou de l'attachement à la santé.

Les emplois, demain

Sur quels gisements d'emploi la France peut-elle compter pour faire reculer le taux élevé du chômage ? La Fonction publique ne semble plus pouvoir jouer ce rôle, compte tenu du poids important qu'elle représente déjà dans la population active, à un moment où il apparaît nécessaire de réduire les dépenses publiques. Dans le secteur privé, on évoque depuis des années le potentiel des services aux personnes. Mais, sur les 3 millions d'emplois attendus, on n'en recense qu'un peu plus de la moitié aujourd'hui. On a même enregistré une baisse d'activité en 2011, si l'on excepte le secteur de la garde d'enfants (p. 315). D'autres secteurs, comme les services aux entreprises, la restauration, l'hôtellerie et d'autres métiers artisanaux ne parviennent toujours pas à pourvoir les postes disponibles, faute de candidats. Un certain nombre d'emplois devraient être créés dans les secteurs de la santé, de la recherche, du paramédical, du commerce ou de la construction (tableau).

Les activités liées au développement durable ou à la « croissance verte » offrent de réelles perspectives, dans un contexte de menaces avérées sur l'environnement. C'est le cas notamment des énergies renouvelables, avec la demande croissante d'énergie solaire, éolienne ou hydraulique, de biocarburants, de géothermie ou de chauffage au bois. La réalisation des objectifs fixés par le Grenelle de l'environnement (faire passer la part des énergies renouvelables dans la consommation totale d'énergie de 10 % à 23 %) pourrait permettre de créer au moins 200 000 emplois d'ici 2020. D'une manière générale, les emplois liés à l'environnement (maîtrise des dépenses énergétiques, réduction des différentes formes de pollution, gestion des déchets, recyclage...) devraient connaître un essor, de même que la rénovation de l'habitat.

D'autres sources d'emplois existent dans les technologies de communication (informatique, téléphonie, télévision...), avec par exemple le développement du *cloud computing* (gestion externalisée des données) ou de l'*open data* (accessibilité des citoyens ou consommateurs aux informations publiques ou privées de façon libre, gratuite et interactive). D'autres secteurs d'innovation pourraient connaître une forte croissance, dans les applications des biotechnologies ou des nanotechnologies. Enfin, la volonté de « relocaliser » des emplois industriels a été affichée lors de la campagne présidentielle, de « produire et consommer français ».

D'ici 2020, le nombre de départs en fin de carrière devrait être de 600 000 par an. Ces départs libèreront des postes qui ne seront pas tous remplacés car les métiers évoluent. Infirmiers, aides-soignants et aides à domicile figureraient parmi les métiers à plus fort taux de créations d'emploi avec un gain net d'emplois de près de 350 000. A contrario, les métiers à vocation administrative devraient voir leurs effectifs se réduire d'environ 100 000 postes. Professions libérales et cadres pourraient atteindre 40,6 % de l'emploi total contre 39 % aujourd'hui. Un maintien des métiers peu qualifiés se dessine (18 %) après des années de fortes réductions d'effectifs. Les femmes devraient représenter 48,8 % des actifs contre 47,5 % actuellement (38,3 % en 1975), avec une nette progression au sein des métiers de cadres (CAS-DARES, mars 2012).

Toujours plus de services

Métiers devant bénéficier des plus fortes créations d'emploi entre 2010 et 2020 (en milliers)

	Créations nettes d'emplois 2010-2020
Aides à domicile	156
Aides-soignants	103
Infirmiers	93
Personnels d'études et de recherche	81
Cadres des services administratifs, comptables et financiers	79
Cadres commerciaux et technico-commerciaux	77
Vendeurs	74
Ingénieurs de l'informatique et télécommunications	70
Techniciens des serv. administratifs, comptables et financiers	61
Professionnels des arts et spectacles	58
Professions para-médicales	54
Attachés commerciaux et représentants	46
Cadres de la banque et des assurances	44
Ingénieurs et cadres techniques de l'industrie	44
Coiffeurs, esthéticiens	41
Assistantes maternelles	41
Employés et agents de maîtrise de l'hôtellerie et la restauration	36
Techniciens et agents de maîtrise de la maintenance	34
Ouvriers qualifiés du second oeuvre du bâtiment	34
Techniciens et agents de maîtrise du BTP	31
Formateurs	31

CAS-DARES (projections)

La notion d'activité se diversifie.

4,6 millions d'actifs avaient un contrat de travail à temps partiel en 2010, contre 4 millions en 2003. Parmi les 15-24 ans, la proportion d'actifs à temps partiel atteignait 22 % (20 % pour les 50 ans et plus). La conception du travail a été remise en cause par les contraintes liées à la crise et à la mondialisation de l'économie. Le statut traditionnel de salarié à plein-temps et à durée indéterminée est devenu plus rare. Certains ont été « externalisés » dans une structure indépendante. D'autres partagent un même emploi dans une entreprise. La chute des emplois intérimaires (- 36 % entre 2007 et 2010) témoigne de la grande vulnérabilité de ce type d'emploi en période de crise.

Les frontières entre l'emploi et le chômage, entre la période d'activité et la retraite, entre le statut de salarié et celui d'indépendant tendent ainsi à devenir plus floues. Les horaires et les lieux de travail sont diversifiés afin de satisfaire les exigences de flexibilité des entreprises. Par ailleurs, l'appartenance à des réseaux de travailleurs prend de l'importance, ainsi que le télétravail (encadré), les délocalisations ou le travail en mission. Plutôt que de chercher des emplois, les actifs doivent de plus en plus se mettre en quête de clients à qui ils « vendent » leurs compétences, leur expérience, leurs idées et leur temps. C'est un véritable bouleversement de la conception du travail et des relations entre employeurs et employés qui est ainsi en train de s'opérer.

La technologie joue un rôle croissant dans l'emploi...

L'invention de la machine à vapeur, à la fin du XVIIIe siècle, est à l'origine de la première révolution industrielle. Elle a permis à l'homme de disposer pour la première fois d'énergie en quantité importante. On lui doit le développement considérable de l'industrie. La deuxième révolution industrielle fut la conséquence de la généralisation de l'électricité, à la fin du XIXe siècle. Elle reposait notamment sur le transport de l'énergie et son utilisation par les industries et les particuliers.

La troisième révolution industrielle est celle de l'électronique. Elle a commencé à la fin de la Seconde Guerre mondiale et a connu trois phases successives. Le transistor, inventé en 1948, annonçait le véritable début des produits audiovisuels de masse (radio, téléviseur, électrophone...) et des calculateurs électroniques. Le microprocesseur, qui date des années 1960, est à l'origine du développement de l'industrie électronique. La télématique, qui marie le microprocesseur et les télécommunications, a donné naissance au multimédia et à ses innombrables perspectives, dont Internet et le téléphone portable sont aujourd'hui les plus spectaculaires.

Les mutations technologiques ont détruit des emplois en permettant des gains de productivité. Mais elles en ont créés davantage, notamment sous la forme de nouveaux métiers. La difficulté est que les nouveaux emplois ne sont pas créés en même temps que d'autres sont supprimés. Ils ne se situent pas non plus dans les mêmes secteurs d'activité que les anciens. Enfin, ils requièrent d'autres compétences, généralement d'un niveau plus élevé, que ceux qui disparaissent. Ces décalages expliquent en partie la hausse du chômage pendant les périodes d'adaptation.

La révolution en cours est celle des « technologies vertes », qui permettront de mettre en place une croissance durable. Elle va déboucher sur la création de nouveaux métiers liés à la protection de l'environnement, la production d'énergies renouvelables, la construction de bâtiments à énergie neutre ou positive, de moyens de transports non polluants, etc.

... et engendre de nouvelles façons de travailler.

Un nombre croissant d'entreprises encourage leurs salariés à modifier leurs habitudes de travail. Elles leur proposent par exemple des espaces de *coworking* (travail collaboratif) ou de *free seating* (placement libre), où ils peuvent s'installer en étant « de passage ». L'usage des outils de communication électroniques a bouleversé les modes de travail. L'ordinateur s'est généralisé sur les postes de travail. Il a permis une amélioration de la productivité en facilitant l'accès aux informations et à leur manipulation. Il a remplacé notamment de nombreuses tâches qui étaient autrefois effectuées sur support papier (même si celui-ci n'a pas disparu) et accru la

Télétravail : le retard français

Le travail à distance, ou télétravail, est « une forme d'organisation et/ou de réalisation du travail utilisant les technologies de l'information, dans le cadre d'un contrat ou d'une relation d'emploi, dans laquelle un travail, qui aurait également pu être réalisé dans les locaux de l'employeur, est effectué hors de ces locaux de façon régulière » (définition établie par l'Accord National Interprofessionnel sur le télétravail de 2005 reprenant l'accord cadre européen de 2002). En France, seuls 9 % des salariés travaillent selon cette définition (ministère de l'Économie, des Finances et de l'Industrie) alors que la moyenne communautaire s'élève à 18 %, et à plus de 30 % dans les pays scandinaves et aux États-Unis. En outre, seules 15 % des entreprises de 10 à 19 salariés, 27 % des sociétés de 20 à 249 salariés et 65 % des entreprises de plus de 250 salariés y ont recours (INSEE, 2009).

Ce retard s'explique surtout par des obstacles d'ordre culturel. Le télétravail implique en effet une mise en question des habitudes de vie, professionnelle mais aussi personnelle. La formule présente pourtant de nombreux avantages pour le télétravailleur, avec une meilleure organisation de sa vie personnelle et professionnelle et des économies de transport (environ 400 € par an) et donc réduction du nombre de victimes d'accidents de la circulation et des émissions de gaz carbonique (environ 20 %). Les personnes handicapées peuvent aussi exercer plus facilement un emploi.

L'entreprise y trouve aussi son compte : allègement des charges de structure (surface de bureaux, participation aux frais de transport...) ; flexibilité des horaires des employés ; gain de productivité (estimé à 27 %) lié à des temps de réunion et de pause réduits ; moindre absentéisme (baisse moyenne de 4 jours par an), etc. Enfin, les clients des entreprises peuvent bénéficier de modes de relation plus informels et plus personnalisés.

Le développement des nouvelles technologies de communication et la généralisation des connexions internet à haut débit devraient favoriser la croissance du télétravail. À condition de prévoir pour les employés concernés des temps de rencontre dans le « vrai monde », ou d'inventer une « machine à café virtuelle » autour de laquelle ils pourront échanger. La crise économique devrait jouer un rôle d'accélérateur, accru par la hausse des prix des carburants et des transports. La loi Warsmann adoptée en février 2012 définit les obligations des employeurs vis-à-vis des salariés travaillant depuis leur domicile. Le télétravail doit ainsi être « volontaire » et « réversible ».

productivité du travail dans de nombreux secteurs.

Surtout, la révolution numérique a favorisé le travail en réseau et l'interactivité au sein des entreprises et entre elles. Par ailleurs, la portabilité des outils de travail et de communication (ordinateur connecté à Internet, téléphone mobile, smartphone ou tablettes) a modifié les usages professionnels. 31 % des salariés en sont équipés (CAS/DARES, février 2012). Ces équipements réduisent, de fait, les temps morts pour les salariés « nomades ». La prochaine étape pourrait être la virtualisation du système d'information, grâce au *cloud computing* (transfert vers des serveurs distants de tâches effectuées jusqu'ici localement), qui permettra réellement d'accéder à toutes les informations de l'entreprise quelques soit le lieu où le moment.

D'une manière générale, la distinction entre les vies professionnelle, familiale, personnelle a été transformée, dans le sens d'un mélange des genres qui est censé profiter à chacune d'elles, avec les réserves liées à la confusion et au stress qui peuvent en résulter. L'un des usages logiques de cette évolution est le développement du télétravail (encadré), pratiqué à l'extérieur de l'entreprise et notamment au domicile, que certains nomment déjà le cyber-travail.

La formation est la condition de l'adaptation individuelle.

82 % des Français accepteraient de se former pour mieux répondre aux besoins de leur entreprise en cas de menace sur leur emploi (Tissot/OpinionWay, février 2012). L'instruction et la formation permanente sont les clés de l'adaptation aux évolutions en cours (p. 85). Le niveau d'études initial, sanctionné par un diplôme, constitue un atout essentiel pour accéder aux activités les plus motivantes et rémunératrices. Les emplois non qualifiés ne représentent plus que 20 % des emplois salariés, contre 27 % en 1980. Le niveau d'instruction des actifs a progressé. Si les connaissances sont nécessaires, c'est surtout la capacité à les relier entre elles et à en faire une synthèse intelligente qui est aujourd'hui déterminante. Les employés et les cadres sont ainsi appelés à chercher des informations pertinentes, les trier, les actualiser et les appliquer dans leur contexte professionnel.

Dans cette optique, la culture générale est redevenue essentielle (p. 86). L'histoire, la géographie, la sociologie, la géopolitique, la philosophie et l'art sont des outils de plus en plus utiles aux cadres et aux dirigeants dont le métier est d'analyser le présent afin d'inventer l'avenir. Certaines qualités personnelles comme la capacité à communiquer, l'ouverture d'esprit, le dynamisme, l'humilité et, surtout, la créativité ont pris une importance accrue. L'efficacité des entreprises ne passe plus par une division du travail, mais par une addition des compétences et une synergie entre les collaborateurs.

L'évolution des technologies de l'information et de la communication implique des efforts d'adaptation et de formation permanents. Les salariés devront pouvoir maîtriser les outils sans difficultés, sous peine de risquer une dégradation de leurs conditions de travail voire une exclusion. Les responsables d'entreprises devront être formés pour être capables de prendre en compte les impacts sociaux lors de la mise en place d'un nouveau système. L'accompagnement au changement devient essentiel (CAS-DARES, février 2012).

Mobilités professionnelles

Les salariés sont-ils mobiles ? Une étude du Conseil d'orientation pour l'emploi (TNS Sofres, avril 2011) identifie quatre catégories en la matière. Les « hypermobiles » (31 %) ont connu au moins une mobilité professionnelle dans les cinq dernières années et disent souhaiter en vivre une autre dans les deux prochaines. Les « impatients » (30 %) n'ont pu en bénéficier mais espèrent le faire. Les « installés » (15 %) ont eu au moins une expérience de mobilité et ne souhaitent pas en avoir de nouvelle dans les deux ans. Enfin, les « non-mobiles » (24 %) n'ont pas vécu et ne souhaitent pas vivre de mobilité.

La mobilité recouvre des situations différentes. Sur les cinq dernières années, 46 % des salariés ont changé soit d'entreprise, soit de fonction, soit de service ou de département au sein d'un même établissement ou encore d'établissement au sein d'une même entreprise. D'autres ont connu un changement de métier, une promotion ou une période de chômage. 32 % ont été au chômage avant d'occuper leur poste actuel. Au total, il y a eu changement de métier dans un cas sur deux, dans un cas sur deux également (hors chômage) un changement d'entreprise, et dans 15 % des cas un déménagement (souvent assorti d'un changement de région).

La moitié des personnes ayant été mobiles au cours des cinq dernières années déclarent l'avoir fait par choix et près de 30 % disent avoir répondu positivement à une proposition. Mais 13 % affirment avoir subi leur changement professionnel. C'est notamment le cas des salariés les plus âgés et des moins diplômés. Les cadres et les employés sont les moins touchés par ces changements non souhaités.

ENTREPRISES

550 000 entreprises ont été créées en 2011.

Les Français sont de plus en plus intéressés par l'entrepreneuriat. Entre 2003 et 2010, le nombre d'entreprises créées n'a cessé de croître, dépassant 620 000 en 2010. Il a cependant diminué pour la première fois en 2011 (- 12 %), après les deux années record de 2009 et 2010 qui avaient suivi la mise en place du statut d'auto-entrepreneur, en janvier 2009 (ci-après). Le nombre de créations d'entreprises avait ainsi quasiment triplé entre 2002 et 2010, avec une première croissance de 54 % entre 2002 et 2008 et une seconde de 88 % entre 2008 et 2010. La baisse de 2011 s'explique par le fait que beaucoup de projets potentiels avaient vu le jour au cours des deux premières années de la création du nouveau régime d'entreprise individuelle.

L'esprit d'entreprise des Français a été encouragé par les nombreuses mesures mises en place au niveau national : loi de modernisation de l'économie, loi pour l'initiative économique (2003), loi de modernisation de l'économie (2008), mesures de Pôle emploi à destination des porteurs de projets, etc. On peut penser que ces mesures n'auraient pas eu un tel impact si la mentalité des Français envers la création d'entreprises n'avait pas évolué.

Malgré la baisse conséquente enregistrée en 2011, le nombre de créations d'entreprises reste toujours à un niveau élevé, nettement supérieur à celui observé avant la mise en place du nouveau régime, avec 550 000 créations contre 332 000 en 2008. Même si le rapprochement peut paraître hasardeux, on remarque qu'il naît autant d'entreprises en France qu'il meurt de Français (p. 44).

En 2009, le régime d'auto-entrepreneur a provoqué une rupture…

L'arrivée du régime de l'auto-entrepreneur avait pour vocation de faire tomber les dernières réticences des Français envers la création d'entreprise. Force est de constater qu'il a eu un effet considérable, dès sa mise en place. En trois ans d'existence, près d'un million d'entreprises ont été créées sous ce régime (soit 55 % de l'ensemble des créations de la période), dont 292 000 pour la seule année 2011.

Entre 2000 et 2008, le nombre de créations d'entreprises sous le régime de la personne physique était passé de 126 000 à 331 000. En 2009, l'existence du nouveau régime d'auto-entreprise avait entraîné une hausse de 30 % du nombre de créations sous ce statut (428 000 en 2009 et 458 000 en 2010). Sur dix ans, le nombre d'entreprises créées a progressé à un rythme annuel de 19 %, tous régimes confondus et auto-entrepreneurs inclus. Quatre auto-entrepreneurs sur cinq arrêtent leur activité salariée après avoir créé leur entreprise. Parmi ceux qui continuent une activité en parallèle, 56 % sont des dirigeants d'une autre entreprise et de moins en moins des salariés. En 2010, 16 % des auto-entrepreneurs déclaraient avoir cédé leur entreprise et 40 % poursuivre leur activité. En 2011, le nombre de créations d'entreprises (hors auto-entreprises) s'est établi à 263 000, contre 327 000 en 2008.

En 2010 (comme en 2006, date de la précédente enquête de l'INSEE), la première motivation citée par les créateurs

150 créations par jour

Évolution du nombre de créations d'entreprises (en milliers)

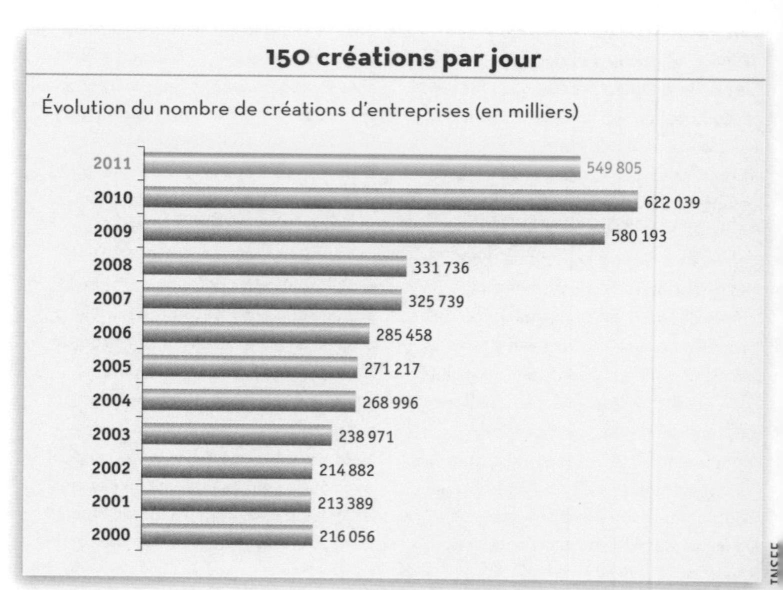

INSEE

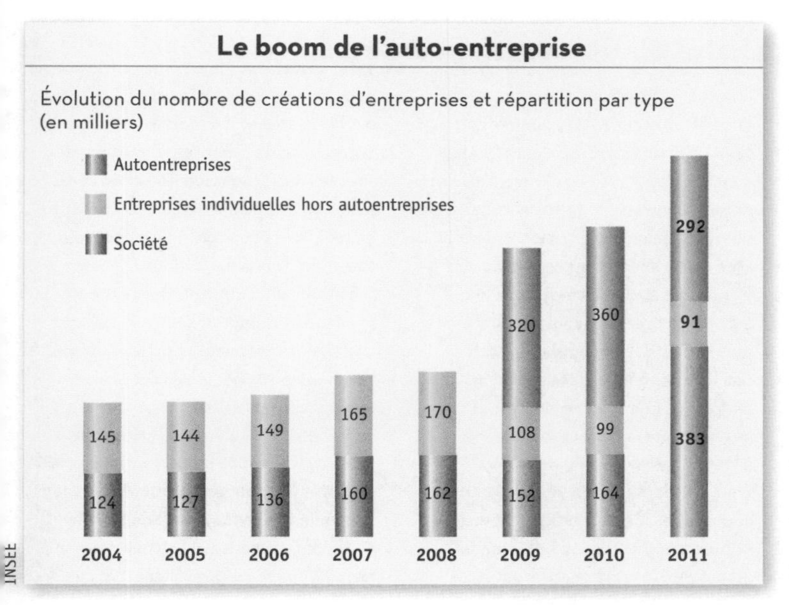

d'entreprises était la « volonté d'indépendance » (61 %), suivie du « goût d'entreprendre et d'affronter de nouveaux défis » (44 %), puis d'augmenter ses revenus (27 %), puis de « trouver une solution de sortie du chômage » (24 %).

... et bouleversé certains secteurs.

C'est dans les activités de services que les créations d'entreprises ont été les plus nombreuses en 2011 (45 % de l'ensemble des créations). Quatre secteurs d'activité regroupaient la moitié des nouvelles entreprises. La construction représentait 15 %. Les activités scientifiques et techniques (15 % également) comprennent le conseil en gestion, relations publiques et communication (39 % des créations du secteur), l'architecture et l'ingénierie (12 %), les activités de design (11 %), les activités juridiques et comptables (8 %) et la publicité (6 %). En troisième position arrivait le commerce de détail (14 %), dont la majorité de commerces sur éventaires et marchés (32 % des créations du secteur) et d'autres activités de commerce hors magasin telles que la vente à distance par catalogue, la vente à domicile... (27 %). Le quatrième secteur principal regroupe les services aux personnes (8 %), telles que les salons de coiffure et de soins de beauté (38 % des créations), la réparation d'ordinateurs et de biens domestiques (19 %), les activités d'entretien corporel telles que les salons de massage, les saunas, les spas... (9 %).

L'activité indépendante est trois fois plus rémunératrice dans le secteur des services aux entreprises que dans ceux destinés aux particuliers, lorsqu'elle offre des services qualifiés (conseils pour les affaires et la gestion, ingénierie et services techniques, activités juridiques...).

En 2011, toutes les régions de France métropolitaine ont enregistré une diminution du nombre de créations d'entreprises, située pour la plupart entre 10 à 15 %. Elle s'explique dans la plupart des cas par la baisse du nombre de créations d'auto-entreprises. La Franche-Comté s'est distinguée avec une diminution plus de 19 %, après la croissance record qu'elle avait enregistrée entre 2009 et 2010 (109 %). Seules trois régions ont connu une baisse inférieure à 10 % : l'Aquitaine (9 %), la Corse (8 %) et le Nord-Pas-de-Calais (8 %). Cette dernière région enregistre depuis plusieurs années l'une des évolutions les plus favorables, avec un doublement des créations en 2009 et 2010. Les créations dans les départements d'outre-mer (hors Mayotte, nouveau département depuis 2011, non concerné par ce régime) sont proportionnellement moins nombreuses qu'en métropole : 35 à 48 % des créations totales contre 55 % dans l'ensemble des régions de France métropolitaine (hors Île-de-France).

Les nouvelles entreprises comptent peu de salariés.

L'emploi de salariés est très peu fréquent lors du démarrage des nouvelles entreprises. En 2011, seules 6 % d'entre elles en employaient, dont les trois quarts un à deux. Si l'on exclut les auto-entreprises, 13 % des nouvelles entreprises emploient des salariés au démarrage de leur activité. Sur la totalité des entreprises créées en 2011, moins de 1 % l'ont été avec plus de cinq salariés. Pour la majorité des créateurs, l'objectif premier est d'assurer leur propre emploi (64 %, INSEE) puis de développer leur entreprise en termes d'emploi (22 %) et en termes d'investissements (14 %).

Plus de la moitié des créateurs d'entreprises étaient actifs avant de créer leur entreprise (51 % pour les femmes et 58 % pour les hommes). Environ un tiers d'entre eux étaient au chômage dont un peu plus de 10 % depuis un an et plus. La part des créations avec des capitaux supérieurs à 40 000 € est passée de 13 % en 2006 à plus de 20 %

Un million d'auto-entrepreneurs

Les contraintes et lenteurs administratives, longtemps invoquées pour expliquer le faible taux de création d'entreprises en France, ont été réduites par plusieurs lois. Celle de 2008 sur la modernisation de l'économie a créé au 1er janvier 2009 un statut d'auto-entrepreneur, destiné à faciliter la création de micro-entreprises. Début 2012, le nombre de personnes inscrites à ce statut était estimé à un million, pour 740 000 cotisants (en activité). Seuls 60 % des inscrits ont effectivement débuté leur activité (INSEE).

30 % des auto-entrepreneurs étaient chômeurs et ont donc ainsi créé leur emploi. Beaucoup d'autres ont développé une activité de complément (un sur quatre occupe une autre activité pendant la journée). 40 % d'entre eux étaient salariés du privé. La moitié (48 %) ont créé leur entreprise dans un secteur d'activité différent de leur métier de base. Quatre secteurs concentrent les auto-entreprises : soutien et conseil aux entreprises (25 %) ; commerce (21 %) ; services aux ménages (17 %) ; construction (15 %). Le chiffre d'affaires mensuel moyen est de 1 000 €. Les trois quarts estiment qu'ils n'auraient pas créé d'entreprise sans ce régime.

Âgés de 39 ans en moyenne, les auto-entrepreneurs sont globalement plus jeunes que la population active. Les femmes concernées sont plus diplômées que leurs confrères. 41 % des créateurs travaillent essentiellement à leur domicile, 41 % également chez les clients (41 %). 9 % sont non sédentaires. Seuls 8 % utilisent un local dédié ou une adresse professionnelle. Le principal avantage attribué au statut est la simplification des procédures (inscription, paiement des charges, gestion comptable), devant le taux d'imposition attractif et les formalités de déclaration gratuites. L'inconvénient majeur cité est de ne pas pouvoir déduire les dépenses du chiffre d'affaires réalisé. La moitié des auto-entrepreneurs ayant cessé leur activité sont revenus à leur activité antérieure, plus d'un quart sont à la recherche d'un emploi, 19 % ont adopté un autre statut et 7 % ont repris des études.

Un certain nombre de reproches ont été adressés à ce statut, au sein de certaines professions comme celles du bâtiment, pour lesquelles il représente une concurrence déloyale et une incitation pour certaines entreprises à « externaliser » ses effectifs, afin d'éviter de payer des charges patronales. Du fait de ses limites (notamment de chiffre d'affaires), ce statut est au mieux un tremplin vers la véritable création d'entreprise. Mais il permet de lutter contre les freins notamment culturels qui sont encore présents en France. La capacité de développement de *start-ups* à forte croissance est un enjeu majeur pour l'économie.

en 2010. Un tiers des projets démarrent avec moins de 4 000 € et un autre tiers avec des capitaux compris entre 4 000 et 8 000 euros.

51 % des femmes créatrices d'entreprises ont un niveau de diplômes supérieur au baccalauréat contre 40 % pour les hommes. 24 % des hommes créateurs d'entreprises ont un niveau CAP ou BEP, contre 15 % des femmes.

Le taux de création de nouvelles entreprises en France (nombre d'entreprises créées divisé par le nombre d'entreprises actives) est l'un des plus élevés de l'Union européenne à 27. Il s'établissait à 15,4 en 2009 contre 10,0 au Royaume-Uni, 8,3 en Allemagne, 7,2 en Espagne et 4,6 en Belgique. Seuls les ex-pays de l'Europe de l'Est ont un taux de création supérieur à la France. Mais il faut noter que, pour la France, le taux était toujours inférieur à 10 avant la mise en place du régime de l'auto-entreprise.

Seul un actif sur cinq a une activité entrepreneuriale.

Malgré l'évolution récente, la France reste mal placée par rapport aux autres pays de l'Union européenne en ce qui concerne l'activité entrepreneuriale. Seuls 4,1 % des actifs de 18 à 64 ans y sont impliqués, contre 5,1 % en République tchèque, 4,7 % au Royaume-Uni, 4,6 % au Portugal, 4,4 % en Grèce ou 4,3 % aux Pays-Bas (*Global Entrepreneurship Monitor*, 2010). Le taux est de 8,3 % aux États-Unis.

Cependant, le principal frein est moins la création que le développement. Ainsi, la France crée davantage d'entreprises ayant un à vingt salariés que les États-Unis. Mais ces entreprises éprouvent beaucoup plus de difficultés à atteindre une taille intermédiaire, lorsque les aides publiques initiales disparaissent. Celles qui parviennent à se développer sont souvent rachetées par des grosses entreprises, ce qui ne contribue pas autant à la création d'emplois qu'une croissance indépendante. En 2010, seules 35 % des entreprises industrielles étaient indépendantes, contre 60 % en 1964 (CNIC).

On observe les mêmes difficultés de développement pour les grandes entreprises (plus de 500 salariés), dont la proportion est assez faible en

Des entreprises sans salariés

Évolution du nombre de créations d'entreprises entre 2010 et 2011, selon le nombre de salariés

	Nombre de créations en 2011	Répartition des créations de 2011	Évolution des créations entre 2010 et 2011
Aucun salarié	518 337	94,3 %	–12,1 %
Emploi de salariés	31 468	5,7 %	–5,8 %
dont 1 à 2 salariés	23 024	4,2 %	–5,8 %
dont 3 à 5 salariés	4 780	0,9 %	–3,8 %
dont 6 à 9 salariés	1 349	0,2 %	–4,7 %
dont 10 salariés et plus	2 315	0,4 %	–10,2 %
Ensemble des secteurs	**549 805**	**100,0 %**	**–11,7 %**

INSE, APCE

France. Celles-ci bénéficient en outre deux fois plus souvent d'un financement public (aide directe, crédits d'impôts) que les entreprises de taille inférieure (SESSI/INSEE). De plus en plus de sociétés s'organisent sous forme de groupes ; ils représentent seulement 5 % du nombre total des sociétés en France mais 57 % des salariés de l'ensemble des entreprises, hors secteur financier.

Le nombre des défaillances s'est stabilisé en 2011.

On a dénombré 59 500 défaillances d'entreprises en 2011 (date de jugement). Ce nombre était de 37 700 dix ans plus tôt et il a donc progressé de plus de la moitié (58 %). Mais le mouvement s'était interrompu en 2010, avec une baisse de 4 % confirmée en 2011 (2 %).

Malgré l'amélioration générale, certains secteurs d'activité ont enregistré en 2011 une hausse des défaillances. C'est le cas des services financiers (12 %), des moyens de transport (8 %) et des services collectifs (6 %). Après avoir connu une hausse significative des défaillances en 2010, le secteur de la pharmacie a connu en 2011 une baisse de 8 %. Dix régions ont enregistré une augmentation, dont trois supérieure à 5 % : Picardie (10 %), Franche Comté (7 %) et Centre (7 %).

Les grandes entreprises ont été plus touchées que les autres en 2011, avec une hausse de 10 % des défaillances. Cette situation a eu des conséquences pour leurs fournisseurs : le montant cumulé des encours fournisseurs des entreprises défaillantes atteint 3, 9 milliards d'euros. Quant à l'impact social, il a représenté 186 000 emplois menacés (contre 187 000 en 2010).

Une entreprise sur deux survit après cinq ans.

Plus de 400 000 entreprises par an ont été créées entre 2005 et 2010, sur un nombre total de près de 3,4 millions existantes en 2010. En 2011, près de deux sur dix avaient moins d'un an d'existence. Parmi les entreprises créées en 2006, les deux tiers avaient fêté leur troisième anniversaire en 2009, un peu plus d'une sur deux (51 %) avait fêté son cinquième anniversaire en 2011. La première année est la plus difficile : 12 % des entreprises cessent leur activité avant de terminer l'année.

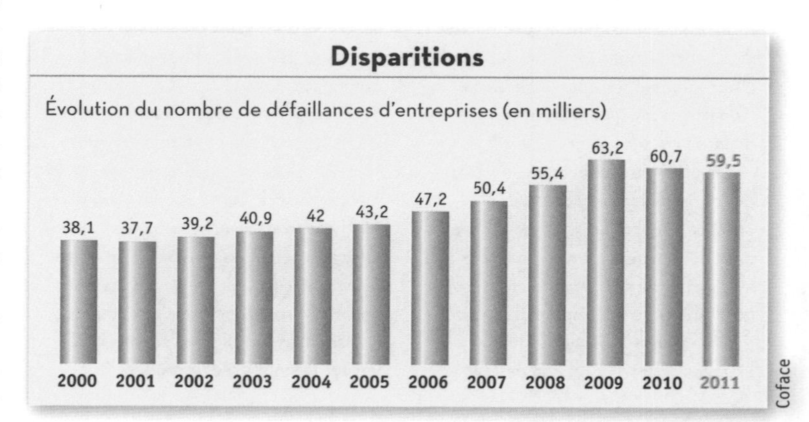

Le taux de réussite est d'autant plus élevé que les projets et les moyens mis en œuvre lors du lancement sont importants et que l'entrepreneur est qualifié par des diplômes et par son expérience professionnelle antérieure, et qu'il dispose de moyens financiers. En 2011, malgré une baisse estimée des défaillances de 2 % (Coface), le taux de défaillance des grandes entreprises a atteint 10 %. L'une des conséquences est la création d'un vivier de sous-traitants, qui sert de variable d'ajustement. Cette forte défaillance entraîne aussi une baisse des effectifs en intérim. Le taux de défaillance le plus élevé concerne les entreprises commerciales (2,5 %), devant les entreprises individuelles (0,4 %).

L'image des grandes entreprises s'est dégradée.

Si l'image des petites entreprises et de l'économie de proximité reste bonne en France (encadré), on observe une dégradation de l'image des plus grandes, depuis le milieu des années 1990. En mars 2012, seuls 5 % des Français disaient avoir une très bonne image des grandes entreprises françaises, 24 % plutôt bonne, 39 % plutôt mauvaise et 28 % très mauvaise (Posternak/Ipsos, mars 2012).

Les plans sociaux affectant des entreprises, connues ou non du public, et leur large médiatisation ont sans aucun doute contribué à cette évolution. Elle a été amplifiée par les craintes liées à la mondialisation, dont les grandes entreprises sont le symbole (p. 273). Beaucoup de Français ont le sentiment qu'elles ont accru leurs profits à coups de délocalisations et de licenciements et qu'elles s'intéressent davantage à leurs actionnaires et aux marchés financiers qu'à leurs salariés. Voire à leurs clients, certaines pratiques de « marketing » étant jugées peu vertueuses par ceux-ci (p. 374).

Comme le monde ou la société, l'entreprise apparaît aujourd'hui comme un univers sans repères. Dans un contexte de compétition internationale croissante, les dirigeants ne prennent pas toujours le temps d'expliquer aux salariés quels sont les objectifs, les enjeux et les moyens. Les comportements de certaines entreprises apparaissent aussi paradoxaux, avec des licenciements lorsque les profits augmentent, des accroissements des revenus des dirigeants lorsque les profits baissent. Les Français reprochent aussi aux entreprises d'avoir réduit l'« employabilité » des salariés. La vie professionnelle commence en effet de plus en plus tard, compte tenu de la difficulté de trouver un premier emploi, le plus souvent précaire. Elle ne se stabilise guère avant 30 ans ; elle diminue à partir de 40 ans, pour devenir problématique après 50 ans (tableau p. 309). La durée des carrières professionnelles s'est ainsi singulièrement raccourcie.

La relation à l'entreprise a changé de nature ; elle est devenue plus contractuelle qu'affective (p. 296). Le fossé s'est creusé avec la montée de la précarisation. La publication des revenus de certains patrons, celle de leurs *stock-options* (actions gratuites) ou de leurs indemnités de départ garanties (« parachutes dorés ») n'a pas amélioré une image déjà ternie. La désaffection générale à l'égard des institutions s'est ainsi étendue aux entreprises.

Les atouts de l'économie de proximité

Pour les artisans et commerçants, la crise économique représente une opportunité plus qu'une menace. D'abord, parce qu'un réel potentiel de développement existe dans certains domaines d'activité. De nouveaux besoins émergent avec le vieillissement de la population, la néoruralité (ménages quittant les villes pour s'installer en milieu rural ou semi-rural) ou la bi-résidentialité (ménages disposant de deux résidences). De plus, les consommateurs sont à la recherche d'un lien social qu'ils ne trouvent guère dans les grandes surfaces.

On observe d'ailleurs une évolution des mentalités favorable aux artisans et commerçants : goût de la proximité ; « petisme » en contrepoint au gigantisme et à la mondialisation (p. 275) ; quête relationnelle; recherche d'authenticité... C'est pourquoi l'image des artisans et commerçants est plutôt positive. Elle est associée à des attributs de compétence, de responsabilité, de maîtrise technique, de créativité, de conseil, de services et d'assistance. Les Français sont en outre attachés aux emplois concernés, qui présentent l'avantage conséquent de ne pas être délocalisables.

Cette « économie de proximité » dispose d'un double atout. La proximité est d'abord géographique, puisque les points de vente sont par principe proches de leurs clients. La proximité est aussi psychologique, car elle permet une relation réelle et empathique avec les clients. Elle constitue donc un moyen de redonner du sens à la consommation. Elle répond aussi au besoin croissant de médiation et de réconciliation entre le local et le global, l'individuel et le collectif, le productivisme et l'éthique, le manuel et l'intellectuel, le réel et le virtuel, la tradition et la modernité.

Les entreprises doivent répondre à de nombreuses attentes...

41 % des Français estiment que la principale cause d'une hypothétique perte de leur emploi serait la conséquence d'une mauvaise gestion ou stratégie de la part de la direction de leur entreprise (Tissot/OpinionWay, février 2012). Une autre cause évoquée par 32 % des salariés est le fait que les actionnaires ou financiers recherchent toujours plus de profit. Les risques encourus par la mondialisation n'arrivent qu'en troisième position, avec 22 %. La désaffection relative dont souffre aujourd'hui l'entreprise de la part des salariés, des consommateurs ou des citoyens (ci-dessus) n'empêche pas ceux-ci d'exprimer de nombreuses attentes à son égard. Car ils sont conscients de l'importance et du poids des entreprises dans la marche de l'économie et, par voie de conséquence, de la société. D'autant que beaucoup sont convaincus de l'incapacité actuelle des institutions à accomplir le travail de régulation collective et d'accompagnement individuel qu'elles ont longtemps assumé.

Dans l'esprit des Français, les entreprises doivent d'abord répondre à des attentes traditionnelles, mais dont l'importance s'est accrue récemment. La première est bien sûr la création d'emplois. Elle est inséparable (notamment dans le secteur privé concurrentiel) de la création de richesse, sous la forme d'une contribution à l'accroissement du PIB et d'une hausse du pouvoir d'achat des salariés. Avec la crise économique, ces deux attentes apparaissent de moins en moins bien satisfaites.

Bien qu'ils s'interrogent sur le sens de la consommation (p. 372), les Français continuent d'attendre des entreprises qu'elles développent et commercialisent de nouveaux produits et services, susceptibles d'enrichir leur vie quotidienne. Il s'y ajoute une demande croissante de considération, tant envers les clients que les employés, avec notamment un attachement au respect de la vie privée pour les premiers.

... dont certaines sont récentes.

D'autres demandes, exprimées ou non, sont aujourd'hui adressées aux entreprises. Certaines sont parfois éloignées de leur vocation initiale. La plus importante et la plus récente est la préservation et, si possible, la restauration de l'environnement. Même si la crise semble décaler le calendrier des actions à mener (encadré p. 396), elle devra être prise en compte dans les comportements industriels et commerciaux, mais aussi à travers l'implication dans des actions locales ou globales.

Les souhaits concernent aussi la participation de l'entreprise à la réduction des inégalités de toute nature (revenus, éducation...), auxquelles les Français sont de plus en plus sensibles. Ils attendent aussi des entreprises qu'elles participent à la restauration d'un lien social qui s'est peu à peu distendu, en fournissant aux individus des occasions de se parler, de mieux vivre ensemble.

Les multinationales à l'index

Les notions de marché, de libéralisme, de profit ou de marketing ont en France une connotation globalement négative, qui s'est renforcée avec la récession économique. Cette attitude s'appuie sur un rapport complexe à l'argent (p. 340). Dans l'opinion publique, l'idée de marché est associée, de façon plus ou moins consciente, à celle d'un système économique « ultralibéral » dont les abus et les dérives créent ou renforcent les inégalités sociales. Les techniques de séduction et d'influence utilisées par les entreprises (marketing, publicité...) sont souvent vécues par les citoyens-consommateurs comme des formes de harcèlement ou de manipulation (p. 396).

Ces attitudes ont été provoquées ou alimentées dans certains cas par des pratiques commerciales qui n'étaient pas toujours vertueuses (contrats illisibles, clauses abusives, promesses non tenues, publicités mensongères, ventes forcées...) et qui ont semé le doute sur l'ensemble des entreprises. Elles se sont traduites par une prise de distance à l'égard des marques et des enseignes de distribution.

Mais c'est surtout l'image des multinationales qui s'est dégradée. Leur puissance et leur richesse inquiètent les Français plus qu'elles ne les rassurent. Depuis la crise financière de 2008, les revenus des « patrons du CAC 40 » et les fortes augmentations (largement médiatisées) qu'ils se sont octroyés sont apparus excessifs à beaucoup, voire indécents. D'autant qu'ils étaient informés dans le même temps de délocalisations, fermetures de sites et plans sociaux et qu'ils apprenaient que ces multinationales paient très peu d'impôts en France, ou que certaines surveillent leurs salariés. Ce divorce avec les entreprises et leurs dirigeants a été amplifié par les débats de la campagne présidentielle de 2012.

La dimension souvent internationale des entreprises, leurs importants moyens d'investigation et de communication expliquent également que l'on attende d'elles des efforts de pédagogie pour expliquer le monde et son évolution. D'autant que les entreprises privées sont étroitement connectées à lui et qu'elles sont donc censées le connaître et le comprendre, sous peine de disparaître.

Cependant, l'arrivée de la crise économique a eu pour conséquence de diriger de nouveau le regard des citoyens vers l'État. Celui-ci, à leurs yeux, doit protéger les emplois grâce à des aides et garanties financières, et relancer l'économie. Après que la vision libérale eut prôné les limites du pouvoir étatique dans les années 1990 et au début des années 2000, on assiste à un recours croissant aux institutions dans la régulation du secteur privé, notamment financier. Le résultat des élections présidentielle a montré que les Français attendent, en ces périodes de troubles économiques, que la « refondation sociale » passe par un État protecteur, plutôt que par les entreprises, qui sont inscrites dans un système libéral.

De nouveaux modes de gouvernance sont apparus, …

Les économistes, chefs d'entreprise et observateurs étrangers se montrent souvent critiques à l'égard de la conception française de la gestion des entreprises, longtemps appelée *management* avant d'être baptisée gouvernance. Elle leur paraît marquée par certaines spécificités : culte des diplômes ; absence de représentativité syndicale ; centralisation des décisions ; faible transparence ; mobilité réduite ; attachement des cadres à la fonction plus qu'à la mission qu'elle recouvre. Pour eux, ces « exceptions françaises » ne permettent guère l'expression des individualités. Elles nuisent au contraire à l'épanouissement personnel des salariés et à leur créativité.

Des progrès ont cependant été accomplis, notamment pour impliquer davantage les salariés et les cadres dans les processus de décision. Ils ont permis en particulier aux entreprises françaises de se développer à l'international. Mais ils apparaissent encore insuffisants. L'élitisme reste très présent dans le choix des dirigeants des grandes firmes françaises ; les grandes écoles, l'État et les familles possédantes jouent un rôle central dans la « méritocratie » nationale. Beaucoup sont encore gérées selon des principes de hiérarchie et d'autorité qui n'ont plus cours dans d'autres pays. L'initiative individuelle et la remise en question n'y sont pas toujours valorisées. Le rôle interventionniste de l'État n'a guère d'équivalent dans les autres pays développés. Vue de l'étranger, la semaine de 35 heures est ainsi apparue comme une mesure à contre-courant dans un environnement très concurrentiel. Elle a imposé des contraintes supplémentaires sur les entreprises françaises et, par contrecoup, sur les salariés.

… ainsi que de nouveaux profils de dirigeants.

Au cours des prochaines années, les entreprises devront être capables de réconcilier des notions qui peuvent paraître contradictoires : autonomie des salariés et travail en équipe ; rationalité et affectivité ; court terme et long terme ; vision globale et action locale. C'est ainsi qu'elles seront en mesure de répondre aux attentes et aux contraintes de leur environnement à la fois externe (clients, concurrents, fournisseurs, pouvoirs publics…) et interne (salariés, actionnaires).

Pour y parvenir, de nouveaux profils de dirigeants sont nécessaires. En plus de la connaissance, de l'intelligence et de l'expérience, ils doivent posséder des capacités d'ouverture et de clairvoyance dans une économie mondialisée. On attend d'eux des qualités de communicateur et d'animateur. De sang-froid, aussi, pour gérer les crises de toutes sortes qui jalonnent la vie des entreprises, à commencer par celle qui sévit depuis 2008. Ils doivent être capables d'anticiper les changements et de faire émerger de nouvelles réponses à des questions inédites. La mobilité et, surtout, la moralité (ci-dessous) sont deux autres qualités essentielles.

Ces nouveaux dirigeants vont devoir par ailleurs favoriser le multiculturalisme, facteur d'intégration sociale, mais aussi d'ouverture d'esprit, d'innovation et de conduite du changement. Les entreprises ne pourront en effet continuer de pratiquer des discriminations illégales et immorales en fonction de l'origine ethnique, de la couleur de peau, de l'âge ou du sexe. La mise en œuvre de la parité hommes-femmes, jusque dans les plus hautes fonctions de direction, constitue notamment un élément nécessaire de leur évolution.

L'entreprise est jugée sur sa responsabilité…

Il est courant d'affirmer que l'entreprise doit être responsable, citoyenne, morale ou éthique. On peut préférer à ces qualificatifs celui de « vertueuse », moins galvaudé et plus riche de sens. Il présente l'avantage de ne pas renvoyer à des souvenirs de pratiques discutables, de déclarations de principe au nom de l'éthique, parfois de scandales qui ont largement contribué à la détérioration de l'image globale des

entreprises. Surtout, son origine latine (*virtus*) signifie à la fois « moralité » et « courage ». Or, les entreprises devront faire preuve de ces deux qualités pour répondre aux attentes diverses et complexes dont elles sont de plus en plus souvent l'objet.

La demande de vertu ne saurait être un simple effet de mode. Les pressions sont de plus en plus fortes de la part des différents interlocuteurs de l'entreprise : pouvoirs publics ; médias ; citoyens ; salariés ; clients ; actionnaires ; concurrents ; fournisseurs ; distributeurs ; analystes financiers ; agences de notation; organismes de contrôle et de régulation... Le moindre manquement à la morale est de plus en plus vite repéré, dénoncé et sanctionné. Les entreprises devront donc s'efforcer d'être irréprochables ou, en tout cas, de chercher sincèrement à l'être, de reconnaître les inévitables erreurs et de les réparer.

Ce besoin de vertu au sein de l'entreprise explique le succès de celles qui ont une forme coopérative ou mutualiste. Celles-ci disposent en effet d'atouts spécifiques : une vocation sociale affirmée depuis l'origine ; une culture de solidarité ; une pratique de la proximité, avec de fortes implantations locales et régionales ; une implication dans leur environnement, souvent au-delà de leur domaine d'activité. Enfin, elles ne s'adressent pas à des clients, mais à des adhérents ou à des sociétaires. Elles constituent une réponse possible aux attentes actuelles des Français, entre l'économique et le sociétal, le bien et le lien, la création de richesses et son partage. Dans un environnement éminemment concurrentiel où les offres de produits tendent à se banaliser, ce sont les « valeurs ajoutées immatérielles » (p. 394) qui permettent aux entreprises de se différencier positivement : état d'esprit ; services ; pratiques ; image ; qualité relationnelle, etc.

... et sa contribution au développement durable.

Pour jouer leur rôle, survivre et progresser, les entreprises doivent s'inscrire dans un mouvement planétaire au sein duquel elles ont un rôle majeur à jouer : le « développement durable ». Il est à la fois la condition de la survie de la planète et de leur propre pérennité. La nécessité de la vertu n'est en effet pas antinomique avec la recherche de l'efficacité économique. On observe au contraire que les deux notions se renforcent. Les entreprises qui réussissent sont aussi celles qui sont les plus conscientes de leurs responsabilités sociales.

Le comportement vertueux présente ainsi des avantages indéniables. La motivation des salariés est plus forte. Les relations avec les partenaires sociaux au sein de l'entreprise sont meilleures. Le pouvoir d'attraction auprès des jeunes à la recherche d'un emploi est plus grand. Les pouvoirs publics et les instances de régulation sont moins incités à contraindre l'activité par des réglementations tatillonnes. En cas de crise, les médias se montrent plus indulgents ; de même les clients appliquent plus facilement un principe de « présomption d'innocence » en cas de problème ponctuel. La communication de l'entreprise apparaît plus crédible, donc plus efficace. Enfin, tout cela influence favorablement le jugement des analystes financiers et des agences de notation...

Face aux nouveaux défis, les entreprises « vertueuses » pourront mieux remplir leurs missions sociales et faire face aux contraintes croissantes de compétitivité, de profitabilité et de responsabilité. Elles pourront aider leurs collaborateurs à s'épanouir, retrouver la confiance de la communauté, fournir à leurs clients des motifs de satisfaction et d'adhésion. Pour y parvenir, elles devront faire preuve d'humilité plus que d'arrogance, d'imagination plus que d'imitation, de pragmatisme plus que de certitudes. Elles en seront logiquement récompensées dans leur image, leurs résultats comptables et leur développement. Comme le suggérait Lamartine : *« La gloire ne peut être où la vertu n'est pas. »*

CONDITIONS DE TRAVAIL

Les contraintes des salariés se sont accrues, ...

Changer de poste, de fonctions ou de mission dans leur entreprise, c'est ce que les trois quarts des Français (75 %) se disent prêts à faire pour conserver leur emploi (Tissot/OpinionWay, février 2012). Depuis quelques années, les entreprises sont soumises à une concurrence croissante sur le plan national et international. La réduction du temps de travail à 35 heures avec un maintien des salaires les a aussi contraintes à des efforts de productivité. Le coût du travail en France, qui était considéré comme plutôt favorable par rapport à d'autres pays développés, s'est accru, diminuant ainsi leur compétitivité. Or, celle-ci conditionne leur niveau d'activité, donc leur capacité à créer ou à maintenir les emplois et accroître le pouvoir d'achat des salariés.

Ces contraintes se traduisent par une demande croissante d'efficacité et de flexibilité, qui sont imposées aux salariés. Beaucoup d'entreprises ont mis en place des systèmes de gestion par objectifs et de « rémunération au mérite ». Les méthodes permettant d'accroître la productivité ne concernent plus seulement les chaînes de fabrication ; elles se sont étendues au secteur des services, tant pour les tâches administratives que commerciales, dans un mouvement néotayloriste qui se donne pour objectif la « qualité totale ».

Les progrès de la technologie permettent aussi de contrôler plus facilement le travail des salariés et même de les surveiller : conversations téléphoniques ; utilisation des ordinateurs et des messageries ; déplacements dans l'entreprise ou à l'extérieur... La vie professionnelle est par ailleurs assez largement codifiée, qu'il s'agisse de la tenue vestimentaire ou des comportements vis-à-vis des supérieurs et des clients. Mais la « culture d'entreprise » (ensemble de valeurs, objectifs, attitudes et comportements qui lui sont propres), présentée il y a encore quelques années comme un modèle, apparaît aujourd'hui plus difficile à appliquer. Les jeunes appartenant à la « génération Y » (p. 296) hésitent notamment à y adhérer et à s'y conformer, craignant de devoir ainsi abandonner une partie de leur identité et de leur créativité.

... ainsi que certaines formes de pénibilité du travail.

Une ambiance de compétition, mais aussi d'inquiétude, s'est installée dans de nombreuses entreprises. 9 % des Français jugent que la concurrence interne et l'ambition de certains de leurs collègues pourraient être la cause de la perte de leur propre emploi (Tissot/OpinionWay, février 2012). Cette inquiétude a des incidences parfois néfastes sur les conditions de travail. Le stress est ainsi devenu un véritable fléau; il est à l'origine des deux tiers des consultations médicales (p. 47). L'obligation de résultat conduit un certain nombre de cadres à se « doper », comme certains sportifs de haut niveau ; on estime qu'un sur cinq a recours à des produits destinés à accroître l'énergie ou à faciliter le sommeil. Un salarié sur dix a déjà eu au moins un arrêt de maladie lié au stress professionnel. Pourtant, la pénibilité physique du travail ne semble plus augmenter, sauf chez les ouvriers.

Les employés et les cadres sont eux aussi soumis à des pressions croissantes. En contrepartie de la mise en place de la semaine de 35 heures (encadré), les entreprises leur ont demandé de travailler plus efficacement pendant un nombre d'heures inférieur. Ils subissent aussi les contraintes liées à la production « juste à temps » et aux activités « externalisées ». La reprise du chômage (y compris partiel depuis 2008) et la multiplication des statuts de précarité sont d'autres facteurs anxiogènes (p. 302). Dans un contexte de récession économique et de « décrochage » continu de la France par rapport aux autres pays développés, les actifs doivent être plus productifs et « performants ».

Le client est désormais au centre de l'entreprise.

Les entreprises ont pris conscience que le client, qui les fait vivre, avait été pendant des années un peu oublié. C'est pourquoi depuis quelques années elles cherchent à diriger vers lui l'essentiel de leurs efforts, afin de le séduire, de le conquérir et de le fidéliser. Beaucoup d'entreprises déclarent ainsi à l'interne et à l'externe « placer le client au centre de leur réflexion », ainsi que leur stratégie et leurs actions. D'autant que celui-ci se montre de plus en plus méfiant et volatil (p. 374). Dans ce contexte, le « marketing » a pris une importance croissante.

Cette nouvelle attitude a bouleversé les relations au travail, de même que les modes d'organisation. Les entreprises ont demandé à leurs collaborateurs de satisfaire des attentes devenues plus complexes, de garantir le « zéro défaut » et le « zéro délai ». Les itinéraires professionnels et les rémunérations sont davantage liés aux efforts personnels et aux résultats obtenus, dans le cadre d'une gestion par objectifs.

Plus sans doute que dans d'autres pays à la culture professionnelle différente, les Français ont éprouvé des difficultés à accepter ce nouveau système. L'habitude des « plans de carrière » dans le secteur privé et celle de l'avancement à l'ancienneté dans la fonction publique apportaient un certain confort, qui a disparu tout à coup. D'autant que les entreprises n'ont pas toujours bien expliqué les enjeux et les règles. Leurs discours sur l'importance de la « ressource humaine » ne sont pas toujours crédibles, lorsqu'elles sont amenées à licencier. En février 2012, 19 % des Français estimaient que l'exigence des clients de leur entreprise risquait de leur faire perdre leur emploi (Tissot/OpinionWay). Beaucoup de salariés ont souffert par ailleurs d'un manque de reconnaissance de la part de leurs supérieurs, collègues ou clients. Dans le contexte d'une remise en question générale, les priorités de l'entreprise doivent être rediscutées et redéfinies entre les salariés, les clients, les fournisseurs et les actionnaires. De même que la répartition de la « valeur ajoutée» globale.

Autrefois fondée sur l'affectivité et sur l'identification à l'entreprise, la relation au travail a changé. Face au risque de perdre leur travail, 70 % des Français se disent aujourd'hui prêts à aménager leur temps de travail, avec un nombre d'heures variant d'une semaine à l'autre en

fonction l'activité de l'entreprise (Tissot/OpinionWay, février 2012). Mais les salariés se montrent globalement moins disponibles, moins motivés, moins présents et moins fidèles. *« Être fidèle, c'est enchaîner l'autre »*, écrivait Sacha Guitry et les salariés ne veulent plus aujourd'hui être enchaînés à leur entreprise. Même si, comme l'indiquait Sénèque, *« la prospérité demande la fidélité et l'adversité l'exige »*. Comme dans leur vie de couple, les Français sont moins souvent « mariés » à l'entreprise ; ils vivent avec elle en « union libre ». Les divorces sont aussi de plus en plus fréquents ; on observe qu'ils sont plus souvent demandés par les entreprises que par les salariés.

La France est l'un des pays où l'on travaille le moins.

Il existe un paradoxe apparent entre le malaise croissant des salariés et la baisse continue de leur temps de travail. Avec l'entrée en vigueur de la loi Aubry, la durée collective hebdomadaire du travail avait diminué de trois heures entre fin 1998 et 2007 (ACEMO). Cette baisse de 7,6 % correspondait à la durée de travail affichée dans les entreprises et concernait les salariés à temps plein (hors forfaits en jours).

La durée effective du travail, au sens du BIT (Bureau international du travail) est exprimée en nombre d'heures annuelles, pour tenir compte des variations annuelles ; elle inclut toutes les heures travaillées (hors jours fériés et congés) pour les salariés qui ont travaillé au moins une heure dans leur emploi principal. Elle était en France de 1 554 heures en 2010 pour un salarié à temps complet ou partiel, contre 1610 heures en 1990.

Les comparaisons internationales sont délicates, compte tenu des méthodes de calcul qui peuvent différer (encadré). De plus, les chiffres et les hiérarchies varient selon que l'on intègre l'ensemble des actifs ou seulement les salariés. Ils varient aussi selon que l'on considère ces derniers dans leur globalité ou seulement ceux qui travaillent à temps plein. La durée du travail apparaît ainsi nettement plus basse aux Pays-Bas (1 377) et en Allemagne (1449) en raison de la part plus importante du temps partiel, qui représente 26 % des emplois en Allemagne et 47 % aux Pays-Bas contre 17 % en France. Tous les autres pays développés ont un temps de travail supérieur à la France : au Danemark (1 559), en Belgique (1551) ou en Autriche (1587). Le temps de travail est encore nettement supérieur aux États-Unis (1 778 en 2006), en Slovaquie (1789), en République tchèque (1947) ou en Pologne (1939). L'écart est ainsi de 385 heures par an entre un travailleur polonais par rapport à un Français.

RTT : la longue marche

Le processus de réduction du temps de travail a commencé il y a deux siècles, avec la législation sur le chômage des dimanches et jours de fêtes catholiques, en 1814. Pendant la révolution de 1848, le décret de Louis Blanc limitait la journée de travail à 10 heures à Paris et 11 heures en province ; il fallut cependant attendre 1912 pour que ces dispositions entrent dans les faits. La journée fut réduite à 8 heures en 1919, répondant à une demande apparue dès 1880 ; mais le dimanche chômé fut aboli cette même année, avant d'être restauré en 1906. Le repos hebdomadaire était obligatoire depuis 1892.

Les pressions sociales pour réduire le temps de travail s'exprimèrent ensuite à l'échelle de la semaine, avec une durée maximale de 48 heures en 1919 et de 40 heures en 1936. Puis elles concernèrent l'année, avec la mise en place des congés payés : 12 jours ouvrables en 1936, 18 en 1956, 24 en 1969, 30 en 1982 (cinq semaines), davantage aujourd'hui en tenant compte des congés de récupération ou de compensation liés à la RTT.

La réduction du temps de travail a connu une étape marquante avec la loi sur les 35 heures votée en 1998, entrée en application en 2000. Le début du XXIe siècle marque ainsi le passage d'une civilisation centrée sur le travail à une autre, dans laquelle le temps libre est quantitativement et qualitativement prépondérant (p. 101).

À l'échelle de la vie, le temps de travail avait parallèlement été réduit par l'avancement de l'âge de la retraite, fixé pour l'ensemble du régime général à 65 ans vers 1950, puis à 60 ans en 1982. Les mesures prises en 1993, qui avaient augmenté le nombre de trimestres de cotisation nécessaires pour le secteur privé, ont restreint le nombre d'actifs susceptibles d'en bénéficier à cet âge (l'harmonisation avec le secteur public a été engagée avec la réforme de 2003). Enfin, la réforme réalisée fin 2010 a repoussé de deux ans l'âge minimum de liquidation des pensions, dans le but de préserver (provisoirement) l'équilibre financier du système de retraite par répartition.

Le monde du travail

Évolution de la durée annuelle du travail dans quelques pays pour les personnes ayant un emploi (effective, temps plein ou partiel, en heures)

	1990	2010
Allemagne	1541	1419
Autriche		1587
Belgique	1601	1551
Danemark	1452	1559
Espagne	1824	1663
Finlande	1763	1697
France	**1610**	**1554**
Grèce	1919	2109
Irlande	1911	1664
Italie	1656	1778
Pays-Bas	1456	1377
Pologne		1939
Portugal	1858	1714
Rép. Tchèque		1947
Royaume-Uni	1767	1647
Slovaquie		1786
Suède	1561	1624
Australie	1866	1686
Canada	1757	1702
États-Unis	1861	1778
Japon	2031	1733

BIT

La France paresseuse ?

Selon les chiffres publiés par Eurostat en 2012 et portant sur 2010, la France est l'un des pays de l'Union européenne où les salariés à temps complet travaillent le moins : 1679 h, juste devant la Finlande (1670 h), mais loin derrière l'Allemagne (1904 h). Ces chiffres résultent d'un calcul spécifique (demandé par l'institut COE-Rexecode), qui intègre les personnes en congés ou en arrêt (maladie, maternité...) lors de l'enquête, afin de disposer de statistiques comparables et homogènes pour tous les pays de l'Union. Ce mode de calcul modifie les classements précédemment publiés sur la période 1998-2010, en indiquant un temps de travail inférieur en France à ce qu'il est dans les autres pays.

Ces chiffres ont été contestés. Certains ont dénoncé la dimension « politique » de cette étude, mais aussi sa méthodologie. La mesure des écarts sur la période ne serait pas pertinente dans la mesure où l'INSEE a également modifié (en 2003) ses enquêtes sur la durée du travail. Ainsi, la baisse de la durée effective de travail, estimée par COE-Rexecode à 13,9 %, n'aurait été que de 5,2 % en France, contre 6,1 % en Allemagne. Compte tenu des difficultés d'interprétation des enquêtes, la polémique n'est pas tranchée. Il faut préciser que, contrairement à la durée effective moyenne de travail des salariés français à temps complet, celle des non-salariés à temps complet (2453 heures) et celle des salariés à temps partiel (930 heures) se situent dans la moyenne européenne. 38 % des Français estiment en tout cas que l'on ne travaille pas assez en France, 17 % seulement pensent que l'on travaille trop, et 42 % « juste comme il faut »

La Croix/CSA, octobre 2011

La réduction de la durée du travail a des conséquences économiques...

Le mouvement de baisse de la durée du travail a été général dans les pays développés. En France, il se poursuit depuis plus d'un siècle et demi, sous l'effet des lois successives (encadré p. 333) : l'année professionnelle comptait en moyenne 3 015 heures en 1830 ; elle est passée à 2500 heures vers 1915, à 2000 vers 1936. La tendance s'est accélérée de façon inédite depuis 1999 avec la mise en place de la loi sur les 35 heures. Depuis la fin des années 1960, la durée annuelle du travail dans l'Hexagone a diminué de plus de 400 heures.

Le nombre d'années de travail au cours de la vie a lui aussi été réduit, avec l'allongement de la durée des études et l'âge légal de départ à la retraite avancé en 1981 (mais un peu rallongé avec la réforme de 2010). Compte tenu des difficultés d'intégration des jeunes dans la vie active avant 30 ans et des difficultés des plus de 50 ans à s'y maintenir, la durée de la vie professionnelle tend aujourd'hui à se limiter à une courte période de vingt ans. Cette faible durée est paradoxale compte tenu de l'allongement de la durée de vie (la durée moyenne de la retraite effective a plus que doublé depuis 1950, p. 159).

Les mesures mises en place en 2008 en faveur des heures supplémentaires avaient surtout concerné les petites et les moyennes entreprises et elles ont été remises en cause en 2012. Les trois quarts des heures supplémentaires effectuées l'ont été dans les secteurs du commerce, de la construction, des industries des biens intermédiaires, des services aux entreprises ainsi que dans les services aux particuliers.

... et sociales.

Parmi les reproches adressés à la loi sur les 35 heures figure la « dévalorisation » de la notion de travail qu'elle aurait entraîné, en diffusant un

message « subliminal » selon lequel le travail est une « malédiction » (encadré p. 295). On serait ainsi d'autant plus heureux que l'on travaille moins. La loi aurait contribué à faire perdre aux Français un de leurs derniers repères, sans proposer d'alternative pour donner du sens à la vie. Le malaise de la société et le déclin économique de la France auraient été accrus par la mise en place de cette loi.

En tout état de cause, on peut observer une certaine concomitance entre la mise en place de la loi sur les 35 heures et la diffusion de plus en plus large du sentiment d'une baisse du pouvoir d'achat, ou en tout cas de l'accélération de cette baisse. Ce sentiment peut s'expliquer par la diminution à l'époque du nombre d'heures supplémentaires de nombreux employés. Mais on peut formuler d'autres hypothèses. L'une d'entre elles, difficile à nier, est que des heures de loisirs plus nombreuses induisent des dépenses de consommation plus élevées, alors que celles passées à travailler rapportent au contraire de l'argent. De plus, le nombre croissant des sollicitations marchandes, et les envies qu'elles induisent naturellement, entraîne une frustration et un sentiment de pouvoir d'achat insuffisant, quel que soit d'ailleurs celui dont on dispose. C'est pourquoi les Français sont aujourd'hui nombreux à considérer, pour des raisons aussi bien pratiques que philosophiques qu'il est nécessaire de « réhabiliter » la notion de travail.

La crise semble bousculer l'attitudes des Français vis-à-vis de leurs acquis sociaux puisque 39 % d'entre eux se disent prêts à réduire leur nombre de jours de RTT ou leur temps de travail pour conserver leur emploi et 32 % à augmenter leur temps de travail en gardant la même rémunération (Tissot/OpinionWay, février 2012).

Le nombre des conflits du travail varie sensiblement selon les années.

En 2009 (dernière année connue, DARES), seules 2,2 % des entreprises d'au moins 10 salariés avaient connu des arrêts collectifs de travail. La part d'entreprises ayant connu une grève apparaissait stable, mais le nombre de journées non travaillées avait augmenté. C'est dans l'industrie que la conflictualité avait été la plus importante : 4,8 % en moyenne et 13,5 % pour celles de fabrication de matériel de transports, dans un contexte de baisse du marché automobile. 2010 avait été marquée par les manifestations de mars à novembre liées à la réforme des retraites. Le ministère de l'Intérieur avait comptabilisé au total près de 10 millions de manifestants (mais les organisations syndicales en avaient dénombré trois plus).

Après le record atteint en 1968 (150 millions de journées de grève), les conflits du travail n'avaient cessé de diminuer et leur durée moyenne s'était raccourcie. La moyenne annuelle était de 684 000 journées non travaillées entre 1990 et 1996 contre 1 338 000 entre 1980 et 1989 et 3 556 000 entre 1970 et 1979. En 1998, on avait comptabilisé 353 000 jours de grève, le plus bas niveau depuis plus de vingt ans, pour environ un million de journées de travail perdues. Le début des années 2000 a vu une remontée du nombre des conflits, et une progression du nombre de journées de grève. L'augmentation avait été particulièrement forte en 2003, du fait des 3,7 millions de journées non travaillées dans la fonction publique, contre le projet de réforme des retraites.

Comme dans beaucoup d'autres domaines à forte implication sociale (pouvoir d'achat, délinquance, durée du travail...), l'étude du nombre de conflits du travail est devenue de plus en plus complexe, de même que leur comparaison dans le temps. Et les chiffres publiés sont souvent contestés. Il est permis de penser qu'ils sont sous-estimés, dans la mesure où le signalement des journées de grève n'est pas un acte administratif obligatoire. Par ailleurs, l'enquête ACEMO, qui a succédé depuis 2005 au recensement effectué à partir de données administratives, continue de prendre en compte les seuls arrêts de travail (grèves et débrayages). Une autre enquête (REPONSE) recense d'autres formes d'action collective (grève du zèle, pétitions, manifestations...), mais ses résultats sont publiés avec beaucoup de retard.

Les grèves affectent en priorité le secteur public.

Alors qu'elle regroupe un quart des salariés, la fonction publique a une part historiquement plus élevée que le secteur privé dans le nombre et la durée des conflits du travail, bien que des données récentes manquent en la matière. Alors que le nombre moyen de journées individuelles non travaillées aurait sensiblement diminué dans le secteur privé depuis les années 1980 (de 100 par salarié en 1984 à 40 en 2005), celui du secteur public serait stable, mais dix fois plus élevé (400 pour 1000 salariés, avec un pic à 1 300 en 1995, lors des grèves contre le plan Juppé).

Ainsi, la SNCF, qui emploie 1 % de la population active, est responsable d'une part beaucoup plus importante des journées de travail perdues (jusqu'à 40 % en 1998) ; une journée de grève coûterait 20 millions d'euros. Le modèle de concertation sociale qui a été mis en place à la RATP depuis 1996 a cependant permis de réduire le nombre de jours de grève par agent. Le transport aérien est également souvent concerné. Selon le ministère des Transports, 1131 conflits y ont été dénombrés en trois ans : 360 en 2011, 379 en 2010 et 392 en 2009. Ils ont représenté 176 jours de perturbation, dont 63 jours en 2011, auxquels s'étaient ajoutés quatre mois de grève perlée (ralentissement de l'activité) conduites par deux catégories d'agents au sol d'Air France.

La fréquence des conflits dans le secteur public constitue l'une des nombreuses « exceptions françaises » en matière de travail. Elle est favorisée par l'impact des grèves des services publics sur l'ensemble de l'économie et sur la vie des citoyens-usagers. Elle s'explique en partie par les difficultés et les inquiétudes ressenties par les agents face à l'avenir. Elle est aussi la conséquence d'une « culture de la grève » particulière à la France. Un document intitulé *Droit du travail et culture sociale* (la Documentation française) résume ainsi la comparaison entre la France et l'Allemagne : *« Les conflits du travail en Allemagne apparaissent comme limités par l'idée d'appartenance à un tout supérieur à ses parties composantes, d'un intérêt commun qui définit le cadre des relations patrons-salariés comme celui des relations entreprise-environnement social. [...] Par opposition, le modèle culturel français, qui laisse aux acteurs individuels ou minoritaires une marge de jeu a priori plus grande, semble compenser cette dernière par l'exercice d'un mode centralisé et descendant de direction des rapports sociaux, d'où l'attachement des acteurs à la liberté de la grève comme droit imprescriptible et inviolable. »*

La France est le pays le moins syndiqué au monde.

Le taux de syndicalisation des salariés était de 7,5 % en 2005 (dernière année disponible, DARES) et des sondages plus récents donnent des chiffres (déclaratifs) de l'ordre de 8 %. Il apparaît assez stable depuis 1997, après avoir connu une baisse spectaculaire pendant 5 décennies (30 % en 1949). Les déclarations syndicales font état d'un nombre de syndiqués légèrement supérieur, mais un adhérent sur cinq est retraité ou chômeur. Si l'on adopte la définition plus large de l'OIT (1948), qui comprend toutes les « associations indépendantes de travailleurs ayant pour but de promouvoir et de défendre leurs intérêts », on arrive à un taux de l'ordre de 10 %, soit 2,4 millions de salariés.

Le taux de syndicalisation français est ainsi le plus faible de tous les pays industrialisés. Les taux atteignent ou dépassent 70 % dans les pays de l'Europe du Nord (Suède, Danemark, Finlande), 35 % en Italie, 28 % au Royaume-Uni, 19 % en Allemagne (ETUI, 2009). La proportion est du double de celle de la France en Espagne. Le taux de syndicalisation moyen au sein de l'Union européenne est de 23 %.

Ces taux très différents reflètent très largement l'histoire nationale des syndicats, leur statut et leur rôle selon les pays. Dans les pays nordiques et en Belgique, seuls les salariés syndiqués bénéficient de certains avantages (droit aux allocations de chômage, par exemple) négociés par le syndicat auquel ils sont affiliés, ce qui explique le très fort taux d'adhésion. Au Royaume-Uni et aux États-Unis, la pratique du *closed shop*, qui conditionne l'accès à l'emploi à une affiliation syndicale, était répandue jusqu'au début des années 1980 ; elle l'est encore dans des pays comme la Corée du Sud ou le Mexique.

En France, l'histoire du syndicalisme a été marquée par le rôle fort de l'État dans la régulation du marché du travail et le développement indépendant des mouvements mutualistes. Les syndicats y négocient pour l'ensemble des salariés et non seulement pour leurs adhérents. Plus de neuf salariés sur dix sont ainsi couverts par une convention collective, l'un des taux les plus élevés au monde.

Interdire les grèves de fonctionnaires ?

82 % des Français estiment que l'une des raisons des grèves plus fréquentes dans le secteur public que dans le privé est « la sécurité de l'emploi dont bénéficient les agents publics » (Observatoire de la Fiscalité et des Finances publiques/Ifop, décembre 2011) ; ils sont 86 % dans le privé, mais 68 % dans le public.

50 % seraient favorables à ce que les fonctionnaires disposant d'un statut n'aient pas le droit de faire grève, comme c'est le cas en Allemagne (50 % y sont défavorables) ; ils sont 52 % dans le privé, 26 % dans le public, 25 % parmi les personnes proches de la gauche, 76 % parmi celles proches de la droite. La proportion varie selon les secteurs et les entreprises publics qui seraient concernés : la proportion de personnes favorables à une interdiction du droit de grève atteint 61 % pour la RATP, 60 % pour la SNCF ; elle est de 58 % pour la police, 57 % pour EDF, 53 % pour l'Éducation nationale, 55 % pour le ministère des Finances. Les Français seraient encore plus favorables à l'interdiction de la grève si l'on mettait parallèlement en place des procédures particulières de règlement des conflits sociaux.

60 ans de syndicalisme

Évolution du taux de syndicalisation (en % de la population salariée)

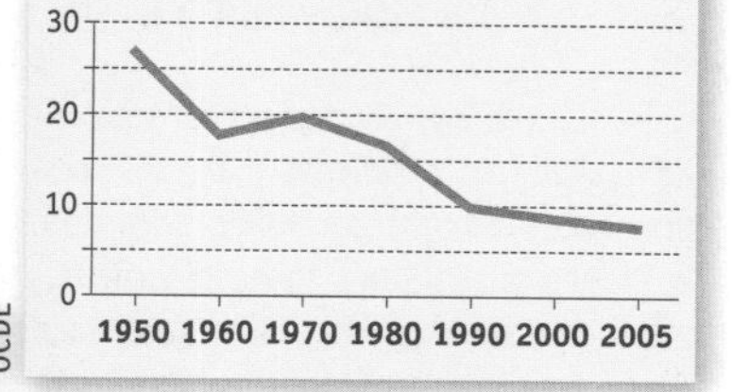

OCDE

Le taux d'adhésion est plus élevé dans la fonction publique.

La proportion de salariés syndiqués apparaît stable depuis une quinzaine d'années, à environ 14 % dans la fonction publique et 16 % dans les entreprises publiques et la Sécurité sociale, contre 5 % dans le privé (DARES/INSEE). Les taux de syndicalisation le plus élevés s'observent chez les enseignants, chercheurs et médecins hospitaliers du secteur public (25 %), les cadres et ingénieurs de la fonction publique (25 %) et les salariés des entreprises publiques du secteur de l'énergie (17 %). Dans le privé, ils varient beaucoup selon la taille des entreprises et les secteurs. Le taux est ainsi de 9 % dans les entreprises de 500 salariés ou plus, contre 3,5 % dans celles de moins de 20 salariés. Par ailleurs, le taux de syndicalisation est trois fois plus élevé dans l'industrie, où le syndicalisme peut s'appuyer sur une forte tradition, que dans le commerce et la construction (7,5 %, contre 2,5 % pour ces derniers).

Depuis une vingtaine d'années, le nombre de cadres syndiqués dépasse celui des ouvriers. C'est l'une des conséquences de la part décroissante des emplois industriels au profit de ceux des services (p. 315). Mais, de façon générale et en raison du poids des emplois publics, les cadres sont 2,4 fois plus souvent affiliés à un syndicat (14 %) que les ouvriers (6 %). Les professions intermédiaires le sont près de deux fois plus souvent (10 %). Le taux de syndicalisation n'est que de 5,5 % chez les employés. La propension à adhérer à un syndicat augmente en effet avec le niveau de diplôme.

On observe dans la plupart des pays industrialisés une tendance à la diminution de l'adhésion syndicale. Elle a été estimée à 15 % sur l'ensemble des 68 syndicats européens diffusant des données sur la période 1993-2003 (EIRO). Dans les anciens États membres de l'Union, la baisse était d'environ 5 %, alors que dans les nouveaux et dans les pays candidats, elle avoisinait 50 %. Seuls trois pays faisaient exception : l'Espagne et les Pays-Bas et la France.

Les syndicats sont bien implantés sur le terrain.

Lorsqu'on considère d'autres indicateurs, comme celui de la présence d'un représentant syndical sur le lieu de travail, la France occupe une place intermédiaire, mais supérieure à la moyenne européenne. Depuis le milieu des années 1990, l'implantation des syndicats français a progressé lentement, alors que le nombre de leurs adhérents stagne. En 2005 (derniers chiffres disponibles), plus de 40 % des salariés déclaraient avoir un syndicat présent sur leur lieu de travail, plus de la moitié dans leur entreprise ou leur administration. L'implantation syndicale est comparable dans le secteur public et dans les grands établissements du secteur privé. Elle est moins forte dans les petits établissements du secteur privé : 15 % des salariés des éta-

blissements de moins de 100 salariés en disposent, contre 70 % de ceux de plus de 100 salariés.

La réforme de la représentativité syndicale, introduite à la suite du rapport Hadas-Lebel de 2006, a eu pour effet de mettre un terme à la présomption historique de représentativité de la CGT, CFDT, FO, CGC et CFTC (décret de 1966). Elle leur permettait de participer aux organismes paritaires, de bénéficier de diverses subventions, de signer des accords collectifs, de désigner un délégué syndical dans toute entreprise et de présenter des candidats élections professionnelles dès le premier tour, quel que soit le degré de leur implantation. Le paysage syndical avait en effet changé au cours des dernières décennies, avec l'apparition de nouvelles organisations, comme notamment l'Union syndicale solidaires regroupant les syndicats SUD, UNSA, FSU... La loi du 20 août 2008 a défini des seuils pour la représentativité : 10 % des votes exprimés au niveau de l'entreprise, 8 % à celui des branches comme au niveau national interprofessionnel. À cela s'ajoutent d'autres critères : la transparence financière (obligation de la tenue d'une comptabilité), l'ancienneté, la prise en compte du nombre d'adhérents et des cotisations, de l'activité et de l'expérience, l'adhésion aux valeurs républicaines (qui a remplacé « l'attitude patriotique pendant l'Occupation ») et l'indépendance à l'égard de l'employeur ainsi que des mouvements politiques et religieux.

La discussion entre les « partenaires sociaux » est souvent difficile...

Le « modèle social » français a de plus en plus de difficulté à remplir ses objectifs de protection et d'harmonisation des salariés, comme en témoignent le niveau élevé du chômage et la précarisation croissante du travail. L'une des causes de dysfonctionnement est sans doute la diversité des secteurs d'activité et des conventions, des habitudes et des pratiques. Les métiers, branches et corporations constituent autant de groupes d'intérêt aux caractéristiques distinctes, parfois contradictoires. La séparation est également marquée entre un secteur public très protégé et un secteur privé de plus en plus soumis aux impératifs de productivité, dans un contexte de mondialisation de l'économie et d'émergence de nouveaux pays à faible coût de main-d'œuvre.

Les autres causes de dysfonctionnement tiennent à la faible représentativité des syndicats dans les petites entreprises et dans certains secteurs et à leur unité peu fréquente. Le fait qu'ils défendent des revendications catégorielles aboutit parfois à une « solidarité sélective », qui ne bénéficie pas à l'ensemble des travailleurs, mais peut accroître les inégalités entre eux. Ainsi, les revendications des fonctionnaires, groupe mieux structuré, plus nombreux et puissant que tout autre, leur ont permis d'obtenir certains avantages qui sont financés par les autres catégories. C'est le cas par exemple des retraites (p. 164). Le déficit récurrent de certains régimes est ainsi pris en charge par l'ensemble des actifs, dont la plupart ne bénéficieront pas des mêmes avantages lorsqu'ils cesseront leur activité.

Les Français restent en tout cas attachés au principe de la représentation des salariés. Mais leur participation active est très faible. Aux dernières élections prud'homales (décembre 2008), le taux de participation n'était que de 26 % (contre 38 % en 2002). Dans les élections aux comités d'entreprise et délégations uniques du personnel, les organisations syndicales ont obtenu la grande majorité des voix. La CGT a conservé la première place, avec 34 % des votes exprimés, devant la CFDT (22 %), FO (16 %), la CFTC (9 %), la CFE-CGC (8 %), l'UNSA (6 %) et Solidaires (4 %).

... mais les syndicats ont un rôle essentiel à jouer.

Parmi les autres reproches souvent adressés aux syndicats par des responsables et une partie de l'opinion, le principal est sans doute d'avoir des arrière-pensées politiques. Un autre est de ne pas voir le monde tel qu'il est. Certaines centrales ont ainsi été prises de court par les mutations sociales et économiques. La rigidité de leurs positions a eu parfois des conséquences négatives, voire désastreuses pour des entreprises ou des secteurs entiers de l'économie : chantiers navals, presse, transports... Lors de la crise des années 1970, la focalisation sur la lutte pour le pouvoir d'achat a pu favoriser la montée du chômage, ou empêcher de l'endiguer. Pour des raisons liées au profil de leurs adhérents, certaines n'ont en effet pas toujours accordé la même attention aux chômeurs qu'aux actifs occupés ou même qu'aux retraités cotisants.

Bien que leurs effectifs soient réduits, les moyens d'action des syndicats sont importants, notamment du fait de l'amplification donnée aux mouvements par les médias. Leur pouvoir de blocage de l'économie et de la société est considérable, notamment dans les services publics. Les grandes centrales restent l'un des instruments privilégiés du dialogue et du progrès social. Beaucoup d'observateurs s'accordent à reconnaître qu'elles ont fait preuve au cours des années passées d'un sens réel de la responsabilité, à l'exception de conflits locaux mal maîtrisés. Les prochaines années vont plus que jamais mettre à l'épreuve leur capacité d'analyse, de réalisme, de proposition et de compromis, dans un contexte où toute explosion sociale aurait de lourdes conséquences sur le redressement du pays.

ARGENT

IMAGE DE L'ARGENT

Les Français ont une relation complexe à l'argent.

La mentalité française a longtemps été hostile à l'argent, comme en témoigne la tradition littéraire et intellectuelle, de La Bruyère à Péguy en passant par Balzac ou Zola. Les proverbes, qui sont souvent l'expression de la culture populaire, traduisent un certain mépris à son égard : *« l'argent ne fait pas le bonheur » ; « plaie d'argent n'est pas mortelle » ; « l'argent est un bon serviteur et un mauvais maître »...*

L'émergence de la société de consommation a modifié les mentalités. Au début des années 1980, la gauche, idéologiquement hostile au « mur de l'argent », avait reconnu la notion de profit, conséquence de l'existence de « marchés ». Gagner de l'argent et rêver d'en avoir beaucoup est devenu peu à peu une ambition commune et acceptable, qui permet de financer les loisirs. Ces derniers ont pris dans les vies personnelles et dans la société une place au moins aussi grande que le travail (p. 434).

En rendant l'argent plus rare, la crise économique de ces dernières années l'a rendu plus « cher », c'est-à-dire désirable par tous ceux qui craignent que leur pouvoir d'achat ne soit réduit ou menacé. Mais elle a aussi rendu l'argent des autres plus insupportable. Ainsi, en mai 2011, 36 % d'entre eux considéraient que « leur objectif principal dans la vie est de gagner plus d'argent » (Ipsos), soit 3 points de plus qu'en 2008, avec une proportion encore plus élevée parmi les jeunes. Mais 31 % estimaient que « gagner beaucoup d'argent est indécent », contre 20 % des Britanniques, 19 % des Italiens (22 % pour l'ensemble des Européens), 14 % des Américains, 10 % des Allemands et 8 % des Japonais. Il y a donc une forte distinction entre l'argent que l'on gagne soi-même, jugé insuffisant, et celui que gagne les plus aisés, jugé excessif.

De nombreuses enquêtes témoignent de ce rapport ambivalent des Français à l'argent. Le culte du secret demeure en matière de salaire ou de patrimoine. Le capitalisme est perçu comme injuste par essence, et contraire au principe républicain d'égalité. Il est accusé de permettre aux riches d'exploiter et de dominer les pauvres. En cela, la culture française s'oppose à la culture anglo-saxonne, dans laquelle l'argent et les affaires ne sont pas des tabous mais des moyens d'accomplissement personnel.

L'argent a été successivement solide, liquide, gazeux...

L'argent a connu les trois états de la matière. Longtemps *solide*, il était constitué d'« espèces sonnantes et trébuchantes » ; Zola parlait en son temps de la « toute-puissante pièce de cent sous ». Puis on a parlé d'argent *liquide* : constitué en fait de pièces et de billets bien matériels. Mais sa liquidité tenait à ce qu'il pouvait être « versé » sur un compte ou à un prestataire, et qu'il « coulait » facilement si l'on avait les poches percées ou la dépense facile. Une approche plus physiologique montre que l'argent est encore assimilé aux liquides corporels ; il est le « sang » du corps social, il peut s'écouler et s'infiltrer comme l'eau. Il s'apparente même au sperme pour les hommes, à qui il confère un pouvoir et apporte un plaisir qui peut être rapproché de celui lié à la sexualité. Mais l'argent liquide n'est plus aujourd'hui représentatif de la richesse, sauf dans certains groupes sociaux qui exhibent encore volontiers des liasses de billets pour affirmer leur réussite et leur « pouvoir » d'achat.

L'essentiel de l'argent utilisé est en effet devenu invisible. Après le solide et le liquide, il s'est dématérialisé et s'apparente au *gaz*. Un gaz inodore si l'on se réfère à la sagesse populaire : « l'argent n'a pas d'odeur ». Mais, contrairement à la plupart des gaz, il n'est pas incolore ; on parle ainsi de la « couleur de l'argent » en référence à son passé matériel (le billet vert est devenu la référence planétaire, après le métal jaune). Il est en revanche devenu « indolore » avec la généralisation des cartes bancaires. Avec elles, l'acte de dépense est devenu virtuel, puisqu'il n'y a plus d'échange au sens strict. Lorsqu'elle est récupérée après l'achat, la carte n'a pas changé d'apparence. Son usage n'est d'ailleurs plus nécessaire avec les paiements électroniques. La dimension ludique de l'argent en est renforcée, comme le sentiment de puissance qu'il procure. Le passage à l'euro, même s'il a été assez mal vécu par les Français (p. 366), a montré que l'image de l'argent était au fond assez peu liée aux moyens utilisés pour le dépenser.

... et ses fonctions se sont diversifiées.

L'argent est d'abord un moyen de *transaction* entre les individus ; il permet de substituer aux objets leur valeur

marchande, résultat d'une négociation ou d'une confrontation entre l'offre et la demande. Mais il remplit beaucoup d'autres fonctions, à la fois collectives et individuelles. Il constitue probablement le principal *marqueur* social, attribut du statut personnel et de la place occupée dans la hiérarchie. Il est ainsi au service de l'identité et participe à l'estime de soi, qui n'est évidemment pas indépendante du regard des autres. L'argent est aussi un vecteur de *lien social* ; il permet de faire des cadeaux à ceux que l'on aime, d'inviter des amis ou des relations, de montrer sa richesse (en le dépensant) ou sa compassion (en le donnant). Dans une vision qui reste imprégnée de la culture judéo-chrétienne, il permet d'acheter, mais aussi de se *racheter*.

L'argent reste chargé de symboles et porteur d'un imaginaire fort. Il est à la fois un instrument rationnel (gestion) et irrationnel (compulsion, obsession). Il permet d'assouvir les désirs et il est en lui-même objet de désir. Au point de devenir parfois une drogue ou d'engendrer la violence. Si l'argent n'apporte pas à lui seul le bonheur, chacun se comporte comme s'il en était la condition nécessaire, jusqu'à ce qu'il s'aperçoive qu'elle n'est pas suffisante. Mais cette constatation ne peut guère être faite que par les sages et par les riches.

L'argent, est d'abord un outil de *liberté* individuelle, mais aussi de *domination* sur les autres. Dans la société de consommation, il permet de s'inscrire dans la *mode* et dans la *modernité*, en donnant l'accès à ses attributs les plus visibles. Il pose par ailleurs la question de la *morale*, car il est souvent considéré comme corrupteur et inégalitaire. L'argent est en résumé un ingrédient inséparable de la *vie* (encadré).

La transparence a engendré frustration et colère.

L'individualisation des modes de vie et la très forte médiatisation de l'argent ont modifié son image auprès des Français, en apparence dans le sens d'une plus grande décontraction. Mais elle s'accompagne souvent de frustration. On a pu le constater depuis 2009 avec l'ampleur du débat sur la rémunération et les avantages de certains grands patrons (stock options, train de vie professionnel, retraites, indemnités de départ...), jugés exorbitants par le plus grand nombre. Les Français ne sont donc pas réconciliés avec l'argent. Le rapport qu'ils entretiennent avec lui est complexe. L'argent reste un marqueur social fort, un indicateur d'inégalité et d'injustice, et de plus en plus un motif de colère. Les réactions qu'il engendre témoignent des dysfonctionnements de la société.

Les traditions culturelles et religieuses continuent de peser sur les attitudes. Il reste difficile en France d'interroger un citoyen sur ses revenus ou son patrimoine, plus peut-être que sur sa vie amoureuse. Les stars du *show-business* ou les sportifs payés à prix d'or ont compris qu'il n'est pas dans leur intérêt d'afficher des revenus qui donnent le vertige ; c'est pourquoi ils se montrent généralement très évasifs sur le sujet. Les grands chefs d'entreprise ont été contraints de lever le voile, à l'occasion de la crise financière, mais leur image en a été très affectée.

À l'inverse du protestantisme, la tradition catholique a toujours été circonspecte à l'égard de l'argent. De plus, le

L'argent au centre de la société

L'argent occupe une place centrale, quasi obsessionnelle, dans la société contemporaine. Il fait la une des médias et alimente les conversations des Français. Pas un jour sans que l'on parle de lui, pour citer des chiffres qui étonnent souvent, parfois scandalisent. L'omniprésence de l'argent s'est encore accrue depuis 2008, avec la crise financière. Les Français ont appris à cette occasion que des patrons pouvaient percevoir des revenus de plus d'un million d'euros par mois en salaires fixes et variables, plus-values réalisées sur les *stock options*, jetons de présence et dividendes, soit plus de 1000 fois le SMIC. Les Français se sont aussi ému des bonus perçus par les *traders* des banques, qui se trouvaient mêlés par leur activité à la crise.

L'étalage au grand jour de ces sommes considérables a renforcé le sentiment d'inégalité et d'injustice des salariés, persuadés depuis des années que leur pouvoir d'achat diminuait (p. 369). Le développement de la crise a exacerbé la colère et la frustration. Les Français ne pouvaient comprendre, encore moins accepter que les entreprises qui licenciaient ou réalisaient des pertes puissent offrir à leurs dirigeants des salaires mirobolants, des primes démesurées, des parachutes dorés, des retraites « chapeau » indécentes. Le divorce a été ainsi consommé entre ceux qui avaient l'impression de gagner peu (et de moins en moins) et ceux qui ne se rendaient pas compte qu'ils gagnaient « trop » aux yeux de la société. La crise a été l'occasion de se poser la question, importante pour l'avenir, du niveau d'inégalité acceptable par la société. La campagne présidentielle de 2012 a permis d'en débattre, dans un contexte favorable à l'idée qu'il fallait « faire payer les riches ».

rôle central de l'État et la nationalisation des outils économiques (notamment des banques) ont été en France un frein à la reconnaissance et à l'acceptation de l'économie de marché, au libéralisme et au capitalisme. C'est pourquoi aussi la culture économique y est plutôt moins développée que dans les pays anglo-saxons (p. 423). L'État reste très présent dans l'épargne, à travers les livrets, plans et autres produits à fiscalité dérogatoire. L'hostilité envers les fonds de pension est une autre illustration de la singularité française. Enfin, les dérives du système capitaliste et les spéculations apparues au grand jour depuis 2007 ont accru l'hostilité envers « l'argent des autres ».

Les inégalités en matière d'argent créent un sentiment d'injustice chez tous ceux qui ne peuvent espérer s'enrichir qu'en gagnant à des jeux d'argent comme le Loto ou le Millionnaire, ce qui limite la probabilité. Elles expliquent que les valeurs matérialistes sont aujourd'hui contestées. Certains citoyens prônent un « retour à la morale » en la matière ; d'autres prennent au contraire des libertés avec elle (p. 273), sous prétexte de faire comme les autres ou de manifester leur mécontentement à l'égard d'un système qui autorise ou favorise ces inégalités.

Les Français ont à la fois plus de temps et d'argent.

Depuis des années, les Français affichent dans les enquêtes une préférence pour l'accroissement de leur pouvoir d'achat plutôt que de leur temps libre (tableau) ; logiquement, ceux qui disent préférer le temps sont plus nombreux parmi ceux qui disposent de revenus élevés. Le choix de l'argent par la majorité (graphique page suivante) est cependant faussé par le fait que le temps libre s'est accru dans des proportions considérables depuis un siècle. L'évolution récente de la durée du travail, avec la réduction à 35 heures hebdomadaires, n'a fait qu'amplifier une tendance très ancienne.

Les deux notions de temps et d'argent ne peuvent cependant être opposées. L'accroissement spectaculaire du temps libre n'a pas empêché les Français de voir leurs revenus augmenter (p. 328), même si la plupart n'en sont pas convaincus et si tous les groupes sociaux n'en ont pas effectivement pas profité. Par ailleurs, la volonté de gagner plus d'argent est souvent une façon de chercher à s'offrir plus de temps (en achetant des produits et services qui en font gagner) ou de se procurer du « bon temps » (vacances, loisirs...).

Le temps pourrait bien devenir le luxe du XXIe siècle. Mais cela implique d'abord de disposer de « suffisamment » d'argent. La difficulté est que ce seuil est sans cesse repoussé vers le haut. La nature humaine est ainsi faite que l'argent dont

Très hauts revenus

Les 10 % de Français les plus aisés disposent d'un revenu un peu inférieur à 4 000 € imposables par mois (2010, INSEE). Le seuil des 5 % est franchi à partir de 5 400 €. Celui des 1 % se situe à environ 10 000 € : 580 000 personnes sont concernées. Le revenu moyen des 0,01 % les plus privilégiés atteint 82 000 € par mois.

C'est ce dernier groupe qui est au centre des polémiques sur les hauts revenus. Ainsi, les revenus des grands patrons du CAC 40 ont augmenté de 34 % en 2011, à 4,1 millions d'euros en moyenne (options et actions comprises), alors que la cotation de leurs entreprises avait diminué en moyenne de 18 %. Le mieux payé était Jean-Paul Agon (L'Oréal, 10,7 millions d'euros), suivi de Bernard Arnault (LVMH) et Carlos Ghosn (Renault), tous deux à 9, 6 millions. Un PDG du Cac 40 sur quatre perçoit un revenu équivalent à plus de 240 SMIC. S'ils paraissent indécents à beaucoup de Français, les salaires équivalents atteignent le double au Royaume-Uni, et environ 50 % de plus en Italie, en Espagne ou en Allemagne, mais ils sont 2,5 fois inférieurs en Scandinavie. Hors CAC 40, les rémunérations des 250 plus grandes entreprises françaises sont de 500000 € en moyenne (2011). Quant aux patrons de PME, ils gagnent en moyenne dix fois moins : 4000 € par mois.

Les Français sont souvent moins choqués par les revenus des stars de cinéma ou des sportifs de certaines disciplines, qui sont pourtant extrêmement élevés. En 2011, le footballeur Franck Ribéry était le sportif français le mieux payé (au Bayern de Munich) avec un revenu brut de 11,4 millions d'euros *(l'Équipe Magazine)*. Il devançait le basketteur Tony Parker (San Antonio Spurs, Texas), avec 11,2 millions d'euros. Les autres sportifs du Top 10 étaient des footballeurs : Karim Benzema (Real Madrid, 11 millions d'euros), Éric Abidal (Barcelone, 7,5 millions d'euros), Samir Nasri (7,3 millions), Yoann Gourcuff (premier joueur de Ligue 1 dans le classement, 6,8 millions), Boris Diaw (6,1 millions) et Patrice Evra (6 millions). Seul le pilote de rallyes Sébastien Loeb s'interposait dans le classement, avec 7,2 millions. Ces revenus intègrent les salaires, primes de résultat et de présence, contrats publicitaires et droits d'image ; ils sont bruts avant charges sociales et impôts.

L'argent avant le temps

Évolution de la préférence entre une augmentation du pouvoir d'achat et un accroissement du temps libre (en % des actifs occupés)

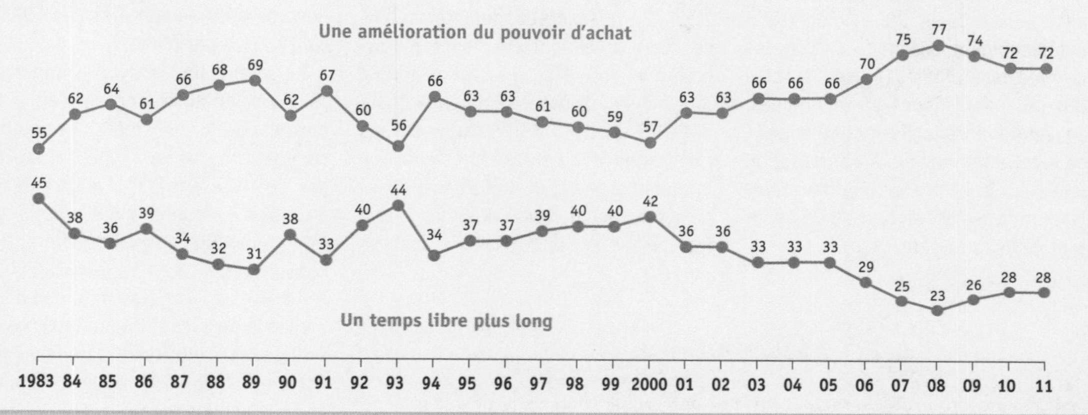

on pense avoir « besoin » ne dépend pas seulement de ce qu'il permet d'acheter, mais aussi de ce dont les autres disposent, dans un mouvement général de relativisme et de mimétisme. Cependant, la réflexion en cours sur le sens de la société de consommation (p. 372) et la prise de conscience des contraintes environnementales pourraient modifier la place de l'argent dans la société.

SALAIRES

Les salariés à temps complet du privé et semi-public gagnent en moyenne 2 000 € net par mois…

Le salaire moyen en équivalent de temps plein dans les entreprises du secteur privé (et semi-public) s'est élevé à 32 496 € brut en 2009 (dernière année disponible), soit 2 708 € par mois, hors participation et intéressement éventuels. Le salaire net s'établissait à 24 490 €, après les prélèvements de cotisations sociales, contribution sociale généralisée, contribution au remboursement de la dette sociale, soit 2 041 € par mois sur douze mois. Ces chiffres concernent l'ensemble des salariés, hormis les agents de l'État, des collectivités territoriales et des hôpitaux publics, salariés agricoles, personnels des services domestiques, apprentis, stagiaires et titulaires d'emplois aidés. Ils prennent en compte tous les postes de travail des salariés, y compris ceux à temps partiels (14 % du volume de travail), qui sont recalculés sur la base de temps plein. Ils comprennent les primes et indemnités. Le salaire net moyen avait dépassé pour la première fois 1 500 € en 1993. Le taux de prélèvements sur le salaire brut s'élevait à 24,6 %.

En euros courants, le salaire net moyen a progressé moins vite en 2009 qu'en 2008 : 1,3 % contre 3,3 %. Mais l'inflation a été très faible : + 0,1 %, contre +2,8 % en 2008. Le salaire net moyen réel a donc augmenté de 1,2 % en 2009 en euros constants, après 0,4 % en 2008 et 1,7 % en 2007.

Les revenus évoluent avec les prélèvements à la source (cotisations sociales, CSG, CRDS), les révisions des salaires de base et des primes, et le nombre d'heures de travail effectuées (heures supplémentaires, chômage partiel). Ils sont liés à la situation de l'emploi : lorsque le chômage augmente, les emplois les moins qualifiés sont touchés en priorité, et le salaire moyen des personnes qui ont conservé leur emploi augmente mécaniquement. C'est ce qui explique notamment que les salaires nets moyens des ouvriers enregistrent la plus forte hausse (2,1 % en monnaie courante), comme en 2008. C'est le cas en particulier dans l'industrie, où tous les secteurs ont connu de fortes pertes d'emplois, mais où les salaires des ouvriers progressent (à l'exception des activités de fabrication de matériels de transport). Dans le secteur de la construction, également, les salaires des ouvriers augmentent aussi plus que la moyenne.

À l'inverse, le salaire net moyen des cadres a reculé de 1,6 % en 2009, après un recul en 2008. Il est lié en particulier à la baisse marquée dans le secteur de la finance et de l'assurance (- 5,1 %). Le secteur tertiaire en général a connu une décélération (+ 1,1 % contre + 3,3 % en 2008), sauf dans les télécommunications (+ 4,7 %), les activités immobilières ((+ 3,6 %) et les activités scientifiques et techniques, services administratifs et de soutien (+ 2,9 %). Le secteur de la construction reste celui qui offre les rémunérations les moins élevées, en hausse de 2,2 % en monnaie courante.

... et ceux du secteur public 2 400 €.

En 2009 (dernier chiffre connu), les 1,6 million d'agents des ministères civils de l'État travaillant en France métropolitaine ont perçu un salaire annuel brut moyen en équivalent temps plein de 33 958 €, soit 2 830 € par mois. Ceci correspond à un traitement indiciaire brut annuel de 27 768 € et à des compléments de rémunération de 6 191 €. Une fois prélevées les cotisations sociales salariales, la contribution sociale généralisée (CSG) et la contribution au remboursement de la dette sociale (CRDS), la rémunération annuelle moyenne nette de prélèvements était de 28 523 €, soit 2 377 € par mois.

Le salaire brut moyen a augmenté de 2,1 % en euros courants en 2009, contre 3,4 % en 2008. Cependant, compte tenu de la faible hausse des prix en 2009 (+ 0,1 %), l'augmentation en euros constants a été plus importante en 2009 qu'en 2008 (+ 2,0 % contre + 0,5 %). Le périmètre des effectifs de la fonction publique d'État continue à se modifier en 2009, ce qui influe sur l'évolution du salaire moyen. Entre 2007 et 2009, la gestion d'environ 117 000 agents a été progressivement transférée vers la fonction publique territoriale. Le départ de ces agents faiblement rémunérés a mécaniquement fait augmenter le salaire moyen de la fonction publique d'État. En faisant abstraction de ces transferts, la croissance du salaire brut moyen n'était que de 1,8 % en euros courants en 2009 contre 2,7 % en 2008.

En 2009, le montant moyen de cotisations sociales par agent (y compris CSG et CRDS) a augmenté pratiquement autant que le salaire brut. Au total, le salaire net moyen s'est accru de 2,1 % en euros courants, comme le salaire brut, soit une augmentation de 2,0 % en euros constants. En excluant les agents transférés en 2009 aux régions et aux départements, l'accroissement a été de 1,8 % en euros courants contre 2,7 % en 2008 (+ 1,7 % en euros constants contre – 0,1 % en 2008).

À structure constante (après annulation des effets des recrutements et des départs et des promotions et avancements individuels des personnes en place), le salaire brut a augmenté de 1,4 % en euros courants (+ 1,8 % en 2008). Cette progression est due à l'augmentation de 0,6 % de la valeur

Salaires privés

Salaires moyens bruts du secteur privé et semi-public, nets de prélèvements, selon la catégorie socioprofessionnelle* et le sexe (2009, France entière, en euros courants) et répartition des effectifs (en %)

	Bruts	Nets	Répartition des effectifs
Ensemble	**2 708**	**2 042**	**100,0**
Cadres[1]	5 186	3 851	17,0
Prof. interm.	2 799	2 104	21,0
Employés	1 946	1 481	29,0
Ouvriers	2 042	1 563	33,0
Hommes	**2 938**	**2 221**	**100,0**
Cadres[1]	5 607	4 175	19,0
Prof. interm.	2 964	2 238	20,0
Employés	2 056	1 578	14,0
Ouvriers	2 101	1 609	47,0
Femmes	**2 370**	**1 778**	**100,0**
Cadres[1]	4 340	3 197	14,0
Prof. interm.	2 583	1 928	22,0
Employés	1 901	1 442	51,0
Ouvriers	1 730	1 318	13,0
Smic[2] (151,67 h)	*1 329*	*1 044*	-

* En équivalent temps plein
1. Y compris chefs d'entreprise salariés.
2. Smic en moyenne annuelle sur l'année civile.

INSEE, DADS

Salaires publics

Salaires annuels du secteur public, nets de prélèvements selon la catégorie socioprofessionnelle* et le sexe (2009, métropole, en euros courants)

Ensemble, dont :	**28 523**
total enseignants	*28 666*
Cadres	**31 435**
Police	41 715
Personnels administratifs et techniques	45 967
Enseignants[1]	29 323
Professions intermédiaires, dont :	**25 155**
Enseignants[2]	18 943
Personnels de l'administration	26 468
Personnels de la police et des prisons	26 839
Techniciens	27 814
Employés et ouvriers, dont :	**20 914**
Employés administratifs	20 879
Personnels de la police et des prisons	24 072
Ouvriers, agents de service	20 621
Titulaires	**29 397**
Catégorie A	32 206
Catégorie B	26 552
Catégorie C	21 268
Non-titulaires	**23 421**

1. Essentiellement professeurs agrégés et certifiés et enseignants du supérieur.
2. Essentiellement instituteurs, professeurs d'enseignement général des collèges, maîtres auxiliaires et surveillants.

INSEE

du point (comme en 2008) mais aussi aux mesures catégorielles statutaires et indiciaires ainsi qu'à l'augmentation des primes et rémunérations annexes. Après prise en compte de l'inflation, le salaire moyen à structure constante a augmenté de 1,3 % en brut et en net.

Les primes représentent 16 % du salaire brut…

Les « compléments de rémunérations » (primes, participation et intéressement) perçus par les salariés du secteur public ont représenté en moyenne 16,4 % du salaire brut des agents de l'État en 2009, contre 15,5 % en 2008. La proportion est un peu plus faible dans le secteur privé (environ 14 %) et ils ne concernent qu'un peu plus de 80 % salariés, alors qu'ils sont perçus par la totalité de ceux du public.

Dans le secteur public, la revalorisation des primes et rémunérations annexes a représenté 7,5 % en euros courants en 2009, après 9,7 % en 2008. Elle résulte pour partie de la GIPA (Garantie Individuelle du Pouvoir d'Achat) versée en 2009 au titre de la période 2004-2008. Par ailleurs, le transfert vers la fonction publique territoriale d'agents qui percevaient de faibles primes, a contribué comme au cours des deux années précédentes à la croissance des primes moyennes par agent. En revanche, les rémunérations d'heures supplémentaires dans le cadre de la loi TEPA (Travail, emploi, pouvoir d'achat) ont diminué de 6 % entre 2008 et 2009 ainsi que les rachats de jours de RTT (– 55 %).

Dans le secteur privé, la proportion de bénéficiaires de ces primes augmente avec la taille de l'entreprise : elle atteint neuf sur dix dans celles de 500 salariés ou plus, contre un sur dix dans celles de moins de 10 salariés. Près d'un ouvrier sur quatre perçoit des primes de compensation pour des contraintes liées au poste de travail et plus de la moitié ont des primes d'ancienneté. Les cadres bénéficient deux fois plus souvent de primes de performance individuelle ou collective que les ouvriers et les employés : un sur deux contre un sur quatre. Les femmes reçoivent moins de compléments salariaux que les hommes, mais l'écart diminue pour un emploi à temps complet et lorsqu'on s'élève dans la hiérarchie. Parmi les ouvriers, les hommes effectuent deux fois plus d'heures supplémentaires que les femmes, et leurs primes mensuelles représentent une part plus importante de leur salaire (environ 9 % contre 6 %).

Si elle est de plus en plus fréquente dans le secteur privé, la « rémunération au mérite » ne concerne qu'une très faible proportion des fonctionnaires. Elle se heurte aux habitudes, à la résistance syndicale, mais aussi à la difficulté de définir les moyens de mesure de la performance des agents de l'État. Elle est cependant pratiquée dans de nombreux pays étrangers.

… auxquels s'ajoutent 6,5 % de participation et d'intéressement.

En 2009, 57,2 % des salariés du secteur marchand non agricole, soit 8,8 millions de salariés, ont eu accès à au moins un dispositif de participation, d'intéressement ou d'épargne salariale (DARES, 2011). Parmi eux, 7,0 millions ont effectivement reçu une prime au titre de la participation ou de l'intéressement ou bénéficié d'un abondement de l'employeur sur les sommes qu'ils ont versées sur un plan d'épargne entreprise (PEE) ou sur un plan d'épargne retraite collectif (Perco). En raison du mode de calcul, le montant augmente avec le salaire.

14,2 milliards d'euros ont ainsi été distribués au titre de l'exercice 2009 par les entreprises de 10 salariés ou plus, un chiffre en baisse de 10 % en euros courants par rapport à l'année précédente. Le Perco est le seul dispositif pour lequel les versements ont progressé, en particulier les abondements des employeurs. Malgré leur diffusion récente, les dispositifs de participation, d'intéressement et d'épargne salariale restent concentrés dans les grandes entreprises et dans certains secteurs d'activité (énergie, activités financières et assurance). 88 % des salariés ayant accès à au moins un de ces dispositifs sont employés par des entreprises de 50 salariés ou plus (où la participation aux résultats est obligatoire). 35 % des entreprises privées françaises de plus de 10 salariés proposent une formule de participation aux bénéfices, ce qui place la France en tête de l'Union (14 % en moyenne dans l'ensemble des pays de l'U.E.).

Le complément de rémunération annuelle dégagé par l'ensemble des dispositifs s'est élevé à 2 104 € par salarié dans les entreprises de 10 salariés ou plus en 2009, contre 2 270 € en 2008. Il représentait, pour les salariés bénéficiaires, un surcroît de rémunération moyen de 6,5 % de leur masse salariale. On observe de grandes disparités entre les secteurs d'activité : 635 € dans l'hébergement et la restauration », 805 € dans les transports et l'entreposage, 4 110 € dans les activités financières et l'assurance, et jusqu'à 6 275 € dans le secteur de la cokéfaction et du raffinage. Les primes moyennes de participation et d'intéressement, et l'abondement moyen sur Perco ont subi une baisse de 6 et 7 % en un an. L'abondement moyen sur PEE a diminué encore plus fortement (14 %).

La mise en place de ces dispositifs est favorisée par les avantages fiscaux et la volonté d'incitation et de contrôle de l'effort des salariés ; on estime qu'ils contribuent à des gains de productivité de l'ordre de 7 à 9 %. Pour les salariés, ils peuvent représenter un gain important de pouvoir d'achat, mais signifier une perte lorsque la conjoncture économique devient moins favorable. Beaucoup de salariés de la finance, du commerce et des services aux entreprises ont ainsi vu leurs primes baisser depuis 2008. Aussi, les adversaires de ces dispositifs font-ils valoir que ceux-ci reportent une partie du risque entrepreneurial sur les salariés.

Le salaire moyen est plus élevé dans le secteur public…

Le salaire net moyen des agents de l'État est supérieur d'environ 19 % à celui des salariés du secteur privé (secteur privé et semi-public). Mais cette comparaison directe des revenus n'est pas pertinente, car la structure des emplois diffère. La qualification moyenne est en effet supérieure dans le secteur public, du fait de la forte proportion d'enseignants (plus d'un million). Les ouvriers y sont en outre proportionnellement moins nombreux que dans le secteur privé.

À sexe, âge, diplôme et poste identiques, on constate que le secteur public verse des salaires supérieurs à ceux du privé aux femmes, aux personnes peu diplômées et en province. Pour les hommes, les salaires du secteur public sont plus élevés jusqu'au niveau du bac inclus ; la situation est inversée pour les diplômes supérieurs, l'écart se creu-

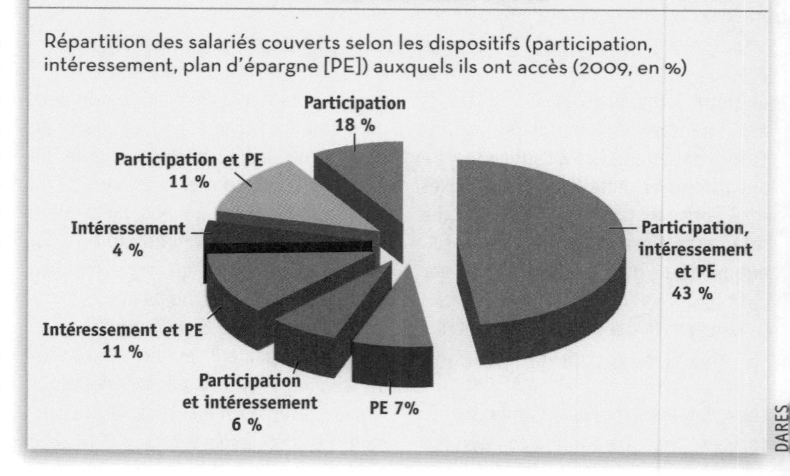

sant avec l'âge. Le SMIC (salaire minimum interprofessionnel de croissance) brut est identique au minimum mensuel garanti dans la fonction publique, soit environ 1 398 € par mois pour 35 heures de travail hebdomadaire (avant la revalorisation prévue en juillet 2012), mais il reste inférieur en net du fait des cotisations sociales plus élevées.

Les agents du secteur public ont un pouvoir d'achat moyen supérieur à celui du secteur privé depuis 1992, du fait des revalorisations catégorielles intervenues au début des années 1990. Exprimé en monnaie constante, le revenu des fonctionnaires d'État avait augmenté de 10 % entre 1990 et 2000, alors que celui des salariés du privé n'augmentait que de 3 %.

... et la dispersion est moins grande que dans le privé.

On peut mesurer l'éventail des salaires en examinant le rapport entre ceux du neuvième et dernier décile (montant au-dessus duquel se trouvent les 10 % de salariés les mieux rémunérés) et ceux du premier décile (montant au-dessous duquel se trouvent les 10 % les moins bien rémunérés). Ce rapport avait diminué jusqu'en 1984. Il avait progressé entre 1985 et 1993. Au cours des dernières années, il a retrouvé le niveau antérieur ; il était de 2,9 dans le secteur privé et semi-public en 2009, contre 3,1 en 2000, et 2,1 dans le secteur public d'État (2,0 dans la fonction publique territoriale et 2,3 dans le secteur hospitalier public), avec une dispersion stable.

Ces dernières années, les salaires des ouvriers ont davantage augmenté que ceux des autres catégories professionnelles : 1,5 % par an en moyenne en euros constants entre 2001 et 2009, contre 0,1 % pour les cadres, 0,8 % pour les professions intermédiaires, 1,3 % pour les employés. Mais ces différences tiennent davantage à des facteurs structurels. Chez les ouvriers par exemple, la part des personnes qualifiées a augmenté, et les jeunes, moins bien rémunérés, ont plus souvent perdu leur emploi sous l'effet d'une conjoncture moins favorable.

Par ailleurs, les revalorisations successives du SMIC ont contribué pour

L'argent et le bonheur

Existe-t-il une relation directe entre le niveau de vie (ou le pouvoir d'achat, ou la fortune) et la satisfaction dans la vie ? La question a traversé les époques, mais elle a pris dans la nôtre un relief particulier, exacerbé en 2012 par la campagne présidentielle. Le bon sens populaire (tel qu'il s'exprime par exemple dans les dictons) a tranché depuis longtemps en affirmant que « l'argent ne fait pas le bonheur » (tout en précisant qu'il y « contribue »). Les attitudes et comportements des Français laissent cependant supposer qu'il existe un lien fort, tant les revendications en matière de pouvoir d'achat sont omniprésentes.

Les recherches effectuées sur le sujet sont nombreuses. Les synthèses qui en ont été faites (notamment par l'américain Richard Easterlin, professeur d'économie à l'université de Southern California), tendent à montrer qu'à partir du moment où un certain niveau de richesse est atteint par un pays, il n'y a plus de lien entre son développement économique et le bonheur de ses habitants. D'autres recherches (par exemple celles de Wolfers et Stevenson, de la Wharton School aux États-Unis), montrent que les pays les plus développés sont aussi ceux dont les habitants se disent en moyenne les plus heureux.

On mesure en tout cas très souvent des écarts à l'intérieur des sociétés, les gens les plus aisés se disant souvent plus satisfaits que les plus modestes. Ce seraient donc les inégalités (réelles ou perçues) dans la distribution de la richesse qui seraient à l'origine du sentiment plus ou moins fort de bonheur, plutôt que son niveau absolu ou moyen. Plus trivialement, cela signifie qu'on se sent plus heureux lorsqu'on sait (ou imagine) qu'on est plus riche que son voisin. À l'inverse, la perception d'un accroissement des inégalités au fil du temps (sentiment très répandu dans la société française depuis quelques années), créerait de la frustration, de la colère, et de l'insatisfaction.

Mais comment être sûr que la relation entre pouvoir d'achat et satisfaction, lorsqu'elle existe, est pertinente ? Le sentiment de bonheur peut être la conséquence d'autres éléments que le pouvoir d'achat : le fait par exemple d'habiter une démocratie, d'accéder à l'école, d'avoir un emploi, de bénéficier d'un système de santé efficace, etc. ? Comment comparer les réponses à la question sur le bonheur dans des pays, des cultures où des groupes sociaux où cette notion n'a pas le même sens (ou pas de sens du tout) ? Longtemps encore, le débat sur l'argent et le bonheur restera ouvert. Cela n'empêche pas de continuer à s'y intéresser, en créant notamment de nouveaux indices pour mesurer le bien-être des populations (p. 248). En attendant de remplacer, comme le roi du Bhoutan en 1972, le « produit intérieur brut » par le « bonheur national brut ».

une part importante à ces gains, dont ont également bénéficié les employés faiblement rémunérés. Les employés les mieux rémunérés ont au contraire connu une baisse de leur salaire moyen (en euros constants). Quant aux cadres, leurs salaires avaient stagné, voire reculé en 2003-2004, avant de connaître de nouveau une croissance, qui a été interrompue par la crise de 2008. Les salaires des professions intermédiaires ont enregistré des gains plus importants dans l'industrie que dans le tertiaire (qui regroupe 70 % de ces emplois).

Le salaire des femmes est inférieur à celui des hommes.

Le salaire annuel net des hommes était supérieur en moyenne de 25 % à celui des femmes dans les entreprises privées et semi-publiques en 2009, et de 17 % dans le secteur public (il atteint 28 % dans le secteur hospitalier, et n'est que de 12 % dans la fonction publique territoriale). Mesurés dans l'autre sens, les écarts sont un peu moins spectaculaires : les femmes gagnent en moyenne 20 % de moins que les hommes dans le privé et 15 % dans le public. On observe que la différence est plutôt stable depuis quelques années. Dans le secteur public, les hommes cadres gagnent en moyenne 23 % de plus que les femmes (salaires nets). L'écart n'est que de 11 % pour les professions intermédiaires et de 7 % pour les employés et ouvriers. Dans le privé (en salaire net), il varie de 9 % pour les employés à 31 % pour les cadres en faveur des hommes. Ils sont plus importants en valeur relative pour les revenus les plus élevés ; le maximum est atteint chez les dirigeants. Ils s'accroissent avec l'âge, ce qui tend à prouver que les évolutions de carrière sont moins favorables aux femmes.

Cependant, la comparaison n'est vraiment pertinente qu'à poste, responsabilité et ancienneté comparables, ce qui est assez rarement le cas. Les femmes occupent encore de façon générale des postes de qualification inférieure à ceux des hommes, même à fonction égale. Ainsi, en 2010, 20 % des hommes salariés étaient cadres, contre 14 % des femmes; en revanche, 47 % des femmes salariées étaient employées, contre 13 % des hommes. La durée moyenne du travail féminin est également plus courte et comporte moins d'heures supplémentaires que celle des hommes (l'écart s'est cependant réduit avec le passage aux 35 heures). Enfin, les femmes bénéficient en moyenne d'une ancienneté inférieure. Si l'on prend en compte ces différences, l'écart est divisé par deux. Il a diminué lentement, et de façon irrégulière, depuis le début des années 1950 (en 1951, le salaire net moyen des femmes travaillant à temps complet était inférieur de plus d'un tiers à celui des hommes). Le resserrement général qui s'est produit à partir de 1968 est dû principalement au fort relèvement du SMIG (puis du SMIC), qui a davantage profité aux femmes, plus nombreuses à percevoir des bas salaires. Le rattrapage a aussi bénéficié d'un nombre croissant d'emplois féminins qualifiés.

Les salaires varient selon le profil personnel, ...

Le principal facteur influant sur le niveau de salaire est la profession : les cadres du privé gagnent en moyenne 2,6 fois plus que les employés (3 851 € par mois net contre 1 481 €), 2,5 fois plus que les ouvriers (1 563 €) et 1,8 fois plus que les professions intermédiaires (techniciens, agents de maîtrise..., 2 104 €), des ratios assez stables depuis des années. Le salaire mensuel médian (tel que la moitié des salariés gagne moins, l'autre moitié plus) était de 1 644 € dans le privé en 2009. La différence importante avec le salaire net moyen (2 041 €) s'explique par la dispersion plus forte existant pour les hauts revenus. L'âge intervient de façon non linéaire dans le déroulement de la vie professionnelle. En début de carrière, un homme cadre gagne près

20 % de moins pour les femmes

Écart entre le salaire moyen des hommes et celui des femmes (secteur privé et semi-public en équivalent temps plein, 2009, en %)

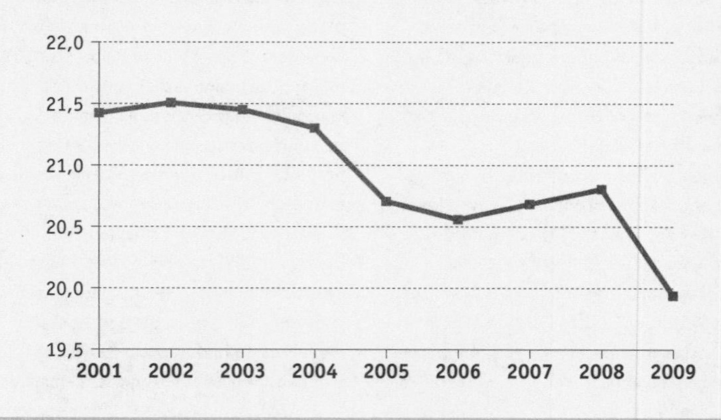

de moitié plus qu'un employé ou un ouvrier. Les écarts s'accentuent par la suite, car la progression des salaires est moins importante pour les professions les moins qualifiées ; à 50 ans, le salaire d'un homme cadre est environ le double de celui d'un cadre débutant, alors que le ratio n'est que de 1,2 pour les ouvriers. L'ancienneté dans l'entreprise apparaît comme un facteur plus important que l'âge pour les professions les moins qualifiées, qui en bénéficient davantage que les cadres ou les professions intermédiaires.

Mais c'est le niveau d'instruction qui est le plus déterminant dans le montant initial et l'évolution du salaire. Les salariés possédant un diplôme d'enseignement supérieur perçoivent en moyenne des revenus moitié plus élevés que ceux qui se sont arrêtés aux études secondaires. La différence est inférieure (entre 30 et 40 %) dans des pays comme le Royaume-Uni, la Suède ou l'Espagne.

... le domaine d'activité et le type d'entreprise.

Le secteur d'activité est un facteur prépondérant dans les écarts entre les revenus. Les salaires moyens varient du simple au double, avec un maximum dans l'industrie de cokéfaction et raffinage (3 235 € net par mois en 2009) et un minimum dans l'hébergement et la restauration (1 518 €). La comparaison de ces moyennes est cependant faussée par les poids respectifs des catégories socioprofessionnelles, très différents selon les secteurs. À type de fonction égal ou comparable, les écarts sont cependant significatifs. Ainsi, les salaires moyens des ouvriers sont deux fois plus élevés dans l'aéronautique que dans l'habillement.

La taille de l'entreprise est un autre facteur déterminant. Les salariés de celles qui comptent plus de 500 salariés gagnent environ 20 % de plus que dans celles qui ont entre 10 et 49 employés. Dans un même secteur et à taille égale, on constate aussi que le dynamisme de l'entreprise joue un rôle croissant dans le niveau des salaires qu'elle propose.

Enfin, les salaires varient selon la région. Celui d'un Francilien est en moyenne supérieur d'environ un tiers à celui des habitants des autres régions. La différence est moins spectaculaire si on compare à fonctions égales, la part de celles dites « supérieures » étant plus élevée à Paris et en Île-de-France qu'ailleurs.

Un salarié sur dix est rémunéré au SMIC.

En 2011, 10,6 % des salariés du secteur privé et semi-public étaient rémunérés au SMIC, soit 1 398 € brut par mois, ou 1 097 € net pour 35 heures de travail par semaine. Le nombre de personnes qui le perçoivent est estimé à près de 3,5 millions, dont 2,5 millions dans le privé. La réduction de la durée du travail de 39 à 35 heures entre 1997 et 2002 avait donné lieu à la création de cinq SMIC différents. Les niveaux des SMIC ont été réunifiés de 2003 à 2005 par la loi Fillon sur la RTT, avec un mode de convergence qui a abouti à une forte revalorisation du SMIC ; il avait augmenté d'un peu plus de 5,5 % par an en moyenne sur la période 2003-2005.

Du fait de sa forte revalorisation entre 1997 et 2005, le SMIC a augmenté plus vite que le salaire moyen de l'ensemble de la population, ce qui a conduit à un écrasement de la hiérarchie des salaires. Le pouvoir d'achat des travailleurs payés au salaire minimum a ainsi progressé plus vite que celui des autres salariés, notamment des bas salaires. De ce fait, la proportion de salariés payés au SMIC était ainsi passée d'environ 10 % entre 1987 et 1996 à plus de 16 % en 2005, car les « Smicarts » avaient rattrapé les salariés payés légèrement au-dessus. On observe que le salaire mensuel de base des postes rémunérés entre 1 et 1,1 SMIC augmente en moyenne de 0,38 point de plus que celui des postes rémunérés au-delà de 3 SMIC quand le SMIC augmente de 1 % d'un trimestre sur l'autre (INSEE). La diffusion des hausses du Smic devient quasiment nulle au-delà de 2 fois le SMIC. La diffusion des hausses du Smic s'opère dans les deux trimestres qui suivent le relèvement. On constate par la suite une moindre progression des salaires mensuels du bas de la hiérarchie. À l'horizon d'un an, l'effet du SMIC perdure sur les salaires initialement les plus proches, à hauteur de 0,16 point.

Les Smicards sont très présents dans les entreprises de moins de 10 salariés (24 % en 2011). Ils ne sont que 5 % dans celles de plus de 500 salariés. Ils sont fortement représentés dans certains secteurs d'activité comme l'hébergement et la restauration (35 %), la santé et l'action sociale (16 %) et le commerce (15 %). 25 % des salariés travaillant à temps partiel sont rémunérés au SMIC. Les employés sont la catégorie socioprofessionnelle la plus concernée. Les femmes sont 1,7 fois plus concernées que les hommes ; 20 % contre 11 %. La proportion varie avec l'âge : plus d'un salarié de moins de 26 ans sur trois perçoit le SMIC (contre 43 % en 1987). Les écarts entre les tranches d'âge et les sexes tendent cependant à se réduire. La part des bas salaires tend à diminuer. En France métropolitaine, la proportion de ceux situés au-dessous des deux tiers du salaire médian était de 25,1 % en 2006 (contre 33,1 % en 2002); celle de très bas salaires (au-dessous de la moitié d'un salaire médian) n'était que de 17,9 % contre 27,8 %.

3 millions d'actifs ont un statut de non-salarié...

Les 3,0 millions de non-salariés représentaient 11,5 % de la population active occupée en 2010, dont un million dans le secteur de l'agriculture et en prenant en compte les auto-entrepreneurs, dont le statut a été créé en 2009 (p. 324). Parmi eux, environ 300 000 travaillent à temps partiel. Les deux tiers sont des hommes : 2,0 millions, contre 930 000 femmes. Près des deux tiers sont indépendants, et l'on compte environ 300 000 aides familiales. Les femmes travaillent surtout dans le secteur tertiaire, le commerce et les services où leur part est de 40 % ; les hommes sont très majoritaires dans la construction (90 %) ainsi que dans l'industrie (70 %) et l'agriculture (70 %). Le nombre des non-salariés est en diminution régulière depuis une quarantaine d'années ; il était de 6,5 millions en 1954 et de 4 millions en 1972. Les effectifs se sont cependant accrus avec les auto-entrepreneurs. Plus de quatre non-salariés sur dix ont plus de 50 ans.

De nombreux facteurs influent sur l'évolution de leurs revenus, et on constate une forte disparité à l'intérieur de chaque catégorie. Par principe, les revenus des professions concernées sont des bénéfices, qui dépendent d'abord du chiffre d'affaires réalisé. Celui-ci est lié à l'évolution de la consommation ou de la demande pour un produit ou un service. Les bénéfices sont aussi très liés aux charges supportées. Les principales sont la masse des salaires versés aux employés, le coût des matières premières éventuellement utilisées et les investissements en matériel nécessaires pour maintenir ou accroître le volume d'activité et la productivité (amortissements).

Par ailleurs, la variation (locale ou nationale) du nombre d'entreprises dans une profession modifie les données de la concurrence, donc l'activité et les prix. Les changements qui ont lieu dans les différents circuits de distribution modifient la part de marché qui revient aux professions concernées. Enfin, l'évolution des prix relatifs a une incidence considérable à la fois sur l'activité et sur la marge bénéficiaire des non-salariés.

Le revenu des non-salariés (agriculteurs, commerçants, professions libérales) ne peut être comparé à celui des salariés. Il ne prend pas en compte les mêmes cotisations sociales et n'ouvre pas droit aux mêmes prestations. Par ailleurs, il n'intègre pas le capital constitué grâce à l'activité non salariée (agriculteurs, commerçants, artisans, professions libérales...), qui pourra être valorisé dans le cas d'une vente de l'exploitation. Les foyers dont la personne de référence est non salariée sont aussi plus nombreux à recevoir d'autres formes de revenus que ceux tirés de leur exploitation : traitements et salaires de conjoints; revenus de la propriété, etc. Cet apport représente près du quart du revenu global moyen.

... et leur revenu varie fortement selon l'activité, ...

En 2009, le revenu moyen des non salariés était de 34 190 € (tableau). Il s'élevait à 38 510 € en excluant les rémunérations nulles ou négatives (déficits d'activité), qui concernaient environ 11 % des non-salariés. La moitié d'entre eux percevaient un revenu

3 000 € par mois en moyenne

Revenus des non salariés selon le secteur d'activité (2009, France entière, en euros)*

	Moyenne
Industrie	**26 110**
Construction	28 270
Commerce	**26 310**
Commerce automobile	25 440
Commerce de détail	18 650
Commerce de gros	29 690
Commerce pharmaceutique	87 570
Métiers de bouche	27 660
Services	**40 130**
Transports	22 200
dont Taxis	*17 240*
Hébergement et restauration	20 910
Information et communication	29 380
dont Activités informatiques	*31 800*
Activités financières et d'assurance	59 000
Activités immobilières	24 630
Activités spécialisées scientifiques et techniques	52 340
dont Professions juridiques	*90 580*
Activités de services administratifs et soutien	26 800
Enseignement et Administration publique	16 760
Santé humaine et action sociale	62 220
dont Professions libérales de santé	*65 290*
Autres activités de services	15 000
dont Arts, spectacles et activités récréatives	*14 530*
dont Services personnels	*14 790*
Indéterminés	26 830
Total hors auto-entrepreneurs	**34 190**
Auto-entrepreneurs	2 660

* Y compris les revenus nuls des auto-entrepreneurs.

inférieur ou égal à 18 960 €, et 10 % un revenu supérieur à 81 510 €.

La dispersion des revenus d'activité des non salariés est beaucoup plus forte que chez les salariés : l'écart entre le premier et le quatrième quartile est de 6,1, contre seulement 2,6 pour le revenu salarial des salariés. Cela s'explique à la fois par le poids des hauts revenus et par la présence de revenus négatifs ou nuls. Le revenu plancher des 25 % les mieux payés est ainsi supérieur de 70 % à celui des salariés ; pour les 10 % les mieux payés, l'écart atteint même 137 %, alors que le revenu médian des non-salariés (qui sépare les non salariés en deux populations égales) n'est supérieur que de 9,6 % à celui des salariés. À l'autre extrémité, du fait des revenus nuls ou négatifs, le revenu plafond des 25 % les moins payés est inférieur de 28 % à celui des salariés.

Les disparités de revenu sont très fortes d'un secteur d'activité à l'autre. Les revenus moyens les plus faibles sont mesurés dans les arts, spectacles et activités récréatives, les services personnels, l'enseignement ou les taxis. À l'opposé, les professionnels du droit et les pharmaciens sont les mieux rémunérés. Le revenu moyen varie ainsi de 14 000 € chez les artistes à 90 000 € chez les juristes.

… y compris au sein d'un même secteur.

Dans les secteurs de la construction, du commerce pharmaceutique, des taxis ou des métiers de bouche, le rapport entre le premier et le 4e quartile est inférieur à 3,2. Il est supérieur à 12,5 dans les activités immobilières, l'information et la communication, les services administratifs et de soutien ou le commerce de gros. Dans ces secteurs, le revenu plafond des 25 % les moins rémunérés est faible et les revenus nuls sont fréquents alors que, dans le haut de la distribution, la dispersion est élevée. Le neuvième décile est 5,6 fois supérieur au revenu médian dans l'immobilier, et 4,6 fois dans l'information et la communication. Pour l'ensemble des secteurs, ce rapport est de 4,3 alors qu'il est de 2,0 pour les revenus salariaux.

Dans le secteur médical, les écarts des revenus libéraux sont également importants, entre un minimum de 39 000 € en moyenne pour les masseurs-kinésithérapeutes et un maximum de 218 000 € pour les radiologues. Entre 2002 et 2010 les honoraires des praticiens ont progressé en moyenne de 0,7 % par an, toutes spécialités confondues. Les dépassements de tarifs conventionnés représentaient en moyenne 12 % des honoraires en 2010, avec une forte amplitude selon la spécialité : 46 % pour les stomatologues, 32 % pour les chirurgiens, 30 % pour les gynécologues et 25 % pour les ophtalmologues, contre 4 % pour les omnipraticiens, les cardiologues, les pneumologues et les radiologues. Les versements forfaitaires constituent, quant à eux, 6,5 % des honoraires hors dépassement des omnipraticiens en 2010. Le revenu libéral moyen net des médecins était estimé à 94 110 € en 2010, après déduction des charges professionnelles et des cotisations sociales personnelles.

À caractéristiques d'activité comparables, les femmes non salariées perçoivent un revenu inférieur de 34 % à celui des hommes, soit davantage que chez les salariés. Une partie de cet écart s'explique par un temps de travail plus important pour les hommes non salariés. Le revenu d'activité dépend assez peu de l'âge, pour les indépendants de moins de 50 ans ; en revanche, les plus de 50 ans et surtout les plus de 60 ans gagnent significativement moins que les plus jeunes. À activité égale, les Franciliens gagnent 28 % de plus que les non-salariés des autres régions.

13 % des indépendants exerçaient à la fois une activité non salariée et une activité salariée en 2009 (non prise en compte dans les chiffres ci-dessus). Le revenu que ces pluriactifs retiraient de leur activité non salariée est, toutes choses égales par ailleurs, inférieur de 28 % à celui des autres non-salariés, car leur activité salariée limite le temps consacré à leur entreprise. Cependant, le revenu total des pluriactifs dépasse celui des seuls non-salariés : en moyenne, 52 730 € contre 35 240 €.

Santé et prospérité

Revenu libéral moyen des professions de santé (en milliers d'euros courants) et part des dépassements d'honoraires (en %) en 2000 et 2010

	Revenu moyen annuel		Part des dépassements d'honoraires	
	2000	2010*	2000	2010
Omnipraticiens	53,3	71,3	5,5	4,3
Spécialistes				
Anesthésistes	116,6	190,2	8,7	16,7
Cardiologues	87,7	120,8	3,6	4,0
Chirurgiens(1)	94,5	132,5	21,1	31,9
Dermatologues	52,8	64,3	15,3	19,9
Gastro-entérologues	75,2	108,6	7,0	11,6
Gynécologues	65,0	88,1	20,5	29,5
Ophtalmologues	89,1	145,9	17,3	25,3
Oto-rhino-laryngologistes	69,1	95,3	16,2	20,8
Pédiatres	49,2	70,9	12,8	16,7
Pneumologues	58,4	89,8	3,4	4,0
Psychiatres et neuro-psychiatres	48,1	63,0	8,6	16,6
Radiologues	172,5	217,9	1,8	4,0
Rhumatologues	56,9	81,2	13,8	16,4
Stomatologues	80,2	116,1	39,1	45,6
Autres professions médicales ou de santé				
Chirurgiens-dentistes	61,6	89,4	47,2	nr
Infirmiers	29,2	46,1	ns	nr
Masseurs-kinésithérapeutes	28,7	38,7	1,3	nr

* Données prévisionnelles.
(1). Y compris chirurgiens orthopédiques.
nr : non renseigné.

Les revenus des agriculteurs sont très contrastés, ...

Par nature, les revenus des agriculteurs varient d'une année à l'autre, en fonction des conditions d'exploitation et des marchés. L'année agricole 2011 a été marquée par le redressement des prix des productions animales. Les prix des productions végétales se sont stabilisés. La valeur de la production agricole, y compris les subventions, a augmenté de 5 % par rapport à 2010, qui avait vu un redressement important, après deux années catastrophiques. Le revenu des agriculteurs avait atteint 24 300 € en moyenne par exploitation en 2010 (ministère de l'Agriculture). Il était ainsi revenu à un niveau comparable à celui du début des années 2000.

En 2011, les charges des agriculteurs se sont accrues fortement, en raison de l'envolée des prix de l'alimentation animale, des engrais et du fioul. Globalement, le revenu de la branche agricole a connu un fléchissement et l'emploi agricole a continué de décroître. Au total, le résultat agricole net par actif aurait baissé de 3 % en termes réels en 2011 (prévisions ministère de l'Agriculture). Au-delà des variations annuelles, le revenu moyen des exploitations agricoles a tendance à diminuer depuis le début des années 2000.

On observe en outre une grande disparité entre les filières et les régions. Les secteurs des grandes cultures et du lait ont bénéficié d'un certain redressement, tandis que l'élevage bovin et la viticulture connaissent une situation très difficile. Parmi les 317 000 exploitations dégageant plus de 9600 € de valeur ajoutée, près du quart (spécialisées notamment dans les céréales) affichent un revenu moyen de 39 900 € soit près du double des 50 000 élevages laitiers de France (21 300 €). L'écart est encore plus élevé par rapport aux 40 000 élevages bovins du territoire national (15 200 € de revenu annuel moyen) ou les 33 500 exploitations vinicoles en AOC (14 300 €).

... de même que ceux des commerçants et artisans.

L'économie de proximité dispose de réels atouts pour répondre aux attentes des consommateurs (p. 315). L'indice global d'activité des TPE (très petites entreprises) de l'artisanat, du commerce et des services a progressé de 1,9 % en 2011, après 0,7 % en 2010 (enquête FCGA-Banque Populaire portant sur 56 professions).

Trois professions se plaçaient en tête du palmarès, toutes concernées par le marché de l'habitat. Les plâtriers-décorateurs (+ 13,4 %) ont bénéficié des nouveaux marchés d'amélioration de la performance énergétique, de l'accessibilité ou du confort thermique. Les agents immobiliers (+ 9,6 %) ont retrouvé leur niveau d'activité d'avant la crise de 2008. Les électriciens et les entreprises de terrassement (+ 7,8 %), ont eux aussi profité des nouveaux chantiers. Le commerce de détail alimentaire a connu aussi une forte progression (7,9 %), de même que les poissonniers (5,6 %) et les pâtissiers (+ 2,9 %).

À l'inverse, certains secteurs ont subi une baisse d'activité. C'est le cas des magasins d'électroménager-TV-Hifi (-12,2 %), avec la fin de l'« effet TNT », qui avait dopé les ventes des postes de télévision en 2010. Pourtant, les dépenses d'électroménager sont restées stables en 2011, à 7,6 milliards d'euros de chiffre d'affaires, mais les circuits traditionnels de distribution n'en ont pas profité. Les commerces de cycles et scooters ont aussi connu des difficultés (-8,4 %), du fait de concurrence des grandes enseignes dédiées, de la grande distribution (vélos) et du marché de l'occasion entre particuliers (notamment via Internet). Les studios photographiques étaient aussi en perte de vitesse (-7,4 %) ; à l'ère du tout numérique, les consommateurs ont tendance à se passer des services des professionnels (prises de vues, tirages...). D'autres secteurs ont connu des baisses d'activité, comme la carrosserie automobile (- 0,6 %, contre + 10 % en 2010), les transporteurs de marchandises (+ 0,5 % contre + 6 % en 2010), la vente et la réparation automobile (-2,1 % contre +2,8 % en 2010), la parfumerie (- 0,8 %, contre + 0,4 %).

Le revenu moyen des retraités est comparable à celui des actifs.

Un peu plus de 15 millions de retraités perçoivent une pension de droit direct, dont 12 millions sont pensionnés au titre du régime général de la Caisse nationale d'assurance vieillesse. 40 % des retraités hommes et 26 % des femmes sont « polypensionnés » ; ils perçoivent plusieurs retraites de régimes différents auxquels ils ont cotisé pendant leur carrière professionnelle. Tous régimes confondus, le montant moyen des pensions s'élevait à 1 216 € par mois au 1er janvier 2010 (DREES) ; celui perçu par les hommes était de 1 552 €, contre 899 € pour les femmes (p. 162). Les retraites de base de la Sécurité sociale et les retraites complémentaires représentent l'essentiel du montant des pensions (plus de 90 %). Entre 2005 et 2010, le rythme de croissance des pensions a été supérieur à l'inflation annuelle d'environ 1,2 point.

Les revenus des retraités du secteur public sont sensiblement supérieurs à ceux du secteur privé. Les anciens fonctionnaires civils de l'État ont perçu entre 2 000 € et 2300 € en 2010, selon qu'ils étaient unipensionnés ou polypensionnés (p. 162). L'écart avec les

Le palmarès du commerce

Chiffre d'affaires et résultat courant* moyens de certaines professions du commerce, de l'artisanat, des pharmaciens et opticiens (2010, en euros)

	Chiffre d'affaires	Résultat courant
Pharmacie	1423500	125300
Optique	334500	69600
Boucherie-Charcuterie	305500	38100
Couverture	225200	37900
Horlogerie-bijouterie	210500	34600
Boulangerie-Pâtisserie	228000	34500
Charcuterie	259000	34100
Restaurant	221300	33700
Plomberie-chauffage-sanitaire	173000	32800
Maçonnerie	202600	32600
Pâtisserie	202000	32100
Hôtel-restaurant	255800	31800
Garage	246400	31200
Menuiserie	193000	30200
Électricité générale	158800	29500
Électroménager-TV-Hifi	268500	29100
Peinture	119100	28100
Chaussures	234500	27400
Prêt-à-porter	196200	24400
Café-bar	107500	23000
Fruits et légumes	225100	22700
Alimentation générale	253100	21700
Lingerie	166000	21600
Fleurs	151400	21300
Coiffure	80000	18100
Esthétique	76900	15800

* Résultat courant avant impôts.

Fédération des centres de gestion agréés

anciens salariés du privé est de l'ordre de 25 %.Les anciens fonctionnaires perçoivent des pensions représentant souvent plus de 80 % de leur dernier salaire.

En incluant les revenus du patrimoine, qui en représentent environ 20 %, le revenu disponible des ménages dont la personne de référence est âgée de 65 à 74 ans dépasse 30000 € par an et 25000 € pour les plus âgés. Les ménages d'inactifs ont ainsi aujourd'hui un revenu par personne ou par unité de consommation comparable à celui des actifs, alors qu'il était inférieur de 20 % en 1970. Il tend cependant à stagner, compte tenu des difficultés de financement des retraites, qui sont déjà apparues depuis quelques années, malgré l'augmentation des prélèvements obligatoires sur les pensions

Les « jeunes retraités » (65 à 70 ans) ont un niveau de vie supérieur à celui de leurs aînés, qui ont eu des carrières globalement moins bien rémunérées, ont moins profité de la forte revalorisation réalisée au cours des années 1970, et ne disposent pas d'un patrimoine aussi élevé.

3,6 millions de personnes bénéficient des minima sociaux.

En 2010, le nombre d'allocataires de minima sociaux, accordés aux personnes qui disposent de ressources jugées insuffisantes pour vivre, s'élevait à 3,6 millions, contre 2,4 millions en 2000. Plus de 400000 vivent outremer. Les plus nombreux percevaient le RSA (revenu de solidarité active, définition ci-après), qui comptait 1,4 million d'allocataires fin 2010. Huit autres allocations étaient disponibles (encadré). Si l'on tient compte des ayants droits (conjoints, enfants...), ce sont au total 6,3 millions d'individus, soit près de 10 % de la population française qui vivent de ces dispositifs.

Le « RSA socle », revenu de solidarité active qui s'est substitué en juin 2009 pour sa partie « socle non majoré » au revenu minimum d'insertion (RMI) et socle majoré à l'allocation de parent isolé (API), en France métropolitaine. Il garantit des ressources minimales à toute personne âgée d'au moins 25 ans

Neuf allocations

Outre le « RSA socle » (définition ci-dessus), qui concerne 1,4 million de personnes, huit autres minima sociaux existaient en France en 2011 :

• **L'allocation de solidarité spécifique** (ASS), instituée en 1984, s'adresse aux chômeurs ayant épuisé leurs droits à l'assurance chômage, et qui justifient d'au moins cinq années d'activité salariée au cours des dix dernières années précédant la rupture de leur contrat de travail.

• **L'allocation transitoire de solidarité** a remplacé à compter du 1er juillet 2011 l'allocation équivalent retraite de remplacement (AER-R), créée en 2002, destinée aux demandeurs d'emploi, âgés de moins de 60 ans, qui totalisent 160 trimestres de cotisations à l'assurance vieillesse. Elle a été supprimée le 1er janvier 2011.

• **L'allocation temporaire d'attente** (ATA), créée en 2005, remplace l'allocation d'insertion (AI) créée en 1984, pour les entrées dans le dispositif depuis novembre 2006. Elle est réservée aux demandeurs d'asile, aux apatrides, aux anciens détenus libérés, aux salariés expatriés non couverts par l'assurance chômage, ainsi qu'aux bénéficiaires de la protection subsidiaire ou temporaire et aux victimes étrangères de la traite des êtres humains ou du proxénétisme.

• **L'allocation aux adultes handicapés** (AAH), instituée en 1975, s'adresse aux personnes handicapées ne pouvant prétendre ni à un avantage vieillesse ni à une rente d'accident du travail.

• **L'allocation supplémentaire d'invalidité** (ASI), crée en 1957, s'adresse aux titulaires d'une pension d'invalidité servie par le régime de sécurité sociale au titre d'une incapacité permanente.

• **L'allocation veuvage** (AV), créée en 1980, s'adresse aux conjoints survivants d'assurés sociaux décédés.

• **Les allocations du minimum vieillesse** (ASV et ASPA) : l'allocation supplémentaire vieillesse (ASV), créée en 1956, s'adresse aux personnes âgées de plus de 65 ans (60 ans en cas d'inaptitude au travail) et leur assure un niveau de revenu égal au minimum vieillesse. En 2007, l'allocation de solidarité aux personnes âgées (ASPA) est entrée en vigueur et s'est substituée à l'ASV pour les nouveaux entrants.

• **Le revenu de solidarité** (RSO), créé en décembre 2001 et spécifique aux départements d'outre-mer (DOM), est versé aux personnes d'au moins 50 ans, bénéficiaires du RMI depuis au moins deux ans, qui s'engagent à quitter définitivement le marché du travail. À partir du 1er janvier 2011, le RSA s'applique dans les DOM et la condition d'âge pour le RSO est portée à 55 ans. Les personnes de moins de 55 ans entrées dans le dispositif avant cette date peuvent continuer à en bénéficier.

Un Français sur dix

Évolution du nombre de bénéficiaires des différents minima sociaux (France entière)

	2000	2005	2010
Revenu minimum d'insertion	1 096 851	1 289 540	140 000
Allocation de parent isolé	170 213	206 125	30 200
Allocation aux adultes handicapés	710 902	800 959	914 900
Allocation supplémentaire d'invalidité (personnes âgées)	104 400	112 623	87 700
Allocation de solidarité spécifique	446 987	401 582	360 700
Allocation d'insertion ou allocation temporaire d'attente	32 200	34 600	44 500
Allocations diverses en faveur des personnes âgées démunies	813 840	692 207	633 700
Revenu de solidarité active	-	-	1 374 000
Revenu de solidarité (minimum social spécifique aux Dom)	-	9 963	13 100
Ensemble	**3 374 693**	**3 547 599**	**3 598 600**

CNAMTS, CNAF, MSA, DREES, Unedic, CNAV, régime des caisses des DOM.

ou assumant la charge d'au moins un enfant né ou à naître. Au premier septembre 2010, le dispositif a été élargi aux jeunes actifs âgés de 18 à 25 ans sans enfant à charge, sous condition préalable d'activité professionnelle (l'équivalent de deux années travaillées au cours des trois dernières années). Le RSA est en vigueur dans les DOM depuis le 1er janvier 2011 et le RMI y a été maintenu jusqu'au 31 décembre 2010. Au 1er janvier 2012, le montant du RSA était de 474,93 € pour une personne seule, 712,40 € pour un foyer de deux personnes (majoration de 50 %), plus une majoration de 30 % par personne supplémentaire présente au foyer et à la charge de l'intéressé, soit 189,97 €.

Les ménages concernés par ces minima représentent près du tiers de la population dans les DOM-TOM et en Corse du Sud. Plus de la moitié des bénéficiaires sont des personnes isolées, un ménage sur cinq est un couple sans enfant. Dans les autres foyers bénéficiaires, on compte environ 1,5 million d'enfants. Le nombre des allocataires a augmenté de moitié depuis 1975. La part de ceux âgés de plus de 50 ans a sensiblement progressé au cours des dernières années pour des raisons démographiques, mais aussi du fait de la difficulté de sortir du chômage.

Impôts

Les prélèvements obligatoires représentent 44 % du PIB, ...

Le niveau des prélèvements obligatoires mesure la pression fiscale globale (impôts, cotisations sociales) sur les particuliers et les entreprises pour financer les dépenses de l'État et les régimes de protection sociale. Il s'est élevé à 43,9 % du PIB en 2011, en hausse de 1,4 point par rapport à 2010 (42,5 %). Cette augmentation est due pour l'essentiel (1,1 point) à la mise en œuvre de nouvelles mesures fiscales et sociales ou à l'arrêt d'anciennes mesures. Ainsi, la non-reconduction des allègements fiscaux accordés dans le cadre du plan de relance et le passage en régime permanent de la réforme de la taxe professionnelle ont entraîné environ 6 milliards de recettes supplémentaires. Les mesures votées dans la loi de finances initiale pour 2011 ont aussi contribué à accroître des recettes : TVA sur les abonnements *triple play* (1,1 milliard de recettes) ; annualisation des allègements généraux de cotisations sociales (1,8 milliard) ; taxation annuelle des intérêts versés sur les contrats d'assurance-vie (1,6 milliard) ; taxation de la réserve de capitalisation des sociétés d'assurance (*exit tax*, 1,7 milliard).

Les Français reversent ainsi près de la moitié de leurs revenus, sous des formes multiples (par ordre décroissant d'importance) : cotisations sociales ; taxe sur la valeur ajoutée ; contribution sociale généralisée ; impôt sur les revenus des personnes physiques (travail et patrimoine) ; impôt sur les sociétés ; taxe sur les produits pétroliers ; taxes foncières (propriétés bâties et non bâties) ; taxe professionnelle ; taxe d'habitation ; droits d'enregistrement et de timbre ; droits sur les tabacs, etc. La part des cotisations sociales dans les recettes des administrations publiques s'est accrue : elles représentent aujourd'hui 38 % de l'ensemble.

... contre 34 % en 1970...

Le taux de prélèvements obligatoires représentait un tiers du PIB à la fin des années 1960. Il avait progressé de façon continue jusqu'en 1984 pour atteindre 42 %. Puis il s'était stabilisé avant de reprendre sa progression au début des années 1990. La création de prélèvements en principe exceptionnels mais régulièrement reconduits l'a porté à son plus haut niveau historique en 1999 : 44,9 %. La CSG, créée en 1991, rapporte aujourd'hui davantage que l'impôt sur le revenu des ménages (encadré). La CRDS est venue s'ajouter en 1996, pour une durée théorique de 13 ans (qui aurait donc dû être supprimée en 2009). Elle est destinée à faire face aux déficits publics, tel celui de la Sécurité sociale, qui a atteint 18 milliards d'euros en 2011 et était attendu à 6 milliards en 2012 selon les prévisions du projet de loi de finances de la sécurité sociale.

Le taux de TVA était passé quant à lui de 18,6 % à 20,6 % pour les produits courants en 1995, mais il a été ramené à 19,6 % depuis avril 2000. Quant à l'impôt de solidarité sur la fortune, il avait été surtaxé de 1 %, et les tranches n'avaient pas été relevées jusqu'en 2005, ce qui avait renchéri son coût et élargi son assiette. Le « bouclier fiscal » instauré en 2006 a plafonné à 60 % des revenus l'imposition directe, puis la loi TEPA (2007) a abaissé ce plafond à 50 % (y compris les cotisations sociales). Les taux d'imposition à l'ISF avaient été réduits en 2011, mais le projet de François Hollande était de les rétablir à leur niveau antérieur (1 % à partir de 3 millions d'euros), et de faire passer le bouclier fiscal de 50 à 85 %.

Le produit de la fiscalité locale (taxe d'habitation, taxe professionnelle, taxe sur le foncier bâti, impôt foncier...) a également augmenté au fil des années (environ 6 % du PIB en 2011, contre 2,6 % en 1979). La part dans le PIB des prélèvements destinés à l'État, aux administrations centrales et à l'Union européenne est restée assez stable, alors qu'elle a augmenté pour ceux destinés aux collectivités territoriales et, surtout, à la protec-

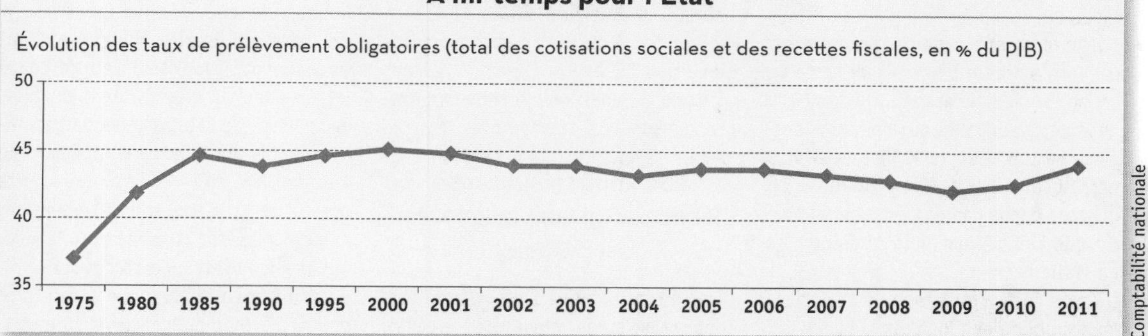

tion sociale. Entre 1981 et 2010, les dépenses de retraite sont ainsi passées de 10,7 % du PIB à 14,1 %, et celles de santé de 6,1 % à 8,7 %.

... et leur structure est particulière.

La France est l'un des pays de l'Union européenne ayant le plus fort taux de prélèvements obligatoires ; elle se situe derrière les pays du Nord : Danemark, Suède, Belgique, Autriche. De plus, le taux est très faible dans les pays comme les États-Unis où les systèmes de retraites et de santé sont financés en grande partie par des prélèvements volontaires, qui relèvent largement du secteur privé.

La France se distingue aussi par la structure particulière de ses prélèvements. Ainsi, la part des cotisations sociales est la plus élevée de tous les pays de l'Union, à 37 % en 2011. En revanche, la part de l'impôt sur les revenus et les bénéfices est l'une des plus faibles : 21 %. Cette répartition est la traduction de deux spécificités nationales. La première est la taxation relativement forte du travail. La seconde est le fait que les prélèvements obligatoires (qui croissent proportionnellement plus vite que les revenus) reposent sur une base étroite, l'impôt sur le revenu. Celui-ci se caractérise ainsi par un fort taux marginal : 41 % au-delà de 70 830 € par part en 2012, et même 75 % pour les revenus supérieurs à un million d'euros, selon le projet qu'avait annoncé François Hollande pendant la campagne présidentielle.

Dans ses « 60 engagements pour la France », le candidat avait indiqué que le taux des prélèvements obligatoires augmenterait encore progressivement pendant le quinquennat, jusqu'à 46,9 % en 2017, afin de pouvoir financer les besoins du pays et réduire son endettement.

La dette publique représente 61 000 € par ménage, soit 1,3 année de revenu.

Bien que très élevé, le taux des prélèvements obligatoires ne permet pas de financer l'ensemble des dépenses publiques, qui ont connu une croissance régulière. En 2011, le déficit public s'est élevé à 103 milliards d'euros, soit 5,2 % du PIB, après 7,1 % en 2007. Il reste très supérieur à celui prévu au niveau européen (3 %). L'État doit donc émettre et garantir des emprunts, qui accroissent son endettement. Celui-ci avait dépassé en 2004 le chiffre symbolique de 1000 milliards d'euros (1 069) ; il s'est encore accru de 70 % en 2011, atteignant 1 717 milliards d'euros, soit 85,8 % du PIB, contre 82,3 % fin 2010. Il s'agit de la « dette publique notifiée » qui correspond à la dette brute consolidée en valeur nominale du secteur des administrations publiques. La dette publique nette, qui tient compte des dépôts, crédits et titres de créances négociables détenus par les administrations publiques sur d'autres secteurs, représentait 1 573 milliards, soit 78,6 % du PIB, après 76,1 % en 2010.

Malgré cette forte hausse, le niveau d'endettement public de la France reste comparable à la moyenne des pays de l'Union européenne : 82,2 % du PIB fin 2011 et 87,4 % dans la zone euro. Les plus bas niveaux étaient ceux de l'Estonie, de la Bulgarie et du Luxembourg. Quatorze États membres affichaient un ratio de dette publique supérieur à 60 % du PIB parmi lesquels : la Grèce (165 %), l'Italie (120 %), l'Irlande (108 %), le Portugal (108 %), la Belgique (98 %) et la France (86 %). Le ratio atteint 100 % aux États-Unis et 200 % au Japon.

Ramenée au nombre de ménages, la dette publique s'élevait à 61 000 € au début 2012, soit 26 400 € par Français (contre 12 000 en 2001). Elle représente donc pour chaque ménage l'équivalent de 1,3 année de revenu disponible brut (p. 239), ou de 34 années d'impôt sur le revenu. Elle fait peser sur les générations futures une charge considérable, qui sera aggravée par les besoins de financement à venir des retraites (p. 164) et des autres systèmes de protection sociale. Il faut ajouter que 70 % de la dette sont détenus par des étrangers, ce qui rend la France plus vulnérable que si elle était financée en majeure partie par les ménages, comme c'est le cas par exemple au Japon ou en Italie.

Cette forte croissance de l'endettement public s'explique par le cumul des déficits budgétaires annuels et les taux d'intérêt réels élevés, dans un contexte de faible inflation et de stagnation économique. De sorte que les seuls intérêts annuels de la dette (environ 50 milliards d'euros en 2012) sont supérieurs au montant des impôts sur le revenu ou le budget de l'Éducation nationale. Leur coût pourrait encore être accru si la note de confiance accordée à la France par les agences de notation baissait. Début juin 2012, la France empruntait à un taux deux fois moins élevé que l'Espagne (2,4 % à 10 ans contre 6 %), mais l'Allemagne empruntait quasiment à taux zéro.

Les impôts indirects sont parmi les plus élevés d'Europe.

Les principaux types d'impôts indirects sont la taxe sur la valeur ajoutée (TVA), la taxe sur les importations, les produits pétroliers, les droits sur les tabacs, ceux d'enregistrement, de timbre ou de douane. En 2011, les ménages et les entreprises ont acquitté 336 milliards d'euros d'impôts sur l'ensemble de ces biens et services, dont 131 milliards d'euros de TVA (net de remboursements et dégrèvements d'impôts) et 24 milliards de taxe intérieure sur les produits pétroliers (TIPP). Au total, les impôts indirects ont représenté 56 % des recettes fiscales brutes de l'État (ménages et entreprises). Leur part dans les recettes fiscales (brutes) du budget général de l'État a cependant diminué depuis une dizaine d'années ; elle était de 62 % en 1995. La baisse a porté notamment sur les droits d'enregistrement (4,4 % en 2010 contre 5,6 %). Par ailleurs, les droits sur les tabacs (11 milliards d'euros en 2011) ont été transférés depuis 2000 au budget des administrations de sécurité sociale.

Contrairement aux impôts directs, ces impôts ne sont pas progressifs en fonction du revenu. Ils pèsent donc beaucoup plus, en proportion, sur les ménages ayant de faibles revenus que sur les ménages aisés. La TVA sur la consommation représente ainsi en moyenne un quart du revenu net des 20 % de ménages les moins aisés,

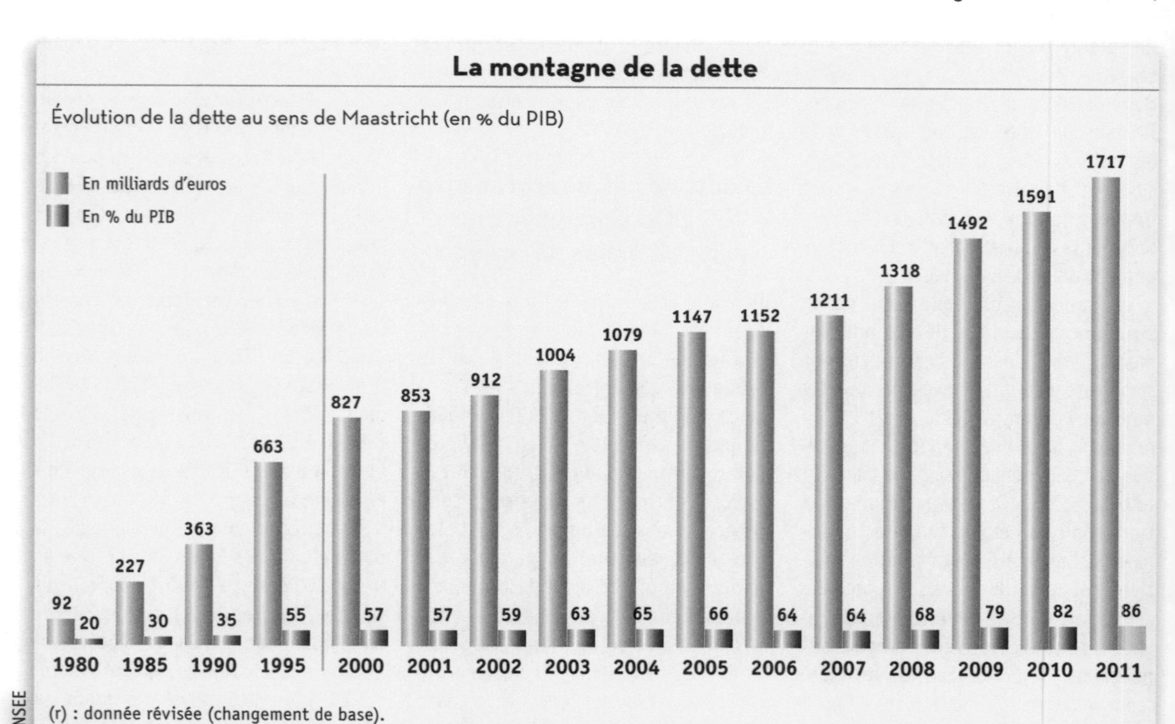

contre moins de 10 % de celui des 20 % les plus aisés. De façon similaire, le poids de la TIPP passe de 5 % environ à 1,5 %. Les taxes sur le tabac pèsent à peu près le même poids relatif : 5 % contre 1 %. En revanche, ce poids est nettement plus atténué pour les taxes sur l'investissement (transactions immobilières, gros travaux) : 2,3 % contre 1,7 %. Les impôts indirects pèsent aussi un peu plus lourd dans le budget des jeunes ménages, car ils consacrent une part plus importante de leur budget à la consommation, que dans celui des 50 ans et plus, qui ont une plus grande capacité d'épargne.

La CSG rapporte davantage à l'État que l'IRPP.

L'une des singularités françaises en matière de fiscalité est que la moitié des ménages fiscaux ne paient pas d'impôt sur le revenu des personnes physiques, contre par exemple 15 % seulement des Britanniques. Pour une famille avec deux enfants, le seuil de non-imposition est ainsi deux fois et demie supérieur à celui des autres pays de l'Union européenne.

Mais d'autres prélèvements sociaux complètent les recettes fiscales de l'État. La contribution sociale généralisée, créée en 1991, est destinée à financer les régimes de protection sociale. Depuis 1998, elle rapporte plus que l'impôt sur le revenu ; l'écart s'est depuis largement creusé : 89 milliards d'euros en 2011, contre 51 pour l'IRPP. Initialement fixée à 1,1 %, elle a été portée à 2,4 % en 1993, à 3,4 % en 1997, à 7,5 % en 1998, puis à 8,2 % en 2009 et 10,2 % en juillet 2012. Elle se substitue en partie aux cotisations salariales de maladie.

Contrairement aux impôts sur le revenu, payés seulement par un tiers des ménages, la CSG est acquittée par tous ceux qui perçoivent des revenus, tant du travail que du patrimoine. Environ 80 % du montant total provient des salaires et des autres revenus d'activité ; le reste est réparti entre les revenus de remplacement (retraites, allocations de chômage...) et les revenus financiers et de l'épargne. À la CSG s'ajoute depuis 1996 la CRDS (contribution au remboursement de la dette sociale). Ces deux prélèvements représentent au total 15 % des revenus depuis le 1er juillet 2012. En vingt ans, le poids de ces deux impôts a été multiplié par 15.

REVENUS DISPONIBLES

Le revenu moyen des ménages avant redistribution est proche de 50 000 € par an.

Le calcul du revenu primaire brut des ménages est la première étape de la détermination de leur revenu. Il est obtenu en ajoutant aux revenus professionnels perçus par les différents membres du ménage (salaires et revenus non salariaux) ceux du capital (placements mobiliers et immobiliers, voir *Le Patrimoine*). Il ne tient pas compte à ce niveau de la redistribution, c'est-à-dire des transferts sociaux : cotisations sociales et impôts directs payés par les ménages ; prestations sociales reçues.

En 2011, le revenu disponible brut global des ménages a augmenté de 2,6 % (après 2,0 % en 2010 et 0,5 % en 2009). Mais son accroissement avait été supérieur à 3 % au cours des années précédent la crise de 2008. Divisé par le nombre de ménages, il représentait 47 000 €.

Entre 1960 et 1980, le poids des salaires dans les revenus primaires avait augmenté de 12 points, passant de 61 % à 73 %. Il avait ensuite légèrement régressé, pour se stabiliser vers 70 %-72 % depuis le début des années 1990 ; il était de 72 % en 2010. La croissance des revenus du patrimoine avait été supérieure à celle des revenus du travail entre 1982 et la fin des années 1990. Elle s'était ralentie au début des années 2000, puis avait augmenté, de sorte qu'ils représentaient 8,7 % du revenu primaire brut en 2010, contre 8,7 % en 2000. Dans les revenus déclarés au fisc, les salaires représentent en moyenne les deux tiers. Les pensions et retraites comptent pour un quart et les revenus non salariaux (agricoles, industriels, commerciaux ou non commerciaux) pour un peu moins d'un dixième. Les autres revenus sont essentiellement issus du patrimoine, mais seule une partie d'entre eux figure sur les déclarations fiscales, du fait des exonérations existantes.

Les cotisations sociales payées par les ménages représentent plus du quart de leur revenu primaire, ...

Les cotisations sociales sont destinées au financement de la Sécurité sociale (maladie, infirmité, accidents du travail, maternité, famille, vieillesse, veuvage...), des caisses de chômage et de retraite complémentaire. Elles concernent l'ensemble des revenus du travail (y compris les pensions de retraite) et sont réparties entre employés et employeurs, à raison d'un tiers pour les premiers et de deux tiers pour les seconds.

Revenu disponible : deux mesures, deux poids

Il existe deux sources principales d'information pour mesurer le revenu disponible des ménages : les données de la comptabilité nationale et celles issues des enquêtes sur les revenus fiscaux et sociaux (ERFS) conduites par l'INSEE. La première indique un revenu disponible brut moyen d'environ 30 000 € par ménage en 2011, alors que la seconde le situe à environ 20 000 €. Cet écart considérable (50 %) s'explique d'abord par les différences méthodologiques. Le revenu disponible établi par la comptabilité nationale comprend les revenus d'activités, les prestations et les revenus du patrimoine, dont sont déduits les impôts et cotisations. Il représente ce dont les ménages disposent pour consommer et épargner. La seconde approche s'appuie sur les revenus déclarés à l'administration fiscale (revenus d'activité, retraites et pensions, indemnités de chômage et certains revenus du patrimoine), les revenus financiers non déclarés, qui sont imputés (produits d'assurance-vie, livrets exonérés, PEA, PEP, CEL, PEL), les prestations sociales perçues et la prime pour l'emploi. Tous ces revenus sont nets des impôts directs (impôt sur le revenu, taxe d'habitation, CSG (contribution sociale généralisée) et CRDS (contribution à la réduction de la dette sociale).

L'écart est aussi la conséquence de différences de champ : la comptabilité nationale prend en compte tous les résidents (métropole, DOM et personnes en institution) alors que l'enquête fiscale est limitée aux ménages ayant un logement ordinaire en France métropolitaine. Par ailleurs, l'enquête fiscale exclut du revenu disponible les revenus du patrimoine lorsqu'ils ne sont pas imposables (ils sont en outre mal appréhendés lorsqu'ils donnent lieu à un prélèvement libératoire), ainsi que les loyers imputés des propriétaires. Enfin, les revenus des indépendants ne sont pas estimés de la même façon : comptes d'entreprises pour la comptabilité nationale, revenus déclarés dans l'enquête fiscale.

Il apparaît que c'est la comptabilité nationale qui approche le plus précisément les revenus disponibles et le pouvoir d'achat véritable des ménages; l'enquête sur les revenus fiscaux fournit en revanche des informations sur la distribution des revenus dans l'ensemble de la population, donc sur les inégalités. C'est la seconde méthode qui est généralement retenue lorsqu'on parle du pouvoir d'achat des ménages, notamment en termes de « niveau de vie » (p. 367). Cela signifie que le revenu disponible « réel » des ménages est assez sensiblement supérieur aux chiffres communément utilisés.

Le poids des cotisations sociales a augmenté dans des proportions considérables au fil des décennies : elles représentaient 16 % du revenu primaire brut en 1960, puis 21 % en 1970, 27 % en 1980 et 30,5 % en 1990. Depuis les années 1990, leur part a diminué pour se stabiliser au-dessous de 28 %; elle était de 26,9 % en 2008. Mais elle est repassée au-dessus avec la crise et l'accroissement des prélèvements sociaux : 28,3 % en 2010. Celle des cotisations salariales (Sécurité sociale, ARRCO, AGIRC, chômage, ASF, AGS, CSG et CRDS) varie fortement avec le montant du salaire, s'accroissant avec lui.

La part payée par les salariés a été multipliée par quatre en un quart de siècle pour les salaires dépassant deux fois le plafond de la Sécurité sociale. Dans le même temps, celle de l'employeur n'a été que doublée, mais elle est deux fois plus élevée que celle des salariés à partir d'un salaire d'environ 1 500€ par mois. En moyenne, un salarié perçoit en salaire net moins de 60 % du coût de son travail tel qu'il ressort pour l'entreprise, alors que la part perçue atteignait 70 % en 1970.

… de même que les prestations sociales qu'ils reçoivent.

Depuis la création de la Sécurité sociale, en 1945, les dépenses de protection sociale ont augmenté deux fois et demie plus vite que la richesse nationale ; elles représentent aujourd'hui près d'un tiers du PIB (32 % en 2010) contre 12 % en 1949. D'une manière générale, leur part dans les revenus des ménages est inversement proportionnelle au montant de ces revenus, en raison de l'effet redistributif recherché et de leur plafonnement. Elle varie ainsi de moins de 5 % pour les cadres supérieurs à 75 % pour les inactifs les plus modestes.

La forme principale de prestation concerne la vieillesse : retraites, pensions de réversion, minimum vieillesse. Ce sont celles qui ont connu la plus forte progression ; elles absorbent près de la moitié des dépenses (46 % en 2010). Elles ont suivi l'augmentation du nombre des retraités, liée à l'évolution démographique et à l'instauration de la retraite à 60 ans (1983), de même que la revalorisation importante des pensions et le développement des régimes complémentaires.

L'algèbre des revenus

Évolution de la structure du revenu disponible brut des ménages (en % du revenu primaire)*

	1960	1970	1980	1990	2000	2010
Revenu primaire brut	**100,0**	**100,0**	**100,0**	**100,0**	**100,0**	**100,0**
Rémunération des salariés	61,2	67,1	73,3	71,2	71,5	72,2
Excédent brut d'exploitation et revenu mixte	33,7	27,6	20,9	20,3	19,8	19,0
Revenus du patrimoine	5,1	5,3	5,8	8,5	8,8	8,7
– Transferts nets de redistribution	**–5,0**	**–8,3**	**–11,7**	**–12,0**	**–13,7**	**–10,2**
Prestations sociales reçues	15,4	18,3	22,2	25,1	26,0	28,9
Cotisations sociales versées	–16,7	–21,3	–27,5	–30,5	–27,5	–28,3
Impôts sur le revenu et le patrimoine	–4,4	–5,5	–6,9	–7,6	–12,6	–11,4
Autres transferts courants	0,7	0,2	0,5	0,9	0,4	0,6
= Revenu disponible brut	**95,0**	**91,7**	**88,3**	**88,0**	**86,3**	**89,8**

* Voir définitions dans le texte

INSEE, comptes nationaux

Les prestations liées au logement diminuent en proportion sur le long terme ; elles représentaient 2,8 % de l'ensemble en 2010, contre 3,2 % en 1995. On observe le phénomène inverse en ce qui concerne les prestations destinées à lutter contre l'exclusion sociale (RSA et allocations diverses, p. 355) : 1,9 % en 2011, contre 1,3 % en 1995.

Les dépenses de santé et de chômage ont fortement augmenté.

Les prestations sociales de maladie (y compris invalidité et accidents du travail) arrivent en deuxième position des aides versées aux ménages et en représentent un tiers (35 % en 2010). Elles ont aussi fortement progressé avec l'allongement de l'espérance de vie, la généralisation de la couverture sociale et l'inflation des dépenses médicales. Leur croissance s'était provisoirement ralentie à partir de 1993, sous l'effet des plans successifs de redressement de la Sécurité sociale, qui avaient mis fin au déficit en 1999. Mais la dérive a ensuite repris (p. 68), avec un « trou » de 18 milliards d'euros en 2011, contre 6 milliards en 2002.

Les prestations d'allocations familiales et de maternité comptent pour 9 % de l'ensemble. Elles sont les seules à avoir régressé en proportion du PIB, du fait du recul de la natalité jusqu'en 1998 et du déclin des familles nombreuses, malgré la forte revalorisation de 1982, l'augmentation des allocations de rentrée scolaire, l'élargissement des prestations logement aux étudiants et la création du RMI en décembre 1988, devenu RSA en juin 2009.

Les allocations liées à l'emploi comprennent les indemnités de chômage, de formation et d'inadaptation professionnelle (jusqu'en 1992, elles incluaient également celles de préretraite). Ce sont celles qui ont le plus augmenté dans les années 1980 et 1990, à cause de la détérioration de l'emploi. Elles se sont stabilisées à 8 % de l'ensemble des prestations, puis ont diminué à 6 % en 2010 (contre 2 % en 1970).

Les revenus du capital représentent moins de 10 % du revenu disponible.

Plus des deux tiers du revenu primaire brut des ménages (72 % en 2010) proviennent des salaires reçus. 19 % sont des bénéfices (excédents bruts d'exploitation) issus des activités non salariées et des pensions de retraite. Le reste (9 %) provient des revenus du patrimoine, dont l'incidence est donc globalement faible, mais très variable selon les ménages (p. 429).

Au cours des années 1990, les revenus du travail avaient été moins favorisés que ceux du capital. Ces derniers avaient sensiblement augmenté grâce aux bonnes performances des placements (p. 421), tandis que le revenu fiscal des salariés (hors revenus du patrimoine) avait diminué en monnaie constante, revenant au niveau de 1984. Cet écart de rémunération entre capital et travail avait engendré un accroissement des inégalités entre ceux qui disposaient d'une épargne, notamment placée en valeurs mobilières, et les autres. Au début des années 2000, l'évolution des revenus et plus-values des valeurs mobilières avait été moins favorable, mais les actifs immobiliers avaient connu une progression spectaculaire jusqu'en 2007 (p. 424), avant le krach boursier de la fin 2008 (baisse de 43 % du CAC 40). Le rattrapage partiel de 2009 (22 %) avait été plus qu'effacé par de nouvelles baisses en 2010 (3 %), 2011 (17 %), confirmées par une nouvelle dégradation à mi 2012.

Les inégalités liées aux revenus du capital se sont globalement renforcées au fil des années. Elles sont particulièrement apparentes au moment de la retraite. Les personnes qui ont constitué un patrimoine au cours de leur vie active et l'ont fait fructifier peuvent obtenir des revenus de complément qui représentent dans certains cas une part significative de leur revenu global. Les plus modestes ne disposent que de leur pension, avec le risque qu'elle diminue en monnaie constante, à cause du déséquilibre croissant entre actifs et inactifs.

Les impôts directs sur le revenu et le patrimoine représentent 11 % du revenu primaire brut.

Les impôts prélevés directement sur les revenus des ménages complètent le dispositif de redistribution. Ils sont progressifs, c'est-à-dire que leur taux augmente avec le montant des revenus. Les impôts indirects (notamment la TVA payée par les ménages sur les achats de biens et services) n'interviennent pas dans le calcul du revenu disponible total ; ils concernent en effet son utilisation dans le cadre de la consommation, et non sa constitution.

Au fil des années, la fiscalité directe a évolué dans deux directions. Le poids de l'impôt (revenus et patrimoines) a augmenté pour les ménages qui le paient : il représentait 11,4 % du revenu primaire brut des ménages en 2010 contre 5,5 % en 1970 (mais 12,6 % en 2004). Son rôle redistributif s'est également accentué. C'est ainsi que seulement un tiers des foyers fiscaux étaient imposés en 2009, contre les deux tiers (64 %) en 1980 (p. 356).

En 2011, le revenu disponible brut moyen par ménage était de 47 300 €, soit 3 900 € par mois.

Le revenu disponible brut d'un ménage comprend les revenus d'activité, ceux du patrimoine, les transferts en provenance d'autres ménages et les prestations sociales (y compris les pensions de retraite et les indemnités de chômage), nets des impôts directs. Quatre impôts directs sont généralement pris en compte : l'impôt sur le revenu, la taxe d'habitation, la contribution

La redistribution, une mécanique complexe

La nature des prélèvements et des prestations sociales réduit fortement les écarts de revenus des ménages. Alors que le niveau de vie moyen avant redistribution des 20 % les plus aisés est sept fois plus élevé que celui des 20 % les plus modestes, l'écart est réduit de moitié après redistribution. En 2010, le niveau de vie des plus modestes a été ainsi accru de 34 % par ces mécanismes, alors que celui des plus aisés a diminué de 26 %. La réduction des écarts est due pour les deux tiers aux prestations sociales (prestations familiales, aides au logement, minima sociaux...), le dernier tiers provenant essentiellement de l'impôt sur le revenu. Seuls 13 millions de foyers fiscaux sur près de 36 millions paient en effet cet impôt, qui est en outre progressif pour ceux qui l'acquittent (avec une tranche maximale accrue). Cependant, le taux de la dernière tranche (taux marginal supérieur) est passé de 56,8 % en 1990 à 54 % en 1998, 48,1 % en 2005, 40 % en 2006 et 41 % en 2012 (pour l'imposition des revenus de 2011). Avec la réduction du nombre de tranches, le barème est donc devenu moins progressif s'agissant des plus hauts revenus, mais des mesures de correction ont accompagné ces changements.

Au total, le mécanisme de redistribution est resté assez stable au cours des deux dernières décennies ; les écarts de niveau de vie se sont réduits globalement de façon comparable en 2010 et en 1990. On observe cependant que le poids de l'impôt sur le revenu a diminué ; en valeur absolue (50 milliards d'euros en 2011), il est par exemple inférieur au montant des intérêts de la dette publique. Celui des prélèvements sociaux s'est accru, avec la création de la CSG, qui intègre les revenus du patrimoine ; ainsi, les recettes liées à l'impôt sur le revenu ne représentaient plus que 2,6 % du PIB en 2011, contre 4,5 % en 1990 et 3,4 % en 2000, alors que le poids de la CSG est passé de 0 % à 4,3 % du PIB depuis sa création en 1991. Enfin, le poids des prestations sociales a légèrement diminué du fait de leur indexation sur l'inflation, qui a progressé moins vite que les revenus depuis vingt ans.

sociale généralisée (CSG) et la contribution à la réduction de la dette sociale (CRDS). Le revenu disponible brut intègre les transferts sociaux (cotisations et prestations sociales, impôts directs), dont l'incidence sur les revenus est croissante. En 2011, il s'élevait au total à 1 323 milliards d'euros pour l'ensemble des 28 millions de ménages (estimation), soit 47 300 € par ménage. Il faut noter que ce chiffre est supérieur de près de la moitié à celui qui ressort des enquêtes INSEE sur les revenus, du fait des méthodes de calcul différentes (encadré).

L'algèbre des transferts sociaux traduit l'importance du financement de l'économie nationale par le biais des impôts et des cotisations. Ce financement est en partie déterminé par la politique sociale mise en place par le gouvernement, sous la forme de prestations. En dehors des professions indépendantes et des cadres, les ménages perçoivent plus de prestations sociales qu'ils ne paient d'impôts directs et de cotisations. C'est ce qui explique que le revenu disponible des ménages les plus modestes soit supérieur à leur revenu primaire brut. Le caractère redistributif de la fiscalité est en effet conçu pour que les prestations diminuent lorsque le revenu augmente, tandis que les impôts s'accroissent proportionnellement plus vite que le revenu.

L'éventail des revenus disponibles est plus resserré que celui des revenus primaires.

Le rapport entre les salaires nets moyens d'un cadre supérieur et d'un manœuvre est d'environ quatre. Il n'est plus que de deux lorsqu'on compare les revenus disponibles moyens d'un ménage où la personne de référence est cadre supérieur et ceux d'un ménage où elle est manœuvre. La différence est due pour partie aux mécanismes de redistribution sociale et fiscale, qui avantagent les faibles revenus.

Mais le resserrement des écarts s'explique aussi par la présence croissante d'autres revenus salariaux dans les ménages (généralement celui du conjoint dans les couples biactifs). Or, cette situation est plus fréquente dans les ménages modestes, où la femme est plus souvent active et perçoit un salaire plus proche de celui de son mari que dans les ménages plus aisés. Ainsi, de nombreux ménages biactifs occupant des fonctions modestes ont des revenus supérieurs à ceux perçus par des ménages monoactifs dans lesquels la seule personne active dispose d'un salaire relativement élevé.

Globalement, les écarts entre les revenus disponibles se sont réduits depuis le début des années 1980. Le changement qui s'est opéré est surtout notable entre l'Île-de-France et les autres régions : l'écart au profit de la première n'est plus aujourd'hui que d'environ 20 %, alors qu'il atteignait 33 % au début des années 1980.

Pouvoir d'achat

La croissance du pouvoir d'achat a été très forte au cours du XXe siècle, …

L'évolution du pouvoir d'achat des ménages dépend à la fois du montant de leurs revenus et de l'évolution des prix à la consommation (inflation), qui lamine la valeur d'échange des revenus. Sa croissance est un phénomène plus que séculaire. Ainsi, entre 1856 et 1906, le salaire annuel net des ouvriers avait doublé, passant de 11 000 francs à 22 000 francs de 1995 (1 680 € à 3 350 €). Pendant les Trente Glorieuses (1946-1975), il avait plus que triplé (+ 230 %), alors que la durée de travail annuelle moyenne avait diminué de près de 200 heures.

Pendant cette période, la grande majorité des Français s'étaient davantage enrichis que pendant tout le siècle précédent ; entre 1950 et 1970, le pouvoir d'achat du salaire moyen avait doublé. Une proportion croissante de ménages avaient ainsi pu acquérir progressivement une résidence principale et s'équiper des produits phares de la société de consommation : voiture, réfrigérateur, téléviseur, machine à laver, etc.

Au cours de l'ensemble du XXe siècle, le salaire moyen d'un ouvrier avait quadruplé en monnaie constante. La durée annuelle de son travail avait été divisée par deux, de sorte que son salaire horaire avait été multiplié par huit. Dans le même temps, le coût de son travail pour l'entreprise avait été multiplié par sept. Mais la productivité par heure travaillée avait aussi considérablement progressé, ce qui avait permis de trouver un équilibre.

… malgré les périodes de crise économique, …

Contrairement au sentiment général, le pouvoir d'achat des ménages a continué d'augmenter pendant les périodes de crise économique. Entre 1974 (premier choc pétrolier) et 1985, les salaires ont poursuivi leur progression, et les écarts entre les catégories socio-professionnelles se sont réduits, malgré les nuages qui s'accumulaient sur l'économie et la forte poussée de l'inflation (14,7 % en 1973). Les revenus des cadres ont augmenté moins vite que ceux des ouvriers ou des employés.

50 ans de pouvoir d'achat

Évolution du pouvoir d'achat des Français selon trois indicateurs* (en % annuel)

	Évolution pouvoir d'achat par ménage	Évolution du pouvoir d'achat par personne	Évolution du pouvoir d'achat par unité de consommation
1960	6,9	7,0	7,0
1961	3,5	3,6	3,6
1962	8,0	8,2	8,0
1963	4,3	4,3	4,2
1964	3,9	3,9	3,9
1965	3,6	3,6	3,6
1966	3,8	4,0	3,9
1967	4,3	4,7	4,5
1968	3,1	3,7	3,5
1969	3,0	3,9	3,6
1970	5,1	6,1	5,8
1971	3,4	4,4	4,1
1972	3,8	4,8	4,5
1973	4,3	5,3	5,0
1974	2,6	3,6	3,3
1975	1,1	2,2	1,9
1976	0,8	1,9	1,5
1977	1,3	2,4	2,0
1978	3,6	4,7	4,2
1979	-0,7	0,3	-0,1
1980	-0,8	0,1	-0,3
1981	0,7	1,6	1,2
1982	0,8	1,5	1,2
1983	-1,5	-0,7	-1,0
1984	-2,4	-1,6	-2,0
1985	-0,4	0,4	0,1
1986	1,2	1,9	1,6
1987	-0,2	0,5	0,2
1988	2,4	3,0	2,7
1989	2,4	3,0	2,7
1990	2,1	2,9	2,6
1991	0,4	1,1	0,9
1992	0,5	1,2	1,0
1993	-0,4	0,4	0,1
1994	-0,4	0,4	0,1
1995	1,8	2,6	2,3
1996	-0,8	0,0	-0,2
1997	0,4	1,2	1,0
1998	1,8	2,6	2,4
1999	1,6	2,3	2,1
2000	1,6	2,3	2,2
2001	1,8	2,4	2,3
2002	1,9	2,6	2,5
2003	-0,7	-0,0	-0,1
2004	1,0	1,6	1,6
2005	0,1	0,5	0,6
2006	1,3	1,8	1,9
2007	1,9	2,4	2,4
2008	-0,6	-0,2	-0,3
2009	0,2	0,6	0,6
2010	-0,2	0,3	0,3
2011	-0,5	0,0	-0,1

* Voir définitions dans le texte.

La forte revalorisation du salaire minimum qui avait été mise en œuvre depuis 1968 (année de remplacement du SMIG, salaire minimum interprofessionnel garanti, par le SMIC, salaire minimum interprofessionnel de croissance) avait entraîné celle de l'ensemble des bas salaires, un phénomène inverse de celui constaté au cours des vingt années précédentes. Entre 1951 et 2012 le pouvoir d'achat du SMIC a été multiplié par près de cinq.

La croissance du pouvoir d'achat s'est accélérée au cours de la seconde moitié des années 1980, favorisée par celle de l'économie. Elle a bénéficié de la maîtrise progressive de l'inflation et de la meilleure santé des entreprises. Elle a aussi profité de mesures spécifiques comme la stabilisation du taux des prélèvements obligatoires (à un haut niveau, p. 356) ou l'instauration du RMI (revenu minimum d'insertion) en 1988. Enfin, elle s'est nourrie de la forte augmentation des revenus du capital, avec des taux d'intérêt réels élevés.

Les données de la comptabilité nationale montrent que le pouvoir d'achat du revenu des ménages s'était accru en moyenne de 2,4 % par an entre 1970 et 1990. La croissance avait été cependant beaucoup plus forte au cours des années 1970 (4 % par an) que pendant les années 1980 (1 %). Ces évolutions concernent le revenu fiscal, avant impôts et hors prestations sociales. Afin de gommer les écarts dus à la composition démographique différente des ménages, la croissance du pouvoir d'achat est calculée par « unité de consommation » avec une pondération de 1 attribuée à la personne de référence du ménage, 0,5 pour les autres personnes de 14 ans ou plus, 0,3 pour les enfants de moins de 14 ans. Un couple sans enfant compte donc pour 1,5 unité, un couple avec un enfant (moins de 14 ans) pour 1,8, un couple avec deux enfants pour 2,1 (2,3 si l'un des deux a plus de 14 ans), etc.

La prise en compte des transferts sociaux modifie peu les résultats qualitatifs ci-dessus ; ils restent également valables si l'on s'intéresse au revenu disponible des ménages. Ce mode de calcul réduit en revanche sensiblement les inégalités, notamment au profit des familles avec enfants.

… mais elle s'est ralentie depuis le début des années 1990, …

À partir de 1991, la croissance du pouvoir d'achat du revenu disponible brut des ménages s'est poursuivie à un rythme moins soutenu, jusqu'en 1997. Les forts taux de croissance de ce revenu enregistrés à la fin des années 1980 (3,5 % en moyenne entre 1988 et 1990) n'ont pas été retrouvés au début des années 2000. La reprise constatée entre 1998 et 2001 avait permis une progression du pouvoir d'achat d'environ 3 %, dans un contexte de faible inflation. Il n'a augmenté que de 0,9 % en 2003, année de faible croissance économique.

Puis la situation s'est améliorée avec une progression de 2,6 % en 2004, 1,6 % en 2005, 2,6 % en 2006 et 3,1 % en 2007, avant de connaître une décélération sensible en 2008, avec seulement 0,6 % de hausse. Au total, le pouvoir d'achat du revenu disponible des ménages a donc pratiquement doublé en monnaie constante depuis 1970, malgré les années de « crise ».

Cette évolution largement positive doit cependant être nuancée. D'abord, les dépenses des ménages ont augmenté plus vite que leurs revenus dans certains domaines. C'est le cas en particulier du logement (l'inflation globale tient compte de cette augmentation, mais pas de façon différenciée selon le niveau de revenus particulier des ménages). Il faut également préciser que les taux de croissance du pouvoir d'achat ont été plus faibles à partir de 1974, début de la crise économique, que pendant les Trente Glorieuses. Par ailleurs, les jeunes ont moins profité de la croissance que les plus âgés, notamment les retraités. Enfin, cette progression dans l'absolu doit être comparée à celle des autres pays développés, de façon à mesurer l'évolution de la place de la France dans la hiérarchie mondiale ou, au moins, européenne (ci-après).

… avant de s'interrompre au cours des dernières années.

Le pouvoir d'achat effectif des ménages se calcule après prise en compte de l'augmentation des prix pour l'ensemble de leurs dépenses de consommation : 2,1 % en 2011 ; 1,1 % en 2010, −0,7 % en 2009 (déflation) ; 3,0 % en 2008. Il peut ensuite être exprimé de plusieurs façons. La plus classique consiste à raisonner par ménage plutôt que par personne, afin de prendre en compte l'ensemble des revenus du foyer. On constate ainsi que le pouvoir d'achat a connu une légère baisse au cours des quatre années qui ont suivi la crise économique amorcée en 2007. Il a ainsi diminué de 0,6 % en 2008, 0,2 % en 2010 et 0,5 % en 2011 (tableau). Seule l'année 2009 avait permis un léger rattrapage (0,2 %).

Si l'on exprime le pouvoir d'achat par unité de consommation, afin de gommer les écarts de dépenses liées au nombre de personnes par ménage (définition ci-dessus), on constate que la baisse n'a concerné que les années 2008 et 2011, qu'elle a été plus réduite (0,3 % et 0,1 %) et plus que compensée par les hausses de 2009 (0,6 %) et 2010 (0,3 %). Il n'en reste pas moins que le pouvoir d'achat a connu depuis quelques années une évolution bien moins favorable qu'au cours des décennies précédentes (p. 364). Les perspectives pour 2012 et les années suivantes ne permettent d'ailleurs pas d'être particulièrement optimiste, dans un contexte de faible croissance économique, avec un taux de chômage élevé et un niveau d'endettement préoccupant.

Au total, le pouvoir d'achat du revenu disponible brut a presque doublé entre 1970 et 2000 en monnaie constante (ci-dessus). Il a poursuivi sa croissance sur un rythme plus réduit jusqu'en 2007, avant de connaître une quasi stagnation depuis la crise de 2008. Pourtant, bien que les chiffres de la comptabilité nationale indiquent le contraire, les Français ont depuis des années le sentiment que leur pouvoir d'achat a diminué, comme l'indiquent de nombreuses enquêtes (encadré p. 369).

La France a perdu des places dans les classements internationaux de richesse…

Si l'on utilise comme indicateur le PIB par habitant en dollars américains aux taux de change courants, la France n'arrivait en 2010 qu'au 18e rang des pays du monde (classement FMI), avec 41 000 $, loin derrière le trio gagnant : Luxembourg (108 000), Norvège (84 000) et Qatar (76 000). Outre le Luxembourg, elle était dépassée par six pays membres de l'Union européenne : Danemark (56 000), Suède (49 000), Pays-Bas (47 000), Irlande (46 000), Autriche (45 000), Finlande (44 000), Belgique (43 000). Elle se trouvait cependant à égalité avec l'Allemagne, devant le Royaume-Uni, l'Italie et l'Espagne.

On peut aussi utiliser un indicateur plus précis, le pouvoir d'achat exprimé en parité de pouvoir d'achat (PPA), qui a pour but de gommer les disparités de coût de la vie liées aux taux de change entre les monnaies. La PPA mesure en effet combien une devise (en général le dollar américain) permet d'acheter de biens et services dans chacun des pays comparés, à partir d'un « panier de la ménagère » normalisé. La France arrive alors en 25e position, derrière neuf pays de l'Union européenne, dont cette fois l'Allemagne et le Royaume-Uni (classement Banque Mondiale 2010).

Quel que soit l'indicateur économique choisi, on constate que la France est moins bien classée qu'auparavant. Ce recul national s'explique par une croissance plus faible que la moyenne des pays développés au cours des vingt dernières années. Ces comparaisons peu favorables ont évidemment alimenté le discours sur le « déclin » national (p. 239).

… mais elle a plutôt mieux résisté à la crise que d'autres pays européens.

Il faut cependant préciser que la crise financière puis économique depuis 2008 a moins frappé la France que la plupart de ses voisins, dont les populations ont connu une baisse plus forte du pouvoir d'achat. En raison de sa faible compétitivité, l'industrie française a moins souffert de l'effondrement des exportations que l'Allemagne ou le Japon. La bulle immobilière n'a pas explosé comme en Espagne, au Royaume-Uni, en Irlande ou dans certains pays de l'Europe de l'Est. L'endettement des ménages y est moindre, de même que le surendettement.

Le modèle national de forte protection sociale a permis d'amortir pour la grande majorité des Français les effets

L'euro critiqué, … mais plébiscité

Dix ans après sa mise en circulation (janvier 2002), de nombreux Français considèrent l'euro comme responsable de l'inflation et de la (supposée) baisse du pouvoir d'achat (p. 369). En décembre 2011, 50 % estimaient que la monnaie unique avait été « plutôt une mauvaise chose pour le pays », 54 % « plutôt une mauvaise chose pour [eux]personnellement » (*JDD*/Ifop). 52 % déclaraient que l'euro avaient été « plutôt un handicap depuis le début de la crise », 26 % seulement « un atout ». 36 % souhaitaient un retour au franc. L'adoption de l'euro dans la vie courante a cependant progressé : 57 % déclaraient ne plus jamais convertir les sommes en francs, une proportion en hausse de trente points par rapport à 2003.

Malgré ces critiques, huit sur dix (81 %) se disaient favorables à un maintien de l'euro en France en février 2012 (M6-MSN Actualités-RTL/ Harris Interactive). Parmi eux, plus d'un tiers (35 %) considéraient que d'autres pays devaient abandonner la monnaie unique, alors que 46 % souhaitaient un maintien de la situation actuelle de la zone euro. Seuls 14 % des Français souhaitaient que le pays revienne au franc. Les personnes de 65 ans et plus, les hommes et les membres des catégories supérieures se montraient les plus favorables au maintien de la France dans la zone euro. Le clivage était peu marqué entre les sympathisants de gauche et ceux de droite, mais ceux du Front National se montraient partagés entre le souhait d'une zone euro réduite (45 %) et celui d'une sortie de la France (48 %), seuls 7 % se disant favorables au *statu quo*.

La France en 25e position

Classement des 28 premiers pays en PIB par habitant (2010 environ, en dollars corrigés des PPA*)

1	Luxembourg	86 899
2	Qatar	80 944
3	Macao	63 721
4	Singapour	57 936
5	Norvège	56 692
6	Koweït	52 657
7	Brunei	49 935
8	Émirats arabes unis	47 215
9	États-Unis	47 199
10	Suisse	46 581
11	Hong Kong	46 503
12	Pays-Bas	42 255
13	Irlande	41 188
14	Autriche	40 005
15	Danemark	39 489
16	Australie	39 407
17	Suède	39 029
18	Canada	38 989
19	Belgique	37 600
20	Allemagne	37 260
21	Finlande	36 651
22	Royaume-Uni	35 904
23	Islande	34 895
24	Guinée équatoriale	34 732
--	Zone Euro	34 277
25	**France**	**33 820**
26	Japon	33 753
27	Espagne	32 070
28	Italie	31 555
--	Union européenne	31 384

* Parités de pouvoir d'achat, voir définition dans le texte.

Banque mondiale

les plus dévastateurs de la crise. Mais les perspectives pour les prochaines années ne sont guère optimistes. Le niveau élevé du chômage ne favorise ni l'intégration des jeunes sur le marché du travail ni le maintien dans l'emploi des plus de cinquante ans. Les faiblesses structurelles de la France en matière d'éducation (enseignement supérieur), de recherche, de production industrielle, d'exportation, de maitrise des dépenses publiques pourraient limiter son potentiel de croissance lorsqu'une reprise économique se produira en Europe.

À moyen et long terme, la France dispose cependant de nombreux atouts (p. 246), dont celui de sa démographie, liée à un taux de natalité élevé, qui contraste avec le déclin engagé en Allemagne ou en Italie. Au total, beaucoup dépendra de la capacité des responsables politiques à assainir les finances publiques tout en relançant la croissance, en liaison avec les partenaires européens. Il leur faudra pour cela rassembler les Français, leur proposer une vision claire et objective de la situation assortie d'objectifs réalistes. Il leur faudra aussi les convaincre de faire des efforts équitablement répartis.

Le niveau de vie individuel s'élevait à 22 000 € en 2011.

Le niveau de vie moyen de chaque Français est égal au revenu disponible moyen des ménages divisé par le nombre d'unités de consommation (1 unité pour le premier adulte, 0,5 pour les autres personnes de 14 ans ou plus et 0,3 aux enfants de moins de 14 ans). Un niveau de vie de 1 000 € par unité de consommation correspond ainsi à un revenu disponible de 1 000 € pour une personne vivant seule et de 2 100 € dans le cas d'un ménage de deux adultes et deux enfants. Le niveau de vie individuel s'établissait à 22 180 € en 2011 (Comptes nationaux, INSEE).

Cet indicateur, que l'on peut considérer comme le plus représentatif du revenu à disposition de chaque personne, a connu une augmentation sensible et quasi ininterrompue pendant des décennies, en même temps que le pouvoir d'achat du revenu disponible des ménages (p. 362). Le mouvement s'est fortement ralenti depuis 2008 (tableau), avec même deux baisses en 2008 (0,3 %) et 2011 (0,1 %). Sur une période de quinze ans, entre 1996 et 2011, la croissance reste cependant sensible : 28 % en monnaie constante (en tenant compte de l'inflation).

Toutes les catégories ont profité de cette amélioration, mais c'est aux deux extrémités de la pyramide sociale qu'elle a été la plus favorable, au détriment des catégories moyennes. Ainsi, le niveau de vie moyen des 10 % de personnes les plus modestes (si on assimile les individus aux « unités de consommation ») et celui des 10 % les plus aisées ont davantage augmenté que la moyenne. De sorte que l'on observe une stabilité globale des inégalités entre le sommet et la base. La situation est un peu différente lorsqu'on s'intéresse à l'évolution du taux de pauvreté (ci-après).

On observe aussi que la moyenne (valeur calculée en faisant la somme des revenus perçus et en divisant par le nombre de personnes concernées) est supérieure de 16 % à la médiane (valeur partageant la population en deux moitiés). Cet écart provient de ce que la dispersion des bas revenus est limitée par l'existence de minima sociaux (SMIC, RSA...), alors qu'elle ne l'est pas vers le haut. La moyenne est donc accrue par les valeurs élevées, alors que la médiane se situe dans la partie basse de la distribution.

Près de 2 000 € par mois

Évolution du niveau de vie individuel* moyen selon l'âge (en euros courants)

	1996	2000	2009
Moins de 18 ans	16 600	17 800	20 160
18 à 24 ans	15 720	17 270	18 930
25 à 34 ans	17 690	18 940	21 250
35 à 44 ans	18 320	19 620	22 170
45 à 54 ans	21 280	22 710	24 010
55 à 64 ans	20 450	22 970	25 880
65 à 74 ans	18 960	20 590	23 860
75 ans et plus	18 610	19 720	21 240
Ensemble de la population	18 260	19 770	22 140

* Voir définition dans le texte. Personnes vivant en France métropolitaine dans un ménage dont le revenu déclaré au fisc est positif ou nul et dont la personne de référence n'est pas étudiante.

INSEE, DGI

4,5 ou 8 millions de Français sont considérés comme « pauvres », ...

Les études sur la pauvreté se réfèrent à un « seuil de pauvreté » fixé selon les études à 50 % ou 60 % du niveau de vie médian (qui divise la population en deux moitiés) par unité de consommation (définition ci-dessus). Le seuil à 50 % était ainsi de 795 € par mois en 2009 (dernière année disponible) et de 954 € à 60 %, pour une personne vivant seule. Il se montait à 1 670 € (50 %) ou 2 003 € (560 %) pour un couple avec deux enfants en bas âge. Selon cette définition, on comptait 4,5 millions de pauvres en 2009 avec le seuil de pauvreté à 50 % du niveau de vie médian, et 8,2 millions avec le seuil de 60 %. Dans le premier cas, le taux de pauvreté est de 7,5 %, dans le second de 13,5 %.

La proportion de pauvres avait été presque divisée par deux entre 1970 et 1990 avec le seuil à 50 % (graphique). La diminution n'a pas été aussi nette avec le seuil à 60 %, du fait de la distribution des revenus situés entre 50 et 60 % de la médiane. Dans les deux cas, on observe cependant une stagnation du taux depuis le début des années 2000, avec même une légère remontée en 2009, dernière année connue.

Ce sont les ménages retraités qui ont le plus profité de l'amélioration au cours des trois dernières décennies. Dans les ménages dont la personne de référence a au moins 65 ans, le taux de pauvreté n'est que de 10,5 % contre 14,2 % parmi les ménages plus jeunes (seuil à 60 %). Il atteint 33 % dans les familles monoparentales. Il n'est que de 5 % chez les couples actifs ayant au maximum deux enfants. Les étudiants constituent un groupe particulier. Une proportion importante des ménages étudiants de 18 à 24 ans a des revenus inférieurs au seuil de pauvreté. Mais la plupart bénéficient d'une aide régulière de leur famille, sous la forme de dons d'argent, de logement gratuit ou de participation aux dépenses alimentaires. Ce sont les jeunes ménages dont les membres sont au chômage ou inactifs (et non étudiants) qui sont dans les situations les plus précaires ; la moitié se trouvent au-dessous du seuil de pauvreté après prise en compte des aides familiales.

Il faut préciser que le seuil monétaire de pauvreté évolue comme le revenu médian sur lequel il est calculé. Ainsi, entre 1970 et 2009, le seuil de pauvreté à 50 % a doublé en euros constants

Plus d'un quart de dépenses contraintes

Évolution du poids des dépenses « pré-engagées (définition p. 400) » dans le revenu disponible des ménages (en %)

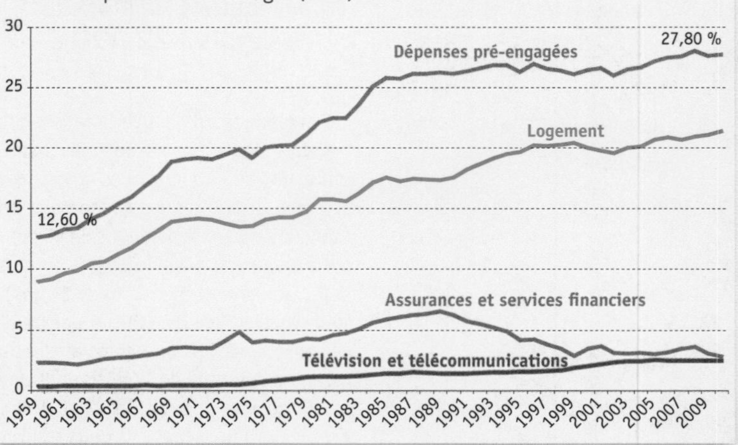

Crédoc

Pouvoir d'achat : le réel et le perçu

La « réalité perçue » par les Français de l'évolution de leur pouvoir d'achat diffère sensiblement de la « réalité objective » telle qu'elle est indiquée par les chiffres de la Comptabilité nationale, que l'on ne peut guère soupçonner de tromperie, sauf à mettre en cause l'ensemble de l'outil statistique de la France (ce qui interdirait alors toute discussion). Cet écart important et récurrent entre les chiffres officiels et le vécu des « vrais gens » peut s'expliquer de plusieurs façons.

Les Français confondent d'abord souvent leurs revenus avec leurs salaires (ou leurs pensions de retraite). Or, il est plus juste de considérer le revenu disponible global des ménages. Il rassemble en effet toutes les sources de revenus, salariales et non salariales, de tous les membres du foyer, après charges et prestations sociales et après impôts (ci-dessus). Il représente donc ce dont le ménage dispose *in fine* pour vivre (consommer et épargner). Selon cette approche, le pouvoir d'achat des Français n'a cessé d'augmenter au fil des années, y compris pendant celles de « crise ». Il a doublé en monnaie constante (après prise en compte de l'inflation globale) depuis 1970. L'accroissement est même sensiblement supérieur si l'on compare l'évolution du revenu à celle du temps de travail ; le revenu par heure de travail effectuée a ainsi progressé mécaniquement de 10 % pour ceux qui sont passés de 39 à 35 heures hebdomadaires à salaire égal.

Il faut cependant préciser que l'accroissement moyen des revenus réels cache de fortes disparités. Les données agrégées de la comptabilité nationale ne disent rien en effet sur les situations individuelles ou sur l'évolution des différentes catégories sociales. L'inflation, par exemple, pèse plus lourdement sur les ménages modestes qui, dans les années 2000, ont davantage subi les fortes hausses des loyers et de l'énergie.

Par ailleurs, pour le grand public, la notion de pouvoir d'achat est souvent associée au budget restant au ménage une fois déduites les dépenses « contraintes » ou « préengagées » (logement, transports, remboursement de crédits, impôts directs...). Ainsi, en ce qui concerne les dépenses de logement, le taux d'effort médian était deux fois plus important en 2010 pour les ménages les plus modestes (quart inférieur de la distribution des niveaux de vie) que pour les plus aisés (quartile supérieur) : 24 % contre 11 %. De même, pour chaque statut d'occupation (propriétaire accédant ou non, locataire...), les taux d'effort sont d'autant plus faibles que les ménages sont plus aisés.

L'inflation des prix constatée et dénoncée par les Français est faussée par le poids de certaines dépenses courantes, notamment alimentaires, qui ne pèsent que sur une petite partie de leurs dépenses globales ; on retient plus facilement les prix qui montent que ceux qui baissent. Cette inflation est aussi accentuée par la « montée en gamme » des achats (p. 389). Elle a été davantage ressentie depuis la mise en place de l'euro et surtout des 35 heures, qui ont laissé des heures supplémentaires de temps libre, et donc la tentation de l'occuper en dépensant plus.

Enfin, le débat récurrent sur le thème du pouvoir d'achat n'a pas toujours été empreint de la plus grande objectivité de la part des interlocuteurs (responsables politiques ou syndicaux, « experts », simples citoyens..) et des médias. Il a aussi introduit une certaine confusion, en un domaine où la volonté d'être simple amène parfois à être simpliste. Force est en tout cas de constater que la baisse du pouvoir d'achat dénoncée à tort par les Français pendant des années s'est finalement produite au cours des plus récentes. Mais beaucoup d'entre eux préféreraient sans doute ne pas avoir eu ce sentiment « prémonitoire ».

(après prise en compte de l'inflation), passant de 388 à 795 € par mois. Les pauvres d'aujourd'hui sont donc deux fois plus « riches » qu'il y a quarante ans. C'est donc la pauvreté relative qui est mesurée, et non absolue (encadré).

... dont la moitié ont un emploi.

On estime que la moitié des « pauvres » (2,5 ou 4 millions selon le seuil utilisé) sont des personnes ayant un emploi. Plus d'un ouvrier non qualifié sur cinq peut ainsi être considéré comme pauvre. Beaucoup travaillent à temps partiel, doivent faire face à des charges familiales importantes (conjoint inactif et enfants) et reçoivent peu de prestations. D'autres alternent des périodes de chômage et d'activité salariée ; leur nombre avait augmenté au cours des années 1990, du fait de la montée du sous-emploi et de la progression du travail temporaire ; il a progressé de nouveau avec la montée du chômage depuis quelques années.

Les non-salariés comptent pour un tiers des « pauvres » : ce sont principalement de petits agriculteurs, artisans ou commerçants. C'est avant 30 ans que le taux de pauvreté est le plus élevé : 10 % ou 18 % selon le seuil, contre 3 ou 8 % chez les personnes de 60 ans et plus. Parmi les retraités, le seuil de

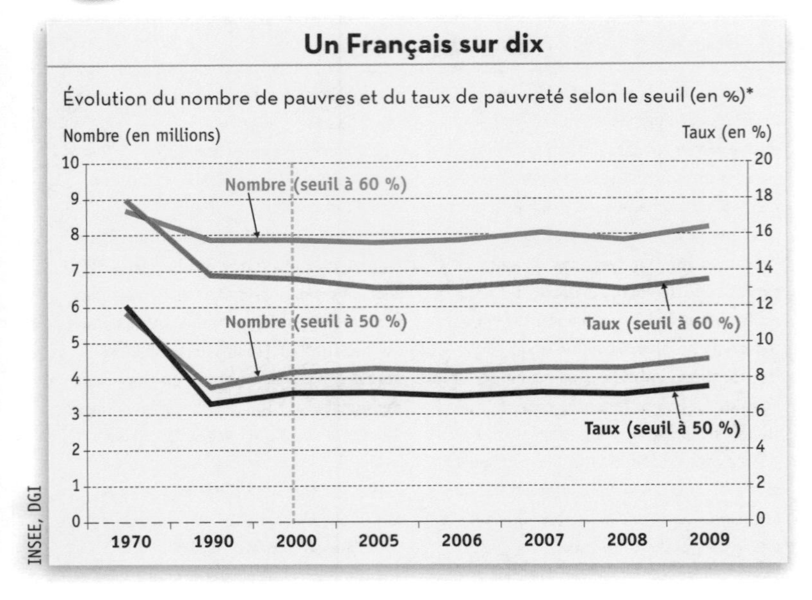

pauvreté à 50 % est passé au-dessus du minimum vieillesse pour une personne seule depuis 1998.

La pauvreté est souvent liée à des difficultés familiales…

L'absence d'entraide familiale est l'un des éléments déterminants de la pauvreté, de l'exclusion et de la marginalisation. Les enquêtes réalisées auprès des allocataires du RMI puis du RSA (p. 354) montrent que les personnes les plus vulnérables sont celles qui sont coupées des réseaux familiaux. Les familles monoparentales sont aussi particulièrement exposées à la pauvreté. Bien qu'elles représentent l'une des catégories les plus aidées (avec les familles nombreuses), leur situation financière s'est plutôt dégradée au cours des dernières années, de sorte qu'elles représentaient plus d'un cinquième des ménages pauvres en 2009, soit près d'un million, au seuil de 50 %). La proportion atteint un sur deux lorsque c'est une femme qui vit seule au foyer avec un ou plusieurs enfants, ce qui représente la grande majorité des cas. Les causes de cette situation tiennent à l'existence d'un seul revenu dans le ménage (le plus souvent féminin) et à l'importance relative prise par les dépenses de logement, d'éducation et de transport.

La répartition géographique de la pauvreté s'est modifiée au fil du temps. Elle s'est notamment déplacée des campagnes vers les villes, des personnes âgées vers les jeunes, des retraités vers les actifs. Pour y remédier et améliorer aussi la cohésion sociale, il apparaît essentiel de commencer par l'éducation, en réduisant le nombre de personnes qui sortent du système scolaire sans qualification (environ 160 000 par an). L'aide au logement, la lutte contre le chômage de longue durée et l'accompagnement psychologique (parfois aussi administratif) sont également à privilégier. Sans oublier la prise de conscience individuelle, complément indispensable de la solidarité collective.

… et aggravée par les difficultés sociales.

Au-delà des critères de revenus évoqués ci-dessus, le nombre des « vrais

La pauvreté, une notion relative

La mesure de la pauvreté (ou de la richesse) est particulièrement complexe. Elle comporte d'abord une part de *subjectivité*, puisqu'elle dépend des seuils utilisés. Ainsi, le nombre de « pauvres » n'est pas du tout le même selon qu'on le situe par exemple à 60 % plutôt qu'à 50 % du revenu médian (ou du revenu moyen) des habitants d'un pays. Le passage de l'un à l'autre (qui a été effectué en France et en Europe) entraîne un accroissement de la proportion de pauvres qui diffère selon la distribution des revenus dans le pays concerné.

Mais la mesure est surtout *relative*, puisqu'elle dépend de la situation de l'ensemble de la population étudiée. Il faut noter que, par construction, le taux de pauvreté reste identique lorsque les augmentations (ou diminutions) de pouvoir d'achat sont également réparties sur l'ensemble des ménages. La proportion de pauvres peut ainsi être la même dans deux pays ayant un niveau de richesse très différent. Mais le pauvre du pays pauvre le sera évidemment beaucoup plus en valeur absolue que celui du pays riche. C'est pourquoi l'ONU utilise un montant absolu (1,25 dollar par jour à parité de pouvoir d'achat) pour définir la pauvreté dans les pays les plus pauvres. C'est le cas aux États-Unis (avec des seuils différents selon les États).

pauvres », qui ne peuvent s'insérer dans la société, est très difficile à définir. Celui des SDF est estimé à 200 000-300 000, dont la plupart sont concentrés dans les grandes villes, notamment à Paris. Certaines enquêtes conduisent à penser qu'un sur dix ne pourra pas être réintégré dans la société, la marginalisation étant pour certaines personnes irréversible.

Les personnes concernées sont fragilisées par des difficultés psychologiques innées ou acquises dès l'enfance. Les accidents de la vie, qui en sont souvent la conséquence, ont contribué à les éloigner de la « normalité ». Malgré les filets largement tendus de la protection sociale (Samu, allocations et aides diverses), la plupart de ces personnes ne pourront trouver ou retrouver leur place dans le système social. D'abord, parce que beaucoup refusent de se faire soigner ou de loger dans un foyer. Ensuite, parce que certaines relèvent de soins psychiatriques trop aigus pour espérer un jour être vraiment guéries. C'est le cas notamment des « clochards », dont beaucoup sont alcooliques.

La bonne volonté collective et les efforts méritoires des institutions ou des associations à vocation humanitaire ne pourront pas facilement venir à bout de cette réalité, souvent ignorée parce que dérangeante. Sa reconnaissance est cependant un préalable à la mise en place de moyens mieux adaptés. Victimes de la « crise » et des « dysfonctionnements » de la société, les pauvres témoignent de la difficulté d'entrer ou de se maintenir dans un système social de plus en plus dur à l'égard des personnes faibles ou vulnérables.

ATTITUDES

L'évolution de la consommation est le reflet du changement social.

Les « consommateurs » n'existent pas, au sens où ils auraient une existence propre, indépendante de celle des *individus* qui se cachent derrière eux. Il serait donc vain de vouloir analyser les attitudes et les comportements de consommation sans identifier et prendre en compte les changements intervenus ou en cours dans les systèmes de valeurs, les mentalités, les aspirations et les opinions des hommes et des femmes.

Ces changements ont été particulièrement nombreux et forts au cours des dernières décennies : scolarité prolongée ; autonomie féminine ; augmentation globale du pouvoir d'achat (mais différenciée et réduite au cours des dernières années) ; accroissement du chômage ; allongement de l'espérance de vie et du temps libre; augmentation du nombre des ménages mais réduction de leur taille moyenne ; vieillissement de la population ; diversification des modèles familiaux ; apparition de nouveaux outils de communication et d'information...

La perception de la France et du monde par les Français s'est également transformée. Elle se caractérise par un double sentiment d'appauvrissement personnel et de déclin collectif, auquel s'ajoute la peur de l'avenir, aggravé par la crise économique et les craintes environnementales. La confiance dans les institutions et dans les « élites » s'est érodée, de même que dans les médias. La vision collective de la société a fait place à une vision individuelle. Le rapport au corps s'est transformé et la santé est devenue la priorité. L'attachement au foyer s'est généralisé.

Les attitudes et comportements de consommation sont les conséquences de ces mutations. Ils en sont aussi le reflet le plus concret et le plus fidèle.

Les Français s'interrogent sur le sens de la « société de consommation ».

Étymologiquement, consommer signifie *détruire*. Le destin des biens de consommation, à commencer par ceux qui sont périssables et « consommables » (piles, pellicules photo, recharges de toute sorte...) est donc de disparaître, généralement sous la forme de déchets qu'il faut ensuite éliminer, ce qui pose un problème important pour l'avenir de la planète. Les biens « durables » (équipements) connaissent un sort identique, même si leur durée de vie est plus longue. On observe d'ailleurs qu'elle tend à diminuer au fur et à mesure que le rythme d'innovation s'accélère. Elle est aussi raccourcie par le fait qu'on ne les répare plus lorsqu'ils cessent de fonctionner.

De façon plus anecdotique mais également révélatrice, les périodes de soldes constituent une double illustration de la finalité destructrice de la consommation. D'abord, parce qu'elles marquent la fin des productions de la saison précédente. Ensuite, parce qu'elles ont pour objet de « liquider » (le terme n'est pas innocent) les invendus ; « tout doit disparaître ». Dans une société qui a peur de mourir, la consommation est une façon de s'assurer que l'on est en vie. Tout en sachant qu'un jour ou l'autre tout disparaîtra.

Le lien entre progrès et bonheur est au centre de la réflexion.

La succession ininterrompue des « crises », c'est-à-dire des transformations du monde, a accéléré et généralisé une interrogation majeure, née en France au milieu des années 1960. Elle concerne le postulat fondateur de la « société de consommation », que l'on peut résumer ainsi : *le progrès scientifique et technique induit la croissance économique, qui produit de la richesse collective ; celle-ci entraîne mécaniquement l'enrichissement individuel (pouvoir d'achat) donc le bonheur.* Ce dernier est en effet supposé être lié à la capacité de consommer.

Cette idée simple, et a priori crédible, n'a jamais été véritablement démontrée. De nombreuses études montrent une absence de corrélation entre le niveau de revenu des peuples et celui de leur satisfaction (p. 277). Elles mettent cependant en évidence l'existence d'un « bonheur relatif » à l'intérieur d'un même pays : on se sent plutôt plus heureux si l'on a plus d'argent que les autres. Cette relativité du bonheur s'explique notamment par l'existence du désir mimétique, probablement inscrit dans la nature humaine. Elle est sans doute la cause principale de la fuite en avant dans la consommation, à la fois source de plaisir et cause de frustration.

L'innovation technique joue un rôle déterminant.

La réflexion en cours sur le sens du « progrès » et sur ses liens avec la consommation ne peut évidemment ignorer l'importance prise par l'innovation technique, qui est l'un des principaux moteurs des changements intervenus. Un nombre croissant de Français considèrent que le « progrès technique » est en partie subi, plutôt que choisi (p. 286). Personne n'avait vraiment demandé à disposer d'un téléphone portable, d'un ordinateur connecté à Internet ou d'un GPS, avant que ces objets et services ne soient proposés. Leur succès montre que les acheteurs ont perçu les avantages qu'ils pouvaient en retirer : communication mobile, accès à l'information globale, repérage géographique, nouveaux loisirs, etc.

Mais les inconvénients leur sont aussi rapidement apparus : nuisances liées à l'usage du téléphone portable dans les lieux publics; effets potentiels des radiations électromagnétiques sur la santé; temps consacré à lire les mails (après avoir éliminé les *spams*) et à y répondre ; menaces sur la vie privée ; frustration induite par la difficulté d'utilisation des équipements ; obsolescence rapide des objets, etc. Ceux qui étaient plutôt réfractaires à ces innovations se sont souvent sentis contraints de les acquérir. Comment vivre sans téléphone portable dans une société où il faut être joignable à tout instant et en tout lieu ? Beaucoup ont le sentiment d'être victimes d'une « machination » ourdie par les entreprises, les marques, la publicité

60 ans de consommation

Phases successives de l'évolution de la consommation depuis 1945

Périodes	Croissance moyenne annuelle (en volume, en %)	Synthèse de la période
1945-1960	+4,1	Équipement des ménages en électroménager et biens durables.
1961-1973	+5,4	Consommation de masse, recherche de « standing ». Contestation de la « société de consommation » (1968)
1974-1975	+2,7	Début de la crise pétrolière. Forte poussée de l'inflation (14 % en 1974) et des salaires. Endettement favorisé par des taux de crédit réels négatifs.
1976-1979	+3,7	Reprise soutenue, malgré le 2e choc pétrolier (1976).
1980-1985	+1,8	Ralentissement progressif. Blocage des prix pour contenir l'inflation.
1986-1990	+2,8	Retour de l'optimisme et boulimie de consommation (gadgets et produits porteurs d'image).
1991-1992	+1,2	Consommation atone, apparition des produits « premier prix ». La guerre du Golfe sert de révélateur.
1993	−0,6	Hausse de l'épargne, au détriment de la consommation.
1994-1996	+1,2	Attentisme et rationalité des consommateurs. Début d'une prise de conscience environnementale, sans réel passage à l'acte.
1997	+0,1	Nouvelle hausse de l'épargne au détriment de la consommation.
1998-2000	+3	Reprise économique dans un contexte social optimiste.
2001-2007	+2,8 %	Du 11 septembre 2001 à la crise des *subprimes*, de nouveaux modes de consommation se mettent en place, sur fond de préoccupations environnementales et de croissance d'Internet.
2008-2012*	+0,7 %	La crise financière, puis économique et budgétaire affaiblit l'Europe. Les Français accroissent leur épargne et arbitrent leur consommation.

* Estimation pour 2012 : 0 %.

Gérard Mermet, à partir des données INSEE, FCD, autres

Consommation de crise ou crise de la consommation

Les grandes crises internationales sont à la fois révélatrices et amplificatrices de changements latents dans les comportements de consommation. Les chocs pétroliers de 1973 et 1979, le krach financier de 1987, la première guerre du Golfe de 1991 ou l'éclatement de la bulle Internet de 1999 avaient ainsi relancé le processus de réflexion amorcé à la fin des années 1960 sur le « sens » de la consommation. Elles s'étaient traduites par une désaffection des consommateurs pour les achats de produits et services « à risque » (transport aérien, voyages, sorties dans des lieux publics) ainsi que pour les produits de luxe jugés ostentatoires dans des périodes où le moral des ménages était morose.

À l'inverse, les produits de « distanciation » et de repli sur le foyer étaient plébiscités : appareils ménagers ; télévision et équipements de loisirs domestiques ; alimentation festive ; bricolage ; jardinage ; ameublement et décoration ; santé. D'une manière générale, les produits et services porteurs de « bien-être », de plaisir immédiat étaient davantage recherchés. Mais les modes de consommation étaient globalement revenus à la « normale », chaque fois que la crise s'était terminée.

La dépression économique inédite de 2008 est d'une nature différente, par son ampleur, sa durée probable, et le fait que des changements importants étaient déjà perceptibles au cours des années précédentes dans les attitudes et les comportements. La baisse du pouvoir d'achat et les contraintes environnementales et la volonté de redonner du sens à la vie risquent de remettre durablement en cause le modèle précédent de consommation. On ne reviendra donc pas à la « normale », lorsque la croissance et la confiance (deux éléments en l'occurrence très liés) seront revenus et que les comptes publics seront équilibrés. D'autant que cela demandera du temps et que d'autres épisodes difficiles sont à craindre dans l'intervalle.

et Internet pour les obliger à dépenser et à utiliser les outils de la « modernité ».

La méfiance à l'égard de l'offre s'est généralisée.

Au fil des années, beaucoup de consommateurs ont eu le sentiment d'avoir été manipulés, parfois trompés par des fabricants ou des distributeurs qui augmentaient artificiellement leurs prix, lançaient sur le marché de fausses innovations ou ne tenaient pas leurs promesses. Ils regardent donc avec plus de circonspection les produits, les marques et la publicité. Certaines pratiques commerciales discutables (vente forcée, faux rabais, publicités trompeuses...) ont éveillé ou aiguisé leur esprit critique.

On observe ainsi une méfiance croissante de la part des consommateurs dans leurs actes d'achat. Elle s'exprime dans tous les domaines de la vie quotidienne, tant à l'égard des produits que des marques, des enseignes de distribution, de la publicité ou des pratiques commerciales. Cette attitude est aussi la conséquence de la capacité croissante des Français à décrypter les offres de toute nature qui leur sont faites et à choisir parmi elles celles qui sont a priori le mieux susceptibles de leur convenir. Elle traduit le rééquilibrage du rapport de forces traditionnel entre l'offre et la demande, qui s'est effectué au profit de cette dernière. À cet égard, la « crise » a servi de révélateur et fait œuvre de pédagogie.

Les consommateurs sont entrés en résistance...

Le contexte économique et la défiance à l'égard de l'offre ont provoqué une résistance croissante au système marchand, à la mondialisation, aux pressions exercées sur les individus pour qu'ils consomment toujours plus. Les interrogations sur le progrès, la recherche de principes fondateurs d'une nouvelle modernité, le désir profond de bien-être, l'attente d'éthique et de responsabilité de la part des institutions et des entreprises ont induit de nouvelles attitudes. Elles sont parfois encouragées par les pratiques peu vertueuses de certaines entreprises : désirs artificiellement provoqués, fausses innovations, absence de service, obsolescence programmée des produits, prix injustifiés, harcèlement publicitaire... Le « marketing » n'a pas bonne presse en France (p. 396).

Les consommateurs expriment ainsi le souci de ne pas être manipulés, de ne pas dépendre d'entreprises toutes puissantes qui décideraient à leur place ce qui est bon pour eux et organiseraient le monde selon leurs seuls intérêts financiers. Les manifestations de cette résistance sont apparentes au travers des mouvements anti ou altermondialistes, la dégradation de l'image des marques (p. 396), la proportion croissante des « publiphobes » ou la simple lecture des blogs ou des forums sur Internet. Le nombre des « alterconsommateurs », à la recherche de nouveaux modèles, tend à s'accroître.

Une brève histoire de la consommation

1945-1974. Les Trente Glorieuses ont été trois décennies de croissance forte et ininterrompue au cours de laquelle les Français ont découvert les délices de la société de consommation. L'automobile leur a permis de se déplacer de façon autonome et de découvrir la France et les pays limitrophes. L'équipement électroménager (réfrigérateur, machine à laver, aspirateur…) a « libéré » la femme. Les équipements de loisir comme la télévision ou la chaîne hi-fi ont donné une nouvelle dimension à la culture et favorisé l'ouverture sur le monde.

Les mouvements de Mai 68 firent cependant émerger des interrogations sur le bien-fondé de ce type de société, qui étaient apparues dès le milieu des années 1960 (p. 272). Mais elles furent mises entre parenthèses pendant la crise économique qui débutait avec le premier choc pétrolier de 1973.

1974-1983. Les Trente Glorieuses ont été suivies des Trente Peureuses. Pendant cette période, les Français refusèrent implicitement l'idée d'une crise et les adaptations qu'elle nécessitait. Ils revendiquèrent la poursuite de l'accroissement du pouvoir d'achat et de la consommation, au détriment notamment de l'emploi. Le réveil allait être brutal ; il se traduisit à partir de 1983 par l'explosion du chômage et le début d'une période de dépression à la fois collective et individuelle, qui n'allait connaître que de courts répits.

1984-1997. La période fut marquée par le choc psychosociologique lié à la première guerre du Golfe, en 1991. Il fut le révélateur d'un changement des mentalités et des modes de consommation, sensible à la fin des années 1980. Après environ un quart de siècle d'une transition à la fois économique, culturelle, psychologique et idéologique, les Français éprouvaient le besoin de souffler. D'autant qu'ils avaient été pendant ces années les témoins et les acteurs d'une véritable mutation sociale. Ils avaient vu aussi se multiplier les menaces sur l'environnement et l'avenir de l'espèce humaine. Le tout sur fond d'innovation technologique accélérée et de mondialisation-globalisation.

1998-2000. Ces trois années furent une parenthèse euphorique et éphémère. 1998 constitue une autre date-clé dans l'évolution des modes de consommation. La reprise économique tant attendue fut alors intégrée par les Français et l'on assista à une transformation spectaculaire du climat social. Le début de la baisse du chômage et la perspective de l'an 2000 entretinrent un climat d'euphorie collective qui contrastait avec le pessimisme antérieur, plus marqué en France que dans les autres pays de l'Union européenne.

Ces changements d'attitude se produisirent dans un contexte de rupture technologique, avec l'arrivée du téléphone portable et d'Internet, les promesses de la recherche génétique et l'émergence de la « nouvelle économie ».

2001-2007. La liesse de la période de transition entre deux siècles et, occurrence exceptionnelle, entre deux millénaires, fut de courte durée. Dès le printemps 2000, la « nouvelle économie » donnait des signes de faiblesse, les *start-ups* se montraient moins triomphantes que ne l'avaient laissé supposer le discours de leurs fondateurs ou leurs cours de Bourse. Internet ne tenait pas ses promesses et les biotechnologies paraissaient en panne, après le décodage du génome humain. La croissance s'essoufflait au cours du premier semestre 2001 et le chômage augmentait à nouveau.

La croissance s'essoufflait au cours du premier semestre 2001 et le chômage augmentait de nouveau, sans pour autant faire chuter le pouvoir d'achat ou la consommation. Les attentats du 11 septembre 2001 firent tout d'un coup s'effondrer le symbole du capitalisme et vaciller les « sociétés de consommation ». En 2007, la crise des subprimes (crédits immobiliers hypothécaires à risque, que les emprunteurs ne pouvaient plus rembourser) aux États-Unis allait déclencher une crise financière inédite depuis 1929.

2008-2012. À partir de la fin 2008, la crise financière se transformait en crise économique dans l'ensemble du monde développé. L'Europe était particulièrement touchée, avec un euro surévalué qui pénalisait les exportations, une croissance très faible et un endettement considérable. L'Irlande, la Grèce, l'Espagne, le Portugal et d'autres pays européens étaient en situation de quasi faillite et la zone euro menaçait d'exploser. Les plans de sauvetage mis en place par l'Union s'ajoutaient aux plans de rigueur des pays concernés. La baisse des revenus entraînait une baisse de la consommation, donc de la croissance. Les pays étaient pris dans une boucle infernale.

La société de consommation n'a pas pour autant disparu, mais elle se transforme. L'accumulation des biens matériels et la dépense sont devenues moins valorisantes. Les réflexions identitaires et existentielles se développent. Les consommateurs cherchent à donner du sens à leur consommation. Ils ont aussi découvert qu'ils avaient le pouvoir de dire non.

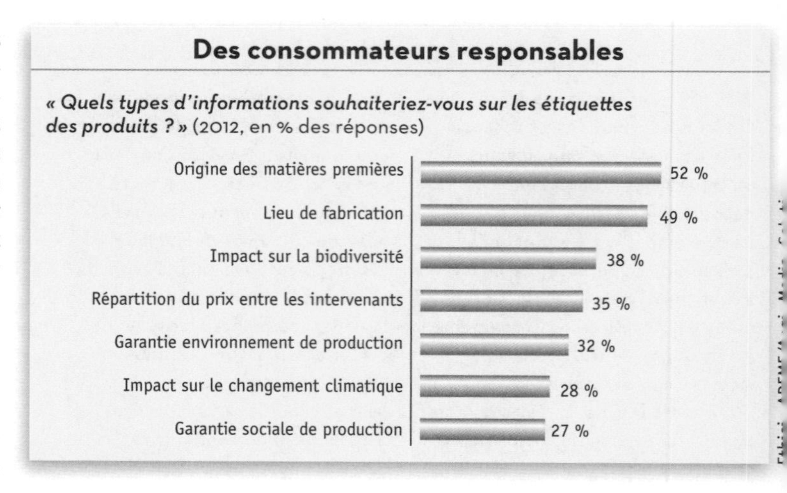

Des consommateurs responsables

« Quels types d'informations souhaiteriez-vous sur les étiquettes des produits ? » (2012, en % des réponses)

... et se montrent de plus en plus exigeants.

Dans un contexte de méfiance généralisée, les Français attendent toujours plus et mieux. Ils acceptent mal les attentes aux caisses, les ruptures de stock, les produits non conformes, les hausses de prix injustifiées, le harcèlement commercial, les promesses non tenues. Ils sont aussi de plus en plus demandeurs de services (informations, livraison à domicile, facilités de paiement...) et de garanties (reprise, réparation, échange...). En cas d'insatisfaction, ils n'hésitent pas à manifester leur mécontentement ; ils peuvent aller jusqu'à boycotter des produits (et inciter les autres à le faire), voire à engager des procédures judiciaires à l'encontre de prestataires jugés défaillants.

Les consommateurs refusent aussi de choisir entre des attentes en apparence contradictoires : plaisir et santé ; esthétique et ergonomie ; qualité et prix ; dépense et responsabilité... La *logique d'alliance* (ou de fusion) tend à remplacer la *logique d'opposition* qui a longtemps prévalu. Dans cet esprit, les consommateurs plébiscitent par exemple les produits *plurifonctionnels*. Les « deux-en-un » ont cédé la place aux « trois-en-un », voire « quatre en un » (tel le *quadruple play* téléphone fixe-mobile-Internet-télévision proposé par certains opérateurs). L'objectif est d'en avoir plus pour son argent, mais aussi d'éviter de multiplier des produits et des équipements de plus en plus spécialisés, qui sont au total plus coûteux, nécessitent plus d'espace de stockage et de temps d'utilisation.

La consommation s'accompagne souvent de frustration...

La volonté et la possibilité pour le plus grand nombre des ménages de consommer ne va pas sans déception ou frustration. Quelque soit son pouvoir d'achat et le temps dont on dispose, il est en effet impossible d'acquérir tous les biens et services proposés. Et, lorsque le pouvoir d'achat est menacé, une proportion importante de Français a le sentiment de s'imposer des restrictions. En 2010, c'était le cas de 52 % en ce qui concerne les vacances et les loisirs, 46 % pour l'équipement ménager, 46 % pour l'habillement, 42 % pour les soins de beauté, 38 % pour la voiture, 33 % le téléphone, 29 % pour l'alimentation, 26 % pour le logement, 25 % pour les dépenses de tabac-boissons, 18 % pour celles concernant les enfants, 12 % pour celles de soins médicaux, 8 % pour Internet (Credoc). La hausse du coût du logement au cours des dix dernières années (p. 174) a aussi joué un rôle important dans les arbitrages de dépenses.

L'insatisfaction apparaît ainsi inséparable de la consommation. Mais la frustration est aussi induite par la complexité croissante des produits et le stress qu'engendre leur utilisation. C'est le cas en particulier des équipements technologiques (p. 290). Les consommateurs sont aussi irrités par les boîtes de conserve difficiles à ouvrir, les bouchons impossibles à enlever, les télécommandes trop complexes, les notices d'utilisation illisibles ou incompréhensibles. Leur temps est précieux et ils ne veulent pas le gaspiller, considérant que c'est aux fabricants, distributeurs et autres prestataires de vendre des produits facilement utilisables. D'où la demande très forte de simplification que l'on observe (p. 381).

... et développe un sentiment de culpabilité.

La plupart des Français savent qu'en consommant, ils favorisent la pollution et les atteintes à l'environnement, qui menacent la survie du monde et de l'espèce humaine. Beaucoup sont par ail-

La société de consolation

On observe depuis quelques années que la consommation ne varie pas toujours dans le même sens que le « moral des ménages » ; elle évolue même parfois en sens inverse. Si l'optimisme constitue un prétexte à dépenser, le pessimisme ambiant peut entraîner des achats de « compensation ». Le réflexe d'aller faire du shopping pour oublier les soucis quotidiens n'est pas l'apanage des hommes déprimés ou des femmes enceintes. Il concerne aujourd'hui une partie croissante des Français des deux sexes et de tout âge. La société de consommation tend ainsi à devenir une société de consolation.

S'ils sont indéniablement favorables à la croissance de l'économie, ces achats de compensation s'accompagnent souvent de mauvaise conscience et de frustration. Ils sont en effet vécus comme une incapacité à trouver des raisons de vivre plus « élevées » dans la hiérarchie des valeurs humaines et moins dépendantes des dimensions matérielles. On retrouve cet état d'esprit dans la consommation des médias ; il explique par exemple l'écart important entre l'image des chaînes de télévision et leur audience (p. 456).

Dans sa vie quotidienne (familiale, professionnelle, sociale), chaque individu est amené à jouer un rôle, à se conformer à ce que l'on attend de lui ou à l'image qu'il entend donner de sa personne. Les « postures » (attitudes et comportements) adoptées en matière de consommation sont souvent guidées par ce souci. Elles sont alors plutôt des « impostures », conscientes ou inconscientes, qui sont peut-être le fruit d'un malentendu. En 1965, Georges Perec faisait déjà remarquer dans les Choses : *« Ceux qui ne veulent que vivre, et qui appellent vie la liberté plus grande, la seule poursuite du bonheur, l'exclusif assouvissement de leurs désirs ou de leurs instincts, l'usage immédiat des richesses illimitées du monde [...], ceux-là seront toujours malheureux. »* Shakespeare ne disait pas autre chose dans le Marchand de Venise : *« Il est des gens qui n'embrassent que des ombres ; ceux-là n'ont que l'ombre du bonheur. »*

Si la nature a horreur du vide, la nature humaine en est encore plus effrayée. C'est sans doute pourquoi les hommes ont inventé le travail, les tâches ménagères (qu'ils ont cependant plutôt réservées aux femmes) et, plus récemment, le téléphone portable. Pour éviter le sentiment de vide et la chute inexorable vers la mort qu'il accélère, la tentation est de « faire le plein ». Les Français cherchent à remplir leur vie comme ils remplissent leur caddy au supermarché ou le réservoir de leur voiture.

Mais les activités professionnelles, familiales, personnelles, sociales ne suffisent pas, apparemment, à « meubler » le temps dont ils disposent, qui a augmenté de plus de moitié au cours du XXe siècle (p. 95). Il existe donc encore beaucoup de « temps morts » (le qualificatif n'est évidemment pas anodin) à remplir. Cela n'empêche pas tous ceux qui cherchent inconsciemment à « tuer le temps » de se plaindre d'en manquer (p. 104). Être « libre » ou « occupé », telle est donc la question. Il est intéressant de noter que les deux termes, dans la langue française comme dans la plupart des langues, ont des sens opposés.

leurs conscients que la consommation est une fuite en avant, qu'elle apporte une illusion de bonheur très fugitive, qu'elle crée aussi une accoutumance ou une dépendance qui incite à renouveler l'expérience afin de maintenir le niveau d'occupation (du temps, de l'argent, de l'esprit) et de satisfaction. Ils en veulent donc de façon consciente ou non à ceux qui les tentent. C'est ce qui explique la désaffection à l'égard des marques et de la publicité (p. 396), mais aussi des médias (p. 447).

Mais certains consommateurs développent aussi un sentiment confus de culpabilité personnelle. Dans le mot consommation, ils sentent confusément qu'il y a « sommation » et ils s'en veulent de céder aux sollicitations et aux tentations, de penser que l'on vit mieux lorsque l'on consomme. Ils savent que le « système marchand » ne tient que parce qu'il y a des acheteurs en face des vendeurs et que ces derniers ne sauraient porter seuls la responsabilité des dérives. Cette prise de conscience, minoritaire et progressive, pourrait transformer les modes de consommation dans les prochaines années.

Consommer est moins considéré comme une finalité...

S'entourer des objets de la modernité, étaler devant les autres des indices matériels de réussite... La réflexion collective et individuelle des années récentes a montré les limites de ces ressorts pour se sentir bien dans sa peau et donner du sens à la vie. La consommation n'apparaît plus aujourd'hui comme une fin en soi, mais comme un moyen.

Sans pour autant tomber dans l'ascétisme, les comportements d'achat des consommateurs sont plus réfléchis, mieux préparés. Pour des raisons économiques, mais aussi éthiques et écologiques, ils s'efforcent de mieux maîtriser leurs dépenses. Leurs arbitrages ne s'effectuent plus seulement entre les produits appartenant à un même univers, un même marché. Dans l'ensemble des postes budgétaires, chaque dépense potentielle est en concurrence avec toutes les autres possibles. On peut par exemple choisir d'acheter un voyage plutôt qu'un lave-vaisselle, un abonnement à des chaînes de télévision plutôt qu'un abonnement à un magazine, un dîner au restaurant plutôt qu'un vêtement... La notion de concurrence se transforme et s'élargit, les choix se multiplient. Dans un monde qui change, les consommateurs font des tentatives, des expériences (p. 386).

... et la recherche de plaisir prend des formes nouvelles.

Malgré leur méfiance et leur résistance, les consommateurs ne sont pas devenus masochistes et la société française reste hédoniste. La consommation est encore considérée comme un moyen privilégié d'obtenir des satisfactions. Elle représente même pour beaucoup un réconfort nécessaire en période de difficulté économique et de crise morale. C'est pourquoi la sensorialité (et même la « polysensorialité », activation de plusieurs sens) est une revendication croissante (p. 391). Ainsi, en matière d'alimentation, la gourmandise n'est pas considérée comme un péché. Les achats de smartphones, de tablettes tactiles ou de machines à café montrent que l'on n'a pas toujours envie de compter.

Mais les satisfactions ne se limitent plus aujourd'hui à l'acquisition des biens d'équipement et à leur utilisation. Il peut y avoir du plaisir à payer moins cher, à acheter plus « malin ». Il devient aussi satisfaisant d'acheter « responsable » ou « équitable », en privilégiant les entreprises qui font des efforts réels à l'égard de l'environnement et se montrent humainement solidaires.

Certains ressentent aussi du plaisir... à ne pas consommer, ou en tout cas à recourir le moins possible au système marchand pour assumer les fonctions du quotidien. C'est ce qu'éprouvent les « décroissants », qui réduisent leur consommation pour diminuer ses effets sur la planète. C'est ce que ressentent aussi les « autonomes », qui font le plus de choses possibles par eux-mêmes, considérant que la consommation est une arme de destruction massive.

Les consommateurs sont en réalités plus « raisonnables » que rationnels. Ils s'efforcent de gérer leurs dépenses en fonction de leurs moyens, de faire de meilleures affaires, mais ils restent sensibles à la dimension émotionnelle des offres. Ils ont envie de se faire plaisir, de ressentir des sensations agréables. La part du rêve et l'irrationalité des comportements n'ont pas disparu avec la crise ; ils ont même été en partie renforcés par le besoin d'évasion, de compensation, de consolation. Les « esprits animaux » évoqués par Descartes et Keynes restent présents dans les comportements des consommateurs.

Exaucer ou « exhauster » ?

Toute société exerce une fonction de « normalisation du désir », à travers les valeurs qu'elle met en avant et les règles de morale qu'elle leur associe. Chaque individu sait ainsi sans en être vraiment conscient ce après quoi il peut courir pour accéder au « bonheur » tel qu'il est défini par les canons de son époque. Des règles implicites ou explicites laissent voir ou entrevoir ce qui est souhaitable, parce que valorisé par la collectivité. C'est ainsi que se définit et se met à jour la liste des biens d'équipement à posséder, des activités à pratiquer, des lieux de vacances à découvrir, ou même des opinions à exprimer. Outre les tendances « lourdes », les phénomènes de mode constituent d'autres normes, plus éphémères.

L'une des caractéristiques de la société actuelle est qu'elle n'indique pas de limites au plaisir (ou au « bonheur ») qu'elle promet. Le système économique constitué par les entreprises, la distribution et les moyens de communication en repousse sans cesse les bornes, jusqu'à les supprimer. Chacun a donc l'ambition légitime de « tout » obtenir de la vie, car « il le vaut bien ». Cette attitude a été renforcée par la mise en majesté de l'individu au cours des dernières décennies. Mais la promesse ne peut être tenue, car la « société du casting » (p. 217) se charge en permanence de rétablir des distinctions, des hiérarchies entre les individus. La promesse ne peut être tenue.

Par ailleurs, les pratiques commerciales des entreprises (marketing, communication) ont pour vocation d'« exhauster » (épuiser, satisfaire) les désirs existants ou latents et de proposer de les exaucer. Mais leur satisfaction ne peut être que de courte durée, ce qui entraîne aussi une frustration permanente. Et permet à l'économie de ne pas s'effondrer.

Les consommateurs sont des prescripteurs et des médias.

Grâce aux outils de communication interactifs, les consommateurs se parlent de plus en plus. Le *B to C (business to consumer)* qui a longtemps prévalu a fait place au *C to C (consumer to consumer)*, qui permet aux « vrais gens » d'échanger des informations, des expériences, des avis, et même d'effectuer de véritables transactions entre eux. Les petites annonces permettent depuis longtemps de vendre ou acheter une voiture ou un appareil électroménager, de même que les vide-greniers pour les meubles ou bibelots. Mais Internet leur a donné une autre dimension, avec le développement de sites spécialisés de vente entre particuliers. L'avis des autres est en effet de plus en plus déterminant dans les décisions de consommation, que ce soit pour acheter un voyage, une voiture ou un ordinateur, trouver un bon artisan ou un bon médecin

Ainsi, la majorité des acheteurs de voyages ou de biens d'équipement s'informer d'abord sur Internet ou auprès de leur entourage sur les expériences qu'ils ont vécues ; ils se rendent non seulement sur les sites des marchands, mais aussi sur ceux qui permettent de comparer les prix et de prendre connaissance des opinions des Internautes (Kelkoo, Twenga, Touslesprix, TripAdvisor, etc.). Aucun domaine n'échappe désormais à ces pratiques. La santé est particulièrement concernée avec la forte audience des sites spécialisés (Doctissimo, Aufeminin, Atoute...) et des forums dédiés à la plupart des maladies. Au désespoir parfois, du corps médical, agacé par la multiplication des « patio-nautes » (p. 73).

Le consommateur n'est ainsi plus seulement une « cible » ; il est devenu un *média* à part entière. Il est l'un des ingrédients du « marketing viral » mis en place par de nombreuses marques ou enseignes, qui tentent de favoriser leur *e-réputation*, ensemble des mentions qui leur concernent sur les blogs, les forums et les réseaux sociaux. Pour obtenir une efficacité maximale, les entreprises repèrent les leaders d'opinion, qui disposent de tribunes et d'un véritable pouvoir d'influence, et s'efforcent de les avoir pour alliés. Au risque de se faire boycotter si elles sont prises en flagrant délit d'« acheter » des opinions.

La sécurité est une attente prioritaire, ...

Conscients des menaces qui pèsent sur l'avenir, les Français sont pessimistes. Beaucoup craignent pour leur emploi, leur logement, leur retraite, leur santé, leurs biens, l'avenir de leurs enfants ou celui de la planète. Ce sentiment d'inquiétude permanente et multiforme a été renforcé par la dépression économique, la montée du chômage, les menaces environnementales, les déséquilibres budgétaires. Il est à l'origine d'un très fort besoin de sécurité. Les critères « garantie, hygiène, sécurité » arrivent ainsi en tête des critères d'achat des Français (Crédoc, février 2011) ; ils se distinguent ainsi d'autres pays développés comme les États-Unis (où ce critère n'arrive qu'en 6e position), le Royaume-Uni (5e) ou le Japon (4e) ou l'Allemagne (2e, derrière le service après-vente). Les autres attentes des Français concernent, par ordre décroissant : le service après-vente, le « fabriqué en France », la compétitivité du prix, la facilité d'utilisation, le signe de qualité indépendant, le respect du droit des salariés, la confiance dans la marque, l'impact écologique, la recommandation d'un proche, l'esthétique, l'innovation technologique, la recommandation du vendeur.

Les produits et services permettant d'éloigner ou de supprimer les risques perçus sont donc de plus en plus recherchés. C'est le cas en particulier dans le domaine alimentaire (p. 189), avec notamment le succès des produits « bio ». Mais le pouvoir de réassurance des grandes marques est moins acquis que dans le passé, du fait de la suspicion croissante qui pèse sur elles (p. 396).

La revendication sécuritaire déborde largement de l'univers alimentaire ; elle concerne l'ensemble des produits et des biens d'équipement. Ainsi, dans les critères de choix d'une voiture, la possibilité de rouler vite est moins importante que celle de s'arrêter rapidement ou d'être protégé en cas d'accident (p. 206). La peur du risque explique aussi l'intérêt pour les services d'assistance et d'assurance, à destination des personnes et des biens. La tranquillité d'esprit est devenue un critère d'achat essentiel. Les Français sont même prêts, dans certains cas, à sacrifier un peu de leur liberté en échange de plus de sécurité (voir la sécurité routière, p. 64).

... qui entraîne une demande d'informations.

Les consommateurs n'achètent pas les yeux fermés. La plupart recherchent des informations avant d'acheter. Ils n'hésitent pas à faire une « étude de marché » lorsqu'ils envisagent d'acheter un produit ou un bien ayant une certaine valeur. Les moyens dont ils disposent sont de plus en plus nombreux, notamment sur Internet. Mais les proches restent les principaux prescripteurs. Ainsi, 39 % des Français déclaraient se fier aux informations émanant de leurs « pairs » fin 2011 (European Benchmark), soit davantage qu'à celles diffusées par les journaux (37 %) à la radio (35 %) ou à la télévision (30 %).

Mais les informations qu'ils obtiennent sont souvent contradictoires. C'est le cas depuis longtemps en matière alimentaire, à propos des aspects bénéfiques ou nocifs de certains produits ou ingrédients (huiles, produits laitiers, édulcorants, additifs, OGM...). C'est le cas aussi des biens d'équipement technologiques, qui sont l'objet d'inquiétudes croissantes : radiations émises par les téléphones portables et les relais de téléphonie ; présence de mercure dans les lampes à basse consommation...

La demande d'information et l'exigence des consommateurs s'expliquent par la difficulté de décider, dans un monde où l'offre est complexe et où les prestataires cherchent en permanence à les séduire ou les fidéliser, avec des arguments qui ne peuvent être totalement objectifs. Elle traduit aussi leur plus grande autonomie de ces derniers dans les décisions d'achat. Ils ne se contentent plus désormais de promesses ou d'affirmations ; ils attendent des preuves de la bonne foi des prestataires en matière de respect de l'environnement, de responsabilité sociale. Ils s'interrogent sur la répartition des marges des entreprises, de l'amont jusqu'à l'aval.

La gestion du temps est une préoccupation croissante.

Les Français n'ont jamais disposé d'un capital temps aussi abondant (p. 95). Mais ils n'ont jamais eu autant le sentiment d'en manquer. Ce paradoxe s'explique par la diversité des offres de produits, de services et d'activités, dont l'achat et l'expérimentation pourraient très facilement utiliser le temps (et l'argent) de plusieurs vies. C'est pourquoi les consommateurs sont de plus en plus attentifs à ne pas perdre leur temps à des tâches inutiles et peu agréables : recherche et comparaison des produits ; attente aux caisses des magasins ; ouverture des emballages ; déchiffrage des modes d'emploi ; tentative de joindre un service d'assistance...

L'impatience devient donc une caractéristique croissante des consommateurs. Elle se traduit par la demande suivante : toujours plus facile, toujours plus pratique. Ce souci est depuis longtemps sensible en matière alimentaire ; c'est pour y répondre que les entreprises ont développé des produits plus faciles à acheter, à ouvrir, à préparer, à consommer ou à conserver. Dans le même esprit, les livraisons à domicile se développent : un ménage sur dix déclare y recourir au moins occasionnellement. Ils sont aussi de plus en plus nombreux à acheter sur Internet (p. 409). Le temps moyen passé dans un hypermarché est aujourd'hui de 45 minutes, contre 50 minutes en 2000 et 2 h 30 en 1987 (MCA, 2007). Les consommateurs passent en moyenne 1 mn 11 s par rayon et 76 % des actes d'achat se font en moins de 10 secondes.

Les valeurs de convivialité et de partage se développent.

Dans de nombreux actes de consommation, le plaisir est d'autant plus fort qu'il est partagé. Les valeurs de convivialité, de lien social et de solidarité reviennent en force dans la société (p. 273). Elles témoignent de la volonté de ne pas être seul pour bien vivre, résister aux temps difficiles, échanger des informations utiles, puiser dans les autres des raisons d'espérer.

Mais ces valeurs sont le plus souvent pratiquées en groupe restreint : famille, tribu, clan, communauté. Les préférences en matière de consommation sont à la fois des causes d'appartenance (qui se ressemble s'assemble) et des conséquences : les membres d'un même groupe se sentent obligés de consommer de façon semblable, par mimétisme ou pour afficher une identité commune.

Le plaisir lié à l'ostentation ou à la consommation « *bling bling* » est en revanche plutôt passé de mode. Il n'est pas très bien vu dans une période de crise inédite de montrer que l'on ne regarde

Euroconsommateurs

« Pour vous, le plus important lorsque vous achetez un produit ou un service, c'est... ? » (2011, en % de réponses positives à chaque critère dans quelques pays d'Europe)

	1	2	3	4	5
Allemagne	74	66	19	25	21
Royaume-Uni	84	50	20	10	11
Italie	72	62	36	13	14
Espagne	66	60	24	14	12
France	**73**	**52**	**26**	**17**	**10**
Portugal	77	62	27	13	16
Pologne	68	59	24	19	16

1. La recherche du prix bas 2. La qualité du service 3. Le respect de l'environnnement 4. Les conseils des vendeurs 5. Le fait qu'il soit issu du commerce équitable

CETELEM

Des temps morts aux temps forts

Les consommateurs supportent de moins en moins d'avoir l'impression de perdre leur temps dans des tâches liées à la consommation qui ne leur procurent aucune satisfaction. Ils n'ont pas envie de consacrer du temps à chercher, à comprendre, à comparer, même s'ils y sont contraints. Dans une démarche qui reste hédoniste, ils veulent surtout profiter de chaque instant de la vie et transformer les « temps morts » en « temps forts ».

Pour cela, ils attendent des offres de consommation simples et « lisibles ». L'une des raisons du succès des magasins de maxidiscompte par rapport aux hypermarchés réside dans cet effort de simplification, avec des gammes réduites et des choix facilités par une présélection opérée par le magasin. Le développement d'Internet s'explique aussi par la possibilité qu'il offre de gagner du temps, en n'ayant pas besoin de se déplacer, en profitant de l'ouverture permanente des sites commerciaux, en pouvant comparer, acheter, payer, se faire livrer.

La gestion optimale du temps est l'une des attentes contemporaines les plus fortes. Car le temps qui s'écoule conduit à la vieillesse, puis à la mort. Dans la mentalité actuelle, il conduit aussi la planète vers un avenir que les citoyens-consommateurs n'envisagent pas toujours avec optimisme.

pas à la dépense. Les éléments du standing sont aujourd'hui moins liés au prix d'un objet qu'à son caractère avant-gardiste ; si la Rolex était supposée être un signe de réussite financière, le i-phone est un symbole de modernité.

Le besoin de simplification est de plus en plus apparent.

Pendant des décennies, l'offre des fabricants s'est élargie sans discontinuer, de sorte que les produits se sont multipliés, sans qu'il soit toujours possible d'identifier facilement les différences existant à l'intérieur des gammes. Dans le même temps, l'offre des distributeurs est devenue plus complexe, avec une augmentation du nombre de références (environ 75 000 dans un hypermarché) et des écarts de moins en moins perceptibles entre les produits d'un même rayon, conséquence d'une « hypersegmentation ». Les produits et objets sont devenus de plus en plus complexes et « sophistiqués ».

En réaction, les consommateurs expriment un désir de simplicité. Il est sensible avant et pendant l'achat. Il ne l'est pas moins après, lors de l'utilisation des produits. Les consommateurs supportent de plus en plus mal les textes illisibles des étiquettes et des emballages, les modes d'emploi incompréhensibles, les appareils que l'on ne parvient pas à faire fonctionner sans recourir à une aide ou, pire, à une *hot line* (encadré).

Les pictogrammes omniprésents dans la vie quotidienne sont souvent aussi peu « parlants » que ceux de la signalisation routière ; ils nécessitent de la part des utilisateurs un apprentissage et demanderaient peut-être l'obtention d'un « permis ». Sur les outils technologiques, trop de fonctions, de messages, de boutons, ou d'icones apparaissent obscurs et abscons au consommateur moyen. Leur compréhension est souvent impossible, leur usage parfois absurde (encadré page suivante).

Les consommateurs attendent de la considération...

L'angélisme n'a pas cours en matière de consommation et les « lois du marché » ne le permettent guère. Même si elle prend souvent la forme d'un jeu de séduction et d'une négociation « gagnant-gagnant », la relation entre l'offre et la demande a toujours été un rapport de force, compte tenu des enjeux économiques considérables qu'elle représente. Pendant une longue période, les consommateurs ont été plutôt dépendants des prestataires, du fait de la domination de certaines marques, de l'influence de la publicité, du poids de la grande distribution et des pratiques de vente forcée en vigueur dans certains secteurs d'activité (ameublement, automobile, assurance...).

Le rapport est aujourd'hui devenu favorable à la demande, dans un contexte de concurrence croissante entre les vendeurs. Le consommateur peut donc user de sa compétence accrue et des nouveaux moyens mis à sa disposition pour enrichir et faciliter les choix : moteurs de comparaison sur Internet ; tests comparatifs réalisés par les organisations de consommateurs ; diversité des produits et des circuits de distribution.

Conscients de leur pouvoir de dire oui ou non, les clients attendent aujourd'hui plus de considération de la part des marques et des distributeurs. Ceux-ci déploient d'ailleurs des efforts croissants pour les placer au centre de leur réflexion et de leur action. Beaucoup s'efforcent de dérouler devant eux le « tapis rouge » et à les « fidéliser » par tous les moyens (promotions, offres spéciales, cartes de magasins, utilisation des bases de données...), partant du principe que cela coûte moins cher que de conquérir de nouveaux clients.

Technostress

Les consommateurs déplorent la complexité d'usage des produits technologiques. La configuration d'un ordinateur ou d'un téléphone n'est pas aisée pour le commun des mortels. Certains boutons d'appareils (souris, clavier, téléphone, télécommande...) ont plusieurs effets : appui court/long, clic simple/double, combinaison de touches...) qui peuvent décourager les meilleures volontés.

L'énervement, la frustration ou la colère sont souvent au rendez-vous face aux difficultés techniques, voire aux aberrations. Les choix proposés dans les « boîtes de dialogue » traduites de l'anglais sont parfois incompréhensibles. Le recours au mode d'emploi ou à la fonction « aide » est souvent inutile, lorsqu'il n'engendre pas de nouveaux problèmes à résoudre.

Ces difficultés sont d'autant plus mal vécues qu'elles se renouvellent chaque fois que le consommateur utilise un appareil ou une fonction, lorsque cet usage n'est pas suffisamment fréquent pour qu'il se souvienne du mode d'emploi. On ne doit donc pas s'étonner qu'une grande partie des fonctions présentes dans les équipements ne soient pas utilisées. Certaines sont peu utiles, beaucoup sont trop complexes pour justifier le temps d'y accéder. Les fabricants ont encore du travail pour « placer le client au centre de leur réflexion », comme ils l'affirment pourtant depuis des années.

… et de la personnalisation.

Chaque consommateur a le sentiment, justifié sur le plan biologique et psychologique, d'être singulier et d'avoir des besoins uniques. Il attend donc un traitement personnalisé et des produits conçus pour lui seul. Cette évolution s'explique par l'individualisation croissante des vies et par la volonté de s'épanouir sur le plan personnel. Elle est aussi pour les fournisseurs un moyen de répondre au besoin de considération et de personnalisation des clients et à celui de se différencier de leurs concurrents.

On assiste ainsi depuis quelques années au développement du « sur-mesure de masse ». Il a d'abord logiquement concerné l'habillement (chemises, costumes, jeans, chaussures…), puis s'est étendu progressivement à beaucoup d'autres univers. Certains ordinateurs sont fabriqués à la demande, selon la configuration souhaitée par le client (processeur, mémoire, disque dur, écran, carte son, accessoires, logiciels…). La démarche a aussi été mise en place par des constructeurs automobiles, qui ont multiplié le nombre d'options possibles. Les téléphones portables ont des fonctions, des façades et des sonneries personnalisées. Dans certains restaurants, on peut choisir les ingrédients de son sandwich ou de sa salade composée. Des fabricants de cosmétiques proposent de réaliser des vernis à ongles, des fonds de teint ou des parfums sur-mesure. La tendance concerne aussi le tourisme, avec la vente de forfaits personnalisés (*packages* dynamiques) sur Internet.

La limite de la personnalisation est le prix additionnel à payer par le client et l'intrusion dans son intimité qu'elle implique : prise de mesures pour réaliser un vêtement ; questions posées sur l'usage qu'il fera du produit… Elle tend aussi à réduire la fonction de conseil jouée par la marque ou par le vendeur et oblige le client à prendre des décisions parfois difficiles. Mais la tendance au sur-mesure est appelée à se développer.

Les typologies de consommateurs sont moins faciles à établir…

Les typologies traditionnelles de consommation basées sur les critères sociodémographiques (sexe, âge, statut familial, revenu…) sont moins pertinentes que par le passé pour comprendre les comportements de consommation, et surtout pour les prévoir. Ainsi, le revenu est moins explicatif de la consommation qu'auparavant. On l'a vu par exemple avec les achats de téléviseurs à écran plat, qui n'ont pas été d'abord achetés par les ménages les plus riches. L'arrivée des magasins d'alimentation de maxi-discompte en avait donné une autre illustration ; les clients n'étaient pas tous « pauvres » ; la plupart ont en commun une attitude de défiance à l'égard du « système marchand », dont ils ne veulent pas être victimes ou complices. Les Bobos sont aussi davantage définis par leur vision de la société que par leur pouvoir d'achat. Il en est de même des « Solos », qui ne sont pas caractérisés par leur statut matrimonial, mais par une conception plus « responsable » de la vie. Les « néoruraux » ne se définissent pas par le fait qu'ils habitent à la campagne, mais par les traits de caractère qui les ont incités à s'y installer (p. 170).

Si l'âge reste un critère utile, il n'est pas non plus suffisant. Les seniors ont des modes de consommation très hétérogènes. Il est souvent plus utile de « segmenter » les individus-consommateurs par rapport aux différentes phases de leur vie : les jeunes célibataires dépensent plus en loisirs extérieurs et en habillement que les ménages qui fondent un foyer (ces derniers sont plus concernés par les achats de mobilier et de premier équipement),

7 tendances lourdes de la demande

• **Horizontalisation.** Pendant plusieurs décennies, le système de la consommation a fonctionné de façon verticale, avec une relation descendante des entreprises, marques et enseignes vers les consommateurs, *via* la publicité et le marketing. Elle est devenue également « montante » avec le développement des outils de communication interactifs. Elle est surtout horizontale, avec des échanges de plus en plus nombreux entre les consommateurs, et une interaction permanente dans la relation avec l'offre.

• **Plus pour moins.** Pour certains consommateurs dont le pouvoir d'achat a été affecté par la crise, la chasse aux bonnes affaires est devenue une nécessité, une façon de maintenir sa capacité de consommer sans dépenser plus, et même lorsque c'est possible en dépensant moins. Pour les autres, la chasse aux « bons plans » est un *hobby*, un plaisir, une façon de se valoriser aux yeux des autres et à ses propres yeux. Contrairement au passé, on ne se vante pas de dépenser beaucoup et on ne se cache plus pour dépenser moins. On se vante au contraire de dépenser peu pour avoir beaucoup.

• **« Hypersonnalisation ».** Les entreprises disposent d'un nombre croissant de données personnelles sur les clients ou les prospects, souvent bien au-delà de ce qu'imaginent les consommateurs. Beaucoup ont mis en place des systèmes d'analyse de ces données qui leur permettent de « cibler » les offres et la communication de façon très précise en fonction des centres d'intérêt, des habitudes et des moyens des individus. La segmentation est ainsi de plus en plus fine, jusqu'à son aboutissement : la personnalisation de la relation et l'offre sur-mesure.

• **Recyclage.** Les consommateurs sont conscients des conséquences de la consommation sur l'environnement. Ils sont aussi de plus en plus attentifs à leurs dépenses en une période de stagnation du pouvoir d'achat et d'anticipation d'une baisse pour les années à venir. Cette double préoccupation écologique et économique (« écolonomique », voir p. 396) les incite à se tourner vers les achats d'occasion, à revendre les objets qui ne leur sont plus utiles ou à les échanger contre d'autres.

• **« Consotarisme ».** Les individus-consommateurs tendent à se regrouper entre eux, par centre d'intérêt ou selon des critères d'appartenance et de ressemblance multiples : vision de la vie ; religion ; diplôme ; métier ; proximité politique ; préférence sexuelle ; région ; âge ; problème de santé... Cela leur permet de se sentir moins seuls, de partager et d'échanger des points de vue, des informations, des expériences et des aides avec leurs « pairs », de bénéficier ainsi d'un « effet de groupe ». Ces comportements communautaires ont évidemment un impact important sur les modes de consommation des membres concernés. Les entreprises l'ont compris et s'efforcent de plus en plus de proposer des offres spécifiques à ces groupes, parfois en s'immisçant en leur sein.

• **Usufruit.** Pour beaucoup de consommateurs, la jouissance est désormais plus importante que la possession. D'autant que le premier est souvent occasionnel et que l'espace de stockage domestique tend à se réduire, notamment en milieu urbain, avec le coût croissant des logements. La tentation est donc plus forte de louer des équipements plutôt que de les acheter (voitures, outils...) ou de les échanger entre les ménages. Dans les logements collectifs, on commence à prévoir des espaces à disposition des résidents pour le lavage du linge et autres machines susceptibles d'être partagées. Les consommateurs préfèrent payer l'usage plutôt que l'usure. Ils sont davantage attirés par l'usufruit d'un bien que par sa nue propriété. En conformité avec la définition légale de l'usufruit, ils se sentent en outre de plus en plus obligés d'en « assurer la substance », en tant que citoyens-consommateurs responsables.

• **Proximité.** Les individus attendent une double proximité en matière de consommation. La première est *géographique*. Faire ses courses dans des grandes surfaces éloignées de son domicile est de plus en plus considéré comme une corvée. Parce que cela prend du temps (hésitations devant les rayons, queue aux caisses...) et coûte de l'argent (frais de transport). La deuxième dimension est d'ordre *relationnel* et psychologique ; les consommateurs attendent une présence humaine, une écoute, des conseils et une assistance. Cette double attente profite au petit commerce traditionnel et aux moyennes surfaces implantées en milieu urbain. Elle profite aussi aux prestataires qui s'efforcent de développer une relation de confiance et d'empathie avec les clients.

Le local plébiscité

« Selon vous un produit vous permettant de consommer responsable doit... » (2012, en % des réponses citées en premier et en deuxième)

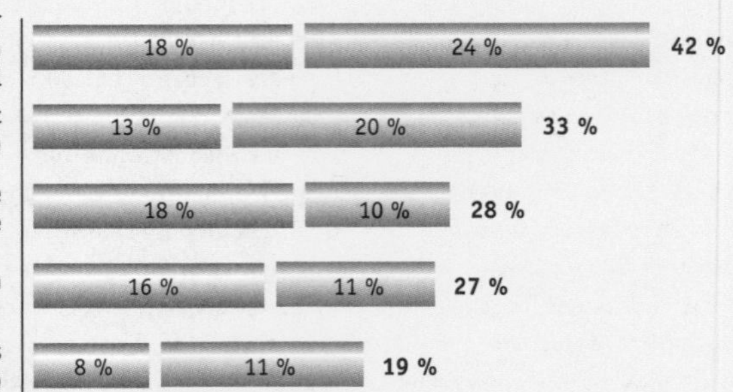

Ethnicity-ADEME/Aegis Media Solutions

tandis que les jeunes retraités sont plus attirés par les services, les voyages ou les produits d'assurance.

On peut enfin s'intéresser aux motivations des consommateurs. Elles peuvent concerner les raisons subjectives de consommer : envies, tentations, désirs, besoins... Elles peuvent aussi être déterminées par des occasions objectives : lieux et moments de consommation.

... et les contradictions ou paradoxes sont nombreux.

Comme les individus qu'ils sont, les consommateurs sont souvent contradictoires, parfois même *schizophrènes* (p. 12). Ils affirment leurs préoccupations pour l'environnement, mais n'achètent pas que des produits « verts ». Ils clament leur préférence pour le « made in France » (72 % se disent prêts à payer plus cher dans ce cas, Cedre/Ifop, novembre 2011). Pourtant, ils n'hésitent pas à acheter des produits importés, comme en témoigne le déficit de la balance commerciale.

Les consommateurs modifient leurs façons d'acheter ou de consommer selon les moments, les interlocuteurs ou les domaines. Ils aiment dérouter leurs prestataires, et leur montrer qu'ils détiennent le pouvoir. Ils aiment aussi se surprendre eux-mêmes, de façon à enrichir leur quotidien. C'est pourquoi ils sont souvent qualifiés de volatils, infidèles, contradictoires, caméléons, zappeurs, imprévisibles.

Ils sont en réalité opportunistes et éclectiques. Dans la jungle de la consommation, l'opportunisme est une façon de montrer que l'on est malin, parfois de survivre. Il faut être à l'écoute des « bons plans », savoir réagir rapidement à une offre limitée dans le temps, avoir le courage de changer de prestataire, même si la démarche est difficile dans certains domaines (les banques, compagnies d'assurances ou opérateurs de téléphonie, notamment, ne facilitent pas les transferts).

La schizophrénie apparente des consommateurs s'accompagne aussi de *paranoïa*. Dans un monde où chaque individu se sait et se sent observé, localisé, analysé, fiché, « ciblé », « segmenté », la tentation est grande de croire au complot. Celui qui serait ourdi par l'offre pour s'accaparer la demande, de la mettre à da merci. Les ententes entre entreprises d'un même secteur qui sont parfois dénoncées par les médias et sanctionnées par la justice alimentent cette crainte d'être pris en otage, nourrissent la méfiance des consommateurs et accroissent leur vigilance.

Les Français souhaitent l'avènement d'une société de consommation durable...

Si la « crise » est une menace pour tous ceux qui la subissent de plein fouet, elle constitue une occasion inespérée pour remettre en cause les modes de consommation et les rendre compatibles avec les contraintes environnementales. Les motivations altruistes font leur apparition dans les comportements, avec par exemple la prime aux produits issus du « commerce équitable » ou les « produits verts » à faible empreinte écologique. La solidarité est parfois restreinte au plan national ou local : les consommateurs choisissent des produits nécessitant moins de transport (et générant donc moins de CO_2) et favorisant l'emploi. Pour les mêmes raisons, ils privilégient aussi dans certains cas les commerces de proximité au détriment des grandes surfaces. On observe qu'une partie de la « valeur ajoutée » des produits tend à être transférée sur le foyer : le « faire soi-même » (cuisine, bricolage, voire habillement...) est considéré comme

plus valorisant, plus économique et plus écologique que le « faire faire ».

Un nouveau modèle de consommation est en train de voir le jour, celui de la « consommation durable » partie prenante nécessaire à la mise en place d'un développement durable, soutenable et responsable.

... et compatible avec la poursuite de l'innovation technique.

La réussite de la « société de consommation durable » passe par la résolution d'un paradoxe. Du côté de la demande, les Français sont inquiets des conséquences de l'hyperconsommation. Ils dénoncent « l'obsolescence programmée » des objets, notamment technologiques. Du côté de l'offre, les entreprises, les marques et les commerçants estiment que leur salut réside dans une innovation toujours accélérée, afin de détourner à leur profit les arbitrages effectués par les consommateurs, dans un jeu à somme nulle ou presque. La nouveauté reste en effet un facteur d'attraction fort, comme on le constate dans de nombreux secteurs.

Le résultat est une fuite en avant qui semble a priori peu compatible avec la nécessité de préserver l'environnement, et même de le restaurer. Le grand défi est donc de produire une nouvelle forme de croissance, riche en services, en satisfactions apportées aux acheteurs et utilisateurs, mais à faible empreinte écologique. L'avenir est à la réconciliation entre le « désirable », au sens fonctionnel et émotionnel, et le « durable », au sens pratique et écologique.

Consommation et consumation

Après des années de doute, la majorité des Français ont compris que les risques pesant sur l'environnement sont réels. Ils sont désormais conscients qu'il y a urgence à les résoudre, sous peine de mettre en péril l'avenir de la planète et de l'humanité dans les décennies à venir. Beaucoup considèrent que c'est le devoir de chacun de participer à cet effort et certains ont commencé à transformer leurs intentions en actes.

Mais les Français sont en même temps désorientés devant la grande complexité de ces questions. Faut-il économiser l'électricité en éteignant les lumières lorsqu'on quitte une pièce, sachant qu'elle est essentiellement d'origine nucléaire et ne produit donc pas de gaz carbonique ? Ne va-t-on pas au contraire réduire l'emploi des personnes chargées de la produire ? D'une manière générale, faut-il consommer moins, sachant que la consommation est en France le principal moteur de la croissance et que celle-ci a été mise à mal par la crise mondiale, détruisant ainsi des centaines de milliers d'emploi ? Faut-il acheter des aliments bio pour des raisons de santé et d'équilibre écologique, sachant qu'ils coûtent plus cher et réduisent d'autant un pouvoir d'achat déjà menacé ? Faut-il refuser de changer sa voiture au prétexte qu'il n'en existe pas de non polluante, au risque de faire disparaître une des premières industries nationales, et de mettre au chômage des dizaines de milliers d'employés ?

Tous les médias ont fait des efforts méritoires de pédagogie pour expliquer les risques environnementaux. Chaque Français a vu les images inquiétantes de la fonte des glaces aux pôles, de la destruction des forêts en Amazonie, de la disparition de certaines espèces animales, notamment de celles servant à la nourriture humaine (poissons). Chacun a entendu parler des conséquences désastreuses du réchauffement climatique : disparition de certaines îles ou zones côtières des continents ; déplacements massifs de population... Beaucoup ont vu les images des montagnes d'immondices des banlieues de Manille ou d'ailleurs, conséquence de la boulimie de consommation des peuples. Une consommation qui, retrouvant son étymologie, « détruit » ce qu'elle touche. Une sorte d'arme de destruction massive qui se cache derrière l'idée du bonheur matériel.

Face à ces menaces multiples, les Français ne parviennent cependant pas à avoir une vision globale. Ils ne sont pas aidés par les experts, dont les conclusions divergent dans de nombreux domaines. Les biocarburants, voitures électriques, moteurs à hydrogène, maïs transgéniques, ampoules basse consommation sont-ils des solutions ou de nouveaux problèmes en perspective ?

Les consommateurs ne savent pas avec précision, lorsqu'ils achètent un objet, ce qu'il a coûté à la planète en termes de transport, d'émission de gaz à effet de serre ou de destruction des ressources. Il faudra leur expliquer simplement ces phénomènes complexes pour qu'ils modifient sensiblement et durablement leurs comportements. Il faudra demain qu'ils puissent connaître pour chaque produit son « histoire écologique » et son empreinte globale.

COMPORTEMENTS

Les stratégies d'adaptation à la crise sont diverses.

Les Français n'ont pas attendu l'annonce « officielle » de la crise (septembre 2008) pour modifier leurs comportements d'achat et leur relation à la consommation. Ils effectuent depuis des années des arbitrages dans leurs dépenses : le poids de l'alimentation et de l'habillement a ainsi diminué (en valeur relative) tandis que celui du logement, des communications ou des loisirs s'est accru (p. 404).

Les stratégies mises en œuvre pour diminuer les dépenses sont variées. Les produits *low cost* sont privilégiés, de même que les enseignes de maxidiscompte, notamment alimentaires (p. 187). Les Français plébiscitent aussi les marques de distributeurs, qui représentent désormais plus d'un quart de leurs dépenses en produits de grande consommation. Les achats sur Internet connaissent aussi une forte croissance (p. 409) ; ils permettent de réaliser des économies sur des produits neufs, mais aussi d'effectuer des achats d'occasion, de pratiquer le troc et d'autres formes d'échanges de marchandises ou de services.

Les consommateurs comparent, réfléchissent, marchandent, se regroupent parfois en mini centrales d'achat ou en coopératives. Ils s'échangent les « bons plans » et se mettent en garde contre les mauvais. La location, les soldes et les promotions sont de plus en plus utilisées. Le « faire soi-même » est une autre voie pour réduire les dépenses (p. 389). Certains ménages se lancent dans des travaux de bricolage, d'autres fabriquent eux-mêmes leur pain, leurs confitures, leurs yaourts, voire leurs vêtements. D'autres encore produisent leur électricité à l'aide de panneaux solaires ou d'éoliennes.

Si la plupart des ménages pratiquent les arbitrages, certains choisissent un comportement général de *frugalité* : ce qui est inutile ou trop coûteux est délaissé. Une minorité de Français est tentée par la *déconsommation*, convaincue que l'on doit sortir de la spirale infernale de la croissance pour mieux vivre et assurer la survie de la planète. L'« écolonomie » est une nouvelle forme d'économie.

Les arbitrages de dépenses sont permanents.

Les freins à la consommation ont été longtemps induits par la religion ou par une conception morale et philosophique de la vie : il fallait *être* plutôt qu'*avoir* ou *paraître*. Mais ces deux dernières motivations avaient pris le pas sur la première à partir notamment des années 1980. Chacun rêvait

Le consommateur expérimentateur

Trois facteurs principaux jouent un rôle dans les changements en cours des comportements de consommation. Le premier est la dépression économique et les craintes qu'elle a fait naître sur l'emploi et le pouvoir d'achat. La deuxième est la prise de conscience des risques écologiques et de leur caractère d'urgence. Le troisième est la méfiance croissante des consommateurs par rapport au « système marchand » et à ses différents acteurs.

Ces trois facteurs incitent fortement les Français à changer leurs habitudes de consommation. C'est pourquoi ils mettent en œuvre des stratégies d'adaptation multiples et effectuent des arbitrages entre les différents types de dépenses. Chacun se nourrit des informations qui lui parviennent des médias ou de son entourage et modifie en conséquence ses comportements.

Mais, dans le triple contexte évoqué, les choix effectués ne sont pas définitifs. Ce sont souvent des « expériences de consommation ». Le consommateur examine les résultats obtenus et juge ensuite de leur intérêt. Sa décision repose sur une comparaison subtile et personnelle entre les économies réalisées, les satisfactions obtenues et les sacrifices consentis. Si le résultat est jugé favorable, le changement peut être pérennisé, en tout cas jusqu'à ce qu'une autre « expérience », potentiellement meilleure, soit tentée.

Le consommateur « post-moderne » peut ainsi sembler insaisissable. Il n'est pourtant pas un être volatil, mais un individu plus raisonnable. Il recherche les meilleures solutions possibles pour satisfaire ses besoins et ses envies, sans se mettre en difficulté économique, sans être « complice » du système, sans peser trop lourdement sur l'avenir collectif.

de s'enrichir, de s'entourer des objets de la modernité, de montrer aux autres qu'il avait « réussi » et qu'il occupait une place enviable dans la société. La réflexion collective et individuelle des années récentes a montré à certains que cela n'était pas suffisant pour être heureux, pour donner du sens à sa vie. La consommation n'apparaît plus aujourd'hui comme une fin en soi mais comme un moyen de bien vivre et de mieux être (p. 372). C'est pourquoi les actes d'achat sont plus intériorisés, mieux préparés, davantage réfléchis.

La réflexion en cours conduit de plus en plus souvent à des choix plus raisonnés, avec l'objectif de garder la maîtrise de ce que l'on achète et des sommes que l'on dépense. Ces arbitrages ne s'effectuent plus seulement entre des produits appartenant à un même univers, un même marché. Les Français ont une approche « transversale » de la consommation ; ils prennent en compte l'ensemble des postes du budget et chaque dépense potentielle est en concurrence avec toutes les autres possibles. Un individu pourra ainsi choisir de s'offrir un voyage plutôt qu'un lave-vaisselle, une soirée au restaurant plutôt qu'un vêtement, etc.

Internet a introduit une rupture dans la relation entre l'offre et la demande.

Le développement des moyens de communication et d'Internet a eu des conséquences considérables sur les modes de vie et donc de consommation. Les écrans se sont diversifiés : ordinateurs fixes et portables ; téléviseurs ; téléphones fixes ou mobiles ; tablettes tactiles ; liseuses... Les Français leur consacrent la moitié de leur temps libre (p. 434). Ils constituent autant de supports de communication et de « points de contact » entre les marques et les consommateurs, réels ou potentiels.

Les formes de communication se sont en même temps multipliées : courriels ; textos; réseaux sociaux (généralistes comme *Facebook* ou *Google +*, professionnels comme *LinkedIn*) ; *Tweets* ; vidéos sur les sites spécialisés *(Youtube, DailyMotion...)*, etc. Les communications sont devenues interactives ; elles permettent aux consommateurs d'échanger leurs informations et leurs expériences, de réagir, de donner leur point de vue.

La communication traditionnelle et la « publicité » étaient traditionnellement pratiquées de façon verticale, de haut en bas, *via* les « grands médias » (télévision, radio, presse écrite, affichage). Elles fonctionnent aujourd'hui horizontalement et transitent par de nouveaux supports, que l'on avait commencé à appeler « hors média » et qui représentent aujourd'hui plus de la moitié des investissements des entreprises en communication. Les marques s'efforcent ainsi d'être omniprésentes dans le quotidien des gens, sous des formes directes ou indirectes, directives ou plus « soft ». Au risque de les lasser si ce contact multiple et permanent est vécu comme un harcèlement.

Le prix est un critère de décision essentiel...

Pour trois Français sur quatre (73 %), la recherche du prix le plus bas est la priorité lors des achats (total « tout à fait d'accord » et « plutôt d'accord », Cetelem, 2011). Elle arrive loin devant les autres critères : qualité du service (52 %) ; proximité du magasin (44 %) ; respect de l'environnement (26 %) ; étendue de l'offre (23 %) ; conseils des vendeurs (17 %) ; produit issu du commerce équitable (10 %).

L'attention portée au prix a été accrue par la crise de 2008. Dans le secteur alimentaire, la part des ménages s'approvisionnant le plus souvent dans un magasin de maxidiscompte (ou *hard discount*) était ainsi passée de 9,2 % en 2006 à 15,2 % en 2008. Les enseignes concernées avaient gagné 800 000 clients entre 2007 et 2008. La crise de 2011, avec la montée du taux de chômage et les tensions sur le pouvoir d'achat, n'a pas eu les mêmes effets. La croissance du maxidiscompte alimentaire n'a été que de 0,6 % en 2011 contre 1,3 % en 2010 (INSEE), du fait notamment de la diminution des écarts de prix avec les hypermarchés. D'une façon générale, les produits *low cost* se sont imposés dans tous les secteurs, des compagnies aériennes aux magasins de bricolage, en passant par les assurances, les banques ou les salons de coiffure.

Il faut ajouter que les Français ont de plus en plus de difficulté à estimer le « juste prix », car la façon de l'établir échappe de plus en plus à leur logique (p. 394). Bien que les sites de comparaison de prix se soient multipliés, il est difficile de les comparer, car les caractéristiques et les références utilisées par les fabricants et les distributeurs diffèrent souvent pour un produit.

... et la recherche du « meilleur prix » est devenue un art.

Les marques de distributeur ont aussi profité d'une conjoncture économique déprimée, d'autant qu'un grand nombre de Français considèrent ces produits comme aussi bons et moins

La société de satiété

La crise qui affecte l'économie et la consommation n'est pas de même nature que toutes celles qui l'ont précédée depuis la fin de la Seconde Guerre mondiale. Elle ne correspond pas à une fin de cycle, qui serait suivie d'un retour à la « normale ». Elle est la conséquence de changements qui ont « travaillé » la société en profondeur pendant des décennies, et qui se sont accélérés depuis 2007- 2008.

Ces éléments ont été des révélateurs autant que des déclencheurs d'une réflexion engagée depuis des le milieu des années 1960. Elle se résume à une question fondamentale : le progrès technique et la croissance économique apportent-ils un surcroît de bien-être individuel et une plus grande capacité à vivre ensemble (p. 288) ? Pour beaucoup de Français, la réponse est négative. Ils ne se sentent au fond pas plus heureux que lorsque le téléphone portable, l'ordinateur ou la télévision numérique n'existaient pas. Mais beaucoup estiment aussi qu'ils seraient moins heureux s'ils étaient les seuls à ne pas posséder ces objets de la « modernité ».

Les consommateurs ont le sentiment que le monde d'avant la crise se caractérisait par la *démesure*. Ils cherchent donc confusément à réintroduire de la mesure dans leurs modes de vie. Conscients que la rareté pourrait succéder à l'abondance, ils considèrent que la « frugalité » est une alternative à l'hyperconsommation, la « sobriété » à la satiété. La consommation effrénée pourrait ainsi faire place à une consommation raisonnable. A condition qu'elle soit porteuse de sens et de satisfaction. Mais les consommateurs ne sont pas que des êtres de raison ; ils cèdent souvent à l'émotion, à la tentation, à l'impulsion. Quitte à se sentir ensuite coupables, et à en vouloir à ceux qui les ont incités à céder.

Dans un contexte de forte crainte sur le pouvoir d'achat et d'incertitude sur l'avenir de l'euro et de l'économie, le défi de la « nouvelle consommation » est de mieux être en ayant moins. D'autant que les menaces et contraintes environnementales sont également fortes. Mais les Français, dans leur grande majorité, n'ont pas envie d'aller jusqu'à la « déconsommation », qui leur apparaît plus comme une régression que comme un progrès. La solution qui est proposée est la « croissance verte », autre appellation du « développement durable ». Mais il faudra donner un contenu précis et tangible à cette idée généreuse et prometteuse.

chers que ceux des « marques nationales ». Ils représentent désormais 40 % des ventes alimentaires dans les hypermarchés, supermarchés et maxi-discomptes. L'engouement récent pour le « fait maison » est un autre moyen de dépenser moins, tout en se valorisant à ses propres yeux et à ceux des autres.

Les Français sont par ailleurs de plus en plus friands d'offres promotionnelles. Ils achètent un tiers de leurs vêtements en soldes (enrichies depuis 2009 de deux semaines « flottantes » au choix des commerçants, la durée des soldes classiques ayant été réduite d'une semaine). Ils se sont aussi habitués à comparer les prix, à les négocier, et même dans certains domaines à la gratuité (au moins apparente). Les commerçants constatent que les consommateurs achètent en moindres quantités et réduisent leurs stocks.

Avoir un comportement économe ou « radin » est non seulement pour les consommateurs une façon d'économiser, mais un moyen de reprendre la main dans le rapport de force entre l'offre et la demande. Mais, si la chasse au « premier prix » a été ouverte, c'est plutôt la recherche du « meilleur prix » qui domine. C'est en effet le rapport entre la valeur globale perçue et le coût global qui détermine les achats (p. 394).

La polarisation des dépenses se poursuit.

L'intérêt pour les produits bon marché n'a pas remplacé celui pour des produits élaborés ou prestigieux, générateurs de plaisir ou de rêve. La dépression économique n'a pas fait disparaître le besoin d'accéder au luxe, même s'il s'agit d'un « luxe de masse » (encadré page suivante). Les motivations sont plus identitaires, tournées vers le consommateur. L'achat et/ou l'usage du produit doivent apporter des satisfactions personnelles, valoriser l'acheteur ou l'utilisateur.

La motivation statutaire n'a pas pour autant disparu, même si elle est moins apparente (p. 391). L'individualisation et la quête égalitaire ont en effet entraîné un refus des statuts sociaux figés. C'est ce qui explique l'aspiration d'une partie croissante de la population à des produits traditionnellement réservés à une clientèle fortunée.

Le luxe de masse

La dépression économique n'a pas fait disparaître le besoin d'accéder au luxe. L'individualisation et la quête égalitaire ont entraîné un refus des statuts sociaux figés. Cela explique l'aspiration d'une partie croissante de la population à des produits traditionnellement réservés à une élite fortunée. Beaucoup de consommateurs éprouvent un besoin de considération (p. 381). Ils ont aussi le désir de bénéficier d'un « surclassement ». Le plaisir n'est plus seulement dans la capacité d'acquérir un bien ou un service, mais d'obtenir des privilèges, au moins occasionnels par rapport à ses semblables.

Pour répondre à ces besoins, certaines marques proposent un « luxe de masse », à l'instar de ce qu'avait fait Cartier avec ses Must dans les années 1980. Jean-Paul Gaultier a ainsi créé des vêtements pour la Redoute, Paul Smith pour Habitat, Karl Lagerfeld, Philippe Starck pour la Redoute, Stella McCartney, Madonna ou David Beckam pour H&M. Ce nouveau luxe propose des produits abordables pour le plus grand nombre, sans leur enlever leur dimension onirique. Comme les prix, les lieux de vente sont plus proches du grand public, qui hésite toujours à franchir les portes des boutiques de luxe traditionnelles.

La notion de luxe devient ainsi de plus en plus complexe et concerne un nombre croissant de consommateurs. Outre ses attributs classiques (qualité, beauté, rareté, cherté, intemporalité, universalité), le luxe est aujourd'hui associé à d'autres notions comme l'esthétique (une notion plus large et plus ambigüe que la beauté), la modernité, l'exotisme. Il répond à la fois à un besoin de régression (nostalgie, kitch, vintage...) et de transgression (refus des codes traditionnels). Dans cette nouvelle acception, le futile devient utile, l'accessoire essentiel, le superflu nécessaire. Comme l'affirmait Coco Chanel, *« le luxe n'est pas le contraire de la pauvreté, mais celui de la vulgarité »*. Il a aujourd'hui une autre vocation, celle de « réenchanter » la vie quotidienne.

On observe que ce sont souvent les mêmes consommateurs qui choisissent des produits à bas prix (pour des achats peu implicants, pour lesquels les marques chères n'apportent pas à leurs yeux de bénéfices justifiant un surcoût) et des produits haut de gamme, qui apportent des valeurs ajoutées plus fortes. Les économies réalisées sur les premiers financent souvent les achats des seconds. Cette bipolarisation s'est faite au détriment des gammes moyennes de produits, qui peinent aujourd'hui à trouver ou retrouver leur place. La structure des achats des Français ressemble ainsi davantage à un sablier qu'à un losange.

Le savoir d'achat vient au secours du pouvoir d'achat.

Bien que persuadés du contraire, la grande majorité des Français ont bénéficié au cours des dernières années d'une progression de leur pouvoir d'achat (p. 369), même si elle a été modérée. Ils ont parallèlement développé un « savoir d'achat » qui leur permet d'être plus rationnels dans leurs dépenses. Leur niveau de compétence s'est accru par rapport aux offres qui leur sont faites. Ils y ont été aidés par les médias, qui ont accompli un réel effort d'information et affiché une attitude consumériste.

À défaut de pouvoir facilement accroître leurs revenus, les ménages s'efforcent donc de réduire ou d'optimiser leurs dépenses. Les produits les plus importants font l'objet d'études de marché qui permettent aux acheteurs de connaître et de comparer les différentes offres. Le bouche-à-oreille, les sites internet des marques, des enseignes, et ceux spécialisés dans la comparaison des prix favorisent cette réflexion préalable à l'acte d'achat.

Dans un contexte de crise persistante, une croissance générale et significative du pouvoir d'achat paraît peu probable à court terme. Les Français devraient en revanche continuer d'accroître leur « savoir d'achat », en profitant de l'expérience acquise. Ils pourront aussi découvrir de nouveaux « gisements d'économie » dans leurs différents postes de dépenses. Si la crise devait s'accentuer, on pourrait peut-être faire appel au « devoir d'achat » des citoyens, en leur demandant de participer directement à la relance de la croissance économique. La consommation en est en effet le principal moteur. Elle est aussi la condition de la réduction du chômage et plus largement du redressement de la France.

Le « fait maison » revient en force...

L'engouement pour le « fait maison » est apparent. Beaucoup de Français se lancent dans la cuisine plutôt

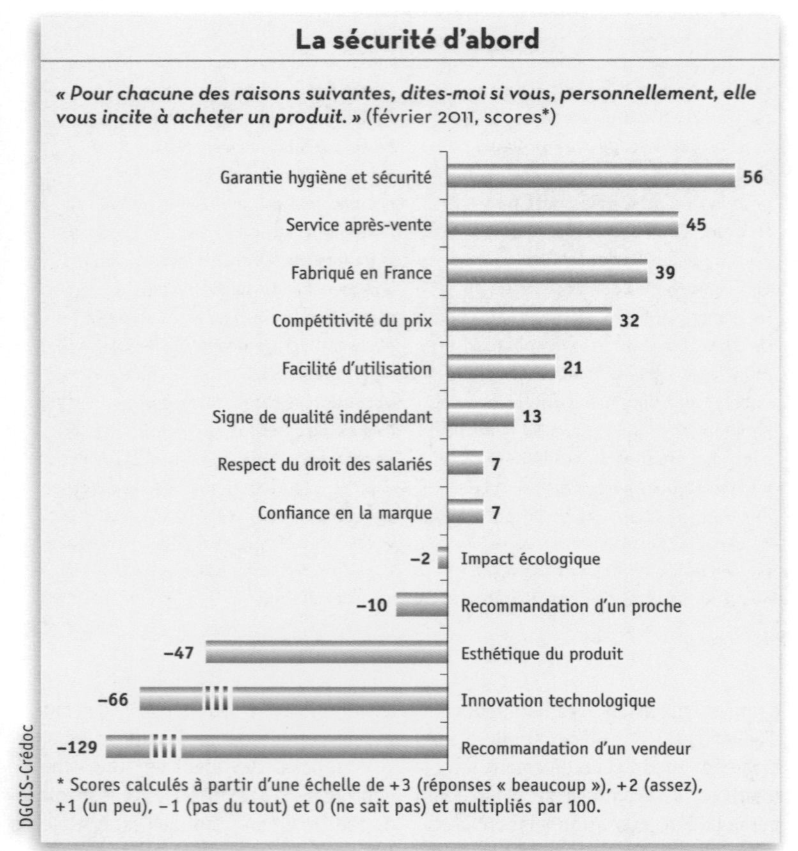

La sécurité d'abord

« Pour chacune des raisons suivantes, dites-moi si vous, personnellement, elle vous incite à acheter un produit. » (février 2011, scores*)

* Scores calculés à partir d'une échelle de +3 (réponses « beaucoup »), +2 (assez), +1 (un peu), –1 (pas du tout) et 0 (ne sait pas) et multipliés par 100.

que d'acheter des plats préparés. Ils cultivent leurs légumes plutôt que de les acheter. Ils réalisent eux-mêmes des travaux de bricolage ou de décoration plutôt que de recourir à des professionnels. Dans les médias, ce goût croissant pour le « faire soi-même » a donné naissance à de nombreuses émissions, qui montrent ce que l'on peut faire et donnent des conseils pour y parvenir.

Ce mouvement s'explique sans doute par une volonté générale d'économie, dans un contexte économique délétère. Les Français ont aussi compris que pour dépenser 100, il leur faut quasiment gagner 200 avant charges, impôts et taxes, ce qui renchérit le coût réel des dépenses. Mais cette tendance répond aussi à une autre motivation : le plaisir de faire. Celui qui fait est en outre valorisé à ses propres yeux comme à ceux des autres.

Cette pratique domestique permet aussi de profiter de son « chez soi », un endroit auquel les Français sont de plus en plus attachés (p. 177). Enfin, c'est une façon de personnaliser son univers, en faisant selon ses goûts. En matière alimentaire, il s'ajoute la satisfaction de savoir ce que l'on mange plutôt que d'acheter des produits préparés dont on ne connaît pas précisément les caractéristiques ni la provenance. C'est ainsi que les Français sont de plus en plus nombreux à fabriquer leurs yaourts, leur café, leur pain, leur bière, voire leurs pâtes, à l'aide des machines installées dans leurs cuisines.

… en même temps que le « fabriqué en France ».

La campagne présidentielle de 2012 a mis en évidence le déséquilibre croissant du commerce extérieur, lié à la part importante des produits importés et à la faiblesse des exportations. Depuis plusieurs décennies, la délocalisation de la production a lourdement pesé sur les emplois de l'industrie, et accru l'hostilité des Français envers la mondialisation (p. 273). La prise de conscience de ce déséquilibre s'était accompagnée pendant des années de déclarations d'intention, qui n'empêchaient pas les consommateurs d'acheter des produits importés, souvent moins chers.

On a assisté plus récemment à un changement dans les comportements d'achat des consommateurs, qui savent qu'en favorisant des achats nationaux, ils peuvent inciter des entreprises à « relocaliser » certaines productions. Une enquête du Crédoc de mai 2011 montre ainsi qu'ils sont de plus en plus sensibles au pays de fabrication des produits industriels. 64 % se disent prêts à payer plus cher des produits fabriqués en France, non seulement parce qu'ils reconnaissent la qualité du savoir-faire national mais aussi, sans doute, parce qu'ils pensent ainsi contribuer à défendre les emplois de leur pays.

73 % déplorent le déclin de l'industrie française. Convaincus que le développement économique de la France passe par la reconstitution d'un secteur industriel fort, ils souhaitent que les pouvoirs publics

Soldes : dépenser moins ou acheter plus ?

À la veille des soldes de l'été 2012, les consommateurs hésitaient entre deux attitudes possibles, en apparence contradictoires. 53 % déclaraient qu'ils dépenseraient moins, 47 % qu'ils achèteraient plus (Sarenza/Harris Interactive, mai 2012). Ce sont surtout les seniors qui faisaient basculer l'opinion du côté de l'économie (62 % des 50 ans et plus), et d'une façon générale les hommes (58 %), ainsi que et les provinciaux (52 %). Au contraire, les jeunes se disaient prêts à la dépense (63 % des 15-24 ans), de même que les catégories aisées (53 % parmi les CSP +) et les habitants de la région parisienne (52 %). Quant aux femmes, qui gèrent une grande partie des dépenses des ménages, elles étaient exactement partagées (50-50) entre ces deux attitudes, sachant sans doute que, si elles allaient globalement devoir « compter », elles ne s'interdiraient pas parfois de « craquer ».

L'hésitation était sensible également entre commerce traditionnel et Internet pour faire les soldes. Les magasins en « dur » étaient largement plébiscités sur trois des sept critères analysés : relation avec le vendeur ou l'enseigne (74 % contre 4 % à Internet) ; plaisir d'acheter (42 % contre 12 %) ; service après-vente (59 % contre 5 %). Pour trois autres des sept critères, la préférence allait en revanche nettement au commerce électronique : diversité (52 % contre 14 % aux magasins traditionnels) ; facilité-rapidité-confort (49 % contre 24 %) ; prix (40 % contre 18 %).

Quant au dernier critère, la qualité, il était considéré par la majorité des Français comme équivalent dans les deux circuits (52 %). Les magasins traditionnels étaient cependant mieux notés que les sites internet (30 % contre 6 %) ; une prime sans doute à la capacité qu'offrent les « vrais » points de vente de voir, sentir, toucher, évaluer les produits.

s'impliquent en soutenant les entreprises industrielles les plus en difficulté. Soucieux des performances françaises en termes de compétitivité et d'innovation, ils plaident pour une augmentation des crédits alloués à la recherche.

L'usage et la jouissance deviennent plus importants que la possession.

Les consommateurs sont de plus en plus conscients des inconvénients liés à l'acquisition des objets : coût d'entretien, de réparation, d'assurance, de revente… Ils savent que l'évolution technique et l'intérêt des entreprises au renouvellement des achats tendent à rendre les biens d'équipement plus rapidement obsolètes. Ainsi, la possession d'un produit apporte souvent moins de satisfaction que son utilisation. Acheter n'est donc plus le seul mode d'accès à la consommation. Les Français envisagent plus facilement la location (voiture, outil, robe de mariée…), l'abonnement à un service ou toute autre formule qui ne transfère pas la propriété mais la seule jouissance d'un bien ou d'un service.

Les consommateurs veulent de plus en plus l'usage sans l'usure. Cette attitude est particulièrement apparente chez les jeunes, qui s'attachent moins aux objets que leurs aînés et hésitent moins à en changer au gré des modes et des envies. De leur côté, les entreprises se rendent compte que leur vocation n'est pas tant de produire des biens matériels et de les vendre que de proposer à leurs clients la satisfaction de leurs besoins ou de leurs désirs. C'est pourquoi certains diversifient leur approche commerciale en proposant d'autres formules que la vente classique. La location s'est ainsi développée dans de nombreux secteurs (véhicules, biens d'équipement, outils, plantes, meubles…). La copropriété ou la colocation tendent aussi à se développer, afin de partager les coûts entre plusieurs acheteurs ou locataires.

Le sensoriel et l'émotionnel jouent un rôle croissant.

Les consommateurs sont de plus en plus sensibles au *design* des produits et des biens, qui a pour mission de répondre à des attentes esthétiques, fonctionnelles et informatives. C'est le cas en particulier des biens d'équipement liés aux nouvelles technologies. Mais ceux-ci se présentent souvent sous la forme de « boîtes noires », qui ne disent rien sur ce qu'elles contiennent, ni sur leurs usages possibles. Ces déficits engendrent une frustration chez l'utilisateur et renforcent le caractère anxiogène de la consommation.

Quelque soit le domaine (habitat, biens d'équipement, habillement, véhicules, biens culturels, sites internet…), les consommateurs attendent des concepteurs qu'ils se « mettent dans leur peau » ou plutôt dans leur tête. La forme doit donc plutôt rassurer que choquer, elle doit jouer sur le registre de l'émotion autant que sur celui de la raison. Elle doit montrer que le fabricant fait preuve de considération et d'empathie pour le client, plutôt que d'ignorance et d'arrogance.

On observe depuis des années une demande de sensorialité, et même de « polysensorialité ». Les consommateurs apprécient les objets qui activent ou réactivent leurs cinq sens : vision ; toucher ; odorat ; ouïe ; goût. La dimension sensorielle est par exemple très présente dans le logement. Le design des objets de décoration donne à voir. Les matières (textiles, meubles, accessoires...) se différencient par leur toucher. Les odeurs jouent un rôle croissant dans la maison (comme dans la voiture, les magasins ou les agences bancaires). La musique, omniprésente, flatte l'ouïe et réenchante le monde. L'engouement pour la cuisine répond au besoin de goûter. L'offre joue même dans certains cas sur le « sixième sens », en favorisant une relation émotionnelle, empathique, entre l'utilisateur et le produit. C'est ainsi que les objets, qui sont par nature inanimés, peuvent avoir une « âme ».

5 questions-clés

Avant de prendre une décision concernant des achats ayant une certaine importance à leurs yeux, les consommateurs se posent un certain nombre de questions, de façon explicite ou, le plus souvent, implicite. Elles peuvent être résumées ainsi :

• *Est-ce que j'en ai besoin ?* La liste des besoins évolue dans le temps. Ceux qui peuvent être qualifiés de « primaires » (alimentation, logement, habillement, assurances...) sont en principe satisfaits pour le plus grand nombre. Mais la réponse diffère bien sûr selon les catégories de produits et de services, les époques et les groupes sociaux. Elle varie aussi selon les personnes, entre celles qui consomment par nécessité (réelle ou supposée) et celles qui souhaitent faire preuve de mesure, de frugalité, voire « déconsommer ».

• *Est-ce que j'en ai envie ?* L'envie est le moteur de la consommation, sans doute aussi de la vie. Les arbitrages de dépenses montrent que les Français privilégient souvent les offres qui suscitent chez eux le plus d'envie. C'est le cas notamment de certains objets technologiques (téléviseurs, smartphones, tablettes tactiles, liseuses...) qui jouent habilement sur le registre de l'innovation et qui, bien que très rationnels dans leur conception, présentent aussi une dimension « magique ».

• *Est-ce que j'en ai les moyens ?* La question du pouvoir d'achat et du « reste à vivre » après les dépenses dites « contraintes » ou non arbitrables est de plus en plus souvent posée. La majorité des Français sont persuadés que leur pouvoir d'achat s'est réduit au cours des années passées et que la baisse va se poursuivre. Cela ne les a cependant pas empêchés d'accroître leur niveau de consommation en volume tout en accroissant leur taux d'épargne. Mais la montée du surendettement montre que certains ménages ne se posent pas la question des moyens, ou n'intègrent pas les risques de ne pouvoir rembourser leurs dettes en cas d'accident professionnel ou personnel.

• *Est-ce que cela me fera vraiment plaisir ?* Cette interrogation a une signification immédiate : l'acte d'achat une fois effectué, l'envie aura-t-elle été satisfaite ? Y aura-t-il au contraire une déception, une frustration liée au sentiment d'avoir cédé à la pulsion, d'avoir été « victime » du système de la consommation ? L'achat fera-t-il apparaître au grand jour une addiction et une incapacité à maîtriser sa consommation ? La seconde dimension est une projection dans le temps : quelle sera la durée de la satisfaction engendrée ? Quelle sera tout simplement la durée de vie du produit acheté, avant qu'il ne soit hors d'état, ou obsolète ?

• *Est-ce que c'est un achat responsable ?* Cette question est induite par la prise de conscience croissante des conséquences de la consommation. Elles concernent d'abord la mise en péril de l'environnement, à travers les pollutions en amont (fabrication) et en aval (déchets), sans oublier les nuisances qui peuvent se produire pendant la consommation (automobile, équipements de la maison...). La question concerne renvoie aussi à la responsabilité vis-à-vis des personnes impliquées dans le processus de fabrication et de mise à disposition des produits (conditions de travail, salaires, inégalités...). Elles sont liées enfin à la balance commerciale du pays, largement déficitaire du fait des importations. On constate ainsi une importance accrue du critère « made in France » dans les préoccupations et les déclarations des citoyens, mais elles ne sont pas aussi apparentes dans les comportements des consommateurs.

Les consommateurs cherchent à prolonger la vie des objets.

Dans la société de consommation contemporaine, beaucoup d'objets passent de main en main, au gré de leurs propriétaires successifs. Les échanges ne se font plus seulement « verticalement » (des entreprises vers les acheteurs), mais « horizontalement », entre particuliers. C'est le cas notamment des cadeaux de Noël : en décembre 2011, 30 % des « Consonautes » (Internautes pratiquant les achats en ligne) avouaient avoir déjà revendu un cadeau, contre 20 % en 2010 et 15 % en 2009 (PriceMinister/Vovici). 53 % de ceux qui n'envisageaient pas de le faire en 2011 déclaraient néanmoins qu'ils pourraient le faire un jour.

Le souci de « recycler » les objets et les cadeaux reçus s'explique d'abord par leur accumulation dans les foyers. Celle-ci est la conséquence de la multiplication des occasions d'achat : des vies plus longues ; des voyages plus fréquents ; des destinataires potentiels plus nombreux (familles recomposées, amis) ; un pouvoir d'achat accru au fil des années, des sollicitations commerciales omniprésentes Il s'ajoute à cela l'obsolescence de plus en plus rapide des biens et des équipements, qui tend à accélérer leur renouvellement. C'est le cas aussi de l'évolution des goûts, des modes et des humeurs, qui incitent à changer des éléments de son cadre de vie pour se donner l'impression de changer de vie. L'*Homo-zappens* est le successeur de l'*Homo-sapiens*. Mais on ne saurait ignorer la motivation économique. Revendre des cadeaux de Noël, c'est compenser une partie de ses dépenses par des recettes et se redonner un peu de pouvoir d'achat.

Ces pratiques, induites par l'environnement socio-économique et l'évolution des modes de vie, ont connu une croissance sans précédent avec le développement d'Internet. Les relations entre « pairs » ont été largement favorisées. Le Web ne favorise pas seulement l'échange des idées, des opinions ou des témoignages, mais aussi des objets, leur donnant ainsi de nouvelles vies. Si les forums et les blogs ont permis d'entretenir des relations, les sites de ventes entre particuliers ont favorisé les transactions. Dans un contexte de crise économique et de progrès technologique, le « recyclage » des objets et des cadeaux a sans doute de beaux jours devant lui. Conscients de l'allongement de leur espérance de vie, les Français cherchent à allonger celle des objets.

Les choix se fondent de plus en plus sur des critères immatériels.

En même temps que le monde virtuel tend à compléter ou parfois remplacer le monde réel, les produits et les biens d'équipement deviennent plus abstraits.

Acheteurs et revendeurs

Dans une société de « consomm'acteurs », revendre des cadeaux tend à devenir aussi naturel que de les acheter. D'autant qu'il est devenu de plus en plus facile de le faire sur Internet. Ainsi, à la période de Noël 2011, 30,1 % des internautes (acheteurs sur Internet) déclaraient l'avoir déjà fait, contre 20,1 % fin 2010 et 13,6 % fin 2009 (PriceMinister/Vovici, décembre 2011). La proportion de « revendeurs » a donc plus que doublé en deux ans.

Les femmes sont un peu plus nombreuses que les hommes : 31,2 % contre 28,7 %. Les plus jeunes sont plus actifs, avec 35 % des moins de 25 ans contre 25,7 % des plus de 45 ans. La motivation qui progresse le plus dans la revente des cadeaux est l'absence d'usage de ceux qui ont été reçus : 23,5 % contre 20,4 % en 2010. 53,6 % des parents se disent compréhensifs lorsque leurs enfants souhaitent revendre leurs cadeaux, contre 47,4 % en 2010. Entre conjoints, la compréhension est également présente : 41,7 % déclarent ne pas être pas du tout dérangés, 26,1 % comprennent si c'est exceptionnel ; seuls 32,2 % considèrent que cela ne se fait pas.

Pourtant, cette pratique ne se fait pas encore au grand jour. 83,8 % n'osent pas l'avouer, de peur de blesser les personnes qui leur ont offert les cadeaux. Mais 17,2 % n'ont pas hésité à le faire en 2011, contre 14,6 % en 2010. Au total, 53,4 % des personnes interrogées estiment que revendre ses cadeaux est une bonne idée et qu'elles le feront peut-être un jour, alors que 46,6 % de la population continue de trouver cela choquant. Un chiffre qui sous-estime sans doute la réalité puisqu'il ne concerne que des Internautes. Mais 79 % estiment que « les Français se mettront de plus en plus à revendre leurs cadeaux ». On mesure aussi une forte progression du nombre de personnes qui ont donné à une autre personne un cadeau qu'on leur avait offert : 43,4 % en 2011 contre 34,2 % en 2010.

Les valeurs ajoutées immatérielles, intangibles, impalpables jouent un rôle croissant dans les attentes et les décisions des consommateurs : image de la marque née de la communication et/ou de l'usage d'un produit qui porte son nom ; ambiance des points de vente ; qualité de l'accueil ; diversité des services proposés ; garanties et labels ; service après-vente... Il faut également mentionner une attente forte en matière de responsabilité environnementale et sociale.

Ces « valeurs ajoutées » deviennent déterminantes dans la différenciation par le consommateur d'offres qui apparaissent souvent semblables, parfois identiques. Elles tendent en effet à se banaliser ; les entreprises réalisent les mêmes études avec les mêmes méthodes, qui conduisent aux mêmes résultats. En outre, elles se copient souvent les unes les autres (une pratique pudiquement baptisée *benchmarking*).

Les produits sont ainsi de plus en plus constitués d'une addition de services. Des services qui sont d'ailleurs moins associés aux produits eux-mêmes qu'à leurs acheteurs et utilisateurs. C'est pourquoi les marques s'efforcent de véhiculer des valeurs de réassurance : authenticité, naturalité, transparence, morale, vérité, éthique, responsabilité, citoyenneté, proximité. L'entreprise de demain sera *vertueuse* ou ne sera pas (p. 397).

La dimension environnementale est de plus en plus intégrée.

La prise de conscience des enjeux environnementaux s'est produite tardivement en France, par rapport notamment aux pays de l'Europe du Nord. Mais le mouvement est engagé depuis plusieurs années. Il se traduit par des modifications sensibles dans les modes de vie : déplacements moins nombreux ; consommation d'énergie réduite au domicile ; préférence accordée aux produits locaux ; intérêt pour les produits bio, etc.

Le *green living* (la « vie verte ») n'est pas une mode, mais une tendance durable, comme le développement du même nom, auquel d'ailleurs il se réfère. Les réflexes écologiques ont progressé, dans le logement (la douche est préférée au bain, l'électricité est mieux gérée dans les pièces, les équipements moins systématiquement laissés en veille, déchets ménagers triés...) ou en voiture (conduite plus souple, distances réduites). Cette évolution est favorisée par le souci d'économie lié à la crise et aux craintes sur le pouvoir d'achat. Mais ces mêmes causes sont aussi des freins à la responsabilité environnementale, lorsqu'elle entraîne un surcoût. Ainsi, 78 % des Français estiment que le prix reste le frein majeur à l'achat de « produits verts » et 36 % refusent de dépenser davantage pour de tels produits (Greenbrands 2011). Le constat est semblable en matière de travaux d'aménagement du logement pour réduire leur consommation énergétique ou d'achats de voyages (tourisme vert ou responsable) .

L'une des questions majeures pour les années à venir est celle de la compatibilité entre le maintien d'un niveau élevé de consommation (nécessaire au fonctionnement de l'économie et de la société) et le respect des contraintes environnementales. De nombreux biens de consommation sont encore matériels et ne peuvent s'inscrire dans la « croissance verte ». Il faudra les concevoir, les fabriquer, les transporter et les distribuer différemment, puis assurer leur

Du rapport qualité/prix au rapport valeur/coût

La qualité d'une offre, telle qu'elle est perçue par le consommateur, ne peut être réduite à celle du produit qu'elle contient (valeur d'usage). Il s'y ajoute des valeurs immatérielles d'image, de responsabilité de l'entreprise et de la marque (voir texte).

De la même façon, le prix n'est plus que l'un des éléments du coût global pour l'acheteur. Il s'y ajoute une estimation de la dépense énergétique nécessaire pour se procurer le produit (fatigue, essence, frais de parking...). Le coût intègre également la notion de temps, dont on sait qu'il a généralement une valeur comptable (le temps, c'est de l'argent...). Le temps a ainsi un « prix psychologique » de plus en plus élevé. Par exemple, le temps consacré à la démarche d'achat (information, comparaison des offres, décision) vient en concurrence avec d'autres activités possibles et sera considéré comme un « coût d'opportunité » au sens financier du terme.

Le modèle de décision d'achat s'est donc transformé, afin d'intégrer les nouvelles attitudes et les nouveaux comportements en matière de consommation. C'est en fonction de l'estimation d'un *coût global* (financier et non financier) attaché à une *valeur globale* que chaque offre est évaluée. Au terme de cette procédure en partie inconsciente et en tout cas informelle, l'acheteur choisit l'offre qui représente le meilleur « rapport valeur/coût » à ses yeux, une notion plus complexe et plus juste que le traditionnel rapport qualité/prix.

Euro-éco-consommateurs

« Voici différents gestes et comportements de consommation verts, les avez-vous déjà adoptés ? » (2011, en % de personnes ayant répondu oui, dans quelques pays d'Europe)

	1	2	3	4	5
Allemagne	70	25	45	35	29
Royaume-Uni	65	49	38	47	38
Italie	62	32	39	43	27
Espagne	70	29	46	36	39
France	**64**	**42**	**37**	**40**	**32**
Portugal	75	28	47	41	47
Pologne	54	45	47	27	30

1. Utiliser du papier recyclé
2. Réaliser des aménagements domestiques écologiques
3. Acheter des produits bio
4. Acheter des produits locaux pour limiter le coût carbone
5. Renoncer à un déplacement ou changer de mode de transport

CETELEM

recyclage en fin de vie. À chacune de ces étapes, il faudra mettre en œuvre des transformations profondes, afin que l'empreinte globale de la consommation diminue, jusqu'à un niveau compatible avec le développement durable de la planète. Les produits et biens devront dans toute la mesure du possible être « neutres » sur le plan écologique, grâce à une fabrication maîtrisée, une durée de vie allongée et un recyclage total. C'est le rôle notamment dévolu à l'écoconception, l'écodesign ou le biodesign.

La recherche du *low print* ne s'oppose plus à celle du *low cost*.

Certains consommateurs sont prêts à dépenser plus pour tenir compte des contraintes environnementales nouvelles. C'est ainsi que les produits alimentaires « bio » connaissent un engouement croissant, notamment de la part des personnes qui souhaitent ainsi préserver leur santé et celle de leurs enfants. On observe aussi un engouement pour les produits issus du « commerce équitable », qui témoigne d'un souci de solidarité à l'égard du reste du monde. Enfin, certains consommateurs acceptent de payer le prix de la « compensation écologique » des dégâts occasionnés par leurs achats, notamment en matière de transport ou de tourisme.

La préférence pour les produits *low print* (ayant une empreinte écologique globale acceptable au cours de leur cycle de production-transport-utilisation-élimination) se traduit aussi par d'autres comportements de consommation. Certains préfèrent acheter des produits fabriqués localement, afin de réduire les transports et leurs conséquences en matière d'émission de gaz carbonique. D'autres se contentent d'acheter moins, de supprimer les intermédiaires, ou de renouveler leurs équipements moins souvent. Un nombre croissant privilégie les marques ou les enseignes qui font des efforts crédibles à l'égard de l'environnement.

Le changement des comportements s'opère à une vitesse accrue. Mais il se heurte souvent à la difficulté d'identifier clairement les offres adaptées. On observe que les entreprises arrivent en dernière position parmi les acteurs à qui les Français font confiance en matière de respect de l'environnement. Elles se situent loin derrière les associations de citoyens et de consommateurs, les organisations internationales, les municipalités, les partis écologistes et l'État. Mais la fidélité aux « marques équitables » apparaît plus forte que celle manifestée envers les autres marques, qui tend à diminuer.

Le besoin de donner du sens à la vie, donc à la consommation qui en constitue une part importante, devrait inciter les Français à privilégier les produits « engagés » au cours des prochaines années. Il devrait ainsi favoriser les entreprises et les marques ayant une attitude éthique et responsable, qui s'inscrivent dans une logique de développement durable. Le consommateur deviendra ainsi acteur plus que témoin, justifiant son appellation de « consomm'acteur ».

Les lieux de consommation se diversifient, dans le monde réel ou virtuel.

Si la mobilité résidentielle des ménages a plutôt diminué (p. 171), celle qui concerne les déplacements quotidiens a connu une légère augmentation (p. 197). Elle est liée aux obligations professionnelles et aux raisons familiales ou personnelles. Cette mobilité amène les Français à consommer dans

De l'économie à l'« écolonomie »

Deux éléments, presque concomitants, ont accéléré et généralisé la réflexion sur la « société de consommation ». La première est la prise de conscience des menaces qu'elle fait peser sur l'environnement. Elle s'est manifestée en France depuis le milieu des années 2000, plus tardivement que dans d'autres pays, notamment du nord de l'Europe. Avec les images des marées noires, de la destruction des forêts, de la couche d'ozone, d'espèces animales ou végétales, de la réduction des ressources halieutiques (pêche), les doutes se sont progressivement transformés en certitudes. Chacun sait désormais qu'on ne pourra plus consommer de la même façon, sous peine de dégrader irrémédiablement la planète.

Le second événement (re)fondateur est la triple crise (financière, économique, budgétaire) dans laquelle le monde développé a été plongé. Elle constitue à la fois un accélérateur des peurs (celles notamment du chômage et d'une baisse du pouvoir d'achat) et de transformation des attitudes et des comportements. Des stratégies d'adaptation sont apparues, de la consommation raisonnée, responsable ou équitable à la consommation frugale, locale ou même la déconsommation (p. 386). Les Français sont désormais conscients qu'ils vont devoir intégrer à la fois les contraintes économiques et écologiques. L'ère de l'« écolonomie » a commencé.

des endroits de plus en plus diversifiés : bureau, voiture, espaces publics, transports en commun, rue...

Le logement n'est plus en effet le seul lieu de vie et de consommation. Les lieux de transit (gares, stations-service, aéroports...) prennent en particulier une place croissante ; les offres s'y sont multipliées pour aider les voyageurs à passer plus agréablement leur temps et, surtout, à ne pas avoir le sentiment de le perdre. D'une manière générale, le *nomadisme* se développe dans les modes de vie. Il concerne aussi bien l'alimentation (bouteille d'eau minérale transportable, barres de céréales, sandwiches ou autres produits de grignotage...) que les loisirs (téléphone portable, rollers...).

La mobilité ne s'exerce pas seulement dans le monde réel ; elle est aussi virtuelle. Elle est favorisée par la multiplication des outils électroniques et informatiques. Internet supprime la notion de distance et de frontière, et confère le don d'ubiquité. La consommation de produits exotiques (alimentation, habillement, décoration, musique...) est une autre façon de se « transporter » sans quitter son environnement. Enfin, la mobilité est souvent potentielle ; beaucoup de ménages achètent des meubles à roulettes qu'ils ne déplacent pas ou rêvent de voyages qu'ils n'entreprennent jamais. Même si elle n'est pas utilisée, la mobilité est l'un des attributs nécessaires de la liberté.

L'image des entreprises et des marques s'est globalement détériorée, ...

En 2011, l'indice moyen de l'image des entreprises françaises (différence entre la proportion de Français déclarant avoir une bonne image et celle en ayant une mauvaise) avait baissé de 8 points, soit autant qu'après la crise des *subprimes* en 2008 (baromètre Posternak/Ipsos). Il était à son niveau le plus bas depuis la création du baromètre en 1999. Le secteur bancaire était le plus touché, avec une baisse de 18 points.

Beaucoup de consommateurs ont l'impression de devoir se battre en permanence contre les incitations, exhortations, stimulations à consommer, véhiculées par la publicité, la communication et le marketing des marques. Ils leur reprochent aussi d'être responsables d'une hausse des prix excessive (notamment depuis la mise en place de l'euro en 2002), donc d'une baisse de leur pouvoir d'achat.

L'infidélité aux marques s'est donc accrue. Elle est parfois justifiée et amplifiée par des comportements mal supportés par les clients : produits défectueux ; services insuffisants ou inexistants ; prix trop élevés ; harcèlement commercial ; promesses non tenues ; erreurs trop fréquentes ; contact avec l'entreprise difficile ou impossible... La polémique sur les rémunérations de certains patrons de grandes entreprises a encore accru la défiance, la frustration ou la colère des citoyens-consommateurs. C'est pourquoi on assiste à un durcissement de la relation, une multiplication des plaintes.

La prise de distance des Français par rapport aux entreprises et aux marques traduit aussi un refus plus général de l'*autorité*, que l'on voit à l'œuvre vis-à-vis de l'école, des partis politiques, des syndicats ou au sein des familles. Les Français dénient aux entreprises et à leurs marques l'autorité économique qu'elles continuent de revendiquer et ils affirment leur autonomie par rapport à elles. Ils sont de moins en moins prêts à « payer le prix » de la marque, lorsqu'il n'est pas justifié par

Indifférence et infidélité

Indicateurs d'image des marques dans quelques pays d'Europe (2011, en % de réponses positives aux deux affirmations proposées)

	Différence (1)	Fidélité (2)
Allemagne	29	9
Belgique	25	20
Espagne	25	16
France	**23**	**13**
Italie	30	17
Pologne	34	13
Portugal	34	12
Roy.-Uni	24	10

1. Je pense que les marques sont très différentes
2. J'achète toujours la même marque

CETELEM

des avantages (matériels ou immatériels) perceptibles. La confiance dans les marques s'effrite, de même que la fierté des acheteurs à les choisir et à les posséder.

… à l'exception de celles qui ont su maintenir des liens de confiance…

Dans un contexte de défiance généralisée, la marque peut jouer à la fois un rôle de réassurance ou de repoussoir. Elle peut induire un certain niveau de qualité et de sécurité. Son histoire peut être un gage de pérennité et son image peut être favorable. À condition de ne pas en profiter pour augmenter exagérément ses prix et de ne pas prendre des accommodements avec la morale .

Les marques qui maintiennent leur pouvoir de séduction sont en effet celles qui sont perçues comme les plus « vertueuses ». Elles savent établir et entretenir avec les clients des relations de confiance, et même de connivence. Elles ne sont pas arrogantes, mais plutôt modestes. Elles démontrent par leur comportement qu'elles sont effectivement responsables et citoyennes et qu'elles apportent des services tangibles à leurs clients pour un prix « raisonnable ». Elles ne poussent pas à la consommation, mais savent entretenir une relation durable.

85 % des Français attendent des marques qu'elles contribuent à l'amélioration de leur bien-être, un taux en progression de 15 points en un an (Louis Harris, 2011). Les mouvements des « indignés » et la remise en cause des règles du capitalisme traduisent des attentes nouvelles à l'égard des entreprises, notamment les plus grandes. Il ne s'agit plus seulement pour elles de « créer de la valeur » au sens économique, mais aussi de la partager. Il s'agit aussi de défendre des valeurs, au sens social et philosophique. 42 % des Français estiment ainsi que la responsabilité sociale des entreprises est le premier critère constitutif de leur réputation.

… et adopter une attitude d'empathie envers les clients.

La relation entre l'offre et la demande a longtemps été favorable à la première. Elle s'est rééquilibrée depuis quelques années, au point que c'est désormais la demande qui dispose du véritable pouvoir : celui de dire oui ou non aux offres qui lui sont faites. Une partie de ce pouvoir lui a été conférée par Internet, qui permet à chaque consommateur de comparer les produits, les marques, les prix et les offres en profitant de l'aide de ses « pairs », à travers les forums, blogs et autres moyens d'expression « transversale ». Le pouvoir consommateur s'est accru avec la crise économique, qui l'oblige à compter davantage.

La relation entre l'offre et la demande fonctionne donc désormais sur de nouvelles bases. Le vendeur doit savoir écouter le client, faire preuve de considération, de compétence et de pédagogie. Il doit le rassurer, l'assister dans ses choix, l'accompagner dans l'usage qu'il fera des produits ou services qu'il achètera. Sa fidélité est à ce prix. Le *hard selling,* ensemble de pratiques commerciales conquérantes encore en vigueur dans certains secteurs, doit faire place au *soft selling*. La relation de vente ne peut plus être un rapport de force dont l'un sort vainqueur et l'autre vaincu. 88 % des Français souhaitent ainsi que les marques s'engagent dans une vraie « conversation » avec leurs clients (Louis Harris, 2011). Cela implique une proximité culturelle, une connivence, une *empathie* avec le client, qui pourra en faire un ambassadeur plutôt qu'un détracteur.

La consommation est de plus en plus participative.

Le plaisir de consommer est accru lorsqu'on est producteur ou coproducteur de l'objet ou du service que l'on consomme. Ce principe est à l'origine du succès des produits de bricolage, de jardinage, d'activités culturelles amateur. Il a été étendu à d'autres formes de participation. *Via* Internet, on peut donner son avis sur les produits, les marques, faire part de son expérience sur les hôtels et les voyages, voter pour un spot de publicité ou une émission de télévision, répondre à des sondages, participer financièrement à la production d'un album de musique ou d'un film…

L'une des conséquences est la demande croissante de produits et services personnalisés, *sur mesure,*

7 tendances lourdes de l'offre

Face aux bouleversements qui se sont produits dans la demande (attitudes et comportements des consommateurs), dans un contexte de mutation des moyens de communication, les entreprises (et les marques sous lesquelles elles apparaissent) s'adaptent et modifient leurs pratiques. De même qu'on pouvait retenir sept tendances de la demande (p. 383), on peut en décrire sept du côté de l'offre.

• **Suivi des clients.** Les informations de toute nature accumulées grâce aux traces laissées par les consommateurs (navigation sur Internet, achats dans les magasins, réponses aux sollicitations diverses), souvent à l'insu des intéressés, constituent un trésor pour les entreprises. Ces données sont complétées par d'autres, que les entreprises peuvent acheter ou louer. Elles s'efforcent de les exploiter en « segmentant » les acheteurs dans des catégories de plus en plus fines, qui utilisent des critères plus pertinents que ceux utilisés traditionnellement (âge, sexe, situation de famille, habitat, profession, revenu). Le *data mining* est un moyen d'optimiser la relation commerciale en suivant les clients « à la trace ». Au risque d'empiéter sur leur vie privée et de se faire sanctionner par eux ou par les autorités chargées de veiller à la transparence de ces pratiques et à leur réversibilité (« droit à l'oubli »). De nouvelles tentatives de mesure, d'analyse et de prédiction des comportements de consommation apparaissent avec les progrès des recherches en neurosciences et leur utilisation au « neuromarketing ».

• **Modestie.** Les entreprises et les marques ont eu longtemps l'habitude d'enjoliver la réalité dans leur communication. La publicité est par nature un lieu d'exagération, de magie, de rêve et de grandes promesses. Les rapports annuels débordent de superlatifs et d'autocélébration qui confinent souvent à la suffisance. La maturité croissante des consommateurs a amené certaines entreprises à cultiver l'humilité, à reconnaître leurs erreurs, à faire leur *mea culpa*, à accepter (parfois à publier) les critiques de clients et non plus seulement les louanges. Une façon de gagner en crédibilité auprès du public et de (re) gagner la sympathie et la confiance.

• **Humanisation.** Conscientes des attentes croissantes en matière sociale, les entreprises et les marques s'engagent de plus en plus dans des causes humanitaires. Une façon de montrer à leurs clients qu'elles assument leur rôle en matière d'emploi, de salaires, de respect des salariés, des sous-traitants et, bien sûr, des clients (et pas seulement des actionnaires). Elles encouragent aussi des valeurs de solidarité, de générosité, de politesse ou même de gentillesse et cherchent à se rapprocher des gens. Certaines reviennent ainsi sur la « robotisation » des relations (par téléphone, courrier ou mail) qui est mal perçue par les clients, en facilitant l'accès à des conseillers ou responsables accessibles et compétents.

• **Participation du client.** La demande croissante de participation des clients n'a pas échappé aux entreprises. Elles sont également conscientes des attentes fortes en matière de prix. Certaines y répondent en transférant une partie du travail (donc du prix de revient) au client. L'idée est utilisée depuis longtemps par les fabricants de meubles en kit, qui permettent de réduire les frais de transport et de supprimer ceux de montage. C'est le cas plus récemment de la grande distribution, qui a ouvert des *drive in* permettant aux clients de venir chercher leurs commandes passées sur Internet, évitant ainsi les frais de livraison. Le self service se développe, en même temps que les entreprises offrent aux « consomm'acteurs » de nouvelles possibilités de participation ou contribution : commentaires ; recommandations ; suggestions ; votes...

• **Information augmentée.** Les outils de communication de plus en plus disponibles (en particulier le téléphone portable) permettent à leurs détenteurs d'accéder à des informations complémentaires sur les produits. Les codes-barres ne sont plus seulement utilisés par les fabricants et les distributeurs ; ils sont mis à disposition des clients ou prospects, sous la forme de QR Codes à scanner. Des applications pour smartphones proposent aussi d'aller plus loin dans l'information ou dans l'expérience que l'on peut avoir d'un produit grâce à la « réalité augmentée » (insertion d'images *via* un téléphone dans l'environnement réel de l'utilisateur) ; ces techniques permettent par exemple de superposer des informations virtuelles sur une scène réelle, de simuler l'essayage de lunettes ou de vêtements, l'ajout d'un meuble dans un appartement, etc.

. ***Story telling.*** La désaffection à l'égard des marques les amène à utiliser des modes de communication différents pour se rendre sympathiques et renforcer l'adhésion à leurs discours. Le principe consiste à « raconter une histoire » (« communication narrative » ou *story telling*), en s'appuyant sur celle de l'entreprise ou en la créant de toutes pièces, en faisant appel à l'émotion plutôt qu'à la raison. L'objectif est de créer une image forte et favorable de la marque, en forme

de légende (voire de mythe) à partir d'événements et d'anecdotes puisés dans sa véritable histoire ou dans l'imagination de ses communicants.

• **Promotion permanente.** Soucieuses de conserver ou accroître leurs parts de marché dans un contexte où le consommateur est plus attentif au prix, les entreprises se sont lancées dans une surenchère d'offres de réduction. Les promotions classiques (anniversaires, ventes par lots, prix barrés, animations) se sont multipliées, de même que les périodes et les formes de soldes. Il en est de même sur Internet, avec les sites proposant des bons de réduction, des comparaisons de prix, des achats groupés, des ventes flash ou des ventes privées. Des applications spécifiques sont destinées aux téléphones portables. La conséquence est que les clients acceptent de moins en moins facilement de devoir payer le prix « initial », qui n'a plus de sens pour eux (p. 387). Cela les oblige à passer du temps à rechercher les « bons plans ». Une autre conséquence est que les entreprises doivent augmenter leurs prix de base pour rétablir leur marge moyenne, ou faire en sorte de faire payer davantage certains acheteurs pour compenser le manque à gagner des baisses de prix accordées à d'autres.

uniques. Les entreprises y répondent par la « customisation » de leurs offres. Après avoir touché le secteur automobile (multiplication des options, fabrication du véhicule après remplissage du bon de commande individualisé...), la tendance s'est étendue aux vêtements, aux chaussures, aux parfums, etc. Le procédé consiste à multiplier les choix sur le contenu ou la forme du produit, ou sur son emballage, de faire apparaître le nom du client ou toute mention de son choix. Il est censé donner une dimension ludique, permettre une meilleure appropriation de la marque par le client, une complicité, accroître la satisfaction et la fidélité.

DÉPENSES

La consommation a plus que triplé en monnaie constante depuis 1945.

Le taux de croissance de la consommation en volume a été positif pendant un peu plus de six décennies depuis la fin de la Seconde Guerre mondiale. Il a globalement suivi l'évolution du pouvoir d'achat, avec parfois un léger décalage dans le temps. Le rythme d'accroissement, très élevé au cours des années 1960 (le maximum a été obtenu en 1962, avec 7,6 %), s'est ralenti après le premier choc pétrolier (1974).

La modulation par les ménages de leur taux d'épargne ou le report de certaines dépenses, notamment de biens d'équipement, leur a permis de continuer d'accroître leur consommation dans les périodes de plus faible croissance du pouvoir d'achat. Mais, sur l'ensemble de la période 1945-2008, la croissance annuelle moyenne de la consommation et celle du pouvoir d'achat ont été pratiquement identiques : 3,6 %. Elle avait été particulièrement élevée entre 1949 et la fin des années 1960 (5 %). Elle s'est ralentie ensuite, sous l'effet notamment des deux chocs pétroliers, mais les Français ont puisé dans leur épargne pour maintenir leur niveau de consommation. L'embellie de 1998 et 1999 a permis une croissance annuelle de 3 % en volume. Le rythme est resté supérieur à 2 % entre 2002 et 2007.

En 2008, début de la crise financière issue du scandale des *subprimes* (prêts hypothécaires accordés à des ménages américains qui n'étaient plus en mesure de les rembourser), la croissance a chuté à 0,5 %, sa progression la plus faible depuis plus de dix ans. La période 2009-2011 a été marquée par une baisse de 0,6 % de la consommation finale des ménages en 2009 (voir définition dans le tableau). 2012 s'annonçait comme une année de croissance faible.

Les ménages arbitrent de plus en plus leurs dépenses.

Les changements intervenus dans la répartition des dépenses des ménages depuis plusieurs décennies sont d'abord liés à l'accroissement sensible du revenu disponible (p. 359) ; certaines dépenses de loisirs, de transports ou de santé ne se développent qu'à partir du moment où les besoins primaires (alimentation, habillement, logement) sont satisfaits.

Mais ces changements reflètent surtout ceux qui se sont produits dans les modes de vie et dans l'attitude des Français face à la consommation. Ils apparaissent très clairement dans l'évolution de la part de chaque poste dans le budget des ménages, conséquence des arbitrages effectués.

On ne peut établir de lien absolu entre le moral des ménages et leur consommation, même s'il existe une certaine corrélation. On observe en revanche une augmentation des dépenses lorsque les consommateurs ont le sentiment qu'il existe des oppor-

Le moteur de la consommation au ralenti

Variation de quelques indicateurs de revenu, pouvoir d'achat, consommation et épargne des ménages (en % annuel, à prix constants base 2005)

	2005	2006	2007	2008	2009	2010	2011
Consommation effective (en volume)*	2,3	2,1	2,3	0,5	0,7	1,5	0,6
Prix de la consommation effective	2,0	2,0	2,0	2,7	−0,2	1,2	1,8
Prix de la dépense de consommation	1,8	2,0	2,1	2,9	−0,7	1,1	2,1
Pouvoir d'achat du revenu disponible brut ajusté	1,3	2,3	2,8	0,6	1,4	1,1	0,8
Pouvoir d'achat du revenu disponible brut	1,3	2,5	3,0	0,4	1,2	0,9	0,5
Taux d'épargne (en % du revenu disponible brut)	14,7	14,9	15,4	15,5	16,4	15,9	16,1

*Consommation finale des ménages, plus biens et services ayant fait l'objet de dépenses de consommation individuelle des administrations publiques ou des institutions sans but lucratif au service des ménages, donnant lieu à des transferts sociaux en nature vers les ménages.

INSEE, comptes nationaux

tunités d'achat. On le vérifie chaque année pendant les périodes de soldes. C'est le cas aussi lorsque l'État subventionne l'acquisition de voitures neuves (et moins polluantes), comme ce fut le cas en 2009.

Les ménages s'efforçaient traditionnellement de maintenir un certain niveau de consommation en puisant dans leur épargne lorsqu'ils avaient le sentiment que leur pouvoir d'achat se réduisait, ou en recourant davantage au crédit. À l'inverse, ils reconstituaient leur épargne dans les périodes de hausse sensible des revenus. Cependant, au cours des dernières années, ces comportements sont devenus plus complexes. La crise économique de 2008-2012 n'a pas provoqué une baisse de l'épargne, mais au contraire une hausse.

Les dépenses « pré-engagées » ont connu de fortes hausses.

La hausse des prix varie largement selon les postes du budget. Ainsi, les dépenses liées au logement ont connu entre 1996 et 2011 une croissance spectaculaire (p. 404), malgré la baisse de 2008. C'est aussi le cas des dépenses de santé et, sur longue durée, de transport (carburants, entretien et réparation des véhicules).

Une approche complémentaire et utile consiste à distinguer les dépenses « contraintes » (ou « arbitrables » ou « pré-engagées ») de celles qui seraient

Dématérialisations

La consommation a connu au fil des années une triple dématérialisation. La première fut celle des *moyens de paiement*. L'argent a pris successivement (ou simultanément) les trois formes de la matière. D'abord solide, il était composé de pièces et billets. Mais on a vite parlé d'argent « liquide », pour des raisons à la fois pratiques (facilité d'échange) et symboliques (l'argent qui coule des doigts, sans qu'on puisse le retenir). Il est ensuite devenu « gazeux » avec l'avènement et la généralisation des transactions électroniques (p. 340).

Le processus de dématérialisation s'est aussi étendu à l'économie, avec la place croissante des *services* (banque, assurance, loisirs...). Il a connu une nouvelle étape avec la dématérialisation des supports physiques : les musiques, photos, vidéos, courriers, journaux, billets de transports ou de spectacles ont été peu à peu remplacés (en tout ou partie) par des fichiers électroniques, avec une possibilité infinie de duplication à coût quasi nul. Ces fichiers peuvent être « rematérialisés » en les imprimant ou en les gravant sur des supports divers.

Enfin, le développement d'Internet et, plus récemment, de la téléphonie mobile a entraîné une dématérialisation partielle des *lieux d'achat*. Des « magasins virtuels » ont complété ou parfois remplacé des magasins « en dur ». La relation à l'offre en a été bouleversée. Les boutiques virtuelles sont ouvertes à toute heure, tous les jours de l'année. Les acheteurs et les utilisateurs n'ont pas besoin de se déplacer pour commander. Les intermédiaires étant moins nombreux, les prix peuvent être plus bas.

« maîtrisables ». Les premières comprennent le logement (loyers, charges, remboursements d'emprunts), le déplacement au lieu de travail et d'autres frais à caractère obligatoire ou contractuel (assurances et mutuelles, forfaits bancaires ou de téléphonie, abonnements de transport...). L'accroissement des prix des biens et services liés aux dépenses « contraintes » a été plus élevé que celui des dépenses « libres », du fait notamment de la forte croissance de l'immobilier, ou de celle des assurances (santé, automobile, habitation). En outre, leur part est plus élevée pour les ménages modestes (tableau), ce qui correspond pour eux à une inflation supérieure à celle subie par les ménages plus aisés.

Ce raisonnement comporte cependant une assez large part de subjectivité. Il est en effet difficile de définir une frontière objective entre les dépenses « libres » des ménages et celles qui seraient « imposées ». Les dépenses de téléphonie sont-elles contraintes, depuis l'arrivée d'un opérateur qui a cassé les prix ? Celles de transport individuel le sont-elles lorsque des solutions de transports en commun existent ? S'il faut évidemment se loger, se transporter et s'assurer, on peut aussi déménager, changer de voiture ou de compagnie d'assurance.

Les prix ne correspondent pas à la logique des consommateurs...

Le prix d'un produit ou service peut varier très largement selon de nombreux critères : âge de l'acheteur ; période de l'année ; montant de l'achat ; circuit de distribution ; capacité de négociation du client... L'écart peut être par exemple de un à six sur un billet d'avion pour un même parcours, parfois sur une même compagnie ; l'amplitude est aussi très grande sur une chambre d'hôtel ou un séjour touristique. Par ailleurs, le passage à l'euro, en janvier 2002, a fait disparaître de nombreux repères et divisé les écarts par 6,5.

D'une façon générale, les prix échappent de plus en plus à la logique commune, qui voudrait qu'un prix élevé soit associé à une forte valeur ajoutée. Ainsi, en matière par exemple d'équipements technologiques, le matériel est parfois vendu moins cher que le consommable : les piles sont plus coûteuses que les montres ; certains logiciels sont plus chers que les ordinateurs ; les cartouches d'encre coûtent vite plus cher que l'imprimante... La téléphonie portable est également coutumière de ces pratiques : certains mobiles, miracles de technologie, sont gratuits si l'on souscrit un forfait chez un opérateur.

L'appréhension de la « valeur des choses » est faussée par le développement de la gratuité dans de nombreux domaines : presse quotidienne, télévision, musique... *« Une chose n'a pas une valeur parce qu'elle coûte; elle coûte parce qu'elle a une valeur. »* affirmait Étienne de Condillac. Cette affirmation n'est plus toujours vérifiable par les consommateurs.

... et leur comparaison est difficile.

Les sites de comparaison de prix sur Internet apportent sans doute une aide aux consommateurs, dans la mesure où ils

Le libre et l'arbitrable

Évolution des revenus disponibles et arbitrables et de leur pouvoir d'achat (en %, base 2005)

	1960	1970	1980	1990	2000	2011
Revenu disponible	11,5	12,5	13,5	6,2	5,5	2,6
Revenu « arbitrable »	11,3	12,3	12,1	6,4	5,0	3,0
Pouvoir d'achat « arbitrable » par personne	7,4	6,5	−0,6	2,9	2,5	0,4
Pouvoir d'achat « arbitrable » par ménage	7,4	5,5	−1,5	2,2	1,8	0,0
Pouvoir d'achat « arbitrable » par unité de consommation	7,5	6,1	−1,0	2,6	2,3	0,3
Pouvoir d'achat du revenu disponible brut par unité de consommation	7,1	5,8	−0,3	2,6	2,2	−0,1

* Après déduction des dépenses pré-engagées : logement, eau, gaz, électricité combustibles utilisés dans les habitations ; télécommunications ; cantine ; télévision (redevance télévisuelle, abonnements à des chaînes payantes) ; – assurances (hors assurance-vie) ; services financiers.
** Pour comparer les niveaux de vie de ménages de taille ou de composition différente, on utilise une mesure du revenu corrigé par unité de consommation, à l'aide d'une échelle d'équivalence : 1 UC pour le premier adulte du ménage ; 0,5 UC pour les autres personnes de 14 ans ou plus ; 0,3 UC pour les enfants de moins de 14 ans.

Comptes nationaux, INSEE

sont « objectifs », ce qui n'est pas toujours le cas. Mais, beaucoup de produits et biens d'équipement ayant les mêmes fonctions ont des caractéristiques et des références différentes d'un magasin ou d'un circuit de distribution à l'autre, ce qui rend la comparaison difficile. La comparaison des produits alimentaires ou d'entretien dans les rayons est également rendue difficile lorsque les quantités vendues ne sont pas les mêmes.

Il faudrait aussi tenir compte des « prix cachés », liés par exemple à l'obligation d'appeler un serveur vocal ou un numéro payant pour obtenir une information, effectuer une réservation ou une opération bancaire. Cette pratique courante est d'autant plus mal acceptée que les entreprises qui l'imposent réduisent en même temps leurs charges de personnel, donc leurs coûts. Le malaise est accru lorsque le temps de communication est artificiellement prolongé par des attentes interminables et par l'impossibilité d'obtenir un interlocuteur ou une réponse.

On peut citer enfin l'obligation d'acheter des éléments nécessaires au fonctionnement d'un appareil, mais non compris dans le prix affiché : batteries ; câbles ; logiciels ; garanties... Toutes ces « subtilités » finissent par décourager et frustrer le consomma-

Travailler moins pour acheter plus

Évolution des prix de quelques produits de grande consommation et du temps de travail nécessaire à un employé* pour les acheter.

	Janvier 2002	Janvier 2012	Hausse des prix calculée par UFC	Temps de travail nécessaire 2002	Temps de travail nécessaire 2012	Différence de temps
Unité	*euros*	*euros*	%	*minutes*	*minutes*	*minutes*
Riz Lustucru	1,4	1,85	32	9,7	10,7	1,1
Poisson pané Findus	3,37	3,62	7	23,2	21,0	–2,3
Farine Francine	1,04	1,11	7	7,2	6,4	–0,7
Blé gourmet Ebly	1,44	1,71	19	9,9	9,9	0,0
Huile d'olive Puget (1 L)	5,37	5,76	7	37,0	33,4	–3,6
Fromage pur chèvre Chavrou	2,05	2,55	24	14,1	14,8	0,6
Pur Soup velouté poireaux-pommes de terre (Liebig)	1,52	1,77	16	10,5	10,3	–0,2
Pim's framboise Lu	1,16	1,35	16	8,0	7,8	–0,2
Chocolat en poudre Nesquick	1,86	2	8	12,8	11,6	–1,2
Frosties pétales maïs Kellog's	2,05	2,27	11	14,1	13,2	–1,0
Orangina (1,5 L)	1,32	1,58	20	9,1	9,2	0,1
Bière 1664	2,99	3,55	19	20,6	20,6	0,0
Ricard (1 L)	15,19	16,31	7	104,8	94,6	–10,2
Shampoing Garnier	2,52	2,66	6	17,4	15,4	–2,0
Lait démaquillant Nivea Visage	3,73	4,21	13	25,7	24,4	–1,3
Croquettes pour chat Friskies	1,04	1,2	15	7,2	7,0	–0,2
Que Choisir (magazine)	3,96	4,4	11	27,3	25,5	–1,8
Baguette	0,67	0,85	27	4,6	4,9	0,3

*En 2002, un employé gagnait en moyenne 15 574 € net par an, soit un peu moins de 1 300 € par mois, et 8,7 € par heure. En 2011, les chiffres moyens étaient de 18 503 € annuel, soit 1 541 € mensuel et 10,4 €/h (source Marianne 2).

INSEE et UFC-Que Choisir

Inflation officielle, inflation perçue

La conviction largement partagée par les Français que leur pouvoir d'achat a diminué repose d'abord sur le sentiment que les revenus ont baissé (p. 368). Elle s'est nourri e aussi de l'impression générale que les prix augmentent plus vite qu'on ne le dit.

Cette propension de tout consommateur à penser qu'il paie « trop cher » ses achats a été largement favorisée par le discours ambiant, relayé dans les médias, dans un contexte de méfiance à l'égard des entreprises, des marques ou des enseignes de distribution (p. 374). De plus, la « valse des étiquettes » est principalement évaluée par les Français à partir de leurs achats alimentaires, qui ne pèsent pourtant que 12 % de leurs dépenses de consommation effectives (ci-dessous).

Il faut aussi préciser que la hausse des prix mesurée par l'INSEE est construite sur une logique différente de celle des consommateurs. Elle concerne un « panier de biens et services constant », mis à jour tous les ans en remplaçant les produits disparus par ceux qui sont les plus proches en qualité et en prix. Elle ne prend pas en compte les « effets d'offre » (modification des gammes de produits proposés dans les magasins d'une année sur l'autre, soit 15 à 20 % des références). Elle n'intègre pas non plus l'évolution de la demande, qui se fait globalement dans le sens d'une « montée en gamme » (p. 368). C'est l'une des raisons du décalage persistant entre la perception des ménages et la « réalité » mesurée par l'INSEE.

Enfin, le malaise à l'égard des prix a été accru par les résultats d'enquêtes effectuées par les associations de consommateurs, montrant une hausse importante du « panier de la ménagère ». Par ailleurs, une enquête de la DGCCRF publiée en juillet 2012 (réalisée fin 2011) indiquait des anomalies sur les prix dans 54 % des grandes surfaces alimentaires. L'écart moyen entre les prix affichés en rayons et ceux facturés en caisse était de 7 % ; il était défavorable aux consommateurs dans six cas sur dix.

teur le mieux disposé. Elles contribuent à entretenir et accroître la méfiance envers l'offre.

La part de l'alimentation a diminué de moitié depuis les années 1960...

Le poste alimentation, tel qu'il est décrit par la comptabilité nationale, comprend les produits alimentaires, les boissons (alcoolisées et non alcoolisées) et le tabac. Il représentait 10,4 % des dépenses de *consommation effective* des ménages en 2011 ; elles prennent en compte les dépenses indirectes, prises en charge par la collectivité, en particulier pour l'éducation, la santé, l'action sociale et le logement (définition en bas du tableau). Une part presque inchangée depuis 2000 (10,4 %), mais très inférieure à celle de 1960 (28,6 %). En quarante ans, sa part avait été divisée par près de trois. Il faut préciser que cette baisse s'est produite en valeur *relative*, c'est-à-dire par rapport à l'ensemble des dépenses, et non en valeur absolue.

En 2011, la consommation en produits alimentaires, hors boissons alcoolisées et tabac, a connu une croissance de 1,0 % en volume et une hausse des prix de 1,8 % (après 1,1 % en 2010). La consommation de pains et de céréales a fortement progressé (3,6 %). Celle de légumes s'est redressée de 1,2 % après la baisse de 0,9 % en 2010, favorisée par des prix en baisse de 4,7 %. En revanche, les achats de fruits ont continué de diminuer (1,4 % après 0,6 %), malgré une hausse des prix nettement plus modérée qu'en 2010 (1,4 % contre 5,1 %).

La consommation de viande et de poisson s'est également réduite en volume, sous l'effet de la hausse des prix. Ceux des boissons non alcoolisées, notamment le café et les jus de fruits, ont également enregistré une forte hausse (4,1 %). Enfin, la consommation de tabac a diminué de 0,6 % en volume, après la stabilité de 2010 (+ 0,1 %), du fait sans doute de la nouvelle hausse des prix (+ 5,7 %).

... et celle de l'habillement a presque été divisée par trois.

Les ménages consacrent une part régulièrement décroissante de leur consommation effective (définition ci-dessus) à l'habillement : 3,2 % en 2011, contre 4,0 % en 2000 et 10 % en 1960. La baisse relative de ce poste a été encore plus marquée que celle de l'alimentation. Elle est la conséquence de la moindre importance des modes (p. 38), mais aussi de comportements d'achat orientés vers la recherche du meilleur prix : part croissante des achats en solde ; recours aux circuits courts de distribution. On constate d'ailleurs que les prix des vêtements achetés baissent en valeur relative depuis une vingtaine d'années.

En 2011, les dépenses en habillement et chaussures ont reculé de 1,2 % en volume), après avoir connu une faible hausse en 2010 (0,8 %). Ce sont surtout les vêtements qui ont contribué à ce repli. Ces chiffres confirment une tendance apparente depuis quelques années (p. 36). Les arbitrages de dépenses des ménages se font au détriment de l'habillement, dont le renouvellement peut assez facilement être différé, contrairement aux dépenses « pré-engagées » (p. 401). Les femmes dépensent en moyenne la moitié du budget habillement des ménages, les hommes un tiers ; le reste est réparti entre les enfants et les bébés.

La part des dépenses de santé a plus que doublé depuis 1970.

Les ménages ont consacré directement 2,9 % de leur consommation effective (définition en bas du tableau) à la santé en 2011, soit la même part qu'en 2000, mais beaucoup plus qu'en 1970 (1,5 %). La hausse en volume a été encore élevée : 3,9 %, après 2,1 % en 2010 et 3,1 % en 2009. La tendance est cependant inférieure à celle que l'on avait observée au cours des années précédentes : 5,9 % en 2008, 4,2 % en 2007 et 7,2 % en 2006. La hausse des achats de médicaments est comparable : 4,0 % en volume, après 2,0 % en 2010 et 3,5 % en 2009. Les prix ont poursuivi leur baisse tendancielle, à 1,2 % contre 1,4 % en 2010 et 1,4 % en 2009.

Ces dépenses de santé ne représentent qu'une faible part de celles des ménages (couvertes ou non par une assurance complémentaire). Les remboursements de la Sécurité sociale ont représenté 9,6 % de la consommation effective en 2011, contre 8,9 % dix ans auparavant. Au total, les dépenses de santé comptent donc pour 12,2 % du budget total des Français. Une part en très forte augmentation (en volume plus encore qu'en valeur) au cours des vingt dernières années : la seule année de baisse avait été 1987, à la suite du plan de rationalisation des dépenses mis en place par les pouvoirs publics.

La part de la Sécurité sociale dans la couverture des dépenses représente 79 %. Il reste relativement stable, avec d'un côté une baisse des remboursements de certains médicaments et de l'autre la hausse du nombre d'assurés sociaux bénéficiant de l'exonération du ticket modérateur. La part des mutuelles et des instituts de prévoyance tend à s'accroître. Les dépenses hospitalières représentent près de la moitié du total, avec une part croissante des établissements publics.

Le logement est le premier poste de dépenses.

Depuis la fin des années 1960, les ménages consacrent plus d'argent à

Transferts et arbitrages

Évolution de la structure des dépenses de consommation effective des ménages* (en %, aux prix courants)

	1960	1970	1980	1990	2000	2011
Produits alimentaires, boissons non alcoolisées	23,2	18,0	14,5	13,1	11,4	10,2
Boissons alcoolisées, tabac	5,4	3,8	2,8	2,4	2,7	2,4
Articles d'habillement et chaussures	9,7	8,1	6,1	5,4	4,0	3,2
Logement, chauffage, éclairage	10,7	15,8	16,8	17,4	19,1	19,1
Équipement du logement	8,4	7,3	6,8	5,6	5,1	4,4
Santé	1,5	2,1	2,0	2,7	2,9	2,9
Transports	9,3	10,4	12,1	12,6	12,2	10,9
Communications	0,5	0,6	1,3	1,5	1,7	2,0
Loisirs et culture	6,2	6,8	7,1	7,0	7,1	6,4
Éducation	0,5	0,5	0,4	0,5	0,5	0,6
Hôtels, cafés, restaurants	6,5	5,4	5,5	6,0	6,0	5,4
Autres biens et services	5,7	6,0	6,2	6,1	6,0	8,4
Solde territorial						-0,6
Total dépenses de consommation des ménages	87,6	84,9	81,5	80,4	78,7	75,4
Dépenses de consommation des ISBLSM[2]	1,1	0,8	0,7	0,7	0,9	2,8
Dépenses de consommation des APU[3]	11,3	14,3	17,8	18,9	20,4	21,8
Consommation effective des ménages	**100,0**	**100,0**	**100,0**	**100,0**	**100,0**	**100,0**

(1) Les dépenses effectives sont celles directement supportées par les ménages, auxquelles on ajoute celles supportées par l'État mais dont les bénéficiaires peuvent être précisément définis (remboursements de Sécurité sociale, coûts d'hospitalisation publique, frais d'éducation). (2) Dépenses de consommation des institutions sans but lucratif au service des ménages en biens et services individualisés. (3) Dépenses de consommation des administrations publiques en biens et services individualisables. (4) Après correction territoriale.

INSEE

leur logement qu'à leur alimentation. La part était de 19,1 % de la consommation effective en 2011 (définition en bas du tableau), identique à celle de 2000, mais très supérieure à celle de 1960 (10,7 %) ou de 1980 (17,4 %). Elle recouvre les loyers réels payés par les ménages locataires, ou fictifs pour les propriétaires (ceux qu'ils paieraient s'ils étaient locataires de leur logement) ainsi que les dépenses de chauffage et d'éclairage. L'accroissement sur longue durée s'explique par l'augmentation du nombre de maisons individuelles, plus coûteuses que les appartements, et celle de la surface moyenne des habitations (p. 180).

En 2011, les dépenses de logement, chauffage et éclairage ont diminué de 1,0 % en volume, après avoir augmenté de 1,4 % en 2010. La consommation de chauffage et d'éclairage a très sensiblement baissé (11,2 %) du fait d'un printemps et d'un automne exceptionnellement doux, contrairement à 2010 où elle avait augmenté de 4,9 %. Mais la baisse est beaucoup moins apparente en valeur, suite à l'augmentation des prix de 9,9 %.

Les loyers directement pris en charge par les ménages, hors aides au logement, mais comprenant les loyers imputés (que les propriétaires auraient à payer s'ils étaient locataires du logement qu'ils habitent), ont augmenté de 1,1 % en volume et de 2,0 % en valeur (contre 2,4 % en 2010). Les aides au logement ont progressé de 3,3 % en volume, après + 1,1 % e 2010.

A ces dépenses concernant l'occupation du logement s'ajoutent celles de son équipement (meubles, tapis, appareils ménagers...) qui représentaient 4,4 % des dépenses effectives des ménages en 2011 (contre 5,2 % en 2000). Au total, la part du logement dans les dépenses des ménages a atteint 23,5 % de la consommation effective des ménages en 2011.

Les dépenses de transport s'accroissent...

Les ménages ont consacré aux transports 10,9 % de leurs dépenses de consommation effective (définition en bas du tableau) en 2011, contre 12,2 % en 2000. Après le pic de 2009, les achats de voitures neuves ont diminué de 1,4 % après 3,0 % en 2010. Le dispositif de prime à la casse est supprimé en 2011, après avoir été réduit en 2010 et les promotions ont été moins nombreuses. Les achats de voitures d'occasion se sont accrus au contraire de 3,9 %. Les marques françaises ont été pénalisées (en baisse de 6,3 % après 2,3 %), au profit des marques étrangères (+ 2,9 %). La consommation de carburants a moins diminué qu'en 2010 (0,7 % contre 1,1 %), bien que leur prix ait continué de progresser très fortement (14,1 % après 12,8 %).

Les dépenses de transports collectifs, notamment aériens et ferroviaires, ont connu une accélération, à + 4,9 %, après + 2,3 %. Globalement, le volume des dépenses de transport s'est accru de 0,7 %, après avoir baissé de 0,3 % en 2010. Cependant, son poids dans la consommation effective des ménages est inférieur (10,9 %) à ce qu'il était en 2000 (11,3 %).

Réparer ou jeter ?

Les Français sont de plus en plus nombreux à faire réparer les objets et équipements qui ne sont plus utilisables tels quels. Sur Internet, les forums, blogs et sites spécialisés sur ce thème se sont multipliés. On peut ainsi allonger la vie à une machine à laver, un réfrigérateur, un téléviseur, un ordinateur ou une voiture. Les plus créatifs parviennent à détourner des objets pour leur donner une deuxième vie, ou un nouvel usage, par exemple de décoration.

Les motivations qui incitent les Français à sortir de l'« ère du jetable » et de l'« hyperconsommation » sont multiples. Économiques et financières, d'abord, puisque c'est l'occasion de se redonner un peu de pouvoir d'achat en réduisant la dépense. Écologiques, ensuite, car le fait de prolonger la vie d'un objet est un moyen de préserver l'environnement en réduisant le volume des déchets ménagers. Motivation symbolique aussi : les mots en « re » (réparer, réutiliser, recycler, restaurer, récupérer...) s'opposent à ceux en « dé » (détruire, délocaliser, défaire...) ; ils évoquent la renaissance et la responsabilité du citoyen-consommateur, qui ne souhaite pas être complice des dérives du « système de la consommation ».

Ces nouveaux comportements traduisent une lassitude à l'égard des objets à durée de vie réduite, à obsolescence rapide, voire « programmée », notamment électroniques (téléphones portables, ordinateurs...). Ils constituent l'une des stratégies d'adaptation à la « crise ». Ils se veulent plus responsables, plus respectueux de l'environnement, mais aussi du travail humain qui se cache derrière les objets. Ils donnent un nouveau sens au principe de Lavoisier : il ne s'agit plus d'affirmer que *« Rien ne se crée, rien ne se perd, tout se transforme »*, mais que *« Rien ne se jette, tout se répare »*.

... et celles de communication sont stables en volume.

Les biens et services des technologies de l'information et de la communication (TIC) représentaient 2,0 % des dépenses de consommation effective des ménages en 2011 (définition en bas du tableau), contre 1,7 % en 2000. Elles ont connu une faible évolution en volume en 2011 (+0,3 %), alors que leurs prix ont baissé de 3,0 % (2,5 % pour les services de télécommunications). La forte croissance enregistrée entre 1997 et 2006 (plus de 10 % en moyenne annuelle) semble donc interrompue depuis 2008 (2,9 %, après 6,3 % en 2007 et 8,8 % en 2006). Les dépenses en services de télécommunication ont diminué de 1,1 %, à la suite de la hausse de la TVA sur les offres *triple play* des fournisseurs d'accès à Internet.

La forte croissance des achats de produits électroniques et informatiques s'est poursuivie : 9,1 % après 9,9 % en 2010. Elle concernait surtout les ordinateurs et les équipements périphériques (+16,4 %, après +7,8 %). Les achats de téléphones mobiles étaient toujours aussi dynamiques (+30,4 % après +22,8 %), tirés par ceux de smartphones. Ceux de téléviseurs l'étaient en revanche un peu moins (+6,1 %, après +18,5 % en 2010 et +33,3 % en 2009).

Les dépenses de loisirs baissent en apparence.

Les dépenses de loisirs et de culture, telles qu'elles sont prises en compte par la comptabilité nationale, ont représenté 6,4 % de la consommation effective des ménages en 2011 (définition en bas du tableau), contre 7,1 % en 2000. Elles regroupent à la fois les biens d'équipement (télévision, radio, hi-fi, photo, sport, etc.) et les dépenses de spectacles, livres et journaux.

La consommation de musique et de vidéo à domicile a diminué en 2011. Les ménages ont acheté moins de supports vidéo (−5,9 %, après +4,3 % en 2010) ; la progression du Blu-ray n'a pas compensé la baisse des DVD. Les achats de CD audio ont poursuivi leur repli (10,9 % après 12,5 %), mais les téléchargements légaux de musique ont progressé de 27,5 %. Les achats de livres ont également diminué en volume (3,1 %, après 1,6 % en 2010). En revanche, la fréquentation des salles de cinéma a poursuivi sa hausse, à 217 millions de spectateurs (p. 463).

Les produits de jardinage ont enregistré une progression de 4 %, après le léger repli de 2010 (0,5 %). Les achats d'équipements de sport, de camping et de plein air ont poursuivi leur hausse (3,2 %), comme les dépenses en jeux de hasard (+ 4,0 % après + 2,0 %). Les dépenses dans les hôtels, cafés et restaurants ont ralenti en volume (+ 1,0 % après + 1,5 %).

40 % des dépenses sont effectuées dans les grandes surfaces.

Depuis l'ouverture du premier hypermarché (le Carrefour de Sainte-Geneviève-des-Bois, près de Paris, en 1963), les grandes surfaces ont connu un développement spectaculaire. En 2011, les Français y ont effectué 67 % de leurs dépenses alimentaires (hors tabac), répartis pour moitié dans les 1894 hypermarchés, les 5 679 supermarchés et les 4 766 magasins de maxidiscompte (au 1er janvier 2012, Nielsen). Ce sont les supermarchés qui ont connu le plus fort développement au cours des années passées, avec notamment la multiplication des magasins de maxidiscompte qui représentent aujourd'hui près de la moitié du nombre de supermarchés et 14 % des achats effectués dans la grande distribution.

Moins de restrictions ?

Proportions de Français disant devoir s'imposer régulièrement des restrictions sur certains postes de leur budget (en %)

	2008	2009	2010	2011
Ensemble des dépenses	**69**	**67**	**65**	**57**
Postes concernés				
Voiture	66	62	60	58
Achat d'équipement ménager	74	74	73	73
Alimentation	48	48	46	45
Soins de beauté	66	66	66	67
Vacances et loisirs	85	84	82	82
Habillement	77	76	72	73
Logement	43	41	41	41
Dépenses pour les enfants	32	29	28	29
Tabac, boisson	40	40	40	41

Crédoc

Les loisirs, premier poste de dépenses ?

Le budget loisirs des ménages est en réalité très supérieur à celui indiqué comme tel par la comptabilité nationale. Il faudrait en effet lui ajouter de nombreuses autres dépenses, comme l'alimentation de loisir (réceptions à domicile, restaurants), les frais d'hôtel et de café, une partie des frais de transports et communications ou les dépenses effectuées auprès des agences de voyage, qui sont comptabilisés dans d'autres postes (p. 404). Ainsi, les services d'hôtel-café-restaurant ont représenté 5,4 % des dépenses effectives des ménages en 2011.

Au total, le poids des loisirs dans les dépenses des ménages est impossible à calculer globalement, mais on peut estimer qu'il représente environ le double de l'addition des postes « loisirs » et « hôtels-cafés-restaurants » (11,8 %). Le budget total des ménages dans ce domaine pourrait donc se situer en première position, devant celui du logement.

En ce qui concerne les dépenses non alimentaires (entretien de la maison, hygiène-beauté, habillement, articles de sport, bricolage, ameublement...), la part des grandes surfaces d'alimentation était de 17 % en 2011. Leur progression, forte jusqu'en 2000, est aujourd'hui freinée par le développement des grandes surfaces spécialisées (41 % des achats hors pharmacie et carburants) : électrodomestique (télé, hi-fi, électroménager, vidéo, informatique...), bricolage, jardineries, meubles, fournitures et matériaux, décoration, cuisine et salle de bains... Les spécialistes de l'équipement du foyer, et à un moindre degré, de culture, sport et loisirs, sont particulièrement dynamiques.

Au total, la grande distribution alimentaire capte plus de 40 % des dépenses de détail des ménages. Les produits non alimentaires représentent près de la moitié des achats effectués dans les hypermarchés (et 11 % de l'ensemble des achats non alimentaires totales), contre un tiers à la fin des années 1960. Ils réalisent ainsi plus de la moitié des ventes d'hygiène-beauté, mais ils sont distancés par les grandes surfaces spécialisées en matière d'habillement, de chaussures et d'articles de sport. Ces dernières ont connu une forte croissance au cours des années passées dans les domaines du bricolage, du jardinage, de l'équipement de sport ou de l'ameublement.

La part des hypermarchés diminue au profit des supermarchés...

Après quatre décennies de croissance ininterrompue, les hypermarchés ont subi à partir de l'année 2000 une baisse de leur part dans les achats des ménages, au profit des supermarchés (notamment des maxidiscomptes) et des grandes surfaces spécialisées (bricolage, jardinage, équipement de sport, ameublement...). L'hémorragie s'est poursuivie au cours des années récentes : la part de marché alimentaire était de 31 % en 2011 contre 33 % en 2007 (et 35 % en 1999). On observe une érosion forte de l'enseigne leader Carrefour, qui ne représentait plus que 21.8 % du marché alimentaire fin 2011 (tous formats confondus), devant E.Leclerc (17,6 %), Intermarché (13,3 %), Casino (12,9 %), Auchan (11,1 %) et Système U (9,3 %).

Cette désaffection s'explique par l'usure du concept : le libre-service s'est généralisé, les prix se sont rapprochés de ceux des autres formats de distribution (l'écart avec les supermarchés a été réduit de moitié en quelques années) ; l'avantage du « tout sous le même toit » est devenu moins déterminant pour des acheteurs qui fuient le stress et recherchent plus de convivialité. De plus, les consommateurs attachent une importance croissante à la proximité et au plaisir de l'acte d'achat.

Le travail des femmes et la semaine de 35 heures ont aussi modifié les comportements de consommation. Il en est de même des variations des prix des carburants. Lorsqu'ils s'accroissent fortement, comme c'est le cas depuis plusieurs années, les consommateurs se détournent des grandes surfaces périphériques et redécouvrent les supermarchés urbains et le petit commerce de proximité.

Enfin, Internet représente un concurrent de plus en plus sérieux pour les grandes surfaces, dans la mesure où il permet de gagner du temps, d'économiser des frais de transport et de disposer d'un choix maximal. Les hypermarchés ont réagi en développant des *drives*, lieux de retrait en voiture des achats commandés sur Internet.

... et celle des magasins de maxidiscompte stagne.

La formule du maxidiscompte (ou *hard discount*) est née en Allemagne et son implantation en France date de 1988, avec des enseignes germaniques comme Aldi ou Lidl, suivies d'enseignes françaises comme Leader Price, Ed ou Netto. Le concept de base de ces magasins repose sur quatre éléments principaux : prix cassés ; absence de grandes marques ; nombre de références limité ; magasins minimalistes, souvent en forme d'entrepôt.

Outre l'économie, la fonctionnalité et la proximité sont les principales motivations de leurs clients. La plupart de ces magasins se rangent dans la catégorie des supermarchés, avec des surfaces inférieures à 2 000 m². Ils ont représenté la grande majorité des ouvertures de magasins depuis des années. Leur développement a été accéléré par la Loi de modernisation économique de 2008, qui a relevé le seuil d'autorisation d'implantation des surfaces commerciales de 300 à 1 000 m².

On comptait au total 4 766 magasins de ce type au début 2012, qui ont représenté 13,7 % des dépenses alimentaires en 2011, soit le même chiffre qu'en 13,7 % en 2007, après avoir atteint 14,3 % en 2009. Les trois quarts des foyers fréquentent ce type de magasin (contre 55 % en 2000). Près d'un sur trois y effectue au moins la moitié de ses dépenses alimentaires.

Les enseignes d'hypermarchés tentent de réduire l'écart de prix avec le maxidiscompte, en multipliant les produits « premier prix » et les marques de distributeur, en créant de nouveaux formats de magasins (Simply Market d'Auchan, Carrefour Market, City

Les supers gagnent

Évolution de la répartition des dépenses des ménages entre les différents types de commerce (en % des achats de détail)

Formes de vente[1]	Produits alimentaires (hors tabac)				Produits non alimentaires*			
	1999	**2007**	**2008**	**2010**	**1999**	**2007**	**2008**	**2010**
Alimentation spécialisée et artisanat commercial	17,8	16,8	16,5	17,5				–
dont : boulangeries-pâtisseries	6,7	6,5	6,3	6,8				–
boucheries-charcuteries	6,3	5,2	5,1	4,5	1,1	0,9	0,8	–
Petites surfaces d'alimentation générale et magasins de produits surgelés	8,6	8,3	8,4	5,6				–
Grandes surfaces d'alimentation générale	67,1	67,5	67,3	66,6	19,9	17,7	17,7	17,0
dont : supermarchés	30,8	33,1	33,0	29,7	6,1	3,7	3,9	6,1
dont : hypermarchés	35,4	33,0	32,7	35,6	13,4	13,7	13,5	10,6
Grands magasins et autres magasins non alimentaires non spécialisés				0,1	2,2	1,9	1,9	1,9
Pharmacies et commerces d'articles médicaux	0,7	0,9	1,1	0,3	9,4	10,3	10,3	11,8
Magasins non alimentaires spécialisés				1,5	41,1	43,0	42,8	56,8
Vente par correspondance				0,8	3,2	3,1	3,0	3,4
Autres hors magasins (marchés, réparation domestique...)	3,7	3,4	3,4	4,2	2,2	1,6	1,5	4,7
Ensemble commerce de détail et artisanat	**97,9**	**96,9**	**96,7**	**95,5**	**79,0**	**78,0**	**78,3**	**81,5**
Ventes au détail du commerce automobile[2]	0,2	0,6	0,8	0,0	14,1	15,1	15,7	10,2
Autres ventes au détail[3]	1,9	2,5	2,6	4,5	6,9	6,4	6,4	8,3
Ensemble des ventes au détail	**100,0**	**100,0**	**100,0**	**100,0**	**100,0**	**100,0**	**100,0**	**100,0**

(1) : l'activité de certaines grandes entreprises relève de deux ou plusieurs formes de vente ; ainsi les ventes d'une entreprise peuvent être réparties entre les formes de vente d'hypermarchés, de supermarchés et de petites surfaces d'alimentation.
(2) : y compris les ventes et réparations de motocycles et les ventes de produits liés à l'automobile ; non compris les ventes et réparations automobiles.
(3) : ventes au détail du commerce de gros, ventes de prestataires de services et ventes directes des producteurs.
– : absence de donnée due à la nature des choses.

INSEE

Market, Monop...). On observe aussi un intérêt croissant des Français pour les magasins écoulant des stocks excédentaires de fabricants alimentaires (ou d'hypermarchés), ou vendant à prix cassé des produits ayant dépassé leur date limite de vente, mais propres à la consommation.

La part du petit commerce s'est stabilisée.

Entre 1966 et 1998, le nombre des petites épiceries avait ainsi diminué de 84 %, avec l'apparition et le développement des grandes surfaces, d'abord alimentaires puis spécialisées dans les secteurs non alimentaires. La chute du nombre de magasins avait été de 76 % pour les crémeries, 71 % pour les boucheries, 55 % pour les poissonneries, 50 % pour les charcuteries. Hors alimentation, on avait vu disparaître 52 % des magasins de chaussures et 42 % pour les commerces de vêtements.

Depuis le début des années 2000, l'érosion a été interrompue. En 2010 (derniers chiffres disponibles), les ventes du commerce de détail et de l'artisanat commercial (boulangeries, pâtisseries, charcuteries) ont progressé de 2,6 % en valeur. En volume, la hausse n'a été que de 1,6 %, après 1 % en 2009 et une quasi-stabilité en 2008. Elle avait été nettement supérieure au cours de la période 2000-2007. Le commerce traditionnel représentait 23,1 % des achats alimentaires en 2010, un chiffre stable sur les dernières années.

On assiste à une certaine redynamisation des magasins de centre-ville au détriment des grandes surfaces de périphérie. Même s'ils sont à la recherche de prix bas (p. 387), les Français ne sont pas indifférents aux services proposés par les commerces traditionnels : proximité ; services ; conseils ; qualité des produits ; relation humaine...

Le commerce en ligne poursuit sa forte progression...

En 2011, plus de 30 millions de Français ont acheté sur Internet, un chiffre en progression de 11 % sur un an (Fevad). Le nombre des sites marchands ne cesse d'augmenter : plus de 104 000 étaient actifs au premier trimestre 2012, à comparer à 40 000 fin 2009. Le nombre de transactions par carte bancaire est passé à 420 millions, contre 55 millions deux ans plus tôt, mais cette diversification explique que le montant moyen par transaction a diminué, à 89 €.

Au total, chaque cyberacheteur a effectué en moyenne 14 transactions au cours de l'année 2011, soit environ une par mois, pour une dépense totale de 1 250 € (contre 1 221 € en moyenne dans les autres pays européens). Les achats de Noël (novembre-décembre 2011) ont représenté un montant de 7,6 milliards d'euros, contre 3,1 milliards fin 2007, avec une dépense moyenne de 866 € par cyberacheteur, contre 226 € en 2007. Internet a ainsi capté 20 % du budget consacré aux cadeaux, tous types d'achat confondus.

Dans le palmarès des cadeaux achetés sur Internet fin 2011, les biens culturels occupaient une place importante : livres (37 % des dépenses) ; jeux et jouets (hors jeux-vidéo, 33 %) ; CD et DVD (32 %). Ils précédaient les articles d'habillement (28 %), les produits de beauté-parfumerie (20 %) et les produits techniques tels que l'informatique (18 %), l'électroménager (14 %) et la hifi (11 %, Fevad/CSA). Parmi les équipements technologiques, le trio de tête comprenait les appareils photo numériques, les consoles de jeux et les baladeurs mp3. Les ventes de téléviseurs à écran plat et les *netbooks* ont également connu une forte croissance.

Internet n'est pas seulement un lieu d'achat ; c'est aussi celui où l'on prépare ses achats, en se rendant sur les sites de vente ou de comparaison. Près des trois quarts de ceux de 18 à 24 ans

e-consommation

Produits et services achetés en ligne (en % des Internautes, six derniers mois 2011)

Voyage/Tourisme	56
Services*	52
Habillement	45
Produits culturels	45
Produits techniques	44
Hygiène/Beauté/Santé	23
Maison	21
Jeux et jouets	16
Alimentation	12
Pièces/Équipements auto	10

* Billetterie, développement photos, téléchargement, abonnement presse, souscription d'abonnement accès internet, téléphone, télévision...

Baromètre Fevad Médiametrie/NetRatings 2011

avaient utilisé Internet dans le but de préparer un achat au 4e trimestre 2011. Les seniors ne sont pas en reste : 68 % des retraités internautes comparent les prix sur Internet avant d'acheter.

… et représente 8 % des dépenses des ménages.

Le e-commerce a représenté 7,8 % du total des ventes de détail en Europe en 2011 ; il s'élevait à 38 milliards d'euros pour la France en 2011, en croissance de 22 %. En moyenne, les Français déclaraient avoir effectué au cours de l'année 4,9 achats de biens culturels et de loisirs, 5,2 achats de textile, habillement et produits de beauté, 1,5 achat de produits high-tech ou électroménager et 1,2 achat de biens d'équipement de la maison tels que du mobilier ou de la décoration (GenerixGroup/Ifop, février 2012).

À côté des sites de vente classiques, d'autres se sont spécialisés dans les soldes, ou dans les ventes privées offrant des produits de luxe à prix cassés. Internet est aussi un lieu de vente et d'échange pour les Internautes. On a vu ainsi émerger des sites de ventes entre particuliers, tels *eBay* ou plus récemment *Leboncoin*, sortes de vide-grenier virtuels. Certains Internautes et sites proposent également des biens et des services virtuels : îles imaginaires, stations spatiales, morceaux de planètes, objets et armes magiques pour les jeux vidéo, monnaie virtuelle, avatars de personnages, clones et chimères électroniques, etc. La frontière entre le monde réel et le monde virtuel est ainsi de plus en plus floue (cf. sites comme *Second Life* ou *Project Entropia*). Elle pourrait disparaître avec la dématérialisation du premier et le « réalisme » croissant du second.

La croissance du commerce sur Internet devrait se poursuivre au cours des prochaines années, du fait de la généralisation des équipements connectés, en particulier des téléphones mobiles, qui constituent un levier important. Cependant, certains freins à l'achat en ligne, de nature culturelle, demeurent dans certaines catégories sociales, mais elles tendent à s'estomper avec l'accoutumance et le mimétisme social. Quant aux craintes concernant la sécurité des paiements, elles diminuent mais n'ont pas disparu : seuls 56 % des Internautes se disent tout à fait ou plutôt confiants dans les achats sur Internet, une progression de 5 points en un an (ACSEL-Caisse des Dépôts/ISL-GfK, octobre 2011).

Internet est à la fois un canal de distribution et un média.

Le succès des achats en ligne s'explique d'abord par l'évolution du taux d'équipement et de connexion des ménages, qui a atteint 75 % de la population début 2012 (p. 494), dont la plupart (93 %) disposent d'une connexion à haut débit. L'atout essentiel d'Internet est la liberté qu'il confère aux utilisateurs. Il répond à une revendication croissante d'autonomie de la part des consommateurs de ne plus dépendre des heures d'ouverture des magasins, de la compétence ou e l'objectivité des vendeurs. Chacun souhaite pouvoir décider de ses actes sans subir les pressions liées au « système marchand », dont les règles sont édictées par la grande distribution et dans lequel les consommateurs se sentent parfois pris au piège. Internet leur permet de reprendre l'initiative dans la relation commerciale. Ce canal est aussi pour eux un moyen de faire des économies, grâce aux comparateurs de prix et aux promotions.

Surtout, Internet est un moyen de communication interactif extrêmement puissant, qui permet la relation d'individu à individu en même temps que celle d'un individu à une masse d'autres. Il permet de s'informer sur les produits et les prix, de profiter des opportunités, de s'adresser aux marques et aux entreprises. Il favorise plus que tout autre média les échanges sur les bonnes et les mauvaises expériences de consommation, les recommandations, critiques ou condamnations des produits et des prestataires. Le plus grand magasin du monde est aussi celui où l'on pratique la forme de communication la plus ancienne : le bouche à oreille.

Près d'un tiers des dépenses sont réglées par carte bancaire…

Les cartes bancaires, apparues en France en 1967, ont connu un fort développement. Longtemps limité aux retraits d'argent dans les billetteries (depuis 1971), leur usage s'est étendu aux paiements en même temps que se développait le réseau des commerçants qui les acceptent et l'interbancarité.

FIn 2011, le nombre de cartes a atteint la barre symbolique des 60 millions, résultat d'une augmentation de celui des cartes dites « de prestige » (Gold, Premier, Platinium…) et d'une diminution de celui des cartes de retrait et à autorisation systématique (Groupement des Cartes bancaires). Les opérations de paiement ont augmenté de 7 % en nombre (7,6 milliards) et de 8 % en valeur, à 363 milliards d'euros, soit un paiement moyen de 48 € et 126 paiements par carte dans l'année. Les Français ont effectué 1,5 milliard de retraits dans les 58 170 distributeurs automatiques de billets (+ 2 %), pour un montant de 119,4 milliards d'euros (+ 4 %), soit un retrait moyen de 78 € et 26 retraits annuels. La part des opérations de paiement générée par le e-commerce est passée d'environ 10 % en 2010 à 15 % en 2011. Les cartes bancaires étaient utilisées par

Harcèlement publicitaire

Le nombre de sollicitations publicitaires s'accroît sans cesse. En 2008, on estimait que chaque Français était soumis chaque jour en moyenne à 60 expositions à des publicités à la télévision, soit un peu plus de 20 minutes ou 10 % de son écoute totale (TNS MediaIntelligence). Il recevait une quantité comparable de messages publicitaires à la radio et une trentaine dans la presse écrite, soit au total quelque 150 stimuli quotidiens émanant des grands médias traditionnels.

Au cours des années récentes, ce nombre élevé s'est accru, en même temps que le nombre de contacts avec les médias, le temps qui leur est consacré (p. 435) et la place croissante de la publicité (directe ou indirecte) dans les contenus. Il faut y ajouter les affiches publicitaires croisées dans les lieux publics, les formes multiples de sollicitations présentes dans les vitrines et à l'intérieur des magasins, que l'on peut l'estimer au moins à une centaine par jour pour un actif urbain.

Surtout, le nombre d'expositions s'est multiplié avec le développement d'Internet, qui véhicule des millions de messages à vocation commerciale, sous forme de mails (le plus souvent non souhaités), de *spams*, de bandeaux ou bannières publicitaires et autres *pop ups*. Pour les actifs connectés en permanence à Internet, ce sont chaque jour plusieurs centaines de messages qui sont ainsi reçus chaque jour, au travail et au foyer. Les prospectus publicitaires sur support papier sont ainsi beaucoup moins nombreux que leurs équivalents digitaux.

Le harcèlement devrait encore s'accroître, avec les développements des sites de e-commerce et des réseaux sociaux. Il va surtout connaître une forte poussée avec la mise en place du « marketing mobile », sous forme de SMS, images, sons ou vidéos qui vont arriver sur les téléphones portables. En mars 2012, un Français sur trois possédait un *smartphone*, appareil particulièrement adapté à la réception de sollicitations de plus en plus personnalisées.

80 % des acheteurs en ligne en 2001 ; 21 % ont réglé à l'aide d'un « porte-feuille en ligne » (du type Paypal), 11 % avec des chèques cadeaux, 9 % par chèque, 7 % par prélèvement bancaire (Fevad – Médiamétrie).

Il faut ajouter 25 millions de cartes privatives émises par des organismes divers (grandes surfaces, organismes de crédit...), couplées dans certains cas être avec des cartes bancaires. Le « co-marquage », associant le logo de l'émetteur à celui d'une marque non bancaire, a été autorisé en 2009. Ces cartes permettent des paiements et des retraits, et comportent souvent une réserve d'argent (crédit révolving) et des programmes de fidélité pour les détenteurs.

... et le montant des fraudes s'est fortement accru avec le e-commerce.

En 2011, on a dénombré 1,1 million d'impayés par carte bancaire (+ 35 % en un an) pour un montant de 117 millions d'euros, en hausse de 40 %. Elle s'explique principalement par celle des contestations d'opérations de paiement à distance (hors celles de e-commerce sécurisées par le système 3D-Secure). Les impayés pour fraude à distance représentaient 94 % du nombre des impayés émis.

La fraude sur les opérations de paiement Carte Bleue a augmenté de 36 %, à 175,5 millions d'euros, soit un taux de 0,05 % (contre 129 millions d'euros et 0,04 % en 2010). Cette augmentation est due en partie au poids de la fraude en vente à distance, qui représente 74 % du total dans le système CB, un taux de 0,29 % en 2011 contre 0,27 % en 2010.

La fraude en paiement de proximité a augmenté de 42 % et représenté 45,5 millions d'euros, le taux restant malgré tout très faible, à 0,016 %. Le volume de la fraude en paiement des cartes CB à l'étranger s'est établi à 65 millions d'euros, soit un taux de 0,36 % (contre 0,56 % en 2010).

En ce qui concerne les retraits en DAB, le volume de la fraude dans le système CB a également fortement augmenté, à 33 millions d'euros (contre 26 millions en 2010), son taux n'est cependant que de 0,03 %. Tous types de fraude confondus, les émetteurs CB ont enregistré 296 millions d'euros de fraude, en augmentation de 14 % par rapport à 2010.

Un ménage sur trois détient un crédit à la consommation...

Après un net recul en 2008 et 2009, le taux de ménages détenant un crédit à la consommation s'est stabilisé à 30,2 % fin 2011, soit 8,4 millions, contre 30,1 % en 2010 (Observatoire des crédits aux ménages). 19,9 % des ménages avaient contracté un crédit à la consommation en 2011, soit 5,5 millions de nouveaux ménages, un chiffre en baisse de 6,6 % en un an.

Le chèque, exception française

En 2010, les Français ont établi 3,1 milliards de chèques pour 1828 milliards d'euros, soit 18 % du volume des moyens de paiement utilisés (hors espèces). La France est le pays d'Europe où circule le plus grand nombre de chèques ; elle devance le Royaume-Uni, où il ne représente que 8 % des transactions. Les Français règlent en revanche moins souvent leurs dépenses en argent liquide; la masse monétaire en circulation ne représente ainsi que 3 % du PIB, contre 11 % en Espagne ou 7 % en Allemagne.

La part du chèque dans les paiements est toutefois en forte baisse, puisqu'il en représentait 57 % en 1991 et 26 % en 2006. Son déclin devrait se poursuivre dans les prochaines années, d'autant que sa mise à disposition gratuite coûte 2,5 milliards d'euros par an aux banques, qui s'ajoutent aux 2,6 milliards liés à la délivrance d'espèces aux distributeurs automatiques. À l'inverse, les cartes bancaires et les virements et prélèvements sont pour elles des sources de revenus (respectivement 2,6 milliards et 0,7 milliard d'euros).

Le chèque sera sans doute en partie remplacé dans les prochaines années par de nouveaux modes de paiement sécurisés sur Internet et en face à face, avec notamment les paiements sans contact.

Les ménages ont essentiellement recours à ces financements pour réaliser des projets durables comme acheter un bien d'équipement, un véhicule, ou améliorer leur cadre de vie. Le financement de dépenses de loisirs ou de consommation courante est devenu très minoritaire. C'est le cas en particulier des moins de 30 ans : 71,5 % de ceux qui ont un crédit l'ont pour l'achat d'une voiture ou d'une moto (71,5 % d'entre eux, contre 59,9 % de l'ensemble des ménages ayant un crédit) ou l'équipement de la maison et le financement des équipements de loisir (25,4 % contre 25,5 %).

20,4 % des ménages avaient contracté leur crédit en cours auprès d'une banque ou d'un organisme de crédit (contre 19,7 % fin 2010). La part des crédits obtenus via des « cartes magasin » a diminué de plus de moitié en dix ans : 6,3 % des ménages en 2011 contre 13,6 % en 2011. Pour 2012, 3,6 % seulement des ménages envisageaient de recourir à un crédit à la consommation, ce qui traduit leur inquiétude sur la situation économique en cours et à venir.

… et un sur deux est endetté.

Le taux global de détention de crédits s'est stabilisé en 2011, à 49,4 %, contre 49,5 % fin 2010. Près d'un ménage sur trois (31 %) avait un crédit à l'habitat en cours (30,5 % en 2010). La demande avait été soutenue au dernier trimestre 2011, après l'annonce de la refonte du PTZ (prêt à taux zéro) et de l'extinction du dispositif « Scellier » fin 2012. La part des ménages ayant contracté des crédits en tant qu'accédants à la propriété s'établissait à 23,3 %, un taux parmi les plus élevés depuis le début des années 2000, avec le pic observé en 2009 (23,5 %). 1,4 million de nouveaux ménages avaient souscrit des crédits immobiliers en 2011, soit 5,1 % (+ 1,5 % sur un an). 3,3 millions de ménages, soit 11,8 %, avaient à la fois des crédits immobiliers et à la consommation en cours.

46 % des ménages détenant un crédit et 46,4 % de l'ensemble des ménages considéraient fin 2011 que leur situation financière s'était dégradée au cours des six derniers mois (en hausse respectivement de + 5,6 et 6,0 points par rapport à fin 2010). Pour autant, les charges de remboursement étaient considérées comme supportables pour 85,7 % des ménages, contre 85,2 % fin 2010), 14,3 % des ménages les trouvant toutefois trop élevées (+ 0,5 point par rapport à 2010).

Au total, les crédits de toute nature représentaient 77,4 % du revenu disponible brut moyen annuel des ménages au début 2011. Un taux en forte et constante progression en une décennie, puisqu'il n'était que de 52 % en 2000. Les crédits immobiliers comptent pour plus de 80 % de la dette. Pour les seuls ménages endettés, l'endettement moyen représente plus d'une année de revenu disponible moyen, mais en réalité plusieurs années car les ménages concernés ont un revenu inférieur à la moyenne.

Malgré l'alourdissement de la charge de remboursement, l'appréciation portée par les ménages s'est un peu améliorée : 15,4 % de ceux détenant des crédits considéraient fin 2008 que leurs charges étaient trop ou beaucoup trop élevées (4,9 % « beaucoup »), contre par exemple 14,1 % fin 2005, lorsque les taux d'intérêt étaient au plus bas. 50,9 % estimaient au contraire leurs charges supportables ou très supportables, contre 51,4 % en 2005.

Au moins un million de ménages sont en situation de surendettement.

L'endettement conduit cependant de plus en plus fréquemment au surendettement. En 2011, le volume de dossiers de surendettement déposés auprès de la Banque de France était en hausse de 6,6 %. 232 500 dossiers ont été déposés et 33 000 ont été clôturés. Depuis 1995, le nombre de dossiers

La vie à crédit

Évolution de la proportion de ménages endettés selon le type d'endettement et fréquence d'utilisation du découvert bancaire (en %)

	1990	2000	2011
Ensemble des ménages endettés dont :	50,9	51,8	49,5
– crédit immobilier seulement	22,6	17,3	19,2
– crédit immobilier et crédit à la consommation	11,1	11,3	12,5
– autres crédits seulement	17,2	23,2	23,3
Fréquence d'utilisation du découvert bancaire	22,6	23,8	25,6

Observatoire des crédits aux ménage

annuels de surendettement recevables a été multiplié par plus de 3, passant de 56 400 (1995) à 202 900 (2011). En mars 2012, le nombre de ménages en cours de désendettement dans le cadre d'une procédure s'établissait à 746 000. Mais le nombre total de ménages concernés dépasse sans doute le million.

À fin décembre 2011, le niveau moyen d'endettement pour l'ensemble des dossiers recevables s'établissait à 36 800 €, avec 9,3 dettes par dossier. L'endettement se composait pour 83,6 % de dettes financières, pour 8,9 % d'arriérés de charges et pour 7,5 % d'autres dettes. Les dettes financières étaient présentes dans 94,7 % des dossiers pour un endettement moyen de 32 500 €. 89,2 % des dossiers comportaient des dettes de crédits à la consommation, pour un encours moyen de 23 900 € ; elles comprenaient les crédits renouvelables (4,1 dettes en moyenne par dossier) et les prêts personnels (2,3 financements en moyenne par dossier). 59,4 % des dossiers comportaient des découverts et dépassements bancaires, pour un encours moyen de 1 300 €. Enfin, 8,9 % des dossiers comprenaient des dettes immobilières pour un montant moyen de 97 500 €.

La population surendettée est composée pour les deux tiers (65 %) de personnes vivant seules. 23 % des dépôts de dossiers sont dus à des difficultés familiales (séparation, divorce, décès du conjoint) se traduisant par une diminution des ressources. 26 % des particuliers surendettés sont au chômage. Le surendettement dit passif (causes liées à la perte d'emploi, la maladie, le divorce…) concerne les trois quarts des dossiers. La perte d'un emploi est le premier facteur à l'origine des situations de surendettement.

Malgré la baisse générale de la demande de crédit, tant pour l'immobilier que pour la consommation, on peut craindre un nouvel accroissement en 2012 du taux de surendettement des ménages, dans un contexte de chômage et une perspective de baisse du pouvoir d'achat moyen.

Les modes de consommation se rapprochent en Europe, …

On observe sur longue période une convergence des comportements d'achat et de consommation dans les pays de l'Union européenne (comme dans l'ensemble des pays développés). Ainsi, le budget des ménages a partout évolué de façon semblable. La part consacrée à la santé, au logement ou aux loisirs s'est accrue au fur et à mesure de l'accroissement du pouvoir d'achat des ménages, tandis que celle de l'alimentation ou de l'habillement diminuait.

Les Français encore peu endettés

Taux d'endettement des ménages dans quelques pays (septembre 2011, en % du revenu disponible brut et en % du PIB)

	% du revenu disponible brut	% du PIB
États-Unis	146	113,9
Espagne	124	82,1
Zone euro	96,7	64,2
Japon	93,2	63,9
Allemagne	87,7	60,4
France	80	55,3
Italie	65,7	45,8

Observatoire des crédits aux ménages

Les attitudes des consommateurs tendent aussi à se ressembler. Partout, ils sont devenus plus méfiants, exigeants et plus compétents en matière de compréhension et de comparaison des offres. Ils sont plus autonomes, s'efforcent d'acheter « malin » et cherchent à reprendre le pouvoir dans le traditionnel rapport de force entre l'offre et la demande.

Les attitudes et comportements sont aussi de plus en plus sem-

Eurobudgets

Répartition des dépenses de consommation des ménages dans l'Union européenne (2009*, en %)

	Logement	Transports	Alimentation et boissons non alcoolisées	Culture, loisirs, communications	Hôtels, cafés et restaurants	Autres
Allemagne	31,1	14,3	11,2	12,1	5,7	25,6
Autriche	29,3	12,4	10,8	13,6	11,5	22,4
Belgique	29,7	11,6	13,6	12,1	5,7	27,3
Bulgarie	24	18	21,8	11,5	8,9	15,8
Chypre	19,1	13,8	15,4	9,9	10,9	30,9
Danemark	34,5	11	11,3	12,5	4,9	25,8
Espagne	24	10,9	14	11,3	16,8	23
Estonie	28,1	12,1	21,3	9,5	5,7	23,3
Finlande	31,9	10,2	12,9	13,7	6,5	24,8
France	**32,5**	**14,6**	**14**	**12,2**	**6,3**	**20,4**
Grèce	22,5	10,5	16,8	8,8	13,7	27,7
Hongrie	27,2	13,7	17,7	10,7	5,1	25,6
Irlande	28,5	12,3	9,6	10,2	13,2	26,2
Italie	29,2	13	14,7	9,3	10,1	23,7
Lettonie	29,5	10,6	18,9	11,5	4,4	25,1
Lituanie	19,5	16	26	8,2	3,3	27
Luxembourg	30,6	16,5	9,3	10,4	7,4	25,8
Malte	20,3	12,6	16,8	15,8	13,1	21,4
Pays-Bas	30,2	11,7	11,7	14,4	5,2	26,8
Pologne	28,8	9,2	20,1	10,7	2,9	28,3
Portugal	20,7	14,4	16,2	10,4	11	27,3
Rép. tchèque	28,2	11,3	15,7	14,1	7	23,7
Roumanie	28,6	13,5	29,1	7,1	5	16,7
Royaume-Uni	27,5	14,4	9,7	13,7	10,2	24,5
Slovaquie	31	7,5	17,7	13,2	6,6	24
Slovénie	24,7	14,5	15	12,5	7,2	26,1
Suède	32,2	12,2	12,6	14,7	5,3	23
Europe à 27	*28,8*	*13,2*	*13,1*	*11,8*	*8,5*	*24,6*

* Données de 2008 pour l'Irlande et la Slovaquie, 2007 pour le Portugal, 2005 pour la Bulgarie.

Eurostat

blables dans les grandes agglomérations. Le rapprochement concerne en premier lieu les jeunes. Beaucoup se reconnaissent dans une même culture mondiale, fondée sur une musique commune, des goûts semblables en matière d'habillement ou de pratique sportive et un engouement pour les produits « globaux », souvent d'origine américaine (p. 90). La dépression économique a renforcé la convergence en cours.

… dans un contexte de globalisation de l'offre.

Le rapprochement continu des comportements de consommation s'explique par celui des modes de vie et des systèmes de valeurs. Il a été favorisé par l'ouverture aux produits étrangers, la multiplication des déplacements et voyages (professionnels ou privés), l'information diffusée par les médias. De leur côté, les entreprises ont cherché à élargir leur marché national. De nombreuses marques sont devenues internationales, de même que les produits qu'elles recouvrent. C'est le cas aussi des enseignes de distribution, qui proposent des assortiments semblables dans les pays où elles opèrent. Les sociétés de services (banques, assurances…) sont également de moins en moins différenciées.

Cette convergence n'est pas contradictoire avec la tendance générale à l'individualisation de la consommation. L'éventail des modes de vie, des attitudes et des comportements s'est déjà élargi au fil des années ; il s'est accompagné d'une diversification de l'offre, qui en était aussi bien la cause que la conséquence. Le mouvement de convergence est également à l'œuvre dans les dix pays de l'Est dans l'Union européenne, porteurs de cultures différentes et situés à des niveaux de développement économique moins élevés.

Des singularités nationales et régionales subsistent…

Si les mouvements de convergence dans les attitudes et les comportements des consommateurs européens sont de plus en plus apparents, certaines singularités nationales demeurent. La part des dépenses consacrées à l'alimentation dépasse toujours 20 % en Bulgarie, en Estonie, en Lituanie, en Pologne et en Roumanie alors qu'elle est inférieure à 15 % dans les pays les plus riches de l'Union européenne, depuis plus d'une dizaine d'années.

Les comportements dans les pays du Nord (Allemagne, Pays-Bas, Scandinavie…) restent influencés par la culture protestante. Le travail y joue un rôle moins important que par le passé et la relation à la consommation fait davantage débat, notamment depuis l'entrée dans une crise économique inédite. Les revendications environnementalistes y sont plus affirmées.

Les pays du Sud (Espagne, Italie, Portugal, Grèce) apparaissent, eux, un peu plus sensibles à certains aspects qualitatifs. Le besoin de confort, de relations humaines, d'épanouissement et de réalisation de soi par la consommation y est plus fort qu'au Nord. L'épicurisme du Sud se différencie de l'hédonisme du Nord par l'importance attachée à l'affectivité, aux rapports de séduction. Si la motivation culturelle ou esthétique est plutôt plus marquée au Sud, l'ouverture aux autres cultures est en revanche moins apparente. Les habitants y sont particulièrement attachés à leur passé et fiers de leurs traditions. La sensibilité aux marques étrangères est également plus forte au Sud.

Ainsi, les Français consomment trois fois plus de poisson et une fois et demie plus de viande que les Allemands. Ils boivent 20 % de plus d'alcool que la moyenne européenne (mais les produits achetés diffèrent en prix et en gamme et en prix selon les pays). Leur consommation de tabac est en revanche 20 % inférieure à la moyenne européenne, loin derrière celle des Allemands, des Italiens, ou surtout des Espagnols (supérieure de 50 % à la moyenne).

… mais elles tendent à s'estomper.

Les différences nationales ou Nord-Sud sont aujourd'hui plus grandes entre les catégories sociales d'un même pays qu'entre les pays pour une catégorie sociale donnée. Les traditions et particularismes régionaux sont en revanche vivaces. On observe dans tous les pays riches une interrogation grandissante quant au modèle libéral-planétaire fondateur de la société de consommation et jugé responsable de la crise économique actuelle. La montée de l'« altermondialisation » en est une illustration.

Géographiquement et culturellement, la France se situe au centre de l'Europe. Les attitudes et les comportements des Français en matière de consommation empruntent donc aux deux types de culture. Ils fréquentent ainsi moins les restaurants et les cafés que par le passé (p. 196). Leurs dépenses vestimentaires (p. 403) arrivent loin derrière celles des Italiens.

On peut observer dans certains domaines une « protestantisation », avec la montée des valeurs de simplicité, d'austérité, d'éthique, de libre-arbitre et d'écologie. Mais les valeurs « latines » n'ont pas disparu : méfiance à l'égard de l'argent et des prestataires ; consommation ostentatoire ; goût pour les marques ; intérêt pour la tradition, les produits du terroir, etc.

Malgré les mouvements apparents de « résistance », les modes de vie des Français s'européanisent. Les stéréotypes concernant leurs modes de vie, sont de moins en moins vérifiables.

LE PATRIMOINE

ÉPARGNE

Les Français ont épargné 17 % de leur revenu disponible en 2011.

Avec 16,8 % en 2011, le taux d'épargne des ménages a retrouvé le niveau record qu'il avait connu il y a près de trente ans, en 1983. Le taux d'épargne des ménages représente le solde entre les revenus et les dépenses de consommation. Il mesure la part du revenu disponible brut consacrée à l'épargne ou à l'investissement. À l'épargne financière (livrets de caisse d'épargne, placements en obligations, actions, bons à terme, liquidités...) s'ajoute l'endettement à moyen et à long terme, contracté en vue de l'achat et de l'amélioration d'un logement (qui a pour effet d'accroître le capital) ou, dans le cas des entrepreneurs individuels, de l'investissement en biens professionnels. Il faut préciser qu'un changement de mode de calcul a eu lieu en 1995 : les transferts sociaux en nature comme les remboursements de Sécurité sociale et les allocations logement sont depuis déduits des revenus des ménages. Cela a eu pour effet d'augmenter artificiellement le taux d'épargne d'un peu plus d'un point depuis cette date.

Pendant les Trente Glorieuses (1945-1974), le taux d'épargne était passé de 12 % à 20 % du revenu disponible brut des ménages, dans un contexte de forte croissance du pouvoir d'achat. Entre 1978 et 1987, il avait diminué de moitié, passant à moins de 11 %. Cette baisse s'expliquait principalement par celle de l'inflation (les deux facteurs variant généralement dans le même sens) et par la boulimie de consommation caractéristique des années 1980. Entre 1988 et 1993, les Français avaient retrouvé le chemin de l'épargne et le taux s'était stabilisé vers 15 % depuis 1994. Il avait atteint 16 % en 2010, et s'est encore accru de près d'un point en 2011. Entre 2000 et 2011, le taux d'épargne national est passé de 14,4 % à 16,8 %. Après une brève embellie économique, les Français ont réagi au ralentissement (réel ou ressenti) de leur pouvoir d'achat pour maintenir leur niveau de consommation.

Le maintien de ce niveau élevé pendant toutes ces années a été favorisé par la croissance du pouvoir d'achat (p. 363), mais aussi par l'inquiétude face au chômage et aux menaces pesant sur le financement des retraites. Avec la crise, 54 % des Français considèrent qu'ils doivent se préoccuper eux-mêmes de leur retraite, et de ce fait épargner sous une forme ou sous une autre (Le Cercle des Épargnants-CECOP/CSA, février 2012).

Quel patrimoine ?

Comme pour la mesure des revenus (p. 360), l'INSEE recourt à deux méthodes distinctes et complémentaires pour évaluer le patrimoine des ménages : une enquête Patrimoine s'appuyant sur les déclarations d'un échantillon de ménages ; un calcul à partir des données de la Comptabilité nationale.

La première méthode conduit à une sous-évaluation sensible. Les grandes fortunes tendent en effet à échapper au tirage au sort utilisé pour constituer un échantillon de ménages, ce qui fausse les résultats. De nombreuses personnes éprouvent aussi du mal à évaluer la valeur de leur patrimoine, soumise à des fluctuations importantes. De façon générale, les ménages tendent à minimiser leur patrimoine, voire à omettre certaines de ses composantes. La seconde méthode donne des résultats plus proches de la réalité, mais elle ne permet pas d'étudier les écarts entre les patrimoines, contrairement à la première. Il faut noter qu'aucune des deux méthodes ne prend en compte les fortunes des Français à l'étranger.

Le patrimoine considéré dans ce chapitre est celui mesuré avec la première méthode, à partir de la dernière enquête Patrimoine de l'INSEE (2010), mais les montants de patrimoines estimés ont été « recalés » sur les montants de la comptabilité nationale afin de réduire l'écart moyen lié aux différences méthodologiques. Le patrimoine considéré inclut les résidences principales, les résidences secondaires, l'immobilier de rapport (générant des revenus fonciers). Il prend en compte les actifs financiers des ménages et leurs actifs professionnels pour les ménages ayant une activité d'indépendant à titre principal ou secondaire. Il n'inclut pas les biens durables, ni les bijoux, ni les œuvres d'art. Le patrimoine indiqué est brut, l'endettement des ménages n'ayant pas été déduit.

Le taux d'épargne national reste l'un des plus élevés du monde.

Au sein des pays de l'OCDE (qui utilise un mode de calcul différent), les Français apparaissent comme des « fourmis », avec un taux d'épargne national de 12,3 % en 2010. Ils devancent les Allemands (11,3 %), les Suisses (10,7 %), les Irlandais (8,9 % en 2010, contre – 2,2 % en 2002) et les Autrichiens (8,3 %). Au Japon, le taux a sensiblement diminué, passant de 8,7 % à 6,2 % entre 2000 et 2010. Celui des États-Unis n'est que de 5,3 % (mais seulement 2,9 % en 2000) et celui du Canada reste stable sur la période (4,8 % en 2010).

Près de deux ménages français sur trois déclarent mettre de l'argent de côté. Leur principale motivation est de faire face à l'imprévu, en particulier la perte d'un emploi, une crainte largement fondée depuis la fin 2008. La constitution d'un complément de retraite est un autre objectif, mais pour la majorité des Français, il arrive derrière la volonté d'assurer l'avenir de ses proches.

Le taux d'épargne varie dans de fortes proportions selon la catégorie socioprofessionnelle : il atteint environ le quart du revenu disponible brut des professions libérales, des artisans, commerçants et chefs d'entreprise, près de 20 % de celui des cadres, mais à peine plus de 10 % de celui des agriculteurs et des professions intermédiaires. L'épargne des professions disposant d'un capital professionnel est proportionnellement plus élevée (agriculteurs, professions libérales, commerçants...) que celle des salariés.

Les comportements d'épargne et de consommation varient aussi selon les âges de la vie. Les ménages de 30-44 ans consomment une partie de leur épargne financière en prélevant régulièrement de l'argent pour subvenir à leurs besoins. Les 45-59 ans consacrent près de la moitié de leur capacité d'épargne au remboursement d'emprunts. Les 60 ans et plus, qui représentent moins d'un tiers de la population, effectuent près des trois quarts de l'ensemble des placements. Les plus de 75 ans ont un taux d'épargne deux fois plus élevé que la moyenne.

L'épargne financière a reculé au profit de l'immobilier.

L'un des changements les plus significatifs de ces trente-cinq dernières années a été la diminution de la part de l'épargne liquide (espèces, livrets d'épargne, comptes de dépôt, bons de capitalisation, comptes à terme)

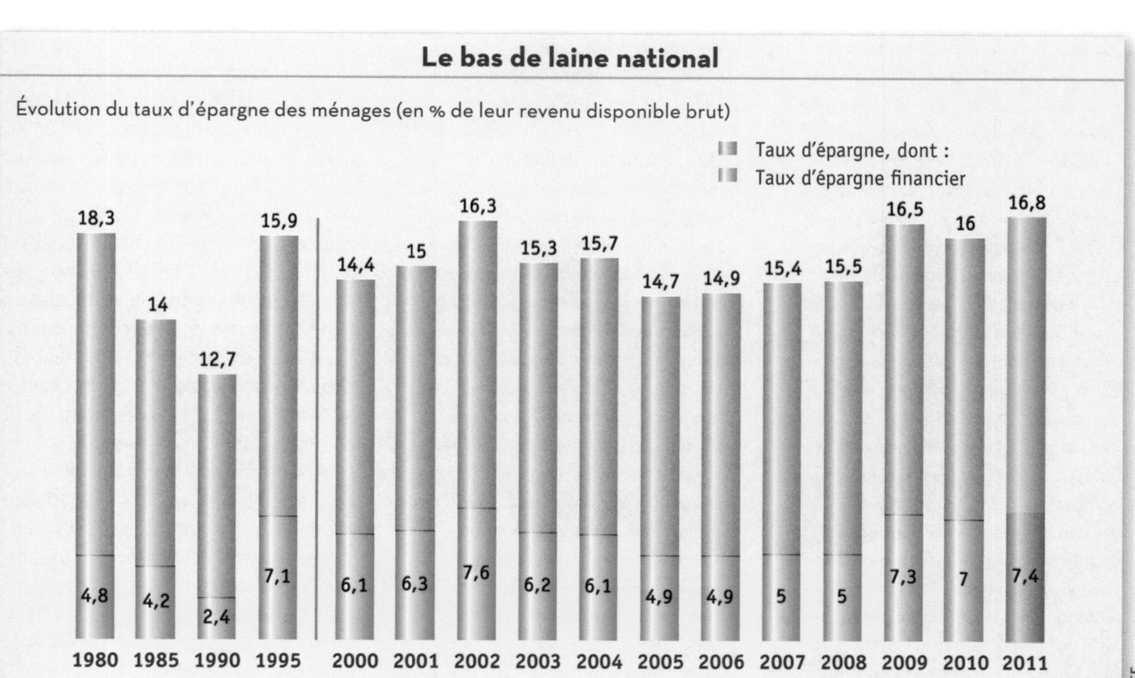

au profit des placements financiers, mieux rémunérés : valeurs mobilières, épargne monétaire, assurance-vie. Au début des années 1970, les livrets constituaient l'essentiel (80 %) de l'épargne nette. Dès le début des années 1980, on avait assisté à une substitution en faveur des obligations, puis des OPCVM (organismes de placements collectifs en valeurs mobilières).

À partir de 1987, la reprise économique et la conviction que la hausse des prix était maîtrisée avaient accéléré le transfert entre les liquidités et les placements. Celui-ci avait en outre été favorisé par des taux d'intérêt réels élevés. Le taux d'épargne financière des ménages (rapport de leur capacité de financement à leur revenu disponible brut) était ainsi passé de 3 % en 1990 à 7 % en 1992, retrouvant le niveau élevé des années 1970. Depuis le milieu des années 1990, il fluctue à un niveau comparable à celui de l'investissement immobilier, alors qu'il était de moitié inférieur en 1980.

En 2011, il a atteint 7,4 % contre 7 % l'année précédente, mais 9,1 % en 1975. Sur longue période, si l'épargne financière a diminué en valeur relative, l'écart a été en grande partie compensé par l'augmentation des investissements immobiliers. Depuis 1975, le taux d'investissement dans le logement est passé de 13,2 % à 8,3 % en 2002 pour remonter à 10,3 % en 2007 et revenir à 9 % en 2010. La part de ménages possédant un patrimoine immobilier s'est accrue plus vite que celle des ménages détenteurs d'un patrimoine financier entre 2004 et 2010 (+ 1,4 point contre + 0,7 point).

Épargner ou consommer ?

Les comportements en matière d'épargne s'expliquent par des facteurs objectifs tels que l'évolution du pouvoir d'achat, le niveau d'inflation, le coût du crédit, la rentabilité des placements ou la croissance du chômage, qui pèsent sur les revenus et le rendement des sommes placées. Mais ils sont aussi largement conditionnés par des facteurs subjectifs, qui sont liés aux modes de vie, aux systèmes de valeurs collectifs et aux perceptions individuelles de l'avenir. Ainsi, au cours des années 1980, la plus grande instabilité familiale et sociale avait renforcé le goût pour le court terme, donc favorisé la consommation au détriment de l'épargne. La multiplication et la banalisation des crédits à la consommation avaient aussi participé à ce changement des mentalités, même si elles n'en étaient pas la cause. Le résultat avait été une baisse continue et spectaculaire du taux d'épargne, jusqu'en 1986.

Les années 1990 avaient été au contraire marquées par la montée des craintes concernant l'avenir et une défiance croissante à l'égard des institutions. Ces craintes avaient incité les Français à se prémunir contre les aléas de la vie (chômage, maladie) et la baisse jugée inéluctable des pensions de retraite. C'est ce qui explique la remontée du taux d'épargne entre 1988 et 1995. Il s'est ensuite stabilisé, à un niveau qui reste élevé, reflétant celui de l'inquiétude des ménages. Beaucoup disposent aujourd'hui d'un « bas de laine » important, qu'ils peuvent mobiliser pour consommer (et contribuer ainsi à la croissance économique).

Les périodes de difficulté économique peuvent produire des effets contradictoires : épargne de précaution pour les uns ; nécessité de puiser dans l'épargne pour consommer pour d'autres. C'est la première attitude qui l'a emporté au cours des dernières années avec un accroissement du taux d'épargne, passé de 14,9 % du revenu disponible en 2006 à 16,5 % en 2010. Une poussée de l'inflation dans les prochaines années pourrait aussi encourager des ménages à emprunter plutôt qu'à épargner. Il faut noter que l'épargne, lorsqu'elle est « placée » peut être cependant considérée comme une consommation ; ses motivations (plaisir, satisfaction, jouissance...) sont seulement différées dans le temps.

Neuf ménages sur dix possèdent un patrimoine financier.

Le livret d'épargne reste le produit financier le plus fréquemment détenu par les ménages : en janvier 2012, 60 millions de livrets étaient ouverts. Alors qu'une même personne ne peut en avoir qu'un seul, on estime le taux de multi-détention à 20 % pour les personnes qui en ont ouvert un en 2009. Avec 223 milliards d'euros, les encours du livret A ont progressé de moitié (46 %) entre 2004 et 2011. La loi de modernisation de l'économie (LME) a permis, dès le 1er janvier 2009, de généraliser l'autorisation d'ouvertures d'un livret A à toutes les agences bancaires.

Le taux de détention apparent du livret A est estimé à 91,5 %, contre 38 % pour le livret de Développement durable (LDD) par exemple.). Les contrats d'assurance-vie ont progressé de 61 % entre 2004 et 2010 pour atteindre un montant de 1100 milliards d'euros (tableau). La proportion des ménages qui en détiennent est passée de 27 % en 2004 à 35 % en 2010. Les contrats d'épargne-retraite affichent un montant de seulement 166 milliards d'euros, en hausse de

Les actifs des actifs

Taux de détention d'actifs de patrimoine par les ménages selon le montant du patrimoine brut (2010, en %)

	Répartition des ménages	Livrets d'épargne	Épargne logement	Valeurs mobilières	Ass-vie, PEP, ép. Retraite	Épargne salariale	Patrimoine Immobilier	Dont résidence principale	Dont autres logements
Moins de 3000 €	11,1	58,1	3,3	0,6	16,9	2,2	2,3	2,3	0,0
De 3000 à 7500	8,7	78,2	11,9	1,3	26,1	6,2	3,6	3,3	0,3
De 7500 à 15000	6,6	82,2	17,9	4,2	37,6	11,5	5,8	4,9	0,9
De 15000 à 30000	6,8	88,4	33,0	7,1	45,0	14,5	9,8	7,6	2,8
De 30000 à 45000	3,2	90,7	38,8	10,8	49,0	13,7	24,1	17,5	7,0
De 45000 à 75000	3,5	85,8	33,2	18,7	49,3	16,9	52,1	41,7	11,1
De 75000 à 105000	3,5	83,9	27,8	13,8	46,7	12,9	75,1	63,0	14,4
De 105000 à 150000	6,7	86,9	29,7	11,5	44,5	11,7	91,2	82,4	12,4
De 150000 à 225000	12,6	88,7	31,6	16,5	48,9	14,0	95,1	90,5	10,7
De 225000 à 300000	11,4	91,2	37,4	22,4	54,6	20,6	98,2	93,3	18,8
De 300000 à 450000	11,7	91,0	42,1	30,6	63,6	22,6	98,1	94,7	32,6
De 450000 à 1000000	10,9	93,3	52,8	47,6	72,7	23,0	98,4	95,1	57,8
De 1000000 à 2000000	2,6	93,0	53,8	64,6	83,8	23,5	99,3	95,6	73,5
2000000 € ou plus	0,8	84,3	48,3	78,1	87,8	20,4	99,4	94,2	88,0

INSEE

66 % sur la même période avec un taux de détention par les ménages extrêmement faible de seulement 12 %. Les livrets d'épargne logement sont seulement possédés par 31 % des ménages contre 41 % en 2004 ; ils ont connu une baisse de 17 % et représentaient un montant total de 209 milliards d'euros en 2010. Un ménage sur quatre (24,3 %) possède des titres financiers pour un montant total de 973 milliards d'euros, en hausse de 28 % entre 2004 et 2010. Seuls 5,3 % des Français ne possédaient aucun patrimoine financier ou immobilier en 2010, contre 10 % en 1986. Il s'agit de ménages à faible revenu, dont la personne de référence est souvent un ouvrier non qualifié.

La crise financière et la chute des indices boursiers ont entraîné un recul du nombre de détenteurs de valeurs mobilières. Un cinquième des ménages en détiennent contre un quart en 2004. Les Français préfèrent limiter les risques et se tourner vers des produits moins rentables mais plus sûrs comme le Livret A ou la propriété de leur résidence principale. On note aussi une augmentation de trois points entre 2004 et 2010 de la part de ménages propriétaires d'une résidence secondaire ou de logements de rapport (18,7 % en 2010).

9 % des Français détiennent aujourd'hui des actions et 5 % des titres d'OPCVM sur des plans d'épargne en actions (PEA). L'ensemble des PEA représente un montant de 91,7 milliards d'euros, en progression de 25,7 % entre 2004 et 2010. L'ensemble des titres financiers, y compris PEA, a connu une progression de 28,1 % sur la période 2004 à 2010 et atteint un montant de 972,9 milliards d'euros en 2010.

Au total, les actifs financiers des ménages représentent près du double du PIB national (206 % en 2010 contre 184 en 2005 et 180 en 2008); en Europe, la France n'est dépassée que par les Pays-Bas (298 %), Chypre (281 %), la Belgique (259 %), Malte (252 %), le Danemark (250 %), le Portugal (228 %) et l'Italie (226 %). Elle est à égalité avec la Suède (203 %) et devant l'Allemagne (189 %), l'Autriche (178 %) ou bien l'Espagne (169 %).

Les épargnants recherchent avant tout la sécurité.

Les Français ont toujours eu une attitude prudente dans la gestion de leur épargne. Cette attitude explique la priorité qu'ils ont accordée aux placements sûrs comme le livret A, à une époque au plan d'épargne logement, mais aussi à l'assurance-vie en euros qui offre un rendement stable (sans oublier les matelas et les bas de laine). Il s'y est ajouté l'or et la pierre, longtemps considérés comme des « valeurs refuges ». Ils ont en revanche longtemps boudé les actions et les obligations, dont ils connaissaient assez mal le fonctionnement. Au début de l'année 2012, 47 % des Français estimaient que l'immobilier est le meilleur placement, en progression de 7 points par rapport à 2011 (Le Cercle des Épargnants-CECOP-CSA). Il était suivi par le livret A et les comptes sur livret (46 %, + 12 points), les contrats d'assurance-vie (19 %, - 1 point), les plans ou comptes d'épargne-logement (19 %), les comptes rémunérés (7 %), les actions (4 %, - 3 points) et les obligations (3 %).

À l'aversion nationale pour le risque s'est ajouté le goût pour la liquidité. C'est pourquoi les livrets de caisse d'épargne ou les Codevi, devenus LDD, sont restés populaires, malgré leur faible rentabilité. Neuf ménages sur dix possèdent un produit d'épargne liquide (livret, compte ou plan d'épargne...). Beaucoup utilisent également la possibilité d'obtenir des avances dans les contrats d'assurance-vie avant le terme des huit années de versement.

Les bonnes actions récompensées

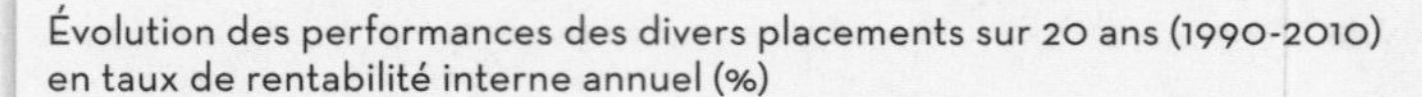
Évolution des performances des divers placements sur 20 ans (1990-2010) en taux de rentabilité interne annuel (%)

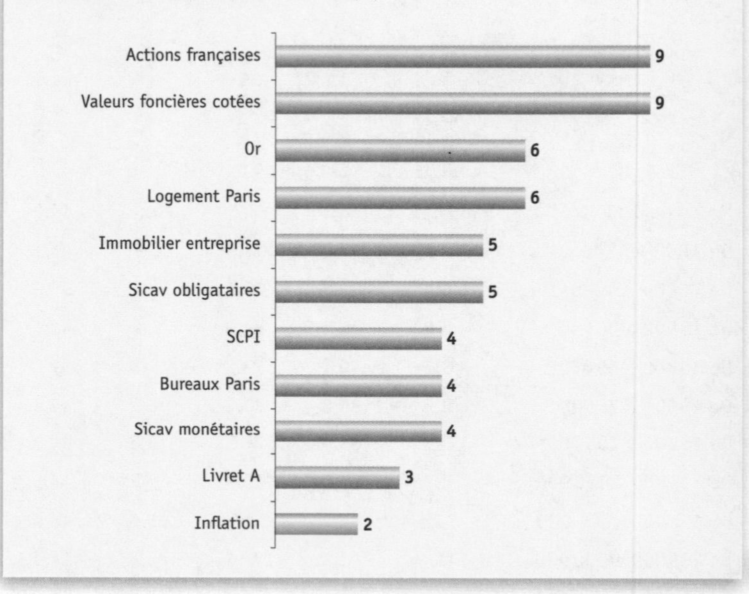

Cigales et fourmis

Taux d'épargne net des ménages dans quelques pays de l'OCDE (en %)

	2000	2005	2006	2007	2008	2009	2010
Allemagne	9,4	10,7	10,8	11,0	11,7	11,1	11,3
Corée du Sud	9,3	7,2	5,2	2,9	2,9	4,6	4,3
Danemark	−4,0	−4,2	−2,3	−4,0	−3,3	−0,5	nd
Espagne	5,9	4,7	4,2	3,6	6,6	11,9	nd
États-Unis	3,0	1,7	2,7	2,4	5,5	5,3	5,5
France	**11,0**	**11,1**	**11,2**	**11,7**	**11,7**	**12,7**	**12,3**
Italie	8,4	9,9	9,1	8,4	8,0	6,5	5,0
Japon	8,8	3,9	3,7	2,5	2,3	nd	nd
Pays-Bas	6,9	6,4	6,1	6,9	5,9	6,4	3,9
Pologne	10,0	7,3	7,5	6,1	0,8	7,8	nd
Royaume-Uni	0,1	−1,2	−2,2	−3,2	−2,8	1,2	nd

La fin de l'épargne protégée

La possibilité de protéger son capital à l'aide de placements sans risque rapportant plus que l'inflation (notamment les livrets de Caisse d'Épargne) fut exceptionnelle au cours du XXe siècle, entre les années 1920 et le début des années 1980. Un changement s'était opéré entre 1980 et 1986 : la hausse des prix était passée de 13,4 % à 2,6 % alors que les taux d'intérêt n'avaient pas baissé dans les mêmes proportions. Ceux servis sur les livrets A de Caisse d'Épargne avaient été supérieurs à l'inflation à partir de 1984. La baisse des taux d'intérêt, amorcée à la fin de 1993, avait atteint son terme fin 1999 ; elle avait été suivie d'une hausse en 2000 et 2001. Les performances des sicav monétaires avaient alors diminué de moitié en quelques années : 3,0 % en moyenne entre 1994 et 2001, contre 6,6 % entre 1988 et 1993 ; elles s'étaient ainsi rapprochées de celle des livrets A.

Entre 2002 et 2004, les taux d'intérêt avaient de nouveau baissé, ce qui avait permis aux Français de s'endetter dans de bonnes conditions, notamment pour effectuer des achats immobiliers (p. 174). Les taux avaient remonté en 2005, sous l'effet des décisions de la Banque centrale européenne. Parallèlement, les taux nets des placements sans risques avaient diminué, mais ils étaient restés positifs, y compris en 2008, année de la crise financière. Il fallait remonter au début du XXe siècle pour retrouver une période aussi faste (en 1900, l'inflation était proche de zéro et les placements en obligations rapportaient plus de 4 % net).

La protection de l'épargne sur les placements sans risque n'est plus assurée depuis le début 2012. Le taux de rémunération des livrets de Caisse d'Épargne a été maintenu en février à 2,25 %, alors que l'inflation atteignait 2,5 %. Il offrait donc pour la première fois depuis longtemps un rendement négatif aux épargnants.

Depuis les années 1980, les Français cherchent des moyens plus efficaces de protéger leurs patrimoines. Il faut dire que ceux-ci avaient été sérieusement érodés au cours des années 1970 par une inflation persistante ; une somme placée en 1970 sur un livret A de la Caisse d'épargne avait perdu un quart de sa valeur en francs constants en 1983, avant que les taux réels ne deviennent positifs. Les épargnants ont alors découvert la Bourse, ainsi que l'assurance-vie (ci-après) mais la crise de 2008 a entraîné une forte baisse de la détention de valeurs mobilières. Les Français se sont repliés sur des valeurs sûres, 60 millions de livrets A, et des placements moins risqués comme l'assurance-vie ou l'épargne-retraite.

En 2010, les actifs non risqués représentaient 31 % des placements

3 000 milliards

Part de ménages détenteurs des principaux produits financiers et montants détenus (part et variation en %, montants en milliards d'euros)

	2003-2004		2009-2010		Variation des montants
	Part des ménages détenteurs	Montants	Part des ménages détenteurs	Montants	
Livrets d'épargne (hors CEL)	83,2	305,8	85	447,3	46,3
Épargne-logement	41,3	251,6	31,2	208,9	– 17,0
Assurances-vie	57,5	689,8	59,5	1 113,8	61,5
Épargne-retraite	9,7	100,2	12,3	166,0	65,6
Titres financiers	28,3	759,7	14,3	972,9	28,1
Ensemble	**91,2**	**2 107,1**	**91,9**	**2 908,8**	**38,0**

Banque de France

financiers des ménages français. Les actifs liquides non risqués 24 %, et les actifs non liquides et non risqués 7 %. Les actifs risqués correspondaient à 38 % des placements contre 18 % pour les actifs liquides risqués et 20 % pour les actifs non liquides risqués. Enfin, l'assurance-vie en euros comptait pour 31 % des placements (Observatoire de l'épargne règlementée).

L'épargne liquide sert de valeur refuge…

La fin du monopole de la Caisse d'Épargne dans l'ouverture des livrets A au début 2009 s'est traduite par un rajeunissement de la population détentrice. Le nombre de possesseurs de moins de 25 ans est passé de 10 millions fin 2008 à 16 millions fin 2010 ; ils ont représenté 39 % des ouvertures dans les nouveaux réseaux de distribution contre 25 % dans les réseaux historiques. On a assisté à un transfert intergénérationnel, certains livrets ayant été ouverts pour le compte de mineurs avec parfois des montants élevés. Fin 2010, 17 % des livrets A avaient plus de 40 ans d'existence, 20 % entre 20 et 40 ans, 19 % entre 10 et 20 ans. Les moins de 25 ans sont aujourd'hui les premiers détenteurs de ces livrets, avec 27 % des 60 millions de comptes, mais les 25-45 ans et les 45-65 ans arrivent presque à égalité avec un peu plus du quart chacun, devant les plus de 65 ans (18 %).

À la fin 2010, le livret A représentait 61 % des produits d'épargne réglementée, le livret de développement durable (LDD, ex-Codevi) un peu plus de 21 % et le livret d'épargne populaire (LEP), 17 %. En matière d'épargne-logement, les plans comptaient pour 83 % du total, et les comptes pour 17 %, avec un moindre intérêt pour les épargnants. Le montant total des encours des livrets Jeunes représentait moins de 4 % de celui du livret A (7,1 milliards d'euros en 2010).

… et l'épargne bloquée à préparer l'avenir.

On observe un intérêt des Français pour les placements longs, afin de constituer une épargne de précaution, face aux risques de chômage et aux difficultés de financement des régimes de retraite. Pour 51 %, l'assurance-vie reste le meilleur placement retraite (Le Cercle des Épargnants-CECOP-CSA, 2012). Ceci explique que de plus en plus de ménages détiennent de l'assurance-vie ou de l'assurance décès involontaire : 42 % en possèdent au moins une en 2010, contre 35 % en 2004. Un peu plus de la moitié des détenteurs de contrats (53 %) sont des hommes ; 33 % sont âgés de 35 à 49 ans, 30 % de 50 à 64 ans. Parmi les catégories socio-professionnelles, on trouve une proportion importante de retraités (28 %), contre seulement 16 % d'employés et 12 % d'ouvriers.

Quant aux fonds de pension, largement utilisés dans les pays anglo-saxons comme compléments individuels de retraite, la France reste très en retrait : ils ne représentaient que 5 % du PIB en 2010, contre 101 % au Royaume-Uni et 107 % aux États-Unis. Sur les dix dernières années, le Royaume-Uni a connu la plus forte progression des actifs de fonds de pension (de 30 % à 101 % du PIB), suivi de l'Australie (24 % à 96 %), des Pays-Bas (23 % à 133 %) et des États-Unis (12 % à 107 %). Au Japon, le ratio a chuté à 55 % du PIB (Towers Watson, 2011). C'est le cas aussi de la France, où il est passé de 7 % du PIB en 2005 à 5 % en 2010.

Une faible culture financière

La crise qui sévit depuis 2008 a renforcé un sentiment d'incertitude et une peur du risque déjà très présents chez les Français. L'idée d'une perte totale de leurs avoirs n'apparaît plus comme une impossibilité aux épargnants, même si elle ne pourrait être que la conséquence d'une faillite de l'État. Cette crainte concerne tous les produits, y compris ceux jugés habituellement les plus sûrs, comme l'assurance-vie en euros.

L'anxiété des Français est sans doute renforcée par la faiblesse générale de la culture financière. Beaucoup éprouvent des difficultés à appréhender des concepts élémentaires ou à effectuer des calculs financiers simples. Ainsi, seul un sur deux est capable d'indiquer que 100 € placés à 2 % conduisent un capital de 102 € au bout d'un an (*l'Expansion*/Crédoc, novembre 2011). Un sur quatre parvient à identifier, dans une liste de trois réponses possibles, la bonne définition d'une obligation. Un sur deux (45 %) sait ce qu'est un fonds commun de placement, un sur deux aussi (52 %) connaît les principes du dividende.

Ces lacunes nourrissent aussi un sentiment d'incompétence : 80 % des Français disent se sentir un peu perdus en matière de placements financiers. 79 % souhaiteraient que l'on en apprenne davantage au cours de la scolarité en matière de finance, et 77 % sont réceptifs à l'idée de suivre une formation dans leur entreprise. Ces attentes sont sans doute amplifiées par les inquiétudes autour de la zone euro et de la dette des États.

Une correction des prix de l'immobilier s'est amorcée...

Les prix de l'immobilier résidentiel ont doublé en France au cours des années 2000 : + 94 % dans l'ancien entre 2002 et 2011. Le fléchissement amorcé en 2008 avait été rapidement effacé entre 2009 et 2011, de sorte que les prix sont déconnectés des revenus des ménages (tableau). La tendance semble cependant s'infléchir depuis 2011 (p. 175). Les ventes de logements neufs des promoteurs ont reculé de 11 % en 2011. À Paris, le phénomène a été plus tardif et moins marqué : le prix moyen du mètre carré dans l'ancien était en baisse de 0,4 % au début 2012 par rapport au trimestre précédent (Chambre des notaires Paris-Île de France) à 8 300 €. Sur le premier trimestre 2012, la production de nouveaux crédits immobiliers a connu aussi un fort recul, avec des taux d'intérêt orientés à la hausse depuis plus d'un an, à 4,04 % en février 2012 contre 3.41 % fin 2010 (Crédit Agricole, avril 2012).

Les experts penchent plutôt pour un « atterrissage en douceur » que pour une crise brutale, telle qu'elle s'était produite entre 1991 et 1997, avec l'explosion de la bulle spéculative, notamment à Paris et en région parisienne. Le patrimoine immobilier des ménages propriétaires avait alors fondu (avec des pertes estimées à 45 milliards d'euros au niveau national) tandis que celui des valeurs mobilières connaissait une forte croissance (ci-après). La construction de nouveaux logements avait redémarré au premier trimestre 1998, tandis que l'on constatait une reprise sensible des transactions de logements anciens. Mais les prix de l'immobilier ancien apparaissent surévalués d'environ 25 % en moyenne en France, et de 35 % à Paris, au regard du pouvoir d'achat immobilier des ménages et de leur capacité de remboursement.

La durée moyenne des prêts immobiliers a été une variable d'ajustement. Elle s'était considérablement allongée dans les années 2000, jusqu'à 19 ans fin 2007 contre moins de 14 ans au milieu des années 1990, pour redescendre à 17 ans en mars 2012. Dans l'hypothèse d'une nouvelle acquisition, les critères mis en avant par les ménages propriétaires concernent en premier lieu le montant du remboursement mensuel (40 %), devant la difficulté à vendre leur bien (26 %) et, pour 24 %, le fait de trouver un bien correspondant à leurs souhaits (Sofinscope/OpinionWay, 2012).

... et le profil des acquéreurs a changé.

Après une période de stagnation (p. 174), la proportion de ménages propriétaires a sensiblement progressé au cours des dernières années. Le « taux d'effort » théorique (charge de remboursement d'un crédit immobilier rapportée au revenu annuel) est passé de 25 % en 1999 à 40 % fin 2011. Il est beaucoup plus élevé que la moyenne pour les acquéreurs en Île-de-France et dans les grandes métropoles régionales. La part des primo-accédants (qui ne possèdent pas de bien à revendre), est ainsi en baisse, en particulier dans les régions les plus chères comme l'Île-de-France ou PACA. Le montant des acquisitions représentait en moyenne 3,8 années de revenu des ménages en mars 2012.

Les ménages modestes, dont le revenu est inférieur à deux SMIC, ont représenté jusqu'à 15,8 % des emprunteurs en 2009, en forte progression par rapport à 2001 (12 % des emprunteurs), mais le bouleversement du marché et des aides les a ramenés à 14,9 % en 2011. Compte-tenu des prix, on assiste à un recentrage du marché de l'immobilier en faveur de clientèles plus aisées. La progression de l'apport personnel reste soutenue (+ 10,1 % en

Pierre qui brûle, risque de « bulle »

Évolution des prix à la consommation, des prix des logements anciens et des revenus (indice 100 en 2000, France entière)

	Prix des logements anciens	Prix à la consommation	Revenu disponible par unité de consommation
2000	100	100	100
2001	108	102	104
2002	117	104	108
2003	131	106	111
2004	150	108	115
2005	173	110	117
2006	194	112	122
2007	207	113	128
2008	210	117	131
2009	195	117	131
2010	**207**	**119**	**133**

INSEE-Notaires

rythme annuel sur les trois premiers mois de l'année 2012) et s'accompagne d'un moindre recours au crédit, en baisse de 3,2 % sur le premier trimestre 2012 à un rythme annuel.

En 2011, la part des emprunteurs ayant des revenus supérieurs à cinq Smic était de 22,4 %, contre 19,6 % en 2009 (mais 27,6 % en 2001). Le rajeunissement des acquéreurs observé dans les années 2000 s'est inversé depuis 2010, et s'est accéléré avec la remise en cause du prêt PTZ+ et la réduction des avantages de la loi « Scellier » (loi de défiscalisation pour l'achat de logements neufs). Les jeunes de moins de 35 ans ne représentaient plus que 49,1 % des emprunteurs en 2011, contre 52,4 % en 2009. Les 45-55 ans en représentaient 14,3 % (contre 12,9 % en 2009) et les plus de 55 ans 6,1 % (contre 5,5 % en 2009). Conscients de la difficulté croissante d'obtenir un prêt immobilier, 39 % des Français souhaiteraient que les pouvoirs publics facilitent l'accession à la propriété (Orpi-Ipsos, janvier 2012).

Un ménage sur cinq détient des valeurs mobilières.

Les Français avaient découvert la Bourse au cours des années 1980. Les efforts des pouvoirs publics pour diriger l'épargne des particuliers vers les valeurs mobilières avaient été favorisés par les fortes hausses des actions en 1983, 1984, 1985 et 1986 (respectivement 56 %, 16 %, 46 % et 50 %). Ce climat euphorique et les privatisations réalisées en 1986 et en 1987 avaient décidé un grand nombre de Français à devenir actionnaires ; 20 % des ménages étaient concernés fin 1987, contre la moitié trois ans plus tôt. Les krachs boursiers d'octobre 1987 et août 1990, ainsi que l'effondrement des valeurs technologiques de la « nouvelle économie » en 2001, avaient remis en question cet engouement, mais de façon temporaire.

En effet, le CAC 40, créé fin 1987 avec une valeur de 1 000 points, avait atteint son plus haut niveau à la veille de l'éclatement de la « bulle Internet », le 4 septembre 2000, à 6 922 points. Il était revenu à 2 400 points en mars 2003, à la suite des attentats du 11 septembre 2001. Il franchissait de nouveau la barre de 6 000 points en mai 2007 pour retomber à moins de 3 000 points pendant l'été 2009, reprendre à plus de 4 000 points début 2011 et rechuter au plus bas à 2 800 points au cours de l'été 2011. Le 7 mai 2012, au lendemain de l'élection de François Hollande, le CAC 40 était à 3 200 points.

Depuis le retournement boursier de la fin 2000, les Français ont limité leurs

Booms et krachs

La hiérarchie des placements a sensiblement évolué dans le temps. Au cours des années 1960, les plus rémunérateurs étaient les terres louées, les obligations et le logement. L'or, les livrets d'épargne et les bons, largement présents dans les patrimoines des ménages, avaient une rentabilité réelle négative. Dans les années 1970, le placement le plus rentable était l'or, suivi des terres louées, du logement et des obligations. Les produits d'épargne logement, livrets et bons avaient un rendement négatif, et les actions (françaises, notamment) réalisaient des performances modestes. La décennie 1980 a été particulièrement favorable aux actions françaises, devant les obligations et le logement de rapport. L'or et les terres louées furent les moins avantageux.

Les années 1990 resteront aussi comme une période très favorable aux détenteurs de valeurs mobilières, alors que les placements immobiliers subirent une grave crise. Entre fin 1982 et fin 2000, le cours des actions françaises a connu une hausse moyenne de 17 % par an. La forte baisse des années 2000 à 2002 (46 % entre fin août 2000 et fin août 2002) n'avait fait qu'annuler les gains obtenus entre fin 1998 et août 2000. Elle a été compensée par les hausses de 2003 à 2005. Celles de 2006 et 2007 ont été totalement effacées en 2008, avec une baisse de 43 %, la plus forte jamais enregistrée depuis la création du CAC 40 en 1988. Le début de rattrapage de 2009 (+ 22 %) a été suivi de deux années de baisse : 3 % en 2010 et 17 % en 2011.

La rentabilité réelle des placements dépend fortement de la période considérée. Entre 1913 et 2000, les actions avaient été plus performantes que l'or ou les obligations, avec une augmentation moyenne de 4 % du pouvoir d'achat de l'épargne investie, contre une stabilité pour l'or et une baisse de 1 % pour les obligations. Les possesseurs de ces dernières avaient d'ailleurs été presque ruinés pendant la première moitié du XXe siècle. Entre 1950 et 2000, les actionnaires ont vu leur capital multiplié par plus de trente, malgré les krachs boursiers de 1981, 1987, 1990 et 1998. Pendant ce demi-siècle, les obligations ont à peine doublé, tandis que les placements sans risque ont tout juste conservé leur valeur, grâce aux taux réels positifs des quinze dernières années. Mais on sait que « les performances passées ne préjugent pas des performances futures ».

souscriptions de titres en direct, notamment pour les plus âgés, dont beaucoup ont vendu leurs actions. Seuls 15 % des ménages détiennent directement ou indirectement des actions, contre la moitié aux États-Unis ou le tiers en Suède (Banque de France).

L'or et l'art ont connu de fortes hausses dans les dernières années.

L'or, traditionnellement thésaurisé par les Français, avait baissé de façon spectaculaire à partir de 1984. En 2001, il valait presque le même prix, en monnaie courante, qu'à la fin des années 1970. Par rapport au début des années 1950, les quelque 5 000 tonnes d'or détenues par les ménages avait perdu au moins la moitié de leur valeur ; un portefeuille d'obligations valait sept fois plus, un portefeuille d'actions cinquante fois plus. Depuis 2002, le cours de l'once d'or a connu une progression extrêmement forte : il avait atteint 2 662 dollars en avril 2012, soit dix fois plus qu'en 2001. Ce retour en grâce s'explique par l'engagement massif des investisseurs en prévision d'un retournement des marchés d'actions, d'une reprise de l'inflation ou d'une chute du dollar, ainsi que par l'importance des besoins industriels.

Le marché de l'art a connu, lui aussi, une évolution contrastée, du fait notamment de sa dimension devenue mondiale. Au cours des années 2000, les ventes de très haut de gamme (enchères dépassant le million de dollars) avaient été multipliées par six, avec 1675 œuvres vendues en 2011, dont 774 à des acheteurs chinois (Artprice). En 2011, le chiffre d'affaires mondial des ventes publiques avait atteint 11,6 milliards de dollars, soit 2 milliards de plus qu'en 2010, qui était pourtant l'année record de la décennie.

Le marché de l'art français ne représentait plus en 2011 que 4,5 % des ventes contre 5 % en 2010 soit 521 millions de dollars (Artprice). La France maintient cependant sa quatrième place, derrière la Chine (41 % du chiffre d'affaires mondial), les États-Unis (23,5 %, contre 29,5 % en 2010) et le Royaume-Uni (19 %). Mais Paris est reléguée à la cinquième place par Hong Kong et talonnée par Shanghai. La forte médiatisation, le besoin grandissant de culture et d'esthétique, joints aux perspectives de plus-values importantes, a amené une petite minorité de Français à s'intéresser à ce type de placement, en concurrence avec les acheteurs du monde entier.

Les Français et les riches

La richesse est de plus en plus présente en France. Parce que le nombre de riches s'accroît, et parce que le thème est récurrent dans les médias, les débats politiques et les conversations. On en parle le plus souvent pour la dénoncer, la « crise » la rendant plus indécente aux yeux des Français, qui n'ont jamais vraiment aimé les riches (p. 341). Pour eux, la fortune témoigne des inégalités sociales, auxquelles ils sont plus sensibles que la plupart des peuples, même si la France n'est pas un pays particulièrement inégalitaire du fait du niveau élevé des prestations sociales et de la redistribution (p. 362). On observe d'ailleurs comme dans de nombreux domaines un écart important entre la perception globale des inégalités (forte) et la perception individuelle (plus modérée).

Les inégalités dans la répartition des richesses sont dénoncées, dans leur principe, par tous les groupes sociaux, des ouvriers aux cadres, ou même aux patrons. Elles le sont cependant plus souvent chez les sympathisants de gauche que de droite. Surtout, les premiers les considèrent comme des injustices, alors que les seconds les jugent inévitables, qu'elles soient dues à la chance ou au mérite.

La grande majorité des Français sont en tout cas demandeurs de mesures de réduction des inégalités de revenus ou de patrimoine. Bien que l'ISF soit une exception nationale, ils continuent de le plébisciter : 23 % le citent en premier « s'il devait y avoir une augmentation des impôts et des taxes » (Triélec/TNS Sofres, février 2012). À la veille de l'élection présidentielle, 65 % se disaient favorables à la proposition de François Hollande de taxer à 75 % les revenus dépassant un million d'euros par an (*RTL*-Orange/BVA, mars 2012). 71 % étaient également partisans d'une taxation des exilés fiscaux (*l'Humanité*/Ifop, mars 2012).

FORTUNE

N.B. Pour les données globales, ce chapitre utilise les données de la Comptabilité nationale. Pour la répartition des patrimoines privés selon les caractéristiques sociodémographiques, il prend en compte les résultats de l'enquête Patrimoine de 2010 (voir encadré p. 417).

Les Français détiennent un cinquième du patrimoine national...

La valeur globale du patrimoine des Français (résidant en France) ne peut être définie avec la même précision que leurs revenus. Il est en effet impossible de connaître le détail des biens possédés et surtout leur valeur réelle, souvent très fluctuante. Un actif (mobilier ou immobilier) soumis à un marché n'a en effet de prix que lorsqu'il est vendu. Les droits à la retraite accumulés par les ménages ne sont pas pris en compte, car ils ne sont pas cessibles (ils sont cependant transmissibles en partie au conjoint survivant) ; ils seraient en tout état de cause difficiles à évaluer.

D'après les données de la Comptabilité nationale, le patrimoine net des ménages (y compris les institutions à but non lucratif au service des ménages et après prise en compte de l'endettement) s'élevait à près de 10 200 milliards d'euros fin 2010 ; il représentait près d'un cinquième (78 %) du patrimoine national. Les actifs étaient composés pour près des trois quart (73 %) d'actifs non financiers, principalement de logements (32 %) et terrains (35 %). 58 % des ménages étaient propriétaires de leur logement. L'envolée du patrimoine immobilier des ménages Français résulte moins d'un accroissement des volumes bâtis ou des prix de la construction que d'une forte appréciation du prix du foncier.

Le patrimoine financier était constitué pour l'essentiel d'actions détenues directement ou indirectement et de titres d'OPVCM à hauteur de 1 001 milliards et, surtout, de provisions techniques d'assurances (1469 milliards investis pour partie en actions). Les ménages possédaient également des montants importants d'épargne sous forme de dépôts et de numéraire : 1 123 milliards, dont 447 dans les livrets et 576 sur des comptes courants. Leur endettement, pris en compte dans le montant indiqué, était estimé à 1 232 milliards d'euros, dont 888 de crédits immobiliers.

Le premier décile 1 000 fois plus riche que le dernier

Entre 2004 et 2010, le patrimoine moyen des 10 % de ménages les plus fortunés a augmenté de 400000 €, passant de 840000 € à 1200000 €, soit une hausse 43 %. Dans le même temps, celui des 10 % les moins fortunés n'a progressé que de 114 €, passant de 1237 à 1351 € (+ 9 %). La conséquence est que le rapport entre les patrimoines moyens du dernier décile et du premier décile est passé de 680 en 2004 à 920 en 2010. Il faut noter que, pendant la période, le patrimoine des ménages situés dans la moyenne (cinquième décile) s'est accru de 36000 €, soit un gain de 45 %, comparable à celui des plus aisés.

Ce fort accroissement des écarts entre les fortunes s'explique par celui des revenus, qui constituent une source d'épargne et donc d'augmentation du patrimoine. Il est aussi lié à la forte hausse des prix de l'immobilier, qui représentent une part plus importante des plus fortunés que des ménages les plus modestes, moins souvent propriétaires de leur logement.

... et sa valeur a doublé entre 2000 et 2010.

En dix ans, la valeur du patrimoine net des ménages a doublé; elle n'était que de 4 922 € en 2000 contre 10 103 € en 2010. Elle avait été multipliée par 1,5 entre 1990 et 2000 et par 2,3 sur la période 1980-1990. Au total, depuis 1980, la valeur du patrimoine net des ménages a donc été multipliée par 7,5. Sur l'année 2010, elle a progressé de 9,1 % après la légère hausse de 2009 (+0,7 %) et la baisse de 2008 (-3,1 %). Cet enrichissement sensible s'explique principalement par les hausses intervenues sur le marché immobilier.

Pour accroître leur patrimoine, les Français se sont fortement endettés. En 2010, les emprunts à long terme représentaient 69 % de leur revenu disponible brut, contre seulement 26 % en 1978. Sur cette période, on peut identifier trois phases distinctes. Entre 1978 et 1990, l'indice d'encours d'endettement à long terme a été multiplié par cinq, grâce à une relative faiblesse des taux d'intérêts réels (après prise en compte de l'inflation), et la valeur du patrimoine net a été presque multipliée par trois. Entre 1992 et 1997, la forte contraction du marché immobilier et la récession de 1993, dans un contexte de taux d'intérêts élevés, ont renversé la tendance. À partir de 2002, l'endettement a repris sa croissance, avec la hausse rapide des prix de l'immobilier et des taux d'intérêts réels faibles. L'indice d'encours d'endettement représentait ainsi en 2010 près de 14 fois de la valeur de 1978. En même temps, la valeur du patrimoine net est passée de 4,3 années du revenu disponible brut des ménages à 8 années.

Les ménages possèdent en moyenne 229 000 €.

Le patrimoine moyen des ménages s'élevait à 229 300 € en 2010 (France entière). La moitié d'entre eux, qui déclarent posséder plus de 150 000 € de patrimoine brut, représentent 93 % des avoirs. Il faut noter que ces chiffres n'incluent pas la fortune des Français résidant à l'étranger (au contraire de celles des étrangers résidant en France). Bien qu'elle ne puisse être précisément évaluée, il semble qu'une fuite de capitaux se soit produite depuis

La « reproduction » des inégalités

Comme en matière de scolarité (p. 76) ou de revenus, le système de « reproduction sociale » décrit par le sociologue Pierre Bourdieu est apparent dans les patrimoines. La mobilité professionnelle et sociale entre les générations reste faible, de sorte que les enfants de familles aisées sont plus nombreux que les autres à occuper des postes salariés à revenus élevés ou à exercer des activités non salariées permettant la constitution d'un capital professionnel. L'importance des écarts entre les héritages perçus par les différentes catégories sociales tend également à accroître les inégalités.

De plus, les patrimoines les plus élevés obtiennent des rendements et des plus-values supérieurs à ceux des patrimoines plus modestes. Leurs propriétaires bénéficient en effet d'une meilleure information sur les opportunités existantes, d'un meilleur service de la part des intermédiaires financiers et de frais réduits (en proportion des investissements) sur les opérations effectuées. Chacun de ces facteurs va dans le sens d'un renforcement des inégalités. À l'inverse, les patrimoines les plus élevés, qui contiennent davantage de produits à risque, sont plus touchés que les autres en période de récession économique, comme on a pu le constater en 2008.

Les revenus du patrimoine participent aussi largement aux inégalités. C'est le cas en particulier parmi les inactifs, qui tirent en moyenne un quart de leurs revenus de leur patrimoine. Celui-ci diffère d'ailleurs largement selon les catégories de retraités, leur capacité d'épargne antérieure, l'efficacité des placements effectués et les héritages reçus. Ces éléments expliquent que les écarts entre les revenus disponibles des retraités sont plus élevés que ceux qui existaient entre leurs salaires lorsqu'ils étaient en activité.

Compte tenu des difficultés de financement des retraites, les inégalités pourraient s'accroître à l'avenir entre les retraités qui disposeront d'un patrimoine important et pourront prélever des revenus complémentaires ou transformer une partie de leur capital en rente, alors que les autres ne disposeront que de leurs pensions de retraite.

les années 2000, vers des destinations fiscales plus attrayantes (Belgique, Suisse, Royaume-Uni, Luxembourg...). On peut donc estimer que le patrimoine des Français (résidents ou non) est sous-estimé.

Entre 2004 et 2010, les inégalités de patrimoine se sont significativement accrues (Insee, Enquête patrimoine 2010). Les 10 % des ménages les moins dotés ne possèdent que 0,1 % du patrimoine total en France alors que les 10 % les plus riches en possèdent près de la moitié. Les premiers possèdent un patrimoine de 2 700 € maximum et les seconds un patrimoine de 552 000 € minimum. Ceux qui font partie de la tranche des 1 % les plus riches détiennent chacun plus de 1,9 million d'euros.

En 2010, le patrimoine brut des ménages était majoritairement composé de biens immobiliers (62 %) et de 20 % de produits financiers. Acheter un bien immobilier reste l'étape la plus importante pour constituer un patrimoine : le montant du patrimoine brut moyen des ménages propriétaires de leur résidence principale est en moyenne 8,3 fois plus élevé que celui des locataires. Sur la base d'une comparaison internationale (Crédit Suisse, octobre 2011), les Français détenteurs d'un patrimoine supérieur à 100 000 dollars représentent 49 % de la population, contre 55 % au Royaume-Uni, 36 % aux États-Unis, 59 % au Japon, 2,3 % en Chine et 0,4 % en Inde. En 2010, le nombre de millionnaires était de 2 600 en France, contre 204 en Inde, 1 000 en Chine, 1 600 au Royaume-Uni, 10 000 aux États-Unis.

Les patrimoines ont beaucoup plus progressé que les revenus...

Le pouvoir d'achat des Français a été multiplié par cinq au cours de la seconde moitié du XXe siècle (après prise en compte de l'augmentation des prix). Mais leur patrimoine a bénéficié d'une croissance encore plus forte pendant cette période. Entre 1949 et 1959, il avait augmenté en moyenne de 4,4 % par an en monnaie constante, un rythme de croissance très proche de celui du revenu (4,5 %). La croissance avait été encore plus spectaculaire entre 1959 et 1969 : 5,9 % par an, contre seulement 5,5 % pour les revenus. Elle s'expliquait par les fortes plus-values réalisées dans l'immobilier, l'augmentation des revenus et de l'épargne, ainsi que l'accroissement du recours au crédit.

Les années 1970 ont été moins favorables, compte tenu du niveau élevé de l'inflation, de la mauvaise tenue des valeurs mobilières (les actions françaises ont stagné pendant la période) et des livrets d'épargne. Au total, le patrimoine moyen s'est tout de même accru d'un quart en francs constants pendant la décennie. Sur la période

Le grand écart

Évolution des patrimoines moyens des ménages par décile (en euros et en % de variation)*

	1998	2004	2010*	Évolution entre 2004 et 2010 (en %)
Inférieur au 1er décile	339	354	1 351	9,2
Entre 1er et le 2e décile	2 123	2 137	4 670	– 2,0
Entre 2e et le 3e décile	7 769	8 357	12 955	– 1,5
Entre 3e et le 4e décile	24 922	30 843	42 271	25,4
Entre 4e et le 5e décile	56 768	76 835	115 964	45,4
Entre 5e et le 6e décile	83 229	116 801	179 010	44,2
Entre 6e et le 7e décile	110 500	155 295	238 312	44,3
Entre 7e et le 8e décile	145 857	204 937	309 554	43,4
Entre 8e et le 9e décile	211 276	298 051	441 537	39,9
Supèrieur au 9e décile	552 657	755 406	1 243 367	47,6
Ratio 9e décile/1er décile**	**1 631,6**	**2 134,5**	**920,2**	**35,2**

* Le patrimoine détenu comprend les biens immobiliers, les actifs financiers ainsi que le patrimoine professionnel pour les actifs indépendants. Chiffres France métropolitaine pour 1998 et 2004, France entière pour 2010. Le 1er décile représente les 10 % de ménages les moins fortunés, le 9e décile les 10 % les plus fortunés.
** Rapport patrimoine moyen des 10 % des ménages au patrimoine le plus élevé/ patrimoine moyen des 10 % des ménages au patrimoine le moins élevé

INSEE

1970-1985, patrimoines et revenus se sont développés au même rythme.

La décennie 1990 a été particulièrement faste pour les premiers. De sorte qu'entre 1983 et 2000 le patrimoine net des ménages (après déduction de l'endettement) s'est accru en moyenne de 3,2 % par an, alors que leur revenu disponible augmentait de 2,5 %. L'écart s'est de nouveau accru jusqu'en 2010, compte tenu de la forte revalorisation des biens patrimoniaux mobiliers et immobiliers, dans un contexte d'augmentation réduite du pouvoir d'achat. Sur la période 1998 à 2008, la valeur nette du patrimoine des ménages a progressé en rythme annuel de 8,3 %, puis de 0,7 % en 2009 et de 9,1 % en 2010. Ce sont les terrains bâtis qui ont connu la plus forte progression : 21,6 % par an entre 1998 et 2008, avant une baisse de 6,6 % en 2009 et une augmentation de 18,3 % en 2010.

… et les écarts sont nettement plus élevés.

Le rapport entre le montant du patrimoine et celui du revenu augmente avec le niveau de ce dernier. Cela signifie que les écarts de richesse entre les ménages sont plus élevés que ceux existant entre les revenus. L'indice de Gini pour les revenus est ainsi beaucoup plus faible (indicateur synthétique variant de 0 [situation d'égalité parfaite] à 1 [situation la plus inégalitaire] ; entre les deux, l'inégalité est d'autant plus forte que l'indice est élevé). En France, il était de 0,293 à la fin des années 2000, équivalent à celui de l'Allemagne (0,295). Il s'élevait à 0,342 au Royaume-Uni, à 0,337 en Italie, à 0,317 en Espagne et 0,305 en Pologne. Il était inférieur en Autriche (0,261), en Belgique (0,259) et au Danemark à 0,248 (OCDE).

Ce phénomène s'explique en partie par le fait que le patrimoine est constitué de l'accumulation de revenus épargnés au fil du temps. On observe ainsi une augmentation régulière et forte du patrimoine avec l'âge, avec cependant une décroissance après 60 ans. Les ménages âgés de plus de 70 ans détiennent ainsi un patrimoine médian beaucoup plus faible que les 40 à 69 ans. Cet écart est en partie une conséquence des donations ou des cessions d'une partie du patrimoine par anticipation de la succession (ci-après). Cependant, il est probable que l'effet générationnel a joué également en leur défaveur. La génération née entre 1945 et 1955 possède ainsi un patrimoine nettement plus élevé que celles qui l'ont précédée ou qui la suivent.

Le patrimoine varie selon le lieu de résidence et le type de ménage…

On observe un écart significatif entre le patrimoine moyen des Parisiens et celui des habitants des communes rurales ou des unités urbaines de moins de 20 000 habitants, en défaveur des premiers. La faible proportion de propriétaires dans la capitale (44,5 %, contre 60,5 % en moyenne pour la France métropolitaine) explique en grande partie cette diffé-

Âge, métier, famille, fortune

Patrimoine médian* des ménages selon certaines caractéristiques (2010, en milliers d'euros)

	Patrimoine brut global médian	Patrimoine financier médian	Patrimoine immobilier médian
Âge de la personne de référence du ménage			
Moins de 30 ans	10 400	3 600	0
De 30 à 39 ans	105 900	7 100	24 900
De 40 à 49 ans	186 100	9 900	136 600
De 50 à 59 ans	226 600	14 800	164 200
De 60 à 69 ans	219 200	16 700	159 100
70 ans et plus	149 200	14 600	103 200
Catégorie socioprofessionnelle de la personne de référence du ménage			
Agriculteur	642 100	56 100	154 900
Artisan, commerçant, industriel	338 700	14 500	205 300
Profession libérale	555 900	65 200	354 000
Cadre	296 700	28 900	232 700
Profession intermédiaire	177 200	12 700	134 200
Employé	26 600	4 500	0
Ouvrier qualifié	41 800	4 800	0
Ouvrier non qualifié	8 500	1 700	0
Agriculteur retraité	152 900	15 800	90 600
Indépendant retraité	287 200	23 900	204 500
Salarié retraité	169 000	14 700	127 000
Inactif n'ayant jamais travaillé	6 000	2 100	0
Personne seule	53 900	7 000	0
Famille monoparentale	15 400	2 600	0
Couple sans enfants	226 700	18 700	167 400
Couple avec enfants	227 400	12 100	180 300
Autres cas	129 000	8 100	86 400
Ensemble	**150 200**	**10 300**	**106 700**

* Tel qu'il y a autant de ménages situés au-dessus de la médiane qu'au dessous (différent de la moyenne, qui est la somme des patrimoines divisée par le nombre de ménages).

INSEE

rence. En revanche, le patrimoine financier des Parisiens non propriétaires est supérieur à celui des non-propriétaires habitant la province. De façon générale, le patrimoine privé médian décroît avec la taille de la commune, sauf dans l'agglomération parisienne ; il est plus élevé hors de la capitale, du fait de la proportion plus importante de ménages propriétaires (52 %).

Le patrimoine brut global médian des familles monoparentales était dix fois inférieur à la moyenne fin 2010 (15 400 € et 150 200 € respectivement). Mais les ménages de personnes âgées ou, au contraire, très jeunes sont surreprésentés parmi les premiers, comme les ménages à faibles revenus parmi les seconds. Les couples sans enfant et ceux ayant deux enfants possèdent un patrimoine équivalent, 226 700 € pour les premiers et 227 400 € pour les autres.

… et la catégorie socioprofessionnelle.

Parmi les salariés, le patrimoine médian des cadres est onze fois supérieur à celui des employés. Cet écart s'explique par le revenu ou le diplôme, fortement liés à la catégorie sociale. Les cadres détiennent un patrimoine de 296 700 € contre 26 600 € pour un employé, 41 800 € pour un ouvrier qualifié et seulement 8 500 € pour une ouvrier non-qualifié (2010). L'écart est aussi induit par un effet d'âge, qui détermine les déroulements de carrière ; la proportion de cadres et de professions intermédiaires est ainsi moins forte chez les jeunes. Les héritages renforcent aussi les écarts entre les professions, car les patrimoines perçus par les personnes disposant des revenus les plus élevés sont aussi les plus importants.

Parmi les non-salariés, les ménages d'indépendants en activité détiennent un patrimoine brut beaucoup plus élevé en moyenne que celui du reste de la population. Les artisans et commerçants possèdent un patrimoine de 338 700 € contre 642 100 € pour les agriculteurs, à comparer à 126 900 € pour les salariés. Les différences constatées sont dues à l'existence d'un capital professionnel, qui n'existe pas chez les salariés. Il représentait 13,6 % du patrimoine des ménages fin 2010. Si on déduit la valeur de ces biens professionnels, on constate que les écarts sont moins spectaculaires. Une autre explication est que le taux d'épargne des indépendants est plus élevé, de sorte que leur patrimoine accumulé s'accroît chaque année plus rapidement que celui des ménages aux revenus modestes (effet de rendement). De plus, les indépendants épargnent davantage que les salariés pour leur patrimoine privé, notamment afin de compenser des droits à la retraite et une couverture sociale plus faibles. Le patrimoine privé médian des indépendants reste ainsi supérieur à celui d'autres catégories à revenus similaires..

Les actifs immobiliers représentent les deux tiers du patrimoine net.

Au début des années 1950, le patrimoine des ménages était composé pour les trois quarts d'actifs non financiers. L'immobilier et surtout les terres (notamment agricoles) occupaient une place prépondérante. Le patrimoine financier était alors essentiellement constitué de dépôts bancaires et de livrets, l'assurance-vie représentant seulement 3 ou 4 % de la richesse des ménages. Depuis 1995, la part du patrimoine immobilier des ménages a toujours été supérieure à celle du patrimoine financier. Elle avait diminué entre 1997 et 2000, passant au-dessous de la moitié, du fait de la valorisation des actifs financiers au cours de cette période marquée par une forte hausse des valeurs mobilières. Entre 2001 et 2010, la hausse spectaculaire des prix de l'immobilier a fait remonter la part des actifs non financiers au-dessus de celle des actifs financiers : elle a atteint 67 % du patrimoine net en 2010.

La part du logement dans le patrimoine reste faible chez les 30 % des ménages ayant les patrimoines les plus modestes. Elle diminue aussi chez les 40 % des ménages les plus riches, au fur et à mesure qu'il s'accroît. Le patrimoine des ménages les moins riches est surtout constitué de livrets d'épargne et de numéraire. Chez les ménages un peu plus riches, qui sont souvent plus jeunes, la part de l'assurance vie augmente.

On note également une augmentation de la part de l'assurance-vie dans le patrimoine des ménages les plus riches. Cette hiérarchie reflète l'évolution classique des types de placements en fonction des étapes du cycle de vie : livret d'épargne à la naissance; plan d'épargne logement au moment de l'entrée dans la vie active; assurance-vie pour les ménages installés; placements en Bourse lorsque les revenus dépassent un certain seuil.

La part des actifs immobiliers dans le patrimoine des ménages est également importante dans d'autres pays européens comme l'Allemagne, les Pays-Bas ou le Royaume-Uni (où la proportion de propriétaires est plus élevée). Malgré l'importance des fonds de pension aux Pays-Bas et au Royaume-Uni, elle s'est accrue dans les ménages néerlandais et britanniques, pour atteindre ou dépasser la moitié. Elle a légèrement diminué en Allemagne où les prix de l'immobilier sont restés assez stables.

Des baby-boomers trop riches ?

La génération des « baby-boomers » est souvent accusée d'avoir accaparé la richesse, au détriment de ses enfants et petits-enfants. Le reproche qui lui est fait s'appuie sur le fait qu'elle détient une part du patrimoine global qui dépasse largement son poids dans la population. Ceux qui sont retraités bénéficient en effet des pensions les plus élevées en Europe, alors que les jeunes de 15 à 24 ans sont les moins favorisés, notamment en matière d'accès à l'emploi. Beaucoup de jeunes considèrent aussi que les baby-boomers ont peu contribué aux dépenses croissantes de l'État, malgré la hausse continue et spectaculaire de leur richesse. Ils auraient ainsi une responsabilité particulière dans l'explosion de la dette publique (un an de salaire moyen aujourd'hui, contre un peu plus de deux mois au début des années 1970), qu'ils transmettent aux générations suivantes.

Les « défenseurs » des seniors (qui le sont souvent eux-mêmes) expliquent qu'il n'est pas anormal que le niveau du patrimoine s'accroisse au fil de la vie, ce qui est le signe d'un progrès. Ils mettent également au crédit de leur génération quelques acquis sociaux indéniables comme l'élévation du niveau d'éducation (p. 83), l'amélioration (inachevée) du statut des femmes (p. 348), l'accroissement du confort matériel ou, surtout, de l'espérance de vie (p. 95). Ils se défendent d'avoir vécu « au-dessus de leurs moyens », leur niveau d'endettement ayant été plus faible que dans bien d'autres pays développés et leur taux d'épargne plus élevé.

Le débat sur la responsabilité des seniors dans la montée des inégalités et la mise en panne de l'ascenseur social n'est pas prêt d'être tranché. Mais, si les baby-boomers se sont globalement enrichis au détriment des générations futures, ils ont alors contracté une dette envers elle.

Le patrimoine financier varie selon l'âge et la situation professionnelle.

Les données de l'enquête Patrimoine de 2010 permettent de dresser une typologie des ménages selon leur portefeuille financier (INSEE, 2011). Avec la réforme de la distribution du livret A, le taux de détention de livrets défiscalisés a atteint 85 % de la population en 2010, avec une forte proportion chez les moins de 30 ans (89 %), les professions libérales (93 %), les cadres (92 %) et les agriculteurs (91 %).

Environ quatre ménages sur dix (42 %) possèdent en outre une assurance-vie ou une assurance décès volontaire. Le taux de détention est plus élevé chez les 50-59 ans (48 %), les 60-69 ans (47 %), les indépendants comme les professions libérales (58 %), agriculteurs (56 %) ou retraités anciens indépendants (53 %). Parmi les salariés, 49 % des cadres en possèdent, ainsi que 45 % des retraités anciens salariés. 49 % des couples sans enfants y ont souscrit ainsi que 46 % des couples sans enfants. La préparation de la retraite et le souci de protéger les proches sont les principaux motifs de leur épargne.

L'épargne retraite ne concerne que 12 % des ménages avec une surreprésentation logique chez les indépendants qui sont 41 % à en détenir au sein des professions libérales, 41 % parmi les agriculteurs et 27 % pour les artisans et commerçants. 197 % des couples avec enfants y ont souscrit et les ménages âgés de 40 à 49 ans ont le plus fort taux de détention à 18,5 % suivi des 50-59 ans (17,2 %).

L'épargne salariale concerne avant tout les couples avec enfants (27,4 % de taux de détention) sur une moyenne nationale de 14,8 %. Parmi les cadres, 39,1 % d'entre eux en détiennent contre seulement 14,9 % des employés et 11,6 % des ouvriers non qualifiés. C'est entre 30 et 39 ans que le taux de détention est le plus élevé (25,3 %), puis de 40 à 49 ans (23,1 %) et de 50 à 59 ans (18,4 %).

Les héritages et donations sont plus fréquents et inégaux.

Jusque dans les années 1950, la plupart des ménages étaient contraints de « consommer » en grande partie le capital dont ils disposaient une fois arrivés à la retraite. L'augmentation sensible des pensions au cours des années 1960 et 1970 a progressivement transformé les comportements ; elle a même permis aux retraités de continuer à épargner. La conséquence est que les patrimoines transmis aux enfants ont régulièrement augmenté. Depuis les années 1980, l'augmentation des patrimoines est ainsi supérieure à celle des revenus, du fait de taux d'épargne élevés et de la valorisation des actifs (ci-dessus). Elle a été également favorisée par la maîtrise de l'inflation.

Après avoir longtemps augmenté, la pression fiscale sur les successions et donations a été considérablement allégée (notamment par les mesures de la loi TEPA d'août 2007). En 2012, les taux moyens de taxation étaient estimés à environ 2,2 % pour les donations et de 9,5 % pour les successions. On enregistre environ 500000 donations par an, représentant quelque 40 milliards d'euros (Conseil des prélèvements obligatoires), soit un montant moyen de 80000 €. L'âge moyen des donataires est de 70 ans environ et celui des bénéficiaires de 37 ans. Les donations concernent pour l'essentiel les 10 % de ménages les plus riches qui représentent plus de la moitié du patrimoine total transmis par donation, et un montant moyen supérieur à 400000 € pour un peu plus de 50000 donations.

Si les donations ont lieu plus tôt, les successions interviennent plus tard. L'âge moyen des héritiers était de l'ordre de 53 ans en 2010, contre 48 ans en 1984. Ils bénéficient en moyenne d'un héritage proche de 50000 €. Mais les 10 % des ménages les plus riches représentaient près de la moitié de l'actif net total transmis, avec un héritage moyen un peu supérieur à 500000 €.

Les donations et successions représentent seulement 1 % du patrimoine total, mais contribuent à lisser le profil des patrimoines en fonction de l'âge. Elles concernent surtout les personnes dotées d'un patrimoine important et contribuent donc à renforcer les inégalités de patrimoine. En cela, elles obéissent à la même logique que l'entraide familiale qui bénéficie, elle aussi, aux ménages les plus aisés (p. 149).

10 % des ménages possèdent la moitié de la richesse totale.

Les patrimoines des Français sont très concentrés. En 2010, les ménages situés dans le dernier décile (10 % les plus riches) possédaient ainsi la moitié (48 %) de l'ensemble de la richesse totale, alors que les 10 % les moins riches en possédaient moins de 0,1 % (INSEE). La concentration est en réalité encore plus forte, car la sous-évaluation du patrimoine financier concerne davantage les ménages aisés. Les 10 % des ménages les plus riches détiennent au minimum 552300 € d'actifs alors que les 10 % les plus modestes possèdent au maximum 2700 € chacun, soit 205 fois moins (p. 430).

Les inégalités de patrimoine sont ainsi beaucoup plus fortes que celles des revenus, puisque le ratio n'est que de 4,2 entre les 10 % de ménages les plus aisés et les 10 % les plus modestes (2009). Les 1 % des ménages les mieux dotés détiennent à eux seuls près d'un cinquième (17 %) de la masse totale du patrimoine.

La structure des patrimoines est également très étirée à l'intérieur de chaque catégorie sociale. La concentration est plus forte chez les agriculteurs et les membres des professions libérales que chez les ouvriers ou les employés. L'âge est un autre facteur important : le patrimoine médian des 40-60 ans (tranche d'âge où il est maximal) est 18 fois plus élevé que celui des moins de 30 ans.

Un ménage sur cinquante paye l'impôt sur la fortune.

La création, en 1981 (puis en 1988, après sa suppression en 1986), de l'ISF (impôt de solidarité sur la fortune) a permis de connaître un peu mieux le montant et la composition des grandes fortunes. Le seuil retenu pour 2012 était de 790000 € (hors dettes et biens exonérés tels que l'outil de travail ou les œuvres d'art) dans les limites prévues par la loi TEPA d'août 2007, avant d'être modifié par le nouveau gouvernement. Les tarifs applicables variaient entre 0,55 % pour la tranche inférieure (jusqu'à 1280000 €) et 1,8 % pour les patrimoines supérieurs à 16480000 euros. Un dispositif avait été mis en place en 2007, permettant aux assujettis de déduire une partie de sommes investies dans des PME ou d'en faire don à certains organismes d'intérêt général (dans une limite de 50000 €). Le nombre de foyers fiscaux redevables était ainsi de 562000 en 2010, contre 296800 en 2003. Les recettes de l'État se sont élevées à 3,3 milliards d'euros. L'ISF avait été allégé en 2011, en contrepartie d'une augmentation d'autres impôts sur le capital. Il a été alourdi en 2012, suite à l'accession de la gauche au pouvoir.

Paris est la première ville concernée par l'ISF, avec 784 millions payés en 2010, soit un quart du montant total (24 %) ; il était réparti entre 87000 personnes qui avaient payé en moyenne 9018 €. Neuilly sur Seine arrivait en deuxième position, avec un montant d'impôt par assujetti de 23581 €, générant 178 millions d'euros auprès de 7600 ménages. Lyon occupait la troisième place avec 42 millions collectés auprès de 7283 assujettis, pour un montant moyen de 5707 €. Elle devançait Marseille, avec 39 millions d'euros payés par 6635 assujettis pour un montant moyen de 5811 €. Nice était la cinquième ville contributrice, avec 5300 ménages ayant versé 26 millions pour un impôt moyen de 4934 €. Ces cinq villes représentaient un tiers du montant total de l'ISF payé en 2010 (32,5 %).

LOISIRS

TEMPS ET BUDGET

Le temps libre représente plus du quart de la vie éveillée.

L'accroissement régulier du temps libre est une donnée sociologique majeure. Il est la conséquence directe de la réduction du temps de travail (sur la journée, la semaine, l'année et la vie) et de l'allongement de l'espérance de vie. En 1900, la durée du travail représentait en moyenne 12 années sur une durée de vie de 46 ans pour un homme, soit un quart d'une vie (p. 100). Elle ne représente plus en 2011 que 6 années sur une espérance de vie masculine de 78 ans, soit 8 % seulement du capital temps disponible à la naissance et 11 % du temps « éveillé » (hors sommeil).

La conséquence est que le temps libre, celui qui reste à chacun après le travail, le temps physiologique (sommeil, alimentation, soins du corps), le temps d'enfance-scolarité et celui de transport, a connu une croissance spectaculaire. Il peut être évalué à 16 années sur une vie d'homme, soit près du triple du temps de travail, contre 3 années en 1900 (p. 101). Il représente donc un cinquième du temps de vie. Si l'on raisonne en « temps éveillé » (en enlevant à la durée de vie totale le temps consacré au sommeil, estimé en moyenne à 7 h 30 par jour), le temps libre représente 30 % du temps disponible, soit 5 heures par jour.

Le temps libre est en réalité encore plus abondant si l'on intègre le temps consacré à l'alimentation à caractère festif (réceptions familiales ou amicales) et celui des transports liés aux loisirs et aux vacances. On peut l'estimer à 7 heures par jour à partir de la dernière enquête sur l'emploi du temps réalisée par l'INSEE en 2010.

Les Françaises et les Français passent la moitié de leur temps à dormir, manger et se préparer. Le temps de sommeil s'est réduit de 10 minutes entre 1986 et 1999 et de 13 minutes entre 1999 et 2010. En dix ans, manger prend cinq minutes de moins par jour pour les actifs, qui apprécient de plus en plus le *snacking* (p. 189), et dix minutes de plus pour les retraités. Faire sa toilette dure 14 minutes de plus qu'il y a dix ans soit une heure par jour.

Les femmes ont moins de temps libre que les hommes...

Les femmes disposent d'environ 34 minutes de temps libre quotidien

La moitié du temps libre devant un écran

Le temps libre est le temps qui n'est consacré ni aux besoins physiologiques ni au travail ni aux tâches domestiques ni au transport (p. 101). Il représentait 4 h 58 en 2010, soit 7 minutes de plus qu'en 1999 (INSEE). Les Français en passent la moitié devant des écrans de télévision ou d'ordinateur (hors usages professionnels), soit en moyenne 2 h 30 par jour. La télévision reste de loin le loisir principal, avec deux heures par jour en moyenne, une durée inchangée par rapport à 1999. Les femmes au foyer la regardent cependant 19 minutes de plus qu'en 1999, les étudiants une demi-heure de moins. Le temps passé devant la télévision s'accroît avec l'âge ; 22 % des personnes de 60 ans et plus déclarent la regarder tous les jours, ou presque, plus de 4 heures.

Ce n'est pas le cas du temps passé devant des écrans d'ordinateur, qui concernent beaucoup plus les jeunes : plus d'une heure par jour en moyenne, contre 20 minutes seulement pour les plus de 50 ans. Les lycéens et les étudiants ont en partie remplacé la télévision par l'ordinateur et Internet : le temps qu'ils consacrent à la première a diminué d'une demi-heure en dix ans, au profit de la navigation sur le Web, depuis un ordinateur ou, de plus en plus, un téléphone. Dans toutes les tranches d'âge, les hommes passent plus de temps que les femmes devant un ordinateur : l'écart atteint une demi-heure chez les 18-24 ans.

Par ailleurs, 33 minutes sont consacrées quotidiennement aux jeux (de société, individuels type mots croisés...) ou à Internet (42 minutes pour les hommes, 26 pour les femmes), soit 17 minutes de plus qu'en 1999. Les deux composantes principales de ces activités sont l'utilisation personnelle d'Internet (55 % pour les hommes, 52 % pour les femmes) et les jeux sur console ou ordinateur (19 % pour les hommes et 8 % pour les femmes).

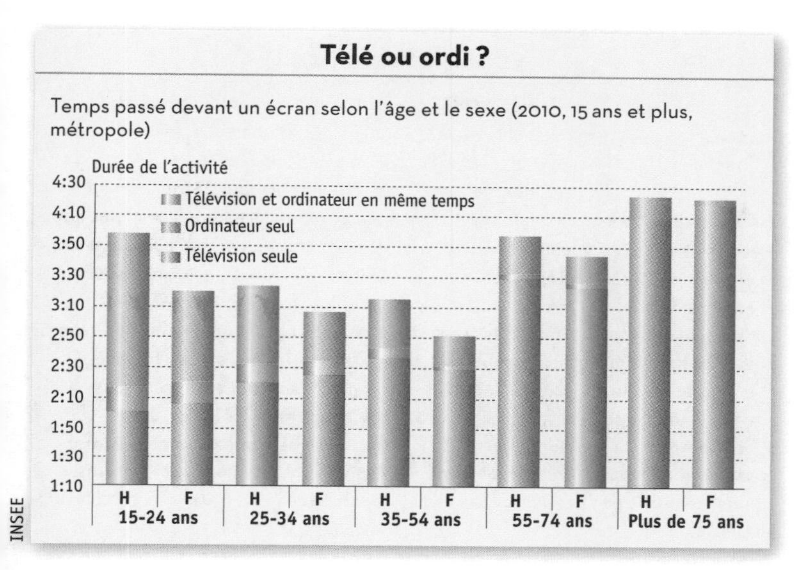

de moins que les hommes, soit 207 h par an. Du fait des contraintes quotidiennes, les femmes salariées ont ainsi près d'une heure de moins de temps libre que les hommes (3 h 33 contre 4 h 11). Cet écart s'observe dans toutes les catégories : les retraitées ont 41 minutes de temps libre quotidien de moins que les retraités (soit 6 h 17), les chômeuses 1 h 18 de moins que les chômeurs (soit 5 h 40), les étudiantes 1 h 03 de moins que les étudiants (4 h 44). Contrairement à ce que l'on pourrait penser, le temps consacré à la lecture par les étudiants et les étudiantes (entre 8 et 10 mn) est identique à celui de l'ensemble des catégories sociales sauf les retraités (environ 40 mn). Les étudiants utilisent Internet et jouent deux fois plus que les étudiantes (1 h 47 contre 52 mn) ; c'est le cas aussi pour les chômeurs (1 h 06 contre 38 mn pour les chômeuses).

L'étude internationale réalisée par l'OCDE en 2009 confirme cette différence entre les sexes. L'écart au détriment des femmes est de 35 minutes en moyenne par jour dans les 18 pays étudiés, soit 213 heures (207 heures en France). L'écart le plus réduit est observé en Norvège, avec 55 heures par an. La France occupe la 10e position, loin derrière la Norvège, la Nouvelle-Zélande (87 heures), le Japon (122), la Suède (128) ou l'Allemagne (134), mais aussi derrière la Turquie (195) et le Royaume-Uni (201). L'écart le plus important entre les sexes se situe en Italie : 79 minutes par jour, soit 481 heures sur l'année.

Si l'on prend en compte le temps consacré aux soins personnels par les deux sexes, les différences sont également présentes. Les Français bénéficient de 26 minutes supplémentaires par rapport aux Françaises, contre 62 en Pologne, 80 au Mexique et 83 en Italie. La parité est presque réalisée en Suède (+6 minutes en faveur des femmes), en Nouvelle-Zélande (+2), au Canada (−2) et en Allemagne (−5). La Norvège est le seul pays où les femmes disposent d'un temps de loisirs significativement plus important que les hommes (16 minutes par jour).

Les médias occupent l'essentiel du temps libre.

Les Français ont en moyenne 42 contacts par jour avec les médias et loisirs numériques en 2012, soit 2,4 de plus qu'en 2009 (Médiamétrie). Ces contacts peuvent être exclusifs (une seule activité pratiquée à la fois) ou multiples (lire en écoutant la radio ou en regardant la télévision, écouter la radio en naviguant sur Internet...). Ces derniers tendent d'ailleurs à être de plus en plus nombreux, les individus devenant « multitâches » comme les ordinateurs.

La télévision représente la plus grande part du temps consacré aux médias. Entre 1986 et 2010, les Français ont gagné plus d'une demi-heure de temps libre et la télévision en a été le principal bénéficiaire (+ 20 minutes), du fait notamment du développement de l'offre de programmes et de leur disponibilité grâce au câble, au satellite, à l'ADSL ou à la TNT. Elle reste le loisir le plus communément pratiqué, indépendamment des critères sociodémographiques (âge, sexe, revenu...). Un certain nombre de Français tiennent d'ailleurs compte des programmes de la télévision dans la planification de leurs sorties et de leurs loisirs, ou l'organisation de leur vie quotidienne.

La montée en puissance d'Internet (disponible dans environ trois foyers sur quatre en 2012) tend cependant à réduire le rôle central de la télévision. Elle a engendré par ailleurs d'autres façons de regarder la télévision, sur d'autres supports, en utilisant la vidéo à la demande, en enregistrant des programmes à distance, etc. En 2011, parmi les jeunes de 15 à 24 ans, près d'un sur deux regardait des programmes télévisés en direct sur d'autres écrans : ordinateur, *smartphone*, tablette ou baladeur vidéo (Médiamétrie). Mais le développement d'Internet a accru le temps total consacré aux médias. Les internautes les plus assidus sont également les plus gros consommateurs des autres médias.

Les loisirs constituent le premier poste de dépenses.

Plus encore que le temps qui leur est consacré, les dépenses de loisirs sont difficiles à estimer, car elles sont multiples et mal identifiées. D'après la comptabilité nationale, les dépenses de loisir-culture représentaient 6,5 % du budget disponible des ménages en 2010 (consommation effective des ménages, définition p. 404). Elle ne prend pas en compte un certain nombre de dépenses liées aux loisirs qui figurent dans d'autres rubriques du budget des ménages (p. 407).

Ainsi, le poste transport (10,9 %) concerne en partie des activités de loisir (utilisation de la voiture en week-end ou en vacances). C'est le cas aussi des dépenses de communication (téléphone, Internet), soit 2,1 %, consacrées à la famille ou aux amis. Il en est de même de certaines dépenses d'alimentation, lorsqu'elles ont un caractère festif (réceptions à domicile), etc. Le poste « hôtels-cafés-restaurants » (5,3 %) pourrait quant à lui être affecté pour l'essentiel aux loisirs. Le poste habillement (3,3 %) comprend des achats de vêtements destinés à des activités ludiques et de détente, notamment sportives. Enfin, la rubrique « autres biens et services » (8,3 %) comprend des dépenses d'assurance pour les loisirs.

En ajoutant ces différentes composantes, on arrive à une dépense totale très supérieure à celle du seul poste loisirs-culture. Il est difficile de la mesurer avec précision, car on ne connaît pas pour l'ensemble des ménages la part de chacune d'elles véritablement affectée aux loisirs. On peut cependant l'estimer à plus de 20 % de la consommation effective des ménages au sens de l'INSEE. De sorte que les loisirs représentent en réalité le premier poste de dépense des ménages, juste devant le logement (19 %, hors équipement).

Toujours plus

Le temps libre des Français s'est accru de façon spectaculaire au cours des dernières décennies (p. 101). Pourtant, s'ils pouvaient modifier l'occupation de leurs journées, la moitié d'entre eux souhaiteraient en avoir encore davantage (INSEE, enquête Emploi du temps, 2010). Les retraités, qui sont ceux qui disposent de plus de temps de loisirs, sont les moins demandeurs, alors que 60 % des personnes actives souhaiteraient en avoir plus. La revendication de temps libre supplémentaire concerne aussi celui que l'on passe avec sa famille.

L'accroissement du temps de sommeil est une autre revendication. Elle émane en particulier des personnes en activité, qui dorment en moyenne 35 minutes de moins que les retraités : 45 % souhaiteraient dormir plus longtemps, contre 12 % pour les retraités. Un tiers des personnes ayant un emploi aimeraient passer moins de temps à travailler et un dixième aimerait avoir plus de temps pour travailler. Cette dernière demande concerne dans la même proportion les catégories professionnelles (ouvriers, employés ou cadres).

La société de l'audiovisuel

Évolution des dépenses des ménages en programmes audiovisuels (en euros courants par ménage)

	2000	2010
Redevance (part télévisuelle)	64	71
Abonnements*	105	121
Vidéo**	43	56
Cinéma	37	48

* Canal +, câble et satellite (IDATE)
** Achats-locations vidéogrammes pré-enregistrés

CNC, INSEE, LFI, Canal +, GFK, NPA, SEVN

Les dépenses liées aux médias dominent le budget loisirs et culture.

Les Français ont dépensé en moyenne 2 615 € par ménage pour l'achat de biens et services culturels et la télécommunication en 2010. Phénomène nouveau, le budget télécommunications (téléphone et accès internet) a pris la première place avec 37 % des dépenses des ménages (973 € par an), suivi par les biens et services culturels (36 % soit 953 €) et par l'achat de matériels et les frais liés à leur utilisation pour 28 % (688 €). Les dépenses pour les télécommunications ont augmenté de 7 % en trois ans, alors que les dépenses en biens et services ont stagné et que le budget consacré aux matériels et services liés a diminué de 6 %.

La redevance et les abonnements de télévision représentent maintenant près d'une fois et demie les achats de téléviseurs. L'ensemble pèse 16 % des dépenses culturelles des ménages (soit 416 € par an). Malgré l'engouement

Un temps libre très occupé

Temps libre et principales composantes selon la profession et le sexe (en heures et minutes par jour, 2010)*

	Étudiants, lycéens		Salariés		Indépendants		Chômeurs		Femmes au foyer	Retraités		Ensemble		
	H	F	H	F	H	F	H	F		H	F	H	F	Total
Temps de loisirs dont :	**4:35**	**3:19**	**3:28**	**2:48**	**2:38**	**2:22**	**5:34**	**4:07**	**4:18**	**6:03**	**5:15**	**4:24**	**3:46**	**4:04**
Télévision	1:27	1:19	1:52	1:27	1:23	1:10	2:39	2:22	2:38	3:07	2:53	2:13	2:00	2:06
Lecture	0:08	0:10	0:09	0:14	0:10	0:18	0:09	0:12	0:16	0:39	0:36	0:17	0:19	0:18
Promenade	0:09	0:18	0:10	0:12	0:10	0:10	0:25	0:19	0:18	0:30	0:24	0:17	0:17	0:17
Jeux, Internet	1:47	0:52	0:33	0:18	0:13	0:11	1:06	0:38	0:21	0:36	0:27	0:42	0:26	0:33
Sport	0:30	0:09	0:14	0:07	0:10	0:07	0:19	0:05	0:04	0:10	0:04	0:14	0:06	0:09
Temps de sociabilité (hors repas) dont :	1:12	1:24	0:43	0:45	0:42	0:46	1:04	1:13	0:54	0:55	1:01	0:51	0:57	0:54
Conversations, téléphone, courrier	0:22	0:39	0:16	0:19	0:15	0:21	0:20	0:23	0:17	0:16	0:20	0:17	0:21	0:19
Visites, réceptions	0:48	0:42	0:24	0:24	0:19	0:19	0:38	0:46	0:30	0:28	0:34	0:28	0:30	0:29
Temps libre (loisirs et sociabilité)	**5:47**	**4:44**	**4:11**	**3:33**	**3:20**	**3:08**	**6:38**	**5:20**	**5:12**	**6:58**	**6:17**	**5:14**	**4:43**	**4:58**

* Moyennes par jour, y compris samedi, dimanche et vacances, personnes de 15 ans et plus, France métropolitaine.

INSEE

L'explosion numérique

L'image et le son occupent aujourd'hui une place centrale dans les loisirs des Français : radio, télévision, photo, cinéma... Le taux d'équipement audiovisuel s'est considérablement accru, ainsi que la fréquence et la durée d'utilisation des différents appareils. Début 2012, pratiquement tous les ménages (98 %) possédaient au moins un téléviseur et plus de la moitié au moins deux. Les trois quarts (75 %) étaient équipés d'un écran plat compatible avec la haute définition. Plus de neuf sur dix possédaient un lecteur DVD (93 %), alors que les premiers appareils n'ont été commercialisés qu'à partir de 2000. Plus des trois quarts disposaient d'une chaîne hi-fi, un sur trois d'un caméscope et deux sur trois d'un appareil photo numérique.

En 2010, chaque foyer a dépensé en moyenne 298 € en programmes audiovisuels, soit une hausse de 1,3 % par rapport à 2009. Les dépenses consacrées à la télévision en ont représenté les deux tiers (193 € par foyer). Les abonnements à des services payants de télévision demeurent le premier poste de dépenses en programmes audiovisuels. Ils s'élevaient à 121 €. Chaque foyer a dépensé en moyenne 72 € pour la télévision publique (hors audiovisuel extérieur), 52 € en achats et locations de vidéogrammes préenregistrés et 48 € en achats de places de cinéma. Rapportée à chaque foyer, la dépense concernant la vidéo à la demande a atteint 5 € en 2010, en croissance de 30 % sur un an.

La promenade préférée à la télévision

Appréciation des différentes activités de temps libre, par ordre décroissant d'agrément (2010)*

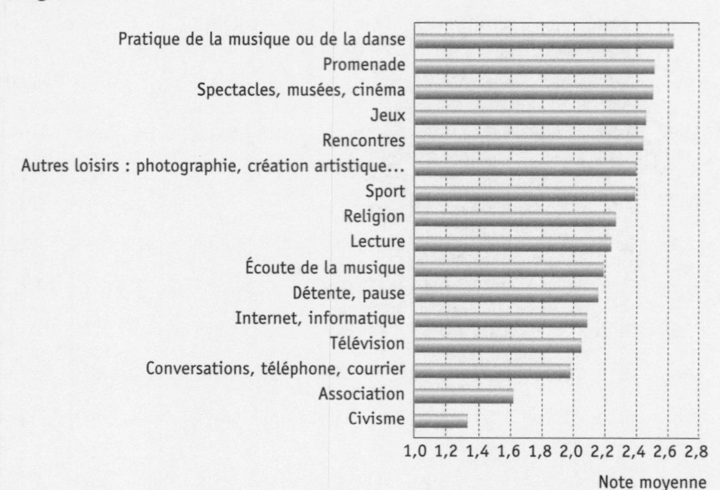

* Note sur une échelle d'agrément de – 3 (très désagréable) à + 3 (très agréable)

INSEE

Loisir et plaisir

Interrogés sur la satisfaction qu'ils retirent de leurs différentes activités quotidiennes, les Français disent apprécier davantage celles associées au temps libre qu'au travail ou aux tâches domestiques (enquête Emploi du temps 2010, INSEE), ce qui ne constitue pas une véritable révélation. Ils déclarent aussi les préférer aux activités physiologiques (alimentation, hygiène, sommeil) et aux transports.

Plus étonnant est le classement de l'agrément des diverses activités de loisirs (graphique). Les Français placent tout en haut les loisirs musicaux (musique et danse) lorsque ceux-ci sont « actifs »; la simple écoute de la musique est jugée moins plaisante que le fait de jouer d'un instrument. La promenade arrive juste derrière ; elle devance des activités plus « passives » (spectacles, musées, cinéma) et d'autres, ludiques, sportives ou culturelles.

On observe aussi que les activités « médiatiques », qui constituent une part importante des loisirs, apportent sensiblement moins de satisfaction. Les moments consacrés à naviguer sur Internet, regarder la télévision, échanger par courrier ou téléphone ne sont pas considérés comme vraiment passionnants. De même, le temps consacré aux associations ou à des actions de « civisme » n'engendre pas un fort sentiment d'agrément. Mais le contexte est dans tous les cas un élément déterminant du jugement : de façon générale, les activités pratiquées de façon solitaire sont jugées moins agréables que lorsqu'elles sont partagées.

pour les écrans plats, les achats d'ordinateurs et d'équipements associés, sur lesquels les Français regardent de plus en plus la télévision, détrônent ceux de téléviseurs (5,8 milliards € contre 4,7 milliards €). Il faut y ajouter une partie des frais consacrés à la réparation des appareils et à leur usage (achat de vidéos, d'appareils enregistreurs et de supports vierges), qui représentent 9 % des dépenses culturelles. Au total, la part de la télévision dans la consommation culturelle des ménages est proche de 30 %. C'est beaucoup plus que celle de la presse écrite (10,3 %, soit 269 € par an), des spectacles (5 %, 156 €) des livres (5,3 %, 138 €) ou du cinéma (1,9 %, 50 €).

Les dépenses pour le multimédia (téléphonie et accès internet, télévision payante, vidéos, disques, logiciels, supports vierges) hors achat de matériels se sont élevées à 1 343 € par ménage en 2010, soit plus de 110 € par mois. Les disparités restent très marquées entre les foyers, selon leurs niveaux d'équipement et leurs usages des différents appareils.

MENTALITÉS

La société actuelle est hédoniste.

L'un des principaux changements apparus dans les modes de vie et les systèmes de valeurs au cours des dernières années est l'affirmation de la primauté du principe de plaisir sur celui de réalité. Même si ce principe était présent depuis longtemps dans la mentalité nationale, il n'était pas revendiqué comme il l'est aujourd'hui à l'échelle individuelle. Un nombre croissant de Français s'est ainsi approprié la devise d'Horace : *carpe diem* (« profite du

jour présent »). Elle pose en principe que, tout homme étant mortel, il lui faut chercher à s'épanouir au cours de son existence terrestre, *ici et maintenant*. La promesse d'un bonheur qui se situerait « ailleurs » et « plus tard » est devenue moins crédible dans une société devenue laïque. Les incertitudes et les menaces (économiques, écologiques, démographiques, sanitaires...) pesant sur l'avenir n'ont fait que renforcer cette mentalité.

Le déclin des valeurs spirituelles (en tout cas de la pratique religieuse, p. 281) n'est pas étranger aux évolutions constatées depuis plusieurs dernières décennies. Au cours des années 1980, les Français ont redécouvert l'existence de leur corps (p. 20) et cédé aux pulsions naturelles pour le jeu, les loisirs et la liberté. Des notions comme l'esprit de sacrifice ou la recherche d'un paradis *post mortem* ont de moins en moins de place dans la vie quotidienne, car elles ne sont plus sous-tendues par un système de valeurs d'essence religieuse. La société judéo-chrétienne mettait en exergue l'obligation de chacun de « gagner sa vie à la sueur de son front » pour accéder ensuite au repos, forme première du loisir. L'individu se devait d'abord à sa famille, à son métier, à son pays, après quoi il pouvait penser à lui-même. Si les anciens organisaient leur vie autour de leurs obligations, les générations actuelles souhaitent aujourd'hui l'organiser autour de leurs passions, de leurs envies.

Le loisir est devenu un droit aussi important que le travail...

Les générations les plus âgées sont encore marquées par la notion de « mérite », pour elles indissociable de celle de loisir. Mais les plus récentes considèrent le loisir comme un droit fondamental. Plus encore, peut-être, que le droit au travail, puisqu'il représente des aspirations plus profondes et personnelles. Il n'y a donc pour eux aucune raison de se cacher ni d'attendre pour s'amuser, « s'éclater » et profiter de la vie (p. 274).

On peut d'ailleurs observer que le droit de se détendre et de se divertir est beaucoup mieux respecté que celui de travailler, dans la mesure où plusieurs millions de Français ne disposent pas d'un emploi (p. 303). Le loisir occupe aujourd'hui une place d'autant plus grande dans la société contemporaine qu'il a bénéficié au cours des décennies passées du très fort accroissement du temps libre (p. 101) ainsi que de celui du revenu disponible (p. 359). Dans une société devenue laïque, c'est le loisir qui constitue le temps « sacré ».

La fête occupe donc une place croissante dans l'esprit des Français et notamment des jeunes (p. 147). Les discothèques, concerts, festivals, *rave parties*, *free parties* ou *home parties* sont quelques-unes de ses appellations et manifestations contemporaines. Ce besoin individuel et collectif révèle une forte attente de convivialité, de communion, de sensorialité et d'ivresse, au sens idyllique ou parfois éthylique. Comme à tout moment dans l'histoire sociale, la fête constitue un moyen de libérer des énergies ou des désirs refoulés par les règles de la vie sociale et par les tabous. Pour les adeptes de la fête permanente, vivre ce n'est pas penser, mais ressentir ; il est moins important de raisonner que de *résonner*, c'est-à-dire entrer en résonance avec son environnement, utiliser ses sens pour vibrer à l'unisson. La multiplication des fêtes, publiques ou privées, témoigne de l'importance des loisirs, mais aussi de la volonté et de la nécessité de recréer du lien social. La France est le premier importateur mondial de touristes (p. 561) ; elle pourrait devenir le premier exportateur de fêtes.

... et constitue un moyen de fuir la réalité.

Les Français ressentent une insatisfaction croissante par rapport au monde actuel et une angoisse face à l'avenir. C'est sans doute pourquoi ils recherchent dans leurs loisirs des occasions de substituer le rêve à la réalité, une tendance que la crise actuelle n'a fait que renforcer. Il en est ainsi de l'engouement croissant pour la fiction, sous toutes ses formes : films ; séries télévisées ; jeux vidéo... Les images virtuelles (pléonasme révélateur) se multiplient sur les écrans des téléviseurs, ordinateurs ou téléphones. Le « réalisme » est remplacé par l'onirisme et la virtualité. La téléréalité n'est en fait qu'une représentation largement artificielle du monde, souvent reproduit dans un univers clos (appartement, maison, ferme, bateau, île, studio...), sous l'œil omniprésent de caméras, avec un scénario écrit à l'avance et des candidats soigneusement sélectionnés. La publicité utilise les mêmes moyens, avec les mêmes fins. Au prétexte de montrer de « vrais gens », on met en scène des personnages atypiques, auxquels chacun va se comparer. Au risque, parfois, de se trouver « anormal ».

L'art est comme toujours un témoin et un anticipateur du changement social. Les romanciers contemporains inventent des personnages sans chair dans des histoires sans lieux. La peinture moderne est de moins en moins descriptive ou figurative, de plus en plus intériorisée. Les sculpteurs ne reproduisent pas des formes réelles ; ils donnent du volume et du poids à des images abstraites. La photographie, la bande dessinée ou les clips musicaux mettent en scène des héros symboliques qui évoluent dans des univers virtuels et oniriques. La musique utilise des synthétiseurs et d'autres instruments électroniques pour créer des sonorités propres à favoriser l'« évasion ». La réalité est détournée, retouchée, « augmentée ». Le but reste celui décrit par Pascal : le « divertissement ». Il s'agit à court terme d'oublier la « crise » ; il s'agit à plus long terme, d'oublier la mort.

Les temps et les activités de la vie sont mélangés.

Dans une société où la relation au temps a été bouleversée, le système social continue de s'articuler autour du même découpage temporel, caractérisé par un rythme ternaire : études, vie active, retraite. La représentation collective de la société est toujours fondée sur le travail, alors que le loisir joue un rôle largement dominant, tant en ce qui concerne le temps que l'argent. Il existe donc un décalage entre le temps social et le temps réel. La difficulté vient de ce que le temps libre est très inégalement réparti tout au long de la vie. Le découpage traditionnel ne correspond pas aux souhaits des individus. Il n'est pas non au service de l'efficacité économique.

Un nouvel ordre social, fondé sur une répartition plus harmonieuse du temps professionnel et du temps personnel, est donc en train de se mettre progressivement en place. Les frontières entre les vies personnelle, familiale, professionnelle et sociale sont de plus en plus floues. D'abord parce que le travail demande une flexibilité croissante. Beaucoup de salariés (notamment les cadres) emportent du travail chez eux le week-end ou le soir ; ils doivent pouvoir être joints à tout moment et en tout lieu. Ils consacrent aussi une part croissante de leur temps personnel à s'informer et à se former pour être plus efficaces dans leur activité professionnelle. À l'inverse, ils s'efforcent pendant leurs heures de travail de rester en relation avec leur famille et leurs amis pour organiser les moments de vie commune dans un contexte de mobilité croissante et d'emplois du temps de plus en plus chargés (un paradoxe dans une société où le temps libre s'accroît).

Ce mélange entre les différents temps de la vie devrait se poursuivre et même s'accélérer avec le développement du travail indépendant et du télétravail (p. 322), qui confond aussi les espaces (professionnel et familial). Il est favorisé par la disposition d'outils de mise en réseau comme les *smartphones* ou les tablettes numériques et autres objets connectés à Internet. Cette révolution s'inscrit dans un mouvement général de « métissage ». Elle a des répercussions considérables sur le fonctionnement social, les modes de vie individuels, la consommation, le rôle des institutions et celui des entreprises. La révolution du temps est en marche.

Le loisir remplit des fonctions individuelles...

Le temps libre permet de faire ce que l'on aime, ce qui n'est pas toujours possible dans le cadre de l'activité professionnelle. Le développement personnel constitue ainsi une motivation croissante, à la fois pour les actifs et les inactifs. La pratique du sport s'inscrit dans cette démarche (p. 516). L'objectif poursuivi n'est pas de réaliser des performances, mais de rester en forme, de vivre mieux et de vieillir moins vite. Il est aussi de supporter le stress engendré par la vie contemporaine, de trouver l'équilibre et l'harmonie entre le physique et le mental, entre le corps et l'esprit. La proximité avec la nature est une autre quête d'importance croissante en matière de loisir. Les activités de plein air se développent, manifestations apparentes et souvent inconscientes des préoccupations écologiques (menaces sur l'environnement et sur les espèces vivantes) en réaction avec les contraintes de la vie urbaine. L'engouement pour le camping, l'héliotropisme ou la « néoruralité » témoignent de ce besoin de « naturalité ».

On constate aussi une volonté croissante de rendre le temps libre « productif », à travers par exemple les activités de bricolage et de jardinage (p. 535), de cuisine (p. 192) ou les pratiques culturelles en amateur (musique, peinture, danse, théâtre..., p. 541). Ces comportements ont parfois aussi une finalité économique ; en se rendant des services à eux-mêmes, les ménages réalisent des économies. Mais ils donnent surtout du sens à leurs loisirs et à leur vie.

... mais aussi collectives.

La vocation des loisirs n'est pas seulement individuelle. Beaucoup sont porteurs de lien social, de convivialité et de solidarité. Ainsi, le temps consacré à la famille et aux amis s'est accru avec la mise en place de la réduction de la durée du travail. La participation aux associations s'inscrit souvent dans une démarche aussi solidaire que solitaire, les deux notions étant d'ailleurs peu dissociables (p. 230). On observe depuis plusieurs années un accroissement du nombre des associations caritatives et de leur rôle dans le fonctionnement social.

Le loisir se confond donc de moins en moins avec l'oisiveté. Il n'est pas seulement un temps « égoïste », destiné à la construction ou à la préservation de son identité. Il est de moins en moins vécu comme un « temps mort » mais comme un « temps fort », car il permet un enrichissement permanent. La société laïque avance sur la voie d'une réconciliation entre une démarche individualiste, souhaitée ou parfois subie (chacun devient responsable de son propre destin) et une préoccupation de solidarité à l'égard de ceux qui ne peuvent s'assumer seuls. Cette double dimension, que l'on peut baptiser *égologie* (p. 291), représente l'une des caractéristiques et l'un des défis majeurs de la nouvelle civilisation en préparation.

Pratiques

Les loisirs domestiques se sont diversifiés.

L'évolution des mentalités à l'égard des loisirs a accompagné l'accroissement de la part du temps libre dans la vie. Elle s'est traduite par une explosion de l'offre de produits ou de services de loisir et une augmentation de la part du budget des ménages consacrée à ces activités (p. 436). Dans ce contexte, les loisirs à domicile ont connu un très fort développement. Les Français sont de plus en plus attachés à leur foyer, un lieu abrité des « agressions » du monde extérieur. D'autant qu'ils peuvent rester « connectés » à lui à distance par des équipements de communication de plus en plus nombreux et efficaces : télévision, radio, téléphone, tablettes, Internet, etc.

L'offre de biens d'équipement et de services de loisirs domestiques s'est ainsi considérablement enrichie. On peut retrouver chez soi une qualité d'image et de son comparable à celle des salles de cinéma ou de concert grâce aux systèmes audiovisuels numériques : lecteurs-enregistreurs DVD de salon ; téléviseurs LCD, plasma, 3D à écran plat et géant recevant des programmes en haute définition ; ordinateurs connectés à Internet à haut débit ; chaînes et enceintes sonores haute qualité, etc. D'autant que les prix de ces appareils baissent régulièrement, tandis que leurs performances augmentent. Il n'est plus nécessaire de se rendre au cinéma pour voir un film ou dans un cybercafé pour envoyer un mail ou naviguer sur Internet. On n'est plus obligé d'aller dans un café traditionnel pour y déguster un expresso, puisque des machines permettent de le fabriquer chez soi. D'autres machines ont investi les foyers pour faire les yaourts, les pâtes, le pain ou même la bière. On peut acheter en grande surface ou se faire livrer à domicile des plats préparés signés de grands chefs. Plutôt que de se rendre dans une salle de gymnastique, on peut installer chez soi des appareils quasi professionnels.

De nombreuses activités autrefois pratiquées à l'extérieur ont été ainsi rapatriées à l'intérieur et le foyer est devenu un centre de loisirs individuels : lecture, informatique, bricolage, jardinage, couture, pratiques artistiques amateurs (dessin, peinture, écriture...). Les loisirs familiaux ont aussi progressé : repas de fête, discussions, jeux de société, jeux vidéo collectifs, écoute individuelle ou en commun de musique ou de programmes de télévision, etc.

L'accroissement du temps libre, lié à la mise en place de la semaine de travail de 35 heures, a donc eu des effets sensibles sur la pratique des loisirs domestiques. La tendance au transfert de certaines activités autrefois extérieures vers le foyer explique notamment que les Français passent en moyenne 18 h par jour à leur domicile (p. 177). Ce chiffre relativise le « nomadisme » et la mobilité, souvent évoqués comme des tendances lourdes de la vie sociale. Plus le monde leur paraît « dur dehors », plus les Français cherchent à le rendre « doux dedans ».

Des loisirs connectés

Usages d'Internet à domicile (2011, ensemble de la population de 12 ans et plus, en %)

Télécharger des films	15
Regarder la télévision	18
Télécharger de la musique	21
Regarder des films en flux continu	24
Écouter de la musique en flux continu	35

CREDOC

L'usage des différents médias converge.

L'audiovisuel occupe une place prépondérante dans les loisirs des Français. La télévision et la radio absorbent ensemble environ cinq heures de leur temps quotidien, même s'il ne s'agit pas toujours d'un temps d'attention exclusif, notamment en ce qui concerne la radio. Elles constituent, dans cet ordre, les deux principales activités de loisir de la journée ; la moitié des téléspectateurs sont devant leur écran à 13 h, les trois quarts à 21 h. Il faudrait ajouter le temps consacré à l'écoute de la musique, aux jeux vidéo et aux autres activités audiovisuelles dont l'importance n'a cessé de croître. L'augmentation de l'offre audiovisuelle, avec les bouquets de chaînes numériques et la télévision numérique terrestre (TNT), a accentué l'emprise des loisirs audiovisuels domestiques. Elle a été renforcée par l'apparition de nouveaux services, comme la télévision de rattrapage et, plus généralement, de la vidéo à la demande. En 2011, 16 millions de personnes, appelées *catch-uppers*, avaient pratiqué la télévision de rattrapage en France, soit une progression de 36 % en un an (Médiamétrie).

L'arrivée de l'ordinateur multimédia a représenté un bouleversement dans les pratiques de loisir. Début 2012, plus de deux personnes sur trois étaient équipés d'un ordinateur à domicile (contre 48 % fin 2005). Elles étaient mêmes près du tiers à en avoir plusieurs (Crédoc). Parmi elles, presque toutes disposaient d'une connexion à Internet (75 % début 2012 contre 14 % en 2000). La quasi-totalité de ces internautes (92 %) bénéficiaient en outre du haut débit. La disponibilité d'Internet et sa facilité d'utilisation ont donc connu une progression très rapide, ce qui explique l'accroissement du temps que les Français lui consacrent chaque semaine. Si le réseau est aujourd'hui surtout utilisé pour la communication (échanges de messages, participation à des forums, recherche d'informations, préparation des achats...), il joue un rôle croissant en matière de loisirs audiovisuels : écoute de musique ; réception de la télévision, visionnage de films en paiement à la séance, échanges de photos et de vidéos numériques...

La téléphonie mobile offre, elle aussi, un nombre croissant de services multimédia. Du *smartphone* à la tablette numérique, les Français peuvent être connectés partout et recevoir courriels, SMS, MMS, vidéo, regarder la télévision, filmer, photographier, *tchater* ou échanger sur les réseaux sociaux.

Les activités culturelles se sont diversifiées avec l'offre.

L'accroissement continu du niveau moyen d'instruction a facilité l'accès à la culture en permettant au plus grand nombre d'accéder aux références de base. L'évolution a concerné en particulier les femmes, dont la situation scolaire s'est transformée en une génération (p. 74). Les Français sont ainsi dans leur ensemble plus nombreux à pratiquer la musique ou la peinture, à se rendre aux grandes expositions ou dans les festivals, à lire des livres d'histoire ou de philosophie, à consacrer une partie de leurs vacances à visiter des monuments ou à s'intéresser à la science. Ils recherchent dans l'art et dans la culture une émotion et une compréhension du monde qui sont plus que jamais nécessaires dans une société où les repères tendent à disparaître (p. 88). On constate cependant que la durée et la nature du parcours scolaire conditionnent toujours l'intérêt pour les activités culturelles au cours de la vie adulte (ci-après).

L'amélioration de l'offre de services culturels par l'intermédiaire des équipements collectifs a joué un rôle dans cette évolution ; plus de 80 % des Français ont accès dans leur commune à une bibliothèque municipale ou départementale (95 % dans les communes de 10 000 habitants et plus). Cependant, près des trois quarts déclarent ne jamais ou ne pratiquement jamais avoir fréquenté au cours de l'année passée une bibliothèque ou médiathèque, une école de musique ou de danse. La proportion est supérieure à un sur deux en ce qui concerne la fréquentation d'une troupe de théâtre, d'une salle de spectacle ou d'un centre culturel.

Par ailleurs, le principe du « tout culturel », qui était apparu dans les années 1980 (p. 86), a valorisé dans l'opinion des activités autrefois considérées comme mineures, telles que la bande dessinée, la cuisine, la couture, la publicité ou la musique rock... Des formes d'expression comme le *rap* ou le *tag* ont aussi bénéficié de cette évolution des mentalités et de la conception de la culture.

L'influence de l'âge reste déterminante, ...

Parmi les très nombreuses activités de loisir pratiquées, deux seulement augmentent avec l'âge : la lecture des journaux et le temps passé devant la télévision. Toutes les autres (sports, spectacles, activités de plein air, activités culturelles, etc.) diminuent. Les écarts sont plus liés à des effets de génération qu'à l'âge proprement dit. On constate ainsi que la plupart des personnes de plus de 75 ans appartiennent à une génération pour laquelle l'idée de loisir est une invention récente, qui ne les a guère concernées. Nées avant la Seconde Guerre mondiale, elles ont dû consacrer l'essentiel de leur temps au travail, pour des raisons souvent matérielles, mais aussi philosophiques ou spirituelles (p. 294). Certaines activités considérées comme normales aujourd'hui leur paraissent un peu futiles, et beaucoup considèrent en tout cas qu'il est trop tard pour les pratiquer.

Les écarts de comportement de loisirs en fonction de l'âge tendent cependant à diminuer avec l'arrivée à la retraite d'une génération ayant un état d'esprit très différent. À 61 ans et 11 mois en 2011, âge moyen effectif de cessation d'activité, les nouveaux retraités ont encore de nombreuses années devant eux (25 ans en moyenne pour les femmes, 21 ans pour les hommes), et le « troisième âge » peut être une seconde vie. Beaucoup manifestent ainsi un intérêt croissant pour les voyages, les activités culturelles, les jeux et, à un moindre degré, les sports (p. 518).

Le pouvoir d'achat accru et l'amélioration continue de l'état de santé sont d'autres causes objectives de la transformation des modes de vie des aînés. Mais l'évolution des mœurs est sans doute la principale. Il est aujourd'hui « socialement correct » pour un retraité de sortir, de voyager ou d'avoir des activités ludiques lorsqu'il en a la capacité physique et financière, et surtout l'envie. Cette métamorphose a été accompagnée et accélérée par les entreprises, qui ont pris conscience du poids économique des « seniors » et développé pour eux des offres spécifiques.

… de même que le niveau d'éducation, …

La plupart des activités de loisir, à l'exception de celles dites « de masse » (radio, télévision) et des jeux d'argent du type Loto, PMU ou poker, sont beaucoup plus fréquemment pratiquées par des personnes ayant au moins le baccalauréat ou un diplôme équivalent. Les activités à caractère culturel (lecture, pratique de la musique, théâtre, musées, etc.) sont celles qui sont le plus corrélées au niveau d'instruction. Ainsi, 47 % des diplômés Bac + 4 et plus vont au théâtre au moins une fois dans l'année, contre seulement 9 % des Français sans diplôme et 20 % des diplômés avec seulement un Bac (2008, ministère de la Culture). La fréquentation des musées-expositions ou monuments historiques est aussi différenciée : 18 % des premiers contre 3 et 8 % des derniers.

Les disparités qui existaient entre les zones urbaines et rurales ont diminué avec l'accroissement général des équipements culturels et des moyens de déplacement. Mais la fréquentation reste très supérieure à Paris, du fait d'une offre particulièrement riche et d'un profil sociodémographique des habitants plus favorable en termes de formation initiale. 17 % des résidents d'une commune rurale ont visité au moins une exposition temporaire de peinture ou de sculpture au cours de l'année passée contre 21 % des habitants d'agglomérations de plus de 20 à 100 000 habitants, 62 % des Parisiens et 28 % des Franciliens.

Si les écarts entre les groupes sociaux restent sensibles, c'est que la progression des pratiques de loisir s'explique davantage par un intérêt croissant de la part des catégories a priori les plus concernées (cadres, professions intellectuelles supérieures et professions intermédiaires, étudiants) que par un élargissement des publics. Les variations que l'on observe dans la fréquentation sont la résultante de plusieurs évolutions distinctes : concurrence de la télévision (chaînes hertziennes, câble, satellite) et part croissante des jeunes dans le public.

Des pratiques encore inégales

Proportions de personnes ayant pratiqué au moins une fois dans l'année écoulée certaines activités de loisir selon la catégorie socioprofessionnelle (2009, en %)

	Cinéma	Musée ou exposition	Théâtre, concert
Agriculteurs exploitants	38	25	25
Artisans, commerçants, chefs d'entreprise	53	32	33
Cadres et professions intellectuelles supérieures	80	70	61
Professions intermédiaires	71	52	46
Employés	59	32	30
Ouvriers (y compris ouvriers agricoles)	47	20	20
Retraités	30	30	25
Autres inactifs	64	36	35
Ensemble	**53**	**36**	**33**

INSEE

… le sexe et la situation familiale.

Le taux de pratique de la plupart des activités de loisirs est plus élevé chez les femmes, quelle que soit leur situation familiale. Seule exception, les hommes qui vivent seuls sont plus nombreux à aller au musée et à visiter une exposition que les femmes seules (36 % contre 33 % en 2006, dernière année disponible, INSEE).

Les femmes actives disposent pourtant en moyenne d'une demi-heure de moins de temps libre que les hommes actifs : 3 h 30 par jour en 2010 (contre 3 h 14 en 1999, INSEE). Pour celles qui sont inactives ou au chômage, le temps libre est encore plus réduit que celui des hommes dans la même situation (1 h) mais avec un gain quasi-nul sur les dix dernières années : 5 h 38 en 2010, contre 5 h 26 en 1999. C'est l'une des explications des écarts constatés dans d'autres pratiques de loisir. Ainsi, le sport demeure une occupation plutôt masculine, même si l'écart se réduit progressivement avec l'âge, jusqu'à disparaître (p. 518). Moins d'une femme sur quatre assiste à des manifestations sportives au cours d'une année, contre quatre hommes sur dix.

L'usage des médias est également différencié. Les femmes inactives écoutent davantage la radio que les hommes, mais elles regardent moins la télévision et sont moins souvent lectrices des quotidiens (surtout nationaux). Elles lisent en revanche plus de livres et de magazines qu'eux (p. 479). Leur participation aux associations est

un peu inférieure à celle des hommes : deux femmes sur cinq contre un homme sur deux (p. 484). Il faut noter aussi que c'est la participation croissante des femmes qui est en grande partie responsable du développement de certaines activités au cours des années passées. C'est le cas notamment du sport, du bricolage, du jardinage ou des pratiques créatives (p. 535).

La présence d'enfants au sein du ménage favorise la pratique de certaines activités culturelles. Ainsi, 64 % des femmes vivant en couple avec des enfants étaient allées au moins une fois dans l'année au cinéma (2006, donnée la plus récente, INSEE) et 55 % de celles vivant dans une famille monoparentale, contre seulement 43 % de celles qui vivaient seules ou en couple mais sans enfants. Le constat était semblable pour les hommes ayant en charge des enfants. Une partie de la fréquentation peut s'expliquer par le souci d'accompagner les enfants au cinéma, loisir apprécié des enfants. La corrélation observée n'existait pas pour le théâtre ou le café-théâtre, spectacles davantage destinés aux adultes. Elle était beaucoup plus faible en ce qui concerne les sorties au concert et les visites de musées ou d'expositions, notamment pour les personnes vivant dans des familles monoparentales, aux revenus souvent modestes, avec un niveau d'éducation moins élevé.

La civilisation actuelle est celle des loisirs.

L'évolution considérable qui s'est produite au cours des dernières décennies dans les pratiques de loisir témoigne des changements de tous ordres apparus dans les mentalités. Les Français consacrent un temps croissant aux activités non professionnelles ; ils sont d'ailleurs dans le monde ceux qui disposent du temps libre le plus abondant, compte tenu d'une durée du travail plus faible qu'ailleurs (assortie de vacances plus longues) et d'une espérance de vie élevée, en particulier pour les femmes. Les ménages consacrent aussi aux loisirs une part croissante de leur budget, notamment pour se procurer les biens et services destinés à être utilisés au foyer (p. 404).

Le chemin parcouru en quelques décennies illustre la participation croissante des femmes à la vie économique, sociale et culturelle. Par ailleurs, la césure apparente entre les plus de 75 ans et les plus jeunes est le signe concret et spectaculaire du passage, en plusieurs générations, d'une société centrée sur le travail à une autre, dans laquelle les loisirs occupent une place essentielle. La césure de l'âge se déplace chaque année ; les générations arrivant à l'âge de la retraite sont en effet issues de la société des loisirs et pratiquent des activités de plus en plus diversifiées, de plus en plus longtemps. De sorte que la « civilisation des loisirs » est déjà une réalité pour une proportion importante de Français.

Cette révolution en cours des modes de vie et des systèmes de valeurs n'est pas sans conséquences sur le fonctionnement social. Elle oblige à repenser les rythmes sociaux, le rôle du travail, celui de l'État, les relations entre les générations à partir de nouveaux critères. Mais la gravité de la crise économique et budgétaire modifie le contexte. En rendant nécessaire le retour à la croissance pour résorber la dette et le chômage, elle pourrait impliquer un accroissement de l'activité et de la productivité.

PAYSAGE MÉDIATIQUE

Les médias occupent une place centrale dans la société...

Un média est un « procédé permettant la distribution, la diffusion ou la communication d'œuvres, de documents, ou de messages sonores ou audiovisuels (presse, cinéma, affiche, radiodiffusion, télédiffusion, vidéographie, télédistribution, télématique, télécommunication) » (Larousse). Les médias (ou media si l'on veut conserver la forme plurielle d'origine grecque, puis latine) sont des intermédiaires entre les acteurs de la société et le (ou les) public(s) qui les utilisent pour s'informer ou échanger. Étymologiquement, ils se situent au milieu et jouent ainsi un rôle de médiateur. Ils servent à communiquer, de façon unilatérale (lorsqu'un média s'adresse à un public, sans qu'il y ait un échange avec lui, en tout cas instantané) ou interactive (avec une possibilité d'interagir avec l'émetteur ou de l'utiliser comme support (intermédiaire) pour communiquer avec un ou plusieurs interlocuteurs.

La presse, les magazines, les livres, la télévision, la radio ou le cinéma sont les principaux exemples de médias traditionnels. Il faut leur ajouter d'autre « supports » d'information, à vocation par exemple publicitaire, comme les affiches, les prospectus, les brochures ou, de façon plus générale, les innombrables objets qui sont porteurs d'informations. Chaque bien matériel de consommation est ainsi un support de communication par son contenant, son emballage, suremballage, etc. Il faut noter que certains médias, comme le téléphone, sont depuis longtemps biunivoques (ils permettent une communication dans les deux sens).

À ces médias traditionnels se sont ajoutés depuis quelques années tous les *supports* électroniques et numériques de communication : ordinateurs (fixes, portables, netbooks...), téléphones portables et smartphones, lecteurs de fichiers MP3 ou MP4, de CD, DVD ou BluRay, tablettes numériques, etc. On pourrait ajouter des supports destinés spécifiquement au stockage (disques durs internes ou externes, cartes SD, MMC...), mais aussi les espaces dématérialisés *(cloud computing)*.

Il n'existe pas de définition unique et exhaustive des médias, car leur identification et leur classification dépendent des nombreux critères que l'on peut adopter. On peut ainsi distinguer les médias numériques et analogiques, matériels et immatériels, anciens ou récents, monomédia ou multimédia, interactifs ou non, etc. On peut distinguer les biens « d'accès direct » (livres, journaux, magazines...) et ceux qui nécessitent un équipement pour être utilisés : téléviseur pour regarder les chaînes, lecteur pour lire un DVD, téléphone pour appeler ou être appelé, etc.

Outre les équipements et les supports, il peut être nécessaire d'utiliser des *réseaux* (hertziens, par câble, satellite, fibre optique, ADSL, 3G, 3G+, 4G...) qui établissent les communications, unilatérales ou multilatérales, mais aussi des serveurs informatiques, des services de messagerie, des logiciels ou des applications. Il s'y est ajouté récemment les réseaux sociaux, qui permettent à leurs adhérents d'échanger des informations multimédias, en groupes plus ou moins larges (Facebook, LinkedIn, Twitter...).

... et dans la vie des Français, ...

Les Français sont équipés de très nombreux appareils et supports permettant d'accéder à l'information et à la communication. La quasi-totalité des ménages disposent d'appareils de radio, d'un ou plusieurs téléviseurs, lisent des journaux ou magazines, disposent d'un téléphone (fixe et/ou mobile) ; les trois quarts ont un ordinateur connecté à Internet. Ils sont aussi nombreux à être abonnés à des services proposés par des opérateurs (télévision, Internet, téléphonie fixe ou mobile...) et inscrits à des réseaux d'échange.

Ils ont en moyenne chaque jour 42 contacts avec les médias et les loisirs numériques (Médiamétrie, étude Média In Life 2012), contre 40 en 2009. Plus de huit sur dix écoutent la radio en semaine et sept sur dix au cours du week-end. En semaine, 58 % utilisent Internet pour leur activité professionnelle ; la proportion est de 50 % pendant le week-end. Par ailleurs, 48 % consultent leur téléphone mobile en semaine, 39 % le week-end.

En situation de mobilité, les activités médias et multimédias sont également de plus en plus fréquentes : 76 % des Français en pratiquent, contre 73 % en 2008. Près de six sur dix écoutent la radio. Le téléphone mobile est la seconde activité la plus pratiquée en mobilité. Les jeunes (15-24 ans) sont les plus nombreux à se divertir lorsqu'ils se déplacent : huit sur dix ont une activité média ou multimédia.

Sur le lieu de travail, les trois quarts des Français ont des activités liées aux médias et aux loisirs numériques. Les plus fréquentes sont la radio et le téléphone mobile. Avec plus d'une personne sur trois utilisatrice, le téléphone mobile est l'activité qui a le plus progressé au travail.

Au cours du week-end, les loisirs numériques sont le plus souvent partagés avec les proches. Une personne sur quatre écoute de la musique (contre une sur cinq en semaine). 15 % jouent à des jeux vidéo contre 14 % en semaine. La part de la télévision s'accroît également pendant le week-end (43 % des contacts quotidiens, contre 37 % en semaine), alors qu'elle est peu différenciée en ce qui concerne la presse (8,4 % des contacts journaliers en week-end, contre 7,7 % en semaine). 62 % des contacts avec les médias sont partagés.

… qui leur accordent cependant une confiance limitée.

La présence et l'usage croissants des médias dans la vie des Français ne se sont pas accompagnés d'un accroissement de la confiance qui leur est accordée. C'est le cas en particulier des trois principaux médias traditionnels d'information (presse, radio, télévision), qui ne sont considérés comme crédibles que par la moitié de leurs utilisateurs. Les niveaux atteints ont varié assez largement selon les moments et l'on peut établir des corrélations avec certains événements nationaux ou internationaux (graphique). En vingt-cinq ans, la hiérarchie des trois grands médias a également varié, avec une érosion marquée de la confiance accordée à la télévision, qui est dépassée par la radio depuis la fin des années 1980. L'écart était de 10 points en 2012 : 58 % contre 48 %. La presse (journaux nationaux et régionaux, quotidiens ou non) est passée de la troisième à la deuxième place depuis le début des années 2000, avec 51 % de confiance en 2012.

Depuis le milieu des années 2000, Internet s'est installée parmi les principaux médias, en même temps que se développait le niveau d'équipement informatique. Le niveau de confiance qui lui est attribué est proche de celui de la télévision: 47 % en 2012 parmi les Internautes, 37 % seulement dans l'ensemble de la population, dont plus d'un quart ne disposait pas d'une connexion internet. Il a évolué aussi à peu près de la même façon que le taux mesuré pour la télévision, à l'exception de 2010 ; le regain de confiance accordé à celle-ci ne lui a pas profité de la même façon. La ressemblance des courbes peut s'expliquer par le fait que la télévision et Internet sont des supports/médias de plus en plus impliqués : les Internautes peuvent recevoir la télévision sur leurs ordinateurs ou leurs téléphones mobiles, tandis que les téléviseurs sont de plus en plus connectés à Internet, par les opérateurs de téléphonie et les fournisseurs d'accès, mais aussi en amont par les fabricants d'appareils.

L'émotion est de plus en plus présente, …

Une analyse des contenus des médias montre sans ambiguïté la place qu'y occupe l'émotion. Les films, les magazines ou les journaux télévisés sont remplis d'images, de sons et de textes montrant tout l'éventail qu'elle couvre, entre plaisir et détresse, cette dernière étant d'ailleurs plus fréquente que la première. Sur les plateaux de télévision, ceux qui savent déclencher l'émotion, le rire, la compassion obtiennent plus facilement l'adhésion du public que ceux qui raisonnent à partir de faits et de chiffres, même s'ils ont raison. Les spécialistes de la communication savent bien que l'affectif est plus « effectif », c'est-à-dire efficace, que le raisonnement. Le registre de l'objectif est plus difficile à pratiquer, et il est souvent moins convaincant, car moins empathique. D'autant que le public ne peut vérifier les informations, souvent contradictoires, qui lui sont assénées. Il doit donc faire confiance, mais il n'est guère enclin à le faire lorsqu'il a affaire aux médias (graphique).

Cette prime à l'émotion a quelques inconvénients. Elle aboutit souvent à une simplification de la réalité ; les discours émotionnels ne s'embarrassent pas de « détails », ils ne cherchent pas à faire la part des choses. Une affirmation péremptoire, même erronée, est souvent beaucoup plus efficace qu'un discours tempéré, dans lequel on s'efforce de faire la pédagogie du réel, avec ses inévitables contradictions. Les mots et les images les plus efficaces s'adressent au « cœur », en tout cas à des régions du cerveau différentes de celles qui permettent de raisonner.

L'émotion et la démocratie ne font ainsi pas toujours bon ménage. Le « populisme » permet plus facilement d'accéder à la popularité que la qualité du raisonnement et le souci d'objectivité, comme on le constate régulièrement lors de débats politiques. Par ailleurs, la présence de « vrais gens » parlant avec leurs « tripes » et leurs propres mots des difficultés qu'ils vivent au quotidien (pouvoir d'achat, emploi, maladie…) met souvent en difficulté les responsables politiques,

Un Français sur deux confiant dans les médias

« En général, à propos des nouvelles que vous lisez dans un journal/entendez à la radio/voyez à la télévision-Internet, est-ce que vous vous dîtes : Les choses se sont passées vraiment ou à peu près comme le journal/la radio/la télévision/ Internet les raconte. » (2012, Français de 18 ans et plus, % des réponses positives)

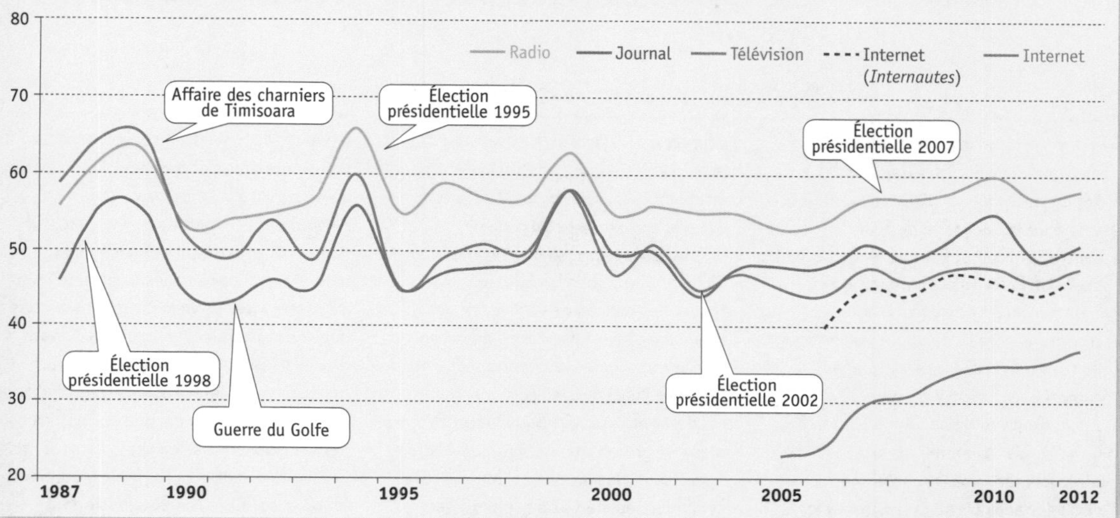

La Croix/TNS Sofres, janvier 2012

a priori suspectés de ne pas dire la vérité ou de participer à une manipulation. De la même façon, les déclarations de certaines « célébrités », questionnées sur des sujets hors de leurs domaines de compétences ont parfois plus de poids que les paroles des « experts » ou des « intellectuels », pourtant a priori plus légitimes.

Dans l'envahissement de l'émotionnel, parfois de l'irrationnel, la télévision et Internet jouent un rôle particulier, lié à la force des images animées qu'ils diffusent. Celles-ci sont en effet souvent porteuses des émotions les plus fortes ; elles vont au-delà des mots, et ne laissent pas toujours le temps de la réflexion à ceux qui les reçoivent.

… et la « polémique » devient systématique.

Dès qu'un événement à caractère dramatique se produit dans le pays (catastrophe naturelle, acte criminel, accident industriel, accident grave de transport…), un processus médiatique s'enclenche, de plus en plus systématique. Le drame est d'abord immédiatement relaté et abondamment commenté, parfois même en l'absence d'informations disponibles. Puis, dans les heures qui suivent, s'engage une *polémique*. Elle est généralement centrée sur trois questions. Qui est responsable ? N'aurait-on pu éviter la catastrophe par une meilleure prévention, un contrôle plus efficace, une réaction plus rapide ? Qu'a-t-on caché aux Français ?

La polémique est alimentée par des informations contradictoires, en provenance de sources multiples (officielles ou non), commentées par des « experts » qui livrent leurs analyses, leurs expériences, leurs certitudes ou leurs doutes, leurs solutions pour l'avenir. Les journalistes découvrent (ou reçoivent) des informations ou témoignages (oraux, écrits ou, de plus en plus, en images) ; la tentation est forte de privilégier celles qui vont à l'encontre des déclarations officielles sur le déroulement, les causes et les conséquences de la catastrophe. Il faut dire que le risque de se faire instrumentaliser existe de tous les côtés. Une partie du public soumis à l'avalanche d'informations prend parti pour l'une ou l'autre des thèses évoquées, selon ce qu'il apprend, ce qu'il imagine ou ce qui conforte ses opinions. Une autre partie ne sait que penser et s'agace de l'importance donnée à l'événement. Mais beaucoup restent quand même à l'écoute des derniers commentaires.

La polémique est ainsi devenue depuis quelques années partie prenante de l'information. Elle est bien sûr utile lorsqu'elle permet de faire avancer la « vérité », de mettre en évidence les causes et les responsabilités, de réduire les risques ultérieurs. Mais le fait qu'elle se développe toujours « à chaud » la rend souvent inefficace, parfois dangereuse. Les informations qui sont délivrées en « temps réel » ne peuvent en effet être vérifiées ; elles sont contradictoires et servent souvent les intérêts des parties concernées (personnes ou organisations mises en cause, victimes, détracteurs, défenseurs...).

Le développement des stations de radio et des chaînes de télévision d'information continue a favorisé l'usage de la polémique, qui permet d'accroître l'audience. Le phénomène a connu

Démocratie ou « démocrature » ?

Le système médiatique est un élément essentiel de la démocratie ; le « quatrième pouvoir » est né de la nécessité de faire contrepoids aux trois autres (le pouvoir exécutif, législatif et judiciaire). Cela n'interdit pas de chercher à comprendre les processus de formation de l'opinion individuelle et collective auquel il participe largement.

On observe d'abord que les médias ne sont pas, comme leur nom le laisse supposer, de simples « intermédiaires » entre les acteurs de la société et le public ; ils sont devenus à leur tour des acteurs, impliqués de façon volontaire ou non, consciente ou non, dans la vie de la société. Il faut en effet garder présent à l'esprit que, dans un contexte de forte concurrence économique, leur objectif premier n'est pas de fournir la représentation la plus exacte possible de la société, mais de survivre et se développer. Il s'agit donc pour cela d'attirer le public et de le retenir. On soulignera que le manque d'objectivité qui en résulte presque mécaniquement est plus souvent le résultat d'une contrainte que d'une volonté délibérée. L'une des manifestations les plus apparentes de cette contrainte est la propension des médias à privilégier l'émotion par rapport à la raison.

La place et le rôle des médias sont révélateurs du système social. Dans un système « parfait », supposé être celui de la *démocratie*, les médias sont des intermédiaires et des médiateurs « purs » entre les acteurs de la société (responsables politiques, sociaux, scientifiques, intellectuels, experts, etc.) et le peuple, qui est doté du pouvoir ultime. Cela suppose que les médias diffusent au public les informations recueillies auprès des acteurs, sans les analyser et commenter, de façon à ne pas introduire de distorsion (ce qui suppose aussi que les acteurs soient totalement objectifs dans leurs discours et les informations qu'ils mettent à disposition des médias...). Mais le rôle principal des médias au sein d'une démocratie est de faire remonter vers les acteurs les attentes, besoins, souhaits et revendications des citoyens. Car ce sont eux, en effet, qui doivent décider de leur destin collectif, en indiquant aux acteurs les résultats à atteindre, et même les voies à suivre.

Dans le pire système social, celui de la *dictature*, les médias n'assument pas, par nature, un rôle objectif. Ils sont à la solde des acteurs, et représentent leurs porte-voix, de façon officielle ou non. Le degré de dictature indique le niveau de liberté (a priori faible) laissé aux médias, la possibilité d'existence de médias d'opposition, susceptibles de relayer la « voix du peuple » auprès des acteurs, qui n'en tiennent pas compte que s'ils le veulent bien. Les médias sont alors essentiellement des organes de propagande, au service de leurs mandants, et sous leur menace permanente.

On peut considérer que la France, et avec elle la majorité des pays développés, vit dans un autre système. Les médias ne sont pas, pour la plupart d'entre eux, à la solde des acteurs. Ils ne sont pas non plus au service exclusif du peuple (c'est-à-dire de leur public), mais à leur propre service, car ils doivent satisfaire à des contraintes économiques dans un contexte concurrentiel. Ils sont de ce fait des *acteurs* à part entière, qui créent de l'information autant qu'ils la diffusent. C'est ainsi que les médias parlent souvent des médias, instruisent eux-mêmes leur propre procès, donnent le ton, amplifient (parfois fabriquent) des tendances, nourrissent (parfois fabriquent) des polémiques.

C'est dans ce système, que l'on peut nommer *« démocrature »*, que vit la société depuis déjà quelques années. La montée en puissance des « nouveaux médias », grâce à l'interactivité qu'elle permet et à la possibilité qu'elle offre aux citoyens de se faire entendre des autres, pourrait le modifier. Mais il apparaît peu probable que l'on s'oriente pour autant vers une « démocratie pure ». Car ceux qui s'expriment ne sont pas représentatifs de l'ensemble de la population. De plus, des risques de manipulation ou au moins d'influence de l'opinion existent, de la part d'individus isolés ou rassemblés en groupes de pression. Enfin, des risques existent de reprise en main de ces médias par les acteurs traditionnels ; on le voit par exemple avec des entreprises qui s'efforcent de noyauter des forums ou d'améliorer par tous les moyens leur image et leur « *e-réputation* ».

une forte accélération avec le poids grandissant d'Internet, de la téléphonie portable et des réseaux sociaux. Chaque individu peut désormais relayer des informations, apporter des commentaires, mais aussi créer ou colporter des rumeurs sans autre fondement que la volonté de nuire ou d'exister. La « théorie du complot » (de la part des responsables, notamment politiques ou économiques) en sort renforcée, tandis que la confiance mutuelle est diminuée. La polémique gagnerait beaucoup à se transformer en un débat objectif, posé, « à froid ». Elle permettrait alors de faire avancer le consensus, plutôt que de le rendre impossible ou précaire, de réconcilier les points de vue plutôt que les radicaliser.

TÉLÉVISION

La moitié des ménages ont au moins deux téléviseurs.

Le taux d'équipement en télévision (98 % en 2012) a connu sa plus forte croissance dans les années 1960. Depuis les années 1970, c'est surtout le multi équipement (au moins deux téléviseurs) qui a progressé. Un ménage sur deux est aujourd'hui concerné : 53 % en 2011, contre 32 % en 1993, 10 % en 1981. 15 % possèdent au moins trois postes. Les téléviseurs noir et blanc ont disparu et il en sera bientôt de même du téléviseur à tube cathodique, même si un foyer sur deux en est encore équipé. La commande vocale devrait remplacer la télécommande, qui n'équipait que 24 % des appareils il y a trente ans.

L'équipement des ménages a connu de nouveaux développements technologiques avec les écrans plats (LCD, plasma, Led, 3D), les systèmes de *home cinema*, les lecteurs-enregistreurs de DVD, Blu-Ray ou les disques durs multimédia qui remplacent les magnétoscopes, la TNT (télévision numérique terrestre), la réception par ADSL (connexion internet à haut débit), par le câble, la fibre optique, la haute définition, la télévision sur le téléphone mobile ou sur les tablettes numériques. Plusieurs centaines de chaînes sont ainsi disponibles par le câble, le satellite ou Internet. L'heure est à la multiplication des modes d'accès à la télévision : un tiers des Français la reçoivent par au moins deux moyens : la TNT pour 61 % d'entre eux et l'ADSL pour 37 % (ARCEP-CGIET/Crédoc, octobre 2011).

Les ménages disposent aujourd'hui en moyenne de 1,5 téléviseur, contre 2,2 au Royaume-Uni (GFK). Ils ont acheté 8,7 millions de télévisions en 2011, conséquence du passage à la TNT, mais le parc en place a connu une légère baisse (1,3 %), à 47,2 millions d'unités. Au premier semestre 2012, le marché avait repris un rythme annuel de 6,5 à 7,5 millions d'appareils, dont 20 % équipés de la 3D, contre 6 % en 2011, et plus du tiers connectés à Internet, contre 18 % en 2011 (GFK). En 2011, 47 millions de Français étaient présents chaque jour devant leur poste de télévision.

L'utilisation en famille est moins fréquente.

La progression du multi équipement en téléviseurs et le développement très rapide des autres supports (ordinateur, tablette numérique, smartphone) ont fait apparaître deux façons distinctes de consommer la télévision. Les émissions fédératrices (sport, variétés, films…) restent le plus souvent visionnées en famille. Celles liées à des centres d'intérêt particuliers sont au contraire regardées de façon individuelle ; c'est le cas notamment des chaînes thématiques du câble, du satellite et de la TNT. Au total, le visionnage en famille a reculé au profit de celui effectué en solitaire. La multiplication du nombre de chaînes disponibles et celle des supports ont favorisé un mouvement plus général d'individualisation des comportements au sein du foyer.

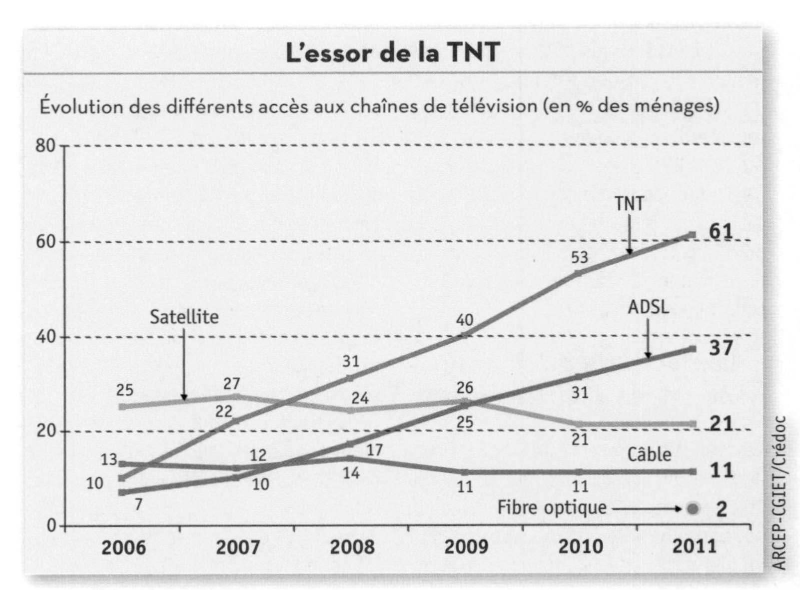

La télévision, première source d'information

Parmi les moyens utilisés par les Français pour s'informer sur l'actualité nationale et internationale, la télévision reste en tête, avec 80 % (Baromètre *La Croix*/TNS Sofres, 2012) ; elle est choisie par 93 % des personnes ayant au maximum le certificat d'études, contre 65 % des diplômés de l'enseignement supérieur. Elle est suivie de la radio (45 %, +1 point en un an), qui creuse l'écart avec la presse écrite (35 %, en baisse de 3 points). Internet poursuit sa progression (30 %, +3 points), avec des taux de préférence très différents selon les générations : 52 % chez les moins de 35 ans, 22 % chez les 35 ans et plus.

Début 2012, à quelques mois de l'élection présidentielle, on notait un léger accroissement du niveau global de confiance des Français dans les médias (p. 447), le plus crédible restant la radio, devant la presse écrite et la télévision. Internet fermait la marche (auprès de ceux qui disposaient d'une connexion à domicile), quasiment à égalité avec la télévision : un résultat qui peut paraître relativement élevé par rapport à elle, compte tenu de la diversité des sources d'information accessibles sur le Web et de la difficulté de les valider.

Seule une courte majorité des Français (53 %) estime que les médias ne sont pas partisans politiquement, mais elle est en baisse de 3 points par rapport à 2011. De même, l'idée selon laquelle les médias favoriseraient la droite a diminué de 5 points, à 20 %. 12 % seulement les jugeaient favorables à la gauche, une proportion en hausse de 3 points. 59 % considéraient que les journalistes ne sont pas indépendants vis-à-vis des partis politiques et du pouvoir (en baisse de 4 points) ou vis-à-vis des pressions des milieux financiers (56 %, en baisse de 2 points).

La majorité des Français déclaraient préférer regarder la télévision plutôt que naviguer sur Internet, à 63 % contre 37 % (BVA, octobre 2011), Même parmi seulement ceux utilisant Internet, la préférence pour la télévision demeurait majoritaire (54 %, contre 46 %). Mais la situation pourrait évoluer à terme. Les jeunes (15-24 ans) exprimaient en effet une nette préférence pour Internet (70 % contre 30 % à la télévision). Le débat pourrait devenir sans objet avec le développement de la télévision connectée, outil de convergence des deux univers.

La grande majorité des téléviseurs uniques ou principaux (neuf sur dix) sont placés dans le séjour, le salon ou la salle à manger. Les récepteurs supplémentaires sont de plus en plus souvent placés dans les cuisines, les chambres des parents ou des enfants, ainsi que dans les bureaux. 92 % des Français regardent régulièrement la télévision ou des DVD dans leur salon-séjour, 39 % dans leur chambre à coucher et 12 % dans leur cuisine (Ipea, 2011). 64 % des Français estiment impossible de se passer de la télévision (SACEM/Opinionway, 2011).

Les lecteurs 3D Blu-ray sont entrés dans les salons.

Les Français ont acheté près de 140 millions de DVD ou de disques Blu-ray en 2011, un volume en baisse de 4 % sur un an, pour une valeur de plus de 1,2 milliard d'euros. Sur le premier trimestre 2012, les ventes de DVD ont diminué de 17 % tandis que celles de Blu-ray progressaient de 25 % (CNC-GFK). Le taux d'équipement des Français en lecteurs DVD ou Blu-ray a atteint 92 % au début 2012, contre 50 % en 2004. En 2011, les achats de lecteurs 3D Blu-Ray (420 000 unités) ont été dopés par la vente de téléviseurs 3D (710 000 unités), pour compléter l'offre encore peu abondante de programmes en 3D offerts par les chaînes. Le lecteur-graveur de salon et le lecteur à disque dur sont de plus en plus présents, mais ils sont concurrencés par d'autres matériels ou services, comme le disque dur multimédia, la vidéo sur demande ou la télévision de rattrapage (ci-après).

De tous les équipements électroniques apparus sur le marché, le lecteur de DVD est, avec le téléphone portable, celui qui s'est développé le plus rapidement. Cet engouement s'explique par les services rendus aux utilisateurs ; il permet de ne pas être dépendant des heures de diffusion et de se constituer une vidéothèque personnelle de meilleure qualité que les cassettes. La multiplication des chaînes et la baisse régulière des prix ont largement favorisé ce phénomène. Il pourrait être remis en cause par la possibilité de visionner des programmes à volonté sans avoir besoin de support physique.

L'offre de vidéo dématérialisée se développe.

La baisse sensible des achats d'équipements vidéo s'explique en partie par l'apparition de nouveaux services depuis 2006. Les téléspectateurs ont désormais la possibilité de visionner des émissions après leur diffusion, en général gratuitement pendant une semaine, puis à titre payant. En 2011, 29 % des Français ont utilisé la télé-

vision de rattrapage ou catch-up TV accessibles au moyen de trois technologies : Adsl, câble ; télévision connectée. En décembre 2011, l'offre des 18 chaînes nationales gratuites disponibles en télévision de rattrapage sur Internet a représenté 11 400 heures de programmes soit 37 700 vidéos (CNC). En 2011, 1,8 milliard de vidéos ont été regardées en télévision de rattrapage, principalement sur un ordinateur (71 %) puis sur la télévision (23 %) et les téléphones et tablettes (6 %). Les consommateurs de télévision de rattrapage déclarent regarder des programmes au moins une fois par semaine. Plus de la moitié le font entre 20 heures et 22 heures (52 %), 32 % entre 22 heures et minuit, 27 % entre 18 heures et 20 heures.

La consommation de vidéos par le biais d'Internet *(telestreaming)* est, elle, largement réservée aux hommes jeunes habitant les grandes villes, qui sont par ailleurs des utilisateurs intensifs d'Internet. Début 2012, l'offre légale de vidéos à la demande comptait 20 000 programmes dont environ 6 500 films, sachant que ceux-ci représentent 65 % de la consommation. La convergence entre télévision et Internet devrait donner lieu à de nouvelles générations d'équipements hybrides, proposés à la fois par les fabricants de téléviseurs et ceux d'équipements informatiques.

Le nombre de chaînes s'est considérablement accru.

En une décennie, le paysage télévisuel français s'est transformé. Fin 2011, 201 chaînes par câble, satellite, Adsl, mobile ou internet étaient disponibles, dont 141 conventionnées et 60 déclarées. Ce nombre de chaînes est à comparer aux 86 de 2004 et 21 de 1990. Il faudrait encore ajouter la télévision par ADSL et les web-TV accessibles sur Internet. Depuis 1998, le satellite a fait l'objet d'un véritable engouement, alors que le nombre d'abonnés au câble connaissait une progression plus faible. La part croissante du satellite est davantage liée au taux d'équipement individuel qu'à la réception collective. Contrairement aux chaînes traditionnelles gratuites et à celles du câble, les chaînes thématiques du satellite sont plus regardées par les hommes. Le câble a connu un renouveau, avec l'offre combinée télévision-Internet. La pénétration du câble et du satellite dans les foyers français reste cependant inférieure à

Télé story

Depuis la fin du monopole audiovisuel de l'État, la télévision a connu des transformations profondes. De nouveaux modes de diffusion se sont développés, avec le câble, puis le satellite. La TNT (télévision numérique terrestre) est apparue en 2005 ; elle est devenue uniquement accessible en numérique à partir de 2011. Au cours des dernières années, les fournisseurs d'accès à Internet et les opérateurs de téléphonie mobile ont multiplié les offres centrées sur la télévision. L'accroissement spectaculaire du nombre des chaînes et des canaux a favorisé le multi équipement des ménages. En même temps que l'image numérique se développait la haute définition et apparaissait la télévision en relief, nécessitant d'abord des lunettes spéciales (à technologie active ou passive), puis sans lunettes.

Cette évolution technique a entraîné une segmentation du marché et une individualisation de l'écoute de la télévision. Exposées à une plus forte concurrence, les chaînes généralistes ont vu leur part d'audience diminuer, de même que leurs recettes publicitaires. Le phénomène a été amplifié par la crise économique et la tentation des entreprises de réduire leurs dépenses de communication. La suppression partielle de la publicité sur France Télévisions en janvier 2009 a été un frein à la baisse pour les chaînes privées, en même temps qu'une menace sur le financement à terme des chaînes publiques. Malgré l'accroissement global de leur part de marché, l'audience des chaînes thématiques reste très fragmentée.

Les étapes les plus récentes concernent la *catch up TV* (télévision de rattrapage) et la VOD (vidéo à la demande), d'un usage plus facile que l'enregistrement classique avec un magnétoscope, grâce à la numérisation et au *telestreaming*. Par ailleurs, des sites vidéo comme *YouTube* ou *Dailymotion* offrent un large éventail de contenus audiovisuels, le plus souvent sous forme d'extraits et de clips. La frontière entre la télévision et Internet est également en train de disparaître avec les « téléviseurs connectés ».

Ces évolutions successives ont modifié le rapport de force entre diffuseurs et consommateurs, au profit de ces derniers. Ils peuvent désormais choisir sous quelle forme et à quel moment visionner des contenus (avec ou sans publicité). Ils peuvent même en produire et en diffuser eux-mêmes.

celle mesurée dans d'autres pays d'Europe ; elle atteint 80 % au Benelux, en Allemagne et en Autriche, un tiers au Royaume-Uni, mais elle est très peu présente en Italie et en Grèce.

Il s'ajoute à ces offres celles proposées par les fournisseurs d'accès internet, avec les boîtiers *triple-play* ADSL (Internet, téléphonie, télévision) et même les offres *quadruple play* (inauguré par Bouygues Télécom en 2009) incluant la téléphonie mobile. En 2011, 7,4 millions de foyers français équipés en télévision disposaient d'une box ADSL ou d'un accès fibre optique reliée à leur téléviseur. 56 % des téléspectateurs possédaient un seul canal pour accéder à la télévision mais ils étaient 28 % à en posséder deux et déjà 6 % à en posséder trois (Crédoc, octobre 2011). La multiplication des moyens de recevoir la télévision progresse de plus en plus vite avec 34 % des individus possédant plusieurs canaux d'accès hors antenne classique analogique, contre seulement 7 % il y a cinq ans. Près d'un Français sur cinq regarde la télévision *via* un ordinateur. Cette pratique dépasse désormais largement le téléchargement de films (15 %) mais elle ne connaît pas encore le taux du *streaming* (24 %). Les plus jeunes, 12-17 ans, sont les plus concernés : 43 % ont regardé des programmes audiovisuels sur un ordinateur en 2011, en progression de 12 points sur un an. Les 18-24 ans utilisent encore très largement le téléviseur ; ils n'étaient que 35 % à utiliser un ordinateur. Les cadres (28 %) et les plus diplômés (26 %) se distinguaient par un usage plus fréquent de l'ordinateur pour regarder la télévision.

Un foyer sur deux est abonné à une offre payante.

14,1 millions de foyers, soit 52,6 % des foyers équipés de téléviseurs, étaient abonnés à une offre payante de télévision en mode numérique au début 2012 (Médiamétrie). Pour la moitié d'entre eux, il s'agit d'une offre ADSL ou fibre optique ; les autres sont abonnés à une offre satellite (25 %), au câble (15 %) ou aux chaînes payantes de la TNT (8 %). Le profil des abonnés est sensiblement différent de celui des possesseurs de téléviseurs. La proportion de chefs de foyer CSP + est nettement supérieure chez les abonnés puisqu'ils représentent 42,3 % des abonnés. Les classes d'âge 4-14 ans, 15-24 ans et 35-49 ans sont sur-représentées, tout comme les agglomérations de plus de 100 000 habitants (29,4 % hors Paris) et les zones rurales (26,7 %). En termes d'audience, le poids des chaînes payantes reste faible, avec un taux de 3,7 % pour la thématique Jeunesse, 3,1 % pour les chaînes généralistes payantes, 3 % pour le cinéma, 2,9 % pour la fiction, 2,6 % pour le sport, 1,5 % pour le documentaire, 1,2 % pour les chaînes musicales, et seulement 0,2 % pour les chaînes Art de vivre.

Après des débuts difficiles, la chaîne cryptée Canal+, née en novembre 1984, avait réussi son pari, dépassant 4 millions d'abonnés, soit plus d'un foyer sur cinq (21 %). Fondée à l'origine sur le cinéma et le sport, elle s'était dotée d'une image anticonformiste grâce à des émissions de divertissement et d'humour diffusées en clair comme *Nulle part ailleurs* et *les Guignols de l'info*. Elle avait ensuite perdu de son originalité et connu des difficultés financières, tant en France que dans son développement à l'étranger. Les efforts réalisés par la chaîne depuis 2003 ont porté leurs fruits : l'audience était remontée à 3,8 % en 2004 puis retombée : elle s'est stabilisée à 3,1 % en 2011. Canal + compte 6,2 millions d'abonnés individuels ou collectifs, en baisse de 4 % depuis 2008. En novembre 2011, la chaîne s'est engagée dans la télévision à la demande en créant Canal Play Infinity, une offre de location de vidéos illimitée ; elle comptait 25 000 abonnés en mars 2012, qui regardaient en moyenne 30 vidéos par mois.

Le tout numérique

Amorcé en février 2009, le passage de la télévision analogique à la télévision numérique terrestre (TNT) s'est achevé le 29 novembre 2011 à minuit. La TNT couvre plus de 97 % de la population française. Fin 2011, elle donnait accès à 18 chaînes nationales gratuites et 10 chaînes payantes avec une qualité « haute définition » pour les chaînes gratuites comme TF1, France 2, Arte et M6. Six nouveaux canaux en haute définition ont été attribués par le CSA en mars 2012 pour la création de nouvelles chaînes. Parmi les opérateurs existants, TF1 proposera une chaîne de fiction française, M6 une chaîne familiale, Nextradio (groupe BFM TV-RMC) une chaîne documentaire (RMC Découverte) et NRJ une chaîne tournée vers un public féminin (Chérie HD). Le groupe Amaury *(Le Parisien)* mettra à l'antenne une chaîne sportive, *l'Équipe HD*. Un groupe d'actionnaires de journaux *(Le Monde, Le Point)*, de Pink TV et du groupe de distribution Casino lanceront *TVous*, une chaîne orientée sur la diversité des programmes avec des films, des documentaires et un tiers de magazines de société. Ces six nouvelles chaînes devraient émettre dès l'automne 2012 pour couvrir 50 % de la population métropolitaine au deuxième trimestre 2013 et 97 % en 2014.

La durée d'écoute moyenne augmente.

Les téléviseurs sont restés allumés 5 h 36 par jour dans les foyers en 2011, soit 25 minutes de plus en onze ans (5 h 11 en 1998). La durée moyenne quotidienne d'écoute de la télévision chez les 4 ans et plus était de 3 h 47, en incluant le visionnage en différé, contre 3 h 17 en 2010 pour un visionnage classique (Médiamétrie, 2011). Dans le monde, la durée d'écoute quotidienne était de 3 h 16 en 2011 et de 3 h 48 en Europe (Eurodata TV Worldwilde). En dix ans, les Européens ont consacré 25 minutes de plus à regarder la télévision contre une augmentation de 19 minutes pour les Français.

Cet accroissement régulier de la durée d'écoute s'explique par celui de l'offre. En 2011, conséquence du passage massif à la TNT, la durée d'écoute a fortement augmenté chez les plus de 50 ans (+25 minutes) pour atteindre 4 h 59 par jour. Les catégories aisées (CSP +) ont elles aussi augmenté leur consommation télévisuelle grâce à la télévision de rattrapage *(Catch up TV)* pour la regarder 3 h 08 par jour (+17 minutes en un an). La durée d'écoute moyenne a peu varié chez les enfants et les jeunes : 2 h 18 pour les 4-14 ans, 2 h 38 pour les 15-34 ans. Elle a atteint 3 h 56 chez les femmes de moins de 50 ans, soit près d'une heure et demie de plus.

L'écoute varie fortement au cours de la journée, avec des pointes vers 13 h (environ 25 % d'audience moyenne en semaine chez les 4 ans et plus, mais 27 % le samedi) et surtout 21 h (43 % en semaine et le dimanche, mais 35 % le samedi). Elle est maximale en début de matinée le vendredi (7 % à 8 h), à mi-journée le samedi (25 % à 13 h) et en soirée le lundi (43 %) ; elle passe en-dessous de 5 % après 1 h du matin. Elle varie aussi selon la période de l'année ; l'écart atteint près d'une heure entre le maximum de janvier (4 h) et le minimum d'août (3 h). Une météo fraîche a par exemple une influence positive sur la durée d'écoute.

Les 20 % de Français les plus « téléphages » représentent à eux seuls près de la moitié de l'audience totale ; les 10 % les moins assidus ne regardent en moyenne qu'une dizaine de minutes par jour. Avec plus de 3 h 30 d'écoute quotidienne, les Britanniques, les Italiens et les Grecs sont ceux qui regardent le plus la télévision. Les Suédois, Néerlandais, Danois et Autrichiens sont les moins concernés (moins de 3 heures par jour).

La réalité dépasse la fiction

Programmes préférés des Français (2011, en %)

Documentaires et reportages	54
Cinéma	50
Information	49
Séries télévisées	38
Sports	29
Divertissement ou variété	21
Jeux	12
Jeunesse	7
Télé-réalité	4

SCAM/IFOP

La « consommation » de programmes diffère de l'offre.

Les Français de 4 ans et plus ont passé en moyenne 1 117 heures et 48 minutes devant la télévision en 2011. Ils ont consacré 272 heures aux émissions de fiction, 231 aux magazines et documentaires, 131 aux journaux télévisés, 125 aux jeux, 104 à la publicité, 60 au sport, 58 aux films, 49 aux variétés, 48 aux émissions pour la jeunesse, 38 à d'autres types de programmes. La hiérarchie reste assez stable dans le temps, sauf les années chargées en évènements sportifs (comme c'est le cas en 2012). On observe un net accroissement d'intérêt pour les magazines et documentaires au détriment des journaux télévisés. Le développement de la TNT a renforcé l'audience des jeux et des émissions pour la jeunesse.

Parmi les genres d'émissions consommées sur les grandes chaînes en 2010, la fiction occupait la première place, avec 24,4 % du temps de consommation, devant les magazines et documentaires (16,2 %) et les journaux télévisés (11,7 %). L'offre de programmes n'est évidemment pas indépendante de la demande, mais il existe un écart parfois important entre les deux (tableau). Le sport représente ainsi 5,4 % de la consommation, pour seulement 2,2 % du temps de programmation. La publicité, qui ne bénéficie pas d'une image favorable dans le public (p. 411), est paradoxalement « surconsommée », avec 9,3 % du temps d'écoute, alors qu'elle ne représente que 7,1 % de l'offre de programmes.

Au contraire, les variétés, les magazines documentaires et surtout les émissions pour la jeunesse font l'objet d'une « sous-consommation ». Ces écarts, que l'on observe depuis des années, s'expliquent en partie par les heures de diffusion des différents types d'émissions. Une émission en *prime time* est beaucoup plus regardée qu'une autre placée en fin de soirée. Elle bénéficie donc d'une demande apparente beaucoup plus forte.

L'offre de programmes des chaînes thématiques du câble et du satellite diffère de celle des chaînes de la TNT. Elle fait une place plus large au sport, aux émissions pour la jeunesse et à la musique. Elle est en revanche globalement plus réduite en ce qui concerne l'information, les variétés et la fiction.

L'offre et la demande

Répartition de l'offre et de l'audience des différents types de programmes (2010, 10 chaînes de la TNT, en %)

	TV offerte	TV consommée
Fictions	24,1	24,4
Magazines	15,6	16,2
Journaux TV	3,0	11,7
Jeux	5,5	11,2
Publicité	7,1	9,3
Sports	2,2	5,4
Films	3,8	5,2
Documentaires	10,0	4,5
Variétés	9,4	4,4
Jeunesse	13,1	4,3
Divers	6,2	3,4

Médiamétrie

En 2011, 498 programmes ont réuni plus d'un million de téléspectateurs contre seulement 207 en 2010. Pour la première fois dans l'histoire de la télévision, six programmes ont dépassé les 12 millions de téléspectateurs. Le sport arrive largement en tête, avec la finale de la coupe du monde de Rugby qui a attiré 15,4 millions de téléspectateurs, suivie de l'interview de Dominique Strauss-Kahn au journal de 20 h de TF1 (13,5 millions de spectateurs), du concert des *Enfoirés* (12,5) et de la série américaine *The Mentalist* (10).

Les chaînes généralistes reculent au profit des thématiques.

En 2011, les chaînes hertziennes historiques ont capté 65,2 % de l'audience totale, soit un recul de 27,3 points en dix ans. Ce phénomène est directement lié au déploiement des nouvelles chaînes de la TNT à partir de 2005 ; elles ont gagné 17,2 points de part d'audience pour atteindre 23,1 % en 2011.

TF1 reste leader du paysage télévisuel français avec 23,7 % de part de marché en 2011 (–0,8 %). Elle a totalisé 99 des 100 meilleures audiences de l'année 2011, qui ont chacune concerné plus de 7,8 millions de téléspectateurs (Médiamétrie). France 2 a perdu 1,2 point, à 14,9 % de part d'audience. M6 est devenue la troisième chaîne française avec 10,8 % de part de marché (+0,4 point) devant France 3 qui est passée sous la barre des 10 % (9,7, –1 point).

Les « autres télévisions » (chaînes reprises sur la TNT hors TF1, France 2, France 3, Canal +, France 5, Arte et M6 ; chaînes thématiques, régionales, locales, étrangères ou non signées) comptaient pour 11,7 % de l'audience totale en 2011 parmi les personnes de 4 ans et plus. Il faut y ajouter les 23,1 % de la TNT gratuite, soit 34,8 % de l'audience totale, contre 17,5 % en 2007 et moins de 10 % avant 2003.

Parmi les nouvelles venues de la TNT, W9 et TMC étaient en tête avec plus de 3 % de part d'audience (respectivement 3,5 % et 3,4 %), suivies par NRJ12 (2,3 %), Direct 8 (2,3 %), Gulli (2,1 %), France 4 (2 %), NT1 (1,9 %), BFM TV (1,4 %), Direct Star (1,2 %) et i Télé (0,8 %).

Si l'audience des chaînes généralistes est de plus en plus érodée par celle de ces chaînes thématiques, elle l'est aussi par les écrans d'ordinateurs présents dans les foyers (p. 491). Ainsi, parmi les cadres, la durée d'écoute moyenne de la télévision hertzienne est inférieure chez ceux qui sont équipés d'un ordinateur et d'une connexion à Internet.

Plus de la moitié des téléspectateurs sont insatisfaits, ...

En 2011, seuls 41 % des Français se déclaraient satisfaits des programmes de la télévision (TNS Sofres, mai 2011). Les mécontents s'en prennent d'abord aux chaînes nationales historiques ; ils reprochent à la télévision son manque d'audace (36 % seulement la jugent audacieuse) et d'intelligence (38 % la trouvent intelligente). Les chaînes de la TNT jouissent d'une image plus favorable ; 60 % des Français considèrent qu'elles ont contribué à améliorer la qualité de l'offre télévisuelle. Mais 79 % estiment qu'elles font trop de rediffusions (64 % des téléspectateurs estiment que ce sont toujours les mêmes films qui sont proposés) et que leur offre est peu enrichissante (58 %).

D'une façon générale, les programmes, sont perçus comme de moins bonne qualité, à la fois sur les chaînes nationales historiques et sur la TNT. Sur les chaînes historiques, la qualité de l'information est jugée satisfaisante à 63 % contre 72 % pour l'ensemble des chaînes télévisuelles, les documentaires à 55 % contre

TF1 à la une

Audiences des chaînes de télévision en 2011 (en % et en évolution 2011/2010)

Chaînes historiques		
TF1	23,7	−0,8
France 2	14,9	−1,2
M6	10,8	+0,4
France 3	9,7	−1,0
France 5	3,3	+0,1
Canal +	3,1	=
Arte	1,5	−0,1
TNT		
TMC	3,5	+0,2
W9	3,4	+0,4
Direct 8	2,3	+0,3
NRJ12	2,3	+0,4
Gulli	2,1	−0,1
France 4	2,0	+0,4
NT1	1,9	+0,3
BFM tv	1,4	+0,5
Direct Star	1,2	+0,2
I>Télé	0,8	+0,1
Agrégats		
Chaînes historiques	65,2	−2,9
TNT	23,1	+3,4
Câble et Satellite	11,7	−0,5

Médiamétrie

66 %, les émissions culturelles à 46 % contre 56 %, les divertissements à 36 % contre 46 % et les émissions pour la jeunesse à 36 % contre 45 %. Les chaînes de la TNT déçoivent pour leurs séries et fictions (41 % de satisfaction contre 49 % pour l'ensemble des chaînes), les divertissements (34 % contre 46 %) et le cinéma (35 % contre 43 %).

Seuls 41 % des Français trouvent que les séries et fictions sont diversifiées et 34 % originales. Le poids important des programmes de fiction étrangers est reproché par 35 % des téléspectateurs (40 % pour les programmes américains). On observe une lassitude à l'égard des programmes de télé réalité et une attente de documentaires (41 %) et de films (37 %).

... notamment parmi les catégories aisées.

La télévision française est jugée plus sévèrement par les membres des CSP +. Parmi eux, seulement 39 % la jugent de qualité contre 49 % pour l'ensemble des Français. Leur point de vue reste est également plus sévère sur « l'intelligence » de la télévision : 31 % de satisfaits contre 38 % pour l'ensemble des téléspectateurs. Il en est de même en ce qui concerne « l'audace » : 28 % contre 36 %. Leur satisfaction globale quant aux programmes est largement inférieure à celle de l'ensemble de la population, avec 29 % de satisfaction contre 49 %. Leur perception des chaînes historiques est également nettement moins bonne : 42 % de satisfaction contre 55 %. L'écart est moindre à propos des chaînes de la TNT (51 % contre 59 %).

Le fort taux de mécontentement général des Français confirme un mouvement mesuré depuis 2001. On observe une correspondance avec les débuts de la téléréalité, qui a pu ainsi jouer un rôle dans la désaffection des adultes. Mais on peut imaginer d'autres causes : climat général de mécontentement ; lassitude du public à l'égard des pratiques des chaînes anciennes ou plus récentes (câble, satellite, TNT)... Ces chiffres sont en tout cas préoccupants pour un média qui tient une place essentielle

Séries et téléréalité

Sur les 50 meilleures audiences de l'année 2011, 22 étaient des épisodes de séries ; les plus regardés ont rassemblé entre 7 et 9 millions de téléspectateurs. Les deux séries qui ont le plus marqué les Français au cours de la dernière décennie sont *Dr House* (45 % des suffrages) et *Desperate Housewives* (39 %). Les 15-24 ans placent à égalité ces deux séries (52 %) et se démarquent des 25-34 ans qui ne sont que 38 % à choisir *Dr House* (Harris Interactive, septembre 2011).

Les femmes mettent largement en tête ces deux séries avec 49 % pour *Dr House* (contre 40 % pour les hommes) et 50 % pour *Desperate Housewives* (contre 26 % pour les hommes). La série la plus regrettée par les Françaises est *Urgences* (34 %), devant *Friends* (27 %) et *Sex and the city* (21 %). De leur côté, les hommes souhaiteraient en priorité voir des épisodes inédits de *X-files, aux frontières du réel* (30 %), *Mac Gyver* (24 %) ou *Urgences* (20 %).

Si les Français apprécient la fiction, sous la forme de séries, ils aiment aussi les émissions de téléréalité. Sur les 50 meilleures audiences de l'année 2011, on comptait onze émissions de ce type, qui ont rassemblé entre 7 et 9 millions de téléspectateurs. Parmi elles, *The Voice*, en a recueilli à elle seule neuf, avec une part de marché exceptionnelle de 36 % le 10 mars 2011, égale à celle obtenue lors du discours de Nicolas Sarkozy le 15 février. Elle reste cependant très inférieure à celle de la retransmission du spectacle des *Enfoirés* le 16 mars (53 %).

Hit TV 2011

Meilleures résultats d'audience par chaîne (2011, personnes de 4 ans ou plus, en millions de téléspectateurs)

Chaîne	Programme	Genre	Audience
TF1	France-Nouvelle Zélande (Rugby)	Sport	15,4
	Dans l'œil des Enfoirés	Spectacle	12,5
	Journal de 20 h – C. Chazal – D. Strauch-Kahn	Information	12,5
	Coupe du monde de Rugby 2011	Sport	12,0
	Mentalist	Série	10,4
France 2	Rendez-vous en terre inconnue F. Michalak	Magazine	8,0
	Castle	Série	6,8
	Angleterre-France* VI Nations, journée 3	Sport	6,5
	Apocalypse Hitler	Documentaire	6,5
	Cold Case, affaires classées	Série	6,4
M 6	Le Petit Nicolas	Film	7,6
	NCIS : enquêtes spéciales	Série	6,7
	L'Amour est dans le pré	Télé-réalité	6,6
	France-Luxembourg (Foot)	Sport	6,5
	Roumanie-France (Foot)	Sport	6,2
France 3	Plus belle la vie	Série	6,2
	Famille d'accueil	Série	5,1
	Louis la brocante	Série	5,1
	Eurovision – 56e concours	Divertissement	4,9
	Des racines & des ailes – Un balcon sur la Provence	Magazine	4,7
Canal +	Les Guignols de l'info	Divertissement	3,1
	36e cérémonie des Césars	Évènement	3,0
	Le Grand Journal, la suite	Magazine	2,6
	Barcelone-Arsenal (Foot)	Sport	2,4
	France-Danemark (Foot)	Sport	2,4
France 5	C dans l'air	Magazine	2,1
	102 minutes qui ont changé le monde	Documentaire	1,6
	Échappées belles – Les trésors du Périgord	Magazine	1,5
	Au bon beurre	Téléfilm	1,4
	Les Passeurs	Téléfilm	1,4
Arte	Les Enquêtes de l'inspecteur Wallander	Série	1,8
	Tom Horn, sa véritable histoire	Film	1,7
	Full metal Jacket	Film	1,6
	Sous les verrous	Film	1,6
	Le Nom de la rose	Film	1,5

dans la vie collective et individuelle, tant en matière d'information que de divertissement.

La loi des séries

Les dix séries qui ont le plus marqué les Français au cours de la dernière décennie (2011, en %)

Dr House	45
Desperate Housewives	39
NCIS Enquêtes spéciales	19
24 heures chrono	16
Lost : les disparus	14
Les Experts : Miami	13
Grey's Anatomy	13
Prison Break	13
Les Experts : Las Vegas	12

Médiamétrie

Les trois quarts des Français n'ont pas confiance dans les journaux télévisés.

En novembre 2011, seuls 42 % des Français déclaraient faire confiance à la télévision en matière d'information, contre 53 % de l'ensemble des Européens (Eurobaromètre, novembre 2011). Les plus confiants étaient les Finlandais (76 %) et les Suédois (73 %). Seuls les Portugais, les Espagnols, les Maltais et surtout les Grecs (particulièrement méfiants envers l'information diffusée par leurs médias) affichaient un niveau de confiance inférieur aux Français. Les Allemands et les habitants des pays d'Europe de l'Est restaient plutôt confiants, aux alentours de 60 %. Parmi les quatre grands médias (télévision, radio, presse écrite, Internet), les Français privilégiaient la radio (60 %

de taux de confiance) devant la presse écrite (51 %), la télévision (42 %) et Internet (33 %). La perception française s'avérait différente de celle des Européens, qui faisaient avant tout confiance à la télévision (53 %) puis à la presse (43 %), à Internet (37 %) et à la radio (27 %).

La désaffection des Français à l'égard de l'information à la télévision était confirmée par une enquête nationale : en février 2012, 32 % déclaraient regarder moins souvent les journaux télévisés depuis quelques mois (*Télé Star*/Harris Interactive). Parmi les raisons invoquées, 72 % estimaient que ces journaux ne sont pas indépendants à l'égard des responsables politiques, 62 % qu'ils ne vont pas à l'essentiel et 56 % qu'ils ne sont pas assez pédagogiques. 56 % des Français déclaraient souhaiter une refonte complète de la formule ou de la manière de mener le journal, plutôt qu'un changement d'horaire ou de présentateur.

Les Européens et les médias

Confiance dans l'informaıon diffusée par les différents médias (novembre 2011, en % des personnes « plutôt confiantes »)

	Radio	Presse écrite	Télévision	Internet
Allemagne	66	50	59	27
Autriche	68	59	72	43
Belgique	70	60	72	44
Bulgarie	51	42	73	40
Chypre	58	47	56	35
Danemark	73	50	68	59
Espagne	50	41	41	34
Estonie	71	53	72	49
Finlande	78	64	76	49
France	**60**	**51**	**42**	**33**
Grèce	36	28	22	42
Hongrie	47	37	52	41
Italie	39	34	40	37
LeOonie	57	42	53	43
Lituanie	58	40	59	42
Luxembourg	61	61	52	36
Malte	36	30	41	35
Pays-Bas	70	60	66	51
Pologne	57	44	57	46
Portugal	52	49	60	29
Rép. tchèque	70	57	71	61
Roumanie	57	46	61	36
Royaume-Uni	54	18	53	34
Slovaquie	75	62	69	57
Suède	80	45	73	35
UE (27 pays)	*27*	*43*	*53*	*37*

Eurobaromètre

La télévision influence les attitudes...

La place majeure qu'occupe la télévision dans la vie des Français et sa nature même (des images fortes propices à déclencher l'émotion) expliquent l'influence qu'elle exerce sur les attitudes, les opinions et les valeurs. Une influence d'autant plus forte que, pour accroître son audience, la télévision s'est affranchie progressivement des tabous : violence, mort, sexualité, formes multiples de l'intimité...

Sous le prétexte, légitime, de la liberté d'expression et du devoir d'information, elle a aussi favorisé le voyeurisme. Certaines émissions cherchent ainsi plus à satisfaire le besoin de voir que celui de savoir. Elles montrent et remontrent tout ce qui est « incroyable mais vrai » : poursuites automobiles ; accidents ; situations extrêmes de toutes sortes. Ce voyeurisme télévisuel s'appuie sur une volonté croissante d'exhibitionnisme. Pour beaucoup d'individus, il est aussi important et jubilatoire d'être vu que de voir. Consciente de cette évolution et, par nature, amplificatrice des mouvements qu'elle décrit, la télévision leur fournit donc des occasions de se montrer. Les modes traditionnels d'influence en sont bouleversés. Ils s'exercent moins aujourd'hui par le haut (l'« élite ») et par la « normalité », davantage par la base (les « vrais gens ») et la marginalité.

La télévision joue aussi un rôle dans l'évolution des représentations collectives. En montrant, parfois en banalisant les différences individuelles ou communautaires en matière de race, de culture, de croyances, de sexualité et de modes de vie, elle les rend souvent plus acceptables. Elle a ainsi largement contribué au fil des années à la diffusion des valeurs féminines, à l'acceptation de l'homosexualité et, dans une moindre mesure, à l'ouverture aux minorités ethniques, raciales ou religieuses (même si l'intolérance resurgit régulièrement dans ces domaines).

Il semble probable que la télévision nourrit le climat d'inquiétude et d'insécurité en le décrivant et qu'elle accélère le changement social en le montrant. Elle développe aussi le sentiment que tous les modes de vie, même les plus marginaux, sont acceptables, du simple fait qu'ils existent. Si la société y gagne parfois collectivement en tolérance, les individus qui la composent y perdent en certitude.

... et les comportements.

La plupart des études existantes indiquent que la violence diffusée dans les émissions d'information ou mise en scène dans les programmes de fiction n'est pas sans conséquence sur les comportements individuels, même si elle est très inégale selon les personnes. Elle sert parfois de référence ou de modèle à des délinquants, voire à des meurtriers, qui les reproduisent de façon consciente ou inconsciente, comme en témoignent régulièrement les faits divers.

Caisse de résonance sans équivalent (jusqu'à l'arrivée d'Internet), la télévision incite aussi à des comportements spectaculaires ou même violents de la part de tous ceux qui veulent se faire entendre : syndicats, groupes constitués pour une circonstance particulière ou individus à la recherche de notoriété. La radicalisation et la charge émotionnelle de ces comportements favorisent leur médiatisation. Et celle-ci est un atout important dans les rapports de force entre salariés et entreprises, fonctionnaires et administrations, citoyens et institutions.

Les journaux d'information diffusés par les chaînes, qui bénéficient d'une très forte audience, sont souvent perçus comme une souffrance par les téléspectateurs, ce qui explique les critiques dont ils sont l'objet (ci-dessus). Beaucoup ressentent une sorte de vertige lié à la quantité, à la diversité et au contenu des images. Prisonniers du flux d'informations qui leur parvient, ils sont déconcertés par la violence et la complexité du monde tel qu'il est ou, en tout cas, tel qu'il est présenté. Si les téléspectateurs dénoncent la « mise en scène » de l'information, ils sont conscients de la fascination qu'elle exerce sur eux. Face à la violence quotidienne et planétaire, ils souhaitent être rassurés par la diffusion de sujets « positifs » et apprécient qu'on leur parle des « vrais gens ».

L'influence de l'image est d'autant plus forte et inquiétante qu'elle peut aujourd'hui très facilement être manipulée. Elle l'est par les professionnels de la fiction (cinéastes, réalisateurs de télévision, photographes), lorsqu'ils l'utilisent pour des raisons artistiques. Elle peut l'être de façon beaucoup moins acceptable par ceux qui ont une obligation de vérité (journalistes, politiques, responsables de toutes sortes). Les simples particuliers peuvent aussi « retoucher » les images, à l'aide d'un ordinateur et d'un logiciel. Chacun peut donc jouer avec la vérité, ce qui la rend de plus en plus inaccessible et renforce la méfiance commune. Ces risques sont encore accrus sur Internet, lieu de circulations de nombreuses informations non contrôlées.

Les jeunes sont les plus vulnérables.

Les enfants consacrent sur l'ensemble de l'année moins de temps à l'école qu'à la télévision. En 2011, les 4-14 ans l'ont regardée en moyenne 2 h 18 par jour, soit 6 minutes de plus qu'en 2010. En Europe, ce sont les jeunes Italiens qui la regardent le plus, avec 2 h 42 minutes par jour. Près d'un jeune de 12 à 17 ans sur deux (43 %) regarde désormais des programmes télévisuels sur un ordinateur, un chiffre en progression de 12 points en un an (ARCEP-CGIET/Crédoc). Il est donc difficile aux parents de choisir les programmes visionnés par leurs enfants, qui peuvent être facilement devant des programmes pour adultes diffusés tard.

S'ils sont de plus en plus habiles dans le décodage des images qui leur sont montrées, les jeunes sont influencés par les informations, les films et les documentaires, la publicité, voire les images pornographiques auxquelles ils ont accès. À 10 ou 15 ans, on ne possède pas, le plus souvent, les points de repère nécessaires pour comprendre et relativiser les choses. La vision de la société qui est proposée aux jeunes n'est pas toujours flatteuse, même si elle n'est pas fausse. Les candidats des émissions de téléréalité se déchirent, se dénoncent et s'éliminent à seule fin de gagner de l'argent. On est loin des contes de fées que l'on racontait autrefois aux enfants pour leur faire croire que le monde était beau et magique...

Physique ou verbale, la violence est omniprésente à la télévision, et elle déborde très largement du seul domaine de la fiction. Des études montrent que le média tend davantage à la banaliser qu'à la canaliser ou à l'expliquer ; tous les comportements deviennent alors acceptables, donc imitables.

La télévision cherche à se rapprocher des « vrais gens ».

Les héros de l'Histoire étaient en général des guerriers, des saints ou des individus considérés comme « supérieurs » par leur position sociale, leur intelligence ou leur courage. La plupart étaient des hommes. Ceux d'aujourd'hui sont des sportifs, des chanteurs ou des acteurs. On y trouve aussi de plus en plus de femmes. Le fossé entre les citoyens et les élites (politiques, économiques, scientifiques, culturelles...) explique sans doute la place croissante de ces nouvelles stars dans l'imaginaire collectif. Leurs opinions ont parfois davantage de poids que celles des politiques, des savants ou des experts. Les premiers l'ont d'ailleurs compris, qui cherchent à recruter ces personnages et à les utiliser comme cautions ou « produits d'appel ». C'est le cas aussi des entreprises et des marques, qui font appel à eux pour leur communication.

La conjonction de cette dimension émotionnelle et anti-intellectuelle avec la vocation ludique, hédoniste et transgressive de la télévision contemporaine est à l'origine de nouveaux genres d'émissions. On a vu ainsi se développer sur certaines chaînes l'équivalent des émissions *trash* (poubelle) de la télévision américaine, où prédomine un humour de cour de récréation. Une autre tendance forte est celle du « déballage » de l'intime, fonds de commerce des émissions où la psychologie sert d'alibi au voyeurisme.

Le succès des émissions de téléréalité, dont *Loft Story* avait été le précurseur, est à cet égard révélateur. Leur principe réside d'abord dans une sélection rigoureuse des candidats *(casting)*, qui doivent être en principe extravertis, ambitieux et télégéniques (comme dans les jeux télévisés). Ils doivent aussi constituer un groupe dans lequel émergeront des tensions, des conflits susceptibles de créer le spectacle et le suspense. Ces acteurs jouent sans en être toujours conscients un scénario écrit à l'avance, reconstitué par un habile montage destiné à maintenir l'intérêt des téléspectateurs. Ces nouveaux héros perpétuent l'idée généreuse, mais difficile à réaliser, que chacun peut accéder à la célébrité, ainsi qu'à la fortune qui l'accompagne généralement. Deux motivations fortes à une époque qui déteste à la fois l'anonymat et la pauvreté.

En confondant marginalité, réalité et représentativité, ces pratiques donnent une image peu fidèle de la vie sociale. Elles renforcent les téléspectateurs dans l'idée que la société est devenue folle, que les jeunes sont seulement motivés par la fête et l'argent facile. Elles incitent aussi tous ceux qui sont mal dans leur peau et perméables aux phénomènes de mode à imiter les « modèles » qui leur sont ainsi proposés, plutôt que de chercher ailleurs et autrement leur propre identité.

La télévision fabrique pour ces émissions des sortes de zoos humains, dans lesquels elle enferme des individus pour les livrer au regard de leurs pairs. Mais, à la différence des personnes que l'on montrait autrefois dans des cirques et qui étaient exceptionnelles par leurs caractéristiques physiques ou mentales, celles montrées aujourd'hui sont censées être « ordinaires ».

CINÉMA

La fréquentation des cinémas progresse depuis vingt ans...

Depuis la fin de la Seconde Guerre mondiale, la fréquentation des cinémas a connu en France plusieurs phases. La chute a d'abord été brutale jusqu'au début des années 1970. On avait recensé 424 millions de spectateurs dans les salles en 1947 ; ils n'étaient plus que 400 millions en 1957. Leur nombre avait encore baissé de moitié en 1968 (203 millions) alors que la population s'était accrue de 9 millions en quarante ans. Entre 1975 et 1982, la création de complexes multisalles proposant un choix plus vaste dans des salles plus petites n'a pas permis d'enrayer durablement ce déclin, qui a concerné l'ensemble de l'Europe. La fréquentation a atteint un minimum en 1992, à 116 millions.

Le redressement s'est produit à partir de 1993, avec le triomphe des *Visiteurs* (14 millions de spectateurs) et de deux autres « poids lourds » : *Jurassic Park* et *Germinal*. Ce retournement s'expliquait aussi par une plus grande diversification de la programmation, une baisse des tarifs, la construction de salles plus agréables avec des écrans plus grands et l'amélioration de l'accueil. Entre 1988 et 1998, le nombre de salles de cinéma était ainsi passé de 4 819 à 4 764, tandis que le nombre de spectateurs moyen par salle augmentait, de 26 000 à 36 000.

La baisse constatée en 1999 s'expliquait essentiellement par le fait que l'année 1998 avait été exceptionnelle (+14 %), avec la sortie de Titanic, qui réalisait plus de 20 millions d'entrées. Un nouveau record de fréquentation (sur vingt ans) était battu en 2001, avec 186 millions d'entrées. Il était dû pour une part au triomphe du *Fabuleux des-*

tin d'Amélie Poulain (9 millions d'entrées). Des résultats encore meilleurs avaient été atteints en 2004, avec 195 millions d'entrées, un chiffre proche de celui du début des années 1980 ; 49 films avaient enregistré plus de 1 million d'entrées (8,6 millions pour *les Choristes)*. L'année 2005 avait été moins brillante pour les entrées en salles, avec seulement 174 millions de billets achetés, en baisse de 11 % sur le chiffre de l'année précédente. Elle était cependant identique à 2003 (174,5 millions). Cette moindre performance relative s'expliquait essentiellement par l'absence de très gros succès. La tendance à la hausse s'est poursuivie depuis, malgré des fluctuations : 189 millions d'entrées en 2006, année où *Les Bronzés 3, amis pour la vie* avait réalisé plus de 10 millions d'entrées, 178 millions seulement en 2007, 190 millions en 2008.

... et 2011 a été une année exceptionnelle.

On a dénombré 216 millions de spectateurs en 2011, une fréquentation des salles de cinéma record, après trois années de progression régulière. Le nombre d'entrées payantes a ainsi atteint son plus haut niveau depuis 1966 (234 millions grâce notamment au succès de *la Grande Vadrouille*). Cette performance de 2011 tient pour partie au triomphe du film français *Intouchables* qui a affiché plus de 16 millions d'entrées, ce qui le place au cinquième rang des plus grands succès du cinéma en France. Dès avril 2009, la comédie *Bienvenue chez les Ch'tis* avait remplacé *la Grande Vadrouille* au premier rang des films français de tous les temps, réalisant au total 20,4 millions d'entrées. Outre *Intouchables*, deux autres films ont dépassé les 6 millions d'entrées en 2011 : *Rien à déclarer* (8,1) et *Harry Potter et les reliques de la mort* (2e partie, 6,5 millions). Les trois films arrivés en tête du box office ont représenté 14 % du nombre total d'entrées, contre seulement 9 % en 2010. 52 films ont enregistré plus d'un million d'entrées, dont 20 français et 27 américains.

La France, avec un nombre d'entrées payantes en salles en progression de 4,7 % en 2011 fait figure d'exception en Europe. La fréquentation a diminué de 7,9 % en Italie, 5,9 % en Espagne et on a enregistré de légères progressions au Royaume-Uni (1,4 %) et en Allemagne (2,4 %).

La santé du cinéma français en 2011 est d'abord due à la qualité des films proposés. Elle peut aussi s'expliquer en partie par un climat économique délétère, qui a accru le besoin de divertissement et profité au cinéma (encadré p. 482) comme il a profité à d'autres activités de loisirs. En 2011, 42 % des Français indiquaient qu'ils se passeraient difficilement d'aller au cinéma contre 17 % pour le théâtre et 12 % pour la visite des musées ou d'expositions (SACEM/Opinionway).

Les films français ont représenté 41 % de la fréquentation en 2011...

Les performances du cinéma national varient au fil des années et de l'ampleur du succès rencontré par certains films en salle. Sa part n'était que de 28 % en 1998 (année de sortie de *Titanic*). Elle avait atteint 41,5 % en 2001 grâce à *Amélie Poulain*, un niveau inconnu depuis 1986. En 2011, la part du cinéma national s'est élevée à 40,9 %, soit une progression de plus de 19 % en un an. Après avoir dépassé les films américains en 2006 et 2008, les films français sont tout de même restés en deçà, avec 86 millions d'entrées contre 99 millions. En moyenne sur les dix dernières années, les films français ont réalisé 74 millions d'entrées annuelles.

20 films ont dépassé deux millions d'entrées en 2011, contre 14 en 2007 ; le nombre de films américains est passé de 8 à 13 et celui des films français est resté à 4, après avoir atteint 8 en 2010. 20 films nationaux ont dépassé un million d'entrées, 8 de plus qu'en 2007, année particulièrement peu favorable. 39 films français ont réalisé plus de 500 000 entrées (contre 31 en 2007), ce qui constitue la deuxième meilleure performance depuis plus de dix ans, après 2008 et 2009 (39).

L'année 2011 a été une bonne année pour les films américains : deux films ont dépassé cinq millions d'entrées : *Harry Potter et les reliques de la mort, 2e partie* (6,5 millions) et *les Aventures de Tintin : le secret de la Licorne* (5,6 millions). Seize autres films ont dépassé deux millions. Au total, les films américains ont frôlé les 100 millions d'entrées. Leur part de marché était de 45,9 % en 2011, contre 49 % en 2007 et 44,2 % en 2006. La part des films européens non français a reculé de 24,2 % en un an, pour s'établir à 23 millions d'entrées, tandis les entrées réalisées par les films non européens et non américains progressaient de 57,8 %, à 5,14 millions d'entrées.

... et le cinéma national reste le premier d'Europe.

La France demeure le pays européen où le cinéma américain est le moins dominant. Outre le talent des réalisateurs et le flair des producteurs, le système de financement et d'aide au cinéma, partie de l'« exception culturelle » nationale, n'y est sans doute pas étranger.

La production cinématographique française reste également la plus importante en Europe : 272 films de long métrage avaient obtenu l'agrément au cours de l'année 2011, soit 32 de plus qu'en 2006, année historique. 207 films étaient d'initiative française, c'est-à-dire produits et financés intégralement ou majoritairement par des partenaires français. 152 ont été tour-

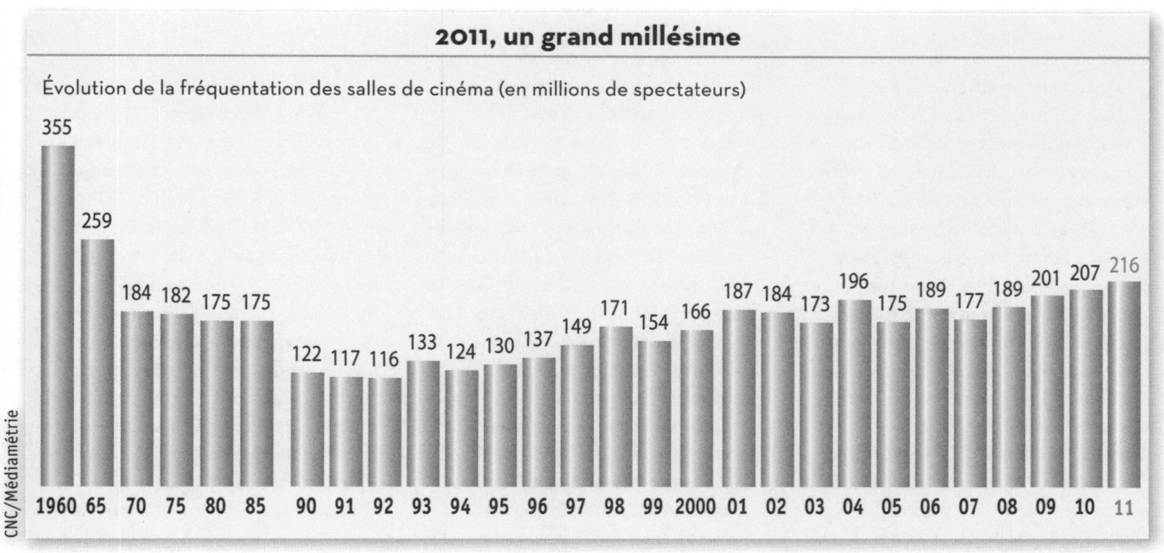

nés en langue française, 55 ont été coproduits avec au moins un partenaire étranger. La progression de la production nationale constatée est imputable aux films produits d'initiative française (+44 titres par rapport à 2002), mais les coproductions majoritaires françaises sont restées stables sur la période (55, contre 57 en 2002).

En remportant cinq statuettes aux Oscars le 26 février 2012, le film français *The Artist* est entré dans la légende du cinéma pour être le premier film non anglo-saxon à recevoir la statuette du meilleur film et s'être imposé dans les catégories de meilleur acteur, réalisateur, musique et costumes. Cependant, sa carrière n'a commencé qu'à partir de ce succès Outre-Atlantique puisqu'il n'avait réalisé que 1,6 million d'entrées en France sur l'année 2011 soit moins du dixième du succès du film *Intouchables*.

En 2011, près de 40 millions de Français de 6 ans et plus sont allés au cinéma au moins fois au cours de l'année, soit le plus haut niveau depuis 1993, année des premières statistiques en la matière. En dix ans, le nombre de cinéphiles a progressé nettement plus vite que la population totale de référence (20 % contre 6,3 %). Près de 70 % des Français sont allés au moins une fois au cinéma en 2011. Chaque Français y est allé en moyenne 3,5 fois et le nombre moyen d'entrées par spectateur de 6 ans et plus est resté stable sur les dix dernières années à 5,4 (4,6 en 1996). Ce taux de fréquentation place la France en première position dans l'Union européenne, devant le Royaume-Uni (2,8), l'Italie (1,8) et l'Allemagne (1,6). Cette fréquentation française résulte aussi de la mise en œuvre de la numérisation dans les salles. Sept sur dix sont maintenant équipées contre seulement quatre en mars 2011, ce qui place la France au troisième rang mondial du nombre des salles numérisées derrière les États-Unis et la Chine.

Le public est essentiellement urbain.

Le cinéma constitue pour les citadins un moyen d'évasion, d'autant que la densité des salles est plus élevée dans les villes. Le poids des entrées dans les grandes agglomérations demeure prépondérant, mais il tend à se stabiliser. Ce phénomène s'explique par le ralentissement des ouvertures de nouveaux multiplexes. Le taux de pénétration du cinéma reste sensiblement plus élevé dans les grandes villes, de même que le nombre d'entrées par habitant.

La fréquentation est traditionnellement beaucoup plus élevée à Paris et en région parisienne : 7,9 entrées par habitant en 2011 contre 6,6 dans les communes de 100 000 habitants et plus, et 3,8 dans les zones rurales. Paris et les agglomérations de plus de 100 000 habitants ne concentrent plus la majorité du public depuis plusieurs années (45 % en 2011 contre 48 % en 2010) mais captent toujours la majorité des entrées : près de 59 % en 2011. Alors même que le nombre de spectateurs a augmenté de 4,7 % en 2011, il a diminué de 2,3 % dans les grandes agglomérations. Sur les deux dernières années, la pénétration du cinéma a davantage progressé dans les zones rurales (+3,9 points) et

Le cinéma de consolation

La société française est malade, mais le cinéma national se porte bien. Les deux diagnostics ne sont probablement pas indépendants. Les grands succès récents témoignent du rôle de consolation et de « compensation » joué par le cinéma. *Intouchables*, triomphe de l'année 2011 (20 millions d'entrées), met en scène des représentants (typés) de groupes sociaux opposés, a priori incompatibles : un riche blanc âgé ; un pauvre noir jeune. Leur rencontre montre que l'espoir et l'utopie ont leur place dans la société contemporaine, surtout si l'on est capable d'autodérision. On observe cependant que leur rencontre, improbable, n'a lieu que parce que le « riche » appartient lui aussi à une « minorité », celle des handicapés.

D'autres films à succès exploitent le filon de l'humour et montrent que la découverte de l'autre peut engendrer de bonnes surprises, une fois vaincues les réticences instinctives et balayés les stéréotypes. *Rien à déclarer*, comme *Bienvenue chez les Ch'tis* dont il est la suite, témoigne avec d'autres que rire de soi aide à ne plus avoir envie de se moquer des autres.

Au cinéma comme dans le monde aseptisé des médias, les humoristes sont des exorcistes. Ils sont les seuls aujourd'hui à ne pas être soumis au devoir de réserve et à la langue de bois. Grâce à eux, les rieurs peuvent évacuer une partie de leurs frustrations et de leur colère en voyant ridiculisés ceux qu'ils considèrent comme responsables de la « crise » (étrangers, politiciens, patrons...). Le rire est parfois un « meurtre » sans violence (autre que verbale). Il s'apparente au sacrifice du bouc-émissaire. Il est une thérapie, d'ailleurs recommandée par la médecine.

Le cinéma reste une échappatoire, un « divertissement » *(Tintin, Harry Potter, Pirates des Caraïbes...)*. Mais il est aussi une façon de regarder la réalité, de dénoncer ses incohérences. Peut-être de réconcilier les Français autour d'émotions partagées, plutôt que de les diviser ou de les radicaliser lorsqu'il s'agit de prendre position sur la réalité.

dans les agglomérations de moins de 20000 habitants (+6,9 points) ; elles concentrent désormais 42 % du public et 29 % des entrées.

Indépendamment des phénomènes liés aux dates de sortie des films, le cinéma demeure un loisir hivernal : en moyenne, 20 % des entrées ont lieu en décembre, contre la moitié en septembre. Le cinéma est aussi un loisir de week-end : une entrée sur cinq est effectuée le samedi; plus d'une sur deux s'effectue entre le vendredi et le dimanche (55 %). Le mardi et le jeudi progressent régulièrement, à 11 % dans les deux cas ; le mercredi, jour de sortie des nouveaux films, poursuit son déclin (12,6 %).

Les 50 ans et plus représentent une part croissante des entrées.

Malgré les fluctuations dans la fréquentation des salles au fil des années, il ressort que la « population cinématographique » française s'est élargie. 70 % des personnes âgées de 6 ans et plus ont été au cinéma au moins une fois dans l'année en 2011, contre 62 % en 2006 et 59 % en 2003. Le public du cinéma a compté 7,6 millions de spectateurs de plus qu'en 2003 et 1 million de plus qu'en 2010.

Le cinéma touche surtout le jeune public, mais beaucoup moins exclusivement que par le passé. Les moins de 25 ans ont ainsi représenté 31 % des spectateurs et 32 % des entrées en 2011, contre respectivement 34 % et 39 % en 2007 (39 % et 42 % en 1997). Les 20-24 ans ont compté pour 8 % des spectateurs et 12 % des entrées, mais leur poids diminue depuis 2001. Ainsi, la sortie au cinéma n'est pas seulement réservée aux plus jeunes. Les plus de 35 ans concentrent 55 % du public et 54 % des entrées, contre respectivement 44 %et 37 % en 1997. En 2011, les 50 ans et plus, qui représentent 40 % de la population française, ont compté pour 34 % du public du cinéma (contre 21 % en 1997). Cependant, il s'agit plus souvent de spectateurs occasionnels, car le nombre annuel moyen d'entrées peut varier sensiblement en fonction des sorties de films : 5,5 en 2011, contre 5,1 en 2010 et 5,7 en 2005.

L'intérêt pour le cinéma apparaît fortement corrélé au niveau social : 75 % des « CSP+ » (personnes appartenant aux catégories les plus aisées) sont allées au cinéma au moins une fois en 2011 contre 76 % en 2009 et 2010. La proportion atteint 78 % chez les cadres, contre seulement 53 % chez les ouvriers. Les CSP + représentent un nombre moyen d'entrées de 6,2 (7,1 chez les cadres) contre 2,6 pour les agriculteurs. Historiquement, les hommes voient un peu plus de films que les femmes (5,4 en moyenne, contre 5,0 en 2008), mais la tendance récente a inversé les proportions : en 2011, les femmes ont vu 5,6 films en moyenne, contre 5,2 pour les hommes. Elles ont constitué 54 % des spectateurs avec des entrées en progression de 7,9 %

Les césars du public

Plus grands succès du cinéma de 1945 à 2011 (France, en millions d'entrées)

Titanic (États-Unis)	20,64
Bienvenue chez les Ch'tis (France)	20,46
La Grande Vadrouille (France, G-B)	17,27
Autant en emporte le vent (États-Unis)	16,72
Intouchables (France)	16,58
Il était une fois dans l'Ouest (États-Unis)	14,86
Avatar (États-Unis)	14,72
Les 101 dalmatiens (États-Unis)	14,66
Astérix et Obélix : mission Cléopâtre (France)	14,37
Les Dix Commandements (États-Unis)	14,23
Blanche-Neige et les sept nains (États-Unis)	13,88
Ben-Hur (États-Unis)	13,83
Les Visiteurs (France)	13,78
Le Pont de la rivière Kwaï (G-B)	13,48
Cendrillon (États-Unis)	13,20
Le Petit Monde de Don Camillo (Italie, France)	12,79
Les Aristochats (États-Unis)	12,48
Le Jour le plus long (États-Unis)	11,91
Le Corniaud (France)	11,74
La Belle et le Clochard (États-Unis)	11,18
Bambi (États-Unis)	10,68
Les Bronzés 3 – Amis pour la vie (France)	10,36
Taxi 2 (France)	10,30
Trois hommes et un couffin (France)	10,25
Le Roi Lion (États-Unis)	10,22
Les Canons de Navarone (États-Unis)	10,20
La Guerre des boutons (France)	9,94
Les Misérables (France, Italie)	9,94
Docteur Jivago (États-Unis)	9,82
Vingt mille lieues sous les mers (États-Unis)	9,62
Sous le plus grand chapiteau du monde (États-Unis)	9,49
E.T. l'extraterrestre (États-Unis)	9,41
Harry Potter à l'école des sorciers (États-Unis)	9,34
Le Monde de Nemo (États-Unis)	9,34
Le Dîner de cons (France)	9,25
Le Grand Bleu (France)	9,19
Harry Potter et la chambre des secrets (États-Unis)	9,14
L'Ours (France)	9,14
Astérix et Obélix contre César (France, All., It.)	8,95
Emmanuelle (France)	8,89
La Vache et le Prisonnier (France)	8,84
La Grande Évasion (États-Unis)	8,76
West Side Story (États-Unis)	8,72
Les Choristes (France, Suisse)	8,67
Le Bataillon du ciel (France)	8,65
Le Fabuleux Destin d'Amélie Poulain (France)	8,64
Pour qui sonne le glas ? (États-Unis)	8,28
Violettes impériales (France, Espagne)	8,13
Rien à déclarer (France, Belgique)	8,10
Les Couloirs du temps – Les Visiteurs 2 (France)	8,04
Le Dictateur (États-Unis)	8,03
Un Indien dans la ville (France)	7,95
Tarzan (États-Unis)	7,91
Ratatouille (États-Unis)	7,84
La Merveilleuse Aventure de Pinocchio (États-Unis)	7,84
Le Gendarme de St-Tropez (France)	7,81
L'Âge de glace 3 (États-Unis)	7,80
Sixième sens (États-Unis)	7,80
Le Comte de Monte-Cristo (France)	7,78
Harry Potter et la coupe de feu (États-Unis)	7,70
Le Cinquième Élément (France)	7,70

CNC/Médiamétrie

en un an, contre seulement 1,1 % pour les hommes.

Plus des deux tiers des entrées (70 %) sont dues aux « habitués » (au moins une fois par mois), 30 % proviennent des « occasionnels ». Les « assidus » (au moins une fois par semaine) comptent pour une entrée sur cinq (21 %), alors qu'ils ne représentent que 5 % du public, les spectateurs « réguliers » (au moins une fois par mois mais moins d'une fois par semaine) représentent un tiers du public.

Les goûts des Français sont éclectiques.

Beaucoup de films figurant aux premières places du hit-parade cinématographique sont produits spécialement pour un public jeune, amateur d'aventures, de fantastique et d'effets spéciaux ; la plupart sont américains. Mais, si les jeunes aiment les films qui font peur, ils apprécient aussi, comme leurs aînés, ceux qui font rire. C'est ce qui explique le succès des grands films comiques, qui ont souvent occupé les premières places des palmarès au cours des dernières années, de *la Grande Vadrouille* à *Bienvenue chez les Ch'tis*, en passant par *les Visiteurs*. La tradition comique du cinéma français est ancienne : Louis de Funès avait su faire oublier la disparition de Fernandel, et plusieurs de ses films (dont les *« Gendarme »*) figurent dans la liste des plus gros succès de tous les temps. Il a été remplacé par la génération du Splendide (Christian Clavier, Michel Blanc, Thierry Lhermitte, Marie-Anne Chazel...), dont le troisième avatar des *« Bronzés »* avait triomphé début 2006 (10 millions d'entrées en deux mois). La comédie de Dany Boon avait fait encore mieux : près de 20 millions d'entrées au printemps 2008, entre le 27 février, jour de la sortie et la mi-mai. Il talonne de très près *Titanic*, qui détient toujours le record absolu de fréquentation. Les « suites » donnent souvent de bons résultats : avec 8 millions d'entrées, la suite de *Bienvenue chez les Ch'tis, Rien à déclarer*, est le cinquième plus grand succès du cinéma.

Outre les films à grand spectacle, la production s'est orientée dans plusieurs directions au cours des dernières années : films d'horreur reprenant les grands thèmes et héros (King Kong...) ; films engagés dénonçant les grands problèmes du monde (trafics de drogues, d'armes, pratiques douteuses de certaines entreprises multinationales...) où se mêlent l'argent et la politique. On observe toujours un intérêt pour les films romantiques, positifs et « gentils », en contrepoint aux films violents, cyniques et « méchants ». Le phénomène, lancé par *Pretty Woman* (1990), avait connu une ampleur exceptionnelle en 2001 avec *le Fabuleux Destin d'Amélie Poulain* (Jean-Pierre Jeunet). Il s'est poursuivi avec *les Choristes* en 2004 (Christophe Barratier) ou *Enfin veuve* (Isabelle Mergault) en 2008.

Les spectateurs se déplacent moins aujourd'hui pour une star consacrée que pour une histoire dont ils ont entendu dire du bien par les médias ou, surtout, par leur entourage. C'est en effet principalement le « bouche-à-oreille » qui décide du succès d'un film. Le succès du film *Intouchables*, avec ses 16 millions d'entrées, en témoigne.

Les Français regardent plus de films à la télévision qu'au cinéma.

Les Français regardent beaucoup plus de films chez eux que dans les salles. Parmi leurs trois programmes préférés à la télévision, ils placent les films en deuxième position (50 %), après les documentaires et magazines (53 %) et devant les programmes d'information (49 %). En 2011, ils ont consacré en moyenne 69 heures à ceux diffusés par les chaînes nationales gratuites et 260 heures aux émissions de fiction. 2 399 films ont été programmés, dont près de 85 % par les chaînes nationales gratuites. Seulement 12 % des films diffusés par les chaînes nationales privées (140 films) l'étaient pour la première fois. Cette faible part est due aux chaînes de la TNT privée gratuite, qui rediffusent fréquemment des films de catalogue. La proportion était de 84 % sur Canal + (307 films). La part des films diffusés pour la première fois a été de 30 % sur TF1, de 36 % sur les chaînes nationales publiques et de 34 % sur M6.

On observe une progression de la programmation de films en début de soirée. Elle est portée par Canal + (274 au total, en croissance de 8 %), Direct Star (118, + 93 %) et Gulli (88, + 41 %). La tendance est inverse sur les autres chaînes : France 2 a réduit de deux le nombre de films (49 au total), France 3 de quatre (64), M6 de huit (37), Arte de douze (176), NRJ12 de vingt-quatre (112) et Direct 8 de vingt-huit (113). Cette réduction s'est faite au profit d'autres types d'émissions comme les variétés ou la téléréalité.

Le cinéma français était à l'origine des meilleures audiences des films de TF1, France 3 et M6 en 2011, mais il ne représentait que sept des cent meilleures audiences des films à la télévision (dont six comédies), toutes obtenues par TF1. Sept chaînes gratuites ont réalisé leur meilleure audience avec un film : M6, W9, TMC, NT1, France 4, Direct Star et Gulli. Sur TF1, *De l'autre côté du lit* a obtenu la meilleure audience de films en 2011 (9,4 millions de téléspectateurs), loin devant le record obtenu par France 2 avec un James Bond (*Quantum of Solace*, 6,3 millions), la rediffusion de *Wasabi* par France 3 (4,5), *Le Petit Nicolas* par M6 (7,6), la rediffusion de *Tom Horn, sa véritable histoire* pour Arte (1,7), la septième diffusion par W9 d'*Une journée en enfer* (2,1) et *Alvin et*

Cinéparade 2010-2011

Films vus en salle en France par au moins 3 millions de spectateurs entre janvier 2010 et décembre 2011 (en millions)

Film	Pays	Spectateurs
Intouchables	France	16,58
Avatar	États-Unis	8,48
Rien à déclarer	France/Belgique	8,1
Harry Potter et les reliques de la mort – 2e partie	Grande-Bretagne	6,51
Harry Potter et les reliques de la mort – 1re partie	Grande-Bretagne	6,04
Les Petits Mouchoirs	France	5,45
Les Aventures de Tintin : le secret de la Licorne	États-Unis	5,35
Inception	Grande-Bretagne	4,94
Pirates des Caraïbes : la fontaine de jouvence	Grande-Bretagne/États-Unis	4,66
Shrek 4 – il était une fin	États-Unis	4,62
Alice au pays des merveilles	États-Unis	4,43
Toy Story 3	États-Unis	4,26
Camping 2	France	3,98
Twilight 3 : hésitation	États-Unis	3,94
Raiponce	États-Unis	3,92
L'Arnacœur	France	3,78
La Princesse et la grenouille	États-Unis	3,75
Twilight 4 : révélation 1re partie	États-Unis	3,6
Le chat potté	États-Unis	3,41
Des hommes et des dieux	France	3,3
La Planète des singes : les origines	États-Unis	3,26
Invictus	États-Unis	3,17
Shutter Island	États-Unis	3,11
Arthur et la guerre des deux mondes	France	3,1
Le Discours d'un roi	Grande-Bretagne	3,02
Moi, moche et méchant	États-Unis	3,02

CNC/Médiamétrie

les Chipmunks pour France 4 (2,2). Au total, les films français ont représenté la moitié des 30 meilleures audiences de l'année. Les films occupent toujours une place essentielle dans le palmarès des enregistrements; leur temps de visionnage s'ajoute à celui des films regardés « en direct ».

Depuis quelques années, la télévision dispose de nouveaux atouts pour mettre en valeur le cinéma : écrans larges et plats ; vidéoprojection ; haute définition ; 3D, chaînes numériques accessibles par le câble, le satellite ou Internet ; TNT ; son hi-fi stéréo, Dolby,

5.1 ; lecteurs-enregistreurs de DVD à disque dur, lecteur haute définition de salon; format d'enregistrement Blu-Ray... Ces développements ont donné naissance au « cinéma à domicile » disponible sur tous les écrans des ménages.

Les supports physiques classiques tendent à disparaître.

Malgré l'intérêt des Français pour les films, leurs achats de vidéo ont reculé de 2,7 % en 2011, à 1,5 milliard d'euros. Cette baisse est due au fort repli des achats de supports physiques, DVD et Blu-ray : 9 % sur l'année. Les dépenses de supports vidéo diminuent depuis 2005, après la hausse ininterrompue entre 1986 et 2004, du fait de la baisse des prix moyens; elle a atteint 25 % entre 2004 et 2007. Le téléchargement illégal de films sur Internet est une cause probable, bien que difficile à mesurer.

En 2011, 20 % des foyers français étaient équipés de lecteurs haute définition tels que consoles, PS3, box de certains fournisseurs d'accès internet et lecteurs Blu-ray, soit 6 millions d'unités installées. Le parc de lecteurs de DVD a cessé de croître depuis 2004, celui des lecteurs portables et enregistreurs avec disque dur depuis 2007. Par ailleurs, le nombre de DVD achetés par lecteur se réduit. La part des films de long métrage dans les achats de DVD était de 60,4 % en 2011. Celle des films français a légèrement diminué : 21,3 % contre 23 % en 2007 (19 % en 2003) pour un total de 15,1 millions d'unités achetées. La part des films américains s'est aussi réduite, à 60,6 % contre 64,3 % en 2010 pour un volume total de 40 millions de DVD et Blu-ray.

Hors films, tous les segments du marché de la vidéo affichaient une baisse. La part de la fiction s'établissait à 52,6 %, contre 43 % en 2006 et 30 % en 2004. Les vidéos pour enfant ont représenté 19,6 % des achats hors films. Celles de musique ont chuté de 22,5 % en un an à 12,5 %. Les enregistrements d'humour ont pesé pour 8,9 %, les documentaires 5 % et le théâtre 0,6 % des achats de vidéos hors films.

RADIO

Sauf indication contraire, les chiffres d'audience et de durée d'écoute qui suivent émanent de Médiamétrie et correspondent à la période fin 2011-début 2012.

Les foyers possèdent en moyenne six récepteurs de radio.

La quasi-totalité des ménages (99 %) disposent d'au moins un appareil de radio : transistor, radiocassette, baladeur, tuner, radio-réveil, autoradio. Le multi équipement est la règle, avec un nombre moyen de récepteurs (en état de marche) par foyer un peu inférieur à six. Il a un peu diminué (6,3 en 2001, mais 5,9 en 1994), du fait de la baisse de la taille moyenne des ménages, qui ne justifie plus un nombre aussi élevé d'appareils. Cette réduction est aussi la conséquence de l'accès à la radio par d'autres équipements : ordinateur connecté à Internet, téléviseur, téléphone mobile... Huit ménages sur dix disposent d'au moins un appareil pré-programmable. Deux sur trois ont au moins un appareil avec télécommande (ou commande au volant pour les autoradios). Plus des trois quarts sont équipés d'au moins un appareil avec RDS (système de transmission de données par les stations), une proportion qui a plus que doublé depuis 2003.

La multiplication des stations nationales et surtout locales émettant en FM (modulation de fréquence) a largement contribué au développement de la radio. La possibilité d'écouter la FM ne différencie plus les catégories sociales, car la baisse des prix des appareils les a rendus accessibles à tous. Les plus jeunes, les plus aisés et les plus urbains restent cependant les mieux équipés. Ils sont séduits par la qualité croissante de l'écoute, liée à l'évolution spectaculaire des matériels : enceintes, amplis, égaliseurs, affichage digital des fréquences, recherche automatique des stations, lecture des CD et des MP3, etc.

Les auditeurs de radio sont moins zappeurs que ceux de la télévision.

La radio accompagne les Français dans la plupart des circonstances de leur vie quotidienne. 42,3 millions, soit 81 %, l'écoutent au moins une fois dans la journée (audience cumulée, 13 ans et plus, sur 15 jours, du lundi au vendredi). Quatre Français sur cinq l'écoutent à leur domicile, accordant leur préférence à des stations généralistes, mais la moitié de l'audience s'effectue hors domicile (encadré). La presque totalité des 82 % de ménages disposant d'un véhicule sont ainsi équipés d'un autoradio, contre un quart en 1971 (24 %) ; plus des deux tiers disposent de stations programmables, plus de la moitié d'un système RDS (contre 23 % en 2001), un sur quatre d'une commande au volant (26 %). La présence de la radio sur les lieux de travail est aussi en progression constante : près de la moitié des actifs y ont accès. Un Français sur cinq l'écoute ainsi au moins une fois par jour dans le cadre de sa vie professionnelle.

Les usages « nomades » se sont multipliés, avec les baladeurs et téléphones permettant d'écouter la radio. On voit par ailleurs se développer de nouveaux moyens d'accès aux stations. Si 78 % des 13 ans et plus écoutent la radio sur

Le média du matin

53 % des Français écoutent la radio au moins une fois entre 6 h et 9 h, horaires de *prime time* pour la radio. Les moments d'écoute sont ainsi complémentaires avec ceux de la TV, qui sont particulièrement élevés le soir à partir de 20 h. La radio accompagne cependant les Français tout au long de la journée. Elle est aussi un moyen d'information nomade : la moitié de l'écoute radio s'effectue en effet hors du domicile : 28,1 % en voiture, 17,4 % au travail et 3,2 % ailleurs. Près de huit auditeurs sur dix effectuent au moins un déplacement par jour, et 51 % suivent alors une émission radiophonique, le plus souvent sur une station musicale (trois sur cinq des stations les plus programmées).

Près des eux tiers des Français déclarent être particulièrement attachés à la radio. Elle représente à leurs yeux le média le plus fiable sur l'information transmise (57 % de confiance, voir p. 447), devant la presse, la télévision et Internet. Les auditeurs sont généralement assez fidèles : ils écoutent entre 3 et 4 stations en moyenne sur une période de trois semaines. La durée d'écoute moyenne est proche de trois heures par jour (2 h 50 en 2011). Elle n'est cependant pas toujours « exclusive », car de nombreux auditeurs ont d'autres activités pendant qu'ils écoutent la radio, y compris en matière de consommation de médias (lecture d'un journal ou d'un magazine, usage d'Internet...).

un récepteur traditionnel, 4 % utilisent Internet (7 % pour les 13-25 ans).

Le phénomène du zapping est beaucoup moins marqué pour la radio que pour la télévision. Un auditeur sur deux est un « auditeur exclusif », fidèle à une seule station sur une journée de la semaine. Un sur trois écoute deux stations. Seuls 7 % déclarent écouter quatre stations ou plus. Un auditeur moyen écoute 1,8 station sur une journée moyenne de la semaine. Ce sont les auditeurs plutôt masculins et CSP + qui écoutent plusieurs stations chaque jour.

La durée d'écoute moyenne est de 2 h 50 par jour.

Un Français sur trois écoute la radio au moins une fois par jour. La durée moyenne par auditeur de 13 ans et plus était de 2 h 50 en semaine (lundi à vendredi) fin 2011, soit le plus haut niveau depuis 2003. Elle était inférieure au cours du week-end : 2 h 32 contre 2 h 56 en semaine pendant la même période. Le temps d'écoute de la radio tend à diminuer depuis plusieurs années, compte tenu d'une plus grande dispersion sur l'ensemble des médias disponibles. La comparaison avec les années antérieures à 2002 n'est cependant pas possible, compte tenu d'un changement de méthode de mesure (les enquêtes concernaient auparavant les 15 ans et plus). La comparaison avec la durée d'écoute de la télévision est également difficile, cette dernière étant mesurée sur la population de 4 ans et plus.

Contrairement à ce que l'on imagine parfois, les hommes sont plus nombreux que les femmes à écouter la radio. Ils représentent aussi 51 % des auditeurs sur le Web. La durée d'écoute augmente régulièrement avec l'âge : elle varie de 2 h 12 pour les 13-24 ans à 3 h 18 pour les personnes de 60 ans et plus. Les personnes modestes l'écoutent plus que celles appartenant aux milieux aisés. Les artisans sont les plus assidus (plus de 5 heures par jour), devant les commerçants (4 heures). Les instituteurs et les cadres de la fonction publique sont les moins concernés. La durée d'écoute la plus longue a lieu le mercredi (3 h), la plus courte le dimanche (2 h 19). Les hommes sont un peu plus « zappeurs » que les femmes (1,9 station contre 1,7 au cours d'une journée de la semaine). La fidélité augmente régulièrement avec l'âge : 1,9 station pour les 13-34 ans, 1,8 pour les 35-59 ans, 1,6 pour les 60 ans et plus.

82 % des Français écoutent la radio au cours d'une semaine.

La radio rassemble plus de 42 millions d'auditeurs de 13 ans et plus en moyenne chaque jour de semaine. L'audience cumulée (proportion de personnes différentes ayant écouté une station de radio au moins une fois dans la journée au cours de la semaine complète, de 5 h à 24 h) était de 82 % au début de l'année 2012. Elle était de 82,1 % entre le lundi et le vendredi, et légèrement inférieure au cours du week-end (70,8 %). Sur une période de trois semaines (hors week-ends), 79 % des Français ont écouté la radio à leur domicile et 74 % en voiture, soit respectivement 13,6 et 10,7 jours d'écoute en moyenne. En semaine, 71 % se sont branchés sur des radios privées commerciales (locales, régionales ou nationales), 24 % sur des radios de service public (stations de Radio France et RFI), 2 % sur des radios privées associatives (dans lesquelles la publicité représente moins de 20 % des recettes).

Globalement, l'audience de la radio a diminué de 0,3 point sur la période janvier-mars 2012, par rapport à janvier-mars 2011. Les stations musicales

Des radios libres au *podcasting*

L'autorisation, en 1982, des « radios libres » (officiellement radios locales privées) fut une date importante dans l'histoire des médias. Elle inaugurait un nouveau type de relation entre les stations et leurs auditeurs, fondé notamment sur le partage d'un centre d'intérêt ou l'interactivité. La musique est devenue la motivation principale de l'écoute de ces radios. Mais la spécialisation constitue une autre différence déterminante par rapport aux radios « historiques » et généralistes. La caractéristique des radios libres a d'abord été régionale ou locale, du fait de zones d'écoute géographiquement limitées, avant de devenir thématique (par genre musical, tranche d'âge, ethnie, religion...).

Les radios nationales ont réagi à cette concurrence nouvelle en créant elles aussi des stations thématiques. Radio France a inventé le concept de radio d'information continue (France Info). Europe 1 a hissé Europe 2 dans le groupe de tête des stations musicales, de même que RTL avec RTL2. Entre radios périphériques et radios locales, la concurrence s'est accrue. Les contraintes de rentabilité de ces dernières les ont incitées à faire une place croissante à la publicité et à afficher des ambitions nationales, à travers les regroupements de stations dans des réseaux. Elles ont ainsi perdu une partie de leur spécificité. La France est le seul pays européen à posséder à la fois des réseaux nationaux et de fortes antennes régionales.

L'évolution s'est poursuivie avec l'accès aux radios aussi bien locales que mondiales *via* Internet, offrant un choix considérable de stations et de thèmes. On a vu aussi apparaître en 2005 le *podcasting* (audio ou vidéo), qui permet de recevoir sur ordinateur les fichiers des émissions préférées (en audio ou même en vidéo), puis de les écouter sur un appareil compatible, fixe ou nomade.

La radio numérique, en revanche, peine à se développer. Malgré les avantages qu'elle offre (qualité du son, diffusion d'informations supplémentaires...), les opérateurs de petite taille craignent les coûts que représenterait son introduction. La réticence des consommateurs s'explique par le prix élevé des appareils disponibles sur le marché et leur faible autonomie.

(NRJ, Virgin Europe, Nostalgie, Fun Radio, Chérie FM...) ont obtenu une audience cumulée de 40,8 % du lundi au vendredi, soit 2,1 points de plus que les stations généralistes comme RTL ou France Inter (38,7 %, dont 20,5 % pour les stations privées). Les programmes thématiques (France Culture, France Info, France Musique...) ont réalisé un score de 14,3 %, inférieur à celui des programmes locaux (FIP, radios locales non affiliées à un réseau national : 19,6 %). Les chiffres sont légèrement plus faibles le week-end.

Si l'on raisonne en part d'audience (rapport entre la proportion d'auditeurs d'un type de station durant un quart d'heure moyen et le nombre d'auditeurs d'un quart d'heure moyen de la radio en général), la hiérarchie est un peu différente. Les programmes généralistes (41,7 %) devancent largement les programmes musicaux 31,8 %), et les programmes locaux (14,7 %), thématiques (9 %) ou les autres programmes comme RFI ou les radios étrangères. L'écart de classement s'explique par celui entre les durées d'écoute des divers types de stations. Du lundi au vendredi, celle-ci est de 2 h 56 pour les programmes généralistes en semaine, de 1 h 53 pour les programmes musicaux, de 1 h 31 pour les programmes thématiques des radios de service public et de 1 h 48 pour les programmes locaux.

NRJ *occupe la première place en audience cumulée.*

RTL avait laissé la première place à la radio musicale NRJ dès la fin 2002 (du fait notamment que l'enquête Médiamétrie portait désormais sur les 13 ans et plus au lieu des 15 ans et plus). Fin 2008 jusqu'à mars 2012, RTL était redevenue la première radio en audience cumulée (en semaine) mais elle a été de nouveau détrônée par NRJ sur la période avril-juin 2012, malgré la période des élections, théoriquement plus favorable à une station généraliste. NRJ a atteint 11,7 % à fin juin 2012 par rapport à 10,7 % en 2011. La durée moyenne d'écoute était de 86 minutes. RTL obtenait 11,5% (soit une perte de 0,4 point sur une année) à durée d'écoute plus longue (146 minutes). La troisième place était occupée par France Inter, avec 11 % contre 10,2 % un an plus tôt, pour une durée moyenne d'écoute de 138 minutes. Elle était suivie par France Info, avec 9 % (stable) pour 58 minutes d'écoute et par Europe 1 (8,7%, stable sur un an) avec 123 minutes d'écoute.

En part d'audience (tenant compte à la fois de l'audience et de la durée d'écoute, voir définition dans le tableau), au deuxième trimestre 2012, France Inter devient la deuxième radio (10,5 %) derrière RTL (11,6%). Europe 1 est à la troisième place (7,4%). La qua-

Radio parade

Part d'audience* (en %), part d'audience cumulée** (en %) et durée d'écoute par auditeur en minutes sur une semaine (lundi au vendredi, avril-juin 2012, population de 13 et plus)

	Part d'audience	Part d'audience cumulée	Durée
Programmes généralistes	**42,6**	**39,2**	**2 h 37**
Europe 1	7,4	8,7	2 h 03
France Bleu	6,3	7,4	2 h 03
France Inter	10,5	11	2 h 18
RMC	6,5	7,7	2 h 02
RTL	11,6	11,5	2 h 26
Programmes musicaux	**31,5**	**40,9**	**1 h 51**
Chérie FM	2,6	4,2	1 h 29
Fun Radio	3,8	7,3	1 h 15
MFM Radio	0,6	1,2	1 h 20
Nostalgie	3,5	5,6	1 h 29
NRJ	7	11,7	1 h 26
RFM	3,3	4,6	1 h 44
Rire & Chansons	1,4	3,4	1 h 02
RTL2	2,9	4,7	1 h 29
Skyrock	4,2	7,8	1 h 17
Virgin Radio (ex-Europe 2)	2,1	4,3	1 h 09
Programmes thématiques	**7,9**	**13,8**	**1 h 23**
France Culture	1,3	1,9	1 h 40
France Info	3,6	9	0 h 58
France Musique	0,8	1,4	1 h 21
Radio Classique	1,5	2	1 h 50
Programmes locaux	**15,1**	**19,9**	**1 h 50**
Radio privées associatives (554 stations)	1,7	2,4	1 h 44
Groupement Les Indés Radios (123 stations)	11,7	16,1	1 h 45

* La part d'audience est celle du volume d'écoute d'une station dans le volume d'écoute total de la radio.
** L'audience cumulée est le nombre de personnes de 13 ans et plus ayant écouté la station au moins une fois au cours de la journée (5 h-24 h) du lundi au vendredi.

trième radio est NRJ (7%) puis de RMC (6,5%) et de France Bleu (6,3%). En un an, la progression de la station NRJ a été de 1,1 point, celle de France Inter de 0,9 point, tout comme RMC. RTL2 a perdu 1,3 point, Skyrock est en retrait de 0,8 point et RTL de 0,5 point.

Les chiffres témoignent d'une baisse globale d'audience de la radio au fil des années, à quelques exceptions près. RMC avait ainsi connu une hausse continue pendant plusieurs années, grâce à un mélange d'information, de sport et de talk-show. Une part de l'écoute a été en effet transférée sur les nouveaux modes d'accès à la radio : *podcasts*, blogs, téléchargement, écoute sur téléphone mobile et Internet. Sur un mois, les podcasteurs téléchargent en moyenne 15,5 fichiers. Les plus gros consommateurs les écoutent sur leur téléphone mobile, à raison de 17,2 par mois en moyenne, contre 10 pour ceux qui les écoutent sur un ordinateur. En 2011, 8 *podcasts* sur 10 téléchargés ont été écoutés, contre 7 sur 10 un an plus tôt.

La radio redéfinit sa place dans le paysage médiatique.

L'accroissement du nombre de chaînes de télévision au cours des dernières années n'avait pas eu d'effet sensible sur l'écoute de la radio. L'arrivée de la TNT et, surtout, le développement de l'accès à Internet ont induit de nouveaux bouleversements, avec notamment de nouvelles habitudes d'accès à l'information, générale ou thématique, et à la musique. Mais la radio résiste grâce à ses qualités propres : souplesse, pouvoir d'évocation, capacité d'analyse et de commentaire de l'information en direct, impertinence, interactivité. Elle est aussi en train de tirer profit de ces nouvelles technologies. Elle a enfin su modifier ses programmes pour prendre en compte les évolutions sociétales : émissions interactives; billets d'humour; débats...

La distinction établie par McLuhan dans les années 1960 entre les médias « chauds » et les médias « froids » garde toute sa pertinence. Contrairement à ce que l'on pourrait imaginer, la radio fait partie des médias « chauds », alors que la télévision est « froide ». La première établit en effet une plus grande relation de proximité avec l'auditeur ; elle lui laisse la possibilité de s'approprier les informations, et son pouvoir d'évocation est élevé. La télévision « impose » au contraire des images fortes au téléspectateur, mais reste plus éloignée de lui. C'est sans doute l'une des raisons pour lesquelles la radio est le média jugé le plus crédible (ou le moins suspect...) par le public en matière d'information (p. 447).

Les stations généralistes ont été davantage concurrencées par les radios musicales que par la télévision. Elles se sont efforcées de regagner l'audience perdue en privilégiant les émissions de proximité, notamment dans les tranches matinales. Mais les stations musicales ont régulièrement progressé au fil des années. Elles subissent parfois les effets d'une actualité particulièrement chargée, qui peut amener les auditeurs à privilégier les stations d'information ou la télévision.

MUSIQUE

La musique est très présente dans la vie quotidienne, ...

La moitié des Français estime difficile de se passer de la musique (SACEM/Opinionway, 2011). L'écoute de la musique est le loisir qui a le plus progressé au cours des trois dernières décennies. La proportion de personnes écoutant des disques ou cassettes au moins un jour sur deux avait doublé entre 1973 et 1989, passant de 15 % à 33 % (enquêtes du ministère de la Culture). Elle a poursuivi ensuite sa progression, favorisée notamment par l'apparition du disque compact. En 1997, 27 % des personnes de 15 ans et plus écoutaient des disques ou cassettes tous les jours ou presque ; ils étaient 34 % en 2004. L'écoute de la musique s'est encore accrue depuis, avec le développement de nouveaux modes d'accès : Internet, lecteurs MP3, téléphones mobiles (ci-après). Au total, les Français déclarent écouter en moyenne 1 h10 de musique par jour (SACEM/Opinionway) : 16 % l'écoute moins d'une demie heure par jour, 26 % entre une demie heure et une heure, 22 % entre 1 et 2 heures, 20 % plus de 2 h 00. Seuls 4 % des Français déclarent ne jamais ou presque jamais en écouter.

L'écoute se fait principalement à la maison (90 %) mais aussi en voiture (74 %) à l'occasion de moments de détente pour 62 % des Français ou dans des moments d'attente (20 %). Tous les genres musicaux ont bénéficié de cet engouement, du jazz au rock en passant par la musique classique et l'opéra. Mais ce sont les chansons françaises qui sont le plus écoutées (51 %) suivies par la musique classique (34 %), les variétés internationales (34 %), le pop-rock (31 %), le jazz (22 %), la musique du monde (17 %), le RnB (13 %), la musique de film (13 %), le rap (10 %), les musiques électroniques ou techno (9 %) et la dance (8 %).

À la radio, la musique représente la moitié du temps d'écoute, soit le double de celui consacré à l'information. Il faut dire que l'offre musicale est très abondante, depuis l'autorisation des « radios libres », au début des années 1980. Par ailleurs, les sorties liées à la musique (concerts, discothèques) sont celles qui ont le plus progressé depuis une vingtaine d'années. Enfin, la pratique du chant et des instruments concerne un nombre croissant de Français (p. 544). Dans une société perçue comme de plus en plus dure, la musique a pour vocation d'adoucir les mœurs.

... en particulier chez les jeunes.

L'augmentation de l'écoute de la musique a touché toutes les catégories d'âge, à l'exception des personnes de 80 ans et plus (tableau). Le phénomène est particulièrement marqué chez les jeunes : la quasi-totalité des 15-24 ans (97 %) déclaraient écouter des disques et des cassettes de musique en 2004 ; 72 % tous les jours, 11 % plusieurs fois par jour. En 2011, ils étaient 73 % à considérer la musique comme leur activité culturelle favorite (SACEM/Opinionway) et 25 % d'entre eux déclaraient même que c'est une passion. Le temps d'écoute moyen de ces passionnés est de 1 h 30 par jour, 20 minutes de plus que la moyenne nationale. 29 % des 15-24 ans écoutent de la musique plus de 2 heures par jour ; 1 % seulement n'en écoute jamais ou presque jamais. Se tenir au courant des dernières nouveautés est important pour 8 jeunes sur 10, qui affirment le plus souvent un goût pour le RnB (45 %) suivi de la pop et du rock (42 %), du rap (38 %), des musiques électroniques et techno (28 %) puis de la chanson française (26 %).

La musique constitue pour les jeunes à la fois une distraction, un signe de reconnaissance et d'appartenance à un groupe, un moyen de différenciation par rapport aux autres. Elle sert de prétexte et de support à la sociabilité.

Elle représente l'une des dimensions majeures (avec le sport et le cinéma) de la culture planétaire à laquelle ils adhèrent dans de nombreux pays.

Les modes d'accès à la musique sont diversifiés.

La radio, les disques et supports physiques traditionnels ne constituent plus les seuls moyens d'écouter de la musique. Les chaînes de télévision musicales se sont multipliées sur le câble, le satellite ou la TNT. Internet permet de se connecter aux radios du monde entier et de télécharger de la musique. Les appareils « nomades » se sont généralisés : baladeurs, lecteurs MP3, téléphones mobiles, tablettes numériques.

36 % des Français préfèrent utiliser la radio pour écouter de la musique, loin désormais devant la chaîne hifi (17 %), les CD et DVD (14 %), la télévision (8 %), les concerts (6 %) ou les baladeurs (6 %). Internet n'est préféré que par 6 % des Français pour écouter de la musique et le téléphone mobile par seulement 4 % d'entre eux. Pour 70 % de la population, la radio reste le principal support pour découvrir les nouveaux morceaux ou de nouveaux artistes, devant la télévision (58 %), la recommandation d'une autre personne (38 %), les sites de partage vidéo (14 %), la presse écrite généraliste (11 %) ou l'assistance à un concert (9 %). Les radios en ligne (9 %) et les sites communautaires (8 %), bien que connaissant un engouement certain, sont encore peu prescripteurs. En règle générale, les Français considèrent que les émissions musicales sur les chaînes généralistes se ressemblent toutes (61 %), et plus de la moitié d'entre eux estiment qu'elles ne correspondent pas à leurs attentes (SACEM/Opinionway).

Les achats de disques ont fortement baissé depuis 2003.

En 1999 et 2000, les achats de disques avaient respectivement baissé de 2,5 % en volume et de 1 % en valeur, ce qui laissait augurer d'un retournement, tel qu'il était observé ailleurs. Ils avaient cependant repris leur progression en 2001 (11 % en volume) et en 2002 (4 %). La France faisait alors figure d'exception parmi les pays développés, qui étaient pratiquement tous touchés par une crise des achats de disques. La résistance nationale ne s'était pas confirmée en 2003, avec une baisse des achats en magasin de 12 % en volume et 15 % en valeur. Cette baisse s'est régulièrement poursuivie depuis.

En 2011, le marché de détail de la musique enregistrée a représenté 756 millions d'euros, en baisse de 7,5 % par rapport à 2010 (SNEP). En volume, les Français ont acheté 50,4 millions d'albums, 2.5 millions de DVD musicaux et 43,9 millions de *singles*/titres, soit un total de 96,8 millions d'unités. Le nombre de *singles* achetés a progressé de 9 millions, exclusivement en raison de la progression des titres téléchargés (+9.6 millions d'unités). Le nombre d'albums a chuté de 2,3 millions ; la baisse constatée en magasins (3,5 millions) n'a pas été compensée par la hausse des achats d'albums en téléchargement (+1,2 million). Le nombre de DVD achetés a diminué de 0,7 million.

13 % des albums achetés en 2011 ont été téléchargés, contre 10 % en 2010, 7 % en 2009, 4 % en 2008, 2,4 % en 2007. 98 % des titres achetés ont été téléchargés (95 % en 2010, 91 % en 2009, 78 % en 2008, 59 % en 2007). La vente de titres en téléchargement légal sur Internet représente maintenant une valeur dix fois supérieure à celle des *singles* (25 millions d'euros en 2011). Le marché de la musique enregistrée est ainsi passé de 1,6 milliard d'euros en 2002 à 617 millions en 2011, dont 67 % sur des supports physiques. Les achats de musique en téléchargement ne représentent que 110 millions d'euros, dont la moitié de façon légale. Les sonneries de téléphones mobiles, bien qu'en baisse de 18 % sur un an, représentent plus que les achats de *singles* (4 millions d'euros contre 2,5 millions). Le *streaming* et les abonnements ont compté pour 6 % des dépenses totales de musique en 2011

Le nombre d'albums commercialisés a progressé de 6 % en 2011, pour atteindre 1004, contre 946 en 2010 et 973 en 2009. 72 nouvelles signatures d'artistes ont été enregistrées, et 45 contrats ont pris fin.

La révolution numérique a bouleversé les modes de consommation...

Les professionnels attribuent la forte baisse constatée depuis 2003 à l'importance du piratage et de la copie privée. La révolution numérique a en effet profondément modifié les conditions et modes de consommation de la musique enregistrée. Elle permet la copie à l'identique ou, dans un format de compression, sans perte significative de qualité. La baisse des prix des matériels (ordinateur, graveur...) et des supports vierges qui se sont multipliés depuis l'apparition du CD et dont la capacité de stockage a considérablement augmenté, a par ailleurs beaucoup réduit le coût des copies. La redevance prélevée sur ce matériel et ces supports est loin de compenser la baisse des dépenses. La miniaturisation des lecteurs (lecteurs mp3, téléphone mobile...) a favorisé une écoute « nomade » de plus en plus fréquente. À cela s'est ajouté le fort développement des connexions internet haut débit et la diffusion de logiciels rendant possible

La musique de plus en plus téléchargée

Évolution des ventes de musique (en millions d'unités)

	2008	2009	2010	2011	Évolution 11/10
Nombre d'albums vendus	61,1	56,5	52,7	50,4	– 4,4 %
En magasins	58,7	52,6	47,4	43,9	– 7,4 %
Sur les plateformes de téléchargement internet	2,4	3,9	5,3	6,5	+ 22,6 %
Nombre de *singles*/titres vendus	25,2	30,6	35	43,9	+ 5,5 %
En magasins	5,6	2,8	1,6	0,9	– 43,8 %
Sur les plateformes de téléchargement internet	19,6	27,8	33,4	43	+ 27 %
Nombre de vidéo musicales vendues en magasins	3,7	3,6	3,2	2,5	– 21,9 %
TOTAL UNITÉS VENDUES	90	90,7	90,9	96,8	+ 6,4 %

SNEP

les échanges de fichiers musicaux entre particuliers *(peer to peer)*. D'un point de vue technique, la notion de copie privée, qui limite ce droit au cercle étroit de la famille et des amis, a ainsi perdu son sens.

Dans ces conditions, l'industrie musicale cherche à inventer de nouveaux modèles économiques (ci-après) afin d'assurer sa pérennité. Elle a tardé à mettre en place des plateformes internet permettant de télécharger légalement des fichiers musicaux. Les dispositifs de verrouillage numériques qu'elle a introduits sont devenus rapidement obsolètes. Ils ont eu parfois pour effet de détourner les consommateurs de l'achat de CD musicaux lorsqu'ils les empêchaient d'en faire des copies destinées à être utilisées sur des supports différents. Le recours au droit pénal pour décourager le téléchargement illégal (estimé vingt fois supérieur au téléchargement légal par le syndicat international des producteurs) a été mal perçu par les consommateurs, notamment par les plus jeunes.

La loi Hadopi (mai 2009, tire son nom de la Haute Autorité pour la diffusion des oeuvres et la protection des droits sur Internet) a ainsi plongé l'industrie musicale dans une véritable crise de légitimité. Les nombreuses études menées pour mesurer l'impact du téléchargement illégal dressent cependant un bilan mitigé. Certaines attribuent la crise du disque au téléchargement illégal. D'autres font valoir que la plupart des individus concernés n'auraient de toute façon pas acheté les titres téléchargés et que le téléchargement illégal, au contraire, contribue à stimuler l'achat et, plus généralement, la consommation de produits et services liés à la musique.

… et entraîné une baisse des prix.

Parmi les autres raisons invoquées à la baisse des achats de musique sur les supports matériels, le prix élevé des disques en France est souvent cité. Il résulte notamment d'un taux de TVA supérieur à celui d'autres pays (et à celui des autres biens culturels comme le livre), mais aussi des marges confortables des producteurs. Des baisses de prix significatives ont cependant eu lieu entre 2003 et 2005 : 23 % sur les *singles* et 15 % sur les albums. Les prix ont depuis augmenté moins vite que l'inflation. Pourtant, les Français ont acheté en moyenne un peu moins d'un CD par personne en 2011 contre deux en 2002, alors par exemple que les Britanniques en achètent 2 fois plus.

Une autre explication importante est que le CD, après vingt ans d'existence, est un support en bout de course. Il est condamné par l'émergence du téléchargement de fichiers et de la musique à la demande. Ces fichiers peuvent être plus facilement utilisés sur différents appareils, à domicile (ordinateur, téléviseur doté d'un disque dur associé à une box, lecteur de MP3…) ou en situation de mobilité, avec notamment l'usage de plus en plus courant des smartphones et tablettes numériques.

Enfin, la politique éditoriale des grandes maisons de disques est souvent mise en cause. Elle est accusée d'avoir parié davantage sur le marketing et le court terme, avec des productions « formatées » et des artistes « jetables », que sur la création, la fidélité et le long terme. C'est ce qui explique qu'un nombre croissant de musiciens tentent aujourd'hui de produire et de diffuser eux-mêmes leur pro-

duction. La mode a été lancée par le groupe anglais Radiohead en octobre 2007. Son album *In Rainbows*, vendu à un prix librement fixé par les internautes, aurait rapporté en moyenne 6 euros. Des sites proposent aujourd'hui à des Internautes de devenir « coproducteurs » d'albums, en investissant dans des artistes inconnus, qui ne parviennent pas à être produits par des maisons de disques traditionnelles ou qui refusent d'entrer dans ce système.

Le téléchargement légal progresse.

Plus d'un tiers des Français écoutent de la musique en *streaming* et 21 % déclarent en télécharger (CGIET-ARCEP/Crédoc, 2011). La part de la musique numérique représentait 24,6 % des dépenses de musique en 2011 contre 18,9 % en 2010 et 15,9 % en 2009, loin cependant derrière les 52 % des États-Unis ou les 53 % en Corée du Sud en 2011 (IFPI, 2012). Le développement d'Internet a une incidence considérable sur l'accès à la musique. Il permet d'abord un très vaste choix, alors que le poids croissant de la grande distribution dans les ventes avait réduit le nombre de titres disponibles et entraîné la disparition des disquaires indépendants (il en reste environ 200, contre 2 000 en 1979). L'offre de titres en téléchargement avait ainsi doublé entre fin 2004 et fin 2005, avec 760 000 titres disponibles sur les plateformes, dont 650 000 titres pour le catalogue des *majors* et 110 000 pour celui des producteurs indépendants. Elle a atteint 1 million de titres en 2008. En 2011, moins de 10 % des titres étaient vendus en téléchargement.

Les Français pratiquent de plus en plus l'écoute en *streaming*. C'est le cas des trois-quarts des moins de 25 ans, de la moitié des cadres, de 40 % des plus diplômés ou des plus hauts revenus. L'apparition de iTunes (plateforme de téléchargement d'Apple) a modifié l'offre, avec 20 millions de titres annoncés dans son catalogue. Des sites comme Amazon en proposent 15 millions, comme Spotify, mais seulement 10 % des titres présents dans ces catalogues seraient les versions originales des artistes, le reste étant des reprises, voire des parodies. En réalité, 1 % des achats en téléchargement correspondrait à 80 % du montant total des ventes de musique sur Internet (Nielsen). Internet permet ainsi aux éditeurs de musique de faire connaître leur production et découvrir de nouveaux talents. Le domaine de la musique, comme celui de la vidéo, vit une nouvelle révolution.

La France, avec la loi Hadopi, tente de réguler le téléchargement illicite. Celui-ci a été favorisé par le développement très rapide de l'Internet haut débit, passé de 700 000 lignes en 2002 à 21 millions de lignes en 2010. Chez les Internautes déclarant un usage illicite du téléchargement, la musique est le produit culturel le plus téléchargé (57 %), les films arrivant en deuxième position avec 48 % (Hadopi/Crmmetrix). Le prix est la première raison invoquée pour tenter de justifier les téléchargements illégaux (37 %), suivi par la diversité de l'offre (21 %), l'habitude (13 %), les freins au paiement (12 %) ou les freins aux usages et la complexité d'utilisation (11 %).

Les albums francophones représentent un tiers des achats.

La variété francophone reste prédominante dans les dépenses de musique enregistrée (35 % en 2010, contre 33 % en 2006), devant la variété internationale (31 %) et les compilations (8 %). Le classique arrive loin derrière (9 %), suivi du world reggae et du jazz (4,5 % chacun). Les bandes originales de films comptent pour 1 %.

La musique à la radio

On a recensé 3,6 millions de diffusions musicales en 2011, en légère baisse (85 000) par rapport à 2010 (SNEP). La part des titres du Top 100 dans la diffusion s'accroît régulièrement : 26 % des diffusions en 2011, contre 24,7 % en 2010, 23,4 % en 2008 et 22,8 % en 2007. On observe parallèlement une baisse régulière des titres qui entrent dans la programmation des stations, avec 2602 titres en 2011, contre 2690 en 2010, 2987 en 2009 et 3106 en 2008. En trois ans, le nombre de titres entrés en programmation a ainsi chuté de 16 %, soit un écart de 500 titres.

La part des titres francophones et des nouveaux talents francophones dans les 100 plus fortes diffusions s'est redressée en 2011, sans toutefois combler le retard accumulé depuis 2007. Un tiers (33 %) des 100 titres les plus diffusés étaient francophones, contre 42 % en 2007. Un quart (26 %) des 100 titres les plus diffusés concernaient des nouveaux talents, contre 31 % en 2007.

L'artiste féminine la plus diffusée à la radio au cours de l'année 2011 a été Adèle (*Rolling in the deep*, Beggars/Naive), avec 42 315 diffusions. L'artiste masculin le plus diffusé a été David Guetta (Virgin Group/Emi Music), avec 61 311 diffusions sur 64 titres différents.

Palmarès 2011

Cinq meilleures ventes de musique par types de diffusion en 2011

	Interprète	Titre
Singles	Israel Kamakawiwo	Over the rainbow
	M. Pokora	À nos actes manqués
	Moussier Tombola	Logobitombo
	Mylene Farmer	Lonely Lisa
	Colonel Reyel	Celui
Albums	Adèle	Adèle/21
	Nolwenn Leroy	Bretonne
	Les Enfoirés	Dans l'œil des enfoirés 2011
	Les Prêtres	Gloria
	Zaz	Zaz
Compilations	Various	NRJ Music Awards 2011
	Divers	NRJ Summer Hits Only 2011
	Mylène Farmer	2001-2011
	Multi Interpretes	NRJ Extravadance 2011
	Noir Desir	Soyons désinvoltes, n'ayons l'air de rien
Radio	Adèle	Rolling in the deep
	Elisa Tovati Et Tom Dice	Il nous faut (VF)
	Pitbull	Give me everything
	Sean Paul	Got 2 luv U
	The Black Eyed Peas	Just can't get enough
Vidéos	Les Enfoirés	Dans l'œil des enfoirés 2011
	Indochine	Putain de stade
	Ac/Dc Live	At river plate
	Adèle Live	At the Albert hall dvd+cd
	Multi-Interprètes	Mozart l'opera rock
Téléchargement Albums	Adèle	Adèle/21
	David Guetta	Nothing but the beat
	Selah Sue	Selah Sue
	Coldplay	Mylo Xyloto
	The Black Eyed Peas	The beginning
Téléchargements *Singles*	LMFAO	Party Rock Anthem
	Adèle	Rolling in the deep
	Adèle	Someone like you
	Jennifer Lopez	On the floor
	Rihanna	Man down

SNEP

La moitié des achats (en valeur) sont effectués dans les grandes surfaces spécialisées (Fnac, Virgin...). Ces enseignes avaient gagné 21 points de parts de marché au cours de la dernière décennie mais elles affichent des performances à la baisse depuis 2009. La part des achats effectués dans les rayons disques des grandes surfaces alimentaires ne représente plus qu'un quart, contre 41 % en 2000. Les grossistes ont progressé de près de 3 points en dix ans (19 %), la vente par correspondance a gagné 1,9 point (à 6,3 %) tandis que les disquaires indépendants ne représentent plus qu'une très faible part (0,8 %).

La part de la variété nationale reste plus élevée en France que dans les autres pays d'Europe. Cette résistance peut être rapprochée de celle du cinéma (p. 461). Elle témoigne dans les deux cas d'un attachement des Français à la culture nationale et aux paroles des chansons. On retrouve en matière musicale la tendance générale au métissage culturel. Le classique connaît une progression de un point entre 2008 et 2010 (8,6 % contre 7,6 %). Les amateurs de classique sont en général plus âgés, apprécient moins les formats compressés par crainte d'une perte de qualité ; ils recourent donc moins souvent aux nouveaux supports, qui leur sont en outre moins familiers. La crise du disque affecte donc moins ce secteur.

PRESSE

La lecture de la presse papier est très contrastée.

69 % des Français, soit plus de 35 millions de Français, ont lu au moins un titre de presse papier par jour en 2011, qu'il s'agisse d'un quotidien ou d'un magazine (étude ONE sur les 15 ans et plus). Parmi eux, 21,9 millions (soit 43 %)

lisent chaque jour au moins un quotidien, 26,9 millions (52,9 %) au moins un magazine et 13,7 millions (26,9 %) au moins un quotidien et un magazine. Les Français lisent en moyenne 7,1 titres par mois (notamment de magazines). Sur un mois, la quasi-totalité des Français (97 %) a lu au minimum un journal ou un magazine. Chacun lit en moyenne 1,4 quotidien et 5,7 magazines : 1 titre de presse TV, 2,1 titres de l'univers féminin people santé, 1,2 titre à centre d'intérêt. Ces chiffres font de la France un des pays les plus lecteurs de presse au monde.

La situation est cependant très contrastée selon les types de presse. Les Français sont de moins en moins lecteurs de la presse quotidienne ; ils demeurent en revanche des lecteurs assidus de la presse magazine. Une vision globale est donc insuffisante pour mesurer l'évolution de la lecture de la presse. Mais les comparaisons dans le temps sont rendues difficiles par les changements méthodologiques intervenus dans les études d'audience et de diffusion. Ainsi, les enquêtes EPIQ/AEPM ont été remplacées depuis 2011 par l'étude annuelle ONE (AudiPresse, avec Ipsos et TNS Sofres) qui regroupe toutes les familles de presse. Mais les méthodologies ne sont pas les mêmes que précédemment, de sorte que les comparaisons ne sont pas pertinentes et que les chiffres peuvent dans certains cas masquer la réalité.

La presse quotidienne connaît une érosion continue...

En 1914, la presse quotidienne française était la première du monde. Avec une diffusion de 250 exemplaires pour 1 000 habitants, elle se situait au même niveau que la presse américaine et largement devant la presse anglaise ou allemande. Elle a ensuite connu une stagnation dans l'entre-deux-guerres, puis un déclin continu à partir de la Libération. Entre 1970 et 1990, le nombre des lecteurs de la presse quotidienne en général avait diminué de moitié (plus d'un quart entre 1980 et 1990, soit une perte de 2 millions de lecteurs). Les quotidiens nationaux ont été les plus touchés. L'érosion s'est poursuivie depuis les années 1990, de façon plus modérée. En 2011, la diffusion payée de la PQN a encore diminué de 1,4 %, après une importante remontée en 2006, et ne représentait plus que 88 % de son niveau de 2001 (OJD). Entre 1946 et 2011, le nombre des quotidiens français est passé de 203 à 69.

Globalement, la diffusion de la presse quotidienne (toutes familles confondues) a diminué de 2,3 % en 2011. L'érosion est d'autant plus inquiétante qu'elle se poursuit au moins depuis une décennie. La baisse a concerné toutes les catégories de population, à l'exception des agriculteurs, fidèles aux quotidiens régionaux. Seuls des événements marquants en matière natio-

La France au 58e rang mondial

Avec 155 exemplaires de quotidiens (nationaux ou régionaux) diffusés pour 1000 habitants âgés de plus de 14 ans, la France arrive en cinquante-huitième position dans le monde et en vingtième au sein de l'Europe (Association mondiale des journaux, 2011). Elle se situe très loin derrière le Japon (624 quotidiens pour 1000 habitants), la Norvège (580), la Finlande (503), et la Suède et Singapour (443), mais aussi la Suisse (354), l'Autriche (345), le Royaume-Uni (308), l'Allemagne (300), les Pays-Bas (268) ou les États-Unis (212) ; elle arrive juste devant la Pologne (123) et l'Italie (112). La situation de la France est également défavorable si l'on utilise les indicateurs d'audience. 7,9 millions de Français lisent un quotidien national chaque jour (ONE) ; mais ils ne sont qu'une minorité à lire des exemplaires payants, dont la diffusion était un peu inférieure à 1,8 million d'exemplaires par jour (OJD).

Il s'est vendu en 2011 un peu plus de 500 millions d'exemplaires de journaux par jour dans le monde, répartis sur environ 15 000 titres (un nombre qui tend à s'accroître), soit en moyenne près de 35 000 exemplaires par titre. On observe une tendance à la baisse d'audience de la presse papier, compensée par une augmentation sensible de la fréquentation des sites internet des quotidiens. Le nombre de lecteurs des journaux papiers (2,3 milliards) reste plus important que celui des personnes qui s'informent *via* les sites internet (1,9 milliard), mais l'écart diminue d'année en année.

L'audience de la presse papier est en croissance en Asie et en Amérique du Sud, mais diminue sensiblement aux États-Unis et en Europe de l'ouest. Les journaux gratuits connaissent des mouvements de même nature et leur nombre s'est réduit d'un quart entre 2006 et 2010. C'est en Italie qu'ils sont les plus nombreux ; ils représentent la moitié des quotidiens.

Le *Yomiuri Shimbun* (10 millions d'exemplaires quotidiens) et le *Asahi Shimbun* (8 millions) sont les deux plus gros tirages mondiaux ; on trouve d'ailleurs cinq titres japonais parmi les dix plus gros tirages mondiaux. *The Sun* est le premier tirage européen, *USA Today* le plus gros tirage américain. Mais c'est dans les pays scandinaves que l'on trouve les plus forts taux de pénétration par rapport à la population (96 % pour l'Islande).

nale ou internationale entraînent un accroissement notable, mais éphémère, de l'audience. Les jeunes sont de moins en moins concernés (un sur cinq parmi les 15-24 ans contre 36 % en 1973) alors que la proportion de lecteurs atteint encore un sur deux chez les 60 ans et plus (68 % en 1973). Les quotidiens se heurtent donc à un problème de renouvellement de leur lectorat. Là encore, il faut faire la part entre la situation de la presse quotidienne nationale, en distinguant celle qui est payante et celle qui est gratuite, et la presse quotidienne régionale (ci-après).

L'érosion de la PQN

Évolution de la diffusion payée par numéro de la presse quotidienne nationale (indice base 100 en 2001) et du nombre de titres (en bas du graphique)

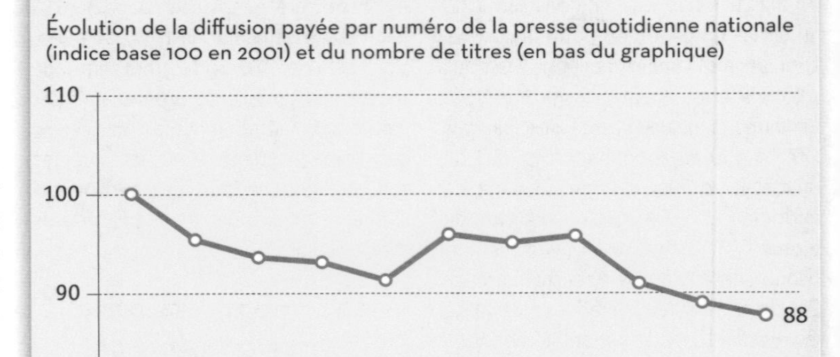

La presse quotidienne nationale payante est lue par un Français sur six...

Selon l'étude ONE (AudiPresse), 2011 aurait marqué une pause dans la baisse tendancielle de la PQN, avec une diffusion payée inchangée par rapport à 2010. Les chiffres publiés par l'OJD (Office de justification de la diffusion) indiquent au contraire une baisse de 1,4 % de la diffusion payée. Mais les deux études utilisent des méthodologies différentes. La première fédère l'ensemble des familles de presse et présente un tableau détaillé des titres. Cinq des huit principaux titres ont affiché une hausse en 2011. Elle a atteint 5,4 % pour *Libération,* avec une diffusion payée de 119 000 exemplaires, presque identique à celle des *Échos* (en croissance de 3,3 %). *Le Monde* a progressé de 2 %, avec une diffusion de 292 000 exemplaires, qui reste inférieure à celle du *Figaro*, leader de la presse quotidienne nationale avec 321 000 exem-

Un Français sur deux lecteur de la presse

Audience de la presse d'information (2011, en milliers de lecteurs et % de pénétration)[1]

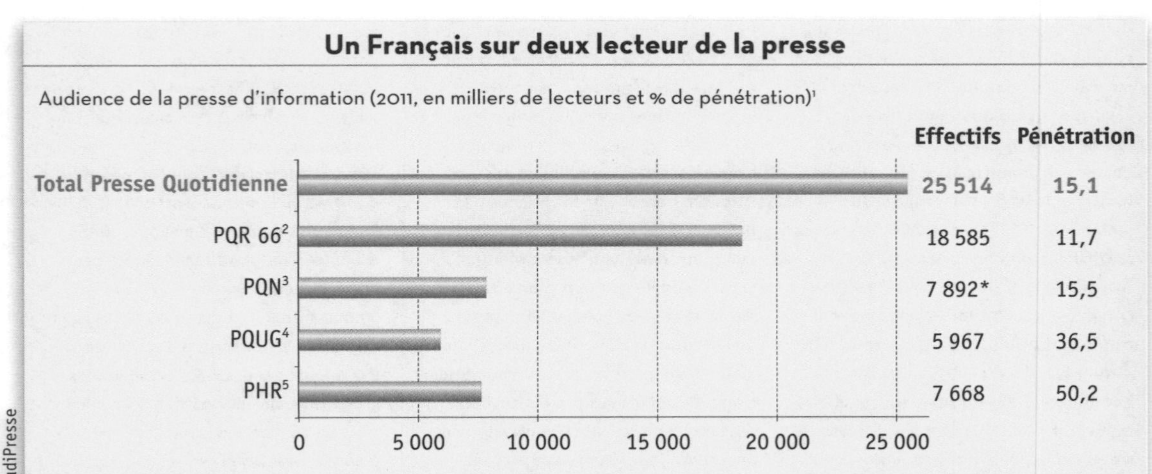

1. Français de 15 ans et plus, lecture d'un numéro moyen (nombre moyen de lecteurs par numéro sur les 5 ou 6 derniers parus, tenant compte du nombre de numéros différents lus la semaine précédant l'interview) ; 2. Presse Quotidienne Régionale ; 3. Presse Quotidienne Nationale ; 4. Presse quotidienne urbaine gratuite ; 5. Presse hebdomadaire régionale ; * Hors *La Tribune* et *France Soir.*

ONE, AudiPresse

plaires payants en moyenne. *Aujourd'hui en France* a enregistré une faible croissance (0,5 %) et stabilisé sa diffusion à 170 000 exemplaires.

En revanche, L'Équipe a subi la plus forte baisse (5,5 %), avec une diffusion de 285 000 exemplaires en 2011 contre 302 000 en 2010 (et 350 528 exemplaires en 2006), du fait d'une actualité sportive relativement pauvre. L'Humanité a enregistré sa plus forte baisse depuis 2006 et ramené sa diffusion à 45 000 exemplaires. 2011 a par ailleurs vu la disparition de France-Soir et La Tribune, dans leurs versions papier.

… et représente un cinquième des exemplaires de quotidiens

La PQN a totalisé 18 % des exemplaires de la presse quotidienne en 2011, avec 16 titres et 1,7 million d'exemplaires payants par jour (OJD). Elle a généré en outre 2,5 millions de visites sur les sites internet des titres, en hausse de 17 % à périmètre constant. Il faudrait y ajouter l'audience croissante des applications destinées aux smartphones et aux tablettes numériques, aux formats Apple ou Androïd, qui n'est pas encore prise en compte.

La lecture des quotidiens se fait principalement le matin : 20 % des lecteurs les lisent avant 8 h, 50 % avant 10h, 70 % avant midi. La lecture se poursuit tout au long de la journée, et le journal est repris en main en moyenne deux fois et demie. Les deux tiers des lecteurs lisent le journal chez eux, un cinquième sur leur lieu de travail, 5 % dans les transports et environ autant chez des amis ou parents. La durée moyenne de lecture est d'environ 30 minutes.

Il faut aussi souligner que la presse quotidienne nationale est lue en forte proportion par les Franciliens et les Parisiens. Ainsi, 58 % des exemplaires vendus chaque jour par *Le Figaro* le sont en Île-de-France. La proportion est de 50 % pour *Le Monde* (160 000 exemplaires) et de 45 % pour *Libération*, soit 55 000 exemplaires, et même de 28 % à Paris (34 000). En 2011, la presse quotidienne nationale représentait 18 % des exemplaires de la presse quotidienne, avec 16 titres.

Les quotidiens gratuits s'imposent.

La presse d'information gratuite avait fait son apparition dans le métro parisien avec l'hebdomadaire *À nous Paris*. Plusieurs quotidiens gratuits étaient apparus successivement au cours du premier trimestre 2002, malgré l'oppo-

Circulation et circularité

En quelques années, le paysage de la presse d'information a connu une transformation radicale. Dans un contexte économique et social où le prix des choses est une préoccupation croissante, la presse quotidienne urbaine gratuite (PQUG) a su conquérir plusieurs millions de lecteurs, y compris parmi les personnes qui ne lisaient pas ou plus de journaux. Cette réussite repose, certes, sur la gratuité, mais aussi sur son mode de diffusion (colportage sur les lieux publics) sur la présentation synthétique des informations et sur son degré d'interactivité avec les lecteurs. Les habitudes de ces derniers ont en effet changé, notamment sous l'influence d'Internet, qui a rendu possible l'accès depuis le domicile ou le lieu de travail, à une masse considérable d'informations, le plus souvent gratuitement.
Internet a aussi favorisé une lecture circulaire plutôt que linéaire, grâce à l'« hypertexte ». Le réseau a surtout permis une participation croissante des lecteurs à travers des échanges (blogs, forums, sites, réseaux sociaux…) et une production de contenus multimédias (textes, sons, images).

La presse payante a fait des efforts considérables pour multiplier et diversifier ses offres en ligne.
Mais elle n'a pas encore trouvé de modèle économique véritablement profitable et doit affronter de nouveaux concurrents. Si la presse gratuite s'adresse davantage à un lectorat populaire, les Internautes assidus, plus jeunes et mieux instruits en général, s'informent à travers une multitude de sources, depuis les grands portails (Yahoo, MSBN, Orange, etc.) jusqu'aux sites des citoyens-journalistes, en passant par les moteurs de recherche qui synthétisent les contenus de la presse. Par ailleurs, la répartition traditionnelle des contenus entre les médias s'est trouvée bousculée : les quotidiens en ligne diffusent des reportages ou des interviews sous forme de clips vidéo et les chaînes de télévision mettent en ligne des documents écrits. L'époque est au multimédia pour tous. Le statut même des informations a changé, comme les moyens d'y accéder. Il appartient désormais au lecteur de faire preuve d'esprit critique pour distinguer une information d'une rumeur ou de déceler les informations nouvelles dans des contenus non spécialisés.

Le Figaro, *Le Monde* et *L'Équipe* en tête

Diffusion et audience France payée des quotidiens nationaux en 2011, et évolution de la diffusion sur un an (en %)

Titre	Diffusion OJD 2011 (en ex.)	Évolution 2011/2010 (en %)	Audience ONE 2011 (en milliers)
Le Figaro	321 101	1,3	1 191
Le Monde	292 062	2	1 961
L'Équipe	285 386	−5,6	2 199
Aujourd'hui en France[1]	169 995	0,5	2 443
Les Échos	119 576	3,3	468
Libération	119 165	5,4	961
La Croix	93 586	−0,9	397
Paris Turf	51 322	−9,1	261
L'Humanité	45 731	−5	281
Paris Courses[2]	26 400	−7,8	298
International Herald Tribune	19 071	−3	–
Tiercé Magazine	18 450	−8,3	253
Week-End[2]	17 645	−5,1	298
Bilto[2]	11 499	−5,6	298

(1) Audience de l'agrégat Le Parisien-Aujourd'hui en France. (2) Audience de l'agrégat Paris Courses-Week-End-Bilto.

OJD/ONE

sition du Syndicat du livre-CGT : *Metro*, *Marseille Plus*, *20 Minutes*. Entre 2003 et 2007, le nombre d'exemplaires distribués par an avait plus que doublé pour atteindre 523 millions d'exemplaires pour 24 titres et 4 réseaux. En 2011, la presse quotidienne urbaine gratuite d'information a connu une croissance de 9,1 %, avec 2,7 millions d'exemplaires par jour (OJD). Il faut y ajouter au cours de l'année 232 millions de visites sur les sites internet de ces quotidiens, en augmentation de 31 % sur un an, sans compter l'usage des applications destinées aux smartphones et tablettes.

En 2011, *20 Minutes* arrivait en tête avec une audience de 4,3 millions de lecteurs pour ses 40 éditions (dont 20 nouvelles en 2011), devant *Metro* (3,0 millions, pour 35 éditions) et *Direct Matin* (National) qui en comptait 2,7 millions (One, AudiPresse). En diffusion (OJD), la hiérarchie était différente : *Direct Matin* était leader avec 1,0 million d'exemplaires (en hausse de 35 % en un an), légèrement devant *20 Minutes* (980 000, + 27 %), loin devant *Metro* (756 000, + 12 %). L'hebdomadaire *À nous Paris* était diffusé à 270 000 exemplaires (+ 12 %). Au total, avec seulement trois journaux, la presse quotidienne gratuite rassemble environ six millions de lecteurs par jour. Avec huit titres, la presse quotidienne nationale payante en rassemble seulement 7,9 millions.

La lecture des quotidiens gratuits d'information est pratiquée pour 50 % dans les transports en commun, un tiers sur le lieu de travail, un cinquième environ à domicile et seulement 1 % chez des parents ou amis. Le taux de reprise est légèrement plus fréquent que pour les quotidiens nationaux payants : 2,6 fois contre 2,5. Mais seul un lecteur sur cinq conserve le journal, contre le double pour les quotidiens payants. Plus des deux tiers des exemplaires de quotidiens gratuits sont diffusés par colportage, les autres sont disponibles sur des présentoirs. En 2011, la presse quotidienne gratuite représentait 21 % des exemplaires de la presse quotidienne, avec 35 titres.

La presse quotidienne régionale continue de perdre de l'audience...

Les difficultés de la presse quotidienne sont encore plus marquées en ce qui concerne les quotidiens régionaux. En 2011, la diffusion de l'ensemble des titres a subi une baisse de 2,3 %, à 4,3 millions d'exemplaires par jour (OJD). Elle confirmait la tendance observée depuis quelques années. *Ouest-France*, *Nord-Eclair* et *Les Dernières Nouvelles d'Alsace* ont respectivement reculé de 1,2 %, 3,2 % et 2,1 %. *Le Midi Libre*, malgré une nouvelle maquette et un nouveau site internet lancés début 2011, a accusé une diffusion en baisse de 2,3 %. *La République du Centre* a connu la plus forte baisse : 16,6 %, à 40 000 exemplaires contre 48 000 en 2010. Les 29 sites internet contrôlés ont cependant enregistré une forte hausse (43 % à périmètre constant).

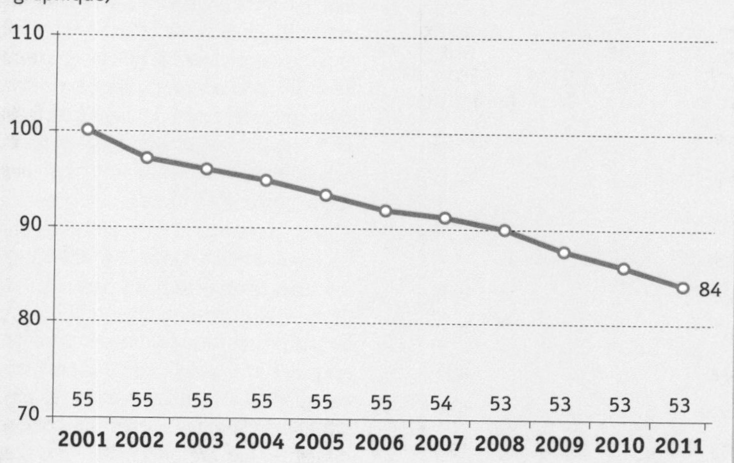

L'érosion de la PQR

Évolution de la diffusion payée par numéro de la presse quotidienne régionale et départementale (indice base 100 en 2001) et du nombre de titres (en bas du graphique)

Ouest-France occupe toujours la tête du classement avec 2,4 millions de lecteurs, plus du double des deux suivants, *La Voix du Nord* et *Sud-Ouest*, tous deux à 1,1 million de lecteurs. Il demeure le quotidien le plus diffusé (748 000 exemplaires payés), plus de deux fois plus que *Le Figaro* (321 000). Le taux de pénétration est ainsi le plus élevé en Bretagne (59 % des habitants lisent au moins une fois un titre de la PQR), devant l'Auvergne (51 %) et l'Alsace (50 %). Il n'est que de 19 % en Île-de-France et 26 % en Basse Normandie.

… mais conserve un poids important par rapport aux autres pays d'Europe.

Au total, 18,6 millions de Français lisent en moyenne chaque jour au moins un titre de la PQR, soit 37 % des personnes de 15 ans et plus. Sur une semaine, le taux de pénétration est de 65 %. Comme pour les quotidiens nationaux, 50 % des lectures se font avant 10 h, 70 % avant midi. Le sexe a peu d'incidence sur la lecture (51 % des lecteurs d'un « numéro moyen » sont des hommes, 49 % des femmes). L'âge est au contraire un facteur de différenciation : 30 % des lecteurs ont au moins 65 ans, alors qu'ils ne représentent que 21 % de la population, contre 9 % des 15-24 ans (15 % de la population). Les variations en fonction des caractéristiques socio-démographiques sont cependant nettement moins marquées que pour la presse quotidienne nationale. Les éditions du septième jour sont lues par un peu plus de 13,5 millions de Français chaque semaine, soit environ le quart de la population de 15 ans et plus. Elles représentaient 8 % des exemplaires diffusés en 2011, avec 42 titres.

Malgré sa diminution régulière, le nombre de quotidiens régionaux français reste le plus élevé d'Europe ; il est ainsi deux fois moins élevé en Italie, quatre à six fois au Portugal, en Grande-Bretagne ou aux Pays-Bas, au moins dix fois en Espagne ou en Belgique. En 2011, la presse quotidienne régionale représentait plus de la moitié des exemplaires de la presse quotidienne, avec 53 titres.

Les hebdomadaires régionaux, nés pour beaucoup d'entre eux au XIXe siècle, avaient connu depuis quelques années un nouvel engouement ; on comptait 256 titres en 2011 contre 155 en 1998. Mais leur diffusion a subi une baisse de 4,4 % en un an, soit une perte d'environ 1,5 million d'exemplaires par semaine. Ils sont lus par 7,7 millions de Français, soit 15 % de la population. Leur lectorat est assez représentatif de la population globale, bien que plus rural, avec des revenus un peu inférieurs à la moyenne nationale.

La lecture des magazines a chuté de 3 % en 2011, …

Chaque jour, 26.9 millions de Français de 15 ans et plus (53 %) lisent au moins un magazine. Dans leur ensemble, ils lisent en moyenne 5,7 magazines différents. La catégorie qui arrive en tête est celle des magazines « féminins-people-santé » (2,1 titres en moyenne). Elle devance celle des magazines dits « à centre d'intérêt » (1,2 titre) et de la presse télévision (1 titre). En termes d'audience, c'est cependant cette dernière catégorie qui l'emporte largement, avec des titres approchant souvent les cinq millions de lecteurs, devant les magazines *people*, plus proches de trois millions (3,4 millions de lecteurs pour *Close*, 3,3 millions pour *Voici*).

En vingt ans, la diffusion totale de la presse magazine avait progressé de 60 % (+2,6 % par an en moyenne). Environ 400 titres nouveaux ont été lancés au cours des cinq dernières années, portant le nombre total à plus de 2 500. Il faudrait y ajouter les innombrables publications administra-

Les régionaux à plus de 100 000

Diffusion et audience des principaux quotidiens régionaux (plus de 100 000 exemplaires, 2011)

	Diffusion OJD 2011 (en ex.)	Évolution diffusion 2011/2010 (en %)	Audience ONE 2011 (en milliers)
Ouest France	748 213	– 1,2	2441
Sud-Ouest	288 370	– 1,6	1083
Le Parisien	284 196	– 2,3	2443
La Voix du Nord	259 791	– 2	1141
Le Dauphiné Libéré	226 975	– 1,9	960
Le Télégramme	204 780	0	649
Le Progrès – La Tribune/Le Progrès	202 791	– 2,2	837
La Montagne	183 982	– 2,1	656
La Nouvelle République du Centre-Ouest	183 482	– 2,6	670
La Dépêche du Midi	177 715	– 2,6	771
Dernières Nouvelles d'Alsace	168 047	– 2,1	554
L'Est Républicain	149 172	– 3,5	598
Midi Libre	133 632	– 2,3	630
La Provence	130 385	– 5	635
Le Républicain Lorrain	122 949	– 4,2	485
Nice Matin	101 699	– 4,2	367

OJD, AudiPresse

tives et celles des groupements et associations, dont le nombre est estimé à 50 000. Par ailleurs, les titres existants connaissent régulièrement des changements : nouvelle formule, nouvelle maquette, nouveau format, nouvelle périodicité…

En 2011, la presse magazine a pourtant vu son audience globale diminuer de 3,2 % (OJD). Cette baisse a concerné toutes les catégories (graphique) ; elle a été particulièrement marquée pour la presse masculine, qui a perdu plus d'un quart de son audience (27 %), et la presse informatique (– 14 %). Dans ces deux familles, des titres ont cessé de paraître, victimes du développement du numérique sur lequel ils s'étaient pourtant construits. La presse *people* a perdu également 5 % de son audience, comme la presse économique et financière (*Capital*, *Challenges*…). Celle de télévision, qui représente environ 40 % de la diffusion, a vu son audience baisser de 3 %. Les hebdomadaires généralistes d'information *(news magazines)* ont mieux résisté, en ne perdant que 1 % (encadré).

La presse sportive (*L'Équipe Mag*, *France Football*…) a également été touchée (– 7,6 %), comme celle destinée aux adolescents (*Super Picsou Géant*, *Le Journal de Mickey*…) qui a reculé de 5 % ; elles subissent aussi la concurrence d'Internet, riche en contenus vidéo. La presse photo-cinéma-vidéo-musique (*Première*, *Studio Ciné Live*…) a également connu un fort repli de 8 %, tandis que la presse cuisine (*Maxi Cuisine*, *Régal*…) perdait 4,6 %. En revanche, la presse auto-moto et celle dédiée à la science ont fait preuve d'une bonne résistance.

… à l'exception notable de quelques titres…

Sur 256 titres ayant publié leur chiffres pour 2011, 88 étaient en hausse par rapport à 2010 (OJD). Les plus fortes progressions étaient à mettre au compte d'*Investir Le Journal des Finan*ces (75 000 exemplaires, + 37 % en un an), *Les Inrockuptibles* (55 000 exemplaires (+ 34 %) et *Vie Pratique Féminin* (88 000 exemplaires, + 32 %). Dans l'univers des féminins pratiques, *Modes et Travaux* augmenté sa diffusion à 444 000 exemplaires (+ 6 %). Parmi les hebdomadaires féminins haut de gamme, *Madame Figaro* a atteint 450 000 exemplaires (+ 6 %), contre 384 000 pour *ELLE* (+ 0,2 %), 185 000 pour *Grazia* (+ 3 %) et 172 000 pour *Be*. À noter, pour les masculins, le bon résultat obtenu par *GQ*, qui approche les 100 000 exemplaires, à 96 000 exemplaires. (+ 11 %).

Pour ce qui concerne les magazines people, *Gala* faisait exception avec un gain de diffusion de 8 %, à 284 000 exemplaires, dans une famille globalement à la baisse, qui reste dominée par *Closer* (414 000 exemplaires, – 7 %) et *Voici* (381 000, – 0,3 %). La santé se révélait plutôt en forme avec la progression de 6 % de *Top Santé* à 350 000 exemplaires et de 7 % pour *Santé Magazine* à 272 000. *Le Nouvel Observateur* a connu la plus forte progression en valeur absolue (11 900 exemplaires de plus en

L'érosion de la presse magazine

Évolution de la diffusion payée de la presse magazine (indice base 100 en 2001) et du nombre de titres (en bas du graphique)

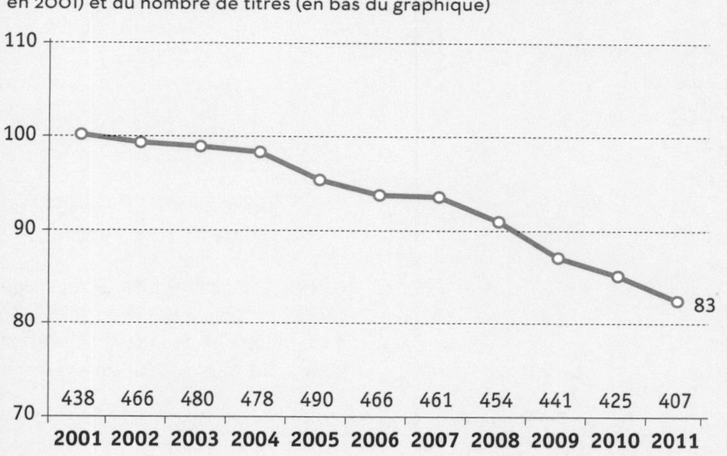

OJD

un an) et *Les Inrockuptibles* en pourcentage (14,3 %).

L'analyse par canal de diffusion (vente au numéro, portage, abonnement, vente aux tiers) montre une diminution de la part des ventes au numéro de 3 points entre 2006 et 2011 (de 54 % à 51 %). Ce phénomène s'explique notamment par la diminution régulière de nombre des points de vente (kiosques, maisons de la presse, etc.). En revanche, la part des abonnements est restée stable, mais 62 % des ménages sont abonnés au moins à deux magazines. La diffusion par tiers (à prix coûtant, auprès des hôtels, compagnies aériennes, etc.) a fortement augmenté.

... mais les Français restent les premiers lecteurs de magazines au monde.

S'ils se montrent peu intéressés par la presse quotidienne, les Français restent de gros consommateurs de presse magazine. Avec 29,8 exemplaires par individu et par an, ils arrivent au premier rang mondial, très largement devant l'Espagne (5,2), l'Italie (12,5), l'Allemagne (13,8), les États-Unis (15,0) ou le Royaume-Uni (22,9). La diversité des titres y est également beaucoup plus grande, mais il est difficile d'affirmer s'il s'agit là d'une cause ou d'une conséquence.

Les magazines sont repris 6,4 fois en moyenne (OJD). Plus leur périodicité est longue, plus ils sont repris souvent. Ainsi, un hebdomadaire est lu en moyenne sur 2,6 jours, un mensuel sur 3,0 jours. La grande majorité sont lus à domicile : 84 % en moyenne et plus de 90 % pour les magazines de télévision ; 6 % sont consultés chez des amis ou des parents, 4 % sur le lieu de travail et 3 % dans une salle d'attente. C'est logiquement dans les familles nombreuses qu'on lit le plus de titres. Les jeunes lisent plus de magazines que la moyenne : 6,8 contre 5,7. Les femmes sont encore plus concernées, avec 7,3. Le nombre de magazines lus augmente en même temps que le revenu du ménage.

La lecture se fait en général en plusieurs temps, avec une reprise en main moyenne de 3,8 fois, qu'il s'agisse de lecteurs réguliers ou occasionnels ; ce chiffre monte à 7,8 pour les hebdomadaires de télévision, contre 2,3 pour les autres heb-

Les hebdos d'information résistent

Dans un contexte de baisse généralisée, l'univers des hebdomadaires d'information a enregistré des variations d'assez faible amplitude, entre la croissance de 1,3 % pour *Paris Match* en 2011 et la baisse de 4,7 % pour *Valeurs Actuelles*. Hors l'affaire DSK, la préparation de la campagne présidentielle en France et la crise économique, l'actualité n'avait pas été exceptionnellement porteuse.

Parmi les quatre principaux *news magazines*, *Le Nouvel Observateur* arrivait en tête des diffusions payées en France, avec 503 000 exemplaires, en hausse de 0,2 % sur un an. Il devançait *l'Express* (437 000, inchangé), *le Point* (409 000, +0,2 %), *Marianne* (256 000, -2,9 %). La famille, élargie aux magazines d'actualité (ou *picture magazines*), était dominée par l'hebdomadaire hybride *Télérama* (622 000 exemplaires diffusés, -1,6 %) et *Paris Match* (620 000, +1,3 %). Ils devançaient *Le Figaro Magazine* (432 000, +0,6 %), *Le Monde Magazine* (devenu *M Le magazine du Monde* en septembre 2011) à 248 000 exemplaires (-3,4 %), *Pèlerin* (217 000, -4,4 %), *Courrier International* (195 000, -2,6 %), *VSD* (139 0000, -0,7 %), *La Vie* (117 000, -3,8 %) et *Valeurs Actuelles* (86 000, -4,7 %).

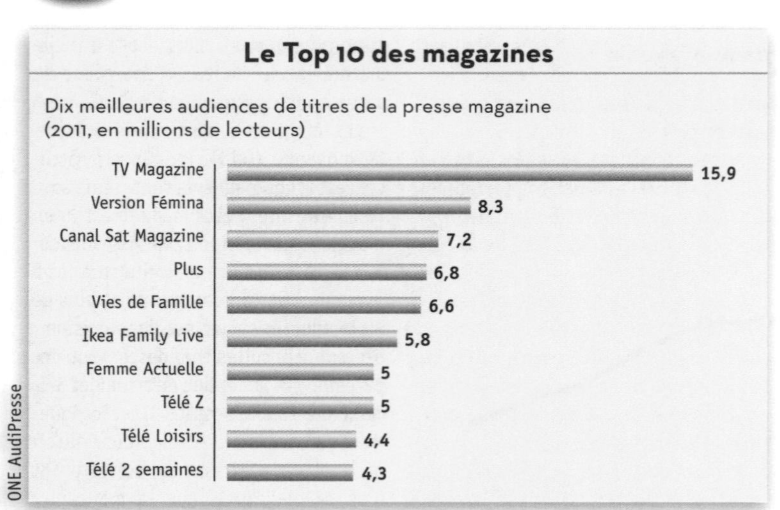

domadaires. On observe que les usagers quotidiens d'Internet lisent davantage de magazines que ceux qui ne disposent pas d'une connexion à domicile.

LIVRES

La plupart des ménages possèdent des livres...

La très grande majorité des ménages (94 %) possèdent des livres (ministère de la Culture et de la Communication, 2008). Un tiers (31 %) en possèdent

La presse à réinventer

La presse grand public (quotidiens d'information nationaux et régionaux, magazines) a perdu 2,3 % de son audience en 2011, après une baisse identique en 2010. En cinq ans, sa diffusion a reculé de 10 %, ce qui représente une perte de 500 millions d'exemplaires. Cette chute est essentiellement due à la baisse des ventes au numéro, dans les kiosques et maisons de la presse. Les ventes par abonnement sont en effet restées stables, notamment grâce au portage. Pour certains experts, le problème auquel est confrontée la presse serait donc surtout celui de son réseau de distribution. Il est cependant permis de penser que le développement du numérique n'est pas étranger à cette érosion. Il a entraîné une formidable diversité de l'offre d'informations, renouvelée en permanence, avec des contenus multimédias de plus en plus riches, disponibles instantanément, à tout moment... et le plus souvent gratuitement. Il a aussi transformé les modes de lecture, les moments, les lieux et généralisé l'interactivité.

La presse quotidienne sur support papier se sait menacée par le numérique depuis des années. Ses lecteurs s'évadent en partie sur Internet, où ils disposent d'informations nombreuses, gratuites et en « temps réel ». Parallèlement, ses ressources publicitaires se dégradent, les annonceurs se tournant aussi vers les supports électroniques. En 2011, le quotidien grand public *France Soir* a cessé de paraître ; en janvier 2012, c'était le cas du quotidien économique *La Tribune*. Beaucoup de journaux nationaux ou régionaux ne doivent leur survie qu'aux subventions de l'État, qui représentent en moyenne 12 % de leurs recettes. Une intervention qui est motivée par des raisons économiques, mais aussi démocratiques : préserver la liberté d'expression.

Pour faire face à cette crise, des « modèles économiques » sont expérimentés. Le « tout gratuit », financé par la publicité, a montré ses limites. Il en est de même du modèle « hybride » (papier et site internet). Les restructurations et rationalisations des groupes de presse se poursuivent, ainsi que la création de rédactions intégrées multimédias.

Si le développement de la lecture des informations sur les appareils numériques (ordinateurs, tablettes, smartphones...) apparaît irrésistible, il peut être aussi une opportunité pour la presse. Cependant, la publicité ne peut pas tout financer et les lecteurs ne sont guère fascinés par la perspective de payer des informations qu'ils trouvent gratuitement et en abondance sur de nombreux sites. La condition est donc de leur apporter une valeur ajoutée suffisante pour justifier le paiement : qualité de la rédaction, scoops, spécialisation... D'autres pistes sont explorées : presse « collaborative » (avec participation des Internautes) ; kiosques électroniques proposant des abonnements à prix modérés ; mécénat, etc.

de 1 à 30, 17 % entre 31 et 99, 18 % entre 100 et 199, 22 % en ont au moins 200 (mais 3 % n'ont pas répondu). Les écarts entre les catégories socioprofessionnelles sont importants : 52 % des bac + 4 et plus possèdent au moins 200 livres, contre seulement 13 % de ceux qui n'ont aucun diplôme ou le certificat d'études. L'âge n'est pas un facteur très discriminant puisque l'on mesure la présence de livres à l'échelle des foyers, qui comportent souvent plusieurs générations. 13 % des inactifs n'ont aucun livre (et 9 % au moins 200), contre 1 % des cadres et professions intellectuelles supérieures (et 49 % au moins 200). Les ménages habitant Paris détiennent le record, avec 40 % de foyers détenant au moins 200 livres, contre la moitié en moyenne nationale.

… et près de six sur dix en achètent au cours de l'année.

La proportion d'acheteurs de livres (au cours des douze derniers mois) était passée de 51 % à 62 % des ménages entre 1973 et 1989. Elle avait diminué jusqu'à 52 % en 2005, une proportion stable depuis, puisque 52 % des Français ont acheté au moins un livre en 2011 (GfK). Les « petits acheteurs » (1 à 4 ouvrages dans l'année) étaient les plus nombreux (25 %) ; 15,2 % en ont acheté de 5 a 11, 11 % au moins 12. Les chiffres ne sont cependant pas exactement comparables avec les années antérieures, dans la mesure où 10 % des Français ont déjà acheté des livres sur Internet, ce qui devient une proportion significative.

Le profil des amateurs de livres évolue peu. Les achats, comme la lecture, restent davantage féminins : 47 % des hommes n'ont acheté aucun livre dans l'année contre seulement 39 % des femmes ; 19 % de celles-ci en, ont acheté au moins 12, contre 14 %. Les tranches d'âge intermédiaires (25 à 49 ans) et les catégories socioprofessionnelles élevées restent les plus concernées. 47 % des bac +4 et plus ont acheté au moins 12 livres en 2010, contre 7 % des moins diplômés (CEP ou aucun diplôme) ; 33 % des premiers ont acheté des livres sur Internet. On observe depuis quelques années une progression de la part des jeunes de 15 à 19 ans, qui s'explique en partie par le succès des livres qui leur sont destinés et des mangas.

La part des « gros acheteurs » (plus de 25 livres par an) a diminué, du fait notamment de la diversité croissante des activités de loisirs et du temps consacré aux activités audiovisuelles (p. 434). En moyenne, les acheteurs achètent un peu moins de 10 livres par an.

Le nombre de lecteurs est plutôt stable, …

En 2009 (dernière enquête disponible) 30 % des Français de 18 ans ou plus déclaraient n'avoir lu aucun livre au cours des douze derniers mois , contre 31 % en 2008, 27 % en 1992 et en 1995 et 35 % en 1986 (*La Croix*/Sofres, mars 2009). L'augmentation du nombre de non-lecteurs constatée au cours des années précédentes semble donc s'être interrompue.

Bibliothèques de poche

La progression de la diffusion et du stockage de livres que l'on a pu observer pendant des décennies s'expliquait en grande partie par la généralisation des dictionnaires, encyclopédies et livres pratiques. 80 % des ménages disposaient d'un dictionnaire papier en 2001 (contre 70 % en 1989), 41 % d'une encyclopédie papier (à comparer à l'époque avec 56 % en moyenne européenne).

Les Français sont moins enclins à accumuler des livres aujourd'hui, compte tenu de l'existence d'autres supports de culture écrite ou audiovisuelle : CD, DVD, disques durs d'ordinateurs, cartes mémoire des équipements nomades (appareils photo, téléphones, lecteurs multimédias…), clés USB, etc. La culture ne doit d'ailleurs plus obligatoirement être stockée sur des supports matériels (même s'il s'agit de fichiers numériques immatériels) ; elle est accessible directement et instantanément sur Internet et peut être entreposée hors du domicile, sur des serveurs distants de *cloud computing*. Enfin, l'apparition des liseuses et des *ebooks* constitue une nouvelle étape de l'histoire du livre (p. 489).

La numérisation des livres implique leur miniaturisation, ce qui peut être appréciable dans des logements où l'espace est rare et cher. Les livres conservés sous forme classique par les ménages sont donc aujourd'hui en priorité ceux qui sont à consulter dans le cadre de la vie quotidienne (cuisine, bricolage…) ou des « beaux livres », par rapport à ceux destinés à une lecture de loisir. Mais il existe bien d'autres raisons possibles d'acheter et de conserver des livres-objets : facilité de consultation ; moindre risque de perte ; collections, etc. D'autant que les livres « réels » peuvent plus facilement se montrer, se prêter, s'échanger, ou se revendre que les livres virtuels.

Par rapport à d'autres pratiques culturelles comme le théâtre, le cinéma, les concerts ou les expositions, la lecture est un loisir facile d'accès et peu onéreux. En 2010, la France comptait 3 916 bibliothèques municipales, qui desservaient 20 % de la population. 15 % des Français y étaient inscrits, un taux en diminution légère mais régulière depuis quelques années. Le taux d'inscription est d'autant plus élevé que la taille de la commune est petite : 25 % dans les communes de moins de 2 000 habitants contre 10 % dans celle de plus de 300 000 (hors Paris, où il est de 14 %).

La fréquentation d'une bibliothèque varie selon le sexe, l'âge et le niveau d'instruction : les femmes, les jeunes et les plus diplômés sont plus nombreux à s'y rendre et ils le font plus fréquemment. Les Français inscrits ont emprunté 151 millions de livres, soit environ 3 par habitant en âge de lire. Les livres ne sont pas les seuls biens culturels disponibles dans les bibliothèques et médiathèques ; ils en représentent un peu moins des trois quarts (71 %). Les autres emprunts concernent des périodiques, disques, cédéroms, DVD, etc. Au total, les bibliothèques ont effectué 35 prêts par inscrit dans l'année.

Par ailleurs, on estime qu'une personne sur deux emprunte ou prête des livres à son entourage et qu'une sur dix est inscrite à un club de lecture. Les occasions d'être en contact avec le livre sont donc nombreuses. On observe un certain rapprochement des comportements à l'égard de la lecture au sein des groupes sociaux. C'est le cas par exemple des habitants des communes rurales, qui sont moins éloignés de la moyenne nationale. Les écarts demeurent cependant importants en ce qui concerne le niveau d'instruction. Son augmentation générale (p. 83) explique sans doute en partie la diminution de la proportion de non-lecteurs. Elle est aussi due à la disparition progressive des générations nées avant guerre, qui comptaient très peu de lecteurs, et par le fait que les personnes aujourd'hui âgées lisent davantage que celles des générations antérieures.

... de même que le nombre de livres lus.

Si les Français sont plus nombreux à lire au moins un livre au cours de l'année, le nombre de livres lus par lecteur tend à diminuer. La proportion de « moyens et gros lecteurs » (au moins cinq livres dans les douze derniers mois) semble s'être stabilisée (43 % des 15 ans et plus en 2009, MCC/DEPS), mais elle était de 42 % en 1981. La proportion des « petits lecteurs » (moins de 5 livres) était en baisse (27 %). 30 % déclaraient n'avoir lu aucun livre, une proportion variant de 21 % chez les 20-24 ans à 38 % chez les 65 ans et plus.

Cette stagnation relative de l'intérêt pour la lecture se produit dans un contexte où le temps libre s'est considérablement accru (p. 101), avec notamment la mise en place de la semaine de 35 heures pour les salariés. Elle peut s'expliquer par la concurrence des autres formes de loisir, en particulier audiovisuels, accessibles par les équipements numériques. La télévision, qui occupe la plus grande partie de ce temps libre (p. 453), consacre en outre de moins en moins d'émissions au livre et les diffuse de plus en plus tard, alors qu'elle fait une place croissante au cinéma ou au sport. Les conseils de lecture sont aussi moins accessibles chez les libraires de quartier, dont beaucoup connaissent des difficultés à survivre, de même que certains éditeurs. De plus, l'utilisation des supports électroniques physiques (CD, DVD...) et d'Internet représente un substitut croissant au support papier traditionnel.

D'une manière générale, le temps consacré à la lecture (de livres, journaux et textes divers, y compris sur Internet) a diminué d'un tiers depuis 1986, passant de 27 minutes à 18 minutes. Les inactifs et les chômeurs sont les plus concernés par cette évolution. Les retraités restent les plus gros lecteurs, avec plus d'une demi-heure par jour.

Les femmes, les jeunes et les jeunes seniors sont les plus gros lecteurs.

Une femme sur quatre (25 %) n'avait lu aucun livre au cours des douze derniers mois en 2008 contre 36 % des hommes (MCC/DEPS). Les femmes sont non seulement plus fréquemment lectrices que les hommes, mais elles lisent davantage : 18 % avaient lu au moins 20 livres, contre 13 des hommes. L'écart entre les sexes se vérifie à tous les âges. Les femmes sont aussi plus fréquemment inscrites dans des bibliothèques ou adhérentes à des clubs de lecture. C'est dans le domaine de la fiction que la différence est la plus spectaculaire : les deux tiers des femmes lisent des livres de fiction, contre un tiers des hommes (mais ceux-ci restent majoritaires dans le public de la science-fiction et des romans policiers).

Contrairement à une idée répandue, les jeunes lisent davantage (hors livres scolaires ou universitaires) que les plus âgés. La proportion moyenne de non-lecteurs est en effet de 22 % chez les 15-19 ans et de 21 % chez les 20-24 ans, nettement inférieure à la moyenne de 30 % sur l'ensemble de la population. Ils sont aussi, à égalité avec les 45-64 ans, les plus gros lecteurs : 19 % lisent au moins 20 livres par an.

On observe aussi que les personnes diplômées lisent plus de livres que les autres : 39 % des bac +4 et plus lisent plus de 20 livres par an, contre 10 % des non-diplômés ou titulaires du CEP. C'est

sans doute ce qui explique les salariés du secteur public (davantage diplômés en moyenne que le reste de la population) lisent plus que ceux du privé ou que les indépendants. La proportion des lecteurs est plus élevée chez les habitants des trois plus grandes villes (Paris, Lyon, Marseille) que chez ceux qui vivent en zone rurale. On observe enfin que les Internautes lisent davantage que ceux qui ne disposent pas d'une connexion.

Les Français dépensent plus de 4 milliards d'euros par an pour les livres.

En 2011, les achats de livres ont représenté 4,2 milliards d'euros (GfK), soit un niveau très légèrement inférieur en valeur (– 0,2 %) à celui de l'année précédente, qui avait également marqué une stagnation (– 0,5 %) après la forte hausse de 2009 (3,9 %). Ces dépenses s'inscrivaient dans un contexte général de baisse des marchés des biens culturels (– 2,9 % en valeur). L'année 2012 s'annonçait cependant plus difficile, avec une baisse marquée au cours du premier trimestre et une augmentation de la TVA, passée de 5,5 % à 7 % en avril. En volume, 2011 a été également une année de stagnation.

La progression des achats de livres avait été très forte en volume au cours des années 1960 (8 % par an en moyenne). Elle s'était réduite pendant les années 1970 (3,5 %) et la première moitié des années 1980. L'évolution a été plus contrastée tout au long de la décennie 1990. On a observé après 1989 une déconnexion entre les quantités achetées et les dépenses effectuées. Elle s'expliquait notamment par la part plus ou moins importante des ouvrages « lourds » (dictionnaires, encyclopédies, livres d'art...).

La résistance relative du livre à la concurrence croissante des médias audiovisuels est liée en partie à la baisse des prix qui s'est opérée. La dépense moyenne s'établissait à environ 12 € en 2011 (hors livres scolaires) contre 14 € en 1993. La dépense moyenne annuelle des Français (environ 100 € par personne) reste cependant inférieure à celle des pays les plus consommateurs de livres de l'Union européenne. Elle est trois fois plus élevée en Allemagne ou en Belgique, mais comparable au Royaume-Uni ou en Suède.

Comme d'autres biens de consommation (p. 391), le livre est soumis à une tendance lourde qui favorise son usage plutôt que sa possession. Les lecteurs sont de plus en plus nombreux à emprunter des ouvrages en bibliothèque (ci-dessus) ou à des amis, voire à photocopier certains textes. D'autres se contentent de lire les « bonnes feuilles » ou les critiques dans la presse ou sur Internet, ou à télécharger gratuitement certains ouvrages tombés dans le domaine public. Ces pratiques ne correspondent pas seulement à un souci d'économie. Elles traduisent un

Un roman sur quatre livres

Poids des principaux secteurs d'édition dans les ventes des éditeurs (2010, en valeur et en quantité)

	Chiffre d'affaires (en %)	Ex. vendus (en %)
Livres scolaires	10	8
Parascolaires/Pédagogie, formation des enseignants	3	5
Sciences et techniques, médecine, gestion	4	1
Sciences humaines et sociales	8	4
dont droit	*3*	*1*
Religion	1	1
Ésotérisme	0,3	0,3
Dictionnaires et encyclopédies	4	5
dont encyclopédies en fascicules	*2*	*3*
Romans	24	25
Théâtre, poésie	0,3	0,5
Documents, actualité, essais	4	3
Jeunesse	14	20
Album de bandes dessinées	6	6
Mangas, comics	2	3
Beaux arts	4	2
Loisirs, vie pratique, tourisme, régionalisme	14	13
Cartes géographiques, atlas	2	3
Ensemble	**100**	**100**

SNE

nouveau rapport à la culture, qui privilégie la consommation immédiate et unique plutôt que la propriété et le stockage.

Romans, jeunesse et loisirs représentent la moitié des achats.

Les romans demeurent le genre le plus prisé (un achat sur quatre en 2011), devant la littérature jeunesse, les livres sur les loisirs, la vie pratique et le tourisme, et les ouvrages scolaires. Ils ont représenté 24 % du chiffre d'affaires des éditeurs en 2010 (en prix de vente aux distributeurs) et 25 % des quantités (SNE). Un quart de l'ensemble des exemplaires vendus (25 %) étaient des livres au format de poche, pour 18,5 % des titres produits, mais seulement 13 % du chiffre d'affaires. Cet engouement pour la fiction, qui n'est pas récent, s'explique par le besoin d'évasion et de divertissement, mais aussi plus récemment par la quête identitaire, qui induit un besoin de projection sur des personnages. Le genre des romans « sentimentaux » (collections Harlequin, Duo, etc.) reste apprécié. Les ouvrages de science-fiction connaissent depuis quelques années un regain d'intérêt, initié par quelques auteurs étrangers et français.

Le secteur qui a connu la plus forte croissance au cours des dernières années est celui des livres pour la jeunesse, largement porté par la série des *Harry Potter,* puis *Twilight*. Ils représentaient 14 % en valeur et 20 % en volume. L'engouement pour la bande dessinée, qui concerne aussi le plus souvent les jeunes, ne se dément pas : 6 % du nombre de titres vendus ainsi que du chiffre d'affaires des éditeurs, auxquels il faut ajouter les mangas et comics (3 % en valeur, 2 % en quantité). Les *Schtroumpfs*, *Tintin*, *Titeuf* ou *l'Élève Ducobu* se sont bien vendus grâce à leur passage sur grand écran.

Les livres scolaires, dont la lecture est davantage contrainte, représentaient 10 % des dépenses et 8 % des quantités. Avec les autres livres à vocation pédagogique (parascolaire, formation, sciences et techniques, médecine, gestion, sciences humaines et sociales dont le droit), ils comptaient pour un quart des dépenses (25 %) et un cinquième des quantités (18 %). Le secteur Loisirs-Vie pratique accuse n'est plus soutenu comme en 2010 par les ventes des livres consacrés au régime

Le palmarès 2011

Les 10 livres les plus vendus en 2011 (ventes en magasin et en ligne, France métropolitaine)

Titre	Auteur	Éditeur	Exemplaires vendus*	Date de parution
1 Indignez-vous !	Stéphane Hessel	Indigène	1368900	octobre 2010
2 La Délicatesse	David Foenkinos	Folio	778700	janvier 2011
3 La Couleur des sentiments	Kathryn Stockett	Jacqueline Chambon	433100	septembre 2010
4 L'Appel de l'ange	Guillaume Musso	XO	419300	mars 2011
5 La Fille de papier	Guillaume Musso	Pocket	416400	mars 2011
6 Les Écureuils de Central Park sont tristes le lundi	Katherine Pancol	LGF/Le Livre de Poche	388000	juin 2011
7 Le Voleur d'ombres	Marc Lévy	Pocket	371100	mai 2011
8 L'Armée furieuse	Fred Vargas	Viviane Hamy	350700	mai 2011
9 L'Étrange voyage de monsieur Daldry	Marc Lévy	Robert Laffont	307500	avril 2011
10 Rien ne s'oppose à la nuit	Delphine de Vigan	Lattès	281100	août 2011

* Estimations obtenues à partir des ventes réelles enregistrées en 2011 auprès d'un panel de points de vente représentatif des circuits de vente au détail de livres.

Livres Hebdo/Ipsos

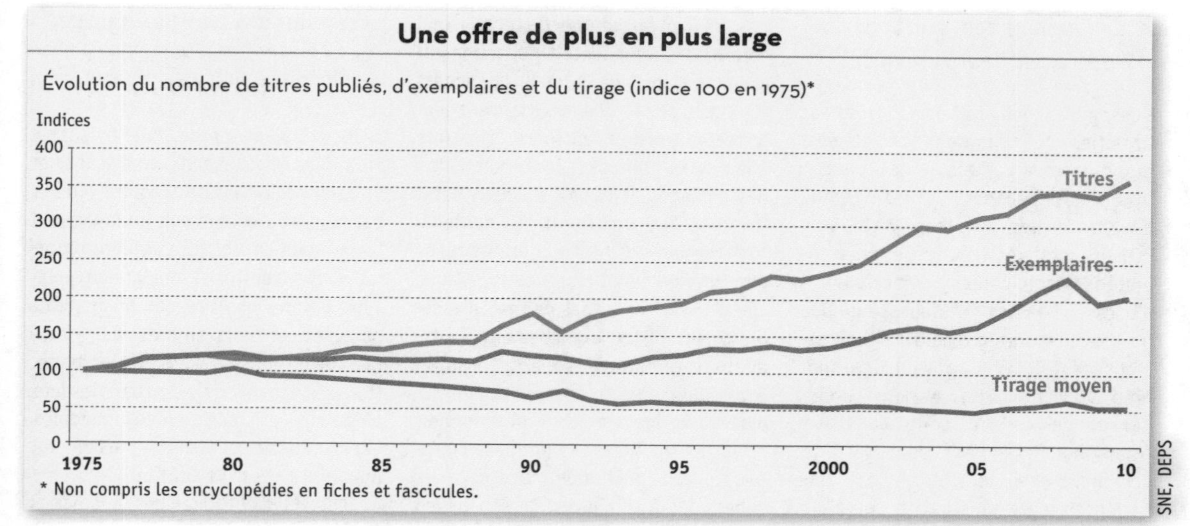

Dukan. Les livres de cuisines ont été dynamisés par le succès des coffrets de fin d'année et l'arrivée de nouvelles collections.

Les sciences humaines et sociales ont représenté 8 % du chiffre d'affaires des éditeurs et 4 % des quantités vendues, les sciences, alors que les livres de sciences techniques, médecine, gestion représentaient respectivement 4 % et 1 %. , les beaux livres et livres pratiques (1 % et 3 %). La part des livres religieux ou ésotériques s'est maintenue à un peu plus de 1 %, tant en valeur qu'en volume. Celle des dictionnaires et encyclopédies poursuit sa baisse (notamment pour les premières, qui sont concurrencées par les accès numériques souvent gratuits : elle était de 4 % en valeur et 5 % en quantité. Comme les autres médias, le livre profite de la vague de « pipolisation » générale, qui concerne aussi bien les « célébrités » que les « vrais gens ». Elle est très présente dans la catégorie des documents, actualité, essais (3 % des exemplaires vendus par les éditeurs, 4 % des ventes).

L'inflation du nombre de titres s'accompagne d'une forte concentration.

64 347 nouveaux titres et nouvelles éditions ont été commercialisés en 2011, soit 2,0 % de plus qu'en 2010. La conséquence de l' inflation continue de titres est une baisse du tirage moyen, qui est passé en dessous de 8 000 exemplaires (7 937), alors qu'il atteignait 14 000 en 1982. Celui des livres au format de poche est plus élevé (proche de 10 000 exemplaires) ; il est aussi plus stable, malgré sa diminution tendancielle. Au total, 622 440 titres étaient disponibles en 2011, contre 594 000 en 2008. Pour les nouveautés, le taux de retour (exemplaires renvoyés aux éditeurs par les libraires) reste de l'ordre de 20 %.

Le nombre des ouvrages traduits (et commercialisés en France) a continué d'augmenter (10 226 nouveautés et nouvelles éditions en 2011, contre 9 406 en 2010), et leur part dans la production commercialisée s'est accrue : 16 % contre 15 %. La langue la plus traduite reste de loin l'anglais, qui comptait pour 60 % des traductions, loin devant le japonais (9 %), l'allemand (6,5 %), l'italien (5 %) et l'espagnol (3,7 %).

Comme dans l'ensemble des domaines culturels (cinéma, musique, théâtre, expositions...), on observe une forte concentration de la demande. La majeure partie des ventes porte sur un nombre restreint de titres très médiatisés. Les 5 titres les plus vendus (sur plus de 600 000 disponibles) ont ainsi représenté 1 % du chiffre d'affaires total des éditeurs, les 1 000 premiers 17 %. Les Français tendent à aller vers des ouvrages plus faciles, poussés sans doute par les habitudes prises en matière audiovisuelle. Ils sont aussi davantage influencés par les classements des meilleures ventes publiés par les hebdomadaires et repris par les grandes librairies dans leur mise en place des ouvrages. La contrepartie est que la publication de nouveaux auteurs ou d'ouvrages destinés à un public plus restreint est plus risquée pour les éditeurs. Seule une maison d'édition sur quatre publie plus de 200 titres par an. Les éditeurs concernés vendent environ 90 % du nombre d'exemplaires total et appartiennent pour l'essentiel aux grands groupes d'édition existants.

Un livre sur quatre est acheté en librairie.

L'ensemble des librairies (grandes librairies et librairies spécialisées, grands magasins, maisons de la presse, librairies-papeteries) était à l'origine de 23,4 % des achats en valeur en 2010 (hors livres scolaires et encyclopédies en fascicules, y compris livres d'occasion). Elles ont dépassé de peu les grandes surfaces culturelles spécialisées (FNAC, Virgin...), qui ont réalisé 22,3 %. Elles étaient suivies des grandes surfaces non spécialisées (dont hypermarchés) pour 19,1 %. Ce circuit se caractérise par une part nettement plus petite en valeur (dépenses) qu'en volume (nombre de livres achetés).

Le constat est inversé pour les clubs et la vente par correspondance, hors Internet, qui pèse davantage en valeur (13,2 %) qu'en volume. Quant au canal Internet, il représentait pratiquement le même poids, avec 13,1 %. Les achats effectués sur le Web poursuivent leur forte progression, au fur et à mesure que s'accroissent le taux de connexion des ménages et l'accès au haut débit (p. 494). Elle a profité d'une meilleure sécurisation des transactions et d'une plus grande fiabilité de la logistique (livraisons). Ce canal permet d'accéder à un choix extrêmement vaste, et les Internautes peuvent consulter avant leurs achats des critiques sur les livres, émanant de professionnels ou de particuliers. Les produits culturels figurent en bonne place dans les achats des Internautes. Le concurrent principal du support écrit démontre ainsi qu'il est aussi son allié. Enfin, les autres canaux (kiosques, soldeurs, comités d'entreprise, salons...) comptaient pour 8,8 %.

Le papier irremplaçable ?

93 % des Français déclarent préférer le livre papier au livre numérique et 77 % considèrent que cette préférence se maintiendra dans les dix années à venir (*Les Nouveaux Débats Publics*/ Harris Interactive, mai 2011). Le papier constitue aussi pour la plupart d'entre eux le support privilégié pour recevoir différents documents personnels, du bulletin de paie (87 % des salariés) aux messages (d'amour, d'amitié ou familiaux, pour 64 %).

Le papier est également considéré comme le meilleur support pour conserver les documents importants à caractère administratif, par exemple un bulletin de paie (pour 91 % des salariés) ou un contrat d'assurance (87 % des Français). C'est le cas aussi pour les documents ayant une dimension personnelle ou émotionnelle, comme les messages d'amour ou d'amitié (68 %). Le support numérique est favorisé pour des contenus peu personnalisés, tel que la publicité (56 %). 52 % des Français déclarent en revanche préférer conserver leurs photos sur le disque dur de leur ordinateur ; seuls 25 % privilégient le support papier et 21 % la clé USB ou le CD.

La préférence donnée au papier, pour le présent comme pour l'avenir, est plus forte chez les femmes que chez les hommes (respectivement 97 % et 81 %). Elle l'est plus encore, de façon plutôt étonnante, parmi les 18-24 ans (98 % et 91 %). Ces derniers se reportent néanmoins davantage que la moyenne sur les supports numériques pour leurs relevés de comptes bancaires et leurs photos.

L'évolution technologique a transformé la place de l'écrit...

Le développement de l'audiovisuel a modifié la relation à la connaissance et à l'information en privilégiant l'image par rapport aux textes et en favorisant les formats courts (clips vidéo, reportages d'actualité...). Malgré la pression parfois exercée par les parents pour inciter leurs enfants à lire et à prendre du plaisir à la lecture, les jeunes trouvent à la télévision ou dans les jeux vidéo une satisfaction plus immédiate. Cette attitude est aussi de plus en plus apparente chez les adultes.

Cependant, les Français apprécient toujours les livres. On constate d'ailleurs que ceux qui disposent du maximum d'équipement culturel (téléviseur, magnétoscope, micro-ordinateur...) sont aussi ceux qui lisent le plus. Mais beaucoup considèrent que la lecture nécessite un effort plus grand que d'autres loisirs. La longueur des textes représente souvent un obstacle. Certains éditeurs ont pris en compte cette évolution en proposant des livres plus courts. Ce raccourcissement des textes et des formats est généralement associé à une baisse des prix, qui rencontre une autre demande forte de la part du public. Le « *fast reading* » s'adresse à la fois aux jeunes rebutés par la lecture et aux adultes pressés, tandis que le *low cost* est une réponse aux craintes des Français concernant leur pouvoir d'achat. Le prix des livres (toutes catégories confondues) a augmenté de 2,2 % en 2011, contre 2,1 % pour l'indice général des prix à la consommation. Cette hausse était la résultante d'évolutions différenciées : + 1,3 % en littérature générale, – 0,9 % pour les livres scolaires et parascolaires, les encyclopédies et les dictionnaires, + 3,9 % pour les livres de jeunesse, les livres pratiques et les autres types d'ouvrages.

... et l'accès à la culture.

La place croissante des équipements et supports électroniques a modifié la façon dont les individus accèdent à l'information et à la connaissance. Alors qu'on lit un livre, qu'on parcourt un magazine et que l'on consulte un dictionnaire, on « navigue » sur Internet et dans les outils multimédias. Leur mode d'utilisation n'est plus linéaire. On peut passer instantanément d'un sujet à un autre ou obtenir la définition d'un mot grâce aux liens hypertextes. On peut élargir ou rétrécir le champ de vision (à l'aide d'une fonction zoom), on peut profiter des qualités du multimédia pour compléter la compréhension d'un sujet : texte, image fixe, séquences animées, son.

Surtout, l'itinéraire de la navigation est totalement personnalisé, ce qui fait du multimédia un outil pédagogique exceptionnel. Après avoir transformé l'utilisation de l'audiovisuel, puis celle de la presse, la vague de fond du *zapping* concerne le livre. Ces évolutions ne peuvent être sans incidence sur la production et la consommation des supports écrits. Elles en auront aussi sur la façon dont les nouvelles générations s'approprieront la culture, que ce soit pour s'informer, se former ou se divertir.

L'écran ne s'oppose pas à l'écrit...

Les questions récurrentes sur la place respective de l'écrit (le monde de Gutenberg) et de l'écran (le « village global » annoncé par McLuhan) reçoivent peu à peu des réponses. La principale est que les supports électroniques n'ont pas remplacé l'écrit. La quantité de papier utilisée s'est au contraire accrue avec la généralisation de l'ordinateur, et le « bureau sans papier » s'apparente à un mythe. L'écrit est d'ailleurs extrêmement présent sur Internet, et c'est lui qui apporte les informations essentielles ; les images, sons et vidéos ne font que l'illustrer, le compléter, l'enrichir, le mettre en scène.

Le Cédérom, le vidéodisque, les cartouches de jeu, le DVD, le Blu-ray et les autres supports numériques (disque dur, clé USB, cartes SD...) n'ont pas non plus remplacé le livre en général. Ils ont cependant concurrencé le dictionnaire, qui est de plus en plus souvent acheté par les Français dans sa version électronique. Les grandes encyclopédies n'existent plus que sous cette forme. Les bandes dessinées, les livres pour la jeunesse et les livres scolaires, les livres pratiques, les « beaux livres », les documents et essais apparaissent moins menacés.

Le livre imprimé présente l'avantage d'un accès direct et immédiat au contenu. Il ne nécessite pas de bran-

L'*ebook*, avenir du livre ?

Le développement du livre électronique n'est plus un sujet de débat, mais une réalité établie dans certains pays. En Grande-Bretagne, la production d'*ebooks* a dépassé pour la première fois celle des livres papier en 2011 (GfK). En Allemagne, les achats ont augmenté de 77 % en un an. La croissance a été plus faible en France : seuls 18 % des Français ont téléchargé un livre en 2011 ; 1,1 million d'exemplaires de livres en version numérique ont été téléchargés, pour un montant de 12 millions d'euros. Cela ne représente que 1 % des achats de livres, contre 15 % aux États-Unis et 10 % en Grande-Bretagne. Mais le taux de croissance prévu est d'environ 80 % en 2012 et les *ebooks* pourraient représenter 55 millions d'euros en 2015 (GfK). Seuls 145 000 exemplaires de liseuses (lecteurs électroniques dédiés) ont été achetés en 2011 en France (28 000 en 2010), mais leur nombre pourrait atteindre 300 000 en 2012 et l'on constate qu'un nombre croissant de livres électroniques sont lus sur des tablettes ou sur des smartphones.

Le profil des lecteurs de *ebooks* est plutôt masculin (58 % d'hommes), jeune (53 % de moins de 35 ans) et aisé (49 % de CSP+) selon l'enquête Sofia/Opinionway de février 2012. Ils représentent 5 % de la population française (mais seuls 2 % ont lu un livre numérique en entier) et ce sont de gros lecteurs. 26 % lisent plus de 20 livres papier par an, contre 16 % pour ceux qui lisent uniquement des livres papier. Ils continuent d'acheter plus de livres imprimés que de livres numériques et lisent au total plus qu'avant. Mais ils dépensent moins : 42 % ne téléchargent que des livres gratuits, 20 % en ont déjà téléchargé illégalement et la plupart des livres qu'ils achètent sont vendus moins de 8 €.

Avec la numérisation, les versions numériques des ouvrages vont être de plus en plus enrichies et « interactives », avec notamment des images et des vidéos. La numérisation devrait aussi entraîner une explosion de l'auto-publication, pour les auteurs inconnus qui ne seraient jamais publiés par des éditeurs classiques. En 2011, l'auteur indépendant John Locke est ainsi devenu le premier auteur à vendre un million de livres numériques Kindle sur Amazon.

cher un appareil ni de rechercher un texte dans des répertoires. Il est son propre support et il ne contient que lui-même. Surtout, il constitue un objet matériel et polysensoriel : on peut le voir, le toucher, le sentir ou même entendre le bruit des pages que l'on tourne, tandis que l'on « déguste » son contenu. Il bénéficie à ces divers titres d'une complicité particulière avec le lecteur.

… mais le complète.

Les supports électroniques constituent des concurrents de l'écrit traditionnel, mais ils l'ont aussi contraint à évoluer, en favorisant les formats courts, la possibilité de zapper à l'intérieur des textes, en privilégiant les dimensions ludiques, didactiques ou pratiques. La dématérialisation croissante des supports devrait certes diminuer la nécessité ou l'envie d'acheter et de posséder des livres traditionnels, car elle apporte des valeurs ajoutées d'autres natures.

On devrait cependant moins assister à une substitution qu'à une complémentarité entre ces deux mondes et ces deux modes. Elle concernera à la fois les supports (papier, électronique), les accès *(on line, off line)* et les équipements (téléviseur, ordinateur, téléphone, tablette...). Chacun d'eux correspond en effet à des usages et à des moments de consommation différents et non exclusifs. Selon ce que l'on fait, on peut avoir envie (ou besoin) de prendre un dictionnaire dans sa bibliothèque ou de le consulter sur son ordinateur, de chercher une information sur Internet, de visionner un film sur un téléviseur ou sur un autre type d'écran.

On constate ainsi que les achats sur Internet de livres imprimés classiques progressent. Mais il en est de même de ceux d'*ebooks*. D'autant que les terminaux de lecture progressent et que l'offre d'ouvrages à télécharger s'accroît. Si l'attachement au support papier reste fort chez de nombreux lecteurs, notamment anciens, la lecture virtuelle devrait faire de plus en plus d'adeptes, notamment dans des situations nomades. Il faut rappeler cependant que le livre classique (sur support papier) est depuis longtemps un produit nomade; c'est le cas en particulier du format de poche.

Quel que soit le support utilisé pour sa lecture, l'essentiel restera le contenu, la façon de le rendre accessible et de le mettre en scène. Le texte numérique n'est donc pas seulement un concurrent du texte traditionnel. Il représente un extraordinaire moyen d'enrichissement de l'écrit, car il autorise un nouveau mode de transmission de la connaissance et de l'information.

ORDINATEUR

Trois ménages sur quatre disposent d'un ordinateur.

75 % des ménages étaient équipés d'un ordinateur début 2012 (Médiamétrie), soit 20,5 millions de ménages. La proportion mesurée varie légèrement (de plus ou moins deux points) selon les sources. Elle traduit en tout cas une forte croissance, puisque seuls 60 % des ménages étaient équipés fin 2007 (GfK, et moins d'un sur trois début 2001 (31 %, INSEE). On n'en recensait qu'un sur dix début 1991. Il faut noter que la proportion de la population disposant d'un ordinateur dépasse 80 %, car les ménages les moins équipés comptent moins de personnes que ceux qui sont équipés.

Une véritable « révolution informatique » s'est ainsi engagée depuis le début des années 1990 en France comme dans le monde développé. En 1993, les Français avaient acheté pour la première fois plus d'ordinateurs que de voitures neuves. Les conséquences sur les modes de vie ont été au moins aussi importantes que celles induites par d'autres innovations technologiques majeures comme la télévision ou l'automobile. La principale source de motivation pour l'achat d'un ordinateur reste l'accès à Internet (p. 494), qui est aujourd'hui disponible sur la quasi-totalité des équipements : 74 % des ménages au 1er trimestre 2012, soit 20,2 millions. Le sous-équipement concerne principalement les ménages de retraités (49 % équipés en 2011) et d'inactifs (58 %), alors que les cadres et professions intellectuelles sont équipés à 96 % (ARCEP-CGIET/Crédoc).

La progression du taux d'équipement tend désormais à se réduire en volume, car les achats concernent davantage le remplacement ou le multiéquipement des ménages que leur premier équipement. En 2011, les Français ont acheté 8 millions d'ordinateurs et de tablettes numériques (GfK). Les achats d'ordinateurs ont été portés par les *notebooks* avec plus de 4 millions d'exemplaires (+ 8 % en un an), dont les prix ont baissé (à 560 €), de sorte qu'ils ont reculé de 2 % en valeur. Le multi-équipement était surtout lié aux achats de tablettes (ci-après). En dix ans, la France a rattrapé son retard en matière d'équipement en ordinateurs. Avec un taux de 27 % en 2000, elle se situait dans le peloton de queue des pays développés, alors qu'elle se trouve aujourd'hui au même niveau que les États-Unis (respectivement 76 % et 77 %). La Suède (90 %) suivie du Danemark (88 %) et de l'Allemagne (86 %) sont les pays les mieux équipés.

Les écarts d'équipement restent importants.

La croissance spectaculaire du taux d'équipement en ordinateurs ne doit pas faire oublier qu'un ménage sur quatre n'a pas encore participé à cette révolution de l'informatique, ce qui constitue un facteur d'inégalité sociale important. L'équipement varie largement en fonction de l'âge : 98 % des 12-17 ans sont équipés, contre 83 % des 40-59 ans et 28 % des 70 ans ou plus (Crédoc, juin 2011). Ces écarts sont la conséquence d'effets de génération : beaucoup de septuagénaires n'ont pas eu l'occasion d'utiliser un ordinateur dans leur vie professionnelle. Ce n'est pas le cas des jeunes retraités, qui ont fait cet apprentissage. On observe en tout cas que les retraités s'équipent de plus en plus : 49 % en 2011, soit un accroissement de 17 points depuis 2008, contre 9 points pour l'ensemble des ménages.

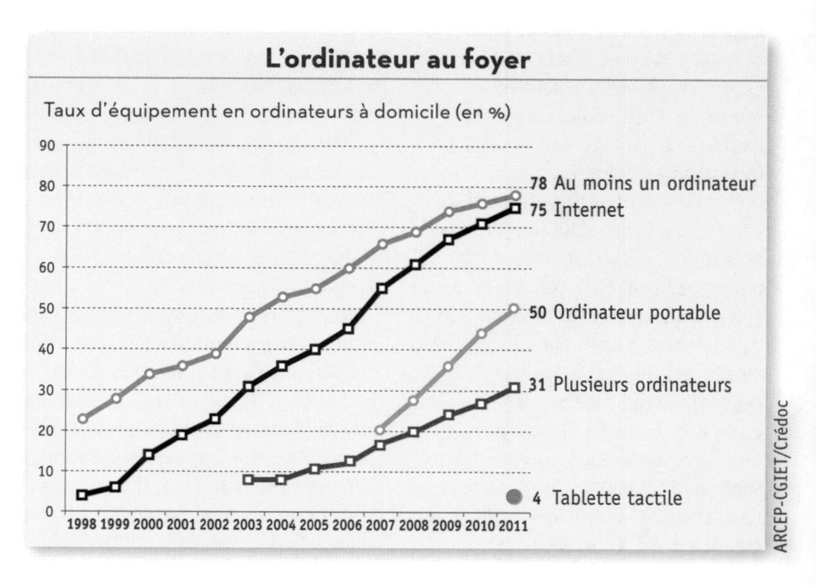

Le taux varie également en fonction des revenus : 49 % des ménages à faibles revenus (inférieurs à 900 € par mois) sont équipés, contre 96 % de ceux qui disposent de revenus supérieurs à 3 100 €. 96 % des cadres supérieurs et des professions intermédiaires disposent d'un ordinateur à domicile, contre un tiers des retraités et 58 % des personnes résidant dans un foyer. Le taux d'équipement des ouvriers a gagné 12 points entre 2008 et 2011, à 84 %.

La présence d'enfants constitue une forte motivation à l'acquisition : plus de neuf personnes sur dix dans les ménages composés d'au moins quatre personnes ont accès à un ordinateur chez elles (95 %) ; la proportion atteint 97 % dans les familles de plus de cinq personnes. Alors que quatre non-diplômés sur dix sont équipés (43 %), le taux est plus du double parmi les titulaires d'un diplôme de l'enseignement supérieur (94 %). Le pouvoir d'achat et le niveau d'instruction contribuent donc à maintenir le fossé numérique. Enfin, les habitants de l'agglomération parisienne et des autres grandes agglomérations sont plus fréquemment équipés (82 %) que ceux des villes de 2 000 à 100 000 habitants (74 %). Les écarts se resserrent cependant, avec la baisse du prix des ordinateurs et le développement du haut débit, qui constitue une forte incitation à l'achat (p. 495).

Parallèlement, le taux de multi-équipement a presque doublé : 39 % de la population possèdent plus d'un ordinateur, contre 20 % en 2008. Cette évolution est surtout liée au succès de l'ordinateur portable, qui équipe la moitié des foyers, et même 78 % de ceux de cadres supérieurs (+ 9 points en un an), 74 % des étudiants, et 70 % de ceux disposant d'un revenu mensuel supérieur à 3 100 €. On ne compte en revanche que 45 % de foyers d'ouvriers équipés et 25 % de retraités.

L'usage de l'ordinateur est très lié à Internet.

78 % des Français disposaient d'un ordinateur chez eux en juin 2011, mais seuls 74 % l'utilisaient couramment (Crédoc). Son usage coïncide très largement avec la disposition d'une connexion Internet (ci-après) : 96 % des personnes ayant accès à un ordinateur se connectent en effet au réseau. Tous types d'accès confondus, 75 % des Français naviguent sur Internet, contre 52 % en 2005 ; 74 % le font tous les jours. Ceux qui se connectent à domicile le font également depuis leur lieu de travail, d'études ou un lieu public, ce qui confirme l'usage de plus en plus nomade de l'informatique.

Le développement du multimédia (symbiose du texte, du son, des images fixes ou animées) a constitué une motivation majeure. L'ordinateur est devenu un instrument d'éducation, de communication et d'information; il a remplacé le Minitel (encadré), le fax ou le répondeur téléphonique. L'ordinateur est aussi un centre de loisirs avec les jeux vidéo, l'écoute de la musique ou le visionnage des photos ou des films de famille numérisés. L'arrivée du CD-ROM, en 1995, avait été l'un des principaux facteurs de la progression du taux d'équipement. Celle du DVD, au premier semestre 1999, avait provoqué un transfert progressif vers ce nouveau support, plus propice à l'utilisation de la vidéo. Les usages se sont élargis depuis avec la téléphonie et la réception de la télévision.

La dimension « communicante » et « interactive » apportée par Internet a été décisive dans la diffusion de l'ordinateur (p. 510). Avec la connexion au réseau planétaire, celui-ci est devenu un outil à usages multiples, beaucoup plus puissant que tous ceux existant jusqu'ici. Son incidence sur les modes de vie est donc considérable.

L'ordinateur pour (presque) tous

Évolution du taux d'équipement en ordinateurs dans quelques pays (en %)

	2000	2010
Suède	59,9	89,5
Danemark	65,0	88,0
Allemagne	47,3	85,7
Japon	50,5	83,4
Royaume-Uni	38,0	82,6
Finlande	47,0	82,0
Corée	71,0	81,8
Etats-Unis	51,0	77,0
Irlande	32,4	76,5
France	**27,0**	**76,4**
Autriche	34,0	76,2
Espagne	30,4	68,7
Italie	29,4	64,8
Portugal	27,0	59,5

OCDE

L'ordinateur connecté peut en effet être utilisé dans le cadre de trois fonctions essentielles de la vie : communication (information, formation, échange...) ; travail ; loisir. C'est cet usage transversal qui explique son succès et préfigure le rôle considérable qu'il jouera dans la vie individuelle et collective, avec les développements à venir.

4 % des Français disposent d'une tablette numérique.

À mi-chemin entre l'ordinateur portable et le *smartphone* (sans en avoir le plus souvent la fonction de téléphonie), les tablettes numériques tactiles ont fait une entrée remarquée dans la panoplie des outils technologiques. Deux mil-

Minitel : 1982-2012

Le Minitel, précurseur mondial de l'informatique grand public (technologie videotex), avait vu le jour en 1982. Son arrêt technique définitif, plusieurs fois reporté par France Telecom, a eu lieu le 30 juin 2012, la facturation aux derniers utilisateurs ayant cessé depuis le 7 mars 2012. Les différents services proposés ont depuis des années migré sur Internet, où ils bénéficient d'une bien plus grande facilité d'usage. 800 000 appareils étaient encore en circulation ; leurs propriétaires peuvent les conserver comme objets de collection. Leur usage s'était peu à peu tari, mais on avait encore recensé 220 millions de connexions en 2007. 2 millions de personnes l'utilisaient encore en 2010, pour un chiffre d'affaires 200 000 €.

Le Minitel, exception française qui n'aura pas fait d'émules dans d'autres pays, avait rassemblé jusqu'à 9 millions d'usagers et généré à son apogée 1 milliard d'euros de revenus. En 1996-1997, on dénombrait 25 000 services. Fin 2010, il n'en restait plus que 1 880. Beaucoup de services n'étaient plus disponibles, comme l'achat de billets Air France ou SNCF, ainsi que la consultation des résultats du baccalauréat. Le 36 11 (annuaire électronique), qui devait initialement fermer en mars 2009, avait vu sa vie prolongée ; en 2011, il avait encore reçu plusieurs centaines de milliers de connexions par mois, contre 5 à 6 millions dans les années 1990.

Largement utilisé pour les informations pratiques (notamment l'accès à l'annuaire téléphonique), le Minitel était aussi un outil d'achat à distance (billets de train, d'avion, etc...). Le 3615 était aussi la porte d'entrée du « Minitel rose », constitué de sites de rencontre et de messageries roses.

lions de Français en étaient équipés fin 2011 (soit 4 % des ménages) ; 500 000 unités avaient été achetées en décembre 2011 (GfK). L'intérêt pour les tablettes concerne avant tout les cadres (avec un taux d'équipement de 18 %), et les 18-24 ans (16 %), des taux environ quatre fois supérieur à la moyenne nationale (ARCEP-CGIET/Crédoc).

31 % seulement disent utiliser leur tablette en situation de mobilité, mais 47 % des non possesseurs imaginent qu'elle est un instrument nomade (Carat, 2011). La dimension esthétique est l'un des arguments les plus forts pour déclencher l'achat. Il en est de même de la taille de l'écran, qui permet d'afficher des images et des vidéos en très haute définition. C'est pourquoi les utilisateurs regardent régulièrement la télévision en *replay* des chaînes qui le proposent (33 % sur M6, 18 % sur myTF1 et Pluzz.fr. 69 % des possesseurs disent en outre utiliser leur tablette en même temps qu'ils regardent la télévision.

Le fonctionnement tactile de l'écran est particulièrement apprécié. C'est pourquoi la tablette est souvent utilisée pour les jeux (30 % des possesseurs), au détriment des ordinateurs. Il en est de même pour les réseaux sociaux (20 %), le suivi de l'actualité (21 %) et la navigation sur les sites des chaînes de télévision (19 %). En revanche, les outils de bureautique sont moins utilisés. La tablette est ainsi le prolongement du *smartphone*. On note d'ailleurs que 44 % des applications téléchargées sont identiques sur les deux écrans.

La tablette est aussi utilisée de plus en plus comme un terminal de lecture de la presse ; elle est ainsi susceptible de donner à certains titres un nouvel élan, dans un contexte de forte érosion de la presse papier (p. 474). Les utilisateurs plébiscitent avant tout la praticité, la fréquence d'actualisation des informations, le confort de lecture, et souhaitent un minimum de publicité. La tablette apparaît aussi comme un terminal important pour les achats en ligne : 53 % des personnes équipées ont déjà consulté des sites de marque et 39 % effectué des achats.

La convergence entre les équipements électroniques est croissante.

Le micro-ordinateur a d'abord été un appareil distinct et complémentaire du téléviseur. Son usage était essentiellement individuel, alors que la télévision était regardée surtout en famille. C'est pourquoi on trouve aujourd'hui encore le premier plutôt dans le bureau ou dans la chambre à coucher, alors que le second, plus convivial, est généralement situé dans le salon ; mais les foyers disposent souvent de plusieurs téléviseurs (53 % fin 2011), et de plusieurs ordinateurs (31 %). Puis la concurrence entre les deux objets s'est accrue avec, d'un côté, l'accroissement du nombre de chaînes de télévision accessibles et, de l'autre, la multiplication des fonctions et la possibilité de communiquer *via* Internet. Aujourd'hui, les différences s'estompent avec la convergence des terminaux numériques : ordinateurs ; téléviseurs, téléphones.

En 2011, 18 % des Français (et 43 % des 12-17 ans) ont ainsi regardé la télévision sur leur ordinateur, grâce aux connexions à haut débit et aux abonnements combinés des fournisseurs d'accès. Le téléviseur est devenu numérique et les modèles récents permettent l'accès à Internet : au premier trimestre 2012, 3 millions de ménages en étaient équipés, soit 10,7 % de la population (Médiamétrie, GfK). Les *media centers* permettent aussi d'établir une liaison entre les deux univers. L'ère de la télévision connectée à Internet offre de multiples possibilités d'accès à des contenus et services diversifiés. Cette nouvelle génération d'appareils bouleverse la relation entre le téléviseur classique qui fonctionnait sur le principe du flux *broadcast* (même contenu proposé à tout le monde au même moment) pour offrir une consommation interactive et personnalisée. En 2011, les ventes de téléviseurs connectés ont doublé, à 1,5 million d'unités (GFK).

La convergence est aussi en marche entre les autres équipements. Les téléphones portables de troisième génération (UMTS ou G, 3G +, 4G) ou de génération intermédiaire (Edge) peuvent se connecter à Internet. C'est le cas aussi des *smartphones*, dont 11,4 millions d'exemplaires ont été achetés en France en 2011 (GFK). Il est possible avec ces équipements de communiquer, de regarder la télévision, des films ou des photos, d'écouter la radio ou de la musique. La numérisation permet ainsi de réunir et de manipuler des informations émanant de tous les médias, sur tous les supports, sur tous les équipements.

L'ordinateur est à l'origine d'une révolution culturelle.

Il n'est pas exagéré d'affirmer que l'ordinateur et les nouveaux équipements électroniques de loisir représentent une rupture culturelle. Ils ont d'abord transformé la relation aux médias. Ainsi, la « navigation » sur les supports électroniques (CD-ROM ou DVD) ou sur les sites Internet est très différente de la « lecture » des livres, des journaux et des magazines, ou de la « consultation » des dictionnaires ou encyclopédies. La linéarité a fait place à la circularité, rendue possible par les « liens hypertextes ». On peut cliquer sur un mot pour trouver immédiatement sa définition ou les thèmes qui peuvent lui être associés. La dimension multimédia permet d'accéder à tous les types d'information : texte, image fixe, séquence animée, son. Enfin, le mode de navigation n'est pas fermé ou limité, mais totalement ouvert. Le nombre de combinaisons possibles des différents éléments est infini ; il varie au gré des besoins de chacun (et en fonction du temps dont il dispose), ce qui fait d'Internet un outil d'une extraordinaire puissance, aux usages multiples et personnalisés.

La contrepartie est que la culture générale ainsi constituée est fragmentée, parcellaire. Elle constitue une mosaïque plutôt qu'une image d'ensemble cohérente, telle que la fournit la culture « traditionnelle » (p. 87). Elle est donc moins facile à mobiliser dans la vie quotidienne et permet moins aisément de se situer dans le monde et de comprendre son évolution. Mais elle est potentiellement plus riche et plus accessible.

L'une des caractéristiques communes aux innovations technologiques majeures (qui est aussi un frein à leur généralisation) est qu'elles remettent en question les modes de vie et les références culturelles. L'imprimerie a modifié le rapport à la connaissance. Le téléphone a transformé les relations entre les individus. L'ordinateur, même s'il s'efforce de répondre aux besoins individuels et de se montrer « convivial », impose une logique et une culture différentes de celles qui prévalaient avant lui.

Les Français vivent cette révolution sans enthousiasme particulier, mais sans réticence excessive. Dans le classement des pays les plus ouverts aux nouvelles technologies de l'information et de la communication (Network Readiness Index 2012 du World Economic Forum), la France n'occupe que la 23e place. Elle se situe au même niveau que la Belgique et l'Estonie, quelques rangs après l'Allemagne (16e), mais assez loin derrière d'autres pays développés : Suède (1er), Singapour (2e), Finlande (3e) Danemark (4e), Suisse (5e) ou États-Unis (8e) . Le classement est basé sur des critères variés tels que la disponibilité du capital-risque, le nombre de téléphones mobiles ou la qualité des instituts de recherche.

INTERNET

Plus de sept ménages sur dix ont accès à Internet.

Au début 2012, plus de 18 millions de foyers français pouvaient se connecter à Internet, soit une nouvelle progression de 6 % en un an (Médiamétrie). Cela représentait les trois quarts des foyers (75 %), contre seulement la moitié (52 %) début 2008. La quasi-totalité des 42,4 millions d'Internautes à domicile (92 %) disposaient en outre d'une connexion haut débit, contre 51 % en 2004. Au cours de l'année 2011, les trois quarts des personnes équipées, soit 32 millions de personnes, se sont connectées quotidiennement, contre seulement la moitié en 2004.

Le taux d'accès à Internet s'est accru au fur et à mesure que le prix des connexions a baissé, en particulier pour l'accès à haut débit qui équipe aujourd'hui la quasi-totalité des foyers concernés. Les usages se sont aussi diversifiés, de sorte que chacun peut trouver un intérêt personnel dans la navigation sur le Web : information ; jeu ; communication ; travail ; préparation ou réalisation d'un achat, télévision, radio, *podcast*, etc. Internet représente désormais la motivation première de l'achat d'un ordinateur. Cependant, un certain nombre de Français, notamment âgés, jugent encore l'univers informatique trop complexe et se montrent réfractaires (p. 287).La France se situe au 7e rang des pays européens les plus connectés à Internet derrière les Pays-Bas, la Suède, le Danemark, la Finlande, le Luxembourg et la Slovénie (Eurobaromètre, 2011).

Sept ménages sur dix disposent du haut débit.

Fin 2011, la France occupait la 11e position des pays européens les mieux connectés à Internet. Le taux de connexion à haut débit de l'ensemble de la population (connectée ou non) avait atteint 70 %, contre 67 % en moyenne dans les pays de l'Union européenne. La Suède détenait le record du haut débit avec 86 % des ménages connectés, suivie par le Danemark (84 %), le Royaume-Uni (80 %), l'Allemagne (78 %) et la Belgique (74 %). La Slovaquie et le Portugal restaient les moins bien équipés, respectivement 55 % et 57 %.

Si l'on prend pour référence les ménages équipés d'un ordinateur (76 % au premier trimestre 2012), la quasi-totalité étaient connectées à haut débit. Seuls 2 % avaient une connexion à bas débit, ne permettant pas de naviguer sur Internet et de téléphoner en même temps. 92 % des connexions s'effectuaient par l'ADSL. 4 % étaient connectés par le câble, une proportion en forte baisse (elle était de 43 % en 2004). Seuls 1 % des foyers étaient connectés par la fibre optique. En avril 2012, on comptait 220 000 abonnés au très haut débit en fibre optique jusqu'à l'ordinateur, soit une croissance de 60 % en un an et 550 000 foyers étaient éligibles. 495 000 ménages étaient abonnés au très haut débit avec fibre optique et terminaison coaxiale, en croissance de 30 % sur un an (ARCEP). Un peu moins d'une personne sur deux (45 %) recourait au même fournisseur pour les services internet et téléphone mobile.

Début 2012, un quart des ménages ne disposait pas d'une connexion à internet à domicile. La raison principale, évoquée par 56 % des personnes concernées, était qu'Internet ne les intéressait pas (Crédoc). C'était le cas de 69 % des retraités. Les considérations économiques arrivaient ensuite : 13 % évoquaient le coût trop élevé de l'abonnement et 11 % celui d'un ordinateur. Ces deux raisons ajoutées atteignaient 48 % parmi les 25-39 ans non connectés, 46 % parmi les habitants des villes moyennes, 42 % parmi les ménages percevant moins de 900 € par mois. Pour 10 %, enfin, c'est la complexité de l'outil qui était désignée comme la cause principale du non équipement (15 % des 70 ans et plus).

La moitié des actifs ont accès à Internet sur leur lieu de travail.

En juin 2011, 54 % des actifs déclaraient avoir accès à Internet sur leur

L'Europe connectée

Proportion des ménages disposant d'une connexion à Internet (2011, en %)

Eurobaromètre

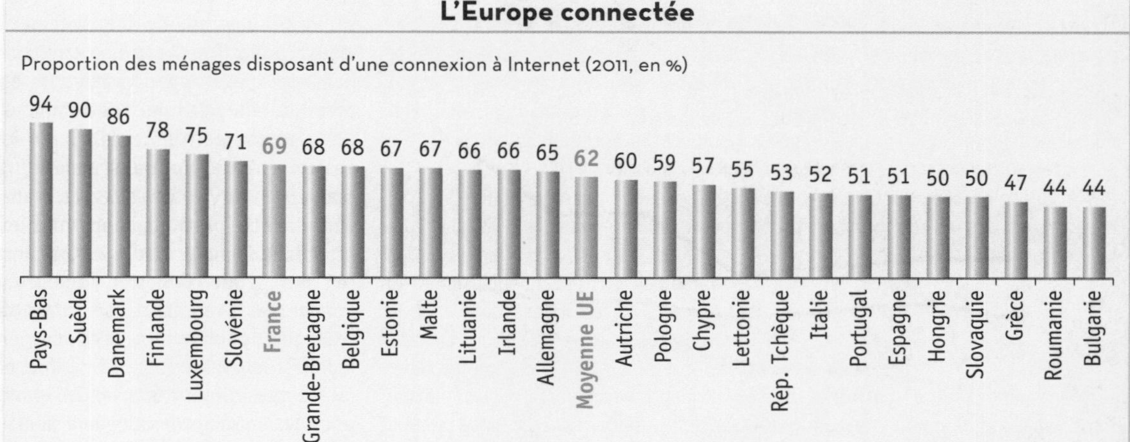

lieu de travail, contre seulement 20 % dix ans plus tôt (Crédoc). C'était le cas de neuf cadres supérieurs sur dix et des deux tiers des professions intermédiaires, mais de seulement un quart des ouvriers. La plupart des collèges et des lycées offrent désormais une connexion à leurs élèves ; 79 % des 12-17 ans disposaient d'un accès à Internet à l'école en 2011. Sept étudiants de 18 ans ou plus sur dix avaient cette possibilité sur leur lieu d'études, mais 10 % n'avaient toujours pas accès à Internet ni à leur domicile ni sur leur lieu d'études. Parmi ceux qui disposaient du premier, 91 % en avaient également un sur le second, contre 45 % en 2007 et 31 % en 2005.

L'utilisation d'Internet depuis un lieu public (cybercafé, bibliothèque, bureau de poste...) est devenue occasionnelle. Seuls 15 % des Français s'étaient connectés de cette façon au cours des douze derniers mois en juin 2011, en général moins d'une fois par semaine. La pratique était deux fois plus répandue chez les jeunes et les étudiants (32 %). La connexion grâce à une borne wifi publique progresse : 13 % en moyenne, et jusqu'à 22 % chez les diplômés du supérieur.

L'usage de l'Internet mobile a littéralement explosé, avec 19 millions de *mobinautes* fin 2011, un nombre en hausse de 23 % sur un an (Médiamétrie). Deux utilisateurs sur trois ont utilisé leur portable pour consulter un site ou utiliser une application d'actualité. Un sur deux est âgé de moins de 35 ans, mais les 50 ans et plus représentent 15 % des personnes utilisant Internet sur leur téléphone mobile ; ce sont majoritairement des hommes (57 %). La moitié des détenteurs de *smartphones* utilisent l'Internet mobile tous les jours, 18 % presque tous les jours et 16 % au moins une à deux fois par semaine.

On constate que les différents modes d'accès à Internet ne sont pas exclusifs. Ceux qui se connectent au travail le font aussi à leur domicile. L'accès dans un lieu public ou par une borne publique, voire par le téléphone portable, ne se substitue pas à l'utilisation à la maison ou sur le lieu de travail ou d'études. Cette convergence se retrouve dans l'usage de l'ensemble des outils modernes de communication.

Nomadisme numérique

Types de connexions nomades (population de 12 ans et plus, en %)

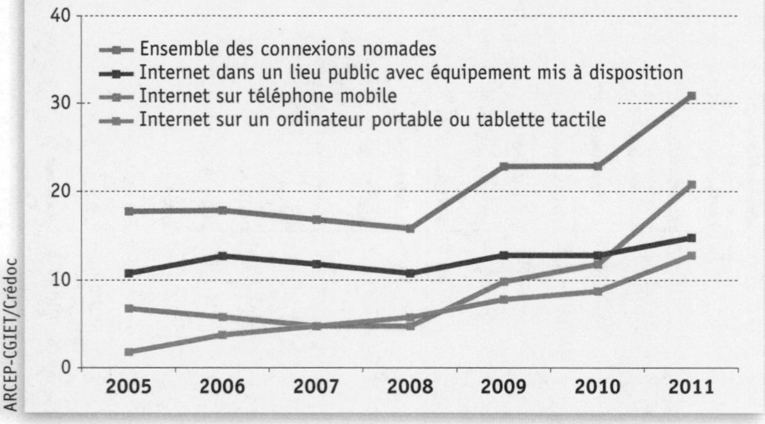

- Ensemble des connexions nomades
- Internet dans un lieu public avec équipement mis à disposition
- Internet sur téléphone mobile
- Internet sur un ordinateur portable ou tablette tactile

2005 2006 2007 2008 2009 2010 2011

ARCEP-CGIET/Crédoc

Trois Internautes sur quatre se connectent tous les jours.

Fin 2011, les Français consacraient en moyenne 1 h 25 par jour à naviguer sur Internet *via* un ordinateur et 3 h 05 *via* un *smartphone* (GfK). L'usage d'Internet sur un ordinateur représente cependant moins de temps que celui consacré à la télévision (3 h 47) ou à écouter la radio (2 h 50), à voir ses amis ou sa famille (59 minutes), à écouter de la musique (55) ou à lire des livres (38). Les trois quarts des Français (74 %) se connectent tous les jours et 15 % une ou deux fois par semaine (Crédoc). Les Internautes « quotidiens » sont nettement plus nombreux parmi les cadres supérieurs (84 %), les diplômés de l'enseignement supérieur (84 %) et les 17-24 ans (87 %). Cependant, les écarts se resserrent entre les divers groupes sociaux. 64 % des retraités équipés se connectent tous les jours. Les personnes habitant en zone rurale (agglomérations de moins de 2000 habitants) naviguent aussi fréquemment sur Internet que les Parisiens : 72 % le font tous les jours.

26 millions de Français ont effectué des achats sur Internet en 2011, soit un peu plus de six Internautes sur dix. La vente de biens et services sur la Toile par des particuliers se développe fortement et prend le relais des petites annonces de la presse écrite. En 2011, 24 % des Internautes qui y ont acheté un bien ou un service ont aussi été vendeurs ; cette pratique concernait en priorité la population des 25 à 49 ans (43 %). Seules 4 % des personnes connectées avaient utilisé Internet seulement pour vendre, sans acheter (ARCEP-CGIET/Crédoc). 39 % déclaraient par ailleurs utiliser Internet pour des services de banque à domicile (Médiamétrie).

L'Internet à tout faire

Usages des ordinateurs connectés à Internet (2011, 12 ans et plus, en % de personnes les pratiquant)

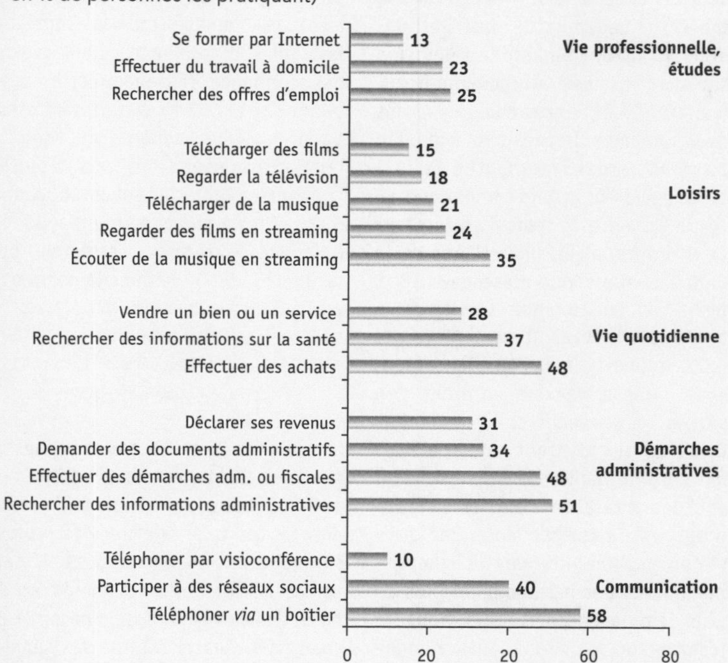

ARCEP-CGIET/Crédoc

Le profil des Internautes se rapproche de celui de la population.

Malgré son développement rapide et sa part croissante dans la population globale, la population des Internautes conserve un profil sociodémographique particulier. Les jeunes y sont en particulier plus nombreux que les personnes plus âgées ; la quasi-totalité des adolescents (97 %) sont aujourd'hui concernés (Crédoc). Mais les écarts diminuent sensiblement. Alors qu'en 2007 le taux d'usage d'Internet au-delà de 40 ans était de 20 points inférieur à la moyenne, il ne l'était plus que de 10 points en 2011. Après 70 ans, la France compte désormais une personne sur quatre connectée (25 %), contre une sur dix en 2007. La part des seniors augmente donc au fur et à mesure qu'arrivent à la retraite les générations qui ont utilisé l'ordinateur dans le cadre de leur activité professionnelle.

Le niveau d'instruction reste un critère discriminant. Neuf diplômés du supérieur sur dix se connectent à

Information, surinformation, désinformation

La naissance et le développement d'Internet ont représenté une véritable révolution dans l'accès et la relation à l'information. Le réseau est en effet une « médiathèque globale » contenant tous les savoirs et l'intelligence du monde, accessibles à chacun, à tout moment et en tout lieu.

La contrepartie de cette richesse inédite est la difficulté de trier et de valider les informations disponibles. Il existe en effet un risque réel de désinformation et d'influence de l'opinion. La « rumeur électronique », propagée par des consommateurs insatisfaits, des citoyens mécontents, des individus irascibles, des concurrents peu scrupuleux ou des groupuscules terroristes peut ternir l'image des personnes, des marques, des produits, des entreprises ou des institutions. Dans les boîtes à lettres électroniques, sur les blogs, les forums, les sites ou les réseaux sociaux, des affirmations (signées, anonymes ou usant de pseudos) peuvent facilement jeter le discrédit. Les effets sont d'autant plus grands que la diffusion est considérable et instantanée. Il est extrêmement difficile de l'arrêter et tout autant de la démentir efficacement.

Les tentatives d'influence idéologique et de manipulation mentale se sont ainsi multipliées sur des sites au contenu immoral (nazisme, racisme, pédophilie, pornographie, incitation à la violence...). Comme les autres médias, Internet exerce une influence sur les esprits les plus malléables. Les sectes y trouvent un nouveau moyen de recrutement et d'endoctrinement. Sous couvert de la liberté d'expression, des idéologies douteuses se frayent un passage. Comme celui de tous les lieux publics, l'usage d'Internet devra être réglementé et contrôlé. À la condition, bien sûr, que ce soit en conformité avec la morale et dans le respect des lois. Et que les usagers de la Toile sachent pourquoi, comment et par qui ils sont surveillés.

Internet, contre moins de 40 % de ceux qui n'ont pas de diplôme. Les taux d'utilisation les plus élevés concernent les cadres supérieurs (94 %) et les professions intermédiaires (92 %), contre 57 % parmi les personnes restant au foyer et 45 % des retraités. La baisse du prix des ordinateurs conjuguée à celle du prix des abonnements a permis d'augmenter fortement l'accès chez les ouvriers ; il est passé de 47 % en 2007 à 78 % en 2011. La répartition reste cependant marquée selon le niveau de revenu des ménages. Le taux de connexion est de 95 % au-delà de 3 100 € par mois, contre 43 % en-dessous de 900 € (52 % entre 900 et 1 500 €).

Les disparités territoriales continuent de jouer un rôle mais les écarts se resserrent, grâce aux investissements de nombreuses communes rurales. La proportion de personnes connectées atteint 80 % à Paris et dans les grandes agglomérations (contre 68 % en 2007) et 69 % dans les agglomérations de moins de 2 000 habitants (contre 51 % en 2007). Elle est de 75 % dans les agglomérations de 2 000 à 20 000 habitants (51 % en 2007).

Les personnes qui ne sont pas connectées à Internet sont donc plus souvent âgées, vivent seules ou à deux, n'ont pas de diplôme ou un diplôme inférieur au bac, disposent de revenus modestes ou passent une grande partie de leur temps au foyer. Ces critères valent aussi pour l'intensité et la fréquence de l'usage.

Les usages d'Internet au foyer sont avant tout personnels...

Les principaux usages d'Internet sont liés à la gestion de la vie quotidienne. Pour se divertir, 35 % des Internautes, soit près de 15 millions de personnes, ont téléchargé de la musique au cours de l'année 2011, de façon légale ou non. Un sur quatre, soit 10 millions de personnes, déclare l'avoir fait pour des films. Un peu plus de sept millions de Français ont regardé la télévision sur Internet. Ces pratiques sont beaucoup plus fréquentes chez les moins de 25 ans que chez les plus âgés. Fin 2011, 82 % des Internautes de 11 à 17 ans avaient regardé une vidéo au cours du dernier mois sur Internet (+ 9 points en un an) et près de la moitié avaient joué en réseau. 60 % des 18-24 ans avaient écouté de la musique directement sur Internet.

La plupart des Français disposant d'une connexion Internet s'en servent pour rechercher des informations. Ils utilisent pour cela les moteurs de recherche ou se rendent sur des sites. Le courrier électronique reste pour beaucoup une utilisation quotidienne, mais les échanges personnels par mail sont de plus en plus remplacés par l'utilisation des réseaux sociaux (p. 511). Un nombre croissant d'Internautes fréquente les nombreux forums de discussion thématiques existants (p. 511), afin de partager des points de vue, de rechercher ou de fournir de l'aide pratique à ceux qui connaissent des difficultés, notamment dans l'utilisation des outils technologiques.

La recherche d'informations sur Internet s'est notamment développée en matière de santé (graphique page précédente). 20 millions de Français y ont recouru en 2011 pour eux-mêmes ou pour un proche. Ce sont plus souvent des femmes : 43 %, contre 31 % des hommes. Ce type de recherche est également beaucoup plus fréquent chez les diplômés de l'enseignement supérieur (53 %) que chez les non-diplômés (15 %)

Si Internet est devenu un média incontournable pour tous ceux qui souhaitent s'informer, les Internautes se montrent réservés quant à la fiabilité de l'information qui leur est proposée par ce canal. 34 % seulement des Français disaient ainsi lui faire plutôt confiance, 46 % plutôt pas confiance (Eurobaromètre, septembre 2011). Les Français sont ainsi parmi les plus méfiants au sein de l'Union européenne, où les « plutôt confiants » représentent en moyenne 37 % et les « plutôt méfiants » 39 %. Le record de méfiance est détenu par la Suède (54 %), celui de la confiance en République Tchèque (61 %).

... mais aussi professionnels.

Un tiers des Internautes (30 %) déclaraient en 2011 s'être servis d'Internet pour effectuer un travail à domicile dans le cadre de leur activité professionnelle ou de leurs études. C'était le cas de 58 % des étudiants et de 60 % des élèves équipés, contre 28 % des actifs. Quatre Internautes sur dix disaient avoir consulté des offres d'emploi sur le Web en 2011, contre un sur trois en 2008 ; la proportion était de 39 % parmi les actifs et de 58 % chez les étudiants.

13 % des Français déclaraient par ailleurs s'être formés sur Internet : 27 % des cadres supérieurs et 20 % des étudiants. La proportion était de 21 % dans l'agglomération parisienne, contre seulement 10 % dans les communes de moins de 2 000 habitants. Elle s'élevait à 20 % dans les ménages de cinq personnes et plus, contre seulement 15 % dans ceux de trois personnes (ARCEP-CGIET/Crédoc).

Les ménages sont aussi de plus en plus nombreux à gérer leurs démarches administratives ou fiscales en ligne. C'était le cas, fin 2011, de près de la moitié des Internautes (48 %) au

La révolution numérique

La numérisation a ouvert une nouvelle ère dans la diffusion de l'information. Les coûts de la copie et de la multiplication sont en effet nuls (ou très bas, dans le cas où elles sont présentées sur des supports physiques). Les opérations sont en outre quasi instantanées, et ne dépendent pratiquement pas du nombre de destinataires. Enfin, les copies ont une qualité identique à l'original, quel que soit leur nombre, car il n'y a pas aucune déperdition dans le processus numérique (ou très peu en cas de compression des données). Le savoir, et par conséquent le pouvoir, se trouvent ainsi en théorie partagés comme ils ne l'ont jamais été. Pourtant, dans la réalité, de nombreuses inégalités demeurent et la « fracture numérique » s'accentue (p. 290).

Par ailleurs, chaque récepteur d'information est potentiellement émetteur, grâce à l'interactivité des médias et des réseaux numériques. Les relations de dépendance verticale sont donc remplacées par des relations horizontales. Dans ce contexte, les intermédiaires peuvent être moins nombreux et les relations plus directes entre les interlocuteurs. Cependant, Internet a en même temps favorisé l'apparition de nouveaux intermédiaires : sites de rencontres ; réseaux d'échange et de partage ; vente entre particuliers ; courtiers en travaux pour l'habitat; mandataires de biens immobiliers, etc.

La société numérique permet à chacun d'entrer en communication directe, instantanée et souvent gratuite avec tous les autres, pour échanger des informations, des idées ou des biens. Elle peut favoriser le développement d'une formidable « intelligence collective » ou au contraire d'une manipulation globale des esprits. Elle transforme le fonctionnement des sociétés et inaugure peut-être une nouvelle forme de démocratie. Mais elle élargit en même temps le champ d'action et d'influence de ceux qui ont pour objectif d'attenter à la morale, de ne pas se conformer aux lois, de paralyser ou détruire les systèmes sociaux. Comme toutes les innovations majeures (p. 286), la numérisation de l'information est ambivalente.

cours des douze derniers mois. Cet usage tend à se banaliser pour les cadres supérieurs (83 %), les diplômés (78 %) et même les professions intermédiaires (75 %). Les inégalités sociales restent cependant très fortes dans ce domaine : la moitié des ouvriers et un tiers des inactifs n'utilisent jamais les sites d'administration électronique.

Internet est une opportunité unique pour l'Humanité...

Internet représente indiscutablement un saut technologique considérable, aux conséquences innombrables. Le « village global » prévu par McLuhan au début des années 1960 devient peu à peu réalité. La plupart des humains pourront à l'avenir échanger instantanément des textes, des sons et des images. Le réseau abolit (au moins dans son principe) les frontières spatiales (géographiques ou politiques) et temporelles. Il apporte à chaque personne connectée un supplément d'information, d'expression et de liberté (dans la mesure où son accès n'est pas restreint par les autorités). La convivialité ainsi proposée est virtuelle. Mais elle constitue une réponse possible à la solitude engendrée par une « société de communication » qui crée dans certains cas de l'incommunication, voire de l'« excommunication ».

Internet est potentiellement l'outil d'élaboration d'une société mondiale, capable d'influencer les États et les cultures, peut-être demain de se substituer à eux. C'est pourquoi il alimente les craintes croissantes des Français sur la mondialisation et ses effets uniformisateurs sur les peuples et les individus (p. 273). Il fournit aussi des arguments à tous ceux qui craignent que le monde ne devienne virtuel, que les pays perdent leur souveraineté, que les frontières disparaissent en laissant pénétrer tous ceux qui souhaitent quitter leur pays, que les nations perdent leur identité. Il favorise ainsi un désir latent de protectionnisme et, souvent, des discours populistes.

Internet propose surtout de nouvelles formes de communication, à travers l'utilisation des services de messagerie, les réseaux, les blogs ou les forums. Il se caractérise par la diversité de ses utilisations : information ; divertissement ; jeu ; communication (à deux ou en groupe) ; achats ; relations avec les entreprises et les institutions... Il renforce l'autonomie et l'indépendance des citoyens. Il donne à chaque individu la faculté d'exister pour tous les autres, d'appartenir à des « tribus » planétaires qui sont de nouvelles « diasporas » constituées de personnes ayant des centres d'intérêt communs, mais géographiquement éloignées.

Le septième continent

Pour les curieux, Internet est un univers à explorer, un « septième continent », alors que le monde réel ne réserve plus de véritable *terra incognita*. Il leur permet de participer à une aventure moderne sans précédent. Il est un labyrinthe dans lequel chacun peut s'engager, sans savoir ce qu'il trouvera en chemin, ni où il aboutira. Il permet de s'exprimer, d'échanger, de se montrer tel qu'on est ou au contraire de se cacher derrière des pseudonymes, des avatars et des chimères : être soi ; être un autre ou être plusieurs...

Le développement du réseau a déjà une influence considérable sur le fonctionnement des nations et sur celui de la planète. Il a transformé la notion de distance (le prix des services ou des communications est devenu indépendant de l'éloignement) et celle de temps, avec l'accès instantané à une multitude de services. Il autorise une interactivité totale, qui donne naissance à un *« spectacteur »*, à la fois spectateur et acteur de la vie et du monde. Au point que deux utilisateurs sur trois déclarent qu'ils auraient du mal à se passer d'Internet plus de trois jours (Eurobaromètre, octobre 2011), surtout pour les courriels (53 %), les réseaux sociaux (13 %), les sites d'information et d'actualité (12 %) et les démarches administratives (6 %).

... mais il existe des risques d'inégalité, ...

La contrepartie des bénéfices et des promesses d'Internet est le risque de dérives inhérentes à un outil par nature difficile, voire impossible à contrôler. Internet est aussi potentiellement porteur de nouvelles inégalités. Entre ceux qui sont connectés et ceux qui ne le sont pas (certains pays s'efforcent d'ailleurs de restreindre ou d'interdire l'accès à tout ou partie du réseau). Entre ceux qui disposent des hauts débits (câble, satellite ADSL, fibre optique...) et ceux (de moins en moins nombreux) qui doivent subir la lenteur d'affichage des textes et des images. Entre les utilisateurs qui vont au plus simple (informations de base, jeux, distractions de toutes sortes...) et ceux qui voient dans Internet un outil de réflexion et d'enrichissement pour développer leurs compétences, leurs réseaux relationnels ou leurs affaires. Entre ceux qui restent du côté sombre de la Toile (sites pornographiques, d'incitation à la violence ou au racisme...) et ceux qui cherchent grâce à elle à rendre le monde meilleur, dans le respect et l'échange avec les autres. Internet pourrait donc être à l'origine de nouvelles fractures culturelles, sociales, philosophiques et morales.

Un autre risque souvent évoqué est le caractère solitaire de l'utilisation d'Internet, et le fait qu'il favorise les relations à distance plutôt qu'au sein de la cellule familiale. Il est en cela opposé à la télévision, qui a une dimension plus conviviale. Mais il faut rappeler que l'on a aussi beaucoup reproché à la télévision de remplacer des modes de communication plus anciens et plus riches (les discussions familiales ou amicales autour de la cheminée...). Son usage s'est de fait beaucoup individualisé avec la multiplication du nombre de chaînes et celle des téléviseurs dans les foyers (p. 449). Il est indéniable en tout cas que le temps passé devant l'écran d'un ordinateur vient souvent en déduction de celui disponible pour l'entourage familial.

De même, la possibilité de communiquer avec des personnes situées à l'autre bout du monde empêche parfois de parler à celles qui se trouvent dans le voisinage immédiat. Un autre risque est ainsi qu'une cybersociété, virtuelle et planétaire, se substitue demain aux sociétés réelles et nationales. Certains Internautes trouvent en effet la première plus séduisante et sécurisante que les secondes, car les contacts y sont indirects, distanciés, aseptisés. L'illustration caricaturale en est donnée au Japon, par des adolescents qui refusent le contact avec le monde réel, y compris celui de leur propre famille, préférant rester dans leur chambre, devant des écrans.

... ainsi que des menaces pour les démocraties...

On peut craindre à l'avenir une recrudescence d'actes terroristes de grande envergure, transitant par le réseau Internet. Ils pourraient provoquer des dégâts économiques considérables dans les services publics (santé, distribution d'eau ou d'électricité, téléphone, contrôle aérien, sécurité sociale...), dans les systèmes de défense nationaux (avec, par exemple, des déclenchements intempestifs de procédures d'urgence), comme dans les entreprises privées. On pourrait assister par ailleurs à des tentatives de « cyberchantage » à l'encontre d'institutions, d'entreprises ou même de particuliers.

Pour les délinquants en général, Internet constitue en effet un formidable terrain d'action (p. 237). Pour les terroristes, il représente un levier

d'accès facile et d'une efficacité redoutable, permettant de déclencher des paniques collectives et de déstabiliser les démocraties. Un « 11 septembre virtuel » n'aurait sans doute pas de conséquences tragiques en termes de vies humaines détruites, mais il pourrait avoir des effets considérables sur le fonctionnement des sociétés et occasionner des dégâts matériels extrêmement importants.

Le danger existe par ailleurs que la « mémoire de l'humanité » qu'est devenue Internet ne soit un jour effacée, volontairement ou non. Elle est en effet souvent numérisée et stockée sur des supports électroniques (disques durs, cartes, CD, DVD...) qui peuvent être facilement détruits et dont on ne connaît pas la durée de vie réelle. Elle est de plus en plus recensée et conservée sur des serveurs distants qui ne donnent pas non plus des garanties de longévité. Mais on sait, depuis la disparition de la bibliothèque d'Alexandrie, il y a plus de 2000 ans, que les livres, qui ont pendant très longtemps joué ce rôle de mémoire, ne sont pas non plus éternels.

Dans l'univers théoriquement protégé d'Internet, de nombreuses formes d'agression se développent. Les virus véhiculés par le réseau coûtent très cher aux entreprises et aux particuliers. Ils représentent une crainte et un stress permanents pour les utilisateurs, qui réduisent le plaisir de naviguer sur le réseau et engendrent parfois des attitudes paranoïaques.

... et les libertés individuelles.

Les risques d'intrusion dans la vie privée *via* les outils numériques sont réels et inquiétants. Les *cookies* et les *spywares* introduits dans les ordinateurs par la plupart des logiciels ou des sites sont autant de mouchards permettant de garder la trace des activités, des centres d'intérêt et des habitudes de chacun, de surveiller à distance ses faits et gestes. Le développement du wifi permet aussi aux indiscrets d'en savoir plus sur leurs voisins et de « squatter » leurs réseaux personnels. L'utilisation de données de plus en plus précises sur les foyers et les personnes à des fins commerciales est d'ailleurs le but avoué du « marketing relationnel » mis en œuvre par les entreprises.

Ces pratiques entraînent une méfiance croissante de la part des Internautes, qui pourrait les amener à boycotter certains sites trop curieux ou à fournir délibérément des informations erronées. Plus des trois quarts disent ainsi se sentir surveillés sur Internet (NetExplo-Ifop, février 2012). Le taux de confiance accordé aux réseaux sociaux n'est que de 47 % parmi leurs utilisateurs et de 35 % parmi les Internautes (ACSEL-Caisse des Dépôts/ISL-GfK, octobre 2011). Celui placé dans l'administration en ligne est en baisse, à 79 % en 2011 contre 86 % en 2000. D'une manière générale, le manque de protection des données personnelles est considéré comme le risque le plus important (encadré).

Enfin, Internet est souvent considéré comme une incitation à la sédentarité, qui serait du même coup une privation de liberté, un asservissement. Ce risque apparaît contradictoire avec le mouvement récent vers le « nomadisme », mais il est confirmé par le temps important passé par les Français à leur domicile (18 h 29, p. 177). Il concerne en priorité les « accros » du Web, qui passent des heures devant leur écran, oubliant la vie extérieure. Cependant, on constate que les Internautes ont pour la plupart une vie extérieure plutôt riche. Ils ont envie de rencontrer leurs interlocuteurs dans le « vrai monde », ce qui les incite à se déplacer plus que la moyenne.

Les enjeux économiques sont considérables.

Le cybercommerce (ou *e-business*) connaît un développement très rapide (p. 409). Il représentait 37 milliards d'euros de dépenses en 2011 (en hausse de 22 %), soit environ 5 % de la consommation totale des Français. Il constitue une part encore plus importante dans certains secteurs comme les transports, l'hôtellerie, le tourisme ou les équipements électroniques. Il concerne de plus en plus des domaines comme les biens culturels (musique, cinéma, livres...), l'habillement, l'ameublement et même l'alimentation.

Outre les entreprises spécifiquement créées pour opérer sur le réseau *(pure players)*, les entreprises traditionnelles sont pour la plupart présentes, pour faire connaître et éventuellement commercialiser leurs produits par ce canal. Les « zones de chalandise » se sont aujourd'hui élargies à l'échelle de la planète. Il existe cependant une distinction entre les produits dématérialisés et les autres : les premiers ne nécessitent pas de logistique coûteuse et de réseaux physiques. On peut ainsi vendre un billet d'avion ou une réservation d'hôtel sans avoir recours à une agence ou à un camion de livraison ; ce n'est pas possible avec des biens d'équipement du foyer ou de la personne.

Le consommateur peut accéder de chez lui à une offre incommensurable. Il peut s'informer sur les produits en se rendant sur les sites des fabricants ou des distributeurs. Il a la possibilité d'obtenir des précisions en consultant les commentaires laissés par des acheteurs, ce qui n'est guère possible dans les magasins traditionnels. Il peut comparer les prix, un exercice qui est grandement facilité par des sites spécialisés. Il peut prendre ses décisions à son rythme, à toute heure du jour ou de la nuit et tous les jours de l'année. Enfin, il peut

L'obsolescence organisée

Les possesseurs d'équipements technologiques savent combien ils se périment de plus en plus rapidement. Les générations de téléphones, téléviseurs, ordinateurs, lecteurs, tablettes numériques et autres objets se suivent à un rythme accéléré : Apple, Samsung et les autres fabricants de produits électroniques renouvellent leurs modèles à succès (iphone, Galaxy...) quasiment tous les ans. De sorte que beaucoup de clients qui « manquent » une génération ont l'impression de ne pas être « modernes ». Le processus est identique avec les produits dématérialisés tels que les logiciels, les systèmes d'exploitation ou les applications pour *smartphones*. Tous les jours ou presque, les utilisateurs sont informés que des « mises à jour » ou des « nouvelles versions » existent, et sont incités à les télécharger, ou mieux à accepter qu'ils le soient automatiquement.

Contrairement à ce qu'affirment les adeptes de la théorie du complot, l'obsolescence des outils technologiques n'est sans doute pas « programmée ». Mais elle est largement favorisée, organisée par les fabricants, qui ont évidemment intérêt à ce que les clients renouvellent leurs équipements. Ces innovations leur permet aussi de se différencier de leurs concurrents et de faire parler d'eux. Bien avant les lancements, ils savent créer un *buzz* considérable, en laissant filtrer quelques informations, en alimentant les médias, les blogs, les forums ou les réseaux sociaux par quelques rumeurs, qui seront selon les cas confirmées ou démenties.

Cette fuite en avant dans l'innovation apporte certes des améliorations parfois sensibles, voire des révolutions en termes de fonctionnalités, de sécurité, de « praticité » ou de design. Mais elle n'est pas sans inconvénient. Elle est souvent chronophage pour les utilisateurs, coûteuse lorsqu'il s'agit pour eux de remplacer un appareil par un plus récent, frustrante lorsqu'elle est source de pannes ou nécessite un apprentissage. Elle a aussi un impact non négligeable sur l'environnement, lorsque les matériels obsolètes sont jetés, et ne peuvent être en totalité recyclés. La consommation est ainsi tiraillée entre deux tendances contradictoires : d'un côté la mode du *vintage* (retour nostalgique au passé, sensible notamment dans l'habillement ou les accessoires de mode) ; de l'autre l'incitation ou parfois l'obligation sociale d'être résolument contemporain.

commander directement sur Internet en utilisant des modes sécurisés ou se rendre dans un magasin proche de chez lui, dans lequel il pourra voir, toucher, obtenir des informations complémentaires dans le « monde réel ».

Internet est le vecteur d'une nouvelle civilisation, ...

Le développement d'Internet a déjà des incidences considérables sur les modes de vie individuels et sur le fonctionnement des sociétés. Il est à l'origine d'une véritable révolution dans les modes d'acquisition de la connaissance. Il est en même temps un hypermarché planétaire dans lequel toutes les marchandises peuvent être vendues, achetées, échangées. Il est l'un des outils majeurs de la création d'une société planétaire multiculturelle, dans laquelle le virtuel prend une place croissante, même s'il ne se substitue pas au réel. On y trouve une transposition et une représentation de la « vraie vie ».

L'une des particularités d'Internet est de placer chaque individu au centre de la Toile et non pas sur l'un des fils qui partiraient d'un centre éloigné. Il crée ainsi des opportunités nouvelles en termes de liberté, d'autonomie, d'expression personnelle et de convivialité. Mais il fait aussi de l'utilisateur une cible facile pour tous ceux qui veulent s'adresser à lui pour lui vendre quelque chose, ou parfois pour le désinformer, le manipuler, voire l'escroquer.

La civilisation initiée par Internet sera fondée sur le double principe de l'autonomie de chacun et de sa relation possible (et facile) avec tous. Elle sera marquée par le passage du vertical à l'horizontal, et la « mise en réseau » (et en fiches...) de la plupart des habitants de la planète. Elle traduira aussi le passage du longitudinal au transversal : contrairement aux autres innovations technologiques, les applications d'Internet concernent en effet tous les domaines de la vie : personnelle, professionnelle, familiale, sociale. Le réseau sera également de plus en plus utilisé en situation de mobilité, sur le téléphone portable ou une tablette, et d'autres équipements à venir qui pourraient constituer demain le principal mode d'accès.

Une autre caractéristique d'Internet est d'être dans son principe un média « pur ». Comme le téléphone, il est un « tuyau » mis à la disposition des usagers, qui peuvent y faire passer n'importe quel contenu, en plus de ceux proposés par des prestataires professionnels (entreprises, institutions,

associations...). Ce contenu peut être gratuit ou payant, moral ou immoral, simple ou complexe, distrayant ou sérieux.

L'avenir du réseau dépendra de l'attitude des différentes parties prenantes. Les cyberacteurs, notamment les institutions et les marchands, devront se montrer vertueux, en respectant la morale et les libertés individuelles. Les Internautes devront aussi accepter des règles, qui restent à inventer et qui ne pourront l'être qu'à l'échelle planétaire. Contrairement à l'utopie initiale de ses fondateurs, le Web ne pourra pas en effet rester un non-lieu bénéficiant d'un non-droit, utilisé par des citoyens sans appartenance.

... dans laquelle le réel et le virtuel vont cohabiter.

Comme la plupart des innovations majeures (l'avion, la voiture, le nucléaire, la télévision...), Internet est ambivalent, porteur du meilleur et du pire; il suscite donc de nombreuses questions. Sera-t-il demain accessible à tous, y compris dans les pays pauvres et dans les dictatures ? Restera-t-il un moyen de communiquer et de s'informer pour les particuliers ou sera-t-il annexé par les marchands ? Réduira-t-il ou renforcera-t-il les inégalités entre les individus et entre les pays ? Sera-t-il un instrument de liberté ou de surveillance ? Les informations diffusées seront-elles pour la plupart objectives, fiables ou destinées à manipuler les opinions ? Les innovations à venir nous feront-elles vivre dans le monde d'Orwell ou dans celui de Disney ?

L'avenir dira si les cyberphiles et les cyberoptimistes ont raison face aux cyberphobes et aux cybercassandre. Comme dans les autres secteurs de la vie sociale, les *Mutants* s'opposent aux *Mutins* (p. 261). Les prochaines années permettront de savoir si la vie avec Internet est plus simple ou plus compliquée que sans, si la généralisation de l'accès au Web réduit les écarts culturels ou les accroît. On saura alors si cet outil prodigieux crée de la convi-

Débrancher, le nouveau luxe

Le temps consacré par les Français aux outils technologiques est conséquent et croissant (p. 289). Il a des incidences parfois négatives en matière sociale, économique ou sanitaire : difficulté à vivre dans le « réel » ; manque de disponibilité envers les autres ; dépense ; fatigue ; stress, etc. Des études montrent que des addictions se développent, notamment chez des jeunes ou des personnes seules. Ainsi, 46 % des personnes équipées d'un ordinateur portable ou d'une tablette tactile déclarent l'emporter en week-end ou en vacances (Crédoc, décembre 2011). 41 % disent ne pas pouvoir se passer d'Internet plus de quelques jours.

C'est pourquoi on observe aujourd'hui une volonté de ne pas être « techno-dépendant », victime ou esclave des écrans et des outils d'information et de communication. Beaucoup de personnes décident ainsi d'arrêter leur portable à certains moments de la journée ou du week-end, de ne pas emmener d'ordinateur en voyage, de ne pas avoir de connexion ADSL ou Wifi. Certains voudraient instaurer une journée sans portable, ou sans ordinateur ou sans Internet, comme on a souhaité dans le passé une journée sans télévision.

Pouvoir se « débrancher » tend donc à devenir un luxe, alors que c'était la capacité à être « branché » qui donnait jusqu'ici du prestige, au point que le mot était synonyme de modernité. Poser son téléphone bien en évidence sur la table n'est plus un attribut de richesse, ni de pouvoir. C'est au contraire la capacité de se soustraire au pouvoir des écrans qui est devenue un signe de luxe. On constate ainsi que les foyers sans télévision sont plutôt aisés (51 % de CSP + pour seulement 19 % de CSP -). À l'inverse, ceux qui possèdent plus de deux téléviseurs sont surtout des CSP - (43 % pour 30 % de CSP +). La distinction se fait aussi de plus en plus entre ceux qui « subissent » les écrans et qui doivent être disponibles pour répondre aux messages qu'ils reçoivent, et ceux qui n'y sont pas astreints et décident du moment où ils sont joignables. Les premiers sont dans l'urgence, les seconds dans la distance.

La « guerre des écrans » se transformera-t-telle en une « guerre aux écrans » ? Rien n'est moins sûr, car les possibilités qu'ils offrent dans tous les domaines resteront de fortes tentations, voire des obligations pour beaucoup. On remarquera enfin, toutes proportions gardées, que le verbe « débrancher » est aussi souvent associé à la notion d'euthanasie (on « débranche », à leur demande, des malades incurables ou en phase terminale pour abréger leurs souffrances et leur permettre de mourir dignement). Pour les personnes addictives aux outils technologiques, le « débranchement » impliquerait ainsi une sorte de « mort sociale ». Il pourrait être aussi une façon de leur redonner de la vie.

vialité ou de l'isolement, de la sédentarité ou du nomadisme, de la démocratie ou de l'asservissement. On saura s'il substitue la virtualité à la réalité.

Il semble en tout cas peu probable que l'on puisse se passer d'Internet demain. La place croissante du numérique, de l'informatique et de l'électronique dans la vie personnelle, professionnelle, économique et sociale ne fait en effet aucun doute. Mais elle ne pourra pas remplacer l'ensemble des activités humaines. Plutôt que de s'opposer, le monde réel et le monde virtuel devraient ainsi « cohabiter », en s'enrichissant mutuellement. La *e-société* restera une société et l'individu, même s'il est « augmenté » par la technologie (synthèse p. 17), demeurera un individu.

TÉLÉPHONE

L'usage de la téléphonie fixe s'est stabilisé.

On avait assisté entre 2000 et 2005 à un mouvement de substitution entre téléphone fixe et mobile ; la proportion de ménages abonnés à une ligne fixe avait diminué de 8 points, passant de 90 % à 82 %. Depuis, le taux d'équipement a légèrement remonté, à 83 % en 2006 puis à 89 % en 2011, du fait que la téléphonie fixe est souvent incluse dans les forfaits proposés par les fournisseurs d'accès Internet.

Le taux d'abonnement varie entre 61 % pour les ménages aux revenus inférieurs à 900 € et 93 % pour les personnes âgées de plus de 70 ans. Il est également élevé chez les jeunes de 12 à 17 ans (96 %) et chez les professions intermédiaires (94 %), qui ont besoin d'une ligne fixe pour se connecter à Internet. De façon générale, il croît avec les revenus du foyer. Mais la très grande majorité de ceux qui ne disposent pas d'une ligne fixe chez eux ont une ligne mobile. Fin 2011, la France comptait 35,3 millions de lignes téléphoniques fixes.

La technologie VoIP (qui permet de téléphoner sur Internet) a connu un fort développement au cours des dernières années. Six Français sur dix se servent désormais d'un boîtier de type multiservices pour téléphoner, contre 7 % en 2005. L'effet générationnel est particulièrement marquant sur l'utilisation d'une box pour téléphoner. 76 % des 12-17 ans l'utilisent contre seulement 18 % des 70 ans et plus, mais la moitié des 50-69 ans. De plus en plus d'Internautes sont abonnés aux offres *triple play* (Internet, télévision et téléphonie VoIP) proposées par les fournisseurs d'accès Internet (ADSL ou câble). Le dégroupage, partiel ou total, fait aussi de plus en plus d'adeptes. Fin 2011, la proportion de lignes classiques n'était plus que de 42 %, contre 59 % fin 2008.

Plus de huit Français sur dix utilisent un téléphone mobile...

Contrairement à l'équipement en télévision ou en ordinateur, celui de téléphonie mobile ne concerne pas seulement les ménages, mais les individus. Fin 2011, 85 % des Français adultes et 82 % des 12-17 ans disposaient d'un téléphone mobile personnel (Crédoc). Après une phase initiale entre 1997 et 2000 où le taux d'équipement était passé de 4 % à 47 %, la croissance a été plus modérée (entre 1 et 5 points par

Le virtuel mime le réel

Si la technologie invente un nouveau monde, qualifié de virtuel, elle procède aussi beaucoup par imitation du monde « réel ». Elle cherche en effet le plus souvent à en reproduire les formes et le fonctionnement. Si le courrier postal traditionnel a cédé sa place au courriel, au SMS, au MMS, au *tweet*, ou aux pages personnelles des réseaux sociaux, les contenus n'ont guère changé, même si les textes sont plus facilement « multimédias ». Il s'agit essentiellement de nouveaux supports, qui ne font que remplacer les anciens en les enrichissant parfois. Les jeux vidéo se substituent aux jouets, mais leur évolution a été marquée par la recherche du plus grand « réalisme » possible. Les livres deviennent des *ebooks*, mais conservent le plus souvent leur maquette d'origine. Il en est de même, à un moindre degré, des journaux et des magazines. De nombreux objets matériels dématérialisés sur les téléphones ou les ordinateurs reproduisent le plus fidèlement possible les originaux : calculatrice ; boussole ; cartes et plans ; billets de transport...

Le monde virtuel apparaît donc assez largement comme une copie en deux dimensions du monde réel, même s'il propose des images ou des objets en « 3 D ». Ce mimétisme s'explique en partie par la volonté de rendre le « virtuel » plus facile à intégrer par ses utilisateurs, qui risqueraient d'être « dépaysés » si l'on s'affranchissait totalement de la version originale. Mais c'est peut-être aussi parce que le monde existe bien au-delà de sa réalité matérielle, et qu'il est difficile de s'en affranchir totalement pour les humains. Il est de ce point de vue intéressant de noter que le virtuel cherche moins aujourd'hui à remplacer la réalité qu'à l'« augmenter » (p. 17).

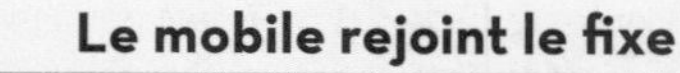

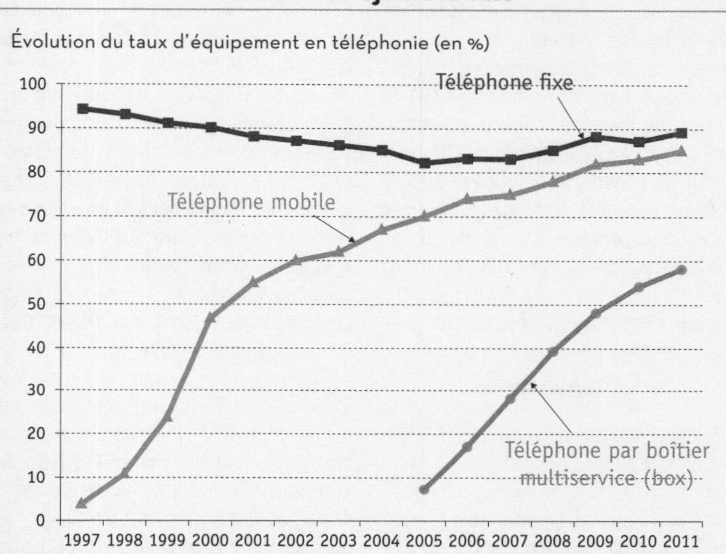

ARCEP-CGIET/Crédoc

an). En mars 2012, le taux de pénétration actif était de 106 %, avec un parc de 69,5 millions de téléphones, dont 49,1 millions ont souscrit un abonnement et 19,4 millions utilisent des cartes prépayées (ARCEP). Le taux de pénétration variait entre 153 % en Île-de-France (du fait de la proportion de personnes ayant plus d'un appareil) et 82 % en Auvergne.

La diffusion du portable a été plus rapide que celle de n'importe quel autre bien d'équipement : il avait fallu plusieurs décennies pour que le téléphone fixe se démocratise en France et concerne la majorité des ménages, alors que le mobile s'est généralisé en moins de dix ans.

Malgré cette forte progression, la France n'a pas encore rattrapé les autres grands pays de l'Union européenne. Début 2011, le taux de pénétration des téléphones mobiles (parc actif) atteignait 150 % de la population en Italie, 133 % en Allemagne, 131 % au Royaume-Uni, 110 % en Espagne, contre 98 % en France. Il faut noter que le téléphone portable est moins répandu aux États-Unis (85 % en 2011). Fin 2011, le nombre des abonnements dans le monde frôlait les 6 milliards, dont les trois-quarts dans les pays en voie de développement (ITU, 2012). Le temps d'usage vocal des mobiles était cependant plus élevé en France : 147 minutes par abonné et par mois contre 78 en Allemagne, 138 en Espagne, 113 en Espagne, 129 au Royaume-Uni.

... en proportions variables selon les catégories.

Le taux de possession des téléphones mobiles est maximal entre 18 et 24 ans, à 100 %. Il diminue ensuite régulièrement, avec un fort décrochement à partir de 70 ans. 82 % des personnes âgées de 60 à 69 ans sont équipées, 47 % à partir de 70 ans. Plus de la moitié des personnes non équipées ont 60 ans ou plus.

Le taux de non-possession est également élevé chez les non-diplômés ou chez les détenteurs au plus d'un CEP (41 %). De nombreux ménages possèdent au moins deux appareils. Seul un Français sur cent n'a ni téléphone mobile ni téléphone fixe, tandis que trois sur quatre (74 %) ont les deux. Le double équipement concerne avant tout les personnes ayant des revenus supérieurs à 3 100 €, les franciliens et les 25-39 ans. Une personne sur cinq âgée de 18 à 24 ans ne possède qu'un téléphone mobile tandis que la moitié des plus de 70 ans n'utilisent qu'une ligne fixe.

69 millions de mobiles

Évolution du nombre de mobiles dans le parc téléphonique français

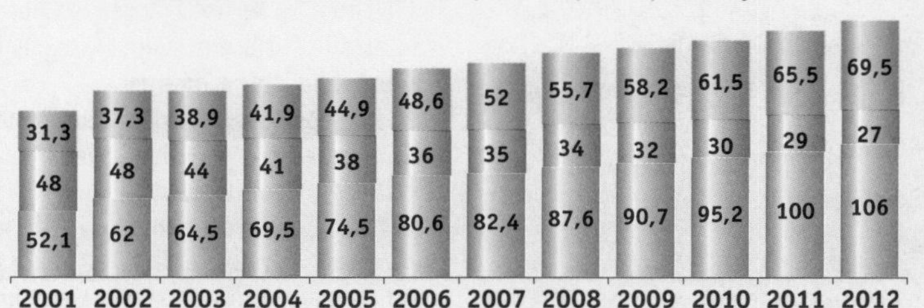

ARCEP

Peuples nomades

Évolution du taux de pénétration du téléphone mobile dans les pays d'Europe (en abonnés pour 100 habitants)

	1999	2009
Allemagne	29	132
Autriche	53	83
Belgique	31	108
Bulgarie	4	139
Chypre	22	133
Danemark	49	124
Espagne	38	111
Estonie	28	117
Finlande	63	145
France	**34**	**95**
Grèce	36	180
Hongrie	16	118
Irlande	38	119
Italie	52	151
Lettonie	12	99
Lituanie	10	148
Luxembourg	49	146
Malte	6	102
Pays-Bas	43	122
Pologne	10	118
Portugal	46	151
Rép. Tchèque	19	136
Roumanie	5	118
Royaume-Uni	41	130
Slovaquie	12	102
Slovénie	33	103
Suède	58	126
UE à 27	*33*	*125*

Eurostat

30 % des Français estiment que l'âge acceptable pour équiper un enfant d'un téléphone mobile correspond à l'entrée au collège soit 11 ans. L'entrée au lycée apparaît comme la deuxième étape pour 32 % d'entre eux. Fournir un téléphone portable aux enfants rassure les femmes dès que l'enfant à 11 ans (33,1 % contre 26,3 % pour les hommes) alors que les hommes y sont plus sensibles à partir de 15 ans (35,1 % contre 27,7 % pour les femmes).

Les Français téléphonent un peu moins de trois heures par mois…

Les trois quarts des Français (77 %) équipés d'un téléphone mobile l'utilisent moins de trois heures par mois pour leurs appels (Prixtel/Ipsos, avril 2012). 40 % déclarent téléphoner moins d'une heure par mois. Mais près d'un sur dix (9 %) l'utilise plus de cinq heures, dont 62 % ont entre 16 et 34 ans. Les hommes passent autant de temps au téléphone que les femmes mais ils ne l'utilisent pas de la même façon. Celles-ci appellent plus souvent leurs enfants (38 % contre 21 % des hommes) ainsi que leur mère (32 % contre 25 %).

Sur l'ensemble des personnes disposant d'un portable (97 %), 84 % sont abonnées à un forfait, ce qui représente une contrainte pour l'usage. Près des deux tiers d'entre elles déclarent ne jamais dépasser leur forfait et 12 % ont un forfait bloqué. 31 % des Français équipés d'un mobile l'utilisent quotidiennement pour se connecter à Internet.

Sept possesseurs de téléphone mobile sur dix envoient des textos (SMS). C'est le cas de 99 % des 12-17 ans mais de seulement 17 % des 70 ans et plus (ARCEP, 2011). Le nombre moyen était de 75 par semaine pour les particuliers en 2011 (soit une dizaine par jour) contre 14 en 2007. 67 % des 16-24 ans en envoient plus de 500 par mois (17 par jour). Les 12-17 ans en envoient en moyenne 250 par semaine. 64 % des abonnés en envoient moins de 100 par mois, soit moins de trois par jour. En 2011, 147 milliards de mini-messages ont été échangés, dont 41 au cours du dernier trimestre et un peu plus d'un milliard lors du changement d'année. Un automobiliste sur cinq déclare envoyer des textos en conduisant (Fondation Vinci Autoroutes/Ifop, février 2012).

… et dépensent en moyenne 61 € par mois.

En 1998, les Français dépensaient en moyenne 45 € de téléphone par mois, dont 36 € pour le fixe et 9 € pour le mobile (ARCEP). Fin 2011, le montant était passé à 61 €, dont 24 € pour le mobile et 37 € pour le fixe. Le trafic mensuel moyen (voix uniquement) est de 4 h 37 pour une ligne fixe et de 2 h 30 environ pour les clients des opérateurs mobiles.

L'arrivée de l'opérateur Free Mobile a bouleversé le marché (encadré) et obligé les opérateurs à revoir leurs grilles tarifaires. Au premier trimestre 2012, 36 % des Français déclaraient payer moins de 20 € de facture mensuelle et même, parmi eux, 10 % moins de 10 € par mois. À l'autre extrémité, 5 % des Français continuaient à payer entre 50 et 80 € (Médiamétrie-Fondation Dauphine).

Au fil des années, le volume global des consommations a augmenté et la baisse des tarifs, notamment sur le fixe, n'a pas été suffisante pour faire baisser la facture totale. La part des dépenses de télécommunication dans le budget des ménages s'est donc accrue, bien que le coût des forfaits mobiles en France soit l'un des moins élevés d'Europe. La France arrive juste après le Royaume-Uni pour les tarifs les moins chers.

La principale raison pouvant amener les Français à changer d'opéra-

Opérateurs : la nouvelle donne

Le marché de la téléphonie mobile a été longtemps largement dominé par « l'opérateur historique » France Telecom, devenu Orange après l'achat de la marque au Britannique Vodafone en 2000. Le premier réseau, Radiocom 2000 (1G), avait été créé en 1985. Il avait été concurrencé par SFR en 1987, puis par Bouygues en 1996. Le réseau GSM (2G) était apparu en 1991, en même temps que le Bi-Bop, téléphone urbain rapidement abandonné. Le réseau analogique était fermé en 1999.

Fin 2004, SFR puis Orange lançaient le réseau UMTS (3G), qui allait permettre l'avènement de l'Internet mobile. Les premiers MVNO (opérateurs virtuels utilisant les réseaux des trois opérateurs principaux mais proposant des prix généralement inférieurs, tels que Virgin Mobile, NRJ Mobile, Universal Mobile, etc) étaient créés la même année. En janvier 2012, la part de marché détenue par les MVNO atteignait 11 % du parc. Leur part des dépenses brutes de téléphonie mobile était de 9 % pour les abonnements et de 15 % pour les cartes prépayées. Celle d'Orange était de 41 % (25 millions de clients), devant SFR (34 %, 20,2 millions) et Bouygues Telecom (16 %, 9,9 millions).

L'arrivée de Free Mobile, début 2012, a bouleversé la donne, avec des offres à prix cassé, sur le principe du *SIM Only* (vente d'un abonnement seul plutôt que d'un abonnement avec téléphone mobile subventionné). Elle répondait à la demande d'un large public, lassé des pratiques des opérateurs. En moins de trois mois, sur un marché mature et malgré quelques difficultés de démarrage, Free gagnait 2,6 millions d'abonnés, soit 5 % de part de marché, tandis que ses trois principaux concurrents perdaient près de 900 000 abonnés. Sa part des dépenses de téléphonie mobile n'était cependant que de 2 %, compte tenu d'un revenu par abonné deux fois inférieur à celui des autres opérateurs.

La prochaine évolution attendue est le déploiement du réseau 4G, très haut débit mobile permettant des transmissions de données à des débits théoriques supérieurs à 100 Mb/s (mais partagés entre les usagers d'une même cellule).

teur mobile est le prix (74 %), puis le débit de la connexion internet (37 %) et la qualité de la connexion pour 35 % d'entre eux (Médiamétrie-Université Dauphine, 2012). Sur les 68 millions d'utilisateurs de services mobiles fin 2011, deux tiers avaient souscrit des forfaits, les autres avaient choisi des formules de prépaiement. L'arrivée du quatrième opérateur a entraîné un désintérêt pour les mini-forfaits.

L'intérêt pour les nouveaux services s'accroît...

Les Français se contentent de moins en moins de téléphoner avec leurs mobiles et surtout leurs *smartphones*. 24 % se connectent aussi à Internet, 19 % consultent leurs courriels, 17 % téléchargent des applications, 8 % regardent la télévision (ARCEP-CGIET/Crédoc). Le nombre d'utilisateurs d'Internet sur le mobile avait atteint 11 millions en 2011, soit quatre fois plus qu'en 2008.

Les plus jeunes et les plus diplômés sont les plus nombreux : 46 % des 18-24 ans et 35 % des diplômés de l'enseignement supérieur. Les écarts entre catégories de population s'estompent rapidement. Ainsi, 21 % des habitants des agglomérations de moins de 2 000 habitants naviguaient sur Internet avec leur *smartphone*, contre 29 % des Franciliens (juin 2011). C'était le cas de 23 % des personnes gagnant entre 900 et 1 500 € par mois (+ 9 points en un an) contre 27 % pour les revenus supérieurs à 3 100 €.

10 textos par jour

Moins de trois heures par mois

80
70
60
50
40
30
20
10
0
57 58 64 65 69 69 74 73 71
2003 2004 2005 2006 2007 2008 2009 2010 2011
Nombre moyen de SMS envoyés par semaine
Part des possesseurs de mobiles envoyant des SMS

ARCEP-CGIET/Crédoc

L'ère du téléphone intelligent

L'arrivée du multimédia dans les téléphones avait donné naissance à de nouvelles générations de téléphones, baptisés *smartphones*. Ils ont progressivement intégré des appareils photos numériques, lecteurs et enregistreurs vidéo, lecteurs de MP3, GPS, ce qui a été l'occasion d'un renouvellement accéléré des équipements. Le lancement de l'Iphone d'Apple a constitué une étape importante dans cette évolution.

Fin 2011, le taux d'équipement en *smartphones* était de 17 % avec de grandes différences entre les populations : 37 % des cadres supérieurs, 35 % des 18-24 ans, 30 % des diplômés de l'enseignement supérieur, contre seulement 18 % des ouvriers. Les familles avec plus de cinq personnes étaient 23 % à en posséder, tout comme les Franciliens (23 %). À partir de l'été 2011, il s'est vendu plus de *smartphones* que de téléphones classiques.

Le téléphone mobile continue de s'enrichir de nouvelles fonctions (en s'ouvrant aux développeurs), de nouveaux services, de nouvelles interfaces (notamment tactiles). Il assure une convergence croissante avec les autres équipements électroniques. Le succès du concurrent direct d'Apple, Androïd développé par Google, a accélérré le rôle des développeurs sur les nouvelles fonctions de la téléphonie mobile. Aux États-Unis, Androïd représentait ainsi 42 % du marché en 2011, contre 29 % pour Apple et 16 % pour Blackberry (ComScore). En France, les nouveaux acheteurs de *smartphones* étaient deux fois plus nombreux à choisir un modèle équipé du système d'exploitation Androïd plutôt qu'un modèle Apple (équipé du système IOS).

9 millions de personnes ont consulté leurs courriels sur le téléphone mobile en 2011, contre seulement 4 millions un an plus tôt. Ce sont encore les 18-24 ans (34 %) et les diplômés de l'enseignement supérieur (33 %) qui sont les plus concernés. Sur ce type d'usage, la différence entre urbains et ruraux reste sensible : 22 % des habitants des agglomérations de plus de 100 000 habitants contre seulement 13 % pour ceux des communes de moins de 2 000 habitants.

… en même temps que les applications se multiplient.

Smartphones et tablettes tactiles ont ouvert le marché des applications, logiciels spécialisés offrant des fonctions multiples aux utilisateurs. Il avait été initié par Apple en 2007 avec son iphone et la bibliothèque d'applications App Store ; début 2012, elle en comptait 550 000 (dont 15 % payantes), qui avaient été chargées 27 milliards de fois à l'échelle mondiale. Son concurrent Androïd (avec Google Play) en proposait 350 000, très loin devant l'Ovi Store de Nokia ou l'App World de Blackberry (50 000 applications dans chaque cas).

Quel que soit le système d'exploitation, les Français téléchargent principalement sur leurs *smartphones* des applications utilitaires gratuites : météo, jeux, navigation, réseaux sociaux, partage de photos, gestion des *smartphones*, accès aux comptes bancaires…. Ils commencent à s'intéresser à celles dédiées aux médias (journaux, magazines, télévision…) Ces applications sont aussi l'une des raisons de l'engouement pour les tablettes tactiles, dont les écrans de grande dimension permettent un usage plus facile que sur un *smartphone*, notamment pour visualiser des photos, vidéos ou lire un magazine. Parmi les applications les plus téléchargées en 2011 figuraient *Facebook*, *Shazam*, *Pages Jaunes*, *Deezer*, *Google Earth*, *Skype*, *Allociné*, *Recherche Google*, *Le Monde*, *Windows Live Messenger*.

La multiplication de ces applications a transformé l'utilisation du téléphone, en lui donnant des usages nouveaux et spécialisés, en permettant une véritable personnalisation des appareils. Elles ont aussi développé la pratique du *m-commerce* (commerce mobile). Les personnes qui le pratiquent achètent en effet majoritairement des applications (46 %) ; environ un tiers effectuent des réservations payantes d'hôtels ou de transport ou achètent des jeux ou de la musique. 29 % (soit 6 % des personnes équipées de *smartphones*) ont acheté un produit physique devant être livré par la suite.

Mais les facilités apportées par les applications ont une contrepartie : le téléchargement de la plupart d'entre elles nécessite de les laisser accéder aux données personnelles des utilisateurs, de suivre leurs comportements, d'enregistrer les lieux dans lesquels ils se trouvent et leurs itinéraires de déplacements. Autant d'informations qui viennent constituer et enrichir des bases de données qui peuvent être utilisées à des fins commerciales. Mais aussi attenter à la vie privée, ce qui constitue l'une des craintes principales des utilisateurs des outils numériques (p. 289).

L'usage du mobile a modifié la relation à l'espace et au temps, …

Avec l'ordinateur et Internet, le téléphone portable est un outil symbolique de la société numérique et des nouveaux modes de vie qui l'accompagnent. Il a d'abord bouleversé pour de nombreux utilisateurs la façon de gérer le temps, en permettant de modifier l'organisation des activités et des tâches. La notion de planification tend à disparaître au profit d'une gestion de la vie « en temps réel » faite d'improvisations, d'ajustements et de changements successifs. Cette évolution est particulièrement sensible dans le comportement des jeunes, qui ont souvent une vision à très court terme de leur emploi du temps et lui font subir des transformations jusqu'au tout dernier moment.

Le mobile modifie aussi le rapport à l'espace, en réalisant le vieux rêve d'ubiquité : on peut grâce à lui être présent, au moins virtuellement, à plusieurs endroits en même temps. Il illustre et amplifie le mouvement récent et de plus en plus apparent vers un mélange de la vie personnelle, familiale, professionnelle, sociale (p. 108). Avec les avantages et les inconvénients que cela implique : amélioration de l'efficacité par la « joignabilité », mais accroissement de la « corvéabilité » et de la « traçabilité ».

Ainsi, si 31 % des Français utilisent la géolocalisation sur leurs mobiles (TNS Sofres, avril 2012), beaucoup s'interrogent sur ce qu'elle implique en termes de surveillance de leur vie privée et de harcèlement commercial. 81 % des possesseurs de téléphones mobiles ne souhaitent pas que des entreprises commerciales utilisent ce type d'informations (ARCEP-CGIET/Crédoc). Cependant, 64 % envisagent de recourir à la géolocalisation à l'avenir. En 2011, 8 % seulement des Français déclaraient trouver la publicité sur leur mobile intéressante et 6,5 % choisissent de se géolocaliser pour profiter d'offres promotionnelles (TNS, avril 2012).

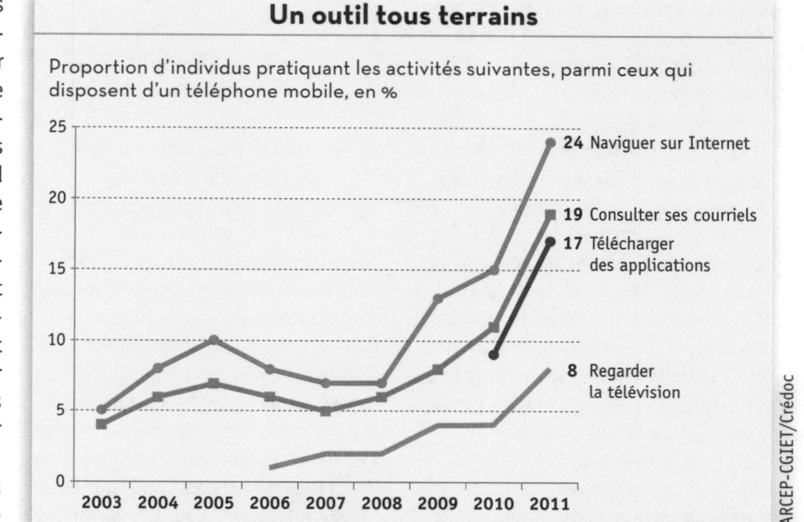

… ainsi qu'aux autres et à soi-même.

Comme ceux d'Internet, les usages du téléphone mobile transforment les relations humaines, tant sur le plan familial ou amical que social ou professionnel. La capacité de joindre et d'être joint à tout moment autorise à la fois le nomadisme et le tribalisme. La différence est que les membres de la tribu n'ont plus besoin d'être réunis dans un même lieu pour échanger et forment ensemble une sorte de *diaspora*. Le portable est aussi l'outil de la multi-appartenance; il permet de se « brancher » sur des réseaux distincts et complémentaires (famille, amis, relations, collègues de travail, groupes divers…), de façon souvent éphémère. S'il est un moyen efficace pour chacun de garder le contact avec les membres de son univers, il constitue parfois une façon de les tenir à distance, de transformer le contact réel en une relation virtuelle et aseptisée.

Par ailleurs, le portable transforme le rapport que l'on a avec soi-même. La « joignabilité » donne la sensation grisante d'être important, ou tout simplement d'exister. L'outil donne une contenance et permet de se mettre en scène : modèle choisi ; sonnerie et fond d'écran personnalisés ; façon de parler, etc. Il permet de ne pas être seul, à la condition, bien sûr, d'appeler ou d'être appelé. Mais il implique le plus souvent d'être en « état de veille », c'est-à-dire prêt à décrocher et à répondre à un interlocuteur. Comme pour les machines, le maintien de cet état entraîne chez les humains une consommation d'énergie ; il engendre de la fatigue et du stress.

Outil de la modernité et de l'efficacité, le mobile est le « couteau suisse » de la vie quotidienne ; il permet de communiquer, travailler, jouer, s'informer, consommer, organiser son temps… Il est placé au carrefour de la vie personnelle, familiale, professionnelle ou sociale et mélange toutes les composantes, de la plus intime à la plus « extime ». Il peut aussi entraîner une fuite en avant, une dépendance à l'égard des autres qui traduit souvent une incapacité à se retrouver seul face à soi-même.

INTERACTIVITÉ

La communication mobile est source de satisfaction et de frustration.

Les nouveaux outils technologiques (ordinateur, Internet, tablettes tactiles, téléphone fixe et mobile, smartphones, répondeurs, messageries, lecteurs mutimédias, navigateurs GPS, etc.) transforment les modes de vie, la gestion du temps et la notion d'espace et de « réalité ». Cette avalanche de communications est souvent une source de stress dans la vie professionnelle et personnelle. Elle est aussi très *chronophage*, car il faut de plus en plus de temps pour prendre connaissance des messages reçus, leur apporter une réponse, mettre à jours ses pages sur les réseaux.

La « société de l'information » tend à devenir celle de la surinformation, parfois de la désinformation (p. 497). L'usage des moteurs de recherche sur Internet est à cet égard révélateur. La plupart des questions posées sous forme de mots-clés engendrent des milliers de réponses, parfois des millions. Le résultat peut engendrer de la satisfaction, mais aussi de la frustration dans la mesure où il est impossible de trier les réponses, de les valider, puis de choisir avec certitude les plus pertinentes et fiables. Le risque est alors de se noyer parmi elles et de perdre du temps au lieu d'en gagner.

Le besoin de communiquer est devenu aujourd'hui plus important que celui de s'informer. *« Nous ne sommes hommes et ne nous tenons les uns aux autres que par la parole »*, écrivait Montaigne. L'affirmation peut s'appliquer à l'ensemble des moyens et des supports de communication.

L'interactivité est l'atout majeur des outils de communication.

Face à la surabondance et à l'hyperchoix de contenus multimédias et à la difficulté de trier les informations, les Français sont de plus en plus tentés de réagir, s'exprimer, échanger, créer leurs propres contenus. C'est pourquoi les services de messagerie, blogs, forums et réseaux sociaux sont largement utilisés sur Internet. Il s'agit moins de trouver de l'information sur le réseau que de pouvoir y faire circuler la sienne.

Les formes de communication informative et interactive, désignées par le terme de Web 2.0, ont connu un fort engouement au cours des dernières années. Le site emblématique de cette approche reste l'encyclopédie collective *Wikipedia*, dont chaque article est rédigé par des Internautes et peut être enrichi par tous ceux qui le consultent, selon le principe du *crowdsourcing*, application de ce que l'on appelle l'« intelligence collective ». Fin mai 2012, la version française de cette encyclopédie virtuelle comptait 1,6 million de contributeurs inscrits et plus de 1,3 million d'articles rédigés. Le nombre de visiteurs uniques était de 20 millions par mois (Médiamétrie), un chiffre n'incluant pas les versions établies dans des langues régionales (basque, corse, breton...). Le site comptait en moyenne 2,4 millions de visites par jour.

Les usages d'Internet se multiplient ainsi au fil des années ; ils sont initiés par de nouveaux sites, de nouvelles modes. Les jeunes, les personnes les plus instruites et les *geeks* (individus passionnés d'Internet et des nouvelles technologies, parfois addictifs) sont les premiers concernés. Ils sont progressivement suivis par tous les autres groupes sociaux, au fur et à mesure de la diversification des offres et de l'amélioration des interfaces entre les individus ou entre eux et les équipements. Ces outils et ces contenus permettent à leurs utilisateurs de s'informer et d'échanger, mais aussi de créer et de participer à cette aventure collective.

Le Web a favorisé l'expression des Internautes avec les messageries et les blogs, ...

Le développement d'Internet repose depuis sa naissance sur le principe de l'interactivité. Elle a été rendue possible par l'accroissement de la puissance des ordinateurs et l'arrivée du haut débit, qui ont permis aux informations de circuler à grande vitesse et de s'afficher rapidement sur les écrans. Cette évolution a donné lieu à la création de nouveaux lieux d'expression pour les Internautes. Les boîtes de messagerie et les messageries instantanées ont d'abord permis de rédiger et d'envoyer des textes (courriels) à des destinataires identifiés, faisant partie du réseau amical ou professionnel de l'expéditeur. Ils purent bientôt être accompagnés de pièces jointes d'éléments multimédias (sons, images, vidéos et autres documents). Les *webcams* intégrées aux ordinateurs ou ajoutées ont constitué une autre façon de communiquer, en direct.

Ces médias ou supports d'information immatériels ont pris une autre forme avec la naissance des *blogs* (web

logs ou cybercarnets) et des « pages personnelles » hébergées par des serveurs ou des plateformes. Ils autorisent chacun à s'exprimer et de mettre à disposition de tous (poster) des points de vue de toute nature (billets ou *posts*), qui peuvent à leur tour être commentés par ceux qui en prennent connaissance, qui peuvent les identifier par le « bouche à oreille » numérique ou les moteurs de recherche spécialisés (Google Blog Search, Ice Rocket, Overblog, Canablog...). Ainsi naissent des « conversations » qui se déroulent en « temps réel » ou en « différé ». Comme les courriels et autres messages, les blogs peuvent comporter des textes, des liens hypertexte et des éléments multimédias. Les blogueurs peuvent aussi être contactés par leurs visiteurs de façon plus personnelle par courriel.

Les informations précises sur la *blogosphère* manquent et celles qui circulent sont sujettes à caution et ne précisent guère leurs sources. Si l'on en fait la synthèse, on dénombrait début 2011 en France plus de 15 millions de blogs (hors les *skyblogs* de la plateforme Skyrock), enrichis de dizaines de milliers de billets chaque jour. La France se classerait ainsi au quatrième rang mondial, derrière les États-Unis, la Chine et le Japon, mais au premier rang mondial en nombre de blogs par internaute. Compte tenu du temps qu'ils requièrent, le nombre des blogs inactifs est élevé (seuls 2,5 millions seraient actifs) et seuls 2 % seraient alimentés de façon régulière. Si le nombre des blogs existants reste très élevé, il semble que la mode en soit un peu passée.

... puis avec les forums.

Le forum de la Rome Antique était un lieu public dans lequel les citoyens pouvaient se réunir pour discuter des affaires publiques ou effectuer des actes commerciaux. Dans le monde numérique, il désigne un espace de discussion ouvert (avec ou sans inscription préalable) à des participants qui viennent y échanger leurs idées ou leurs expériences, ou simplement suivre les échanges déjà effectués. Les discussions y sont en effet archivées et structurées le plus souvent par thème et par ordre chronologique.

Les forums peuvent être des sites dédiés, sur des thématiques particulières (informatique, voyage, actualité...) ou être l'un des éléments d'échange proposés aux visiteurs par des sites de toute sorte, notamment commerciaux. La plupart des journaux et magazines présents sur le Web disposent ainsi d'une partie forum destinée à leurs visiteurs, qui peuvent réagir aux informations, articles ou éditoriaux. Les discussions se tiennent sous la forme de « fils », dont la publication peut être instantanée ou différée.

La participation à un forum exige généralement le respect d'une charte de bonne conduite, afin que les discussions ne dégénèrent pas. Elle est contrôlée par un animateur ou « modérateur » (souvent le webmestre), chargé de rétablir l'ordre, de réorienter les contributions sur les thèmes, voire de censurer certains messages contraires sur le fond ou la forme à la charte.

Aucune statistique ne permet de connaître le nombre de forums disponibles sur Internet. On observe en revanche qu'ils sont de plus en plus fréquentés à des fins d'expression (commentaires et réactions sur des sujets d'actualité ou autres) et surtout pour obtenir des réponses à des questions pratiques, notamment en cas de problème technique (panne, configuration, etc.). Les *newsgroups* ont aussi joué un rôle important en tant que lieux de partage, légal ou illégal, de fichiers en *peer to peer* (entre particuliers), afin de télécharger musique, photos, films ou logiciels.

Les réseaux sociaux ont connu un développement très rapide...

Avant l'invention d'Internet, les réseaux sociaux étaient des regroupements d'individus ayant des caractéristiques, des goûts et/ou des objectifs communs, désireux de se structurer pour échanger ou agir ensemble, dans un contexte personnel ou professionnel. Cette définition s'applique ainsi à de nombreuses formes de rassemblement : clubs, communautés, tribus, groupes, syndicats, fédérations, unions, etc.

Dès la naissance d'Internet, des réseaux se sont créés spontanément ; ils regroupaient des amis de la vie réelle dans des listes de contacts et de diffusion permettant l'échange d'informations de toute nature. D'autres, proposés par des intermédiaires, se sont créés pour aider leurs membres à élargir leurs cercles d'amis, à trouver des partenaires commerciaux, des emplois ou accéder à d'autres services.

La plupart de ces réseaux ont une vocation personnelle, comme Facebook (généraliste), Twitter (microblogging), Youtube (vidéo), Myspace (musique), FlickR ou Instagram (photos), Foursquare (échanges géolocalisés). D'autres sont destinés à une utilisation professionnelle comme LinkedIn ou Viadeo (partage de CV). En 2010, 2 % des directeurs des ressources humaines français déclaraient utiliser les réseaux sociaux pour recruter contre 45 % aux États-Unis. On pourrait aussi mentionner les services d'intermédiation à but directement commercial, comme les sites de rencontre (Meetic, Match, Attractive World...) qui proposent à leurs membres de trouver l'âme

14 identités par Internaute

Fin 2011, les Internautes déclaraient avoir en moyenne 13,6 comptes ou identités numériques différents, contre 12,2 en 2009 (Acsel-Caisse des Dépôts/ISL-GfK). Ils se répartissaient en 4,6 comptes pour les achats en ligne, 3,0 pour les comptes de messagerie, 2,1 pour l'e-administration, 1,7 pour les profils de réseaux sociaux, 0,9 pour les comptes bancaires, 0,7 pour les messageries instantanées, 0,7 pour les forums.

63 % utilisaient entre 1 et 5 mots de passe différents pour accéder à ces comptes, 24 % entre 6 et 10, 6 % entre 11 et 20, 6 % plus de 20. 42 % disaient d'ailleurs éprouver des difficultés à les retenir. 72 % des utilisateurs de réseaux sociaux choisissent un mot de passe simple et facile à mémoriser pour accéder à leur compte, alors qu'ils sont 75 % à privilégier un mot de passe compliqué et plus sécurisé pour accéder à leur compte bancaire (ACsel/Idate, octobre 2011). On peut imaginer que le nombre d'identités, alias et pseudos va continuer de s'accroître avec les usages d'Internet, mais aussi avec les craintes liées à l'utilisation qui est faite (ou peut être faite) des données personnelles.

La gestion des identités numériques et la protection des données personnelles constituent donc deux enjeux majeurs pour les prochaines années. Les Internautes acceptent de plus en plus mal de vivre dans la crainte permanente de perdre leurs identifiants et leurs mots de passe ou de se les faire voler, chez eux, sur eux ou sur le Web. Les systèmes d'identification biométrique permettront peut-être de réduire ou de supprimer ce malaise. Pour le moment, 40 % des Internautes préféreraient pouvoir utiliser un identifiant-authentifiant unique, 60 % préfèrent en revanche des identifiants-authentifiants spécifiques à chaque service.

Les Internautes vivent mal également le risque de voir leurs *curriculum vitae*, photos, vidéos, courriels, *tweets*, listes de contacts et autres informations confidentielles laissées sur les réseaux sociaux ou dans des forums récupérées, analysées et utilisées par des entreprises, administrations, institutions ou individus à des fins diverses. La non-conservation des données personnelles est un point sensible pour les Internautes : plus de la moitié la considère très importante, et 89 % importante. Le « droit à l'oubli » n'est sans doute pas une solution suffisante à ce problème ; elle suppose en effet l'acceptation que les données que l'on souhaite effacer aient été obtenues préalablement sans information, ni autorisation ni contrôle de la part de leurs propriétaires.

sœur, ou ceux d'achat-vente d'occasion, comme eBay ou Leboncoin. Mais leur fonctionnement diffère largement des sites sociaux décrits précédemment (ils ne sont par principe utilisés que ponctuellement) et il faudrait alors ajouter beaucoup d'autres site d'intermédiation : voyage, immobilier, informatique, vente de produits et biens d'équipements, etc.

... et concernent plus de 20 millions de Français, ...

En 2011, 21 millions de Français étaient membres d'un réseau social (ARCEP-CGIET/Crédoc). L'âge est un facteur déterminant puisque les 12-17 ans étaient inscrits à 84 %, contre 26 % des 40-59 ans et 16 % des 60-69 ans. Le lieu de résidence a une plus faible incidence : 45 % des urbains résidant dans des communes de plus de 100 000 habitants étaient membres de réseaux contre 34 % de ceux des communes inférieures à 2 000 habitants. La plupart des Internautes sont inscrits sur des réseaux sociaux (85 %), mais seuls 66 % d'entre eux les utilisent régulièrement. Un internaute français est en moyenne membre de 2,8 réseaux sociaux. 7 % des Internautes ont en outre un projet d'inscription, le plus souvent en complément du réseau auquel ils sont inscrits. Les réseaux professionnels sont utilisés par environ 10 % des Internautes.

Véritable phénomène de société, Facebook est le grand leader des réseaux sociaux, en inscriptions mais surtout en usage. Il revendiquait 25 millions d'inscrits en France début 2012, un chiffre probablement surestimé puisque supérieur au nombre total d'inscrits sur les réseaux (pour 850 millions dans le monde). 57 % de femmes. Ses membres lui consacrent en moyenne 55 minutes par jour. Il semble cependant qu'une partie d'entre eux tende à se désinscrire au profit de réseaux sociaux privés qui jouent la carte de la sélectivité tels que Diaspora, ou celle du *no-pub* (absence de publicité et de sollicitations) comme Pinterest.

On observe en effet que de plus en plus de réseaux sociaux privatifs se créent sur Internet. Ils sont destinés à des catégories de population spécifiques : seniors, célibataires, adhérents de partis politiques, patrons, artistes... Ces réseaux sociaux de « niche » sont des outils au service de communautés. Des réseaux internes

se créent aussi dans des entreprises, sous forme de plateformes applicatives permettant aux collaborateurs de se regrouper par centre d'intérêt, projet, domaine d'expertise, etc.

... dont 5 millions de « Twitteurs ».

Début 2012, le réseau Twitter était utilisé par 5,2 millions de Français (et près d'un demi-milliard de personnes dans le monde). Il concerne une cible plutôt jeune : 15 % des jeunes de moins de 25 ans déclaraient utiliser Twitter, contre seulement 1 % des plus de 65 ans. Fondé en 2006, ce service permet de diffuser des mini messages de 140 caractères *(microblogging)*, chercher des informations, communiquer et interagir avec tous les autres membres, de façonner sa « e-réputation » et son identité numérique, suivre les messages diffusés par des personnalités inscrites et actives.

Par sa réactivité immédiate, Twitter a transformé l'accès et le traitement de l'information. Il a été, avec les autres réseaux sociaux, un outil au service des manifestants lors du « printemps arabe » de 2011. Il a joué un rôle lors des élections françaises de 2012 en tant que vecteur de communication informel des partis et de leurs candidats, dont les *tweets* étaient suivis et commentés par les médias. On se souvient également de celui de Valérie Trierweiller défavorable à Ségolène Royal, avant le second tour des législatives.

Grâce à son système de suiveurs *(followers)*, Twitter permet de toucher instantanément un très grand nombre de destinataires. Ainsi, les messages de la chanteuse Lady Gaga, première personnalité du réseau, sont suivis par plus de 24 millions d'abonnés. L'impact particulier de cet outil de communication est révélateur de l'importance de l'instant présent dans les modes de vie actuels. C'est pourquoi il est devenu aussi un outil de communication ciblée pour le monde professionnel (entreprises, marques, responsables).

Les réseaux sociaux inspirent cependant une confiance limitée.

Seul un Internaute sur trois déclare faire confiance aux réseaux sociaux (35 %) et la proportion atteint 47 % parmi les utilisateurs des réseaux. Les non-utilisateurs sont encore plus méfiants, puisque seuls 14 % d'entre eux accorderaient leur confiance aux réseaux sociaux. 48 % des Internautes, utili-

Des amis par milliers

Aujourd'hui, tout le monde « poste », selon le terme consacré, c'est-à-dire s'exprime pour donner son avis, réagir à celui des autres, ou simplement dire où on se trouve, ce que l'on fait. Le *mail* (ou courriel) ne suffit plus. D'autres outils ou moyens se sont ajoutés (on parle indifféremment de sites communautaires, de réseaux ou de médias sociaux.), dont certains ont connu des succès considérables. 65 % des Internautes étaient inscrits et actifs sur au moins l'un de ces sites communautaires à fin décembre 2011, soit 6 points de plus en un an (Mediamétrie). C'était le cas de la quasi-totalité des Internautes de 18-24 ans.

Le principe commun à ces réseaux est de relier des individus (ou des organisations) et de favoriser leurs interactions. Chacun peut donc élargir considérablement le nombre de ses « amis » ou de ses *followers*, des « suiveurs » désireux de savoir où se trouvent les personnes qu'ils connaissent et suivre la moindre de leurs activités (boire un café, prendre le métro, marcher, lire un livre, penser à quelque chose, raconter ce que l'on voit...). On peut aussi bien sûr envoyer des photos ou des vidéos, indiquer où l'on se trouve en temps réel en se laissant « géolocaliser » par les logiciels présents sur son téléphone, son ordinateur portable ou sa tablette numérique.

L'élargissement du cercle des « amis » est un phénomène récent. On a même assisté à des « concours de popularité », chacun s'efforçant d'accroître leur quantité, ou au moins celle de leurs « suiveurs ». On sait en revanche peu de choses sur la « qualité » de ces amitiés et sur leur durée. Par ailleurs, ces réseaux sont très chronophages, notamment pour les jeunes, et ce temps est généralement pris sur d'autres activités pratiquées dans le monde « réel ».

Enfin, les utilisateurs laissent beaucoup de traces (textes, photos, vidéos, commentaires des autres sur leur compte, lieux fréquentés, activités pratiquées, etc.). Elles sont stockées dans des gigantesques bases de données que les opérateurs de ces sites peuvent commercialiser à des entreprises qui souhaitent « cibler » avec précision leurs clients potentiels. Par ailleurs, les entreprises viennent elles-mêmes à la « pêche » aux données, en créant et animant leurs propres pages sur les réseaux sociaux, devenus des « points de contact » obligés des marques avec leurs *fans*.

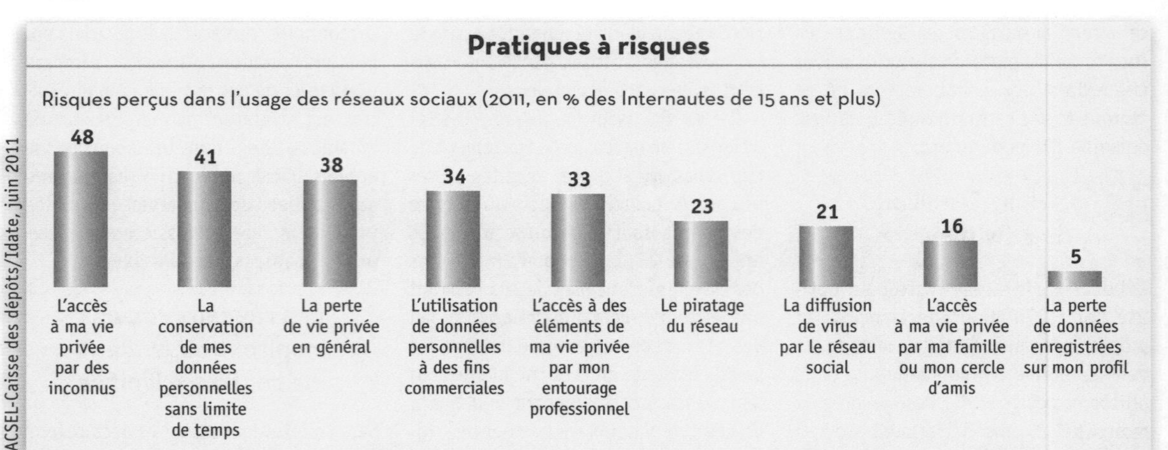

sateurs ou non, ont peur que des inconnus accèdent à leur vie privée grâce aux réseaux sociaux. La deuxième plus grande crainte (41 %) est celle de la conservation des données personnelles sans limite de temps. 34 % craignent qu'elles soient utilisées à des fins commerciales, et 33 % estiment qu'elles constituent une menace de la part de leur entourage professionnel. 38 % des Internautes déclarent même que rien ne pourrait leur donner confiance dans les réseaux. Les deux seuls éléments qui pourraient les faire changer d'avis sont la politique de confidentialité d'un site (27 %), et sa réputation (20 %).

Ces résultats sont paradoxaux dans la mesure où la méfiance n'a pas d'effet sensible sur l'adhésion à ces réseaux et leur utilisation souvent quotidienne. Les réseaux sociaux sont ainsi quasiment autant utilisés que l'administration en ligne, qui bénéficie d'un niveau de confiance très supérieur (79 %).

La défiance envers les réseaux sociaux se ressent particulièrement dans les attitudes à l'égard du paiement. Seuls 6 % des Internautes se disent prêts à enregistrer leurs coordonnées bancaires sur un réseau social. Elle se traduit également par l'utilisation fréquente de pseudonymes, en général connu des seuls amis (19 % des utilisateurs réguliers de Facebook par exemple). Cependant, dans la plupart des cas (86 %), les utilisateurs se présentent sous leur véritable identité. La recherche d'anonymat est particulièrement forte sur Twitter : 24 % seulement se présentent sous leur vraie identité, 39 % sous un pseudonyme connu de leurs amis, 34 % sous un pseudonyme anonyme. L'anonymat est en toute logique faible sur les réseaux professionnels.

Les usages commerciaux sont de plus en plus fréquents.

Partager des bonnes adresses, des opportunités de prix baissé, ou parrainer l'accès de relations à des ventes privées sont des usages de plus en plus fréquents des réseaux sociaux. Ils recréent ainsi à plus grande échelle ce qu'avait inauguré Tupperware après-guerre en créant la vente en réunion,

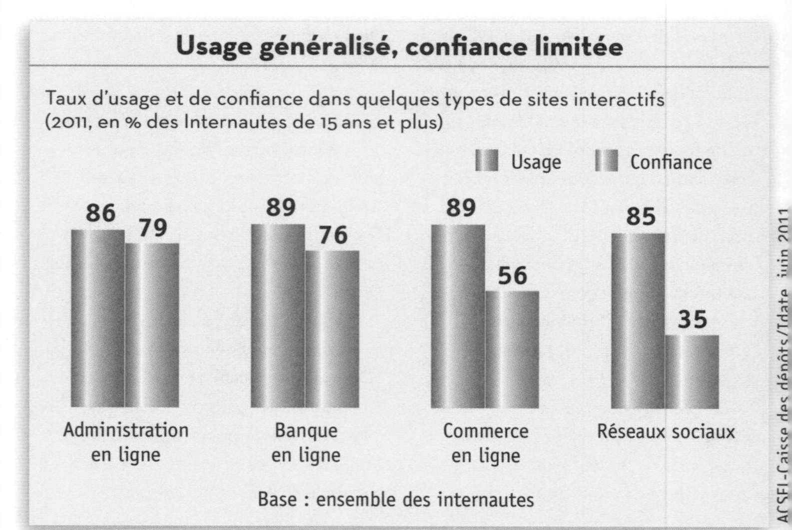

organisée au domicile d'une cliente qui invitait ses amies à une démonstration des produits de la marque.

Les femmes restent particulièrement actives en matière de cyberachat, dans de nombreux domaines (hors équipements technologiques). 92 % des *e-shoppeuses* (femmes connectées quotidiennement à Internet et effectuant au moins un cyberachat par trimestre) sont inscrites à un réseau social. 61 % d'entre elles effectuent ainsi des achats sur Facebook (24h00-Échangeur by Laser, septembre 2011). 61 % également se disent intéressées par des achats groupés. Elles sont aussi de plus en plus nombreuses (26 %) à pratiquer le *social shopping* (shopping collaboratif ou communautaire) ou l'*e-cagnotte* (collecte d'argent sur Internet, destinée par exemple à l'achat d'un cadeau commun, 21 %). Pour la très grande majorité de ces adeptes du shopping sur Internet (81 %), l'objectif de la fréquentation des réseaux sociaux est de faire des économies. Elles les considèrent aussi comme des outils de réassurance. 48 % de ces *e-shoppeuses* recherchent tous les jours des informations sur les réseaux en vue de faire un achat.

La tendance lourde à l'échange et à la participation active des Internautes est apparente dans d'autres domaines. Elle est par exemple à l'origine du développement de l'autoproduction (ou production participative) en matière artistique. *My Major Company* avait ouvert la voix, en 2007, en proposant à des Internautes de financer la production d'albums musicaux d'artistes, hors des maisons de disques traditionnelles, et d'en partager les éventuels bénéfices. Les albums de Grégoire, Irma ou Joyce Jonathan ont vu le jour grâce à ce type de financement. De nombreux sites de financements participatifs ont ainsi vu le jour dans de nombreux domaines d'activités, mais les Français restent plus méfiants que les Américains. Ces dernières années, seuls quelques succès sont à noter comme Carnet de mode, L'édito ou Paysans.fr. Internet est en tout cas un lieu de fourmillement d'idées, d'essais et d'erreurs dans lequel chacun cherche à faire une bonne affaire en achetant ou en vendant un produit ou un service.

Foules numériques

L'individualisation des activités induite par les outils technologiques n'engendre pas obligatoirement la solitude. Les Internautes communiquent, échangent des points de vue, des expériences, parfois des produits qu'ils s'achètent ou se vendent entre eux. Ils peuvent aussi se regrouper pour manifester ensemble. Ainsi, près de deux internautes sur trois (63 %) déclarent avoir déjà signé une pétition électronique, dont 37 % « plusieurs fois » (Orange-Terra Femina/ CSA , novembre 2011).

Une proportion quasi égale (61 %) dit avoir déjà visité le site d'une organisation caritative, d'une fondation ou d'une association humanitaire (dont 42 % « plusieurs fois »). Un sur trois dit avoir déjà diffusé par courrier électronique un appel à la mobilisation pour une cause (33 %) ou fait un don en ligne (33 %) ; un sur cinq a participé à une manifestation ou mobilisation *via* un réseau social (19 %) ou diffusé par courrier électronique un appel au don pour une cause (19 %). Au total, 74 % ont déjà pratiqué une des cinq autres activités (dont 83 % des cadres) et 25 % n'en avoir jamais pratiqué aucune (dont 46 % des ouvriers).

La mobilisation virtuelle représente aujourd'hui un complément ou parfois une substitution à la mobilisation sur le terrain ou dans les médias traditionnels. Des gestes comme le don en ligne ou l'appel à la mobilisation en ligne s'installent comme des pratiques courantes, notamment chez les plus jeunes et les catégories sociales les plus favorisées.

Cette évolution n'apparaît pas nécessairement contradictoire avec des formes d'engagement plus traditionnelles comme la manifestation de rue ou le bénévolat. Les *flashmobs* (rassemblements de rue improvisés *via* les réseaux sociaux), les « apéros géants » ou surtout les manifestations qui se sont multipliées pendant le « printemps arabe » en Tunisie, Lybie ou en Égypte montrent en effet que les « foules virtuelles » peuvent se matérialiser dans le monde réel en cas de besoin.

LES ACTIVITÉS

SPORTS

La relation au corps s'est transformée…

Après l'avoir longtemps considéré comme une simple enveloppe charnelle, les Français ont « redécouvert » leur corps (p. 20). Au fil des décennies, sa fonction d'*outil* permettant d'effectuer les tâches quotidiennes (marcher, manger, travailler…) est devenue moins essentielle, avec la mécanisation des tâches professionnelles, la généralisation de l'automobile et l'équipement des foyers en appareils électroménagers. On a vu en revanche se développer à partir des années 1980 une fonction de *vitrine* ; le corps permet d'offrir aux autres une image de soi, que l'on veut valorisante et séduisante. À partir des années 1990, la vitrine s'est de plus en plus tournée vers l'intérieur et elle est devenue *miroir*. Le corps joue ainsi auprès de son propriétaire un rôle de révélateur de sa propre identité.

Plus récemment, on a pu observer un retour en grâce de fonctions un peu oubliées : le corps est redevenu un *capteur* sensoriel servant d'interface entre le dedans et le dehors, entre soi et les autres. C'est à travers lui que l'on prend connaissance du monde et que l'on peut entrer en résonance avec son environnement. À défaut de toujours pouvoir trouver *du* sens à la vie en général, on cherche à activer *les* sens au cours de sa vie personnelle, en recherchant les plaisirs minuscules ou majuscules.

Dans le même temps, le corps est devenu une « marchandise » que chacun doit « vendre » en permanence dans ses relations avec les autres (voir encadré p. 21). C'est le cas notamment dans la vie professionnelle, où l'on est en partie recruté, jugé, évalué, sélectionné ou éliminé en fonction de son apparence. C'est aussi le cas dans les relations sentimentales, familiales et sociales dans lesquelles le corps compte au même titre (parfois davantage) que le reste de la personnalité. Comme le montrent de façon caricaturale les émissions de téléréalité (p. 459). La société contemporaine est celle du *casting* (p. 217).

… et la pratique sportive est devenue plus fréquente.

L'importance attachée au corps explique les efforts croissants des Français pour le maintenir en état de fonctionnement. On assiste ainsi depuis un quart de siècle à une massification de la pratique sportive. Au début de l'année 2010, 88 % disaient exercer une activité sportive régulière ou occasionnelle, y compris celles qui ne se pratiquent qu'en vacances, contre 83 % en 2000. 65 % disaient pratiquer au moins une fois par semaine tout au long de l'année.

Au sein de l'Union européenne, 40 % des européens déclarent faire du sport au moins une fois par semaine. La France n'apparaît pas comme une nation particulièrement sportive. Une enquête de fin 2009 (Eurobaromètre/TNS) indiquait que 48 % des Français pratiquaient un sport ou une activité physique « régulièrement » (au moins une fois par semaine) et 13 % au moins cinq fois par semaine. Sur ce dernier critère, la France occupait la onzième place dans l'Union à vingt-sept. L'Irlande arrivait en tête avec 23 % suivie par la Suède (22 %), Malte et la Finlande (17 %), la Belgique et Chypre (16 %) le Danemark (15 %), le Royaume-Uni et la Lituanie (14 %) et la Slovénie (13 %).

D'une manière générale, les habitants d'Europe du Nord sont les plus sportifs : 77 % des Suédois, 72 % des Finlandais et 64 % des Danois déclarent pratiquer un sport au moins une fois par semaine, contre 48 % des Français (neuvième rang) et 58 % des Irlandais. Sur ces critères, les Européens les moins sportifs sont les Bulgares (13 %), les Grecs (18 %), les Roumains (21 %) et les Hongrois (23 %).

Le sport occupe une large place dans la société.

Quel que soit le taux de pratique effectif, le sport joue un rôle social et économique important. Le spectacle sportif

Neuf Français sur dix

Taux de pratique d'activités physiques ou sportives selon la fréquence (2010, en % des 15 ans et plus)

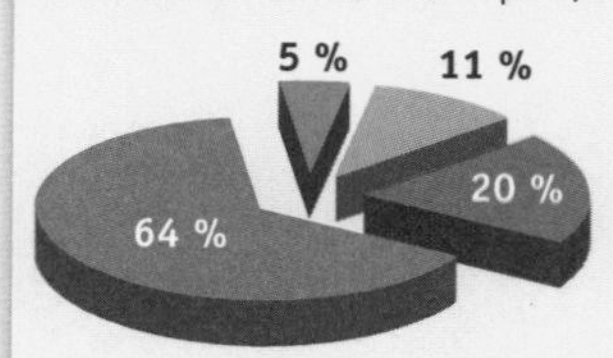

- Pratique au moins une fois par semaine
- Pratique exclusivement pendant les vacances
- Aucune pratique déclarée durant l'année
- Pratique moins d'une fois par semaine

CNDS, INSEP, MEOS

est omniprésent dans les médias et la télévision réalise quelques-unes de ses meilleures audiences avec les retransmissions de compétitions nationales ou internationales (p. 456). *L'Équipe* est le troisième quotidien français payant (p. 478). Les footballeurs, tennismen et rugbymen professionnels sont des héros contemporains, même s'ils sont parfois critiqués pour leurs performances jugées insuffisantes. Le sport inspire de nombreux jeux vidéo. Le « sport-business » joue un rôle considérable dans l'économie et les entreprises sont de plus en plus nombreuses à y participer sous la forme de parrainage *(sponsoring)*, dans l'espoir d'en obtenir des retombées en termes de notoriété et d'image. La mode vestimentaire s'inspire aussi largement de l'univers sportif, notamment des disciplines de glisse (surf, snowboard, skate...). Les marques plébiscitées par les jeunes (Adidas, Reebok, Nike, Puma, Fila, Asics, New Balance, Timberland, Quicksilver, Oxbow...) incarnent pour la plupart des modes de vie dans lesquels le sport a une place centrale.

Dans toutes ses dimensions, le sport est un révélateur fidèle de l'état de la société et de l'état d'esprit de ses membres. Il met en exergue les modèles d'excellence de l'époque. Il symbolise la place de la compétition dans les relations sociales, tant directement par les acteurs ou par procuration en ce qui concerne les spectateurs. Il est porteur de lien social (sports d'équipe ou groupes de supporters) et témoigne du besoin général d'appartenance à un groupe, au travers duquel chacun peut vivre une aventure collective. Mais il est aussi le révélateur des *ego* souvent hypertrophiés des sportifs professionnels « starisés » par le système médiatique et économique. Cette mise en lumière généralisée du sport traduit et amplifie le besoin d'action mais aussi celui d'émotion dans la société en crise. Les jeux du stade sont un exutoire, un dérivatif, un divertissement.

Les jeunes tendent à moins pratiquer.

Neuf jeunes de 15 à 24 ans sur dix pratiquent une activité physique ou sportive, un sur quatre de façon régulière. Les enfants sont également attirés par le sport. Outre l'obligation de pratiquer dans le cadre scolaire, ils sont influencés par les médias, les marques de vêtements et d'équipement et l'aura des grands champions. Ils sont souvent encouragés par leurs parents, qui voient dans la pratique sportive une habitude de vie saine, ainsi qu'une forme d'apprentissage utile. Si la motivation principale des adultes est de rester en forme, le sport a pour les jeunes une dimension surtout ludique. Il leur fournit en outre l'occasion de dépenser le trop-plein d'énergie.

Cependant, plusieurs études montrent que l'activité physique des jeunes tend à diminuer. En 2008, 30 % des 15-18 ans disaient pratiquer un sport, contre la moitié en 2005 (Sportimat). Une tendance confirmée par le rapport de 2007 de l'Institut national de prévention et d'éducation pour la santé. La cause principale est le temps croissant passé devant des écrans : télévision, ordinateur, jeux vidéo, téléphone portable. L'une des conséquences est le développement préoccupant de l'obésité chez les jeunes (p. 27).

S'il est plus souvent passif, le sport reste partie intégrante de la culture des jeunes, avec la musique, le cinéma ou les jeux vidéo. Comme ces autres activités, il a une dimension planétaire qui les séduit. Il favorise l'intégration à des groupes qui partagent les mêmes intérêts, admirent les mêmes héros. Pour ceux qui le pratiquent, il est un moyen privilégié de construire son identité en se confrontant à celle des autres. Les moins de 25 ans se sont en outre approprié certains sports, notamment ceux dits « de glisse » qui font partie de leur univers quotidien (roller, skate, patinage, hockey...) et nourrissent leur imaginaire. Ils sont aussi largement majoritaires dans la pratique de certains sports collectifs (football, volley, basket, handball, rugby) et des sports de combat. Après 25 ans, on note un « décrochage », plus fort chez les femmes, en raison notamment de contraintes familiales. Le nombre de pratiquants diminue encore davantage avec l'âge, souvent liées à l'état de santé.

Les écarts entre les sexes restent sensibles.

Les femmes sont plus tentées que les hommes par les activités permettant le contact avec la nature et la convivialité. Les hommes sont davantage à la recherche de sensations fortes ; ils s'adonnent plus fréquemment à la compétition et cherchent à se surpasser. Dans la pratique du rugby, par exemple, les hommes recherchent plus l'affrontement physique, alors que les femmes préfèrent esquiver l'adversaire. Mais elles délaissent généralement les sports d'équipe (à l'exception du basket, du volley et du handball) et ne représentent que 3 % des licenciés de football (malgré les succès récents des équipes françaises de foot féminin). Elles privilégient les disciplines « douces » et esthétiques (danse, yoga...). Elles sont ainsi très majoritaires parmi les licenciés des fédérations de gymnastique (78 %), d'équitation (81 %) ou de randonnée pédestre (61 %).

Cette relation différente des femmes au sport explique qu'elles soient moins représentées parmi les licenciés. En Île-de-France par exemple, elles n'en représentent qu'un peu plus d'un tiers (35 %), à pratique sportive équivalente. Elles préfèrent plus souvent des activités non encadrées, comme la natation, la marche, le vélo ou la course à pied, soumises à moins de contraintes et praticables en famille. Les femmes choisissent plutôt les disciplines qui favorisent l'expression culturelle, l'harmonie corporelle et l'entretien de la forme physique et mentale. Les hommes sont plus attirés par les sports collectifs, de contact et de compétition. La pratique de la rivalité reste encore souvent un moyen d'expression de la virilité.

C'est sans doute aussi pourquoi les femmes sont moins présentes dans les sports de compétition et dans l'encadrement sportif. Elles comptent pour seulement 36,5 % des sportifs de haut niveau au sein des fédérations (2010). Mais leur part atteint 51 % pour les études et sports sous-marins et le football, 48 % pour le handball, 47 % pour le tennis, 46 % pour le judo et le golf, 45 % pour le tennis de table et 45 % pour le badminton. Seules 10 femmes présidaient une fédération sportive en 2010, contre 120 hommes. Parmi les conseillers techniques sportifs, on ne comptait que 5 femmes (contre 65 hommes), 41 entraîneurs nationaux (contre 340) et 219 conseillères techniques régionales (contre 1284).

Les écarts liés à l'éducation et au revenu persistent.

Dans l'ensemble des pays de l'Union européenne, huit diplômés de l'enseignement supérieur sur dix pratiquent une activité physique, contre quatre sur dix parmi les personnes ayant un diplôme inférieur au baccalauréat ou pas de diplôme. Le nombre de pratiquants est également proportionnel au niveau de revenu (mais celui-ci est largement corrélé au niveau d'éducation). Les écarts selon le milieu social sont sensibles dès l'école. Les enfants issus des catégories sociales les moins favorisées pratiquent moins fréquemment un sport que ceux des milieux aisés, notamment parmi les filles. Le niveau de diplôme des parents est le principal facteur explicatif des écarts existants. Il intervient aussi dans le choix des parcours scolaires, qui conditionnent en partie la pratique sportive après 15 ans : les élèves des formations professionnelles sont moins sportifs que les autres jeunes du même âge.

Les écarts entre les catégories sociales tendent cependant à diminuer en ce qui concerne certaines activités. En France, le tennis a ainsi perdu son image un peu « snob », avec plus d'un million de licenciés (1,13 million). La démocratisation du golf progresse lentement : il comptait 419 000 licenciés en 2010 contre 292 000 en 2000, mais son statut dans l'opinion reste beaucoup plus élitiste que dans les pays anglo-saxons. Les écarts sont encore très marqués dans des activités comme la voile, l'équitation ou certains sports mécaniques, qui sont souvent coûteuses et se pratiquent dans des clubs qui ne sont pas acces-

Âge, sexe et sport

En France, les femmes ne représentent que 30 % des licenciés des fédérations sportives (tableau). Ce constat se vérifie partout en Europe. Au sein des pays de l'UE, 43 % des hommes déclaraient faire occasionnellement du sport (au moins une fois par semaine) contre 37 % des femmes en 2009 (Eurostat). Pour ceux qui pratiquaient quasi quotidiennement (au moins 5 fois par semaine), les écarts entre les sexes étaient plus importants chez les jeunes : ainsi, 19 % des hommes de 15 à 24 ans contre seulement 8 % des femmes.

La pratique occasionnelle (au moins une fois par semaine) concerne 61 % des 15-24 ans contre 44 % des 25-39 ans, 40 % des 40-54 ans, 33 % des 55-69 ans et encore 22 % des 70 ans et plus. L'accroissement de la pratique chez les femmes adultes, depuis une quarantaine d'années, a été inférieur à celui constaté chez les hommes, de sorte que l'écart entre les sexes s'est encore creusé. Il reste surtout marqué chez les plus âgés : le sport ne faisait pas partie des habitudes des femmes des générations plus anciennes. Elles sont cependant de plus en plus nombreuses au-delà de 50 ans à pratiquer des activités de maintien en forme comme la gymnastique (et ses dérivés : aquagym, fitness, Pilates, yoga, Powerplate, danse orientale...), la natation ou la randonnée. Mais la parité n'est encore pas atteinte : en 2009, elles étaient 57 % à déclarer ne jamais faire de sport, contre 49 % des hommes (Eurobaromètre/TNS).

De façon générale, la pratique sportive des femmes est nettement plus faible chez celles qui vivent en couple avec des enfants ou dans une famille monoparentale, mais aussi chez les plus âgées et les moins diplômées. Parmi les freins qui s'opposent à une pratique sportive, les femmes citent plus fréquemment le coût trop élevé et un éloignement trop important des équipements. De façon générale, les femmes disposent aussi d'un temps de loisirs plus réduit que les hommes (p. 102).

Sport, sexe et âge

Nombre de pratiquants et taux de pratique des Français par discipline* (2010, au moins une fois dans l'année, en % des 15 ans et plus)

	Nombre de pratiquants	Taux de pratique (en %)				
		Total	Ensemble des femmes	Ensemble des hommes	Ensemble des 15-29 ans	Ensemble des 50 ans ou plus
Marche de loisir	27,8	53	58	47	36	62
Natation de loisir	12,7	24	25	23	31	17
Marche utilitaire	12,6	24	29	19	30	18
Vélo de loisir	11,8	22	21	24	22	19
Baignade	8,1	15	16	15	17	11
Ski alpin	5,8	11	9	13	18	5
Pétanque	5,5	10	7	14	10	10
Football	5,3	10	2	19	28	1
Randonnée pédestre	4,9	9	10	9	5	11
Footing	4,6	9	7	11	18	2
VTT de loisir	4,4	8	5	12	11	5
Musculation	4,2	8	4	12	18	3
Jogging	3,8	7	6	9	12	3
Pêche	3,6	7	2	12	7	7
Tennis de table	3,5	7	4	10	12	3
Randonnée en montagne	3,4	6	6	7	6	5
Tennis	3,1	6	4	8	12	2
Vélo utilitaire	2,9	6	5	6	8	4
Au moins une activité physique ou sportive	47,1	89	87	91	94	84

* Activités pratiquées par au moins 5 % des Français de 15 ans et plus.

CNDS, INSEP, MEOS

sibles à tous les budgets. Les disparités entre les personnes âgées et les plus jeunes s'expliquent en partie par le fait que les premières sont en moyenne moins diplômées que les secondes. Le niveau des revenus influe aussi sur la pratique du sport puisque 56 % des Européens déclarant avoir des difficultés à régler leurs factures ne font aucun sport contre 65 % des personnes ne rencontrant presque jamais de difficultés financières (Eurobaromètre/TNS).

La pratique de certains sports répond parfois à la volonté d'afficher un standing individuel et de montrer son appartenance « naturelle » à un groupe social. Dans certains cas, elle représente un moyen de valorisation personnelle, et permet d'accéder à un groupe social plus élevé dans la hiérarchie implicite. Mais, le plus souvent, on observe que les obstacles culturels initiaux demeurent, même lorsque les contraintes matérielles ont disparu.

Marche, natation et vélo sont les sports les plus pratiqués.

En 2010, la marche de balade, de randonnée ou de trekking, était pratiquée par 57 % des Français 15 ans et plus, soit 29,8 millions de personnes. 21,4 millions s'adonnaient à la natation (41 %) qui correspond à une activité physique pouvant aller de la baignade à la natation voire la plongée ou le water-polo. 17 millions déclaraient pratiquer le vélo (32 %), un taux en augmentation avec le développement de son usage dans de nombreuses villes, mais aussi l'intérêt pour le cyclisme, le VTT et le BMX. Un peu plus de 10 millions de Français (20 %) déclaraient pratiquer la course hors stade *(footing/jogging)* qui peut aller jusqu'au marathon ou au *trail* (pratiques sur terrain accidenté). La cinquième activité la plus pratiquée était la gymnastique (19 %), allant du *wellness/fitness* à la gymnastique sportive hors musculation, pratiquée par 17 % des Français de 15 ans et plus, soit 8,9 millions de personnes.

En dix ans, la marche est l'activité qui a le plus progressé, passant de 45 % des Français en 2000 à 57 % en 2010. Le vélo a gagné des adeptes (+ 5 points). La pratique de la natation a gagné 10 points (31 % à 41 %) et la course hors stade 6 points (14 % à 20 %). La majorité des pratiques sportives sont le fait de résidents d'agglomérations de plus de 100 000 habitants comme le jogging ou footing (50 %), le football (49 %), la natation de loisir (48 %), la gymnastique de forme et d'entretien (47 %) et le vélo loisir (43 %). Plus de 10 millions de Français adhèrent à des clubs ou associations sportifs et la moitié d'entre eux participent à des compétitions. Les sports individuels ont plus d'adeptes que ceux d'équipe.

La France en marche

Évolution des taux de pratique des activités physiques et sportives (en % des personnes de 15 ans et plus)*

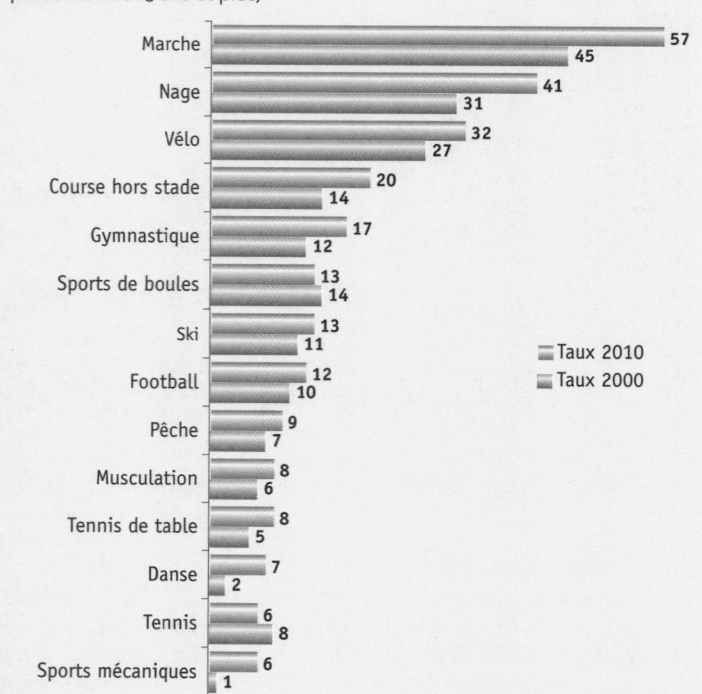

* Les proportions indiquées peuvent différer de celles indiquées dans le tableau « Sport, sexe et âge », du fait des nomenclatures d'activité différentes.

CNDS, INSEP, MEOS

Les pratiques sont de plus en plus irrégulières.

La pratique sportive a été facilitée par l'accroissement spectaculaire du temps libre (p. 101), celui du pouvoir d'achat (p. 363), ainsi que la création d'équipements publics ou privés (gymnases, piscines, courts de tennis, terrains de plein air, golfs, pistes de rollers...) et les investissements privés (golfs). Elle a été aussi favorisée par la technologie, qui a permis d'inventer de nouvelles activités ou de renouveler les anciennes : surf, planche à voile, deltaplane, parapente, ULM, windsurf, kitesurf, free fly, jet-ski, roller, street-basket, BMX, VTT, escalade, montagne, plongée, eaux-vives, snowboard, etc.

La régularité des pratiques est très variable selon les disciplines. La gymnastique, le vélo, la natation, le jogging ou le roller sont des activités plus fréquentes que l'athlétisme, la musculation ou le tennis. Certaines ont aussi un caractère très saisonnier : randonnée, ski, surf, boules, badminton, voile, etc. D'autres sont liées à des catégories sociales. Le ski alpin, par exemple, reste l'apanage des Parisiens.

On trouve aussi dans le sport la traduction du mouvement général de

Sport et transport

En marchant et en circulant en vélo dans les rues des villes, les Français joignent souvent l'agréable (le sport, l'absence de stress associé à la voiture et aux transports en commun) à l'utile (se rendre d'un endroit à un autre). La marche est ainsi pratiquée par un Français sur deux et le vélo par un sur trois (dont un tiers au moins une fois par semaine). Le nombre des cyclistes s'est beaucoup accru en milieu urbain avec l'apparition des systèmes de libre service tels que les Vélo'v lyonnais ou les Vélib parisiens (p. 199). En milieu rural, le vélo représente le deuxième mode de locomotion après la voiture, devant la marche à pied et les transports en commun.

En 2011, les Français ont acheté 3,2 millions de vélos, dont près de la moitié de VTT adultes et juniors pour le sport, la randonnée ou la balade (46,5 %), 18 % de vélos pour enfants (hors jouets), 13 % de vélos tout chemin VTC, 7 % de vélos de ville, 5,5 % de vélos de course, 4 % de BMX et Bicross, 4 % de vélos jouets. Il s'y ajoutait 1,1 % de vélos à assistance électrique et près de 1 % de vélos pliants (dont les quantités ont doublé en un an, à 25500). La France est le neuvième pays acheteur de vélos au monde et le troisième européen, derrière l'Allemagne et le Royaume-Uni, mais devant les Pays-Bas. Le prix moyen des vélos vendus y est de 265 € contre 450 € en Allemagne et 750 € au Royaume-Uni.

En forte progression au plan mondial, le vélo électrique avait profité en France de son apparition dans les grandes surfaces alimentaires en 2010, avec des prix peu élevés, à partir de 299 €. Mais elles se sont retirées du marché dès 2011 et leur part des achats en valeur est passée en un an de 43 % à 18 %. Ce sont les spécialistes qui représentent plus de la moitié des ventes (53,5 % en 2011) pour seulement 23 % des quantités. 52 % des volumes sont achetés dans les grands magasins de sport et 25 % dans les grandes surfaces. En 2011, les dépenses des Français en vélos et accessoires se sont élevées à 1,35 milliard, en croissance de 5 % (CNPC).

zapping. Les Français ont tendance à changer plus souvent de discipline, par lassitude ou parce qu'ils souhaitent multiplier et diversifier les expériences. Ce comportement est surtout apparent chez les jeunes, qui aiment découvrir de nouvelles activités ou en pratiquer plusieurs en même temps, quitte à revenir plus tard à un sport unique.

Cette tendance a été favorisée par la multiplication des disciplines, notamment dans le domaine de la glisse. Mais elle implique chaque fois un apprentissage, ce qui décourage un certain nombre d'adeptes. Elle entraîne aussi des dépenses élevées, car les équipements sont de plus en plus sophistiqués et coûteux.

Sport et santé en Europe

Proportion de personnes membres de clubs de sport ou de santé dans quelques pays d'Europe (2009, en %)

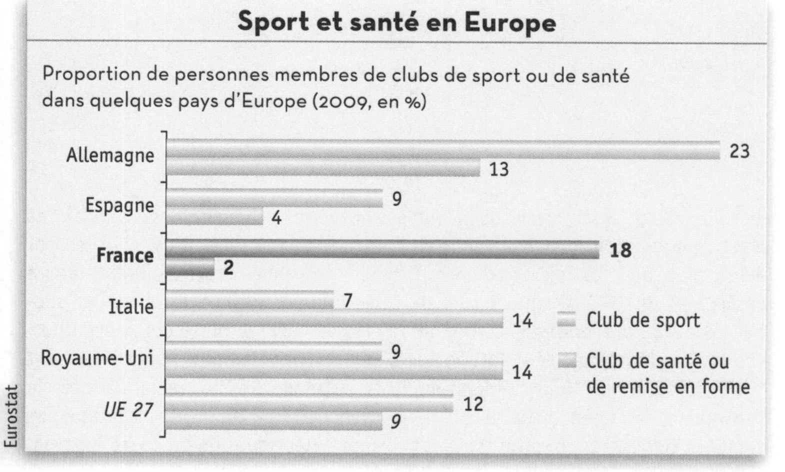

17 millions de Français sont membres de fédérations ou associations...

Le nombre des licenciés des fédérations sportives avait triplé entre 1967 et 1986, passant de 4 à 12 millions, avant de se stabiliser. Il a ensuite repris sa croissance, et représentait un effectif de 17,4 millions de personnes en 2010 (licences et autres types de participation, hors groupements nationaux). Parmi les sports olympiques, le football arrive toujours largement en tête avec 2,1 millions de licenciés, environ deux fois plus que le tennis (1,1 million). Viennent ensuite l'équitation (687 000), qui connaît un intérêt croissant (+ 24 % en deux ans), et le judo (580 000), qui devance le basket (456 000). La fédération de golf arrive en sixième position avec 418 000 adhérents (+ 9 % en deux ans), suivie de celles de handball (411 000), de pétanque et jeu provençal (312 000).

Parmi les fédérations unisport les plus importantes (plus de 100 000 adhésions) celles d'équitation et de gymnastique comptent une très forte proportion de licences féminines (respectivement 81 % et 78 %), contre seulement 3 % pour le football et 5 % pour le rugby. Les licenciées sont aussi majoritaires dans les fédérations de randonnée pédestre (61 %) et de natation (56 %).

Les trois principales fédérations multisports relèvent du sport scolaire ; elles réunissent à elles seules plus de 2,7 millions d'adhérents, suivies de la fédération d'éducation physique et de gymnastique volontaire (539 000, avec un taux de féminisation de 93 %). Les fédérations en charge des personnes handicapées (handisport, sport adapté et sourds de France) comptent 68 000 adhésions. Le nombre de licences sportives délivrées en 2010 est plus élevé dans la plupart des départements situés au sud d'une ligne Saint-Malo-Genève.

On compte en France plus de 260 000 associations sportives, qui représentent près d'un quart de l'ensemble (24 %, CNRS Matisse). Leur ancienneté moyenne est de 28 ans. Les femmes y sont également moins nombreuses que les hommes. On observe d'ailleurs que 83 % des associations sportives sont présidées par un homme ; un taux seulement dépassé par les associations de chasse et de pêche (97 %).

Fous de foot

Évolution du nombre de licenciés des principales fédérations sportives unisport (en milliers)

Fédérations françaises agréées	2000	2010	Part des licences féminines en 2010 (en %)
Total fédérations unisport olympiques agréées dont :	6956	8963	30,5
Football	2150	2108	3,2
Tennis	1048	1135	30,5
Équitation	428	687	81,3
Judo-jujitsu et disciplines associées	530	580	27,6
Basketball	437	456	39,2
Golf	292	419	28,5
Handball	274	411	36,6
Rugby	265	390	4,7
Canoë-kayak	94	373	27,7
Voile	258	292	22,3
Natation	200	288	55,7
Gymnastique	214	264	78,1
Athlétisme	161	214	42,3
Tennis de table	175	192	16,8
Badminton	71	145	39,1
Tir	132	140	9,6
Ski	183	138	38
Volley-ball	96	120	46,9
Cyclisme	103	109	10,2
Aviron	60	89	33,8

INSEE

… mais beaucoup pratiquent de façon autonome.

L'évolution du nombre des licenciés et des adhérents des associations sportives ne donne qu'une idée partielle de l'accroissement récent des pratiques. Si les sports de combat, l'athlétisme, les sports d'équipe ou la gymnastique sont le plus souvent pratiqués dans le cadre d'une institution, beaucoup d'autres activités sportives le sont en dehors. On peut estimer qu'un quart des jeunes de 14 à 17 ans et la moitié des 18-65 ans pratiquent ainsi un sport de façon informelle et autonome.

L'inscription à une fédération, l'entraînement hebdomadaire et les compétitions sont en effet souvent considérés comme des contraintes et des facteurs de stress inutiles par des personnes qui préfèrent suivre leur propre rythme et s'essayer successivement à plusieurs disciplines. Les activités les plus concernées sont le patinage, le ski, la randonnée, le cyclisme, la marche, la natation, les sports nautiques de glisse, le jogging,

la course à pied, les sports de raquette et la plongée sous-marine.

Les lieux et les moments de pratique sont diversifiés. De nombreuses activités sportives se déroulent dans la nature (c'est le cas notamment de la randonnée) ou dans des espaces aménagés (stades), d'autres dans la rue (roller, skate...). Si la majorité d'entre elles peuvent être pratiquées toute l'année, certaines sont essentiellement réservées aux périodes de vacances : activités nautiques ; sports d'hiver...

52 % des Français pratiquent le sport principalement hors des infrastructures spécifiques contre une moyenne européenne de 48 %, le Danemark et l'Allemagne se situant nettement au-dessus (2010). Sur les 18 activités principales physiques ou sportives pratiquées par les Français, 14 d'entre elles le sont en extérieur, dans un parc, une forêt ou dans la rue. Pratiquer une activité physique ou sportive ne se fait qu'à 23 % dans un club ou un centre sportif en France contre 19 % au sein de l'Union européenne, les Pays-Bas étant à part avec 35 %. Fréquenter un club de fitness ne concerne que 2 % des Français, bien loin des 19 % à 31 % des pays du Nord et de la moyenne européenne, 11 %.

Les dépenses de sport des Français sont les plus élevées d'Europe.

En 2009 (dernière année disponible), les dépenses pour les biens et services de sport ont représenté 16,4 milliards d'euros en hausse de 38 % depuis 2000. La dépense moyenne par ménage était de 322 € par an en France métropolitaine, soit la plus élevée d'Europe. Elle était de 190 € en Espagne, 186 € en Allemagne, 174 € en Italie, 45 € en Hongrie et de seulement 11 € en Slovaquie (Observatoire Cetelem 2011). À la dépense directe des ménages s'ajoutaient celles des collectivités locales (10,8 milliards d'euros), de l'État (4,3 milliards) et des entreprises (3,3 milliards, dont 36 % pour des droits de retransmission d'événements et 64 % d'actions de parrainage), soit au total 34,9 milliards pour le sport (1,9 % du PIB).

En France, les cadres dépensent 2,5 fois de plus que la moyenne, les couples avec enfants 2,5 fois de plus que les couples sans enfants. Les dépenses des personnes vivant seules sont inférieures de plus de moitié à la moyenne. Le poste de consommation qui a le plus augmenté depuis une dizaine d'années est celui des achats de services sportifs (services fournis par les clubs et centres de loisirs sportifs, achat de billets...).

Les achats d'articles de sport ont connu une progression de 2 % en valeur en 2011 après trois années de quasi-stagnation (FPS). Ceux de chaussures de sports ont connu une évolution plus forte (+ 7 %), à l'exception des chaussures fonctionnelles (foot, rugby, course...) . Mais il faut noter que seule une paire sur trois est véritablement utilisée pour la pratique sportive (une sur quatre pour les 12-17 ans). Les vêtements et chaussures de sport repré-

Individualisme de groupe

La grande lame de fond de l'individualisme n'a pas épargné le sport. Dès les années 1980, l'engouement pour le *jogging*, puis pour l'*aerobic*, en a été la spectaculaire illustration. On peut y ajouter le tennis, l'équitation, le ski, le squash, le golf et bien d'autres activités individuelles. Même la voile, autrefois surtout pratiquée en équipage, a acquis ses lettres de noblesse avec les courses transatlantiques en solitaire. On observe aussi que la pratique de la culture physique (fitness, musculation...) se développe à domicile, en complément ou remplacement de celle pratiquée en salle. Elle est favorisée par le développement de nouvelles machines d'appartement.

S'il reste le premier en nombre de licenciés, le football n'arrive ainsi qu'à la cinquième place des sports les plus pratiqués, derrière des sports individuels comme le vélo, la natation, et la randonnée pédestre. De même, on compte beaucoup plus de licenciés de tennis, d'équitation ou de judo que de rugby ou de handball. Les licenciés de karaté ou de golf sont beaucoup plus nombreux que ceux de volley-ball. Les règles des sports collectifs sont souvent ressenties comme des contraintes qui s'ajoutent à celles du quotidien. Aujourd'hui, plus d'un Français sur trois pratique un sport individuel, contre un sur quatre en 1973 ; un sur quinze seulement pratique un sport collectif.

On observe cependant que beaucoup de Français s'adonnent en groupe à des activités individuelles ; c'est le cas notamment de la randonnée, de la gymnastique, de la danse, du vélo ou du roller. Ils profitent ainsi de la convivialité sans subir les contraintes des sports d'équipe, qui impliquent des entraînements et des compétitions. Ce n'est pas en effet la solitude qui est recherchée dans le sport, mais la liberté et l'autonomie, en même temps que le partage avec des personnes ayant les mêmes centres d'intérêt.

sentaient 24 % des achats en 2011, le matériel de sport un tiers, le reste revenant à des services associés (location, atelier...). Les trois quarts des achats (78 %) sont effectués dans des magasins spécialisés.

Fin 2011, le nombre d'équipements sportifs sur le territoire s'élevait à 267 000 (hors sites et espaces dédiés aux sports de nature), dont 45 000 grands terrains de sports collectifs (foot, rugby, hockey...), 42 000 courts de tennis et 27 000 boulodromes. Plus de 16 000 terrains étaient destinés aux sports collectifs nécessitant moins de place (basket, volley, handball...). Il s'ajoutait à cela 37 000 salles multisports ou non spécialisées, 6 900 salles de combat, 6 300 bassins de natation, 3 000 *skate parks* et pistes de vélo Freestyle.

Un Français sur deux s'adonne à un sport de nature.

Plus de 25 millions de français de 15 ans ou plus pratiquent au moins occasionnellement un sport de nature (randonnée, vélo, escalade, ski, surf, voile, canoë, équitation, pêche..), soit près d'une personne sur deux (CNDS, 2010). Parmi les dix activités physiques et sportives les plus répandues en France, quatre se pratiquent en milieu naturel : vélo, randonnée pédestre, ski, équitation. Les activités terrestres sont plus répandues que les sports nautiques ; elles représentent les trois-quarts des pratiquants et 43 % des licenciés des sports nature. Les sports de nature devancent les sports nautiques.

On recensait 2,2 millions de licences en 2010, au sein de 26 000 clubs (18 % du nombre total de clubs), soit 20 % des licences délivrées par les seules fédérations unisports. Entre 2001 et 2010, le nombre des adhésions a connu une croissance annuelle moyenne de près de 4 %. Il a été multiplié par six pour le char à voile, par trois pour le canoë-kayak, par deux pour la course d'orientation, la montagne et l'escalade. Les licenciés sont généralement plus âgés dans les disciplines de sports aériens (parachutisme, planeurs ultralégers motorisés...) ; près des trois quarts ont plus de 35 ans. Les jeunes de 19 ans ou moins sont surtout présents dans des disciplines comme l'équitation (70 %) ou le surf (75 %). Les femmes représentent 43 % des licenciés des sports de nature. Près de la moitié (45 %) des médailles françaises aux Jeux olympiques (et paralympiques) et les Championnats du monde Seniors concernaient ces disciplines.

Début 2010, on comptait 56 625 équipements, espaces et sites relatifs aux sports de nature, dont 43 148 en milieu terrestre, 11 367 en milieu nautique et 2 110 en milieu aérien (RES). Leur répartition territoriale démontre l'importance de l'attractivité de certaines zones de montagne, de littoral, et illustre la richesse du patrimoine naturel comme espace de pratique pour les sports de nature.

Le sport est un moyen de développement personnel.

Les années 1960 et 1970 avaient vu l'arrivée en France de pratiques sportives nouvelles, avec notamment la diffusion de formes de gymnastique venues d'outre-Atlantique *(aerobic, fitness...)*. Le sport prenait peu à peu une dimension culturelle, conséquence de l'évolution sociale marquée par la libération sexuelle, la maîtrise de la

Sport et nature

Nombre de pratiquants et taux de pratique des principales activités de sports de nature (2010, en % des personnes de 15 ans et plus)*

		Effectifs (en millions)	Taux de pratique (en %)
Ensemble des sports de natures « terrestres »		**22,5**	**42,6**
dont :	Cyclisme et cyclotourisme	15,7	29,9
	Ski	7,4	14,0
	Randonnée pédestre, trail et ultratrail	4,9	9,3
	Montagne et escalade	4,8	9,1
	Équitation	0,7	1,3
Ensemble des sports de nature « nautiques »		**6,4**	**12,1**
dont :	Pêche	3,6	6,9
	Études et sports sous-marins	1,2	2,3
	Voile	0,9	1,8
	Aviron, canoë, kayak	0,7	1,3
Ensemble des sports de nature		**24,9**	**47,1**

* Personnes ayant pratiqué au moins une fois une activité dans les douze derniers mois, à l'exception de certaines activités : athlétisme hors stade, natation hors piscine, activités sportives sur le sable telles que le beach-volley.

CNDS, INSEP, MEOS

Un besoin de plein air

Les sports de plein air sont le plus souvent pratiqués individuellement, en famille ou en groupe, de façon autonome, sans conseils de professionnels ou d'encadrants et sans objectif de performance. Leur succès est la conséquence de l'intérêt croissant des Français pour la nature (paysages, flore, faune), du besoin de rupture par rapport au quotidien et notamment le stress urbain et de la recherche de sensations. Les femmes sont à parité avec les hommes, les personnes d'âge mûr sont plus nombreuses que les 15-24 ans, qui préfèrent souvent des activités plus urbaines et dynamiques.

Les 150 000 km de sentiers aménagés de métropole se sont enrichis de parcours à thème (personnalités, métiers, événements historiques...) mais aussi d'itinéraires urbains. La randonnée équestre connaît également un fort développement, notamment chez les jeunes (un tiers des pratiquants ont moins de 16 ans). Les femmes sont largement majoritaires : 70 % des pratiquants. Ces dernières années, 230 voies vertes, 48 véloroutes et 80 relais rando-vélo ont été réalisés. Au niveau européen, 50 % des eurovéloroutes sont situés en France.

La hausse des pratiques concernées témoigne de la sensibilité accrue des Français vis-à-vis de l'environnement. Le « développement durable » et le « naturel » sont à la mode. La technologie favorise également le développement des sports de nature, en ce qui concerne les équipements : chaussures, vêtements, accessoires ; équipement de navigation. Le poids des marques dans les achats d'équipement est croisant ; elles jouent un rôle de réassurance et offrent des signes d'appartenance.

Les sports de plein air sont généralement pratiqués dans une optique de liberté, de sérénité ou de convialité. Mais ils sont aussi parfois des occasions de rechercher le risque et l'aventure, les émotions fortes. Le sport est alors un prétexte pour vivre des « expériences », dépasser ses propres limites, se confronter à des situations inattendues.

fécondité des femmes et la place croissante faite aux jeunes. C'est dans les années 1970 que le sport a commencé à s'installer dans l'ensemble des groupes sociaux aisés, qui l'avaient longtemps ignoré, voire méprisé, considérant que l'exercice physique était réservé aux classes inférieures, au même titre que les travaux manuels.

Les années 1980 avaient été marquées par le culte de la performance. Les aventuriers, les champions, les chefs d'entreprise conquérants, les cadres efficaces et autres représentants de l'« excellence » sociale étaient célébrés comme des héros. La volonté de gagner impliquait pour chacun de cultiver sa forme et son apparence *(look)*, de développer ses capacités physiques et mentales. Le *jogging*, le *bodybuilding* ou le saut à l'élastique étaient à l'honneur, comme autant de moyens de se montrer compétitif et de se dépasser. Ils étaient même utilisés par les entreprises comme des moyens de tester les capacités des employés devant des situations complexes.

Les attitudes ont changé à partir des années 1990. Le sport est devenu un outil permettant d'être mieux dans son corps, mais aussi dans sa tête. Près d'un Français de 15 ans ou plus sur trois (30 %) pratique aujourd'hui le *fitness*, la musculation ou la gymnastique d'entretien, une progression de 5 points depuis 2000 (Reed Expositions/Ipsos, janvier 2012). Cette activité attire davantage les femmes, 33 % contre 27 % des hommes. 25 % des 15-19 ans déclarent le pratiquer contre 35 % des 20-24 ans et 29 % des 50 ans et plus. On note que la part de ces derniers a augmenté de 5 points entre 2005 et 2012.

La principale motivation reste d'entretenir sa santé (80 %), suivie par le plaisir de faire du sport (71 %), le besoin de se défouler (67 %) et de se relaxer (65 %). Le désir d'entretenir sa ligne reste une des principales motivations (48 %), avec celle de développer ses muscles (36 %). L'équipement joue un rôle important, surtout pour les hommes : 51 % déclarent acheter des vêtements ou des chaussures de sport spécifiquement adaptés à cette activité sportive, contre 38 % des femmes. L'accroissement de la pratique répond aujourd'hui à un désir, souvent inconscient, de mieux supporter les agressions de la vie moderne par une meilleure résistance physique. Il traduit aussi la place de l'apparence dans une société qui valorise de façon générale la « forme ». Le sport est ainsi devenu un instrument de développement personnel et une réponse aux contraintes engendrées par la vie en société.

Les motivations sont ludiques, hédonistes...

Dans une société hédoniste (p. 274), la décision de faire du sport est d'abord dictée par la recherche du plaisir, loin devant l'exemple donné par les parents ou celui de l'école. L'exemple des champions est souvent plus incitatif. Mais, pour ceux qui le pratiquent, le sport est davantage considéré comme un loisir que comme un moyen de compétition. Il est de plus en plus lié aux notions de santé, d'équilibre et de bien-être. Depuis les années 1990, le sport-plaisir a pris progressivement le pas sur le sport-souffrance. L'objectif le plus fréquent n'est pas d'aller jusqu'au bout de soi-même, mais de se procurer des sensations agréables. C'est pourquoi les pratiques informelles, en dehors des clubs et des fédérations, se sont développées (p. 522). Les femmes et les personnes âgées sont ainsi de plus en plus nombreuses à s'intéresser à des activités sportives plus douces.

Les équipements ostentatoires et la « frime », caractéristiques des années 1980, sont moins répandus. La randonnée, le cyclotourisme ou l'escalade ont plus d'adeptes que la planche à voile ou le golf. On observe cependant dans certaines catégories sociales un développement des sports extrêmes : ski hors piste, saut à l'élastique, expéditions... Il ne s'agit plus alors d'entretenir son corps, mais de le mettre en danger afin de ressentir des émotions fortes. Ces choix relèvent autant d'un besoin de dépassement de soi que de la volonté de transgresser les pratiques qui sont celles du plus grand nombre. Le sport est alors un moyen de différenciation. Mais il participe aussi à la découverte et à l'expression de sa propre identité.

... et utilitaristes.

Le sport permet d'être plus efficace dans sa vie professionnelle et personnelle. Pour les inconditionnels de la forme physique, la motivation est aussi « hygiéniste ». Il s'agit d'entretenir la machine corporelle afin qu'elle soit en mesure de remplir correctement ses fonctions. Beaucoup de sportifs ont en même temps le souci de leur apparence. Cette motivation esthétique peut être dirigée vers les autres, à qui on souhaite montrer une image dynamique et séduisante de soi. Elle est de plus en plus souvent narcissique, destinée à renforcer ou retrouver une estime de soi. Le « sport-miroir » tend ainsi à se substituer au « sport-vitrine », au même titre que d'autres activités répondent de plus en plus à des motivations intérieures.

Dans tous les cas, l'objectif poursuivi est utilitaire, car les caractéristiques physiques et la « beauté » jouent un rôle essentiel dans les vies individuelles. L'harmonie du corps est en effet l'un des ingrédients de la réussite sociale (p. 21). En même temps que l'accroissement de l'intérêt pour la fonction utilitariste du sport, on observe une montée des valeurs de plaisir, de jeunesse, de liberté et de pragmatisme (Observatoire Sports et Valeurs). À l'inverse, les valeurs de virilité et d'exploit sont en déclin.

Outre les activités physiques, d'autres pratiques viennent renforcer le dispositif d'entretien du corps. C'est le cas notamment de l'attention portée à l'alimentation. Les comportements sont alors focalisés sur le contrôle du poids et de la silhouette. Ils sont souvent associés aux soins esthétiques, parfois à la chirurgie qui permet de remodeler le corps et d'en corriger les défauts, réels ou supposés (p. 35). Ils complètent les efforts déployés en matière de santé : prévention, suivi médical, soins, compléments alimentaires...

Le spectacle sportif est un moyen d'appartenance et de communion...

Plus de 200 000 supporters se déplacent chaque semaine dans les stades de football pour assister aux rencontres du championnat de France ; la très grande majorité (environ 80 %) sont des hommes, bien que les femmes soient de plus en plus nombreuses à les accompagner. Environ quatre sur dix sont ouvriers ou employés, une proportion un peu supérieure à leur part dans la population active. Les inactifs sont moins nombreux dans les gradins ; l'âge moyen est en effet d'environ 30 ans, contre 39 ans en moyenne nationale. Les Français préfèrent désormais le rugby au football (BVA/20 minutes).

La motivation des *aficionados* n'est pas tant de voir gagner « leur » équipe que d'être membres d'un groupe, constitué ou spontané, et de jouir de ce sentiment d'appartenance. Il se traduit par des signes concrets et « ostensibles » : vêtements, accessoires et objets aux couleurs de l'équipe ; emplacements réservés aux différents clubs de supporters dans le stade ; pratiques et « rituels » propres à chacun d'eux ; réunions d'avant et après-match... Le statut de spectateur dans un stade est étroitement associé à cette forme de convivialité que l'on ne trouve pas dans d'autres lieux publics où les personnes présentes n'ont rien en commun. Elle permet de vibrer, de ressentir et de partager des émotions, de s'exprimer et de se défouler.

Ainsi, les supporters ne se sentent pas seulement spectateurs (même devant un écran de télévision), mais aussi acteurs. Les grandes compétitions constituent en particulier des temps forts de la vie collective. Si la réussite d'un champion est un événement, l'exploit d'une équipe nationale revêt un caractère unique. Ainsi, les titres obtenus par les Bleus à la Coupe du monde de football en 1998 et à l'Euro 2000, puis leur qualification en finale de la Coupe du monde de 2006 sont restés des moments forts pour l'ensemble des Français, même parmi les plus réfractaires au sport. Le taux de remplissage des stades de pour la saison

2011-2012 de Ligue 1 était en moyenne de 74 %, avec un record pour l'Olympique de Marseille (40 445 spectateurs, soit un taux de 94 %, LFP), devant le Paris Saint-Germain (42 882 spectateurs, 90 %) et l'Olympique Lyonnais (33 067, 77 %).

… mais il engendre parfois de fortes déceptions…

À l'inverse des exemples précédents, les Français réagissent mal aux échecs de leurs équipes nationales dans les grandes compétitions sportives. La Coupe du monde de football de 2002 avait été vécue comme un traumatisme par beaucoup de Français (la France, tenante du titre, était éliminée au premier tour sans avoir marqué un but). En 2005, la candidature manquée de Paris aux jeux Olympiques de 2012 avait été très mal vécue. En 2010, la prestation pitoyable des Bleus lors de la Coupe du monde en Afrique du Sud (aucun match gagné, refus de s'entraîner, insultes proférées par des joueurs…) avait déclenché une vague de colère. En juin 2012, la déception était forte aussi lors de l'Euro 2012.

Ces réactions liées aux piètres performances des équipes nationales mettent en évidence le besoin d'émotion, mais aussi d'adhésion des Français à un événement fort, qui les dépasse et les transcende. Les revers sportifs ont une incidence sur le climat social, surtout dans un contexte où il est déprimé. Ainsi, le projet des JO de Paris avait été « survendu » par les politiques et les médias, il avait mobilisé les Français comme s'il s'agissait d'un « grand projet » national susceptible de résoudre les problèmes de fond. L'annonce de son échec avait alors transformé le rêve en frustration. Si la victoire engendre la fête, la défaite produit la « défête ».

… et produit quelques dérives, …

Le besoin de défoulement individuel et collectif conduit parfois les sportifs et les spectateurs à des comportements regrettables : insultes ; gestes déplacés ; violences… Chez les supporters, ils sont dirigés vers l'équipe adverse, les arbitres (encadré) ou certains joueurs. Ils s'expriment aussi parfois à l'encontre des joueurs de l'équipe locale, lorsqu'ils ne sont pas à la hauteur des attentes ou des enjeux. Ce n'est pas seulement l'équipe qui perd, mais l'ensemble de ceux qui ont investi en elle une partie de leurs espoirs, parfois de leur vie, qu'ils vivent alors par procuration.

Les fortes pressions qui s'exercent sur les sportifs les amènent aussi à des comportements regrettables, indignes de champions de haut niveau. Le dopage est ainsi de plus en plus fréquent. Le cyclisme souffre ainsi des affaires qui défraient la chronique lors de chaque Tour de France, mais les Français sont plus indulgents compte tenu de la difficulté propre à ce sport et à cette compétition.

Les étoiles d'Alberto Cantador, de Lance Armstrong et même de Jeannie Longo ont cependant perdu de leur éclat. Dans certaines disciplines, des équipements non autorisés sont utilisés (natation, Formule 1, cyclisme…).

Le football est souvent au centre de pratiques condamnables. Des joueurs sont dopés, des matchs sont truqués. Les ralentis proposés par la télévision lors de certains matchs montrent sans ambiguïté des pratiques détestables : gestes d'antijeu ; agressions physiques ou verbales dans le dos de l'arbitre (on se souvient du coup de tête de Zinédine Zidane à un joueur italien en finale de la Coupe du monde 2006) ; tentatives de déstabilisation des adversaires… Autant de mauvais exemples donnés au public et aux jeunes.

Le racisme est une autre dérive inquiétante. Il était apparent dans l'attitude de supporters dans les stades croates et polonais à l'occasion de l'Euro 2012. Déjà, en février 2009, un Français sur deux (48 %) se disait préoccupé par ce phénomène (UCPF-LICRA/Ipsos). 46 % estimaient que le

Le rubgy préféré au foot

Sport le plus pratiqué et le plus regardé à la télévision, le foot est devenu moins populaire que le rugby : seuls 40 % des Français disent le préférer, contre 60 % pour le rugby (20 Minutes/BVA, septembre 2011). Cette préférence pour le ballon ovale se retrouve à la fois chez les hommes et les femmes, et dans toutes les tranches d'âges. Le Sud-Ouest reste traditionnellement sa terre de prédilection (74 % contre 51 % dans le Nord). La profession est aussi discriminante : 65 % des cadres supérieurs qui préfèrent le rugby contre 52 % des ouvriers.

Cette évolution récente des préférences s'explique d'abord par les échecs répétés des équipes de football dans les grandes compétitions au cours des dernières années (celui de l'Euro 2012 était cependant postérieur à la date du sondage cité). Le rugby apparaît aux Français davantage porteur de valeurs, notamment de courage, de solidarité, d'esprit d'équipe et d'abnégation individuelle. Malgré sa professionnalisation, il reste plus proche de ce que les Français attendent du sport : un spectacle et un exemple. Son image dans l'opinion dépendra de sa capacité à les offrir au public.

racisme avait augmenté au cours des trois dernières années, 22 % qu'il était resté « au même niveau », 4 % seulement qu'il avait eu « tendance à diminuer ». Force est de constater que leurs craintes étaient justifiées.

… notamment liées à l'argent.

Le sport est censé véhiculer des valeurs morales éternelles : effort ; perfectionnisme ; respect des règles ; dépassement de soi ; esprit d'équipe ; intégration ; *fair-play* ; « esprit sain dans un corps sain »… Il a une dimension universaliste et constitue l'un des rares moyens d'échange entre les peuples puisqu'il s'affranchit en principe des barrières linguistiques et culturelles. Les champions sont ainsi supposés être des modèles pour les jeunes, dans un monde où il est difficile d'en trouver.

Pourtant, la réalité est souvent éloignée de l'idéal sportif qui prévaut encore dans l'imaginaire collectif et dans les discours. La professionnalisation a transformé l'état d'esprit des sportifs en les plaçant dans un environnement où il ne s'agit plus de « jouer » pour se faire plaisir et progresser, mais de gagner le plus d'argent possible pendant la durée de la carrière.

Le règne de l'argent a entraîné en particulier de nombreux excès. Les enjeux financiers et économiques sont devenus considérables pour les sportifs, les sponsors et les médias, et tous ceux qui gravitent autour des champions et des équipes. Les salaires et les sommes en jeu dans les « transferts » ou l'achat des droits de retransmission ont atteint des niveaux exorbitants ; les joueurs des clubs réputés gagnent souvent plus d'un million d'euros par mois (hors impôts et contrats publicitaires). Les contrats qu'ils ont avec les marques ont connu la même évolution, les transformant en hommes d'affaires assistés d'agents, de conseillers et d'avocats. Au point que certains passent plus de temps accrochés à leur portable, à faire de la publicité ou de la figuration dans des conventions d'entreprises qu'à l'entraînement.

En bafouant l'idéal sportif et en oubliant le rôle éducatif du sport, les sportifs de haut niveau ne sont pas toujours les modèles qu'ils devraient être, notamment pour les jeunes. Ils leur servent au contraire d'alibis à des comportements inciviques et immoraux. La médiatisation a fait des champions de véritables stars, parfois des demi-dieux, qui n'ont plus le sens des réalités des simples humains.

Les médias favorisent certaines disciplines…

Les médias avaient été à l'origine du succès du développement du tennis dans les années 1980. La simple diffusion à la télévision d'une série de dessins animés japonais sur le volley-ball avait eu aussi un effet sensible sur le nombre de licenciés dans cette discipline. En 1995,

Vive l'arbitre !

L'importance des enjeux économiques et sociaux dans le sport professionnel (accru par sa médiatisation), et la difficulté d'y faire respecter des valeurs et des règles confèrent une importance particulière aux arbitres. Dans une enquête La Poste/BVA de septembre 2011, 81 % des Français disaient avoir une image positive de l'arbitrage (dont 7 % « très positive »).

L'arbitre est en effet au centre du jeu. Il le surveille, l'interrompt et le relance, pour le bien des joueurs et le plaisir des spectateurs. Pour 91 % des Français, il inspire le respect, contribue à l'esprit du jeu, incarne des valeurs fortes et intemporelles d'intégrité et d'impartialité. 83 % considèrent qu'il est un garant, un juge. Dans une société de communication, il est aussi un médiateur (83 %), un pédagogue, un modérateur, un régulateur.

L'arbitre détient dans son domaine un pouvoir important ; il représente la loi, sans être pour autant considéré comme un « policier » (30 % des Français). À ce titre, il inspire le respect (96 %) et, dans une bien moindre mesure, la crainte (36 %). Il s'expose aussi, bien sûr, à la critique. Car les Français sont toujours prompts à suspecter l'arbitrage d'être… arbitraire.

Interrogés dans la même enquête, les arbitres professionnels disaient d'ailleurs pour la moitié d'entre eux (47 %) avoir déjà craint pour leur intégrité physique. Un risque ressenti plus fortement par les arbitres de football que par ceux de rugby, qu'il vienne des spectateurs (31 % contre 23 %), des joueurs (32 % contre 11 %) ou des dirigeants (14 % contre 10 %). Des chiffres qui peuvent alimenter le débat sur les différences entre les « cultures » associées à ces deux sports.

Pour les joueurs comme pour le public ou parfois les dirigeants des clubs, l'arbitre est un « bouc-émissaire » naturel. Son existence est doublement nécessaire à la collectivité : il est d'un côté décideur et médiateur, de l'autre réceptacle des mécontentements et des frustrations.

le succès de l'équipe des « Barjots » au championnat du monde de handball s'était traduit par un engouement pour ce sport. La croissance la plus spectaculaire a sans doute été celle du basket, favorisée par la médiatisation des champions américains (Magic Johnson, Michael Jordan...) et de la *Dream Team* lors des jeux Olympiques de Barcelone en 1992. Elle se poursuit aujourd'hui avec les exploits du Français Tony Parker dans l'équipe des Spurs de San Antonio, et de quelques autres.

Les images de surf (en mer ou sur la neige), de planche à voile ou d'escalade diffusées par la télévision ont déclenché aussi de nombreuses vocations chez les jeunes. C'est le cas aussi d'activités plus récentes, comme le *kite-surf* (planche à voile tirée par une aile de parapente), le *base jump* (saut en parapente au-dessus du vide), le *roller free style* (avec saut d'obstacles) ou le ski extrême (sur des parois quasi verticales et accidentées). Le rugby a pu aussi, grâce à la télévision et aux résultats de certaines équipes (locales et nationale), élargir son public, de même que l'athlétisme.

Les chaînes de télévision françaises ont diffusé moins d'heures de sport en 2011 qu'en 2007 : 2,2 % de l'offre de programmes contre 2,5 % en 2007 (et 4 % en 1998, année de la Coupe du monde de football). Mais les téléspectateurs y ont consacré davantage de leur temps : 5,4 %, contre 4,5 % en 2007 (mais 6,2 % en 2006 et 6,8 % en 1998). En 2011, 15 millions de Français ont regardé la finale de coupe de monde de rugby France-Nouvelle-Zélande, soit une part de marché de 82 % pour TF1 à 10 h du matin. Plus de 4,7 millions Français ont suivi le triomphe des Bleus face à l'Islande en handball, le 24 août 2008 au matin, lors des Jeux olympiques de Pékin.

Mais l'écart s'est creusé entre les sports très médiatisés (football, rugby, Formule 1, tennis, cyclisme, patinage...) et ceux qui le sont peu ou de façon épisodique (athlétisme, équitation, tir à l'arc, canoë ou golf...). En revanche, l'écart de temps d'antenne entre les sports masculins et féminins s'est réduit, notamment dans le cas du tennis.

... et sont parfois des substituts à la pratique sportive.

Beaucoup de Français vivent le sport par procuration, à travers les retransmissions de la télévision ou la lecture les résultats des compétitions dans la presse. Il n'est alors qu'un spectacle, dont l'intérêt repose sur l'esthétique des gestes, la dramaturgie des affrontements, l'intervention du hasard. La confrontation entre des professionnels ayant des niveaux proches procure un plaisir accru par l'incertitude ; contrairement à n'importe quel autre spectacle, le déroulement et l'issue ne peuvent en effet être connus à l'avance et ne figurent dans aucun programme.

L'engouement pour le spectacle sportif s'explique aussi par une certaine résurgence du nationalisme et du régionalisme. C'est en partie aux performances de ses athlètes que l'on juge un pays, une ville ou une région. Les champions sont les invités privilégiés des plateaux de télévision et les héros de nombreux spots publicitaires. S'ils déclenchent chez beaucoup de jeunes des vocations sportives, ils véhiculent aussi l'idée que le sport est une façon de s'enrichir et de devenir célèbre, ce qui peut entraîner à la fois des dérives et des frustrations (ci-dessus). Enfin, le sport-spectacle est parfois davantage une incitation à la sédentarité et à la passivité qu'à l'effort physique. Le profil du spectateur est ainsi souvent éloigné de celui du sportif pratiquant.

JEUX

Le jeu est omniprésent dans les modes de vie.

Comme le sport, auquel il est apparenté, le jeu répond à un désir très ancien, souvent inconscient, de rêver sa vie ou de la transformer. Les jeux de société sont des supports de convivialité en famille ou entre amis. Les jeux vidéo sont pour des millions de jeunes le moyen d'échapper à un quotidien qu'ils jugent fade ou peu accueillant. Les jeux d'argent sont pour d'autres les seuls moyens susceptibles d'enjoliver leur existence ou simplement de la rendre supportable. Les dépenses consacrées aux jeux représentent un peu plus de 20 milliards d'euros. Elles seraient en réalité très supérieures si l'on pouvait mesurer celles consacrées aux jeux clandestins, qui se développent dans les cafés mais aussi dans d'autres lieux (cercles non autorisés, jeux de rue du type bonneteau...), ainsi que les jeux d'argent privés (poker, bridge...).

Les fabricants de produits de grande consommation utilisent régulièrement les jeux et les concours pour attirer ou fidéliser les consommateurs. Les chaînes de télévision ont bien compris l'importance du rêve ludique et multiplient les occasions offertes aux téléspectateurs de « gagner » ; les émissions de jeu sur les six chaînes généralistes gratuites ont représenté 5,5 % de l'offre de programmes en 2011, contre 4,8 % en 1998, et 11,2 % de la consommation (contre 8,2 %). Il faudrait ajouter aussi les jeux et concours organisés pas SMS pendant ou après certaines émissions. Comme le sport, le jeu est « surconsommé » par les téléspectateurs, c'est-à-dire que sa part de l'audience est supérieure à celle qu'il a dans les programmes. Le jeu est aussi très présent sur Internet. Avant la loi du 12 mai 2010 qui a encadré la pratique du jeu en ligne sur le territoire français, les joueurs en ligne pratiquaient les jeux de pronostics et le Poker en toute illégalité.

En 2011, les Français ont dépensé chaque jour 86,5 millions d'euros pour les jeux d'argent : jeux de tirage et de grattage, paris sur les courses hippiques, casinos, paris sportifs et poker en ligne, soit presque le double de 2002 (47,5 millions, AFP). Le marché des jeux d'argent et de hasard a représentée 31,6 milliards d'euros en 2011 soit une augmentation de 20 % en un an, conséquence de l'ouverture des jeux de hasard et d'argent en ligne en France.

Les trois quarts des Français aiment jouer pendant leur temps libre. 50 % disent jouer au moins occasionnellement à des jeux de société, 50 % à des jeux de réflexion, 23 % à des jeux vidéo (Observatoire des Loisirs PMU/Sofres, décembre 2011). Dans la grande majorité des cas (68 %), ils déclarent jouer d'abord pour le plaisir, beaucoup plus qu'avec la volonté de gagner (29 %).

21 millions de Français jouent à des jeux d'argent.

Les trois quarts des Français (75 %) disent aimer jouer pendant leur temps libre (Observatoire des Loisirs PMU/Sofres, décembre 2011). La moitié d'entre eux préfèrent les jeux de société et les jeux de réflexion, tandis que 23 % apprécient les jeux vidéo. Dans une très large majorité (68 %), les Français disent jouer d'abord pour le plaisir ; la volonté de gagner apparaît bien moindre (29 %).

Le paradoxe est que 76 % des Français se disent bons joueurs... mais que 83 % jugent les autres mauvais joueurs, ce qui est mathématiquement incompatible. Perdre face à son patron (23 %) ou à son conjoint (21 %) sont les situations les moins appréciées des joueurs. Perdre en famille est un peu plus facile à accepter ; à noter que les Français mariés acceptent plus facilement de perdre contre leur beau-père que contre leur belle-mère.

Près de la moitié des 18-75 ans déclaraient avoir joué de l'argent au cours des 12 derniers mois en 2011, soit 21 millions de Français (INPEX/OFDT, 2010). Seul un peu plus d'un joueur sur cinq, soit 11 % de la population totale, déclarait jouer au moins une fois par semaine et un peu plus d'un joueur sur dix (5 % de la population) déclarait dépenser dans l'année au moins 500 €.

Les hommes sont plus nombreux à jouer que les femmes : 51,3 % au cours d'une année, contre 44,4 % (4 % de non réponses). Il existe de fortes disparités entre les joueurs dans la fréquence et le montant des sommes engagées. Près de 14 % des hommes peuvent être qualifiés de joueurs réguliers (au moins une fois par semaine), 7 % de joueurs dépensiers (plus de 500 € dans l'année) contre respectivement 8 % et 2,5 % parmi les femmes. Les adeptes des jeux de hasard et d'argent sont surtout les jeunes adultes, âgés de 25 à

Une brève histoire du jeu

Homo ludens a peut-être préexisté à *Homo sapiens*. On a retrouvé en Mésopotamie des traces de jeux vieilles de plus de 3000 ans avant notre ère. L'Évangile selon Saint-Jean explique que l'attribution de la tunique du Christ fut tirée au sort après son exécution. Juvénal reprochait aux Romains de se contenter de pain et de jeux. L'empereur Auguste créa des loteries pour financer la restauration des monuments. Néron fit gagner des esclaves au jeu. Mais ceux-ci pouvaient jouer leur affranchissement lors des Saturnales.

En France, le jeu fut longtemps interdit. Les jeux de hasard et d'argent furent progressivement légalisés vers la fin du XVIIIe siècle, avec notamment la création de la Loterie royale. Le Code Napoléon distinguait les jeux d'adresse (dont les dettes étaient reconnues) et ceux de hasard (qui ne pouvaient faire l'objet de dettes légales).

Les premiers casinos apparurent au début du XIXe siècle, avec le décret de 1806 qui permettait au préfet de police de délivrer des autorisations dérogatoires pour les stations balnéaires. D'autres dérogations, en 1907 et 1910, favorisèrent le développement des casinos et des cercles de jeu.

L'ère moderne commença dans les années 1930 avec le PMU (1931) et la Loterie nationale (1933). C'est en 1976 qu'apparut le Loto national (adaptation d'un jeu pratiqué à Gênes au XVIe siècle). La loi de 1987 autorisa l'installation des machines à sous dans les casinos. Puis en 1989 apparurent les premiers jeux instantanés à la Française des Jeux.

La dernière évolution, en forme de révolution, a été l'autorisation à partir de 2010 des jeux « extraterritoriaux » accessibles en ligne. Elle répondait à l'essor d'une offre illégale de jeux d'argent et de hasard sur Internet, mais aussi aux mises en demeure de la Commission européenne.

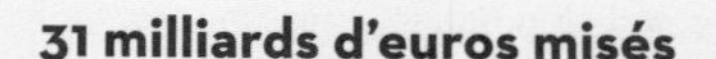

31 milliards d'euros misés

Évolution des dépenses des Français pour les jeux d'argent (en milliards d'euros, après redistribution*)

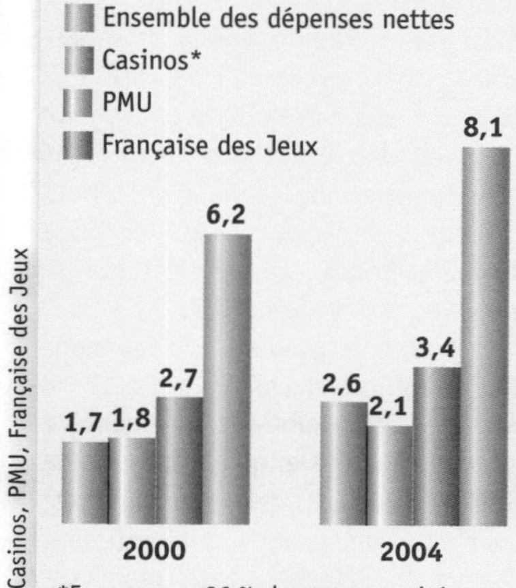

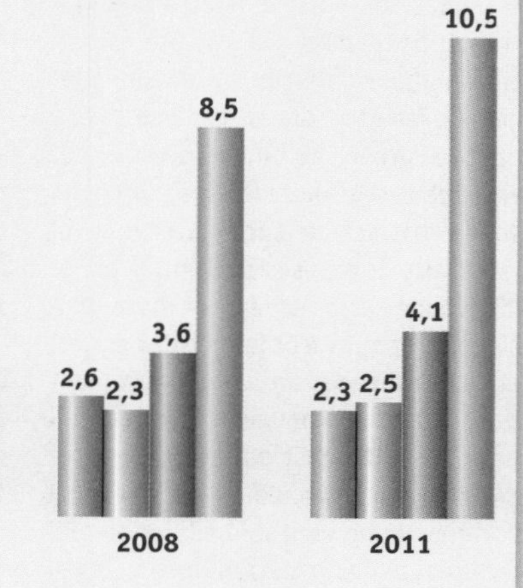

*En moyenne 86 % des sommes misées.

Casinos, PMU, Française des Jeux

34 ans. Avec l'âge, la proportion de joueurs réguliers s'accroît, passant de un sur cinq entre 45 et 54 ans à un sur trois à 65 ans et plus. La proportion de joueurs actifs (au moins une fois par semaine) varie fortement selon le type de jeu.

Les motivations sont à la fois individuelles...

Le jeu est d'abord un loisir, une façon d'occuper son temps. Surtout, il permet de ressentir des émotions fortes, qui peuvent être facilement renouvelées. Les jeux d'argent ajoutent d'autres dimensions : ils fournissent aux gagnants le moyen d'accéder à une forme de pouvoir liée à la possession, ainsi qu'à la liberté qui est censée en découler. Beaucoup de Français ont

Jeux et dépendances

Les principaux critères permettant d'identifier la dimension problématique de la pratique du jeu parmi les joueurs actifs sont l'auto-perception du problème ou sa perception au travers du regard des autres, la volonté illusoire de se «refaire» et le ressenti d'une perte de contrôle c'est-à-dire dépenser plus que voulu. À partir de ces critères, la prévalence du jeu excessif en France métropolitaine est estimée à 0,4 %, celle du jeu à risque modéré à 0,9 %. En termes d'effectifs, le nombre de Français concernés serait de l'ordre de 200000 joueurs excessifs et 400000 joueurs à risque modéré (Baromètre Santé 2010 INPES/OFDT).

Les « joueurs excessifs » se distinguent de l'ensemble des joueurs par le fait que ce sont plus souvent des hommes : 75,5 % (contre 63 % pour les joueurs actifs jouant au moins une fois par semaine, au moins 500 € dans l'année). Ils sont significativement plus jeunes que les joueurs actifs (41 ans en moyenne contre 47 ans). La part de joueurs excessifs parmi les joueurs actifs varie sensiblement avec l'âge. Elle est maximale chez les 25-34 ans (6,9 %), suivis par les 45-54 ans (4,7 %) et les 18-24 ans (4,4 %). Cette population se caractérise aussi par sa précarité financière ; 57,8 % déclarent un revenu mensuel inférieur à 1100 €, contre 34,7 % seulement des joueurs actifs. 55,2 % vivent en couple, contre 70,7 % des joueurs actifs. Plus d'un sur trois ne possède aucun diplôme et la quasi-totalité ont un niveau d'études inférieur ou égal au baccalauréat.

Près de la moitié des joueurs excessifs dépensent plus de 1500 € par an, contre 23 % des joueurs à risque modéré et 7 % de l'ensemble des joueurs. Le type de jeu influence fortement la fréquence : elle est hebdomadaire pour 74 % des adeptes des jeux de tirage et pour 62 % des joueurs du PMU. La fréquentation des casinos et des machines à sous reste occasionnelle pour la majeure partie des joueurs actifs.

Deux joueurs excessifs sur trois sont par ailleurs des fumeurs quotidiens, contre 30 % de l'ensemble de la population. Un quart (26 %) sont également dépendants à l'alcool. La moitié d'entre eux affiche une consommation à risque, contre 15 % des Français. Ces joueurs sont aussi davantage sujets à une consommation mensuelle de cannabis (6 %) que leurs compatriotes (4,4 %).

le sentiment qu'il n'est plus possible aujourd'hui de changer *la* vie. Chacun cherche alors plus modestement à changer *sa* vie, en jouant au Loto, au PMU ou à *Koh Lanta*. On observe chez les joueurs une volonté commune de s'évader de la réalité, de vivre dans un monde magique où tout est possible. Jouer, c'est entrer dans un autre univers ; gagner, c'est avoir la possibilité de devenir un autre. Le jeu est pour les enfants un mode d'apprentissage de la vie ; il est pour les adultes un moyen de retour à l'enfance.

Lorsqu'il est pratiqué à plusieurs ou dans des lieux de convivialité (cafés, maisons de jeu...), le jeu constitue un moyen d'intégration et un vecteur de lien social. Il peut être vu également comme un réducteur potentiel d'inégalités et donc un outil de régulation et d'ordre. Il est enfin un indicateur de l'anxiété ambiante, car le goût du jeu traduit souvent un malaise face à la réalité, une difficulté à accepter son sort dans une société théoriquement ouverte et égalitaire, mais qui apparaît à beaucoup de Français de plus en plus fermée ou bloquée (p. 217). À une période où il apparaît plus difficile d'entrer dans l'ascenseur social et plus encore de monter aux étages supérieurs, le jeu laisse espérer à chacun que la chance lui apportera ce que la société lui refuse.

... et collectives.

Outre ses fonctions individuelles, le jeu remplit des fonctions sociales. Impôt indolore et accepté par le plus grand nombre, il a permis à l'État de récupérer 3,4 milliards d'euros en 2011, dont 2,1 milliards de la Française des Jeux, 720 millions des casinos et 600 millions du PMU. Le monopole de l'État (qui date de 1836) a pris fin partiellement à partir du 1er janvier 2010 (le changement effectif a eu lieu en juin) en ce qui concerne les paris hippiques et sportifs ainsi que le poker en ligne. Les jeux de tirage et de grattage n'ont pas été affectés par ce changement.

Depuis toujours, le jeu d'argent est l'objet de débats. La culture judéo-chrétienne confronte traditionnellement le jeu à la morale, de même qu'elle oppose l'argent au bonheur. Le jeu est en tout cas le prétexte à s'interroger sur la distinction entre la chance et le hasard. Il repose tout entier sur la différence entre l'*espérance mathématique* (probabilité objective de gagner) et l'*espérance psychologique* (probabilité subjective perçue par le joueur). Il pose aussi la question de la liberté et de la dépendance, car il est parfois à l'origine d'une véritable addiction. S'il est un outil de récréation (loisir), le jeu est aussi un moyen de « recréation » ; il offre au joueur la possibilité de se reconstruire, de se « refaire », comme disent d'ailleurs ceux qui ont beaucoup perdu en jouant.

Les Français ont dépensé 11,4 milliards d'euros à la Française des Jeux en 2011, ...

Le Loto est redevenu le premier jeu de la Française des Jeux en 2011 avec plus de 1,5 milliard € de ventes. Les dépenses consacrées aux diverses formules de jeux proposées par l'opérateur national ont progressé à un rythme accéléré entre 2000 et 2011, de 6,5 à 11,4 milliards d'euros. 2008 avait été la seule année de baisse du chiffre d'affaire (– 1,1 %), causée par l'entrée en vigueur de l'interdiction de fumer dans les bars-tabacs. Entre 2010 et 2011, les mises des joueurs ont connu une forte progression : 8,5 %.

Les jeux de tirage représentaient 46,3 % de l'activité en 2011 (contre 58,9 % en 2007). Ils étaient suivis par les jeux de paris sportifs avec 9,9 % des mises (contre seulement 4,1 % en 2007) et les jeux de grattage : 43,8 % contre 37 % en 2007. Les jeux de tirage comme le Loto, l'Euro Millions et le Rapido/Amigo ont représenté respectivement 13,3 %, 12,9 % et 12,8 % des mises totales. Les jeux de grattage à 3 € et plus comptaient pour un quart des achats de billets et ceux à 2 € pour 14 %. La mise moyenne hebdomadaire s'est élevée à 8 €, contre 6 € en 2007.

La France se situe au 25e rang mondial en termes de mises, avec 175 € par an et par habitant, un montant inférieur à la moyenne européenne de 185 €. En 2011, 21 millions de joueurs, dont 51 % de femmes, ont tenté leur chance (FDJ/Ipsos). Leur profil est très proche de celui de la population française dans son ensemble. La part des mises sur Internet n'a représenté que 3 % des ventes du Groupe. 12 millions de Français ont fréquenté chaque semaine les 35 000 points de vente, dont 23 000 débitants de tabac et 18 000 diffuseurs de presse, situés dans 12 000 communes.

64 % des mises sont revenues aux joueurs (7,4 milliards), 24 % aux finances publiques et à la couverture des risques, 12 % ont servi à financer l'organisation des jeux.

... 10,2 milliards d'euros au PMU...

Pour la quatorzième année consécutive, les dépenses des Français aux paris sportifs et au poker du PMU ont progressé pour atteindre 10,2 milliards € en 2011, en progression de 7,3 % par rapport à 2010. Depuis le début des années 2000, le PMU a attiré de nombreux parieurs supplémentaires (500 000 entre 2002 et 2005). Cette croissance a été obtenue grâce notamment à l'évolution technologique, qui

a permis de jouer jusqu'au départ de chaque course, mais aussi à l'enrichissement de l'offre et un accroissement du nombre de courses. En 2011, le Nouveau Quinté+ lancé en 2005 a été complété par une Super Tirelire de 5 millions d'euros le 13 du mois et par le Quinté+ collectif permettant de jouer de 2 à 10 participants. Les paris hippiques ont progressé de 4,5 % en 2011 pour atteindre la somme de 9,7 milliards. Les paris en ligne sur Internet ont connu une progression de 45 % en un an.

Après le téléphone fixe, le Minitel, la télévision interactive (chaîne Equidia), Internet et la téléphonie mobile, 2009 avait été l'année du lancement de terminaux permettant les paiements par carte bancaire. En septembre 2011, la chaîne Equidia a été doublée en Equidia Life (destinée aux parieurs) et Equidia Live (destinée aux adeptes de l'équitation), et complétée d'un site de *replay*, Equidiawatch.fr. Un quotidien (Geny Courses) a été lancé. La présence du PMU sur les réseaux sociaux tels que Facebook (55 000 fans) ou encore Twitter vise à toucher un public plus jeune.

Bien que ne représentant que 10 % des enjeux, les paris en direct *via* e-PMU ont permis de développer fortement l'activité Internet, qui représente maintenant 100 millions d'euros pour les paris sportifs (une progression de 129 %) et 16,9 % de part des paris sur Internet. Le groupe PMU a élargi son offre au poker depuis l'ouverture du marché en 2010 en s'associant avec Party poker. Il revendique 500 000 clients actifs pour son activité sur Internet. 76 % des mises ont été reversées aux parieurs sous forme de gains, soit 7,7 milliards d'euros. 90 % des enjeux sont effectués dans 11 300 points de vente (dont 550 créations nettes en 2011). En décembre 2011 a ouvert le 1er PMU City à Lyon.

… et 2,3 milliards d'euros dans les casinos.

Les 197 casinos français (contre 135 en 1985) proposent à leurs clients quelque 23 000 machines à sous et différents jeux de table, qui peuvent être utilisés dans un même espace depuis 2007. La mixité était auparavant interdite pour les jeux de table de contrepartie dits spéciaux (roulettes, black-jack, stud poker…) et les jeux dits de cercle (baccara-banque, chemin de fer). En 2006, le droit d'entrée a été supprimé, et les établissements ont mis en place un système de contrôle destiné à empêcher les personnes mineures ou « interdites de jeux » d'accéder aux salles.

Après trois années de baisse (20 % entre 2007 et 2010), les dépenses des Français dans les casinos ont progressé de 0,95 % en 2011, à 2,3 milliards d'euros, dont 2,1 milliards pour les machines à sous (+ 0,9 %) et 212 millions pour les jeux de table (+ 1,4 %). Cependant, plus de la moitié étaient encore en baisse. Les montants cités représentent les produits bruts, c'est-à-dire la différence entre les mises et les gains. Le taux de redistribution moyen est de 86 %, mais les gains sont la plupart du temps réinvestis par les joueurs. C'est pourquoi le chiffre d'affaires total ne peut être directement comparé aux sommes jouées à la Française des Jeux et au PMU, qui offrent des taux de redistribution très inférieurs (respectivement 64 % et 76 %). Calculées de la même façon que pour les casinos, celles-ci seraient en effet environ trois fois moins élevées, c'est-à-dire beaucoup plus proches des sommes jouées dans les casinos.

Six millions de Français de 18 ans et plus jouent au moins une fois par an dans un casino. Chaque année, plus de 37 millions de visiteurs fréquentent ces établissements. Les 25-34 ans, les hommes, les artisans et les retraités sont surreprésentés. Les personnes âgées sont proportionnellement plus nombreuses pendant la semaine que pendant le week-end et hors périodes de vacances. La mise moyenne est de l'ordre de 30 € par visite et de 60 € par semaine. Près de 30 000 personnes sont inscrites dans le fichier des personnes interdites de jeu.

La clientèle traditionnelle des jeux de table a retrouvé un peu de croissance, après une baisse sensible. Elle représente 9 % environ du produit brut, contre 51 % en 1998. Ces jeux souffrent depuis des années de la diminution de la clientèle étrangère fortunée. Elle avait commencé à réapparaître avec la forte croissance économique de certains pays et l'accroissement du nombre des « nouveaux riches » en Europe de l'Est ou en Asie. Mais elle a été perturbée par la crise du tourisme international, depuis la fin 2001, puis celle de 2008. Enfin, les casinos subissent la concurrence des sites en ligne, autorisés depuis mai 2010.

Les jeux en ligne peinent à trouver leur public.

Pour faire face à l'offre illégale de jeux d'argent et de hasard sur Internet, la Commission européenne avait décidé de les autoriser sous conditions, afin de pouvoir les contrôler. Mise en demeure de transposer cette directive, la France a adopté en 2010 un cadre réglementant les jeux d'argent et de hasard en ligne. Il prévoyait une « ouverture maîtrisée à la concurrence » du secteur des paris en ligne (paris sportifs, paris hippiques et jeux de cercle comme le poker), mettant ainsi fin au monopole d'État de la Française des jeux et du PMU. La loi a confié la régulation du marché à une autorité administrative indépendante, l'ARJEL (autorité de régulation des jeux en ligne), chargée d'attribuer les agréments aux opérateurs de jeux sur Internet, de contrôler leur activité et de participer, en lien avec les ministères de l'Intérieur et de la Justice, à la lutte contre l'offre illégale.

On compte aujourd'hui une quarantaine d'opérateurs agréés par l'ARJEL pour cinq ans renouvelables (sous réserve de respect d'un cahier des charges), qui gèrent environ 80 sites de jeux. Les opérateurs agréés sont soumis à une fiscalité correspondant à 7,5 % des mises des joueurs pour les paris sportifs et hippiques et à 2 % des mises pour le poker. Une partie de ces recettes est affectée au financement de mesures d'intérêt général, dans le domaine de la santé (lutte contre la dépendance aux jeux) et de la préservation du patrimoine. À cette fiscalité s'ajoutent, pour les paris sportifs, une contribution au financement du sport amateur et, pour les paris hippiques, à celui de la filière hippique. La loi prévoit en outre un ensemble de mesures visant à lutter contre les sites non agréés.

Depuis l'ouverture des jeux légaux en ligne, les jeux de pronostics représentent le tiers de l'activité et le poker, un quart. Les joueurs en ligne pour les paris sportifs sont plutôt des hommes, souvent jeunes. L'ARJEL a dressé les portraits-robots des trois types de joueurs en ligne. Le parieur sportif est plutôt un homme de 28 ans, misant 50 € et dépensant pendant sa séance environ 15 € ; il parie principalement sur les matchs de football, joue en journée (surtout le week-end). Le parieur hippique est un homme âgé de 45 ans, qui mise 150 € pour une dépense de 50 € et parie principalement sur les courses de trot, en journée (surtout le week-end). Enfin, le joueur type de poker est âgé de 31 ans, mise 100 € en cash-game et 50 € en tournois, pour une dépense inférieure à 20 € ; il joue surtout les soirs, en semaine.

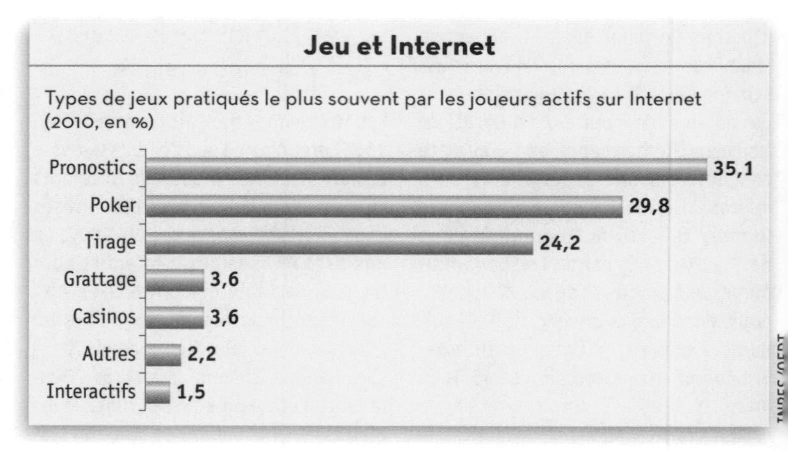

28 millions de Français jouent aux jeux vidéos...

Près d'un Français sur deux joue aux jeux vidéo (40 %). Ils concernent les deux tiers (65 %) des Français ayant une activité sur Internet (GFK, 2011). Le profil des joueurs a fortement évolué au cours des dernières années et l'image de l'adolescent rivé à sa console pendant des heures n'est plus représentative. L'âge moyen des joueurs est de 33 ans et les femmes en représentent déjà près de la moitié. Les « accros » du jeu vidéo (*core gamers* ou *hardcore gamers*) ne représentent que 4 millions d'individus, soit seulement 14 % des joueurs. Les jeux évoluent en même temps que leurs utilisateurs.

L'histoire des jeux vidéo a connu plusieurs phases distinctes, depuis ses débuts dans les années 1980. Les achats de consoles avaient beaucoup progressé jusqu'au début des années 1990 (2,1 millions en 1992), puis connu une désaffection (980 000 en 1996). Une nouvelle page s'était écrite avec l'arrivée de la Wii (Nintendo), Move (PS3) et Kinect (XBox 360). Des accessoires de capture de mouvements permettent au joueur de participer de manière plus active aux jeux, qui s'ouvrent à des versions familiales dans des domaines interactifs comme le sport ou la forme. Les ventes de jeux restent très dépendantes de nouvelles consoles. L'intérêt des Français pour les jeux sur *smartphones* ou tablettes est venu bousculer les éditeurs classiques de logiciels.

... et leur consacrent un temps important.

Le jeu vidéo est partie intégrante des modes de vie des adolescents et des jeunes. Le temps moyen de jeu des 13-19 ans est de 9 heures par semaine. 60 % des filles y jouent mais leur temps de jeu est moindre que chez les garçons. On estime que 95 % des garçons de 8 à 12 ans jouent 6 heures par semaine et les 13-19 ans jouent 9 heures par semaine contre 11 h 30 passé sur Internet et 10 h devant la télévision. En 2011, les Français ont acheté 13 millions de consoles de jeux au Royaume-Uni, en Allemagne, en France et en Espagne. En France, la PlayStation 3 représente 22 % des ventes, suivie par la Wii (20 %) et la Nintendo 3DS (20 %).

Le jeu est porteur d'un univers fantasmatique qui permet aux jeunes de s'évader de la réalité. Le risque, souvent dénoncé par les parents et par certains observateurs, est celui de l'addiction, qui peut conduire à des attitudes d'éloignement

Portrait du joueur vidéo

Avec 2,1 milliards d'euros d'achats de logiciels de jeux vidéo, les Français se situent en troisième position en Europe, derrière les Britanniques (2,6) et les Allemands (2,2). En 2011, les achats de jeux pour consoles de salon ou portables ont représenté plus de deux fois le montant des achats de consoles (1,4 milliard d'euros contre 625 millions). Les achats de jeux sur support matériel pour ordinateur (195 millions d'euros) deviennent minoritaires au profit des jeux en ligne (345 millions) et des achats de jeux pour *smartphones* (206 millions).

Les trois-quarts des joueurs pratiquent cette activité de manière isolée malgré le développement des jeux collectifs et familiaux. La console de salon, bien que concurrencée par les consoles portables et les nouveaux supports tels que *smartphones* ou tablettes, reste le support utilisé par 63 % des joueurs. 55 % des joueurs sur ordinateur ou console pratiquent le également le jeu sur *smartphones* ou tablettes (Newzoo). Seuls 4 % des utilisateurs jouent dans les transports mais 8 % d'entre eux jouent exclusivement sur leur *smartphone* (Kantar Media).

Les jeux sont devenus la catégorie d'application préférée des utilisateurs de *smartphones* ou de tablettes. En avril 2012, ils représentaient 70 % des applications préférées sur l'Apple store et 67 % sur le Google Playstore, loin devant les utilitaires (58 % Apple store et 52 % Google Playstore) et les divertissements, qui pesaient respectivement 55 % et 37 % (Surikate). En mai 2012, les différentes versions du jeu *Angry Birds*, pour *smartphone* et tablette ont atteint le milliard de téléchargements à l'échelle mondiale. La dernière version, *Angry Birds Space*, a conquis 50 millions de clients en 35 jours seulement. Les femmes préfèrent les jeux de réflexion, de danse et de musique tandis que les hommes choisissent les jeux de combat et de tir (FPS).

de la vie réelle et à des comportements pathologiques. L'autre danger, plus difficile à mettre en évidence, est l'influence des situations de violence, particulièrement fréquentes dans les jeux dits d'action-combat-stratégie-simulation, qui représentent environ 40 % des achats. Le succès de ces jeux s'explique par l'interactivité qu'ils autorisent et le sentiment de puissance qu'ils procurent. S'ils permettent de simuler les différentes activités de la « vraie vie », ils représentent parfois un moyen de substitution.

Plus largement, plus de trois personnes sur quatre sont dotés d'équipements (ordinateurs ou consoles de jeu) permettant de pratiquer les loisirs interactifs : jeux vidéo, multimédia… Leurs dépenses ont atteint plus de 3 milliards d'euros en 2011, dont 400 millions pour les jeux en ligne (GfK). Elles dépassent largement celles consacrées à la musique (756 millions) et au cinéma (1,4 milliard). Les loisirs interactifs constituent aujourd'hui une activité culturelle majeure des Français ; elle concerne en particulier les 15-35 ans.

Bricolage, jardinage

Plus de neuf Français sur dix ont déjà bricolé.

Le bricolage connaît une progression régulière et forte depuis quatre décennies. 89 % des adultes disaient l'avoir pratiqué en 2011, contre 66 % en 2002 (FMB). Les bricoleurs considérés comme « réguliers » représentent plus de 13 millions de personnes, contre seulement 3 millions au début des années 1960 ; seul un Français sur dix se déclare réfractaire à cette activité.

Les hommes et les femmes sont désormais presque concernés à parité. En 2011, huit femmes sur dix déclaraient avoir réalisé souvent ou rarement tout au long de l'année des travaux de décoration, mais une sur trois avait effectué de gros travaux chez elle (Ifop/Castorama). Ce sont les femmes en tout cas qui ont assuré la croissance du bricolage au cours des quinze dernières années. Les personnes de 30 à 50 ans, mariées et habitant une maison, sont les plus assidues. On constate cependant un regain d'intérêt pour le bricolage vers l'âge de la retraite, période au cours de laquelle on réaménage son logement. Les parents retraités aident aussi de plus en plus souvent leurs enfants à s'installer. Les propriétaires sont plus motivés que les locataires pour investir leur temps et leur argent dans l'amélioration de leur logement.

La motivation du bricolage ne concerne plus seulement l'amélioration du logement. Elle s'étend à l'aménagement de l'espace et à la décoration, qui intéresse notamment les femmes et les jeunes. Faute de pouvoir partir en vacances, les bricoleurs cherchent à mettre en scène leurs espaces domestiques afin de se sentir bien chez eux (tendance « *maisoning* »). En mai 2011, trois Français sur quatre projetaient de refaire les peintures eux-mêmes, un sur deux de monter des étagères ou encore de changer une prise ou un interrupteur (Ifop/Castorama, 2011). D'autres cherchent à mettre en valeur leur demeure afin de pouvoir mieux la vendre (tendance *« home staging »*). Outre son intérêt en matière d'aménagement du logement, le bricolage est un facteur d'équilibre et de satisfaction personnelle pour ceux qui le pratiquent : expression de soi ; création ; fierté du résultat obtenu ; personnalisation du cadre de vie. Il a aussi des vertus par rapport à la vie familiale car il favorise le dialogue, permet de définir des projets en commun (notamment en couple) et de les réaliser ensemble.

Les ménages dépensent en moyenne près de 800 € par an.

Les dépenses en bricolage ont connu une forte croissance depuis plus de 10 ans, avec une progression annuelle supérieure à 3 %. Elles ont cependant connu un retournement en 2008, avec une baisse de 1,1 % en valeur et de 3,6 % en volume, qui s'est poursuivie en 2009 avec une baisse de 2,4 % en valeur et 4,5 % en volume (Fédération des magasins de bricolage et de l'aménagement de la maison). Mais les dépenses des ménages ont repris depuis 2010. En 2011, elles ont atteint 24 milliards d'euros en équipements et produits de bricolage (incluant le rayon jardinage des grandes surfaces de bricolage), un chiffre en progression de 2,6 % sur un an et de 7,8 % par rapport à 2006 (Unibal). Avec 786 € de dépenses annuelles par foyer en 2011, ce poste est devenu le premier secteur d'équipement domestique, devant les achats de meubles (360 €), de TV-hi-fi (288 €), d'équipements de sport (332 €), d'électroménager (267 €) et de jardinage (272 €). La décoration représentait 22 % des dépenses en grandes surfaces de bricolage en 2010.

Plus des trois-quarts des achats en valeur (76 %) sont réalisés dans les grandes surfaces spécialisées (Leroy Merlin, Castorama, Mr Bricolage...), qui ont gagné 31 points en une quinzaine d'années (45 % en 1992). La part des grandes surfaces alimentaires a connu en revanche une forte baisse pendant la période : 4 % contre 20 %. Il en est de même du commerce traditionnel : 3 % contre 15 %. La vente par camion ou lors de foires à l'outillage a aujourd'hui quasiment disparu. Les achats sur Internet sont encore marginaux, mais un nombre croissant de bricoleurs utilisent le Web pour choisir un magasin de bricolage (deuxième source d'information après les brochures reçues à domicile), pour concevoir un aménagement de cuisine ou trouver des conseils sur les produits et leur mise en œuvre.

Le rayon le plus fréquenté par les ménages dans les grandes surfaces de bricolage est celui de la plomberie et des sanitaires (14,5 % des achats, Unibal), du bois et de ses dérivés (13,1 %), suivi des rayons décoration (12,5 %), jardin (12 %), électricité et luminaires (11,9 %), revêtements de mur, sol et carrelage (8,9 %). Depuis le début de l'éclatement de la bulle immobilière en 2008, le bricolage de construction a enregistré de fortes baisses, à l'inverse du bricolage de décoration. Les crises économiques favorisent en effet les petits travaux et ceux de décoration.

L'évolution de l'offre a favorisé le bricolage.

Seul un Français sur quatre bricole régulièrement (Castorama/Ifop, 2011) et un sur trois uniquement quand il y a une réparation à faire (L'internaute, 2012). Les personnes qui se considèrent comme expérimentées représentent un tiers des bricoleurs, un peu plus de la moitié (55 %) s'estimant peu expérimentées. Les jeunes sont moins concernés que les plus âgés, peut-être par manque d'expérience : près d'un tiers des 18-24 ans considèrent ainsi que le bricolage n'est pas une activité agréable. Les femmes qui bricolent sont plus nombreuses à considérer qu'il est important et agréable de faire des choses de ses mains (96 % contre 88 % des hommes). Elles sont aussi plus souvent d'accord sur le fait que la déco-

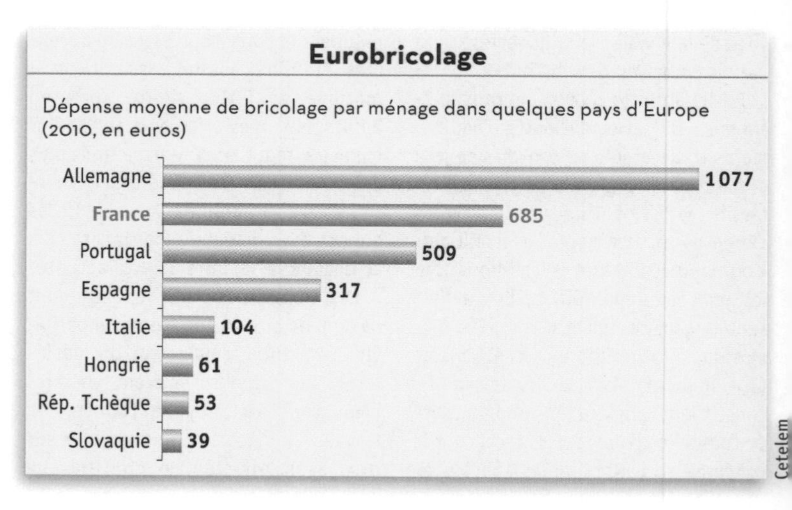

ration de leur maison doit être à leur image, refléter leur personnalité (86 % contre 73 % des hommes).

L'amélioration constante de l'offre de produits, équipements et services est pour partie responsable de l'engouement pour le bricolage. Elle a rendu les travaux moins durs physiquement et plus faciles à réaliser sans connaissance préalable. Il faut rappeler que le bricolage (avec le jardinage) est à l'origine de deux accidents de la main sur dix (SFCM), et que plus de 100 000 Français sont victimes d'un accident d'échelle, d'escabeau ou d'échafaudage (enquête EPAC de l'INVS). Les outils sont devenus plus fiables (notamment les sans fils), des outils multifonctions sont apparus, l'entretien et le rangement ont été facilités. L'usage des peintures, lasures et colles est devenu plus simple, plus universel, et le séchage plus rapide.

Le développement des grandes surfaces spécialisées a largement contribué à la féminisation qui s'est produite, en proposant aux clientes (mais aussi aux clients) des conseils, des fiches techniques, des démonstrations, des cassettes vidéo et même des stages pratiques. Fabricants et distributeurs ont fait des efforts d'information en montrant les résultats possibles, en proposant des idées et des solutions, en rassurant les hésitants sur leur capacité à réussir. Les sites Internet et les applications pour *smartphones* renforcent la dimension pédagogique et ludique du bricolage en donnant des conseils pratiques, souvent en vidéo, mais aussi sur les forums d'échange et d'entraide. Les femmes de 35 à 49 ans sont particulièrement sensibles à ces aspects. La baisse des prix a permis de lancer sur le marché des outils semi-professionnels.

Enfin, les enseignes ont fait évoluer le marché et l'attitude du consommateur, en multipliant les produits à leur marque au détriment des grandes marques nationales. Comme dans l'alimentaire, les enseignes de maxidiscompte ont réduit le nombre de références et pratiqué des prix bas ; elles captent aujourd'hui plus de 20 % des dépenses de produits de bricolage.

Les motivations sont multiples.

Pour 63 % de ceux qui le pratiquent, le bricolage est considéré comme un plaisir (Castorama/Ifop, 2011). 91 % des bricoleurs éprouvent de la fierté à réaliser eux-mêmes leurs travaux. Mais le souhait de faire des économies est une motivation essentielle en temps de crise ; elle concerne 81 % des bricoleurs.

Outre ses avantages économiques, le bricolage est un moyen de s'adonner à des activités manuelles et de lutter contre la tendance à l'abstraction, à la dématérialisation et à la « virtualisation » qui caractérisent la société contemporaine. Il répond aussi à la parcellisation des tâches qui s'est produite dans la vie professionnelle ; la plupart des salariés (ouvriers, employés, mais aussi cadres) ne sont concernés que par une partie des processus concourant à l'activité de leur entreprise. Cela entraîne une certaine frustration, car il est plus difficile de se prévaloir à titre personnel d'un résultat tangible, identifiable. Le bricolage permet aussi de développer des compétences dans de nouveaux domaines et d'en retirer des satisfactions. Il est un moyen de valoriser son travail, tant à ses propres yeux qu'à ceux des autres. Il permet enfin d'embellir son cadre quotidien en le personnalisant et de le transformer au gré de sa propre évolution dans la vie.

On observe un intérêt croissant pour le bricolage à vocation écologique, qui utilise des matériaux et des techniques respectueux de l'environnement et cherche à réduire la consommation énergétique du logement (isolation, géothermie, solaire, récupération des eaux, éoliennes pour particuliers...).

L'intérêt pour le jardinage continue de croître...

Le jardin occupe donc une grande place dans le quotidien des Français. Sept ménages sur dix déclarent disposer d'un jardin ou d'une terrasse, soit environ 19 millions de personnes (France Agrimer/TNS Sofres, 2012). Plus de la moitié des foyers possèdent un jardin (60 %) et 39 % une terrasse. Les trois-quarts des ménages disent accorder une attention particulière à la présence d'un jardin ou d'une terrasse lorsqu'ils choisissent leur habitation (UNEP/Ipsos, 2012). La proportion de logements avec jardin ou terrasse atteint 85 % dans le grand Ouest, contre 55 % en Île-de-France. La terrasse est plus répandue dans le Sud-Est : 30 % des logements, contre 9 % en moyenne et seulement 3 % dans le Sud-Ouest (où l'on trouve davantage de logements collectifs le long du littoral). Parmi les logements disposant d'un espace de jardinage extérieur, un sur six bénéficie en outre d'une terrasse. Il faudrait ajouter les jardins des résidences secondaires (10 % du parc de logements), qui sont plus souvent des maisons individuelles que des logements collectifs. Au total, 90 % des foyers disposent d'un espace de jardinage lié à leur habitat principal, dont 59 % un jardin, 47 % une terrasse, 32 % un balcon, et 50 % un rebord de fenêtre fleurissable. 77 % des jardins ont une pelouse et 38 % un coin potager.

La disponibilité d'un jardin ou d'une terrasse varie selon l'âge et les revenus. Huit Français sur dix âgés de 35 ans ou plus possèdent l'un ou l'autre, contre moins des deux tiers des 25-34 ans (63 %). 58 % des ménages aux revenus mensuels supérieurs à 3 000 € ont à la fois un jardin et une terrasse, seul un sur sept (14 %) n'a ni l'un ni l'autre ; c'est le cas en moyenne d'un quart des Français. 55 % des ménages les plus modestes (revenus inférieurs à 1 200 € par mois) jouissent d'un espace de verdure privatif (jardin et/ou terrasse). Presque toutes les maisons individuelles construites après 1975 ont un jardin. Certaines villes développent des jardins familiaux et collectifs, renouant avec la tradition des jardins ouvriers.

En Europe, les jardins sont plus répandus dans les pays du Nord que dans ceux du Sud, car la part de l'habitat individuel y est plus élevée. Depuis le début des années 1980, la superficie des jardins tend à se réduire (un peu moins de 800 m² en moyenne) ; près de la moitié ont une surface inférieure à 250 m².

... d'abord en tant que loisir.

Comme le bricolage, et pour des raisons semblables, le jardinage est une activité de loisir de plus en plus pratiquée. Elle concerne la quasi-totalité des ménages qui disposent d'un jardin, à l'exception de ceux qui ne peuvent s'en occuper eux-mêmes pour des raisons de santé ou de temps disponible. Traditionnellement, cette activité est davantage associée aux seniors mais on constate qu'elle concerne de plus en plus de jeunes accédant à la propriété.

L'intérêt croissant pour le jardinage, sensible depuis le début des années 2000, est d'abord apparu dans les ménages aisés. Pour les cadres, jardiner est devenu un moyen de lutter contre le stress, de pratiquer une activité physique susceptible de compenser pendant les week-ends le mode de vie sédentaire de la semaine. Ce phénomène s'est d'ailleurs traduit dans d'autres domaines comme la pratique culinaire (p. 192). Il a été favorisé par la mise en place des 35 heures et des RTT, qui permettent aux salariés de passer plus de temps chez eux. Pour les autres groupes sociaux, les motivations du jardinage sont multiples : économie ; proximité avec la nature ; embellissement du cadre de vie ; valorisation de soi ; possibilité de cultiver des fruits et légumes, etc. Cependant, près d'un tiers des Français considère que l'entretien du jardin peut être parfois une « corvée ».

Près d'un ménage sur dix a déjà fait appel aux services d'un jardinier-paysagiste, que ce soit pour la création ou l'entretien de son jardin. Les plus enclins à recourir à ce type de prestation sont les retraités, les femmes et les ménages habitant en milieu rural. Le nombre d'entreprises qui proposent des prestations dans le domaine du jardin a presque été multiplié par deux en six ans, passant de 14 400 en 2004 à 26 500 en 2010 (UNEP). 14 % des Français possédant un jardin font appel à un prestataire extérieur qui est, dans 41 % des cas, un professionnel de l'entretien d'espaces verts (France Agrimer/TNS Sofres, 2012).

La dépense annuelle est de 273 € par ménage.

Les Français ont dépensé 7,5 milliards d'euros pour le jardinage en 2011, soit une croissance de 4 % en un an. La dépense moyenne par ménage s'élevait à 273 €. Les deux tiers des achats concernaient les jardins, le reste étant destiné aux balcons et terrasses. Les végétaux (d'intérieur et d'extérieur) représentaient un peu moins du quart (22 %) du budget global en 2010 (Promojardin), de même que les loisirs au jardin (19 %), devant les aménagements et la décoration (14 %), les outils motorisés (13 %), les outils de jardin et systèmes d'arrosage (12 %), les produits pour le jardin (8 %), les végétaux d'intérieur (6 %), les contenants (4 %) et le mobilier (1,9 %).

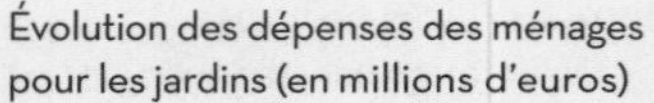
La passion verte

Évolution des dépenses des ménages pour les jardins (en millions d'euros)

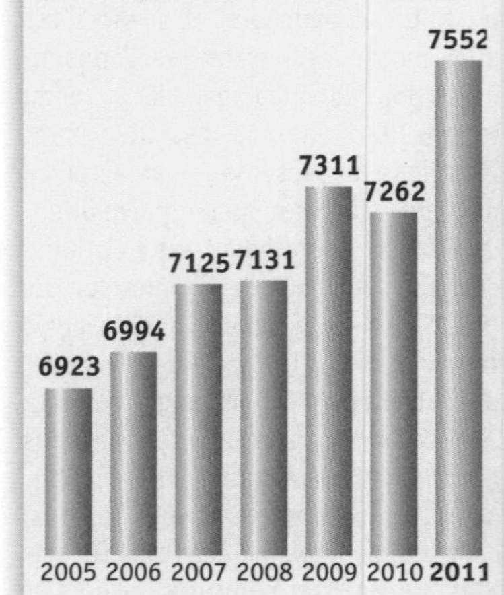

La moitié des ménages possédant un jardin dépensent 500 € par an et 5 % des foyers y consacrent plus de 4 000 €. La dépense moyenne est de 1 049 € par an. Les Français qui font appel à un professionnel pour la création d'un jardin ne représentent que 15 % des foyers utilisant la prestation d'un professionnel mais 39 % du montant total des dépenses de jardin pour une dépense moyenne de 2 455 €. 92 % des dépenses de jardinage sont liées à l'entretien ; l'élagage des arbres ou des haies et la tonte de la pelouse sont, de loin, les postes le plus importants (France Agrimer-TNS, 2012).

29 % des achats étaient effectués dans les grandes surfaces de bricolage (2011), 20 % dans les jardineries, 14 % dans les libres-services agricoles (Lisa) et chez les autres types de spécialistes, 21 % dans les hypermarchés et supermarchés (contre 12 % en 2005), 10 % chez les spécialistes (motoculture, électriciens), 8 % dans la vente directe et par correspondance, 8 % dans les

magasins de détail. Les propriétaires dépensent en moyenne quatre fois plus que les locataires. En trente ans, les dépenses de graines, outils de jardinage, plantes et arbustes ont été multipliées par cinq en monnaie constante.

Comme pour le bricolage, la crise économique ne semble pas avoir un impact sensible sur les dépenses de jardinage. Cela s'explique par l'attachement croissant des Français à leur logement (p. 177) et la part croissante qu'il prend dans leur temps et leurs dépenses. Les difficultés économiques se traduisent en effet par une diminution des sorties au profit des activités pratiquées à domicile.

La différence entre l'intérieur et l'extérieur s'estompe.

Outre les dépenses destinées au jardin proprement dit, celles consacrées au mobilier de jardin (tables, sièges, parasols, tentes, balancelles...) ont connu une forte progression en quantités, mais elles stagnent en valeur, du fait de la baisse des prix ; elles se sont élevées à 141 millions € en 2011 (IPEA). On observe une tendance à faire de la terrasse un espace à vivre, un prolongement de la maison, mais aussi une transition entre l'intérieur et l'extérieur. La terrasse est de plus en plus souvent recouverte de lames de bois véritables ou composites au détriment des revêtements minéraux, pour des questions d'aspect mais aussi pour la simplicité et la rapidité de la pose par un bricoleur même peu averti. Des systèmes de clips simplifient la mise en œuvre.

Cette moindre différenciation entre le dedans et le dehors explique que le mobilier intérieur, notamment de salon, s'inspire de celui du jardin, alors que l'on n'hésite pas à installer dehors des meubles de salon. Les baies vitrées de plus en plus panoramiques ont tendance à remplacer les portes fenêtres pour donner une impression d'espace. Les baies vitrées à galandage disparaissent à l'intérieur des murs lorsqu'on les ouvre afin de faire disparaître les marques de séparation entre l'intérieur et l'extérieur. Le style méridional, symbole de soleil, de couleur et de vacances, est toujours à la mode mais le design l'emporte. Les nouveaux textiles techniques peuvent être utilisés à l'extérieur et ouvrent la voie à des salons d'extérieur composés de fauteuils et de canapés. Les innovations sur les matériaux et les finitions permettent de protéger le métal et rendent le mobilier plus ergonomique et plus facile à ranger après la saison.

Le bois est de plus en plus présent dans les parties extérieures. Le consommateur devient de plus en plus sensible aux essences provenant de forêts gérées « durablement » (certificats FSC ou PEFC) et le teck perd de son importance au profit de bois résistant naturellement aux intempéries comme l'acacia ou de bois traités thermiquement par de nouveaux procédés. Évocateur d'authenticité, d'esthétique et de qualité, le bois se mélange à d'autres matériaux comme le verre ou le métal. Les mobiliers plastiques thermoformés ou rotomoulés apportent des couleurs vives et des formes contemporaines. Les fontaines ont fait leur apparition, tant dans les jardins qu'à l'intérieur des appartements ; on observe un intérêt pour les jardins aquatiques. L'éclairage est de plus en plus utilisé comme élément de décoration extérieure avec un net développement de produits design intégrant des ampoules à économie d'énergie ou des capteurs solaires.

Le goût du jardinage témoigne du besoin de nature.

Les préoccupations concernant l'environnement s'accroissent en même temps que l'information se diffuse sur

Le jardin, miroir du jardinier

Le jardin ressemble à celui qui l'entretient ou, en tout cas, à l'image qu'il a envie de projeter de lui. Cette personnalisation n'exclut pas un certain mimétisme entre voisins, qui peut parfois conduire à la surenchère. On observe quelques tendances générales, comme l'intérêt pour les plantes et les fleurs exotiques et l'importance accrue des contenants. Des poteries traditionnelles, l'offre s'est élargie à des contenants en métal ou en plastique intégrant parfois un éclairage. Les contenants jouent sur les tendances de modes et leur prix accessible ne fait que renforcer leur rôle décoratif dans le jardin.

Le confort, la facilité et la simplicité d'entretien sont davantage recherchés, notamment pour les tâches les plus ingrates comme la tonte du gazon, l'élagage ou l'abattage des arbres, qui sont confiées à des personnes ou à des entreprises extérieures. Influencés par le rythme accéléré du monde, les nouveaux jardiniers sont plus impatients que ceux des générations précédentes ; ils souhaitent que les plantes poussent plus vite. Ils recherchent des produits et des équipements simples à utiliser, hésitent moins à acheter des outils et des machines plus sophistiqués qui leur font économiser du temps et de la fatigue : tondeuses plus larges et moins bruyantes, plaques de gazon, etc. La culture du jardin est aussi celle du résultat.

les menaces qui pèsent sur lui. Le jardinage apparaît comme un moyen de retrouver une relation plus harmonieuse avec la nature. D'une manière générale, le végétal joue un rôle croissant dans la société, comme on peut le constater également en matière alimentaire (p. 189). Le jardinage s'inscrit aussi dans l'idée plus générale de développement durable ; les jardiniers recourent ainsi plus fréquemment aux engrais biologiques. Mais leurs motivations sont principalement d'ordre esthétique : la beauté du cadre de vie prend une place croissante dans les attentes des Français, ce qui explique leur intérêt pour les jardins « paysagés » et plus largement pour les paysages. Le jardinage est par ailleurs une activité polysensorielle ; il permet de voir, sentir, toucher, goûter, écouter la nature. Les travaux les moins appréciés sont la tonte du gazon, le traitement et le soin des plantes, le binage et la fertilisation.

L'engouement pour le jardinage a été favorisé par l'accroissement du temps libre, mais aussi par un besoin d'activités antistress. À l'inverse de nombreux loisirs, il peut se pratiquer au moment de son choix, en tenant compte cependant des contraintes saisonnières. Il donne à ses adeptes un sentiment de liberté, de ressourcement et de valorisation personnelle. La satisfaction de pratiquer une activité manuelle et décorative est une autre motivation importante. Elle est renforcée par le sentiment de progresser et d'observer les résultats de ses actions. Les jardiniers amateurs lisent la presse spécialisée, demandent conseil aux plus compétents, visitent les expositions d'arbres et de plantes (on en dénombre plus de 500, contre une quarantaine il y a vingt ans), passent du temps dans les jardineries et prennent de plus en plus de conseils sur Internet et dans les forums.

ACTIVITÉS CULTURELLES

Les dépenses de culture et loisirs représentent 300 € par mois et par ménage.

Selon la nomenclature « loisirs et culture » utilisée par l'INSEE (qui mélange loisirs et pratiques amateurs, biens d'équipement et consommables, produits et services), la dépense moyenne était de 3 560 € par ménage pour l'année 2011, soit quasiment 300 € par mois (p. 404). Parmi les principaux postes, les dépenses pour les appareils électroniques et informatiques représentaient 19 %, celles des services culturels et récréatifs 33 % et celles de la presse, des livres et de la papeterie 13 %. La dépense moyenne par ménage se montait à 368 € pour les services culturels, 184 € pour les livres, 262 € pour les journaux et périodiques, 61 € pour les articles de papeteries et le matériel de dessin.

En 2011, les dépenses culturelles et de loisirs représentaient 2,8 % de la dépense de consommation effective des ménages. Le premier poste est aujourd'hui constitué des services culturels, qui regroupent les dépenses de cinéma, concerts, théâtre et autres spectacles vivants, de musées, les abonnements audiovisuels, etc. L'ensemble de ces services culturels représentait 17 % des dépenses de loisirs et culture en 2010 (tableau), contre moins de 13 % en 1990. Venaient ensuite les dépenses de presse, livres et papeterie (14 %), à égalité avec les achats d'articles de jardinage ou pour les animaux de compagnie. La part des dépenses en matériel hi-fi, vidéo et en télévision a également nettement reculé (11 % contre 15 % en 1990. À l'inverse, de nouveaux postes de dépenses ont gagné en importance : les dépenses en informatique représentaient 7 % des dépenses de loisirs en 2010, contre moins de 2 % en 1990.

Quelle que soit la façon de l'approcher, la dimension économique reflète imparfaitement la réalité des habitudes culturelles. D'abord parce qu'elle ignore certaines dépenses, liées par exemple aux pratiques amateurs (peinture, sculpture, danse, théâtre, musique...) qui nécessitent l'achat de matériels, de produits consommables ou de cours. Mais aussi parce que certaines activités sont gratuites ou peu onéreuses (télévision TNT ou par ADSL, presse gratuite, randonnée pédestre...) ou forfaitaires (abonnements à la télévision par câble, au satellite, adhésions à des associations...). Il est donc important d'examiner les taux de pratique plutôt que les seules dépenses mesurées.

Les Français fréquentent plus souvent les lieux culturels...

La comparaison de la dernière enquête effectuée par l'INSEE sur les pratiques culturelles (2009) avec celles réalisées antérieurement par le ministère de la Culture montre que les Français sont de plus en plus nombreux à se rendre au théâtre, au cirque, à des concerts (musique classique, rock, jazz...) ou à d'autres types de spectacles. Un sur deux (âgé de 15 ans et plus) va au cinéma (53 %) et un sur trois visite un musée ou une exposition (36 %) au moins une fois dans l'année. Un sur trois (33 %) assiste à un concert, un spectacle ou se rend au théâtre.

La fréquentation des lieux de spectacle est fortement corrélée au niveau d'instruction et, de ce fait, à l'apparte-

Flou artistique

La distinction entre les activités de loisirs diverses et celles qui ont une vocation plus spécifiquement « culturelle » est difficile à établir de façon objective. Elle dépend de la définition que l'on adopte de la culture, donc des pratiques qui lui sont associées. Le débat entre la culture « majuscule » et celle qui serait « minuscule » reste ouvert (p. 86). La lecture d'un livre de cuisine ou l'écoute d'émissions de divertissement pur à la télévision sont-ils à ranger dans la même catégorie que la pratique personnelle de la peinture, de la danse, de la sculpture ou d'autres activités artistiques ? La fréquentation du cinéma ou même des spectacles vivants (théâtre, concerts, cirque...) peut aussi prêter à discussion, chacune de ces activités pouvant avoir une vocation plus ou moins « populaire » ou « élitaire ». Ce critère a-t-il aujourd'hui une pertinence ?

D'une manière générale, faut-il séparer la fonction de spectateur de celle d'acteur ? On peut considérer que la visite d'un musée ou d'un monument est un acte culturel, au même titre que les « pratiques amateur » : musique, peinture, dessin, sculpture, danse, théâtre, chant, écriture, artisanat... Mais peut-on ajouter à celles-ci la cuisine ou les collections de timbres-poste ? Faut-il inclure la photographie, lorsqu'elle se limite à immortaliser les naissances, les anniversaires ou les vacances ? La question se pose aussi en ce qui concerne la fréquentation des bals et discothèques, la visite des manèges forains ou des parcs d'attractions.

Devant la difficulté d'une tentative de classification, ce sont ici les dépenses liées aux «activités culturelles et de loisir » par la Comptabilité nationale qui ont été prises en compte ; elles s'inscrivent dans une conception large de la culture, qui tend à prévaloir depuis les années 1980. Seules les activités sportives, les jeux, le jardinage et le bricolage ont été abordés séparément dans les pages précédentes, en tant qu'activités ressortissant principalement au loisir, plutôt qu'à la culture.

Le prix de la culture

Évolution des dépenses de culture et de loisirs (en % de la dépense totale et en millions d'euros pour 2010)

	1960	1970	1980	1990	2000	2010	2010 (en millions d'euros)
Télévision, hi-fi, vidéo, photo	16,2	14,1	16,8	15,3	11,3	11,2	10 417
Informatique (y compris logiciels, cédéroms)	0,1	0,1	0,8	1,8	7,6	6,9	6 452
Disques, cassettes, pellicules photo	2,6	3,7	3,7	6,1	5,7	3,0	2 827
Presse, livres et papeterie	25,9	24,1	21,3	21,3	16,9	14,3	13 389
Services culturels (y compris redevance TV)(1)	17,5	13,8	12,9	12,6	15,9	17,2	16 076
Jeux, jouets, articles de sport	7,1	10,2	10,8	9,4	9,4	11,1	10 401
Jardinage, animaux de compagnie	13,1	15,8	13,5	15,0	12,6	13,9	12 962
Services récréatifs et sportifs, voyages à forfait, week-ends, etc.(2)	9,1	7,0	8,0	7,6	8,1	9,0	8 440
Jeux de hasard	5,4	6,9	7,0	6,9	8,9	9,3	8 694
Autres biens culturels et de loisirs	2,8	4,3	5,2	4,0	3,5	4,0	3 731
Total	100,0	100,0	100,0	100,0	100,0	100,0	93 390

(1) : cinéma, spectacles vivants, musées, abonnements audiovisuels, développements et tirages de photographies, etc.

INSEE, comptes nationaux, base 2005

nance à une catégorie professionnelle. La relation est particulièrement apparente en ce qui concerne la danse, le théâtre, l'opéra, les concerts de jazz ou de musique classique. Ce sont souvent les mêmes catégories de personnes qui sont concernées par les différentes activités. Ainsi, la fréquentation du théâtre ou le fait d'aller à un concert concernait 61 % des cadres et 20 % des ouvriers en 2009, celle d'un musée ou d'une exposition respectivement 70 % et 20 %.

... et notamment les musées et monuments...

Les musées et monuments du patrimoine connaissent un engouement croissant. En 2011, la fréquentation des musées a progressé d'un peu plus de 5 % (la plus forte depuis 2007) pour atteindre 28 millions de visiteurs. Cette hausse (plus de 10 % au cours des cinq dernières années) concerne les 35 musées nationaux, notamment les grands musées parisiens, mais aussi l'ensemble des 1 200 musées ouverts en France. Elle a été favorisée par les mesures de gratuité en faveur des jeunes et des enseignants depuis 2009. En 2011, le nombre de visites réalisées par des jeunes de 18-25 ans résidant dans l'Union européenne était de 2,2 millions, soit 10 % de la fréquentation des collections permanentes. Le public des musées tend à se diversifier, avec une plus forte présence des jeunes visiteurs, un accroissement des visites familiales et un développement du tourisme culturel populaire.

Au Louvre, la progression a atteint 22 % en 2011 (plus de 9 millions de visiteurs), grâce notamment aux expositions « Rembrandt et la figure du Christ », « la Cité interdite : empereurs de Chine et rois de France » et « Au royaume d'Alexandre le grand »,

Les bonnes fréquentations

Taux de pratiques culturelles (au moins une fois dans les 12 derniers mois, 2008, en % des 15 ans et plus)

Sur 100 Français de 15 ans et plus, au cours des 12 derniers mois,		
Ont :	lu au moins un livre	70
	dont 20 livres ou plus	*17*
	lu au moins un quotidien payant	69
	dont tous les jours ou presque	*29*
	lu un magazine ou une revue au moins un n° sur deux	59
	écouté de la musique tous les jours ou presque	34
	écouté la radio tous les jours ou presque	67
	regardé la télévision tous les jours ou presque	87
	regardé des DVD au moins une fois par semaine	25
Sont allés :	Musée	30
	Monument historique	30
	Exposition temporaire de peinture ou de sculpture	24
	Spectacle son et lumière	17
	Exposition temporaire de photographie	15
	Galerie d'art	15
	Site archéologique, chantier de fouilles	9
	Centre d'archives	3
	Cinéma	57
	Spectacle de rue	34
	Spectacle d'amateurs	21
	Théâtre	19
	Cirque	14
	Music hall, variétés	11
	Concert de rock	10
	Spectacle de danses folkloriques	10
	Spectacle de danse	8
	Concert de musique classique	7
	Concert de jazz	6
	Concert d'un autre genre de musique	13

Ministère de la Culture et de la Communication

qui ont réuni au total 520 000 visiteurs. Le château de Versailles en a reçu plus de 6 millions, le Centre Pompidou 3,6 millions (+15 %), le musée d'Orsay 3 millions, le musée du Quai Branly environ 1,4 million.

En province, la Lorraine a enregistré de très bons résultats, dus à la création du Centre Pompidou-Metz, le lieu d'exposition le plus visité en dehors de l'Ile-de-France (un million de visiteurs 16 mois après son ouverture), de même que la Normandie (grâce à un programme d'expositions temporaires consacrées aux impressionnistes), la Corse, l'Auvergne et le Languedoc-Roussillon.

En 2011, plus de neuf millions de personnes ont visité les quelque cent monuments nationaux propriétés de l'État ; près de 70 % d'entre eux ont connu une fréquentation en hausse. 80 % des visiteurs sont des touristes, avec une part d'étrangers proportionnelle à la notoriété du monument. L'Arc de Triomphe est le monument national le plus fréquenté, avec 1,5 million d'entrées (dont 80 % de touristes). Le nombre des visiteurs européens est en diminution, au contraire de celui des Français et des ressortissants des pays émergents.

... mais les inégalités restent fortes.

En 2009, 67 % des Français n'avaient effectué aucune sortie au théâtre, au concert ou à un spectacle, contre seulement 39 % des cadres et professions intellectuelles supérieures, mais 75 à 80 % des agriculteurs, des ouvriers et des retraités. Parmi les cadres, un sur six déclarait sept sorties ou plus, contre deux ouvriers et deux agriculteurs sur cent. L'âge est un facteur important, notamment à partir de 70 ans ; ainsi, la fréquentation des musées et expositions, qui se maintient aux alentours de 40 % de 15 ans à 70 ans, chute alors rapidement pour concerner seulement une personne sur dix à partir de 80 ans. Il en est de même de la fréquentation des cinémas ou des autres spectacles (théâtre, concert...).

L'une des explications tient au coût d'accès de ces activités, comme en témoigne le succès des mesures de gratuité dans certains musées. Mais les habitudes prises dès l'enfance dans le milieu familial jouent un rôle important, comme le degré d'instruction (tableau p. 443).

On observe un parallèle entre les activités sportives et culturelles : les personnes qui pratiquent le plus les premières sont aussi les plus concernées par les secondes. Ce sont les jeunes, les étudiants, les cadres et les plus diplômés. Les personnes peu diplômées ou inactives sont plus en retrait de la vie culturelle comme de la vie sportive (p. 518).

La pratique d'activités artistiques en amateur s'est accrue...

La proportion de Français pratiquant pour leur plaisir des activités artistiques telles que la musique ou la danse était de 12 % en 2008 (dernière enquête réalisée, MCC/DPES). Les plus concernés se situaient aux deux extrémités de la pyramide des âges : 23 % des moins de 18 ans et 20 % des personnes de 70 ans et plus. Les différences de pratiques entre actifs et inactifs étaient assez peu sensibles ; 9 % des hommes actifs et 10 % des femmes pratiquent une activité artistique, contre 16 % des inactifs (deux sexes). Les retraités, élèves et étudiants étaient les plus concernés, avec des taux respectifs de 19 % et 18 %. Ils devançaient les professions intermédiaires (9 %) et les cadres (8 %). 14 % des personnes percevant un revenu entre

Âge, sexe et culture

Pratiques de certaines activités culturelles à l'âge adulte selon l'âge et le sexe (2009, en %)

	Cinéma	Musée ou exposition	Théâtre, concert
Ensemble	**53**	**36**	**33**
15-29 ans	79	39	43
30-39 ans	61	40	37
40-49 ans	57	39	33
50-59 ans	46	38	31
60-69 ans	41	41	33
70-79 ans	26	26	21
80 ans ou plus	13	12	11
Sexe			
Femme	54	38	34
Homme	51	34	31

INSEE

878 et 1054 € mensuels disaient pratiquer une activité, contre seulement 9 % de celles ayant un revenu inférieur à 680 €. Les Français percevant plus de 2668 € n'étaient que 13 % à pratiquer une activité artistique. C'est dans les agglomérations de 10 000 à 50 000 habitants que le taux de pratique était le plus faible (11 %, et 10 % seulement à Paris), contre 13 % dans les autres types d'agglomérations. Les habitants de l'Ouest et du Sud-Est étaient proportionnellement plus nombreux que ceux du Nord (9 %) et de l'Est (11 %).

Il faut cependant souligner que ces pratiques sont d'autant plus difficiles à mesurer qu'elles ont lieu le plus souvent dans un cadre privé, en dehors des institutions culturelles, même si les Français sont de plus en plus nombreux à s'inscrire à des cours collectifs de sculpture, de dessin ou de musique. Leur développement apparaît en tout cas résonance avec la montée des pratiques individuelles, l'accroissement du temps libre et le rôle décroissant du travail en tant que facteur d'identité sociale. Il a été favorisé par les progrès de la scolarisation, qui ont amélioré les bases culturelles, les occasions et les envies d'apprendre et de pratiquer. Les difficultés d'intégration qui touchent notamment les jeunes ont aussi accru besoin d'expression personnelle.

Enfin, les pratiques culturelles ont profité du développement de l'enseignement artistique et du mouvement associatif, ainsi que de l'enrichissement de l'offre de matériels et de produits spécialisés de la part des fabricants et des distributeurs. Même s'il ne reflète pas les pratiques « amateur », l'accroissement sensible du nombre d'élèves inscrits dans les conservatoires régionaux ou nationaux en musique, danse ou art dramatique est un indicateur ; il est passé de 139 000 en 1999 à 156 000 en 2009 (dont 137 000 en musique).

... et concerne toutes les générations.

Depuis près de trente ans, toutes les générations ont connu un accroissement de la pratique des activités artistiques. Il a été cependant plus sensible chez les jeunes et chez les plus de 50 ans. Ainsi, beaucoup d'adultes ayant dépassé la cinquantaine ou atteint l'âge de la retraite ont découvert (ou redécouvert) la musique, le chant, la danse, l'écriture ou la peinture, à un moment où ils se sentaient disponibles. Quelle que soit l'activité considérée, on constate qu'elle touche aussi davantage de jeunes et notamment d'adolescents. Bien qu'aucune enquête récente ne soit disponible, on peut estimer que cette évolution s'est confirmée, voire renforcée, au cours des dernières années, pour plusieurs raisons : intérêt des enfants et des jeunes pour des activités d'expression personnelle ; encouragement des parents ; développement de l'offre (matériels, cours spécialisés..) ; développement d'internet et du Web 2.0 favorisant et valorisant la création personnelle...

L'apprentissage de ces activités dès l'enfance devrait donner lieu à une augmentation des taux de pratique à l'âge adulte à l'avenir, au fur et à mesure que les générations anciennes, moins concernées, seront remplacées. L'apprentissage de la musique ou de la danse devrait aussi profiter aux autres activités artistiques, dont on sait qu'elles sont de plus en plus souvent « multipratiquées ». On observe en effet que les jeunes générations sont plus éclectiques (ou plus volatiles) que les précédentes ; elles passent plus facilement d'une activité à une autre et le nombre des multipratiquants s'accroît. Ce phénomène est révélateur d'une tendance générale au *zapping*. L'offre d'activités de loisirs et de culture étant de plus en plus large, la tentation est grande d'en essayer successivement le plus possible. Par ailleurs, les jeunes sont souvent moins patients que les aînés et acceptent moins facilement les périodes d'apprentissage nécessaires à chaque activité pour acquérir une certaine maîtrise. La lassitude intervient plus rapidement et avec elle l'envie d'essayer autre chose.

Contrairement à une idée répandue, il apparaît que l'accès des jeunes à la culture progresse au fil des générations, même si le mot n'a pas tout à fait le même sens pour eux que pour leurs aînés. On mesure aussi une forte diminution de la proportion de personnes n'ayant pratiqué aucune activité dans leur enfance et un fort accroissement de la proportion de celles qui en ont pratiqué plusieurs (souvent quatre ou plus). Cette évolution concerne aussi bien les femmes que les hommes, mais elle s'est effectuée à un rythme plus élevé pour les premières.

Les activités liées à la musique sont les plus pratiquées...

Près d'un quart des Français déclaraient savoir jouer d'un instrument de musique en 2008 : 27 % des hommes et 20 % des femmes. Parmi eux, la moitié avait pratiqué au cours de douze derniers mois. Le nombre de musiciens amateurs représente 12 % de la population française âgée de plus de 15 ans, chiffre stable depuis 1997. Pratiquer dans un cadre collectif est le fait de 8 % des Français alors que 5 % appartiennent à des formations musicales. Par ailleurs, le chant fait de plus en plus d'adeptes, tant auprès des jeunes que des retraités. Les émissions de téléréalité musicales, comme *Star Academy*, *Nouvelle Star* ou *The Voice* ont profité de cet engouement et l'ont amplifié. La danse, autre activité liée à la

Des activités encore sexuées

L'engagement des femmes et des hommes dans les pratiques amateurs se rapprochent, mais des différences demeurent. Les femmes sont ainsi plus nombreuses à pratiquer des arts : en 2008 (dernière enquête disponible, MCC/DPES), 12 % de celles de 15 ans et plus déclaraient faire de la peinture, sculpture ou gravure, contre 7 % des hommes. Écrire, chanter, faire du théâtre ou de la danse sont encore des activités majoritairement féminines. Au contraire, la pratique d'un instrument de musique est plutôt masculine. La photographie, et plus encore la vidéo, concernent surtout les hommes en raison notamment de leur dimension technique (ci-après).

On constate aussi que les activités essentiellement corporelles, sans intermédiation matérielle (chant, danse, écriture, théâtre...) sont plutôt l'apanage des femmes. Une autre différence apparente est la place de l'apprentissage : les femmes qui pratiquent s'inscrivent plus souvent à des cours que les hommes, ce qui explique par exemple qu'elles sont majoritaires dans les conservatoires et les écoles de musique, bien qu'étant moins nombreuses que les hommes à jouer d'un instrument.

Les différences entre les sexes varient en fonction de l'âge. L'intérêt pour l'art et la culture apparaît plus fort chez les jeunes filles que chez les jeunes garçons. La diversité de leurs activités est plus grande, la fréquence de leur pratique plus élevée, avec des taux d'abandon plus faibles. Par la suite, les différences s'atténuent, notamment lors de la mise en couple et de la constitution d'une famille. Les loisirs culturels sont alors plus centrés sur le domicile. Les écarts tendent aussi à s'estomper en ce qui concerne la fréquentation des théâtres (19 % des femmes et 18 % des hommes y étaient allés au moins une fois dans l'année en 2008) et autres spectacles ou expositions. Le rôle prédominant des femmes dans l'éducation des enfants les incite cependant à poursuivre plus fréquemment que les hommes les pratiques culturelles amateurs.

musique, était pratiquée au moins de façon occasionnelle par une femme sur dix et un homme sur vingt en 2008.

En 2008, 27 % des hommes et 20 % des femmes déclaraient savoir jouer d'un instrument de musique. Seuls 15 % des hommes et 10 % des femmes en avaient joué au cours des douze derniers mois. 39 % des praticiens d'un instrument de musique jouaient principalement de la guitare, 31 % du piano, 17 % de la flûte, 12 % de la batterie et 9 % du synthétiseur. Les achats d'instruments reflétaient plus ou moins cette hiérarchie : 50 % des instruments achetés en 2009 étaient des guitares, 12 % des pianos et claviers, 5 % des percussions (classiques et latines), 5 % des instruments à vent, 3 % des batteries, 2 % des instruments à corde, 24 % d'autres instruments (y compris les flûtes à bec).

En 2009, la musique classique occupait la première place à la fois chez les pratiquants (53 %) et chez ceux qui souhaiteraient le devenir (57 %). Elle devançait le jazz et le blues (respectivement 24 % et 47 %), la pop rock (24 % et 35 %) et le reggae (8 % et 17 %). Les préférences pour les différents genres étaient peu différenciées en fonction de l'âge, à l'exception du rap, qui concernait plutôt les moins de 18 ans (14 % contre 4 % en moyenne) et la pop rock, qui attirait peu les personnes âgées de 65 ans et plus (5 %).

... mais le théâtre et les arts plastiques restent appréciés.

Le théâtre amateur concerne une faible minorité de Français, de l'ordre de 2 % des 15 ans et plus en 2009. Il concerne autant les hommes que les femmes, les Parisiens environ trois fois plus que les provinciaux (7 % contre 2 %). L'écriture est une activité plus spécifiquement féminine : 11 % des femmes de 15 ans et plus déclaraient avoir tenu un journal intime au cours des douze derniers mois en 1997 (contre 6 % des hommes). 7 % avaient écrit des poèmes, nouvelles ou romans (contre 5 % des hommes). À l'ère de l'audiovisuel, l'écriture reste un mode d'expression personnelle important, partie intégrante de la culture française. Le développement d'Internet a entraîné l'apparition de nouveaux diaristes, qui créent leur site personnel ou leur blog, interviennent dans des forums.

La pratique des arts plastiques a peu évolué. 13 % des Français de 15 ans et plus déclaraient avoir dessiné, peint ou réalisé des travaux d'artisanat d'art en 2003 contre 14 % en 1989. Comme pour l'écriture, ces pratiques restent plus féminines, à l'exception du dessin où existe une parité. Toutes diminuent avec l'âge, mais les abandons au moment de l'adolescence sont plutôt moins fré-

Pratiques amateurs

Évolution des pratiques culturelles amateur (au moins une fois au cours des 12 derniers mois, en % des 15 ans et plus)

	1997	2008
Faire des photographies	**66**	**70**
Appareil non numérique	66	27
Appareil numérique (dont téléphone)	-	60
Faire des films ou des vidéos	14	27
Caméra ou camescope non numérique	14	4
Camescope numérique (dont téléphone)	-	26
Faire de la musique	**17**	**16**
Jouer d'un instrument de musique	13	12
Faire du chant ou de la musique avec une organisation ou des amis	10	8
Pratiquer une autre activité en amateur	**32**	**30**
Faire du théâtre	2	2
Faire de la danse	7	8
Tenir un journal intime, noter des réflexions	9	8
Écrire des poèmes, nouvelles, romans	6	6
Faire de la peinture, sculpture ou gravure	10	9
Faire du dessin	16	14
Faire de l'artisanat d'art	4	4
Avoir une activité en amateur sur ordinateur**	**-**	**23**
Créer de la musique sur ordinateur	-	4
Écrire un journal personnel sur ordinateur	-	12
Avoir une activité graphique sur ordinateur	-	8
Créer un blog ou un site personnel	-	7

* Sauf dans le cas des activités en amateur sur ordinateur
** Hors photographie et vidéo

Ministère de la culture et de la communication

quents que dans les autres disciplines. L'engouement pour les arts picturaux traduit à la fois l'attachement à la culture en tant que source d'émotion esthétique et le besoin de réaliser quelque chose de ses mains, de façon souvent solitaire.

La photo et la vidéo ont été transformées par la révolution numérique.

La quasi-totalité des ménages possèdent un appareil photo, et les trois quarts sont désormais des appareils numériques : 73 % en 2011, contre 31 % en 2005. Pour la première fois en sept ans, le nombre d'appareils vendus a baissé, de 5,5 % en quantité (5,2 millions contre 5,5 millions en 2010) et de 12 % en valeur (GfK), du fait de la baisse des prix, de l'absence de grande nouveauté et des arbitrages avec d'autres équipements numériques (*smartphones*, tablettes, etc.). Les appareils compacts représentaient 80 % des achats. Les Français ont également acheté 464 000 appareils photos reflex (API/Ipsos). Les modèles hybrides, entre compact et reflex, se sont écoulés à 87 000 exemplaires, à un prix moyen de 472 €. Près d'un quart des grands-parents ont reçu un appareil numérique en cadeau.

Dans la majorité des cas, les appareils sont utilisés pour conserver le souvenir d'événements familiaux ou de circonstances particulières (naissances, mariages, vacances...). C'est pourquoi la présence d'enfants accroît sensiblement la fréquence et le nombre des utilisations.

Le développement des techniques numériques a entraîné un véritable bouleversement dans les pratiques. Elles permettent de faire des photos ou des films très facilement, de les retoucher ou de les monter, puis de les stocker et de les partager avec d'autres personnes par Internet (encadré) ou sur des supports électroniques. Le caméscope a connu récemment un nouvel engouement, avec des matériels moins encombrants, plus performants et moins chers.

Les activités artistiques remplissent des fonctions identitaires.

L'engouement pour les activités artistiques témoigne de la volonté d'épanouissement personnel qui prévaut

Stockage, partage, tirage

Les ménages possesseurs d'appareils numériques compacts ont pris en moyenne 800 photos en 2011 (contre 940 en 2010), 1046 pour les appareils *bridge* (1240 en 2010 et 1600 en 2009) et 1934 (quasiment inchangé sur trois ans) pour les *reflex* (API/Ipsos, 2012) ; malgré leur baisse, ces chiffres donnent la mesure de l'importance du stockage et de la préservation sur la durée d'une vie des individus.

Près d'un quart des utilisateurs d'appareils numériques partagent leurs photos en ligne. 65 % des lycéens et 56 % des étudiants les mettent en ligne sur leurs pages personnelles, via les réseaux sociaux. Les célibataires sont 45 % à y partager des photos, suivis par les parents avec enfants de moins de 6 ans (41 %) et les couples sans enfants (35 %). 16 % des possesseurs d'appareils photos connectables à Internet prennent des photos tous les jours et 61 % au moins une fois tous les quinze jours afin de les poster sur les réseaux sociaux. L'album photo traditionnel est remplacé par les albums photos personnalisés. 2,9 millions d'exemplaires ont été ainsi commercialisés en 2011, en hausse de 27 % sur un an (Future Source Consulting).

De nombreux sites spécialisés proposent aussi d'imprimer des photos sur des objets : calendrier, textiles, *mugs*, sacs... Les Français en ont acheté pour 7,9 millions d'euros en 2011, contre 6,8 millions en 2008 ; le calendrier en représentait 21 %. Cependant, les tirages sur papier représentent toujours l'essentiel des dépenses : 284 millions d'euros (66 %) pour 1,64 milliard de tirages (équivalents 10 × 15 cm). 31 % des Français tirent eux-mêmes leurs photos sur des imprimantes personnelles et 21 % font en outre appel aux laboratoires. En 2011, Internet a représenté pour 19 % du volume total des tirages photos, suivi par les minilabs (17 %) et les bornes (12 %).

aujourd'hui, dans un climat d'incertitude et de « perte de sens ». Beaucoup de Français ne se satisfont pas de leur activité professionnelle, caractérisée par une obligation croissante d'efficacité. Ils ressentent la frustration de n'être qu'un élément d'un projet collectif dont ils ne sentent d'ailleurs pas toujours clairement informés et auquel ils n'adhèrent pas toujours. Ils sont ainsi à la recherche d'un équilibre grâce à des activités permettant de mettre en évidence d'autres facettes de leur personnalité, à la recherche d'émotions difficiles à trouver dans une société dure. C'est pourquoi ils sont nombreux à pratiquer la musique, à s'essayer à la peinture ou à la sculpture, à s'adonner aux joies de l'écriture ou de la photographie. Ils le font d'autant plus facilement que l'école les y a préparés et qu'ils disposent du temps nécessaire.

S'ils tendent à s'estomper, les clivages entre les groupes sociaux demeurent. Les pratiques artistiques concernent toujours davantage les cadres et les professions intellectuelles supérieures que les ouvriers ou les commerçants. Le niveau d'instruction, sanctionné par un diplôme, apparaît plus important que celui du revenu, même s'il existe un lien entre les deux. Ce sont moins les difficultés financières qui empêchent les pratiques artistiques que les obstacles culturels (les acquis familiaux) et symboliques.

On constate cependant que les jeunes abandonnent souvent leurs pratiques artistiques amateurs au moment de leur entrée dans la vie professionnelle et de leur installation dans la vie familiale. Les abandons étaient moins nombreux dans les générations précédentes, qui n'ont pas connu les mêmes ruptures dans leur vie personnelle, familiale et sociale. On constate enfin une polyvalence et un éclectisme croissants dans les pratiques, avec un passage plus fréquent d'une activité à une autre ainsi qu'une augmentation de la pluriactivité.

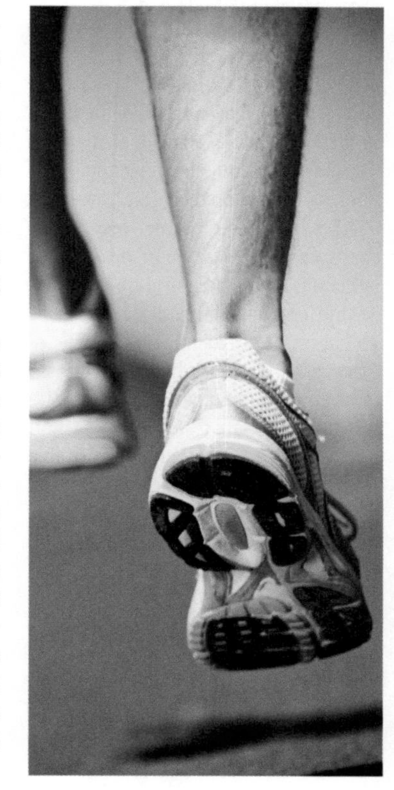

LES VACANCES

DÉPARTS

La notion de vacances est née en 1936.

À l'instar du bonheur selon Saint-Just, les vacances sont une « idée neuve » en Europe ou en tout cas récente ; les deux notions ne sont d'ailleurs pas indépendantes dans l'esprit des Français. C'est en 1936, pendant le Front populaire, que furent attribués les premiers « congés payés » à l'ensemble des salariés. Certains fonctionnaires et employés en bénéficiaient déjà, et une douzaine de pays européens les avaient instaurés auparavant, ainsi que le Chili, le Pérou et le Brésil. Cependant, à une époque de crise économique et de chômage, la mesure ne figurait pas parmi les principales revendications syndicales ; elle n'arrivait ainsi qu'en onzième position chez Renault, derrière la disposition d'un garage à vélos. Elle fut ajoutée en dernier ressort lors des accords de Matignon et imposée par la loi, en même temps que les augmentations de salaires, la semaine de 40 heures et l'instauration de conventions collectives. La disposition de 15 jours annuels rémunérés (pour les salariés ayant un an d'ancienneté) allait pourtant être le signal d'une véritable révolution dans les modes de vie, avec la généralisation des « vacances ». On n'avait connu jusqu'alors que les « voyages », qui concernaient essentiellement les membres des catégories sociales aisées, qui n'étaient pas obligés de travailler pour vivre.

Vingt ans après, en 1956, les salariés bénéficièrent d'une troisième semaine. Une quatrième leur fut attribuée en 1969, puis une cinquième en 1982. Par le jeu de l'ancienneté ou de conventions particulières, un actif sur dix disposait en 2000 de plus de cinq semaines de congés annuels. Depuis le début des années 2000, la mise en place des 35 heures a encore accru la durée des vacances pour certaines catégories, notamment les cadres, dont beaucoup bénéficient de deux semaines de congés supplémentaires en compensation des dépassements d'horaires hebdomadaires. La RTT porte ainsi fréquemment le total annuel à huit semaines, parfois dix dans certains secteurs comme la banque. Le mouvement séculaire de diminution du temps de travail a donc connu une forte accélération. De sorte que la place du temps libre dans les vies individuelles est devenue largement majoritaire (p. 101).

La France figure dans le peloton de tête des congés payés.

Un certain nombre d'études internationales sur le nombre de journées de congés payés attribuaient traditionnellement la première place à la France. Parmi d'autres, l'enquête Expedia/Harris Interactive-Novatris de mars 2009 (réalisée auprès des actifs internautes Français de 18 ans et plus) indiquait ainsi que les Français disposaient de 38 jours de congés payés, devant les Italiens (31), les Espagnols (30), les Allemands et Autrichiens (27), les Britanniques (26), les Canadiens et Australiens (19), les Japonais (15) et les Américains (13). Elle accréditait ainsi l'image, répandue dans le monde, d'un pays où l'on travaille peu (sans compter les nombreuses journées de grève).

Cette image d'une « France paresseuse » est relativisée par l'enquête plus récente et plus détaillée du cabinet britannique Mercer (décembre 2011). Les Français arrivent en seconde position, parmi les 62 pays étudiés, si l'on considère le nombre de journées de congés payés (25, soit cinq semaines complètes au minimum). Elle arrive derrière le Royaume-Uni (28) et la Pologne (26, mais à partir de dix ans d'ancienneté), à égalité avec en Europe l'Autriche, la Finlande, la Suède, la Grèce, le Danemark, le Luxembourg, et la Bolivie hors de l'Europe. Si l'on ajoute les jours fériés nationaux, la France n'occupe plus (avec 11 jours soit un total de 36 jours) que la sixième place, derrière l'Autriche et Malte (38), la Pologne, la Bolivie et la Grèce (37). Ce classement doit cependant être précisé par les nombreuses dispositions nationales spécifiques. Ainsi, les jours fériés peuvent être en partie intégrés dans les congés payés, comme au Royaume-Uni. Dans d'autres cas, les congés payés ne comprennent pas les dimanches (Bolivie...). Des conditions d'ancienneté existent également dans de nombreux pays (Pologne, Grèce, Bolivie, Japon...). Enfin, les salariés ne prennent pas tous la totalité de leurs congés payés, comme c'est le cas traditionnellement aux États-Unis ou au Japon. Cette pratique est beaucoup plus rare en France, et elle peut alimenter un compte « épargne-temps », voire une « épargne-retraite ».

L'étude Mercer fait également apparaître les disparités considérables entre les pays et les grandes régions du monde. Si la plupart des salariés de l'Union européenne ont droit au moins à un mois de congés payés, ceux de la plupart des pays d'Asie Pacifique doivent

(2,1 points). Pour les ouvriers, il a au contraire progressé de 1,4 point, mais insuffisamment pour compenser la baisse de 2010 (3,2 points). On observait à l'inverse en 2011 une hausse de 3,4 points du taux de départ des ménages d'agriculteurs, artisans, commerçants ou chef d'entreprise, supérieure à la chute constatée en 2010. Pour les inactifs, la proportion de partants est demeurée quasiment stable, après un recul de 1,3 point.

Le taux de départ varie selon le diplôme, qui est souvent corrélé à la profession. Seules 32 % des personnes sans diplôme étaient parties en vacances en 2010, contre 71 % de celles ayant un diplôme de l'enseignement supérieur (CAS, Crédoc). On retrouve des écarts comparables en fonction du revenu : les personnes présentes dans des ménages gagnant moins de 1 500 € par mois partent en moyenne 2,2 fois moins que celles des ménages qui gagnent plus de 3 100 € : 35 % contre 78 %.

L'âge est aussi un facteur de différenciation important. Les 20-24 ans sont ceux qui partent le moins, car ils vivent souvent une période de transition professionnelle et familiale. Les plus de 70 ans partent également peu, mais pour d'autres raisons, souvent liées à leur état de santé. Quant aux enfants, ils étaient 28 % à ne pas être partis en vacances en 2010. Leur taux de départ dépend fortement de la situation de leur famille (graphique). Ces différences reflètent les contraintes liées au cycle de vie. Les jeunes effectuent souvent des stages ou des travaux divers pendant les périodes de vacances scolaires d'été ; d'autres commencent leur vie active et ne disposent pas encore de droits à congés payés complets.

Enfin, le lieu de résidence a une forte influence sur les départs en vacances. Plus de la moitié des séjours sont ainsi effectués par les habitants des agglomérations de plus de 100 000 habitants. Cette forte proportion de citadins s'explique à la fois par leur besoin d'évasion, mais aussi par la composition démographique des grandes villes, qui comptent une forte proportion de cadres et professions libérales à hauts revenus. À l'inverse, les personnes vivant à la campagne partent moins que les autres. Outre les facteurs sociodémographiques, cet écart pourrait être du au fait qu'elles profitent de leurs congés pour effectuer des travaux ou pour recevoir leurs proches.

Le taux de départ avait stagné à partir de la fin des années 1980...

Le taux de départ (au moins trois nuits) avait connu une forte hausse à partir des années 1960, notamment entre 1966 et 1983, passant de 45 % à 58 % (INSEE). L'évolution constatée jusqu'à la fin des années 1980 avait surtout profité aux catégories sociales qui partaient le moins (indépendants, ouvriers, inactifs et surtout agriculteurs), de sorte que les écarts s'étaient resserrés.

L'accroissement s'était ensuite interrompu dans les années 1990, mais les agriculteurs et les retraités avaient rattrapé une partie de leur retard dans la seconde moitié de la décennie, alors que le taux de départ des ouvriers avait peu évolué. Celui des artisans, commerçants et chefs d'entreprise s'était accru de 10 points en dix ans (de 57 % à 67 % entre 1994 et 2004), alors que celui des professions intermédiaires et des cadres et professions intellectuelles supérieures progressait de 4 points, à 90 % contre 86 %. Le taux global était ainsi passé de 62 % en 1994 à 65 % en 2004. Il s'était accru dans les années

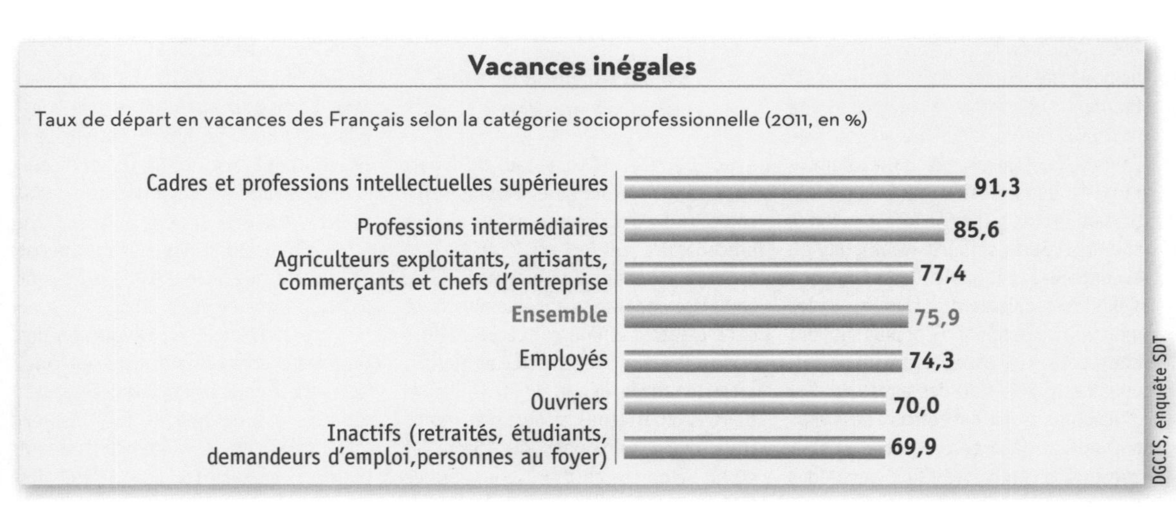

Les enfants partent moins souvent, moins longtemps

Un quart des jeunes âgés de 5 à 19 ans n'est pas parti en vacances en 2011 (Observatoire des vacances et des loisirs des enfants et des jeunes, décembre 2011). Entre 2004 et 2011, leur taux de départ est resté stable : 75 % d'entre eux partent au moins une fois dans l'année (voyage d'agrément en dehors du domicile pour au moins quatre nuits). Sur les quelques 3 millions d'enfants qui ne sont pas partis, un tiers (32 %) vivaient dans des familles ayant un revenu mensuel inférieur à 1500 €.

Les enfants des familles les plus modestes partent aussi de moins en moins longtemps en vacances : en dessous d'un revenu de 1500 € par mois, leur nombre de journées de vacances hors du domicile a diminué de près de 5 jours entre 2004 et 2011, passant de 24,7 à 19,9 jours. Dans deux cas sur trois (67 %), les parents concernés déclarent que c'est pour des raisons financières que leurs enfants n'ont pu partir en vacances, contre 51 % en 2004. C'est sans doute aussi ce qui explique que les jeunes partent plus souvent en vacances avec leurs parents : 86 % en 2011 contre 80 % en 2004).

On observe que les colonies de vacances ou centres de vacances et de loisirs, qui ont vu le jour à la fin du XIXe siècle, séduisent de moins en moins les enfants (ou leurs familles). Environ 1 million y ont fait des séjours en 2011, contre 1,6 million en 2008. Cette désaffection s'expliquerait par leur coût, leur offre trop peu diversifiée et l'évolution des attentes des jeunes et des parents.

D'une façon générale, les jeunes sont les moins nombreux à partir. La proportion était de 49 % parmi les 18-24 ans contre 63 % de la moyenne globale en mai 2012 (VoyagerMoinsCher.com /OpinionWay enquête auprès des internautes). Elle était de 61 % chez les 25-34 ans, 72 % chez les 35-49 ans et les 50-59 ans et 66 % chez les 60 ans et plus. Les plus jeunes ne prévoyaient que 13 jours de vacances en moyenne, contre 17 pour les seniors. Au total, 40 % des 18-24 ans ne devaient partir qu'une semaine au cours de l'été.

suivantes, frôlant les 70 % en 2006, avant de chuter avec la crise économique (ci-après).

Les inégalités devant les départs en vacances se retrouvent tout au long de l'année. Les différents types de départ (une nuit ou au minimum trois) ne se substituent pas l'un à l'autre, mais tendent au contraire à se cumuler. Ainsi, les deux tiers des personnes qui ne sont pas parties en vacances n'effectuent aucun voyage d'au moins une nuit hors de leur domicile au cours de l'année. Ce sont les catégories dont le taux de départ est le plus élevé qui partent le plus souvent à la fois en longs séjours, courts séjours, week-ends ou excursions à la journée. Ce phénomène s'explique également par le fait que les ménages aisés bénéficient plus souvent que les autres d'un hébergement gratuit chez des parents ou des amis.

Par ailleurs, il existe encore des freins culturels au départ en vacances, et elles conservent pour certaines personnes ou ménages un caractère anxiogène. Malgré une démocratisation certaine, ces personnes craignent de se trouver mal à l'aise hors de leur univers quotidien, dans des situations qu'elles craignent de ne savoir gérer. Si elles constituent *a priori* une promesse de bonheur, les vacances sont aussi un facteur de stress.

... et il a diminué depuis quelques années, ...

Avec 66,9 % en 2010, le taux de départ en vacances (trois nuits et plus) affichait une baisse par rapport aux années précédentes : 68,5 % en 2009, 69,6 % en 2006 (Direction du Tourisme DGCIS). La baisse apparaissait même plus forte dans d'autres enquêtes. Le Baromètre Opodo-Raffour Interactif annonçait ainsi un taux de départ de 56 %, contre 61 % en 2010 (tous séjours d'au moins trois nuits, personnes de 15 ans et plus). Selon ces chiffres, le nombre de Français partis aurait reculé de 2,2 millions en un an, pour s'établir à 29,6 millions, un chiffre néanmoins supérieur à celui de 2009 (29,0 millions).

Le taux de départ avait diminué dans toutes les catégories, hormis les plus aisés : 86 % des Français percevant plus de 3000 € de revenu mensuel (ensemble du ménage, net avant impôt) étaient en effet partis en 2011, contre seulement 80 % en 2010. En revanche, seuls 63 % ceux ayant un revenu compris entre 2000 et 3000 € étaient partis, contre 67 % en 2010. Quant à ceux dont le revenu est compris entre 1000 et 2000 €, 48 % étaient partis contre 50 %. Enfin, 30 % des ménages ayant un revenu inférieur à 1000 € étaient partis, contre 33 % en 2010.

Entre 2007 et 2011, l'évolution des taux de départ a été contrastée en fonction des catégories sociales. Celui des retraités a progressé de 5 %, témoignant ainsi de leur intérêt croissant pour les voyages (p. 163). Parmi les

actifs, le taux de départ des catégories les plus aisées (CSP +) s'est accru de 1 %. Celui des employés, ouvriers et professions intermédiaires a au contraire sensiblement baissé (9 %), de même que celui des commerçants et artisans (5 %). Mais c'est celui des étudiants qui a connu la plus forte baisse : 16 %.

En mai 2012, 67 % des Français déclaraient avoir l'intention de partir en vacances au cours de l'été, une proportion pratiquement inchangée par rapport aux 66 % de 2011 (Protourisme, mai 2012). 53 % des Français comptaient partir au moins quatre nuits, contre 51 % en 2011. Selon une autre enquête (Voyagermoinscher.com/OpinionWay, avril 2012), seuls 57 % des Français s'apprêtaient à partir en vacances au cours de l'été. 31 % d'entre eux envisageaient de partir deux semaines, 25 % une semaine, 16 % entre trois semaines et plus, et 6 % moins d'une semaine.

... pour des raisons notamment financières.

La tendance à la baisse du taux de départ en vacances peut s'expliquer par les arbitrages effectués par les ménages. Certains ont préféré maintenir ou accroître leurs dépenses dans d'autres domaines, notamment les achats de biens d'équipement. Le poids croissant des « dépenses pré-engagées », notamment de logement (p. 400), est une autre cause d'arbitrage défavorable aux vacances.

On peut également penser que les motivations à rester chez soi sont plus fortes, dans un contexte social délétère (p. 215). De plus, l'envie de partir en vacances à l'étranger a été affectée par la situation politique complexe de certaines destinations appréciées des Français, telles que la Tunisie, l'Égypte ou la Grèce. La hausse des coûts de transport a aussi contribué à renchérir celui des voyages.

La baisse du pouvoir d'achat, qu'elle soit effective, ressentie ou redoutée, est un facteur de baisse du taux de départ en vacances. Il en est de même de la dépression économique, qui tend aussi à renforcer les inégalités existantes. À l'inverse, on observe que les embellies économiques (comme celle qui s'était produite entre 1998 et 2001) ne permettent pas toujours de revenir à la situation antérieure.

Cependant, les évolutions sont contrastées selon les types de séjours. On observait en 2011 une hausse des départs en courts séjours marchands, un maintien des longs séjours marchands, une légère hausse des départs à l'étranger et une forte baisse des longs séjours non marchands : la conjoncture économique accentue les écarts dus aux revenus.

Le temps de vacances s'est fractionné...

On avait assisté à partir des années 1960 à un accroissement du nombre de séjours de vacances supérieur à celui du taux de départ, ce qui signifiait que les Français partaient plus souvent au cours d'une même année. Cette tendance s'expliquait par la volonté de diversifier les expériences, de profiter

200 millions de voyages par an

Nombre de voyages en France* et à l'étranger** pour motifs personnels en 2010 et 2011 (en millions) et durée moyenne des voyages (en nuitées)

Voyages et nuitées

		Nombre (en millions)		Structure 2011 (en %)	Évolution 2011/2010 (en %)
		2010	2011		
Voyages	En France	176	180	88,6	2,6
	À l'étranger	22	23	11,4	7,0
	Total	**198**	**204**	**100,0**	**3,1**
Nuitées	En France	940	969	81,7	3,1
	À l'étranger	205	217	18,3	5,8
	Total	**1 144**	**1 186**	**100,0**	**3,6**

Durée des voyages

	Durée moyenne de voyage (en nuitées)		Évolution 2011/2010 (en %)
	2010	2011	
En France	5,34	5,37	0,5
À l'étranger	9,47	9,37	-1,1
Total	**5,79**	**5,82**	**0,5**

* Hors DOM ; ** y compris DOM.

DGCIS, enquête SDT

Été 2012 : l'exception française

À l'échelle européenne, la France apparaissait en 2012 comme une exception, avec une intention de départ de 70 % entre juin et septembre inclus, contre 58 % en moyenne dans sept pays étudiés : Allemagne, Autriche, Belgique, Espagne, France, Italie, Royaume-Uni (Baromètre Europe-Assistance/Ipsos, mars 2012). Le score moyen était en effet le plus bas mesuré depuis la création du baromètre, en 2000.

Les intentions de départs multiples étaient les plus affectées : seuls 17 % des Européens déclarent qu'ils partiraient plusieurs fois au cours de l'été, un taux en baisse de 8 points par rapport à 2011 (25 %). Cette chute n'était pas compensée par une hausse des départs « uniques », qui restaient stables (41 %).

Ce sont les intentions de départ des Italiens, historiquement les plus élevées, qui avaient le plus chuté (15 points), à 63 %. On relevait également des baisses importantes en Espagne (14 points) et en Grande-Bretagne (10 points) : dans ces deux pays, la moitié de la population n'avait pas l'intention de partir en vacances.

Ceux qui avaient l'intention de partir prévoyaient de consacrer à leurs vacances un budget moyen de 2125€, stable par rapport à 2011. Cette stabilité masquait cependant des disparités importantes entre les pays, avec une progression sensible en Allemagne (+10 %) et des baisses importantes en Belgique (8 %) et surtout en Italie (25 %).

de l'accroissement général du pouvoir d'achat, de l'abaissement des coûts de transport et de l'amélioration du réseau routier.

À partir des années 1980, le fractionnement a profité de la réduction du temps de travail et de la cinquième semaine de congés payés (1982), ainsi que de l'incitation (parfois l'obligation) de nombreux salariés à prendre leurs congés en plusieurs fois. Le développement de formules de week-ends prolongés et de courts séjours proposés par les hôtels, les résidences et les parcs de loisirs a aussi contribué à cette évolution. Le nombre moyen de séjours par personne s'est accru jusque vers le milieu des années 1990. Il a ensuite stagné, puis de nouveau progressé depuis 2001, avec les effets induits par la semaine de 35 heures.

Un quart des adultes partent moins d'une fois par an, pour des raisons économiques, familiales ou professionnelles. Ce sont pour la plupart des retraités, inactifs, salariés aux revenus modestes, mais aussi des jeunes (étudiants et lycéens). Les familles nombreuses (plus de trois enfants) et les familles monoparentales sont particulièrement concernées.

La tendance au fractionnement s'explique par l'accroissement du temps libre, mais aussi par la volonté des Français d'alterner les périodes de vacances et de travail et de vivre des

Cinq voyages par an

Évolution du taux de départ (en % des 15 ans et plus) et du nombre moyen de voyages (par individu parti)

	Taux de départ (en %)					Nombre moyen de voyage par individu parti				
	2006	2007	2008	2009	2010	2006	2007	2008	2009	2010
Courts voyages (1 à 3 nuitées)	55,3	55,9	56,0	56,7	53,5	4,0	3,9	3,7	4,1	4,0
Longs voyages (au moins 4 nuitées)	69,6	69,0	68,9	68,5	66,9	2,8	2,8	2,7	2,8	2,8
En France métropolitaine	75,6	74,7	74,6	74,9	72,8	4,9	5,0	4,6	5,0	4,9
À l'étranger ou dans les DOM	26,3	26,8	26,7	25,8	25,6	1,7	1,6	1,6	1,8	1,8
En France métropolitaine exclusivement	52,3	51,5	51,6	53,0	51,0	4,5	4,5	4,2	4,6	4,5
Toutes durées et toutes destinations	**79,1**	**78,3**	**78,2**	**78,8**	**76,6**	**5,3**	**5,3**	**5,0**	**5,3**	**5,2**

DGCIS, enquête SDT

expériences différentes au cours d'une même année. Elle est également la conséquence d'une tendance croissante à l'improvisation, liée à une vision à plus court terme de la vie et des projets personnels ou familiaux.

... mais il tend à se stabiliser.

En 2011, les Français avaient effectué 3,1 séjours personnels d'au moins une nuit et un peu plus de deux séjours d'au moins quatre nuits (DGCIS). Le nombre total des voyages avait progressé de 3,1 % en un an ; une petite partie (0,5 %) était due à l'augmentation du nombre de personnes ayant voyagé, l'essentiel au fait que ceux qui étaient partis avaient fait davantage de voyages : 4,9 en moyenne, contre 4,8 en 2010. Bien qu'en hausse par rapport aux trois dernières années, le nombre total de voyages pour motif personnel (204 millions) est resté inférieur à ceux des années 2005 à 2007, où le seuil des 210 millions était dépassé.

La hausse de 2011 a concerné toutes les catégories de ménages : elle a été modeste pour les professions intermédiaires et les employés (+ 0,5 %), plus forte pour les inactifs (+ 2,3 %), importante pour les ouvriers (+ 4,7 %) et plus encore pour les agriculteurs, artisans, commerçants, chefs d'entreprise (+ 5,8 %) ainsi que pour les cadres et professions intellectuelles supérieures (+ 6,0 %).

La progression a été plus importante pour les voyages à l'étranger que pour les voyages en métropole (7,0 % contre 2,6 %), mais l'essentiel de la hausse a concerné les voyages en métropole, largement majoritaires (88,6 %). Les voyages en métropole ont ainsi retrouvé un niveau voisin de celui des années 2008 et 2009, avec 180 millions, mais toujours inférieur d'environ 10 millions à ceux des années 2005 à 2007. Les voyages à l'étranger, en revanche, ont dépassé le seuil des 23 millions, en nette croissance par rapport aux années précédentes.

La part des courts séjours s'est accrue.

Le nombre des courts séjours personnels (moins de trois nuits hors du domicile) avait diminué dans la seconde moitié des années 1990. Cette baisse s'expliquait par le fractionnement des vacances ; les Français partaient plus souvent deux fois (parfois davantage) pour des durées supérieures à quatre jours, ce qui leur laissait moins de temps (et d'argent) pour d'autres départs de plus courte durée. À partir de 2002, la mise en place des 35 heures pour les salariés a inversé cette tendance et le nombre des courts séjours s'est accru. On a aussi constaté un allongement des week-ends, avec un report du trafic ferroviaire et aérien du vendredi soir vers le jeudi soir. Mais ces week-ends prolongés sont souvent passés au domicile et ne sont donc pas comptabilisés comme des séjours de vacances. La crise de 2007 a rendu les évolutions moins lisibles, avec des variations contrastées d'une année sur l'autre.

En 2011, les Français ont ainsi plutôt privilégié les courts séjours : les départs en long séjour (soit au moins 4 nuits) ont chuté de 3 points et n'ont concerné que 53 % des vacanciers (Baromètre Opodo-Raffour Interactif 2012). Inversement, le nombre de courts séjours (jusqu'à 3 nuits) a augmenté de 4 points et concerné 30 % des vacanciers. Parmi les personnes qui sont parties en vacances, 65 % sont restées exclusivement en France. Mais le taux de départ à l'étranger a gagné 3 points, à 35 %, contre 32 % en 2010. D'un côté, la crise économique a incité à la baisse du nombre de départs, mais ceux qui sont partis l'ont fait un peu plus souvent dans l'année. Et la désaffection pour les destinations habituellement peu chères comme la Tunisie a été compensée par des longs séjours marchands proposés à des tarifs compétitifs sur des destinations telles que Bangkok et New-York.

On observe aussi un intérêt maintenu pour les très longs séjours (un mois ou plus) de la part notamment de retraités disposant d'un certain pouvoir d'achat, qui vont passer tout ou partie de l'hiver dans des destinations agréables mais abordables. Leurs principales destinations restent le Maroc, les Canaries, l'Espagne et dans une moindre mesure la Tunisie.

La durée moyenne des séjours varie selon les destinations.

La durée des longs séjours personnels d'été (quatre nuits et plus) était passée de 17 nuitées en 1989 à 10,2 en 2007. À l'inverse, celle des longs séjours à l'étranger était passée de 10,1 nuits en 2003 à 10,7 en 2007. La durée des courts séjours (toutes destinations) était de 1,8 nuit contre 1,9 en 2003, mais celle des courts séjours à l'étranger était restée quasiment stable : 2,1 contre 2,2. Il apparaît donc que les courts séjours étaient de plus en plus courts, qu'ils soient effectués en France ou à l'étranger, tandis que les longs séjours étaient plus courts en France et plus longs à l'étranger.

La durée moyenne des voyages en France métropolitaine est très variable selon le type de destination. En 2011, elle était légèrement supérieure à 7 jours à la mer et à la montagne, d'un peu moins de 5 jours à la campagne et d'à peine 4 jours à la ville (DGCIS). Les évolutions sur un an étaient également très différentes selon les cas : en forte hausse à la montagne, hors stations de ski (5,9 %), en hausse plus modérée à la ville (2,4 %), mais en léger recul dans les stations de ski (0,5 %) et plus affirmé à la mer (1,3 %).

La durée des voyages à l'étranger est d'autant plus longue que la destination est lointaine. En 2011, elle variait de 15 à 18 nuitées pour l'Amérique, l'Asie et l'Océanie et les DOM, mais elle était deux fois plus réduite pour les voyages en Europe. Elle était quasiment stable pour l'Europe et l'Afrique, dont le nombre de nuitées évolue à un rythme très voisin de celui des voyages : + 8,6 % pour l'Europe, – 10,9 % pour l'Afrique. À destination de l'Amérique, l'augmentation importante du nombre de voyages a été amplifiée par un allongement de leur durée moyenne, de sorte que le nombre total de nuitées s'est accru de 23 %. À l'inverse, le recul de la durée a réduit la progression des voyages vers l'Asie et l'Océanie, où les nuitées étaient en hausse de 2,6 %.

Les vacances restent concentrées sur juillet-août.

La fréquentation varie sensiblement au cours de l'année. Le mois le plus creux est novembre (3 millions de nuitées en 2011) ; le plus actif est le mois août (15 millions de nuitées en 2011). À partir de décembre, la fréquentation repart à la hausse pour la saison d'hiver qui culmine en mars (8 millions de nuitées en 2012).

La concentration traditionnelle des vacances estivales s'explique d'abord par des raisons climatiques ; la grande majorité des Français recherchent le soleil et la chaleur, que ce soit pour des vacances balnéaires, à la campagne ou à la montagne. Pour les familles avec enfants, elle est aussi justifiée par les dates des vacances scolaires. Elle est enfin favorisée par le fait que de nombreuses entreprises ferment pendant cette période, dans un contexte d'activité générale réduite.

6 jours de séjour

Évolution de la durée moyenne de voyage selon la destination et le type de voyage (voyages personnels, en nuitées)

	2006	2007	2008	2009	2010
Ensemble des voyages personnels dont	**5,9**	**5,8**	**5,9**	**5,7**	**5,8**
France métropolitaine	5,5	5,4	5,5	5,3	5,3
Étranger + DOM	9,2	9,3	9,6	9,3	9,5
Courts voyage (1 à 3 nuitées) dont	**1,9**	**1,9**	**1,8**	**1,9**	**1,8**
France métropolitaine	1,9	1,9	1,8	1,8	1,8
Étranger + DOM	2,3	2,2	2,2	2,2	2,2
Longs voyages (au moins 4 nuitées) dont	**10,2**	**10,1**	**10,3**	**10,1**	**10,2**
France métropolitaine	10,1	9,9	10,0	9,8	9,8
Étranger + DOM	11,0	11,1	11,7	11,3	11,5

DGCIS, enquête SDT

Le resserrement de la saison estivale est apparent pour les séjours de « grandes vacances ». Deux Français sur trois partent en vacances au cours de l'été (1er avril au 30 septembre), dont près de 40 % au mois d'août et de 30 % en juillet, contre environ un sur six entre octobre et mars. Le taux de départ en longs séjours est inférieur à 60 % pendant la saison d'été (il a légèrement diminué au cours des années 2000), contre un peu moins de 40 % pour les courts séjours. Le taux de départ pour les voyages à l'étranger s'établit un peu en-dessous de 20 %. Il est également en diminution depuis 2005 (mais l'inclusion depuis 2004 des étrangers résidant en France ne permet pas une comparaison avec les années précédentes). En 2010, les séjours en juillet et en août ont représenté respectivement 11,1 % et 15,5 % des voyages effectués dans l'année (toutes destinations) et, 13,3 % et 25,2 % des nuitées, avec des durées moyennes de séjour de 7,0 et 9,4 jours.

Les longs séjours représentent environ la moitié de l'ensemble des séjours pendant la saison d'été et l'essentiel des nuitées (un peu plus de 80 %). Le fractionnement des vacances a contribué à un certain étalement sur l'ensemble de l'année, à travers les courts séjours. Conscients des écarts de prix importants entre la haute et la basse saison, un certain nombre de Français préfèrent aussi attendre les périodes favorables pour partir. Au total, les mois de juillet et août représentent un peu moins de 30 % des séjours de l'année. Contrairement à ce que l'on imagine souvent, leur part est supérieure dans l'ensemble des pays de l'Union européenne : environ 40 %.

Les vacances de juillet et août sont davantage consacrées au repos en famille, et l'hébergement se fait plus souvent dans une résidence secon-

daire (personnelle ou appartenant à un parent ou ami). Les départs à l'étranger, les circuits et les séjours à l'hôtel sont proportionnellement plus fréquents pendant les autres mois d'été.

Quatre Français sur dix partent en hiver.

La proportion de Français partant en vacances d'hiver avait presque doublé entre le milieu des années 1970 et celui des années 1980 : 28 % en 1986 contre 17 % en 1974 (INSEE, séjours de quatre nuits et plus). Le fractionnement des congés des salariés avait été favorisé par l'augmentation du pouvoir d'achat, la diminution du temps de travail puis la cinquième semaine de congés payés (1982). Au cours de la première moitié des années 1990, le taux de départ s'était globalement stabilisé, avec des variations annuelles fréquentes. Depuis les années 2000, le taux de départ en hiver s'est stabilisé : quatre Français sur dix (15 ans et plus) passent au moins quatre nuits hors de leur domicile entre le 1er octobre et le 31 mars pour des séjours personnels.

Le taux de départ en vacances d'hiver est notablement plus élevé en milieu urbain ; il augmente avec la taille des villes. Il est ainsi presque trois fois plus élevé à Paris que dans les communes rurales. Il est également proportionnel au revenu des ménages, ce qui explique que quatre cadres et membres des professions libérales sur cinq partent, contre seulement un ouvrier ou un agriculteur sur cinq. L'âge est un facteur moins déterminant, mais on constate une diminution à partir de 50 ans, bien que les jeunes retraités soient de plus en plus nombreux à prendre des vacances d'hiver.

Le taux de départ en stations de sports d'hiver est toutefois nettement inférieur, de l'ordre de 8 %. Il dépend autant de la conjoncture économique que des conditions d'enneigement. Au cours de l'hiver 2011-2012, la fréquentation des stations de ski françaises a augmenté d'environ 2 %, à près de 55 millions de journées-skieurs, sans atteindre toutefois le record de 59 millions en 2008-2009 (DSF). La saison a été très bonne dans les Alpes du nord, qui captent 80 % des dépenses. Elle a été moyenne dans les Pyrénées, les Vosges, les Alpes du sud (où la neige a été moins abondante) et le Massif central. Les stations de basse altitude, non équipées en neige de culture, connaissent plus de difficulté que les autres, la durée de leur saison étant plus limitée. Parmi les visiteurs des stations, plus de 90 % pratiquent au moins une activité sportive.

La part de la montagne est plus importante en hiver qu'en été. En 2011, la fréquentation des stations de ski a ainsi représenté 4,7 % des séjours et 6,2 % de celui des nuitées ; la durée moyenne des séjours était de 7,1 nuits. Parmi les destinations de montagne à l'étranger, la Suisse arrive très largement en tête. On observe que la clientèle de vacances en montagne est plus diversifiée en hiver qu'en été.

Les décisions sont prises de plus en plus tardivement.

La majorité des Français organisent encore leurs vacances à l'avance, notamment les couples, les familles et les personnes âgées. Mais beaucoup attendent plus longtemps que par le passé pour choisir leur destination, leur hébergement ou leur moyen de transport. En avril 2012, la proportion de personnes prévoyant de réserver moins de deux semaines avant le départ s'était accrue de 27 % par rapport à 2011 et de 46 % par rapport à 2009 (VoyagerMoinsCher.com /OpinionWay, enquête auprès des Internautes). L'incertitude est éga-

L'hiver plus inégal que l'été

65 % des Français ne partent jamais en vacances l'hiver (Crédoc, 2011), contre seulement 30 % pour les vacances d'été. Les séjours réguliers en hiver (début décembre à fin mars) concernent une minorité de Français : 17 % des Français déclarent partir régulièrement, 10 % tous les ans et 7 % une année sur deux.

Les écarts sont très sensibles entre les groupes sociaux. En 2010, 40 % des cadres disaient effectuer des séjours d'hiver au moins un an sur deux, contre 9 % des ouvriers, 15 % des employés, 12 % des retraités. La proportion était de 31 % pour les ménages percevant plus de 3100 € par mois, contre 12 % pour ceux percevant moins de 900 €. Parmi ceux qui partent, moins de la moitié vont à la montagne.

Ces écarts s'expliquent par le coût élevé des vacances d'hiver, notamment en montagne, malgré les aides apportées aux ménages modestes par les grandes entreprises, les comités d'entreprise, les collectivités locales ou les associations. Les plus aisés disposent en outre de réseaux familiaux ou d'amis. Mais les vacances d'hiver s'inscrivent aussi dans le cadre d'une vie sociale, culturelle ou sportive plus riche parmi les personnes aisées. Les séjours en station de ski ne se sont pas véritablement « démocratisés » ; ils constituent encore un signe de « distinction sociale » (Observatoire des Inégalités).

lement croissante : à deux mois des premiers départs, 21 % ne savaient toujours pas s'ils partiraient, contre 16 % en 2011. Les catégories les plus indécises étaient les plus jeunes (32 %, contre 18 % pour les plus de 60 ans) et les inactifs (26 %). Le rôle croissant d'Internet en matière de réservation de séjours et de transports (ci-après) a renforcé une tendance qui était apparente depuis quelques années. Près de la moitié des personnes qui réservent leurs voyages par ce canal le font moins d'un mois à l'avance.

Ce comportement est la conséquence d'une instabilité générale et de la difficulté à se projeter dans l'avenir, même proche, compte tenu des changements qui peuvent avoir lieu sur le plan professionnel, familial ou personnel (p. 109). Ceux qui envisagent de partir à l'étranger redoutent en outre les risques géopolitiques, naturels ou sanitaires dans certains pays ou régions du monde, tels qu'ils les perçoivent à travers les médias. Les destinations délaissées bénéficient en revanche plus rapidement d'un regain d'intérêt lorsque le calme semble y être revenu.

L'autre grande motivation des vacanciers « improvisateurs » est d'obtenir de meilleurs prix en se décidant tardivement ou en faisant appel aux soldeurs. Ils y sont encouragés par le développement des promotions de dernière minute, plus nombreuses en période d'instabilité et de crise. Les inactifs et les retraités, qui ne sont pas contraints par des dates de vacances fixes et décidées longtemps à l'avance, sont de plus en plus nombreux à profiter des occasions qui se présentent, sous la forme d'invendus ; cela leur permet de partir plus souvent que la moyenne des Français. L'accroissement de la part des ventes de dernière minute rend plus difficile de prévoir les comportements des vacanciers avant le début de la saison touristique.

Seul un séjour sur deux est réservé.

Moins de la moitié des séjours effectués par les vacanciers au cours de l'année font l'objet d'une réservation (40 % en 2010, DGCIS). Les prestations réservées sont principalement l'hébergement et le transport. Plus de la moitié des séjours réservés le sont directement auprès des prestataires (58 %) ; le recours aux agences de voyages concerne un départ sur six (15 %), et concerne principalement les voyages à l'étranger. Les autres (27 %) sont réservés par d'autres canaux (comités d'entreprises, associations...).

Le fait que les Français passent l'essentiel de leurs vacances en France et qu'ils utilisent souvent des moyens d'hébergement gratuits et leur propre voiture (ci-après) explique leur faible recours à des intermédiaires pour les organiser. La proportion de personnes concernées (environ une sur cinq) est ainsi très inférieure à celles mesurées dans les pays où les vacanciers partent à l'étranger : deux personnes sur trois par exemple en Suède ; entre 20 % et 45 % dans la plupart des pays européens (mais 2 % seulement en Grèce, 15 % au Portugal).

Le recours aux agences de voyages est beaucoup plus fréquent pour les vacances à l'étranger (47 % en 2010) et se rapproche alors de la moyenne européenne. La proportion atteint même les trois quarts lorsque le voyage est effectué en avion. L'organisation des courts séjours n'est en revanche confiée à des professionnels que dans un cas sur dix. Ce sont principalement les jeunes, les cadres et surtout les retraités qui achètent des forfaits de vacances ; un sur quatre habite en région parisienne. C'est ce qui explique que la part des agences de voyages traditionnelles diminue depuis quelques années.

L'explosion de l'usage d'Internet dans le domaine des voyages a favorisé par ailleurs l'« autoproduction » des vacances par les vacanciers eux-mêmes. Les personnes connectées (les trois quarts des ménages et plus de 80 % des vacanciers) peuvent accéder directement aux offres en matière de transport, séjour, hébergement et activités. Ils peuvent ainsi se composer des séjours « sur-mesure », aussi bien ou même mieux qu'un voyagiste ne pourrait le faire pour eux avec un forfait ou « package » personnalisé. Internet leur permet de comparer les offres et les prix, de prendre connaissance de l'avis des personnes qui ont expérimenté les prestations. En mars 2012, seuls 10 % des Internautes déclaraient recourir aux agences de voyages traditionnelles, contre 16 % en 2011 (OpinionWay/VoyagerMoinsCher.com, enquête auprès des internautes).

Internet est un outil incontournable...

En 2011, on recensait 40,4 millions de Français (77 % de la population) disposant d'une connexion Internet, personnelle et/ou professionnelle. 12,5 millions d'entre eux ont réservé leurs séjours de loisirs sur le Web en 2011 (Baromètre Opodo/Raffour Interactif 2012), soit 400 000 de plus qu'en 2010 (+ 4 points). Sur les 17,2 millions qui avaient préparé leurs vacances sur Internet (+ 5 % par rapport à 2011), 73 % sont ainsi allés jusqu'à la réservation. Parmi les 29,6 millions de Français partis en vacances en 2011, on comptait 24,9 millions d'internautes, soit 84 %.

Dans la même enquête, 82 % déclaraient utiliser Internet pour réserver leur séjour, soit 11 % de plus qu'en 2011 et 30 % de plus qu'en 2009. La raison principale avancée était

de pouvoir comparer les prix. 84 % estimaient qu'Internet est un moyen de faire des économies. 56 % déclaraient aussi utiliser Internet pour se renseigner sur leur lieu de vacances à travers des photos, 51 % à partir des avis laissés par les voyageurs. Seuls 6 % des séjours passés en France et 47 % des séjours passés à l'étranger ont été achetés *via* un intermédiaire en 2011. Au premier trimestre 2012, 10,2 millions d'internautes ont consulté, chaque mois, au moins un des sites du Top 5 des agences de voyages en ligne : Voyages-SNCF, Promovacances, Opodo, Lastminute, Voyage Privé (Médiamétrie).

En avril 2012, 63 % des Internautes français disaient avoir l'intention de partir en vacances au cours de l'été (OpinionWay/Sofinco). Une proportion en diminution régulière, puisqu'elle était de 69 % en 2011, 73 % en 2010, 78 % en 2009. Cette baisse pouvait s'expliquer au moins en partie par le fait que la proportion d'Internautes a sensiblement augmenté depuis trois ans et que les nouveaux ménages connectés sont moins aisés que les précédents. La durée moyenne de séjour prévue était de 14 jours.

Les Internautes estimaient le budget moyen de leurs vacances d'été 2012 à 599 € par personne, soit un peu plus qu'en 2011, mais inférieur au montant de 605 € de 2008 (OpinionWay/VoyagerMoinsCher.com, mars 2012). Près d'un Internaute sur deux prévoyait de dépenser moins de 500 €, 6 % plus de 1 500 €.

Le mobile en vacances

En avril 2012, un Français sur trois (33 %) déclarait avoir déjà utilisé son téléphone mobile pour organiser un voyage (TripAdvisor, avril 2012). 70 % disaient l'utiliser en vacances, que ce soit en France ou à l'étranger. 30 % déclaraient même ne pas pouvoir vivre sans téléphone mobile en vacances. Mais 71 % avouaient ne jamais se connecter à Facebook pendant leurs vacances.

En vacances, le premier usage de ces téléphones est de pouvoir communiquer oralement (78 % des personnes équipées). 44 % communiquent en priorité par Internet. 35 % s'en servent aussi comme appareil photo. 38 % l'utilisent pour la navigation et 24 % pour prendre des notes.

Si les Français restent dépendants de leur mobile en vacances, leur principale inquiétude concerne les frais d'itinérance (51 %) et la connexion par intermittence (32 %). Pour éviter les mauvaises surprises, 64 % éteignent généralement les services de données en itinérance lorsqu'ils voyagent à l'étranger. Mais 33 % se plaignent d'avoir déjà reçu des factures très élevées et inattendues, suite à l'usage de leur appareil mobile à l'étranger.

... et son poids devrait continuer de croître.

La croissance spectaculaire des achats de voyage sur Internet, bien que sans doute ralentie par la crise, est d'abord la conséquence de celle du taux d'équipement informatique et du développement des connexions à haut débit, spectaculaire depuis 2003 (p. 494). Les Internautes sont globalement plus aisés que la population globale, plus jeunes et davantage consommateurs. Ils sont aussi proportionnellement plus nombreux à partir en vacances et partent en outre plus fréquemment à l'étranger ou dans les DOM-TOM. Ils constituent donc une clientèle importante. Mais leur profil se rapproche de plus en plus de celui de la population générale, au fur et à mesure que la connexion se généralise dans les foyers (p. 496).

L'accroissement des achats de voyages *via* Internet traduit aussi une plus grande confiance dans la fiabilité et la sécurité du système de paiement par carte bancaire. Surtout, les Français peuvent trouver sur Internet des informations détaillées et multimédias (textes, images, vidéos, sons) sur les destinations, comparer les prix sur des sites spécialisés et effectuer des réservations à tout moment de la journée ou de la semaine. Ils trouvent aussi sur les forums et sur les sites de comparaison ou de réservation (TripAdvisor, Easyvoyage, Liligo...) de nombreux avis et conseils de la part de voyageurs. Le système, qui peut proposer en temps réel les invendus, favorise les ventes de dernière minute. La proportion de Français ayant recours à Internet pour leurs voyages est supérieure à celle des pays du sud de l'Europe, mais elle reste moins élevée que celle observée dans les pays du nord.

La progression des achats de voyages en ligne devrait se poursuivre dans les prochaines années. Elle dépendra sans doute en partie de développement de nouveaux services. Une forte proportion d'Internautes se dit ainsi intéressée par la possibilité de modifier en ligne le trajet de retour, d'effectuer un pré-enregistrement ou de recevoir des alertes par SMS pour être prévenus en cas d'annulation du voyage et de modification des horaires, de disposer d'une assistance en ligne en cas de problème (vol, perte de documents) ou d'informations sur des contacts utiles.

DESTINATIONS

Neuf séjours sur dix se déroulent en France, ...

Sur 204 millions de voyages effectués pour motifs personnels en 2011, les Français en ont passé 180 millions en métropole, soit 89 %. Le nombre des voyages en métropole était en hausse de 2,6 % et celui des voyages à l'étranger ou dans les DOM s'était accru de 7 %. Les Français ont effectué en moyenne 4,9 séjours dans l'année, en métropole ou hors métropole, de courte ou longue durée, contre 4,8 en 2010.

La hausse intervenue en 2011 a compensé le recul du nombre de voyages enregistré en 2010 (2,3 %), mais celui-ci est resté inférieur au niveau atteint dans les années 2005 à 2007, où il avait dépassé les 210 millions, alors que la population s'est accrue depuis d'environ 0,5 %. L'essentiel de la hausse de 2011 concernait les voyages en métropole, qui restaient moins nombreux, d'environ 10 millions, à ceux des années 2005 à 2007. En revanche, les voyages à l'étranger et outre-mer ont franchi le seuil des 23 millions, un niveau supérieur à celui atteint précédemment.

Le nombre de nuitées passées en France en 2011 (969 millions) ne représentait que 82 % du nombre total (1,2 milliard), du fait que les séjours hors de France (y compris ceux passés outre-mer) sont en moyenne plus longs ; 9,4 nuitées contre 5,4. La proportion des longs séjours (quatre nuits ou plus) effectués en France se situait également à 82 %. Le nombre des courts séjours à l'étranger tend à s'accroître, notamment vers les destinations européennes proches. On observe une assez grande stabilité dans les choix des vacanciers. Un peu moins de sur dix choisissent chaque année la même destination, dont un tiers le même lieu de séjour précis. Deux sur trois gardent le même lieu de résidence pendant tout leur séjour. Cette fidélité est souvent liée à la disposition d'une résidence secondaire ou à la possibilité d'être hébergé gratuitement.

La place prépondérante des séjours effectués en France explique l'usage très fréquent de la voiture ou des deux roues ; ils sont utilisés dans plus des trois quarts des séjours (France et étranger), contre moins de la moitié par exemple pour les Britanniques ou les Danois (pourtant nombreux à se rendre dans des pays du Sud par ce moyen). La location de voiture compte pour moins de 1 %, les minibus et camping-car pour un peu plus de 1 %. Pour les séjours effectués en France, la voiture est utilisée par un peu plus de quatre vacanciers sur cinq, notamment en été.

... y compris en été.

La proportion de séjours effectués en France par les Français (neuf sur dix) est pratiquement la même en été que pendant les autres périodes de l'année. Les Français sortent moins de leurs frontières que les habitants des autres pays européens, notamment ceux du Nord ; Belges, Danois, Allemands, Irlandais, Luxembourgeois, Néerlandais et Autrichiens effectuent en effet davantage de séjours à l'étranger que dans leur propre pays.

La richesse et la variété des sites touristiques expliquent cet engouement des vacanciers nationaux pour l'Hexagone. Il est d'ailleurs partagé par de nombreux étrangers, puisque la France reste la première destination mondiale en nombre de visiteurs (encadré). Le palmarès des régions qui connaissent les plus fortes fréquentations estivales est assez stable, avec une prime pour les zones ensoleillées, balnéaires et disposant d'équipements touristiques. C'est la région Rhône-Alpes qui arrive en tête (11,3 % des séjours France en 2010, avec 20 millions de vacanciers), devant Provence-Alpes-Côte d'Azur (9,2 %, le Var étant le premier département d'accueil national avec plus de 1,5 million de vacanciers entre juin et septembre). L' Île-de-France occupe la troisième place (7,9 %), devant les Pays de la Loire (7,5 %), le Languedoc-Roussillon (7,1 %) et la Bretagne (7,0 %).

Depuis 2006, deux régions ont nettement progressé : la Corse avec une hausse de fréquentation de 36 %, et la Lorraine (+7,9 %). Mais elles ne comptent, respectivement, que pour 0,9 % et 3 % des régions de destination des Français. La hiérarchie diffère si l'on prend en compte la durée des séjours : la région Provence-Alpes-Côte d'Azur (12,5 % de l'ensemble des nuitées France) précède alors Rhône Alpes (11,2 %), le Languedoc-Roussillon (10 %), la Bretagne (8,1 %) et l'Aquitaine (7,7 %). Pendant la saison estivale, Rhône-Alpes ne figure qu'au cinquième rang avec 9 % des nuitées. Ce palmarès des régions les plus attractives varie très peu au fil des années.

Les voyages vers la France d'outre-mer représentaient 0,4 % des séjours et 1,3 % des nuitées des séjours en France en 2010. En termes de nombre de séjours, les DOM-TOM figurent en dernière position parmi les destinations françaises, derrière la Corse et le Limousin. La durée moyenne des séjours est de 18,4 jours.

Un Français sur quatre se rend à l'étranger au cours de l'année.

26 % des Français de 15 ans et plus sont partis au moins une fois à l'étranger ou dans les DOM-TOM en 2011 pour

Première destination mondiale, troisième lieu de dépenses...

La France détenait toujours le titre de première destination touristique mondiale en 2011, avec 77,1 millions de touristes étrangers enregistrés aux frontières. Leur nombre avait cependant atteint 81 millions en 2007 ; il était de 79 millions en 2008, mais seulement 52 millions en 1990.

La baisse constatée depuis trois ans s'explique par le retournement de la conjoncture économique mondiale depuis la crise de 2008. Le recul des arrivées de la clientèle européenne (Allemagne, Benelux et îles Britanniques surtout) ainsi que celle d'Amérique du Nord et du Japon n'a pas été compensé par l'afflux de touristes d'autres pays. Le tourisme représentait cependant 7,1 % du PIB français en 2011, et même 9,1 % en incluant les retombées indirectes (DGCIS). Les 235 000 entreprises du secteur employaient 1 million de personnes, le double en comptant les emplois indirects.

Lieu de passage obligé (par voie terrestre) entre le nord et le sud de l'Europe, la France voit passer un grand nombre de touristes en transit : 10 millions de voyageurs y séjournent ainsi chaque année moins de deux nuits. Cette durée tend à diminuer, du fait de la baisse de fréquentation touristique en Espagne et de la hausse du prix des carburants (auquel s'ajoutent en France les péages des autoroutes).

Si la France devance l'Espagne et les États-Unis en termes de fréquentation, il faut préciser qu'elle est dépassée par ces deux pays en ce qui concerne les recettes touristiques, qui sont un indicateur plus important pour l'activité économique. D'autant que ces recettes tendent à diminuer en France depuis quelques années, alors que celles d'autres pays d'accueil voisins augmentent (Espagne, Italie, Allemagne...).

Les enquêtes internationales montrent depuis des années que la France bénéficie globalement d'une image plutôt bonne en tant que destination touristique. Elle est appréciée principalement pour sa richesse culturelle, sa gastronomie (consacrée par son inscription au patrimoine culturel immatériel de l'Unesco depuis 2010) et considérée comme une destination où l'on peut s'amuser et faire la fête. L'évocation de ces stéréotypes est d'autant plus nuancée que les touristes connaissent le pays pour y avoir séjourné plus longtemps et plus souvent.

Pourtant, l'accueil des Français (prestataires ou simples habitants) n'est jugé de bonne qualité que par une minorité des personnes interrogées, un problème récurrent malgré les efforts entrepris par les professionnels. En 2011, 62 % des touristes étrangers se disaient « très satisfaits » de leurs séjours en France ; la plupart des autres (91 %) se déclaraient « plutôt satisfaits » (ministère du Redressement productif, sous-direction P3E).

Le niveau de satisfaction varie fortement selon les pays : les clientèles traditionnelles d'Europe occidentale étaient les plus satisfaites, avec un taux maximum de 68 % parmi les touristes britanniques. Les clients en provenance d'Asie étaient les moins satisfaits, avec 48 % de « très satisfaits ». Le taux était encore plus faible parmi les Chinois (39 %) et les Indiens (43 %). Dans l'ensemble des quatre principaux pays émergents, seuls 50 % des ressortissants se déclaraient être très satisfaits de leurs séjours en France. Associée au luxe et à l'art de vivre, la France est en outre perçue comme une destination onéreuse. Ses principaux concurrents en Europe (Espagne, Italie) obtiennent ainsi des scores supérieurs pour l'accueil et le rapport qualité/prix.

Les touristes étrangers qui se rendaient en France pour la première fois (12 %), apparaissaient moins satisfaits que ceux qui y revenaient : 50,7 % de très satisfaits contre 63,4 %. L'écart était particulièrement sensible pour les visiteurs en provenance d'Europe et des États-Unis, dont la plupart s'étaient déjà rendus en France par le passé (mais la faible proportion importante de « primo visiteurs » peut être interprétée comme la conséquence de la déception engendrée par une première visite). Au contraire, les clientèles asiatiques (hors Proche et Moyen-Orient) ont une meilleure opinion de leur séjour en France lorsqu'elles s'y rendent pour la première fois (près de la moitié d'entre eux), ce qui est une incitation à revenir. Ce fait est particulièrement net avec les clientèles japonaises, chinoises et indiennes. Mais les taux de satisfaction globaux des touristes de ces pays étaient en retrait par rapport à la moyenne (ci-dessus).

une durée d'au moins une nuit. Bien qu'en progression, ces séjours n'ont représenté que 11 % de l'ensemble des voyages personnels, mais 18 % des nuitées du fait de leur durée moyenne plus longue (9,4 jours en moyenne contre 5,4 pour les séjours en France métopolitaine). Cette proportion de séjours à l'étranger est très faible par rapport à celle constatée dans d'autres pays développés : plus de la moitié aux Pays-Bas, en Suisse, en Allemagne, en Autriche ou en Belgique, plus d'un tiers en Grande-Bretagne ou au Canada, plus d'un quart en Irlande (mais moins de 5 % aux États-Unis et au Japon).

En dehors de l'Afrique, en recul de 11 % dans le contexte politique et social du

Préférence européenne

Voyages, nuitées et durées selon les zones de destinations principales (2011)

Destination	Voyages		Nuitées		Durée moyenne de voyage	
	Structure en 2011 (en %)	Évolution 2011/2010 (en %)	Structure en 2011 (en %)	Évolution 2011/2010 (en %)	En 2011 (en nuitées)	Évolution 2011/2010 (en %)
Europe	71,9	8,9	58,4	8,6	7,6	-0,3
dont *Espagne*	16,1	5,5	15,3	9,1	8,9	3,4
Italie	10,7	8,0	8,4	4,9	7,3	-2,8
Afrique	11,3	-10,6	14,1	-10,9	11,7	-0,2
Amérique	8,0	19,7	12,8	23,2	15,0	3,0
Asie et Océanie	5,5	6,2	9,0	2,6	15,4	-3,4
DOM	3,3	12,7	5,7	0,2	16,3	-11,1
Total étranger + DOM	**100,0**	**7,0**	**100,0**	**5,8**	**9,4**	**-1,1**

DGCIS, enquête SDT

Printemps arabe, le nombre de voyages vers tous les autres continents a progressé en 2011. La hausse a été particulièrement forte vers l'Amérique (20 %), notamment les États-Unis, favorisée par la baisse du dollar par rapport à l'euro. L'Asie et l'Océanie attirent également de plus en plus de Français, avec une augmentation de 6 %, après 5 % en 2010. Les voyages vers l'Europe ont également été plus nombreux (+9 % après +3 % en 2010) ; ils ont dépassé les niveaux des années 2005 à 2007, qui avaient été suivies de deux années de baisse liées à la crise économique (2008 et 2009).

L'Europe reste de loin la principale zone de destination étrangère des Français, avec 72 % des voyages. L'Espagne a renforcé sa position de destination étrangère favorite des Français (près d'un voyage sur six), avec une croissance de 6 %, comme en 2010. L'Italie, en deuxième position, a connu une hausse de 8 %, compensant la baisse de 6 % l'année précédente. L'Asie et l'Océanie attirent également de plus en plus de Français et représentent 6 % des voyages à l'étranger, en progression de 6 % en 2011 après 5 % en 2010.

La durée moyenne des séjours à l'étranger et outre-mer est souvent proportionnelle à la distance. Elle était en moyenne de 7,6 jours en Europe (en hausse), avec des écarts importants selon les pays : 12,4 jours au Portugal, 8,6 en Espagne, 7,6 en Italie, 5,6 en Grande-Bretagne/Irlande et 5,5 en Allemagne. La durée de séjour atteignait un maximum de 18,4 jours outre-mer, contre 16 jours en Asie-Océanie, 14,5 en Amérique, 11,7 en Afrique.

Les destinations évoluent en fonction des événements qui s'y déroulent.

Pour les voyages à forfait, les destinations étrangères qui ont bénéficié des plus fortes croissances durant l'été 2011 étaient le Cap Vert (98 %), la Sardaigne (93 %), les Canaries (54 %) et Cuba (43 %). Le trafic avait au contraire reculé vers la Chine (51 %), l'Égypte (51 %), la Tunisie (48 %), la Bulgarie (46 %) et le Maroc (26 %). Pendant la saison estivale 2011, la première destination étrangère était cependant restée la Tunisie (185 000 passagers), devant la Turquie (181 000) et l'Espagne Continentale (151 000). Pendant la saison hivernale (novembre 2011 à fin avril 2012), la progression s'était poursuivie pour les vols secs (+5 %), contrairement aux voyages à forfait (-4,2 %). Parmi ces derniers, le Maroc avait été particulièrement touché, avec un recul de 28 % du nombre de clients (135 000), tout comme l'Égypte (-22 %) et la Turquie (-24 %). Les destinations bénéficiaires étaient les Canaries (28 %), la Tunisie (8 %) et la République Dominicaine (3 %).

La conjoncture économique et sociale en France influe à la fois sur les capacités financières des vacanciers et sur leur envie de voyager. Les destinations sont en outre de plus en plus soumises à des aléas de toute nature : risques géopolitiques, catastrophes naturelles, attentats, accidents d'avion, risques sanitaires et autres menaces réelles ou supposées. Ainsi, en 2009, les voyagistes avaient dû suspendre les voyages vers le Mexique

Les Français encore casaniers

La mise en place de l'euro en 2002 (avec la disparition des frais de change et la comparaison plus facile des prix) avait encouragé les Français à découvrir certains des pays concernés. Le développement des compagnies *low cost* sur les moyens-courriers a rendu les destinations européennes financièrement plus accessibles. Enfin, l'élargissement de l'Union à dix pays de l'Est constitué un facteur d'incitation à leur découverte. Cependant, la part des pays visités à l'Est est encore faible (1 % des séjours et 3 % des nuitées par exemple pour la Croatie).

D'une manière générale, l'intérêt des Français pour les vacances à l'étranger a été accru par l'accroissement de l'offre de séjours et de forfaits de la part des voyagistes, dans un contexte de mondialisation et de développement très rapide d'Internet. Pendant la saison estivale 2011 (1er mai au 31 août), les voyagistes adhérents du CETO (l'association de Tour-Opérateurs, représentant 80 % des ventes de forfaits) avaient fait voyager près de 2,2 millions de clients en voyages à forfait. Ce chiffre était cependant en baisse de 3,4 %, suite notamment aux fortes baisses enregistrées dans les pays arabes. Il avait été compensé en partie par une progression de 2,5 % de la dépense moyenne, à 898 € par transaction.

Les commandes de voyages à forfait cumulées de novembre 2011 à mai 2012 reçues par les adhérents du CETO accusaient un retrait de 4,4 % par rapport à la même période un an plus tôt. Les destinations long courrier étaient les plus affectées (-6,9 %), mais les réservations moyen courrier étaient également en baisse (3,6 %). Les destinations françaises l'étaient également (4,3 %), confirmant l'atonie du marché du voyage intermédié.

lors de l'épidémie de grippe A et en Guadeloupe lors des manifestations qui avaient paralysé le département. En 2010, le nuage de cendres produites par un volcan islandais avait perturbé la navigation aérienne. En 2011, la catastrophe nucléaire au Japon, le Printemps arabe, les difficultés économiques et sociales de la Grèce ou de l'Espagne ont pesé sur les choix des voyageurs.

Certaines destinations sont au contraire « à la mode », du fait d'un bouche-à-oreille favorable. Il est généralement fondé sur l'intérêt des sites touristiques et le rapport qualité/prix des offres. Il a profité successivement à des pays comme la Tunisie, le Maroc, la Turquie, l'Égypte, Cuba, la République Dominicaine ou, plus récemment, Madère, les Canaries, Maurice ou la Croatie. L'élargissement de l'Union européenne à l'Est a été aussi pour certains Français l'occasion de découvrir des pays comme les républiques baltes, la Slovénie ou la Pologne. Les destinations qui se détachent sont celles qui sont en mesure de nourrir l'imaginaire des voyageurs par leur caractère « exotique », tout en offrant une qualité satisfaisante en termes d'infrastructures, de confort, d'accueil et de sécurité. En février 2012, deux-tiers des Français prévoyaient de passer leurs vacances d'été en France (Protourisme). Parmi ceux qui envisageaient d'aller à l'étranger, 43 % prévoyaient de se rendre au Portugal, en Espagne, en Italie, en Grèce ou en Turquie, contre 50 % en 2011. Les destinations du Maghreb connaissaient une désaffection, depuis les révoltes populaires, avec 9 % d'intentions contre 11 % l'année précédente.

Plus souvent à la campagne, plus longtemps à la mer

Caractéristiques de séjours personnels effectués en France selon le type de destination (2011, hors DOM en %)*

	Séjours	Nuitées	Durée moyenne de séjours en nuitées
Mer	22,7	30,9	7,29
Rural	34,2	30,6	4,80
Ville	28,7	20,9	3,91
Stations de ski	4,7	6,2	7,03
Montagne hors ski	6,3	7,7	6,60
Non déterminé	3,3	3,7	5,99
Total	**100**	**100**	**5,37**

* Y compris les étrangers résidant en France

DGCIS, enquête SNT

Une nuit sur trois est passée à la mer, ...

Un quart des séjours de vacances des Français au cours de l'année (toutes durées, toutes saisons) se déroulent sur le littoral (23 % en 2011). Ils représentent près d'un tiers des nuitées (31 %), du fait de leur durée moyenne supérieure à celle des autres séjours (7,4 jours).

Lors de la saison d'été, un tiers des séjours se déroulent au bord de la mer (31 % en 2010) ; ils représentent près de la moitié des nuitées (40 %). Plus de 40 % des journées de vacances d'été passées en France se déroulent sur la côte atlantique ou méditerranéenne. Ce sont les zones balnéaires (mais aussi les lacs) qui ont connu récemment les plus forts taux de croissance. Les fidèles de la mer sont surtout les jeunes (moins de 35 ans), ceux qui ont des enfants à charge et des personnes issues de milieux modestes (ouvriers, employés, chômeurs). Les circuits représentent un peu moins de 10 % des séjours d'été ils concernent surtout les ménages à haut revenu et les personnes de plus de 50 ans, en particulier les retraités.

Matrice de l'humanité, la mer exerce toujours un fort pouvoir d'attraction sur des vacanciers qui cherchent à rompre le cours de leur vie quotidienne, à retrouver des repères, à communier avec la nature. Il faut cependant noter que, si un quart des vacances ont lieu au bord de la mer, la moitié des vacanciers concernés ne se baignent pas. La migration estivale vers la mer est complémentaire de la recherche du soleil. Comme elle, elle est sans doute en grande partie instinctive. Le soleil, quant à lui, symbolise l'harmonie avec l'univers ; les traces qu'il laisse sur la peau prolongent le souvenir des vacances (mais elles augmentent le nombre des mélanomes, qui a doublé en vingt ans).

En février 2012, la mer restait de loin la première destination envisagée par les Français pour leurs vacances d'été avec 70 % des intentions (Protourisme), devant la campagne (23 %), la montagne (20 %) et la ville (17 %).

... une sur trois à la campagne, ...

L'héliotropisme, propension à rechercher des destinations ensoleillées, s'accompagne de plus en plus de « phytotropisme », intérêt pour la nature et, singulièrement, pour la campagne. Les séjours à la campagne ont représenté 34 % des séjours et 31 % des nuitées au cours de l'été 2011, confirmant l'engouement pour les vacances rurales. Celui-ci est la conséquence d'une volonté de retrouver des racines disparues avec l'urbanisation croissante du territoire. Ce mouvement s'accompagne d'une recherche d'authenticité et de calme afin de lutter contre le stress de la vie quotidienne propre aux grandes villes.

La durée moyenne des séjours est de 4,8 jours, soit moins qu'à la mer ou à la montagne. Mais elle tend à s'accroître. Afin de faire face à la demande croissante de « vacances vertes » (p. 572), l'offre d'hébergement s'est développée. Entre 2000 et 2005, le nombre de lits en résidences de loisir avait augmenté de près de moitié (43 %, à 455 000), contre seulement 4 % dans l'hôtellerie ; début 2011, il avait atteint 654 000.

Le développement des destinations rurales s'est fait surtout dans les régions centrales du pays, qui ont été plus récemment ouvertes au tourisme. 70 % des séjours se concentrent sur 20 % du territoire, alors que la campagne en couvre 80 %. Les fidèles du tourisme rural sont plus souvent des personnes âgées, des Parisiens et des ménages disposant de résidences secondaires. La vogue des sports de plein air comme le VTT, l'escalade, le *rafting* et surtout la randonnée a donné une nouvelle dimension à ce type de vacances. La volonté de réduire les dépenses est une autre incitation des vacanciers à se rendre dans des sites où les prix sont moins élevés. On observe aussi que les vacanciers de bord de mer font de plus en plus souvent des incursions dans l'arrière-pays.

... et une sur cinq en ville.

La ville est un sérieux concurrent pour la mer et la campagne, puisqu'elle compte pour plus d'un quart des séjours (29 %) et une nuitée sur cinq (21 %). Elle attire ceux qui aiment visiter des monuments historiques ou des musées, trouver des animations, de plus en plus nombreuses dans les villes, et souvent gratuites : expositions, festivals, ventes aux enchères, brocantes, marchés de Noël, festivals de rue, centres commerciaux, événements particuliers... Les jeunes et les habitants des zones rurales sont donc les plus concernés. Les séjours effectués en ville sont les plus courts : 3,9 jours en moyenne, contre 5,4 tous séjours confondus.

Après la mer, la campagne et la ville, la montagne attire aussi de nombreux vacanciers. Hors ski, elle a représenté 6 % des séjours et 8 % des nuitées en 2011, pour une durée moyenne de 7 nuits par séjour. Enfin, à mi-chemin du séjour à la campagne et de celui à la mer, la fréquentation des lacs (et autres types de paysage) reste minoritaire, compte tenu d'un espace touristique plus restreint que les autres. Enfin, certains séjours sont itinérants et peuvent mélanger plusieurs espaces de vacances : mer, campagne, lacs, villes. De nombreux ménages effectuent plusieurs types de séjours au cours d'une même année.

La répartition des types de séjour est très différente pour les séjours à

l'étranger. Ceux effectués à la campagne sont nettement moins nombreux. La moitié d'entre eux ont lieu en bord de la mer. La moitié également comprennent au moins en partie en ville. La répartition varie aussi selon les destinations. En Europe, les Français partant à l'étranger sont davantage attirés par les plages en Espagne et surtout en Grèce, par les montagnes en Autriche et en Suisse, par les villes en Irlande, en Scandinavie et au Royaume-Uni. Dans certains pays, les vacanciers combinent les séjours à la campagne et en ville, notamment en Irlande, mais aussi dans les pays nordiques. Aux États-Unis et en Asie-Océanie, ce sont les villes qui attirent en priorité les vacanciers.

En hiver, la montagne reste une destination élitaire.

La montagne n'est pas la principale destination des Français au cours de leurs séjours personnels en hiver (du 1er octobre au 30 mars). Les espaces les plus fréquentés sont la ville et la campagne, qui concentrent au total les trois quarts des séjours. La mer et la montagne représentent chacune moins d'un sur cinq. Après un doublement entre 1965 et le début des années 1980 (avec un maximum de 10 % en 1982-83), le taux de départ à la montagne a diminué. Il est stable depuis une dizaine d'années autour de 8 %, avec un creux à 6,5 % en 2006-2007.

En 2011, les séjours dans les stations de sports d'hiver (avec ou sans pratique de ski) ont augmenté de 2 % soit 55 millions de journées-skieurs en 2011. Ce sont les moins de 45 ans et les catégories aisées de la population qui partent le plus. L'âge et la présence d'enfants sont des déterminants majeurs de ce type de séjour. Les enfants partent souvent avec leur famille, tandis que la fréquentation des centres de vacances est en diminution régulière depuis plusieurs années. Le recours à la location est le mode d'hébergement dominant, avec un abandon progressif des lits « chauds » : hôtels, villages de vacances... L'hôtel est

Les parcs ne connaissent pas la crise

Le fractionnement des vacances et la vogue des week-ends prolongés ont encouragé la création des 280 parcs de loisirs recensés en France. Près d'un tiers sont des parcs d'attractions, presque autant des parcs animaliers, le reste se partageant entre les parcs à vocation culturelle, les parcs aquatiques et les aquariums. Ils attirent en majorité une clientèle de proximité, mais aussi, pour les plus grands d'entre eux, étrangère. Après une quinzaine d'années de développement, certains avaient connu un essoufflement au début des années 2000. Beaucoup ont réalisé d'importants investissements pour renouveler leurs attractions.

Plus de 20 millions de personnes ont fréquenté les parcs français en 2011. La dépense moyenne par visiteur était en hausse, entre 30 et 50 euros par jour dans la plupart des cas. Avec 15,7 millions de visiteurs, Disneyland Paris a représenté plus de 75 % de la fréquentation totale et 60 % des 2,2 milliards d'euros dépensés. Loin derrière, le Futuroscope a accueilli 1,8 million de visiteurs, le Parc Astérix 1,6 million et le Puy du Fou 1,5 million.

Il leur a fallu un peu de temps pour s'implanter dans la culture française. Mais aujourd'hui, 9 Français sur 10 en ont déjà visité un, la moitié en ont visité au moins quatre différents, et 16 % au moins sept (OpinionWay et GfK). En 2011, les trois-quarts des parcs ont vu leur nombre de visiteurs augmenter et les quatre-cinquièmes leurs recettes. 2012 devrait confirmer la tendance, avec la célébration de plusieurs anniversaires et l'ouverture de nouveaux spectacles et attractions : 20 ans de Disneyland Paris, 25 ans du Futuroscope, 10 ans de Vulcania. La Mer de Sable, doyenne des parcs français, aura 50 ans en 2013 et le Parc Astérix 25 ans en 2014.

En complément des activités ludiques, l'environnement a pris ces dernières années une place croissante, avec des attractions spécifiques au Futuroscope ou à Euro Disney, voire des parcs entiers dédiés à ce thème (Bioscope, Eana, Terra Botanica). Grâce à des effets spéciaux, il est ainsi possible de voir à quoi ressemblera la Terre dans un proche ou lointain avenir. Le Futuroscope propose « Les animaux du futur », une attraction de réalité augmentée. Vulcania recrée un phénomène vulcanique dans le Grand Geyser. Disneyland Paris met en scène le développement durable. Eana propose un voyage à travers le temps sur la Terre, des origines jusqu'en 2050.

Le succès des parcs de loisir s'explique par le besoin croissant de rêve, d'aventure, de divertissement, mais aussi de sécurité. La possibilité de s'y rendre en famille est une autre motivation importante, à la condition que chacun puisse disposer d'une certaine autonomie. Les parcs profitent aussi de la crise qui incite les Français à partir moins loin, moins longtemps, mais plus souvent.

utilisé plus fréquemment lors des séjours d'hiver à l'étranger.

Le ski alpin est l'activité la plus pratiquée, mais les « nouvelles glisses » (*surf*, *snowboard*, *speed flying* ou même *télémark*...) poursuivent leur développement avec les jeunes générations : le nombre de leurs adeptes avait doublé entre 1995 et 2000. La pratique du ski de fond est en baisse, au contraire de la luge, de la ballade en raquettes, en traîneau, en calèche ou en scooter des neiges, qui séduisent un nombre croissant de vacanciers.

Les destinations de montagne des Français se situent pour l'essentiel dans les stations françaises (plus de 80 % des nuitées pour la saison 2011-2012 à la montagne et la très grande majorité des skieurs). Lorsqu'ils se rendent à l'étranger, les Français vont surtout en Suisse. Les Alpes concentrent plus des trois quarts des nuitées de sports d'hiver mais seulement la moitié de celles hors sports d'hiver. Elles devancent largement les Pyrénées et les autres massifs (Jura, Massif central, Vosges et Corse). Les Britanniques, les Belges, les Luxembourgeois et les Néerlandais constituent la majeure partie de la clientèle étrangère, plutôt stable. La clientèle allemande est au contraire en net retrait. Le besoin de chaleur est aussi de plus en plus présent en hiver. Il explique l'importance du nombre des séjours effectués dans les pays bénéficiant d'un climat maritime : Espagne, Italie, Tunisie et Maroc (malgré la baisse récente), Antilles, Turquie...

Le tourisme thermal a connu une forte érosion, ...

L'eau ne procure pas seulement le plaisir de la baignade. Depuis des siècles, elle possède aussi des vertus curatives, réelles ou supposées. La France compte 104 stations thermales actives, pour 1 200 sources d'eaux minérales, soit 20 % de celles recensées en Europe. Les deux tiers sont concentrées dans cinq régions (Rhône-Alpes, Aquitaine, Languedoc-Roussillon, Midi-Pyrénées et Auvergne), qui accueillent à elles seules près des trois quarts des curistes (Cneth).

Le nombre total de curistes a sensiblement diminué à partir de 1993, après une période de stagnation de 1985 à 1992. Entre 1993 et 2006, les établissements thermaux ont perdu 100 000 curistes, soit 18 %, et retrouvé leur niveau de 1975 (550 000). Les causes de ce déclin sont diverses : disparition ou raréfaction de certaines maladies (par exemple les maladies « coloniales ») rendant les cures inutiles ; effets de substitution, lorsque de nouvelles formes de traitements dont l'efficacité apparaît plus perceptible (Conseil national du Tourisme). On peut aussi évoquer la réticence de la Sécurité sociale à rembourser les soins et le fait que les actifs sont réticents à consacrer plusieurs semaines de leurs congés payés pour suivre une cure thermale.

La baisse s'est ralentie à partir de 2007, et on a même enregistré une hausse en 2010-2011. On ne comptait cependant que 508 000 curistes en 2011 (contre 650 000 en 1992), représentant 9,1 millions de journées de soins. Seules 11 stations reçoivent plus de 10 000 personnes par an, concentrant plus de 50 % de l'ensemble ; la plus fréquentée est Dax avec environ 50 000 curistes. La rhumatologie est l'orientation thérapeutique la plus pratiquée (trois quarts des cures), suivie par le traitement des voies respiratoires (environ 10 %) et de l'appareil urinaire/appareil digestif (5 %). Les deux tiers des curistes sont des retraités ; la moyenne d'âge est proche de 65 ans. Les plus jeunes se font traiter plus souvent pour des problèmes de dermatologie, de neurologie ou pour des affections psychosomatiques.

Aujourd'hui, la plupart des établissements thermaux proposent des forfaits libres axés sur différentes promesses : séjours de santé, remise en forme, détente et bien-être, antistress, détente du dos, minceur, souffle/voies respiratoires, beauté, jambes lourdes, post-maternité ou antitabac. Mais ces forfaits représentent encore moins de 10 % des journées de cure. De nombreuses stations investissent en outre dans les équipements et les services liés au bien-être : spas, espaces de relaxation, instituts de beauté, etc.

... au contraire de la thalassothérapie.

Alors que le nombre de curistes dans les établissements thermaux est en régression depuis une quinzaine d'années, la thalassothérapie a connu un grand essor. Jusqu'au milieu des années 1970, les centres de thalassothérapie avaient une vocation essentiellement médicale et hospitalière, accueillant des patients traités en rééducation et réadaptation fonctionnelle, pris en charge par la sécurité sociale. Peu à peu, une nouvelle génération de centres s'est développée pour attirer une clientèle bien portante, désireuse de se remettre en forme et de préserver son capital santé. La France en compte 52 (dont 37 créés entre 1986 à 1990), ce qui en fait le leader mondial et la première destination mondiale devant la Tunisie. Le nombre annuel de curistes est d'environ 350 000, pour un million de journées.

Depuis les années 1990, la clientèle s'est sensiblement rajeunie et elle s'est ouverte aux hommes, qui en représentent désormais un tiers. Outre la remise en forme, beaucoup recherchent une prise en charge phy-

sique et psychologique leur permettant d'échapper le temps d'un séjour au stress lié aux responsabilités de leur vie quotidienne, le plus souvent urbaine. Comme pour le thermalisme, la durée des cures tend à diminuer : 3 jours en 2011 contre 6,2 jours en 1995.

En associant les traitements aquatiques et les activités sportives et culturelles, la thalassothérapie est devenue une solution de remplacement aux vacances classiques en bord de mer. Les stations ont diversifié leur offre (cures antitabac, antistress ou d'amaigrissement...) et les séjours sont devenus plus préventifs que curatifs. La fréquentation hors saison (printemps et automne) tend à s'accroître, de même que la part des cures effectuées en hébergement. Celles qui se déroulent à l'étranger (bassin méditerranéen, Europe de l'Est, bateaux de croisière) attirent de plus en plus de Français. La Tunisie, qui s'était imposée comme une alternative bon marché et « exotique », a souffert des conséquences de la Révolution de jasmin de 2011, ce qui a profité aux établissements français.

D'une manière générale, le tourisme de santé et de bien-être se développe, comme en témoigne la multiplication des spas et autres espaces qui lui sont dédiés. Un certain nombre de facteurs sont favorables à son développement : vieillissement de la population ; intérêt croissant pour la prévention ; envie de se faire « materner ».

L'hébergement n'est payant que dans trois séjours sur dix...

71 % des séjours personnels et 67 % des nuitées se sont déroulés dans des formes d'hébergement gratuites en 2010 (15 ans et plus, métropole). Les visites à la famille ou (dans une moindre mesure) aux amis ont représenté 47 % des séjours, l'utilisation d'une résidence secondaire possédée par le foyer 10 %.

La durée moyenne des séjours en hébergement gratuit (5 jours) était plus courte que celle des séjours en hébergement payant (6 jours). Les séjours au camping (8,5) étaient les plus longs, devant ceux effectués en location, gîte ou une chambre d'hôte (7,7 jours) ou à l'hôtel (3,1). Sur la période 2006-2010, le nombre de séjours en hébergement payant (France métropolitaine) a baissé de 9,8 % et le nombre de nuitées de 13,1 %.

Depuis 2001, le mouvement de progression du secteur marchand par rapport à l'hébergement gratuit s'est inversé. Cette évolution concerne essentiellement les résidences secondaires, dont l'utilisation est plus fréquente et concerne des périodes plus longues. Les jeunes et les célibataires (ce sont souvent les mêmes) sont les plus nombreux à bénéficier de la gratuité de l'hébergement : près des deux tiers sont logés dans la famille ou chez des amis.

Les vacances passées chez des proches représentent 75 % des séjours passés à la campagne et 66 % de ceux en ville. Ce mode d'hébergement est plus fréquent en hiver et lors de séjours courts. Le nombre de séjours en hébergement non marchand en hiver a dimi-

Les croisières ont le vent en poupe

Le nombre de Français ayant effectué une croisière a progressé de 14 % en 2011, à 441 000 passagers contre 387 000 en 2010 (Association Française des Compagnies de Croisière). Avec un nombre de passagers exactement doublé entre 2004 et 2011, la France rattrape le retard qu'elle a longtemps accusé par rapport aux autres grands pays européens. Elle reste cependant encore loin derrière le Royaume-Uni (1,7 million de passagers), l'Allemagne (1,4 million), l'Italie (923 000) et l'Espagne (703 000).

Le bassin méditerranéen représente la destination privilégiée des croisiéristes français, avec 305 000 passagers (y compris la Mer Noire), devant les Antilles-Bermudes (43 000) et l'Europe du Nord (41 000). L'évolution des bateaux et des services proposés a permis de rajeunir sensiblement la clientèle, en misant sur le confort (cabines plus grandes, balcons), l'animation (spectacles de qualité) et les services (restauration, excursions, encadrement des enfants) tout en offrant des tarifs attractifs. Le nombre de réservations enregistré au premier semestre 2012 laissait penser que le naufrage du Costa Concordia, intervenu en janvier, n'aurait pas d'impact sensible sur la croissance.

5,7 millions de passagers ont embarqué sur un bateau de croisière partant d'un port européen en 2011. Chacun d'eux a dépensé en moyenne 100 € en escales. 2,2 millions ont embarqué en France, un chiffre en hausse de 7,8 %. La France se situe ainsi à la 4e place des destinations de croisières européennes. Cette activité a généré 1,2 milliard d'euros de dépenses directes, en croissance de 26 % en un an (la plus forte progression en Europe).

nué de 6,6 % sur la période 2006-2010 et le nombre de nuitées de 8,9 %.

Parmi les formes d'hébergement payantes, les séjours dans les locations, gîtes ou chambres d'hôtes ont baissé de 9,4 % sur la période 2006-2010. Ils représentaient 11 % des séjours et 16 % des nuitées en 2010. Les hôtels (et pensions de famille) ont progressé de 2 % et comptaient pour environ 10 % des séjours en 2010 (mais seulement 6 % des nuitées).

... et dans un séjour estival sur deux.

La part des vacances passées dans la famille ou chez des amis est plus faible en été qu'en hiver. Un peu moins de la moitié des séjours sont effectués dans ces conditions au cours de l'été, contre près des deux tiers au cours de l'hiver. En 2010, 9,7 % des séjours d'été et 16,4 % des nuitées ont eu lieu dans une résidence secondaire appartenant aux vacanciers ou mise à leur disposition. Ce taux d'hébergement gratuit est plus élevé en France que dans les autres pays développés.

Le mode d'hébergement varie selon le type de vacances. Les résidences principales des parents et amis sont les plus utilisées dans le cas de séjours d'été à la campagne ou à la montagne. Le camping et les locations sont plus fréquents à la mer et, pour les locations, en ville. L'hôtel est le mode d'hébergement le plus courant dans les circuits ; sa part tend à s'accroître globalement (10,4 % des séjours en 2010 et 6 % des nuitées).

La plupart des types d'hébergement payants ont connu une stagnation du nombre de nuitées au cours des dernières années. Le camping a cependant bien résisté à la crise économique : il a enregistré en 2011 plus de 3 millions de nuitées supplémentaires (+2,7 %), pour un total de 107 millions (FNHPA), dont les trois-quarts en juillet-août. L'augmentation est due à la fois à la hausse du nombre de séjours (1,9 %) et celle de leur durée (5,5 jours contre 5,4 jours en 2010). Les Français ont représenté les deux tiers de la clientèle, la fréquentation des étrangers ayant stagné en 2011. On note une fréquentation accrue des hébergements « locatifs », constitués de tentes meublées, chalets, mobil-homes (+10,2 % sur un an). On a compté, 19,5 millions d'arrivées, dont 7 millions de provenance étrangère.

Le choix de l'hébergement varie selon les catégories sociales. Les ménages aisés disposent plus souvent d'une résidence secondaire, mais logent aussi plus volontiers à l'hôtel. Les ménages plus modestes sont plus nombreux à utiliser les chambres d'hôte ou le camping. Le recours à l'hôtel et à la location est beaucoup plus fréquent dans le cas des circuits (c'est le cas aussi de la caravane). Après une année 2009 plutôt bonne (+3,9 %), la fréquentation des hôtels de tourisme avait baissé de 0,9 % en 2010, notamment au second semestre.

Trois vacanciers sur quatre utilisent leur voiture.

Pour l'ensemble des séjours effectués au cours de l'année 2010, 75,4 % des Français ont utilisé la voiture (ou un deux roues). La proportion atteignait 81,3 % pour les séjours effectués en France, qui en représentent l'essentiel (ci-dessus). L'usage de la voiture est encore plus fréquent dans le cas des séjours de courte durée. Ceux qui se déroulent à l'étranger, 27,5 % s'effectuent en voiture (ou en deux roues).

Outre son avantage économique sur les autres moyens de transport (dans le cas de plusieurs personnes voyageant ensemble), la voiture permet une plus grande autonomie. Elle est en particulier bien adaptée aux formules itinérantes et donne la possibilité d'improviser ses vacances au jour le jour. Les immatriculations de camping-cars ont par ailleurs fortement augmenté avec la réduction du temps de travail et le fractionnement croissant des vacances. L'usage fréquent de la voiture est l'une des causes du faible recours global aux

Le gîte souvent gratuit

Part des différents modes d'hébergement dans les déplacements personnels en 2010 (France métropolitaine, en %)

	Séjours	Nuitées
Hôtel	10,3	6
Camping	5,4	8,6
Location, gîte ou chambre d'hôtes	10,9	15,7
Total hébergement marchand	28,8	32,9
Résidence secondaire du foyer	9,7	16,4
Famille	46,9	39,8
Amis	12,1	8,2
Total hébergement non marchand	**71,2**	**67,1**

DGCIS

Les nouveaux hébergements

Dormir dans une cabane nichée dans un arbre, une hutte au cœur de la forêt, une yourte mongole. Telles sont quelques-unes des formes d'hébergement proposées par des professionnels ou des particuliers aux touristes à la recherche de nouvelles expériences. Elles renouvellent les habitudes en matière de location saisonnière ou de maison d'hôte traditionnelle.

L'hôtellerie classique cherche aussi de nouvelles formules pour attirer, retenir et fidéliser des clients : hôtel de glace en Scandinavie, hôtel « capsule » au Japon, boutiques-hôtels de plus en plus nombreux dans le monde... Les services offerts aux résidents tendent à se multiplier en matière d'activités, de restauration, d'animation, de facilités technologiques. La demande s'accroît ainsi en matière de connexion Wifi dans la plupart des lieux d'hébergement.

On observe aussi le début de la tendance inverse, celle du « débranchement » (*detox* ou *webfree*). Certains hôtels décident de ne pas (ou plus) proposer de connexion internet, d'autres incitent même leurs hôtes à déposer leurs équipements électroniques en arrivant (ordinateurs, téléphones, téléphones) afin de vivre des vacances plus paisibles.

L'offre d'activités liées aux chambres d'hôtes et aux gîtes ruraux s'est développée, ainsi que les gîtes ruraux thématiques : gîte Bacchus, gîte de pêche, gîte panda (environnement)... Un nombre croissant d'entre eux offrent des prestations complémentaires (piscine, location de vélos ou de chevaux). On observe par ailleurs un intérêt croissant pour la location de courte durée dans les villes, comme substitut économique et conviviale à l'hôtel.

Enfin, l'échange d'appartement ou de maison est une solution de plus en plus pratiquée ou envisagée par les Français. Outre son intérêt financier, à un moment où les vacanciers disent avoir du mal à maîtriser leurs dépenses, elle offre l'opportunité de rencontrer d'autres ménages avec lesquels on pourra peut-être sympathiser. Cette pratique est favorisée par l'usage d'Internet et l'existence d'agences servant d'intermédiaires. Elle tend aussi à se « communautariser », avec des échanges entre personnes ayant la même profession (notamment celle d'enseignant), le même âge (jeunes ou seniors) ou le même centre d'intérêt.

En revanche, le *time-share* (vacances en temps partagé) concerne en France moins de 100 000 ménages (5 millions dans le monde), propriétaires d'une ou plusieurs semaines dans des résidences de loisir, qu'ils peuvent échanger pour une autre résidence, à un autre moment, par l'intermédiaire d'une bourse d'échange. Son image a été durablement ternie par les pratiques commerciales de certains promoteurs, notamment en Espagne.

agences de voyage pour les vacances en France (p. 558).

Parmi les transports collectifs, le train arrivait largement en tête en 2010 (tous séjours France et étranger) : 13,1 %, soit la moitié des déplacements « hors automobile ». L'avion n'a été utilisé que dans 7,3 % des séjours : 1,4 % en France, mais 55,5 % à l'étranger. Les autres modes de déplacement (autocar, bateau...) représentaient 4,2 % des séjours (l'autocar 5,8 % de ceux effectués dans les autres pays).

L'évolution du prix des carburants a une incidence sensible sur les choix des destinations de vacances, les modes de transport, la fréquence des départs et les distances parcourues. Pour les vacances en France métropolitaine,

Vacances en voiture

Part des différents moyens de transport dans les déplacements personnels et durée du séjour en 2010 (en % et nombre de nuitées)

	Séjours	Durée moyenne de séjour
Voiture, deux roues	81,3	5,3
Train	13,7	5,3
Avion	1,4	6,4
Autocar	1,3	3,6
Camping-car	1,4	6,2
Bateau	0,3	9,9
Autres	0,7	3,7
Total	100	5,3

DGCIS

entre 2008 et 2010, l'utilisation du train a ainsi doublé pour passer de 6,6 % à 13,7 % du nombre de voyages, alors que l'avion a légèrement progressé (de 1,3 % à 1,4 %), la voiture a diminué (de 82,0 % à 81,3 %). Les autres modes de transports ont progressé en passant de 3,1 % à 3,7 %, en particulier le camping-car (de 1,0 % à 1,4 %).

Les vacanciers sont de plus en plus attentifs aux prix.

Le budget est redevenu le premier critère dans le choix de la destination de vacances (Baromètre Europe Assistance/Ipsos, avril 2012). Cependant, le montant total des dépenses de vacances tend à augmenter, du fait de l'accroissement du nombre de séjours sur une année et de celui des prix, notamment des transports. On observe cependant que les ménages qui partent choisissent souvent des types de vacances différents d'une année à l'autre ou au cours d'une même année, ce qui leur permet de moduler la dépense globale. En consommateurs avertis, les vacanciers ne dépensent pas de manière inconsidérée. La gratuité de l'hébergement (p. 567) est une façon de réduire le budget ; il représente en moyenne 7 € par jour, soit 16 % des dépenses totales.

Ceux qui le peuvent profitent des conditions avantageuses des départs hors saison. Ils sont de plus en plus nombreux à rechercher des offres *low cost* : voyages en avion à prix réduit ; promotions ou offres de dernière minute sur certaines destinations. Une part croissante des recherches et des réservations s'effectue sur Internet (p. 558), outil de comparaison des prix pour les consommateurs et de gestion des invendus pour les opérateurs. En février 2012, 18 % des vacanciers comptaient ainsi réserver moins d'un mois avant de partir, afin de profiter des promotions de dernière minute, contre 13 % en 2011 (Protourisme).

La gestion du budget des vacances est donc plutôt rationnelle. Elle laisse place à des « extras », mais ils s'inscrivent le plus souvent dans le cadre d'une enveloppe globale définie à l'avance. En cas de stagnation ou de baisse ou du pouvoir d'achat, les arbitrages ne sont pas toujours favorables aux vacances, dans la mesure où il existe des solutions moins coûteuses aux achats de forfaits et aux déplacements lointains. En mars 2012, 95 % des Français qui avaient décidé de ne pas partir en vacances déclaraient qu'ils privilégieraient des activités gratuites. 64 % prévoyaient de s'offrir des petits plaisirs en dépensant un petit plus, que ce soit au cours de l'été (32 %) ou tout au long de l'année (32 %) avec les économies réalisées (PMU/TNS).

Les ménages ont dépensé 2 270 € pour leurs vacances de l'année 2011.

En 2011, les chiffres (provisoires) de la consommation touristique intérieure publiés par la Direction du Tourisme indiquent un budget vacances moyen (pour les ménages français partis au cours de l'année) de 2 270 € par ménage. Il faut noter qu'il inclue le tourisme de proximité, c'est-à-dire les dépenses effectuées lors d'activités touristiques qui ne s'accompagnaient pas d'une nuitée passée hors domicile. Il représente les dépenses globales effectuées par les Français et les étrangers résidant en France.

Selon cette définition, les dépenses de vacances étaient en hausse de 10,9 % en 2011, après 4,9 % en 2010. Cette forte augmentation était principalement due à celle des nuitées en hébergements payants et à la hausse des prix. La dépense moyenne par nuitée était de 44 € en métropole et de 114 € à l'étranger, en hausse respectivement de 6,9 % et 5,9 % (DGCIS).

Sur le montant total dépensé en 2011 par les vacanciers (67,4 milliards d'euros), les voyages en métropole comptaient pour 42,8 milliards d'euros (64 %) et ceux dans les DOM-TOM et à l'étranger pour 24,6 milliards

Le prix des vacances

Dépenses touristiques des Français en France et à l'étranger selon le type de dépenses (2011, en milliards d'euros courants et en %)

	France		Étranger	
	Dépenses globales	en %	Dépenses globales	en %
Forfait	4,6	10,7	10,5	42,8
Hébergement (hors forfait)	9,3	21,7	3,1	12,7
Transport (hors forfait)	10,0	23,3	4,2	17,2
Autres (hors forfait)	18,9	44,3	6,7	27,2
Total	**42,8**	**100,0**	**24,6**	**100,0**

DGCIS

Congés payants

Les vacances représentent pour les Français un moment privilégié, malgré la baisse de pouvoir d'achat de certains ménages. Le budget moyen annuel qu'ils indiquaient pour 2012 s'élevait à 2300 € par foyer, contre un peu plus de 2000 € l'année précédente, soit une hausse supérieure à 10 % (Protourisme, mai 2012). 50 % comptaient allouer le même budget qu'en 2011 à leurs vacances, mais un quart (26 %) avait prévu de dépenser plus et un quart moins (24 %).

L'augmentation prévue des dépenses quotidiennes était en revanche plus faible (4 %), à 103 € par jour contre 99 € en 2011, ce qui signifie que les Français envisageaient de partir plus longtemps. 26 % disaient devoir puiser dans leurs économies pour pouvoir partir, y compris parmi les catégories aisées. Cette proportion était en forte hausse sur un an (18 % en 2011).

Une autre étude, réalisée sur les personnes ayant l'intention de partir au cours de l'été 2012, indiquait que 47 % pensaient dépenser moins que les deux années précédentes, 46 % autant, 6 % plus (Voyagermoinscher.com/OpinionWay, avril 2012). 65 % estimaient le coût des vacances beaucoup trop élevé par rapport à leurs revenus.

(36 %). Les principales augmentations concernaient les achats de forfaits (19,4 %) et les transports (12,1 %).

En 2011, les forfaits représentaient 35,4 % des dépenses des touristes Français en France et 42,8 % de leurs dépenses à l'étranger. Le transport (hors forfait) était le deuxième poste de dépenses, en France (23,3 %) comme à l'étranger (17,2 %). Le troisième poste était l'hébergement (hors forfait) : 21,7 % des dépenses en France et 12,7 % à l'étranger. Les autres dépenses (hors forfait) telles que l'alimentation, les visites et les différents achats de vacances représentaient 44,3 % des dépenses en France et 27,2 % à l'étranger.

On assiste donc à une évolution contrastée, entre d'un côté des Français qui ne partent pas en vacances pour des raisons principalement financières, et ceux qui partent quand même. Parmi ces derniers, on distingue de plus en plus nettement deux catégories : ceux qui en ont les moyens (le taux de départ et le niveau de dépense sont de plus en plus corrélés aux revenus des ménages) et ceux qui doivent compter et réduire en contrepartie leurs dépenses sur d'autres postes de leur budget.

Motivations

Les vacances ont un très fort contenu symbolique…

Le temps des vacances est celui de l'évasion et de la magie. Les personnes concernées rêvent d'être « ailleurs », dans un cadre magique et enchanteur, et d'échapper ainsi aux soucis de la « vraie vie », aggravés par la « crise » qui sévit depuis quelques années et brouille les perspectives d'avenir ou les assombrit. C'est pourquoi les lieux de vacances ont une forte valeur imaginaire et symbolique. La *mer* représente le retour aux sources, l'origine de l'Humanité. La *montagne* rapproche du ciel, de la vérité et du sens. La *campagne* permet de retrouver la nature, l'authenticité, le jardin d'Eden et le bonheur, que l'on dit être « dans le pré ». Elle est aussi un lieu de « régression » *a priori* préservé des effets nocifs de la civilisation (pollution, encombrements, délinquance…) où l'on peut retrouver la pureté des premiers matins du monde. La *plage* est un lieu de transition entre la terre et la mer, entre la société et l'individu, entre le dépouillement (notamment vestimentaire) et la sophistication.

Dans l'imaginaire collectif des vacances, l'*île* joue un rôle particulier. Elle évoque le paradis, l'endroit particulier où se rejoignent la mer, la terre et le ciel. C'est dans les îles que l'on voit le soleil, symbole de la puissance paternelle, réchauffer la mer, évocatrice de la douceur maternelle et de la vie. Passer des vacances sur une île, c'est donc s'évader du monde réel pour entrer dans celui du rêve. Dans l'imaginaire « décliniste » contemporain, c'est passer de l'enfer au paradis.

… et représentent un moyen d'accéder au « bonheur ».

Les vacances constituent ainsi des moments privilégiés de la vie personnelle, familiale ou amicale. Elles sont l'occasion de recréer une convivialité et un lien social qui sont souvent laminés par les contraintes du quotidien. Elles sont rêvées et, le plus souvent, vécues comme des temps forts, au cours desquels les notions d'efficacité individuelle ou de compétition entre les individus s'estompent ou disparaissent. La convivialité est l'une des motivations principales : les Français apprécient de se retrouver en famille pendant les vacances, de partir avec des amis ou de faire des rencontres. Mais la recherche d'intimité et de calme est également forte ; elle concerne en premier lieu les 40-60 ans, qui ont besoin d'un peu de tranquillité, avant de rechercher au contraire la compagnie lorsqu'ils seront à la retraite. La quête commune est celle du bien-être intérieur et de l'harmonie avec les autres.

Ceux qui partent cherchent à « voyager », au sens de transporter leur corps, leur esprit et, pour certains, leur âme. La « vacance » dont il s'agit a des dimensions à la fois philosophiques, pratiques, symboliques et oniriques. Les vacanciers cherchent ainsi un « usage du monde », comme le suggérait Nicolas Bouvier, écrivain de référence de tous les amoureux du voyage.

Mais le voyage est aussi par nature *anxiogène*, car il cumule des éléments de risque, de gêne, parfois de malaise. Les destinations peuvent être dangereuses (mouvements sociaux, événements politiques...). Les individus locaux peuvent se montrer hostiles face aux touristes. Les déplacements sont fatigants, les situations inhabituelles. Les différences linguistiques, culturelles, religieuses, culinaires peuvent donner lieu à des malentendus, et générer de l'embarras. Certains redoutent tout simplement l'idée de partir de chez eux et de laisser leur maison sans surveillance. Il faut à chaque voyage oublier d'où l'on vient pour entrer en relation avec les autres. Si les attentes sont fortes et diverses, les craintes et les causes de stress ne le sont pas moins.

Les vacanciers recherchent l'activité et le repos.

Les motivations des vacanciers sont de plus en plus diversifiées et, au moins en apparence, contradictoires. La principale reste le repos et son corollaire, le ressourcement. Dans le langage populaire, les congés sont l'occasion de se « changer les idées », de se « dépayser », c'est-à-dire de rompre avec le quotidien. Ils permettent à la fois une plus grande convivialité avec les autres (famille, amis, relations de vacances) et une plus grande proximité avec soi-même.

Mais les vacances et les voyages sont aussi de plus en plus utilisés pour agir, consciemment ou non, sur son propre développement, tant mental que physique, intellectuel ou culturel. De nombreux Français éprouvent ainsi le besoin de progresser sur le plan professionnel et personnel (ci-après). Ils y sont poussés par leur propre ambition et par leur souci de bien faire, mais aussi par la concurrence accrue dans l'univers professionnel, qui oblige à être « performant » dans une « société du casting » (p. 217) qui sélectionne et élimine les candidats avec de moins en moins de scrupules, comme dans les émissions de téléréalité.

Vacances en couleurs

On peut distinguer les principaux lieux et moments de vacances en leur attribuant une couleur symbolique de ce qu'ils évoquent dans l'imaginaire des vacanciers.

- Le tourisme *vert*, encore appelé rural, de campagne ou agritourisme, est motivé par la recherche de la nature (phytotropisme) et du calme. Il se caractérise par une durée de séjour plus courte que pour les autres destinations, le temps de se ressourcer à la vue des arbres, des fleurs ou de l'eau des rivières.
- Le tourisme *bleu* est orienté vers la mer, mais aussi plus largement vers l'eau, sous toutes ses formes : lacs, rivières, torrents... Il est aussi à l'origine de l'intérêt pour la thalassothérapie, la croisière ou le tourisme fluvial. Il s'accompagne généralement de la quête du soleil (héliotropisme) et de la chaleur (thermotropisme).
- Le tourisme *blanc* est celui qui conduit vers la pureté et la froideur des montagnes enneigées en hiver, parfois aussi en été pour ceux qui recherchent des neiges éternelles, qui forment un contraste saisissant et rassurant avec le monde quotidien, qui est celui de l'éphémère.
- Le tourisme *gris* est celui pratiqué dans les villes. Il est plus sensible à l'artificiel qu'à l'authentique, à la culture qu'à la nature. Il se développe du fait de la diversité de la diversité des activités possibles, de l'anonymat qu'il offre et des capacités d'accueil accrues.
- Le tourisme *jaune* conduit le voyageur dans le sable des déserts, dont la solitude est habitée par une nature peu visible, mais présente. Il est propice à la méditation, au silence, au retour sur soi et à la confrontation avec ce qu'était le monde avant son appropriation et sa transformation par les humains.
- Enfin, le tourisme *multicolore* est celui des circuits, qui permettent de mélanger quelques-unes des couleurs offertes au voyageur : bleu aquatique, vert campagnard, blanc montagnard, jaune désertique, gris urbain. Un arc-en-ciel de sensations.

Les 5 attentes

Interrogés sur leurs attentes en matière de vacances (Look Voyages/ TNS Sofres, février 2012, enquête sur les personnes de 18-64 ans parties en vacances au cours des trois dernières années, précédée d'une phase qualitative), les Français en citaient principalement cinq.

La première est l'*étonnement* (61 %). Parmi les vacanciers, beaucoup souhaitent se dépayser, se couper du quotidien (47 %). Certains recherchent le contact avec d'autres cultures (13 %), d'autres de véritables surprises (13 %). Cela implique de rêver, d'être si possible émerveillé, enchanté. Cela passe par une immersion dans un monde différent de celui dans lequel on évolue habituellement, mais aussi d'apprendre et de comprendre.

La deuxième attente est de *« construire des liens »* (60 %). Elle est en particulier citée par les personnes ayant des enfants au foyer (72 %) et par les femmes (64 %). Elle traduit le besoin de créer, ou parfois recréer, des relations humaines jugées insuffisantes en quantité ou insatisfaisantes en qualité dans un contexte de *zapping* familial, amical, social, professionnel ou sentimental. Elle illustre aussi le souhait de faire des choses ensemble avec les proches, les amis ou d'autres personnes rencontrées au hasard des vacances.

La troisième attente est de *vivre à son propre rythme*, se laisser vivre (52 %). Il s'agit notamment de ne plus être esclave du temps. Pour 35 %, le plus grand bonheur est ainsi d'« arrêter de mettre son réveil ». 19 % déclarent d'ailleurs que ce qu'ils oublient le plus souvent d'emporter en vacances, c'est leur montre. Les Franciliens sont ceux qui ont le plus de difficulté à se détacher des horaires pour décompresser ; ce qu'ils apprécient le plus est d'arrêter de prendre les transports.

La quatrième attente est de se *recentrer*, prendre soin de soi (36 %). Cette attitude, qui peut paraître égoïste, a en réalité pour but de se réconcilier avec soi-même, condition pour être en empathie avec les autres. Elle suppose de pouvoir trouver en vacances des moments de solitude et des lieux d'isolement, de tranquillité. Cette tendance au recentrage sur soi n'est pas incompatible avec la demande croissante de convivialité et de partage. Les vacances ont en effet vocation à être à la fois un « sas de décompression » et une occasion de ressourcement. L'une des priorités des vacanciers est de retrouver leur rythme biologique et un meilleur contrôle sur leur vie. Beaucoup rêvent de « passer du temps à ne rien faire », à « s'émouvoir », mais aussi à « réfléchir sur soi ».

La cinquième attente est, pour 28 % des personnes interrogées, de profiter des vacances pour *consolider leur couple*. Les objectifs évoqués sont de renforcer la complicité et la tendresse, de renouer le cas échéant avec le partenaire. Le fait de se trouver dans des situations et des lieux différents est l'occasion de se comporter autrement, de dire ce que l'on tait, de « faire le point », de comprendre ce que l'on peut améliorer et de décider de le mettre en pratique.

Enfin, pour 58 % des personnes interrogées, ce qui gâche le plus les vacances, c'est une pluie incessante (les Franciliens sont moins focalisés sur ce point). Elle arrive devant la perte des valises (12 %). Deux événements qui peuvent pourtant constituer des occasions ou des prétextes pour répondre aux cinq attentes évoquées.

Au-delà de la motivation de repos, l'évolution de l'environnement social amène les vacanciers à rechercher des activités de toute nature. La moitié d'entre eux profitent de ces périodes pour pratiquer un sport, en vue d'une initiation ou d'un perfectionnement. En bord de mer, les sports de glisse (*jet-ski, funboard, speed-sail, kitesurf*...) font de plus en plus d'adeptes et offrent de nouvelles sensations par rapport aux sports plus traditionnels comme le ski nautique ou la planche à voile. La location de bateaux s'est aussi développée.

La sécurité est une revendication.

En réponse aux incertitudes, menaces et risques qu'ils doivent affronter dans leur vie quotidienne, les Français sont demandeurs de sécurité. Cette attitude est encore plus apparente en vacances, car le risque est peu compatible avec les motivations de vacanciers à la recherche du « paradis perdu ». La faible probabilité statistique d'occurrence d'un problème ne justifie pas à leurs yeux son acceptation. Car le voyage a ses raisons que la raison ne connaît pas. On observe ainsi une volonté croissante de fuir les grands rassemblements touristiques, qui sont générateurs de nuisances (bruit, énervement) et de danger (attentats). Le choix des destinations est, lui aussi, très influencé par les risques sanitaires, d'attentat, d'enlèvement... qui leur sont associés.

C'est notamment pour ces raisons que les vacanciers ne souhaitent pas s'engager à l'avance et privilégient les achats de dernière minute (p. 557).

Le développement des transports *low cost* encourage aussi les vacanciers à ne réserver que le vol et à improviser sur place, ce qui est aussi une façon de garder sa liberté de choix, parfois au prix d'un stress supplémentaire.

Près de 150 millions de contrats d'assurances sont conclus chaque année dans le cadre de voyages, soit environ trois contrats par an et par voyageur. Ils couvrent les risques liés au déplacement (maladie, accident, annulation de transport ou du voyage lui-même...) et remboursent les frais engagés ainsi que les préjudices matériels ou corporels. Les Français sont également nombreux à souscrire à des contrats d'assistance (spécifiques ou inclus dans les services de certaines cartes bancaires), qui permettent notamment d'être soigné ou rapatrié en cas de besoin.

Le besoin de confort n'exclut pas le goût de l'aventure.

Les vacances ont pour première fonction de permettre le repos et le ressourcement. Cela implique d'abord le confort, tant en matière de prestations hôtelières qu'en ce qui concerne les activités. C'est pourquoi, parallèlement à la recherche de prix bas, on note un intérêt croissant pour le haut de gamme et les produits touristiques de luxe. Cette évolution traduit aussi bien l'accroissement des dépenses des vacanciers (p. 570) que leur volonté de se faire plaisir. Dépenser pour ses vacances est en effet une façon de se valoriser, à ses propres yeux comme à ceux des autres, et d'oublier les contraintes financières de la vie courante. On observe que l'envie de luxe ne concerne plus seulement aujourd'hui les personnes qui disposent de revenus élevés ; chacun souhaite pouvoir accéder à des privilèges au moins à certains moments de sa vie, quitte à économiser pour se les offrir (p. 389). Les voyages font partie des moments d'exception pour lesquels beaucoup de Français sont prêts à investir, même si c'est à titre exceptionnel.

Depuis le début des années 1990, on observe parallèlement un intérêt croissant pour le tourisme d'aventure, qui propose essentiellement des randonnées dans des sites peu fréquentés avec logement en bivouac et découverte de paysages et de cultures. Jusqu'à la crise de 2008, son rythme de croissance annuelle a été deux fois plus élevé que celui du tourisme traditionnel. Les vacanciers concernés sont le plus souvent des personnes sportives qui cherchent à sortir des sentiers battus, à vivre des expériences et à ressentir des émotions nouvelles. Ils sont prêts pour cela à sacrifier un peu de leur confort habituel, sans pour autant prendre de véritables risques. Le Maroc, la Tunisie, le Népal, l'Égypte, la Jordanie, mais aussi les Alpes françaises, sont les destinations les plus recherchées. Contrairement au tourisme traditionnel, de plus en plus individuel, ces voyages sont souvent effectués en groupe.

L'aventure offerte par les vacances a souvent une dimension initiatique et intérieure. L'utopie y est souvent présente, avec le rêve d'un monde meilleur et l'accès, même éphémère, au « paradis ». Le vacancier souhaite donner du sens à ses vacances et, plus largement, à sa vie. Cependant, les cas de prises d'otages de touristes ont un impact sur la demande de ces produits, de même que sur l'offre de la part des prestataires spécialisés. C'est alors le souci de la sécurité (ci-dessus) qui est le plus fort.

Les motivations culturelles sont croissantes.

La culture occupe une place croissante dans les activités des vacanciers. Ils sont ainsi de plus en plus nombreux à visiter des monuments, des expositions, des festivals ou même des usines. Un quart de ceux qui se rendent dans des villes vont à la découverte des musées. Le souci de se cultiver se manifeste aussi par la volonté de rencontre et d'échange avec les autres afin de mieux connaître et comprendre leurs modes de vie, tant dans les régions françaises qu'à l'étranger.

La motivation artistique est aussi de plus en plus apparente. Les stages d'initiation ou de perfectionnement à des pratiques culturelles amateurs se multiplient : sculpture, poterie, peinture, musique... Il s'y ajoute des activités plus festives comme la gastronomie. Enfin, le tourisme industriel et technique connaît depuis quelques années un développement spectaculaire ; en quinze ans, le nombre de visiteurs est passé de 5 à 20 millions.

La motivation culturelle du voyage devrait être de plus en plus forte, dans tous les types de vacances : à la campagne comme à la mer (étude des modes de vie, du milieu, de l'histoire...). Elle sera particulièrement affirmée dans le cadre des courts séjours urbains (visites de musées, expositions, événements divers). Les vacances sont des occasions uniques d'enrichissement personnel dans tous les domaines et de communion avec la nature, comme avec les autres êtres humains. Les vacanciers seront de plus en plus intéressés par la perspective de vivre des expériences fortes et uniques, qui leur laisseront des souvenirs impérissables.

Pendant leurs vacances, les Français modifient leurs habitudes en matière d'usage des médias. Le temps consacré à la lecture de livres (par les lecteurs) s'accroît fortement, passant de 1 h 49 par jour en moyenne pendant l'année à 2 h 14 (Feedbooks/Ifop, juin 2012, 18 ans et plus, temps déclarés). À l'inverse, celui passé devant la télévision

Des 3 S aux 3 D

L'activité des vacanciers s'est longtemps résumée aux fameux « 3 S » : soleil, sable et sexe. La formule avait fait la fortune du Club Méditerranée et d'autres clubs de vacances. Aujourd'hui, les attentes sont plus variées, et on devrait plutôt parler des « 3 D » : *détente, divertissement, développement*. Si les Français cherchent évidemment à se reposer et à se faire plaisir, beaucoup profitent en effet des vacances pour développer leurs connaissances et leurs capacités physiques ou intellectuelles, leurs compétences professionnelles. Car la frontière est de plus en plus floue entre la vie personnelle et le travail, un phénomène largement favorisé par les outils technologiques comme l'ordinateur, Internet ou le téléphone mobile.

Les vacances ne sont plus une simple parenthèse entre deux moments de travail dans la « vraie vie ». Elles constituent un moment essentiel, par le temps que les Français leur consacrent et par l'importance qu'ils leur attachent. Les individus ne se définissent plus seulement aujourd'hui par ce qu'ils sont professionnellement, mais par ce qu'ils font hors du travail, pendant leurs loisirs ou en vacances. Ils se valorisent en vivant des moments riches et originaux. Les vacances sont ainsi de plus en plus porteuses d'une « identité sociale », qui permet une réflexion sur soi et sur sa relation au monde.

Cette très forte attente explique l'importance du vécu des vacances et l'exigence qui l'accompagne. Elle implique un travail de recherche préalable, afin de ne pas se tromper dans les choix. Elle engendre aussi une angoisse qui est à la hauteur des enjeux. Le plaisir peut donc être extrême, lorsque les vacances sont réussies. Dans le cas contraire, la déception, la frustration ou la colère sont considérables.

La recherche de plaisir et de sens n'a pas seulement une dimension personnelle et sociale, elle est aussi familiale. Les vacances jouent un rôle important dans la relation au sein du couple ou entre les parents et les enfants, qui est souvent incomplète pendant le reste de l'année. Si les conditions sont généralement favorables au partage et à l'expression de l'affection réciproque, elles peuvent aussi favoriser les disputes, accroître les distances, faire apparaître les incompatibilités. Les vacances peuvent donc être, selon les cas, une thérapie ou une occasion de mettre en évidence et d'aggraver les relations familiales.

passe de 4 h 09 à 3 h 10. Le temps de navigation sur Internet se réduit également : 2 h 39 contre 3 h 41 pendant l'année. Celui d'écoute de la radio varie moins sensiblement : 2 h 33 par jour en vacances contre 2 h 47 pendant l'année.

Les vacances constituent un moyen de découvrir les autres...

Les vacances sont une occasion privilégiée de se plonger dans un environnement différent, d'élargir son champ de vision. Paul Morand, lui-même grand voyageur, affirmait que *« partir, c'est gagner son procès contre l'habitude »*. La plupart des écrivains ont d'ailleurs été des voyageurs impénitents : Montaigne, Chateaubriand, Rousseau, Rimbaud, Voltaire, Loti, Casanova, Nerval, Gautier, Sand, Lamartine, Byron, Claudel, Saint-John Perse, Bernanos, Tocqueville...

Le temps des vacances est celui du changement. On part pour oublier ou pour découvrir quelque chose de nouveau. Le voyage est un moyen de rencontrer les autres et de s'enrichir de ce que l'on voit. Les autochtones des pays visités sont souvent regardés comme des « bons sauvages » vivant selon des rites ancestraux, en harmonie avec la nature et l'univers.

On peut ainsi opposer les touristes aux voyageurs. Les premiers se déplacent en groupes et se contentent des activités, rencontres et visites qui ont été spécialement préparées pour eux. Les seconds sont souvent solitaires et recherchent l'authenticité des peuples et des pays dans lesquels ils se rendent. Après le développement spectaculaire de l'offre destinée aux touristes, on en voit aujourd'hui apparaître une autre, qui s'adresse plutôt aux voyageurs. Elle leur propose des sites encore inviolés, des découvertes humaines, des aventures physiques, des émotions rares et vraies... à saisir avant l'arrivée des touristes.

... et de se connaître soi-même.

Les vacances sont aussi l'occasion de mieux se connaître, en « allant voir ailleurs si on y est ». Paul Morand disait également que *« voyager, c'est distancer son ombre, semer son double »*. Il y a dans chaque vacancier un individu en quête de sens, qui s'interroge sur lui-même, sur sa vie, qui éprouve le besoin de souffler et de « faire le point ». Il est possible également en ces moments particuliers de changer de personnalité ou d'identité. Car les vacances permettent de brouiller les codes et les statuts sociaux. Nus sur la plage, le PDG, l'employé et l'ouvrier se ressemblent davantage que dans les bureaux des entreprises ou les rues des villes ; cependant, ils ne fréquentent toujours pas les mêmes lieux (p. 560). L'un des ressorts principaux du voyageur est la volonté d'être pour un temps quelqu'un d'autre, de quitter sa carapace sociale, de se laisser aller aux plaisirs de la découverte et de la transgression.

Le voyage a donc une dimension au moins aussi onirique et virtuelle que réelle ; il est un rêve qui ne saurait se limiter à sa réalisation. C'est pourquoi il est essentiel d'en rapporter des photographies, des cartes postales, des objets et des sensations qui viendront enrichir une collection de souvenirs qui seront peu à peu idéalisés. Si, comme le pensait Proust, *« la vie est un voyage »*, celui-ci est différent pour chacun. Il ne consiste pas seulement à sortir de chez soi, mais aussi de soi.

L'exigence de qualité s'est accrue.

Le caractère hautement symbolique des vacances et la recherche du « paradis perdu » expliquent que les attentes sont particulièrement fortes de la part des vacanciers. Ceux-ci recherchent de plus en plus la qualité, apprécient la diversité et le changement. Ils souhaitent faire l'objet d'une véritable considération de la part des prestataires et s'attendent à vivre des expériences inoubliables. Les taux de satisfaction par rapport aux professionnels du tourisme sont globalement élevés (de l'ordre de 80 %), mais les incidents qui surviennent sont en général largement médiatisés.

D'une manière générale, les vacanciers cherchent à réconcilier des types d'attentes qui peuvent paraître contradictoires : repos et activité ; autonomie et convivialité ; confort et aventure ; sécurité et variété ; rapidité et lenteur ; nouveauté et tradition. Ils souhaitent donner un sens particulier à ces moments privilégiés et satisfaire un besoin implicite de perfection. C'est la raison du succès des « forfaits à la carte » ou du « packaging dynamique » proposés notamment sur Internet, qui permettent à l'acheteur de personnaliser les vacances qu'il achète.

La flexibilité est une autre demande importante ; chaque vacancier souhaite choisir ses activités sur place et éventuellement en changer au gré de son humeur et des circonstances. Pour ces raisons, les hôtels impersonnels et standardisés sont moins appréciés, de même que les formules trop rigides. Dans un environnement social où chacun considère qu'il a droit aux égards et aux privilèges, les produits exclusifs, authentiques et rares sont de plus en plus recherchés.

Le luxe prend de nouvelles dimensions.

Les vacances de luxe ne sont plus seulement caractérisées par le prix à payer pour y accéder. Ainsi, l'accès à des sites, des paysages, des monuments ou à des gens « authentiques » sera de plus en

Les nouveaux tourismes

Les formes de voyage et de vacances se diversifient, afin de satisfaire des attentes de plus en plus variés. On peut ainsi établir une segmentation des offres existantes ou à venir :

- **Ethnotourisme.** Recherche de contacts authentiques avec les habitants des pays ou régions visités.
- **Écotourisme.** Solutions de tourisme bon marché ou d'un rapport qualité/prix avantageux.
- **Écolotourisme.** Baptisé aussi tourisme responsable, qui se donne pour objectif de respecter l'environnement et les cultures des habitants.
- **Egotourisme.** Tourisme de « recentrement » ou de « ressourcement » des personnes désireuses de donner (ou redonner) un sens à leur vie.
- **Héliotourisme.** Recherche de destinations ensoleillées, au climat agréable et garanti.
- **Technotourisme.** Visites d'installation à vocation industrielle ou scientifique, permettant de comprendre la fabrication de produits complexes et/ou spectaculaires (barrages, usines...).
- **Ludotourisme.** Séjours (souvent courts) consacrés aux activités ludiques, notamment dans les parcs d'attraction.
- **Médicotourisme.** Séjours dans des pays étrangers pour y faire pratiquer dans des conditions financières favorables (et si possibles sans risque particulier) des opérations : chirurgie esthétique ; implantations capillaires ; opérations dentaires ; chirurgie réfractive, etc.
- **Spatiotourisme.** Possibilité d'effectuer des vols à plus de 100 km d'altitude, orbitaux ou non orbitaux (permettant des conditions d'apesanteur).

plus considéré comme un luxe, du fait de la crainte de leur disparition prochaine, suite à leur dégradation ou disparition. Le *temps* sera aussi une dimension prioritaire du luxe ; à cet égard, les « temps morts » devront disparaître au profit des « temps forts » (p. 381). Les services devront être disponibles à tout moment de la journée et de la nuit.

La préparation des voyages devra aussi être simplifiée, avec de préférence un interlocuteur professionnel unique auprès de qui le voyageur pourra réserver les transports, les hôtels, les activités, obtenir les informations et les documents (passeports, visas...) nécessaires à son voyage. Certains actifs, notamment les cadres et professions « supérieures », souhaiteront aussi inclure des parties touristiques personnelles ou familiales dans le cadre de leurs déplacements professionnels.

Le luxe sera ainsi de plus en plus associé à la rareté de certaines expériences ; nombre de lieux ne pourront en effet plus être visités « en masse », compte tenu des risques environnementaux. Il faudra alors réserver longtemps à l'avance pour pouvoir y accéder et le coût en sera d'autant plus élevé. Dans un environnement de plus en plus concurrentiel où le prix affiché est un critère de choix important, la part des séjours avec options (service à bord des avions, activités et services sur place...) pourrait ainsi s'accroître par rapport à celle du « tout compris ».

Les Français sont plus sensibles au tourisme responsable.

Le tourisme de masse permet aux visiteurs de découvrir la planète et ses habitants. Il contribue aussi au développement de nombreux pays dépourvus d'autres ressources. Mais il induit certaines pratiques dommageables, comme le recours à la prostitution ou la dégradation des sites naturels. Il favorise le mercantilisme dans les pays d'accueil et renforce les inégalités au sein des populations. Il est parfois à l'origine d'une perte d'identité et d'authenticité, conséquence de la disparition de certaines pratiques culturelles ou de leur transformation en attractions touristiques.

Les touristes sont de plus en plus conscients des dégâts qu'ils occasionnent et constatent ceux réalisés par leurs prédécesseurs. La notion de tourisme responsable, encore appelé éthique, solidaire, alternatif, équitable ou durable, est apparue comme le prolongement de celle de développement durable, issue du Sommet de Rio de 1992. Elle consiste à réduire l'impact du tourisme sur l'environnement, tout en respectant les cultures locales et en favorisant leur développement économique.

Les Français adhèrent dans leur majorité à ces objectifs, mais ils sont encore peu nombreux à les mettre en pratique. Leurs propres inquiétudes en matière économique, même si elles sont celles de « nantis » par rapport à de nombreuses populations dans le monde, tendent à faire passer les préoccupations altruistes au second rang. Par ailleurs, l'offre touristique des voyagistes manque de lisibilité et ne constitue pas encore une incitation forte.

Cette forme de tourisme « doux » concerne donc surtout des voyageurs aisés et éduqués, sensibles aux notions de solidarité et de responsabilité. Ils se considèrent davantage comme des « ethnologues » que comme des touristes. On peut cependant penser que le tourisme durable sera de plus en plus valorisé par les vacanciers, dans la mesure où il donnera du sens au voyage et déculpabilisera les voyageurs. Il constitue en tout cas la condition de la survie de certaines destinations.

Les outils mobiles de communication jouent un rôle croissant.

L'industrie du voyage s'est dématérialisée plus vite que beaucoup d'autres, avec la possibilité d'accéder aux offres sur Internet, de mieux les apprécier grâce au multimédia, de les comparer (en utilisant notamment les sites spécialisés et les avis des Internautes), de réserver, de donner à son tour son avis. Toutes ces possibilités sont désormais accessibles sur téléphone mobile, ordinateur portable ou tablette numérique.

Ces outils modifient les différentes étapes du voyage. Avant le départ, ils complètent ou remplacent la connexion internet fixe (aux États-Unis, 40 % des utilisateurs de *smartphones* qui réservent un voyage par Internet le font depuis leur terminal mobile). Pendant le voyage, ils autorisent un lien permanent entre les prestataires et les clients, pour les informer du déroulement du voyage et des modifications ou perturbations éventuelles (transports et autres prestations), ce qui correspond à une forte attente des voyageurs. Les terminaux mobiles permettent aussi de proposer des services additionnels (surclassement, accès à des salons, réservation de taxis...). La géolocalisation permet aussi le guidage des passagers ou leur assistance en cas de problème.

Lors des transports aériens, le terminal mobile peut aussi faciliter l'identification, l'enregistrement et le passage en douane, en utilisant notamment des processus biométriques et des informations sécurisées, transformant les contrôles actuels (très mal vécus par les voyageurs) en exceptions. Il peut servir de moyen de paiement, d'outil de suivi des bagages et apporter bien d'autres services permettant de faciliter, voire de « réenchanter » le voyage et les vacances.

Le tourisme en 17 tendances

L'évolution des comportements des Français en matière de tourisme dépendra très largement de l'environnement général, notamment économique, écologique, démographique, technologique et sociétal. La prospective démographique est la plus aisée, car les mouvements sont souvent de longue durée. Les autres dimensions sont plus difficiles à appréhender, même à l'horizon de quelques années. L'évolution de la demande en matière de tourisme, très dépendante de cet environnement, peut cependant être esquissée à travers un certain nombre de tendances susceptibles de la structurer, proposées ci-dessous.

- **Fractionnement.** La part des Français choisissant un lieu unique de villégiature pour les vacances diminue. Il faut s'attendre à ce que le fractionnement et la diversification des types de vacances s'accroisse. Ce devrait aussi être le cas pour un même individu ou ménage, au gré de ses envies, des occasions… et de son budget global.
- **Singularisation.** L'augmentation du nombre de ménages constitués de « solos » (célibataires, veufs, divorcés, séparés…) devrait se poursuivre. Elle sera complétée par les demandes de personnes vivant en couple mais voyageant parfois seules, pour des raisons choisies ou subies.
- **Seniorisation.** Du fait du vieillissement en cours, les aînés (notamment les jeunes retraités) seront de plus en plus nombreux à prendre des vacances et à voyager. Mais ils ne constitueront pas un groupe homogène. Certains voyageront en groupe, d'autres emmèneront leurs petits-enfants. Les jeunes retraités chercheront à se différencier des plus âgés.
- **Sur-mesure.** La demande d'offres personnalisées devrait s'accroître fortement. Elles seront construites directement par le client ou en relation étroite avec lui, grâce au « packaging dynamique », au « forfait à la carte » ou au « voyage en kit » disponibles sur Internet ou proposés par des agences traditionnelles. S'ils partent ensemble pour une même destination, les différents membres d'un ménage ou d'une famille souhaiteront pouvoir pratiquer des activités très différentes.
- **Authenticité.** Les vacanciers seront de plus en plus des « voyageurs », à la recherche de rencontres avec des « vraies gens », des paysages non altérés, des cultures d'origine. Ils apprécieront les logements chez l'habitant, les itinéraires non touristiques, les expériences étonnantes.
- **Sécurité.** La diversité des risques apparaît croissante : écologiques ; climatiques ; géopolitiques ; terroristes ; sanitaires… Il en est de même de la médiatisation des accidents et catastrophes d'origine humaine ou naturelle. Cette évolution entraînera une demande croissante de garanties, assurances, labels, engagements, ainsi qu'une augmentation du nombre de plaintes et de procédures judiciaires.
- **Improvisation.** La planification des vacances est peu compatible avec une perception floue de l'avenir, une aversion des risques et une volonté de payer moins cher. La part des ventes de dernière minute devrait donc continuer de s'accroître.
- **Flexibilité.** Les vacanciers souhaiteront pouvoir conserver le contrôle de leurs vacances sans être engagés dans un programme défini à l'avance et figé. Ils attendront donc une souplesse croissante dans les formules qui leur seront proposées. Les prestations devront non seulement être personnalisées, mais modifiables à tout moment, y compris sur place.
- **Motivations multiples.** Les vacanciers seront mus par des envies d'« être » (développement personnel, introspection) et de « bien-être » (repos, confort, convivialité, activités de « remise en forme », tourisme médical…). Mais ils seront aussi motivés par l'envie de « faire », d'apprendre et d'éprouver du plaisir, en pratiquant des activités diversifiées (culturelles, sportives, ludiques, relationnelles…). On devrait observer également une demande d'animations sur les lieux de vacances, afin de renouveler l'intérêt et favoriser la convivialité.
- **Technologie.** La place d'Internet dans le tourisme comme outil d'information, de comparaison, de réservation et de paiement devrait poursuivre sa forte croissance, du fait de ses avantages déterminants : rapidité d'accès ; usage du multimédia pour découvrir les prestations ; avis des clients sur les forums… Les terminaux mobiles joueront un rôle croissant avant, pendant et après le voyage en facilitant la relation entre les prestataires et les clients.
- **Opportunisme.** La destination ne sera plus le critère prépondérant dans le choix des vacances. Celui-ci sera guidé par d'autres critères comme le prix (promotions, dernière minute…), les activités proposées, les contraintes (passeport, visas, vaccins…) ou les risques. Il faut s'attendre à une mobilité croissante entre les destinations, selon les circonstances, avec un retour plus rapide à la « normale » après une période de désaffection.

• **Prix malin.** Le développement des transports et autres prestations à bas prix témoigne à la fois d'une volonté des voyageurs de payer moins cher et de leur désir de reprendre l'initiative dans la relation avec l'offre. Le développement d'Internet est un puissant levier à la poursuite de cette évolution, qui devrait être favorisée par la part croissante des prix de transport liée à l'augmentation des prix des carburants. Elle n'est cependant pas incompatible avec la recherche, à certains moments, de prestations de luxe.

• **Saisonnalité.** Avec la RTT (Réduction du temps de travail), beaucoup de salariés (notamment des cadres) disposent désormais de six, voire dix, semaines de congés annuels. L'abondance de ce temps de vacances potentiel devrait profiter aux saisons intermédiaires (printemps, automne). Les retraités apprécieront aussi de partir hors saison, au cours de ces périodes de transition dans le calendrier social et biologique.

• **Urbanisation.** Le tourisme urbain devrait prendre une place croissante, notamment à travers les courts séjours. Il sera centré sur le patrimoine culturel et sur l'assistance (ou la participation) à des événements de toutes sortes : spectacles ; compétitions sportives ; expositions...

• **Nouveau luxe.** Le prix des prestations traditionnelles (transport, hôtellerie, services, activités...) ne sera plus l'unique indicateur de « standing » des vacances. Le luxe consistera demain à pouvoir accéder à des sites, des paysages, des monuments ou à des gens d'« exception », par leur intérêt culturel, esthétique, leur rareté, ou la possibilité de leur disparition prochaine. Le temps sera aussi une dimension prioritaire du luxe ; les « temps morts » devront disparaître au profit des « temps forts ». Les services devront être disponibles à tout moment de la journée et de la nuit.

• **Responsabilité.** La prise en compte de la dimension environnementale devrait progresser dans les critères de choix des destinations ou des activités. Le tourisme éthique, responsable ou durable devrait se développer, d'abord parmi une population éduquée et sensibilisée à ces questions, puis plus largement auprès des autres catégories de voyageurs.

• **Virtualisation.** Les développements technologiques permettent déjà de visiter les lieux de vacances de façon réaliste, grâce aux photos, aux vidéos panoramiques ou aux webcams. Avec Google Earth, il est ainsi possible de survoler la Terre en quelques secondes pour accéder à n'importe quel point, avec une précision de quelques mètres. La 3D s'ajoute plus en plus aux images, pour les rapprocher de la réalité. La « réalité augmentée » apporte des compléments d'information multiples, accessibles sur toutes les formes d'écrans. L'expérience virtuelle devrait encore se rapprocher de la réalité avec l'usage de capteurs qui donneront aux utilisateurs le sentiment « d'être » vraiment dans l'environnement qu'ils auront choisi, sans connaître les inconvénients, les risques et les coûts qui sont associés au voyage traditionnel. Des interactions seront possibles avec l'environnement, ou même avec d'autres « touristes ». Les « vacances virtuelles » ne remplaceront pas les vacances réelles, mais elles pourraient apporter des expériences nouvelles, ludiques et captivantes.

INDEX

D

E

F

U

V

W-Y

SOURCES ET REMERCIEMENTS

Les très nombreuses sources utilisées dans le livre (publiques et privées, nationales et internationales, généralistes et spécialisées) sont mentionnées dans les textes et chapitres correspondants. Faute de place, seules les principales sont indiquées ci-dessous (par ordre alphabétique) à titre d'information pour les lecteurs, de remerciement pour les organismes et, dans certains cas, les personnes concernées.

- **AEPM** (Audiences, études sur la presse magazine).
- **AFIRAC** (Association française d'information et de recherche sur l'animal de compagnie).
- **BIT** (Bureau international du travail).
- **CCFA** (Comité des constructeurs français d'automobiles).
- **CDIT** (Centre de documentation et d'information sur le tabac).
- **CETELEM.** *L'Observatoire 2012*.
- **CFES** (Comité français d'éducation pour la santé).
- **CNAMTS** (Centre national d'assurance maladie des travailleurs salariés).
- **CNC** (Centre national du cinéma).
- **Centre national du Livre**. Chiffres-clés 2010-2011.
- **CRÉDOC. Régis Bigot**, directeur du Département Conditions de vie et Aspirations.
- **EUROPQN** (Études et unité de recherches opérationnelles de la presse quotidienne nationale).
- **Eurostat**. Office des publications de Luxembourg.
- **FACCO** (Chambre syndicale des fabricants d'aliments pour chiens, chats, oiseaux et autres animaux familiers).
- **FCGA** (Fédération des centres de gestion agréés). **Guylaine Bourdouleix.**
- **Fédération française du prêt-à-porter féminin.**
- **Fédération des industries de la parfumerie.**
- **Fédération nationale de l'industrie de la chaussure de France.**
- **FEVAD**. Fédération e-commerce et vente à distance.
- **GIFAM** (Groupement interprofessionnel des fabricants d'appareils d'équipement ménager).
- **GIFO** (Groupement des industries françaises de l'optique).
- **GIRA Conseil.** Études restauration commerciale.
- **IFM** (Institut français de la mode). **Évelyne Chaballier**, **Hélène Fourneau.**
- **INED** (Institut national d'études démographiques).
- **Influencia**. Newletter et magazine des tendances. **Isabelle Muznik.**
- **INPES. Institut** national de prévention et d'éducation pour la santé.
- **INSEE** (Institut national de la statistique et des études économiques). **Service de presse.**
- **INSERM** (Institut national de la santé et de la recherche médicale).
- **Institut Médiascopie. Denis Muzet**, président-directeur général.
- **Instituts de sondages** : BVA, CSA, IFOP, IPSOS, LH2, OpinionWay, TNS Sofres, Harris Interactive...
- **IPEA** (Institut de Prospective et d'Études de l'Ameublement)
- **IREB** (Institut de recherches scientifiques sur les boissons).

- **Laboratoires Roche** (enquête ObéPi). **Christine Moisan.**
- **La Française des Jeux.** Service de presse.
- **Médiamétrie**. Audiences télévision, radio, cinéma, Internet...
- **MILDT** (Mission interministérielle de lutte contre la drogue et la toxicomanie).
- **Ministère de la Culture et de la Communication**. Direction de l'administration générale, Département des études et de la prospective.
- **Ministère de l'Éducation nationale, de la Recherche et de la Technologie.**
- **Ministère de l'Emploi et de la Solidarité.**
- **Ministère de l'Équipement, des Transports et du Logement**. Sécurité routière. Direction de la sécurité et de la circulation routières.
- **Ministère de l'Intérieur**. Données sur la délinquance.
- **Ministère de la Jeunesse et des Sports.**
- **Ministère de la Justice.** Bureau des études et des indicateurs d'activité.
- **Observatoire des Inégalités.**
- **OCDE** (Organisation de coopération et de développement économiques).
- **OJD** (Office de justification de la diffusion).
- **PMU** (Pari mutuel urbain). Service de presse.
- **Secrétariat d'État chargé du Commerce, de l'Artisanat, des Petites et Moyennes Entreprises, du Tourisme et des Services, Direction du Tourisme.**
- **SIMAVELEC** (Syndicat des industries de matériels audiovisuels électroniques).
- **SNE** (Syndicat national de l'édition).
- **SNEP** (Syndicat national de l'édition phonographique).
- **SPQR** (Syndicat de la presse quotidienne régionale).
- **UNIBAL**. Union Nationale des Industriels du Bricolage, du Jardinage et de l'Aménagement du Logement.

Cette édition a bénéficié de la collaboration de ***Christophe Gazel****, pour le recueil et l'actualisation des données, ainsi que la relecture et révision de l'ouvrage. Tout au long de cette aventure, sa contribution a été efficace et amicale, et je tiens à l'en remercier très vivement.*

Le livre doit aussi beaucoup à la qualité et à la disponibilité des interlocuteurs concernés chez Larousse. Je souhaite exprimer en particulier ma gratitude à :

Carine Girac-Marinier, directrice du département Dictionnaires et Encyclopédies
Christine Dauphant, directrice éditoriale Essais et Documents
Véronique Tahon, éditrice Essais et Documents
Karla Opelik, éditrice Essais et Documents
Cynthia Savage, direction artistique
Maryline Crocq et **Thérèse Léridon**, relations avec la presse.

Mes remerciements très sincères vont aussi à **Patrick Leleux**, qui s'est acquitté avec beaucoup d'efficacité de la mise en pages du livre et de l'infographie, et à **Élisabeth Sieca-Kozlowski**, chercheur associé au CERCEC, EHESS, en charge de la lecture-correction.

Enfin, qu'il me soit permis d'exprimer toute ma reconnaissance à mon épouse, **Francine Mermet**, pour ses encouragements, sa patience et son abnégation tout au long de la réalisation de cet ouvrage.

Contact : **francoscopie@free.fr**
Site internet : www.francoscopie.fr

Imprimé en Espagne par Graficas Estella (Estella)
Dépôt légal : septembre 2012
309568-01/11019503-août 2012